KB166170

한국주역대전 4

비괘·동인괘·대유괘·겸괘·예괘·수괘

이 저서는 2012년 대한민국 교육부와 한국학중앙연구원(한국학진흥사업단)의 한국학분야 토대연구지원사업의 지원을 받아 수행된 연구임(AKS-2012-EAZ-2101)

4

한국주역대전

한국주역대전 편찬실

비괘 · 동인괘 · 대유괘 · 겸괘 · 예괘 · 수괘

學古房

한국주역대전을 펴내며

2012년 9월 첫 작업을 시작한 '『한국주역대전』편찬 · 표점 · 번역 · 주해 · 해제'라는 방대한 사업이 이제 출판의 결실을 보게 되었다. 지난 수 십 년간 유교경학과 한국학의 급속한 성장에도 불구하고 한국역학은 여전히 불모의 상태를 벗어나기 어려웠다. 개별 연구들이 적지 않게 축적되어 왔고, 이에 고무되어 한국역학사를 공동으로라도 엮어보자는 호기로운 시도가 없었던 것은 아니지만, 그것이 아직 시기상조라는 자각과 함께 무산되곤 하였다. 한국역학 원전자료는 한국경학자료 가운데 단연 방대한 양을 자랑한다. 반면 전문연구자는 턱없이 부족하다. 사정이 이러하니 한국역학이 우뚝 서기까지는 아직 갈 길이 멀기만 하다. 이러한 정황 속에서 『한국주역대전』의 출간은 매우 기쁜 일이 아닐 수 없다.

이번에 출간되는 『한국주역대전』은 한국학자의 역학관련 자료 가운데 주요한 것을 가려 뽑아 『주역전의대전』 체제에 맞추어 집해(集解)형식으로 편찬한 것이다. 『주역전의대전』은 중국은 물론 조선시대 역학사상 형성에 무엇보다 영향력이 큰 문헌이라 할 수 있다. 이번 『한국주역대전』은 먼저 『주역전의대전』을 소주까지 모두 번역하여, 주역에 대한 중국학자들의 이해와 한국학자들의 해석을 비교해 볼 수 있도록 하였다. 편찬 체재는 경문－정전－본의－중국대전－한국대전으로 구성하였다. 편찬과 표점, 그리고 번역을 동반한 『한국주역대전』을 통해 한국학자들의 『주역전의대전』에 대한 깊은 이해 및 새로운 해석의 지평을 볼 수 있을 것이다. 또한 한국학자들의 저작을 시대별로 배열하였으므로 그 흐름을 일목요연하게 파악할 수 있을 것이다.

이번 『한국주역대전』을 편찬하면서 연구기간은 짧고 작업은 방대하여 아쉬운 점이 한 둘이 아니었다. 제한된 연구기간으로 인해 연구 범위를 제한할 수밖에 없었으며, 따라서 작자 미상의 자료, 연대 미상의 자료, 『주역전의대전』과 유사하여 별다른 특징을 볼 수 없는 자료는 편찬 범위에 포함시키지 않았다. 또한 다산의 『주역사전』처럼 중요한 자료일지라도 별도로 번역되어 시중에 유통되고 있는 책은 자료에 포함시키지 않았다. 특히 상수학 관련 자료들에 대한 번역은 앞으로 더 정치한 번역이 필요할 것이라고 생각되며, 그에 대한 별도의 연구도 필요할 것이다. 그럼에도 불구하고 이번 『한국주역대전』의 출간은 한국역학연구의 획기적인 토대를 제공하여, 많은 후속연구를 가능하게 하리라는 기대로 그 아쉬움을 상쇄하고자 한다.

이와 같이 방대한 토대사업은 실상 국가적 지원이 아니고서는 실행되기 어렵다. 이 사업의 지원을 결정해 주신 한국학중앙연구원과 한국학진흥사업단에 감사드린다. 그리고 제한된 연구기간의 압박 속에 과도한 업무를 사명감으로 감당해 준 연구진들의 노고에 고마운 마음을 전한다.

오늘날과 같은 출판시장의 현실에서 『한국주역대전』과 같은 방대한 분량의 책을 간행해 줄 출판사를 찾는다는 것은 결코 쉽지 않은 일이다. 모든 어려움에도 불구하고 조금의 망설임도 없이 흔쾌하게 이 책의 출판을 결정해 주신 도서출판 학고방의 하운근 사장님께 깊은 감사를 드린다.

2017년 1월

한국주역대전편찬 연구책임자
성균관대학교 유학대학 교수/한국주자학회 · 율곡학회 회장
최 영 진

목차

12

비괘

否卦䷋

中國大全

傳

否, 序卦, 泰者通也, 物不可以終通, 故受之以否. 夫物理往來, 通泰之極, 則必否, 否所以次泰也. 爲卦天上地下, 天地相交, 陰陽和暢, 則爲泰, 天處上, 地處下, 是天地隔絶, 不相交通, 所以爲否也.

비괘(否卦)는 「서괘전」에 "태(泰)는 통하니, 만물은 끝까지 통할 수만은 없기 때문에 비괘로 받았다"고 하였다. 만물의 이치는 가고 오며 통하여 사귀는 것이 극한에 이르면 반드시 비색해지니, 비괘가 이 때문에 태괘의 다음이 되었다. 비괘는 하늘이 위에 있고 땅이 아래에 있으니, 천지가 서로 교류하여 음양이 화창하면 태(泰)가 되고 하늘이 위에 있고 땅이 아래에 있으면 천지가 막히고 끊어져 서로 통하지 못하니, 비(否)가 된다.

小註

三山吳氏曰, 泰否之機, 常相待也, 亦常相禪也. 先天之卦, 泰以否對, 後天之卦, 泰以否繼, 對則遠, 而繼則近也. 先天自乾八卦便至泰, 泰三十二卦方至否, 泰易而否難也. 後天自乾十卦方至泰, 泰一卦便至否, 泰難而否易也. 雖否而泰, 泰而否, 有若循環. 然泰之中, 又有否, 否之中又有泰. 倚伏之機, 可畏也哉.

삼산오씨가 말하였다: 태평한 것과 비색한 것의 기미는 항상 서로 마주하며, 또한 항상 서로 바뀐다. 선천의 괘는 태괘가 비괘와 마주하고 후천의 괘는 태괘의 뒤에 비괘가 오는데, 마주대하면 멀어지고 이어지면 가깝다. 선천은 건괘로부터 여덟 괘를 지나 곧 태괘에 이르고 태괘로부터 서른 두 개의 괘를 지나 비괘에 이르니, 태평하기는 쉽지만 비색해지기는 어렵다. 후천은 건괘로부터 열 개의 괘를 지나 태괘에 이르고 태괘는 곧 비괘에 이르니, 태평하기는 어렵지만 비색해지기는 쉽다. 비록 막힌다고 해도 통하고 통한다고 해도 막혀서 순환하는 것이 있다. 그러나 통하는 가운데 또한 막히는 것이 있고 막히는 것 가운데 또한 통하는 것이 있다. 통함과 막힘이 서로 의지하는 기틀을 두려워 할만하다.

否之匪人,

비는 바른 사람이 아니니,

中國大全

傳

天地交而萬物生於中然後, 三才備. 人爲最靈, 故爲萬物之首. 凡生天地之中者, 皆人道也. 天地不交, 則不生萬物, 是无人道. 故曰匪人, 謂非人道也. 消長闔闢, 相因而不息, 泰極則復, 否終則傾, 无常而不變之理, 人道豈能无也. 旣否則泰矣.

천지가 교류하여 만물이 그 가운데에서 생겨난 뒤에야 삼재(三才)가 갖추어진다. 사람은 가장 영특하기 때문에 만물의 우두머리가 되니, 천지의 가운데에서 태어난 것은 모두 사람의 도이다. 천지가 교류하지 않으면 만물을 낳지 못하니, 이는 사람의 도가 없는 것이다. 때문에 '비인(匪人)'이라고 한 것은 바른 사람의 도가 아닌 것을 말한다. 사라지고 자라나며, 닫히고 열리는 것이 서로가 연결되어 쉬지 않으니, 태평이 다하면 비색함으로 돌아가고 비색이 끝나면 기울어서 항상 변하지 않는 이치는 없으니, 사람의 도가 어찌 없을 수 있겠는가? 이미 비색해지면 태평하게 될 것이다.

小註

雲峯胡氏曰, 以天地言, 陰陽不交, 生道絶矣, 匪人也. 以一身言, 陽上亢, 而陰下滯, 元氣竭矣, 匪人也. 以人心言, 人欲爲主於內, 天理緣飾於外, 失其所以爲人矣, 匪人也.

운봉호씨가 말하였다: 천지로써 말한다면 음양이 서로 교류하지 않아 살아갈 길이 없어져 "바른 사람이 아니다". 한 사람의 몸으로써 말하면 양기는 위로 올라가고 음기는 아래로 빠져 원기가 고갈되니, "바른 사람이 아니다". 사람의 마음으로써 말하면 사람의 욕심이 마음 속에서 주인이 되고 천리는 밖에서 꾸며 사람이 되는 까닭을 잃으니, "바른 사람이 아니다".

不利君子貞, 大往小來.

군자의 곧음에 이롭지 않으니, 큰 것이 가고 작은 것이 온다.

中國大全

傳

夫上下交通, 剛柔和會, 君子之道也, 否則反是. 故不利君子貞, 君子正道否塞不行也. 大往小來, 陽往而陰來也, 小人道長, 君子道消之象. 故爲否也.

위아래가 서로 통하여 굳셈과 부드러움이 서로 조화되고 모이는 것은 군자의 도인데, 비괘는 이와 반대이다. 그러므로 군자의 곧음에 이롭지 않으니, 군자의 바른 도가 비색하여 행해지지 못한다. "큰 것이 가고 작은 것이 온다"는 것은 양이 가고 음이 오니, 소인의 도는 자라나고 군자의 도가 사라지는 상이다. 그러므로 비(否)가 되었다.

本義

否, 閉塞也, 七月之卦也. 正與泰反, 故曰匪人, 謂非人道也. 其占, 不利於君子之正道. 蓋乾往居外, 坤來居內, 又自漸卦而來, 則九往居四, 六來居三也. 或疑之匪人三字, 衍文, 由比六三而誤也. 傳不特解, 其義亦可見.

비(否)는 닫히고 막히니, 칠월의 괘이다. 태괘(泰卦)와 정반대이므로 "바른 사람이 아니다[匪人]"라고 하니, 사람의 도가 아니라는 말이다. 그 점사는 군자의 바른 도에 이롭지 않다. 건(☰)이 가서 밖에 있고 곤(☷)이 와서 안에 있으며, 또한 점괘(漸卦)로부터 왔으니, 구삼이 가서 사효의 자리에 있고 육사가 와서 삼효의 자리에 있다. 어떤 이는 "'지비인(之匪人)'세 글자가 잘못 들어간 글로, 비괘(比卦) 육삼의 효사로 인해 잘못되었다. 「단전」에서 특별히 해석하지 않은 것으로 볼 때, 그 뜻을 또한 알 수 있다"고 의심하였다.

小註

劉氏曰, 否之時, 雖不利君子之貞, 君子之貞, 不可无也. 守此不變, 時之否, 道之亨也.
유씨가 말하였다: 비색한 때에는 비록 군자의 곧음에 이롭지 않더라도 군자의 곧음은 없어서는 안 된다. 이를 지켜 변하지 않으면 때는 비색하지만 도는 형통할 것이다.

○ 雙湖胡氏曰, 大往小來, 卦變也. 否自泰來, 三陽往外, 三陰來內, 成否也.
쌍호호씨가 말하였다: "큰 것이 가고 작은 것이 온다"는 것은 괘의 변화이다. 비괘는 태괘로부터 오는데, 세 양은 밖으로 가고 세 음은 안으로 와 비괘(否卦)를 이룬다.

○ 進齋徐氏曰, 泰, 先言小往大來, 而後言吉亨, 是以天運推之人事. 否先言匪人不利君子貞, 而後言大往小來, 是以人事參之天運. 泰則歸之天, 否則責之人, 聖人之意深矣.
진재서씨가 말하였다: 태괘(泰卦) 괘사의 경우 앞에서는 "작은 것이 가고 큰 것이 온다"고 말하고 뒤에서는 "길하여 형통하다"고 말한 것은 천도로써 인사를 헤아려 간 것이다. 비괘(否卦) 괘사의 경우, 앞에서는 "바른 사람이 아니다. 군자의 곧음이 이롭지 않다"고 말하고 뒤에서는 "큰 것이 가고 작은 것이 온다"고 말한 것은 인사로써 천도에 참여한 것이다. 태평함은 하늘로 돌리고 비색함은 사람에게 책임을 물으니, 성인의 뜻이 깊다.

韓國大全

이익(李瀷) 『역경질서(易經疾書)』

否, 否主於小來, 乃小人居內也. 內者, 指坤, 於坤六四可見. 儉德避難, 所謂括囊无咎也, 不可榮以祿, 所謂天地閉, 賢人隱也. 德宜彰顯, 儉則有晦藏之義. 拔茅茹見上.
비괘의 '비(否)'는 "작은 것이 오는 것[小來]"을 주인으로 하니, 곧 소인이 안에 있다. 안은 곤괘(坤卦)를 가리키는데, 곤괘의 육사를 통해서 알 수 있다. "덕을 안으로 거두고 어려운 것을 피한다"[1]는 것은 곤괘(坤卦) 육사의 "주머니를 졸라매면 허물이 없다"[2]고 한 것을 말

1) 『周易 · 否卦』: 象曰, 天地不交, 否, 君子以, 儉德辟難, 不可榮以祿.

하고 "봉록으로 영달하게 할 수 없다"[3]는 것은 곤괘「문언전」 육사의 "천지가 닫히면 어진 이가 숨는다"[4]고 한 것을 말한다. '덕'은 마땅히 밝게 드러내야 하는 것이고, '검소함[儉]'은 감추는 뜻이다. "띠풀의 뿌리를 뽑는다"고 한 것은 위에서도 볼 수 있다.

유정원(柳正源)『역해참고(易解參攷)』

雙湖胡氏曰, 泰唯言卦畫往來, 直著吉凶之占, 否先占後象. 首原小人致否後, 及卦畫往來者, 深惡小人, 急爲君子戒也. 匪人, 甚於小人之辭矣.

쌍호호씨가 말하였다: 태괘에서는 오직 괘획의 왕래로 직접 길흉이라는 점사를 드러냈고, 비괘는 점사를 먼저 말하고 상을 뒤에 말하였다. 먼저 소인이 비색하게 된 원인을 밝힌 후에 괘획의 왕래를 언급한 것은 소인을 매우 싫어하여 급히 군자를 위해 경계한 것이다. "바른 사람이 아니다"고 한 것은 소인이라는 말보다 심하다.

○ 晦齋先生曰, 否泰之理, 起於一念之微. 一念之正, 其畫爲陽, 泰自是而起矣. 一念之不正, 其畫爲陰, 否自是而起矣.

회재선생이 말하였다[5]: 비색함과 태평함의 이치는 미묘한 한 생각으로부터 일어난다. 한 번의 바른 생각은 그 획이 양이 되는데, 태평함이 이로부터 일어난다. 한 번의 바르지 못한 생각은 그 획이 음이 되는데, 비색함이 이로부터 생겨난다.

김상악(金相岳)『산천역설(山天易說)』

匪人, 指下三陰, 君子, 指上三陽也. 大往小來者, 乾往居外, 坤來居內, 又以卦變言. 九往居四, 六來居三也. 大往, 所以否之者, 匪人, 小來, 所以不利君子之貞也. 然君子不以不利而自失其所守之貞也. 同人次否, 儉德避難之君子, 相與出而濟否, 以通天下之志, 故曰利君子貞.

'비인(匪人)'은 아래의 세 음을 가리키고 군자는 위의 세 양을 가리킨다. "큰 것이 가고 작은 것이 온다"는 것은 건괘가 가서 밖에 있고 곤괘가 와서 안에 있으니, 또한 괘의 변화로써 말하였다. 구삼은 가서 사효의 자리에 있고 육사가 와서 삼효의 자리에 있다. "큰 것이 간다"

---

2)『周易 · 坤卦』: 六四, 括囊, 无咎, 无譽.

3)『周易 · 否卦』: 象曰, 天地不交, 否, 君子以, 儉德辟難, 不可榮以祿.

4)『周易 · 坤卦』: 天地變化, 草木, 蕃, 天地閉, 賢人, 隱.

5) 李彦迪,『晦齋先生集 · 一綱十目疏』: 夫吉凶否泰之幾, 雖著於事物, 而實源於人主之心. 一念之正則吉之道而泰之所由始也. 一念之邪則凶之道而否之所由來也.

는 것은 비색하게 하는 자는 바른 사람이 아니기 때문이고 "작은 것이 온다"는 것은 군자의 곧음에 이롭지 않은 까닭이다. 그러나 군자는 이롭지 않은 것으로써 스스로 그 지키는 바의 바른 도를 잃지 않는다. 동인괘가 비괘의 다음인데, "덕을 안으로 거두고 어려움을 피하는" 군자가 서로 함께 나와 비색한 것을 구제하여 천하의 뜻에 통하기 때문에 "군자의 곧음에 이롭다"고 말하였다.

김귀주(金龜柱) 『주역차록(周易箚錄)』

否之匪人.

비는 바른 사람이 아니니.

○ 按, 匪人, 猶言小人. 此卦內陰柔而外陽剛, 是小人之道. 故曰匪人. 此匪人字, 正對下文君子字而言.

내가 살펴보았다: '비인(匪人)'은 소인이라고 말하는 것과 같다. 비괘는 안이 부드러운 음이고 밖은 굳센 양이니, 소인의 도이다. 그러므로 "바른 사람이 아니다[匪人]"라고 하였다. 이 '비인(匪人)'이라는 글자는 바로 아래의 '군자'라는 글자와 짝하여 말하였다.

傳, 天地交而, 云云.

『정전』에서 말하였다: 천지가 교류하여, 운운.

小註, 雲峯胡氏曰, 以天地, 云云.

소주에서 운봉호씨가 말하였다: 천지로써, 운운.

○ 按, 天理緣飾之外云云, 語甚未穩.

내가 살펴보았다: "천리는 밖에서 꾸며" 운운한 것은 전혀 타당하지 않다.

本義, 否, 閉塞也, 云云.

『본의』에서 말하였다: 비는 닫히고 막힘이다, 운운.

小註, 劉氏曰, 否之, 云云.

소주에서 유씨가 말하였다: 비색한, 운운.

○ 按, 不利君子貞, 蓋言不利於君子之正道, 非謂君子不利於自貞也. 劉氏未達此意, 疑其謂不利於自貞, 故乃云, 君子之貞不可無也, 恐未安.

내가 살펴보았다: "군자의 곧음에 이롭지 않다"는 것은 군자의 바른 도에 이롭지 않다는 것이지, 군자가 스스로 곧게 함에 이롭지 않다고 말하는 것은 아니다. 유씨는 이 뜻을 이해하지 못했으니, 스스로 곧게 함에 이롭지 않다고 말하는 것이라고 의심하여 곧 "군자의 곧음은 없어서는 안 되는 것이다"라고 말했으니, 아마도 타당치 않은 듯하다.

서유신(徐有臣) 『역의의언(易義擬言)』

否者, 不也, 不者, 不泰也. 不通則塞, 否爲塞也. 匪人謂匪人道也, 君子之貞者, 二五也. 不利者, 道消也. 上下不通, 則匪人也, 上下相同, 則人也. 匪人則不利於君子之貞也, 同人則利於君子之貞也, 見同人之爲同人, 則益見否之爲匪人也.

비(否)는 불(不)이며, 불(不)은 통하지 않는 것이다. 통하지 않으면 막히니, 비(否)는 막히는 것이다. '비인(匪人)'은 인도가 아닌 것을 말한다. 군자의 곧음은 이효와 오효이다. "이롭지 않다"는 것은 도가 사라지는 것이다. 위아래가 통하지 않으면 바른 사람이 아니고 위아래가 서로 같다면 사람이다. '비인(匪人)'은 군자의 곧음에 이롭지 않으나 '동인(同人)'은 군자의 곧음에 이로우니, 동인괘가 '동인'이 되는 까닭을 살핀다면 더욱 비괘가 '비인'이 되는 까닭을 알 수 있다.

박문건(朴文健) 『주역연의(周易衍義)』

君子貞, 能剛能柔之道也. 大往者, 欲其制盛也, 小來者, 恐其致極也.

군자의 곧음은 굳세고 부드러울 수 있는 도이다. "큰 것이 간다"는 것은 넘치는 것을 막고자 하고 "작은 것이 온다"는 것은 그 극한을 이룰까 걱정한 것이다.

〈問, 否之匪人, 不利君子貞, 大往小來. 曰, 乾陽在上, 而方窮, 故取此義也. 否之上體, 匪人道者, 不利君子貞, 故大往而小來也. 大往小來者, 匪正人之道也. 曰不利君子貞, 何. 曰, 剛則見疑, 柔則見決, 故所以失往來之道也. 不交之責, 專在乾陽也.

물었다: 비는 바른 사람의 도가 아니니, 군자의 곧음에 이롭지 않아 큰 것이 가고 작은 것이 온다는 것을 무슨 뜻입니까?

답하였다: 양인 건괘는 위에 있어 바야흐로 막히기 때문에 이 뜻을 취하였습니다. 비괘의 상체가 인도가 아니라는 것은 군자의 곧음에 이롭지 않기 때문에 "큰 것이 가고 작은 것이 옵니다". "큰 것이 가고 작은 것이 온다"는 것은 바른 사람의 도리가 아닙니다.

물었다: "군자의 곧음에 이롭지 않다"는 무슨 뜻입니까?

답하였다: 굳세면 의심받고 부드러우면 결단을 강요당하기 때문에 왕래의 도를 잃게 됩니다. 교류하지 않은 책임은 오로지 양인 건괘에 있습니다.〉

이지연(李止淵) 『주역차의(周易箚疑)』

外飾君子之行, 而內懷小人之心者, 匪人也.

밖으로는 군자처럼 행동을 꾸미면서 안으로는 소인의 마음을 품은 자는 바른 사람이 아니다.

不利君子貞, 指六二也.
"군자의 곧음에 이롭지 않다"는 것은 육이를 가리킨다.

김기례(金箕澧) 「역요선의강목(易要選義綱目)」

否七月卦. 泰極則否. 上天下地, 二氣相隔不交而否.
비괘는 칠월괘(七月卦)이다. 태평함이 극에 달하면 비색하게 된다. 위는 하늘이고 아래는 땅이니, 두 기운이 서로 막혀서 교류하지 못하여 비색하다.

○ 小人在內, 君子在外, 不相通之. 匪人, 陰陽不交, 生道絕, 則如人身之陰滯陽亢, 元氣盡竭. 又若人心之內陰欲, 而外陽飾, 皆非人道.
안에 소인이 있고 밖에 군자가 있어 서로 통하지 않는다. '비인(匪人)'은 음과 양이 교류하지 못하여 낳는 도가 끊어지면 마치 사람의 몸에 음은 내려와 정체되어 있고 양은 상승하여 원기가 다 고갈된 것과 같다. 또한 사람의 마음이 안으로는 몰래 무엇을 욕구하면서 밖으로는 아닌 것처럼 꾸미고자 하는 것은 모두 인도가 아니다.

심대윤(沈大允) 『주역상의점법(周易象義占法)』

上下之情志, 不相交通, 與同人相反, 天下之情相通, 則爲同人, 不通則爲否, 故曰否之匪人不利君子貞. 匪人, 異類也, 同人, 同類也.
위아래의 정과 뜻이 서로 교류하여 통하지 않는 것은 동인괘와는 상반되는데, 천하 사람들의 정이 서로 통하면 동인(同人)이 되고 통하지 않으면 비(否)가 되기 때문에, "비는 바른 사람의 도가 아니니, 군자의 곧음에 이롭지 않다"고 하였다. '비인(匪人)'은 다른 무리의 사람들이고, 동인은 같은 무리의 사람들이다.

오치기(吳致箕) 「주역경전증해(周易經傳增解)」

否者, 閉塞不通也. 乾處于上而不復交下, 坤居于下而不復交上, 則陰陽閉塞, 故爲否之象. 卦位雖正而在否時, 故曰不利君子貞. 否卽泰之反, 而三陽自內之外, 故曰大往, 三陰由外之內, 故曰小來. 先言不利君子貞, 而後言大往小來者, 爲君子謀, 故先言其不利, 後言天運也.
비색한 것은 닫히고 막혀 통하지 않는 것이다. 건괘가 상괘에 있어서 다시 아래와 교류하지 않고 곤괘는 아래에 있어 다시 위와 교류하지 않으니, 음양이 닫히고 막히기 때문에 비색한 상이다. 괘의 자리가 비록 바르지만 비색한 때에 있기 때문에 "군자의 곧음에 이롭지 않다"고 말하였다. 비색함은 태평함의 반대인데, 세 양이 안에서 밖으로 갔기 때문에 "큰 것이 간다"고 했고, 세 음은 밖에서 안으로 갔기 때문에 "작은 것이 온다"고 말하였다. 먼저 "군자의 곧음에 이롭지 않다"고 말하고 뒤에 "큰 것이 가고 작은 것이 온다"고 말한 것은 군자를 위해 도모하는 것이기 때문에 먼저 그 이롭지 않음을 말하고 뒤에 하늘의 운행을 말한 것이다.

○ 本義云, 之匪人三字, 或疑衍文, 恐當從不言亨, 卦義然也.
『본의』에서 '지비인(之匪人)' 세 글자를 어떤 이가 잘못 들어간 글이라고 의심했다고 말했는데, 마땅히 "형통함을 말하지 않았다"라는 말을 따라야 할 듯하니, 괘의 뜻이 그러하다.

이진상(李震相)『역학관규(易學管窺)』

彖傳, 雖不特解其義, 而萬物不通, 天下無邦, 君子道消, 皆無人道之甚也, 謂之匪人, 亦得.
「단전」에서 비록 특별히 그 뜻을 해석하지는 않았지만 만물이 통하지 않고, 천하에 나라가 없으며, 군자의 도가 사라지는 것 등은 모두 전혀 인도가 없음이니, 이를 '비인(匪人)'이라고 말한 것이 또한 옳다.

박문호(朴文鎬)「경설(經說)·주역(周易)」

人道豈能無, 言人道豈獨無此理也. 方承其上論天道而言, 故云然耳.
『정전』에서 "사람의 도가 어찌 없겠는가?"라고 한 것은 "사람의 도에만 어찌 유독 이러한 도리만 없겠는가?"라는 말이다. 그 위에서 천도를 논하여 말한 것을 이었기 때문에 그렇게 말하였다.

之匪人三字, 彖傳, 雖不特解其義, 然其曰萬物不通, 天下無邦之句, 不害其爲解其義也.
'지비인(之匪人)' 세 글자는 「단전」에서 비록 특별히 그 뜻을 해석하지는 않았지만, "만물이 통하지 않는다", "천하에 나라가 없다"고 말한 구절은 그 뜻을 해석하는데 방해가 되지 않는다.

彖曰, 否之匪人不利君子貞大往小來, 則是天地不交而萬物不通也, 上下不交而天下无邦也. 內陰而外陽, 內柔而外剛, 內小人而外君子, 小人道長, 君子道消也.

「단전」에서 말하였다: "비는 바른 사람이 아니니, 군자의 곧음에 이롭지 않으며, 큰 것이 가고 작은 것이 옴"은 천지가 교류하지 않아 만물이 통하지 못하고 위아래가 교류하지 않아 천하에 나라가 없는 것이다. 음이 안에 있고 양이 밖에 있으며, 부드러운 것이 안에 있고 굳센 것이 밖에 있으며, 소인이 안에 있고 군자가 밖에 있으니, 소인의 도가 자라나고 군자의 도는 사라진다.

中國大全

傳

夫天地之氣不交, 則萬物無生成之理, 上下之義不交, 則天下无邦國之道. 建邦國所以爲治也, 上施政以治民, 民戴君而從命, 上下相交, 所以治安也, 今上下不交, 是天下无邦國之道也. 陰柔在內, 陽剛在外, 君子往居於外, 小人來處於內, 小人道長, 君子道消之時也.

천지의 기운이 교류하지 않으면 만물이 생성될 이치가 없고 위아래의 뜻이 교류하지 않으면 천하에 나라의 도가 없다. 나라를 세운 것은 다스리기 위해서이니, 윗사람은 정치를 베풀어 백성을 다스리고 백성은 임금을 떠받들며 명령을 따라서 위아래가 서로 교류하여야 다스려져서 편안할 수 있는데, 이제 위아래가 서로 교류하지 못하니, 이는 천하에 나라의 도가 없는 것이다. 부드러운 음이 안에 있고 굳센 양이 밖에 있으며, 군자가 가서 밖에 거하고 소인이 와서 안에 있으니, 소인의 도가 자라나고 군자의 도가 사라지는 때이다.

小註

臨川吳氏曰, 天地之氣交, 則萬物發達而生, 天地之氣不交, 則萬物抑閼而死. 先王建邦以分治天下之民, 民之情上通於君, 則天下治而爲泰. 若君心不下逮, 民情不上通, 是上下隔絶不交, 天下雖有邦與无邦同矣, 所以爲否也.

임천오씨가 말하였다: 천지의 기가 교류하면 만물이 발달하여 생겨나고 천지의 기가 교류하지 못하면 만물이 가로막혀 죽는다. 선왕이 나라를 세워 천하의 백성들을 나누어 다스리는데, 백성의 정이 위로 임금과 통한다면 천하가 다스려져 태평하게 된다. 만약에 임금의 마음이 아래로 미치지 못하고 백성들의 정이 위로 통하지 않는다면 위아래가 멀어지고 끊어져서 교류하지 못하게 되고, 천하에 비록 나라가 있다 하더라도 나라가 없는 것과 같으니, 이 때문에 비색하게 된다.

○ 建安丘氏曰, 內陰外陽以天道言, 內柔外剛以地道言, 內小人外君子, 以世道言.
건안구씨가 말하였다: "안에 음이 있고 밖에 양이 있다"는 것은 천도(天道)로써 말한 것이고, "안에 부드러움이 있고 밖에 굳셈이 있다"는 것은 지도(地道)로써 말한 것이며, "안에 소인이 있고 밖에 군자가 있다"는 것은 세도(世道)로써 말한 것이다.

○ 節齋蔡氏曰, 彖傳言陰陽者, 惟泰否而已. 蓋泰否二卦, 皆具乾坤之體也, 而泰言健順, 則乾坤之德, 否言剛柔, 則其質也. 否者, 氣藏乎質而不交, 故不可以德言, 但言其質而已.
절재채씨가 말하였다: 「단전」에서 음양을 언급한 괘는 태괘와 비괘뿐이다. 태괘와 비괘는 모두 건괘와 곤괘의 몸체를 갖고 있는데, 태괘에서 '건순(健順)'을 말한 것은 곧 건괘와 곤괘의 덕이고 비괘에서 강유'(剛柔)'를 말한 것은 그 바탕이다. 비색한 것은 기운이 바탕에 감추어져 교류하지 못했기 때문에 덕으로 말해서는 안 되니, 단지 그 바탕을 말했을 뿐이다.

○ 李氏曰, 否泰反其類, 故否之辭, 皆與泰反.
이씨가 말하였다: 「잡괘전」에 "비괘와 태괘는 그 부류를 반대로 한다"[6]고 했기 때문에 비괘의 말은 모두 태괘와 반대이다.

○ 隆山李氏曰, 夫陰陽二氣對, 行乎天地間. 或者謂陽一而陰二, 故君子少小人多, 治世少亂世多. 然自有天地以來, 陰陽二氣, 分於四序, 无一歲不得其平者, 而君子小人治亂之運, 則或不齊, 豈幽陰之氣, 獨盛於人間, 而天運不爾邪. 是不然. 天人有相勝之理, 治亂有可易之運. 特在人, 所以制之者, 如何耳. 否之世, 雖則小人道長君子道消, 而所以消小人長君子, 亦必有道矣. 此作易者, 所以極論其消長而寄之於爻.
융산이씨가 말하였다: 음양 두 기운이 짝이 되어 천지 사이에 마주 움직이고 있다. 어떤 이는 양은 하나이고 음은 둘이기 때문에 군자가 적고 소인은 많으며 다스려지는 세상은 적

6) 『周易 · 雜卦傳』: 否泰, 反其類也.

고 어지러운 세상이 많다고 말하였다. 그러나 천지가 생겨난 이래로 음양 두 기운이 사계절에 나뉘어서 한 해라도 고르지 아니함이 없는데, 군자와 소인에게 치세와 난세의 운세는 간혹 일정하지 않으니, 어찌 어둡고 음한 기운이 유독 사람 사이에서만 왕성하고 하늘의 움직임에 있어서는 그렇지 않겠는가? 이는 그렇지 않다. 하늘과 사람 사이에는 이기고 지는 이치가 있고, 다스려지고 어지러워지는 것 사이에는 서로 바뀌는 운용이 있다. 다만 사람들이 어떻게 제어하느냐에 달려있을 뿐이다. 비색한 세상에 비록 소인의 도가 자라고 군자의 도가 사라지지만, 소인을 사라지게 하고 군자를 자라게 하는 방법 또한 반드시 있다. 이것이 바로 『주역』을 지은 자가 그 사라지는 것과 자라는 것을 강조하여 논하고 효사에 붙여 놓은 까닭이다.

韓國大全

김상악(金相岳) 『산천역설(山天易說)』

夫天地之氣不交, 則萬物无生成之理, 上下之志不交, 則天下无邦國之道也, 言雖有邦國, 實與无邦同也. 內陰而外陽以下, 亦泰之反, 剛柔以質言.

천지의 기가 교류하지 않으면 만물이 생성할 이치가 없고 위아래의 뜻이 통하지 않으면 천하에 나라의 도가 없다. 비록 나라가 있다고 하더라도 실제로는 나라가 없는 것과 같다. "음이 안에 있고 양은 밖에 있다"고 한 이하의 내용도 또한 태괘와 반대인데, 굳센 것과 부드러운 것은 바탕으로 말하였다.

김귀주(金龜柱) 『주역차록(周易箚錄)』

彖曰, 否之匪人, 云云.

「단전」에서 말하였다: 비는 바른 사람이 아니다, 운운.

○ 按, 內陰而外陽以下三句, 亦視泰卦之例. 蓋內柔外剛, 就人身上言, 則如論語所云, 色厲而內荏, 正是索性小人也. 小人不可以德言, 故不曰健順而曰柔剛, 所以異於泰卦也.

내가 살펴보았다: "음이 안에 있고 양이 밖에 있다"고 한 이하의 세 구절은 또한 태괘의 예를 따랐다. "안에 부드러움이 있고 밖에 굳셈이 있는 것"을 사람의 몸에 대해서 말하면,

『논어』에서 "얼굴빛은 위엄이 있으면서 마음이 유약하다"[7]고 한 것과 같으니, 바로 드러내 놓고 소인으로 자처하여 행동하는 사람이다. 소인은 덕으로 말해서는 안 되기 때문에 '건순(健順)'이라고 말하지 않고 '유강(柔剛)'이라고 말하니, 태괘와 다르다.

傳, 夫天地之, 云云.
『정전』에서 말하였다: 천지의, 운운.
小註, 建安丘氏曰, 內陰, 云云.
소주에서 건안구씨가 말하였다: 안에 음이 있다, 운운.
○ 按, 此云, 內柔外剛, 以地道言者, 恐是但知祖襲立地之道柔與剛之說, 而不知其無當於本文之義者也.
내가 살펴보았다: 여기서 "안에 부드러움이 있고 밖에 굳셈이 있는 것은 지도(地道)로써 말한 것이다"라고 한 것은 아마도 「설괘전」의 "지도(地道)를 세워 부드러움과 굳셈이라고 한다"[8]는 설을 답습할 줄만 알고, 그것이 본문의 뜻에 합당하지 않음을 알지 못하였다.

節齋蔡氏曰, 彖傳, 云云.
절재채씨가 말하였다: 「단전」, 운운.
○ 按, 氣藏於質而不交, 云云, 極有病痛.
내가 살펴보았다: '기'가 '질'에 저장되어 교류하지 못한다고 운운 한 것은 매우 큰 병통이다.

隆山李氏曰, 夫陰陽, 云云.
융산이씨가 말하였다: 음과 양은, 운운.
○ 按, 李氏答[9]或者之說, 甚不分曉. 蓋嘗究之, 陰陽二氣, 以其自來體叚而言, 則常相對待而均敵. 非但對待均敵而已, 陽饒而陰乏, 陽全而陰偏, 如四時春夏秋生物而冬不生物. 天地東西南可見, 而北不可見之類是也. 然若就其氣化萬變處看, 則紛擾蕩汨之際, 終是少淳而多漓, 少淸而多濁, 故人事之應, 亦隨而然. 如云吉凶悔吝, 吉一而已之類, 是也. 而推其所由, 實亦陽一陰二, 自然之勢耳. 以此論之, 或者之說, 亦不爲無據矣. 要之善觀者, 參互竝看, 默識而心通之, 則兩義卻不相妨矣. 至於天人相勝之說, 則人之以理而氣, 轉否爲泰者, 固有是理. 然此當別論, 不可與二氣對待陽一陰二之說, 混言之也. 李氏於此, 蓋有所未瑩, 故乃以二氣之分于四序者, 及君子小人, 治乱之

7) 『論語·陽貨』: 子曰, 色厲而內荏, 譬諸小人, 其猶穿窬之盜也與.
8) 『周易 · 說卦傳』: 昔者聖人之作易也…立地之道曰柔與剛.
9) 答: 경학자료집성DB에 '荅'으로 되어 있으나, 경학자료집성 영인본을 참조하여 '答'으로 바로잡았다.

不齊者, 兩設疑端, 而一屬天運, 一屬人間之氣. 此旣甚可駭而其於或者之說, 卒無所對着, 而仍以天人相勝之說乱之, 殊未可知也.
내가 살펴보았다: 이씨가 어떤 이의 설에 답한 것은 전혀 분명하지 않다. 일찍이 살펴보았는데, 음양의 두 기운은 그것이 유래한 본체로 말하면 항상 서로 마주 대하여 대등하다. 단지 서로 마주 대하여 대등할 뿐만이 아니라, 또한 양은 넉넉하지만 음은 부족하고 양은 온전하지만 음은 치우치는데, 사계절 중 봄, 여름, 가을은 만물을 생하지만 겨울에는 만물을 생하지 않는 것과 같다. 천지에서 동쪽, 서쪽, 그리고 남쪽을 볼 수 있지만 북쪽은 볼 수 없는 것과 같은 것이 그것이다. 그러나 만약 기화만변(氣化萬變)하는 곳으로부터 본다면 이리저리 뒤섞여 휩쓸리는 사이에 끝내 도타운 것은 적고 엷은 것은 많으며, 맑은 것은 적고 흐린 것은 많기 때문에 인사의 호응도 또한 따라서 그렇게 된다. 마치 길흉회린을 말하는데 길한 것은 하나일 뿐이라는 종류가 그것이다. 그 유래를 미루어 보면, 실제로 양은 하나인데, 음이 둘인 것은 자연의 형세이다. 이로써 논하면 '어떤 이의 설'은 또한 근거가 없는 것은 아니다. 요컨대 잘 보는 자가 서로 함께 참고하여 보고 묵묵히 알아 마음으로 통한다면 두 개의 뜻은 서로 방해하지 않는다. 하늘과 사람 사이에 이기고 지는 이치가 있다는 설에 이르면, 사람이 이치를 따라 기운을 다스리고 막힌 것을 전환시켜 통하게 하는 이치가 있다. 그러나 이는 마땅히 별도로 논의해야 하지, 음양 두 기운이 마주 대하고 양은 하나인데 음은 둘이라는 설과 섞어 말해서는 안 된다. 이에 대해 이씨는 아직 분명하게 이해하지 못하였기 때문에, 곧 음양 두 기운을 사계절에 분속시킨 것, 군자와 소인, 다스려짐과 혼란함이 일정하지 않은 것에 대해 두 가지로 의심의 단서로 만들어 하나는 하늘의 운행에 포함시키고 다른 하나는 인간의 기에 포함시켰다. 이것은 이미 놀랄 만한 일이고, 그 '어떤 이의 설'에 대해서는 끝내 대답할 말이 없어 여전히 하늘과 사람 사이에 이기고 지는 이치가 있다는 설로 어지럽혔으니, 전혀 알 수가 없다.

서유신(徐有臣) 『역의의언(易義擬言)』

否之匪人, 不利君子貞, 大往小來, 則是天地不交, 而萬物不通也, 上下不交而天下无邦也.
비(否)는 바른 사람이 아니고, 군자의 곧음에 이롭지 않으니, 큰 것이 가고 작은 것이 온다고 한 것은 천지가 교류하지 않아 만물이 통하지 못하고 위아래가 교류하지 않아 천하에 나라가 없는 것이다.
此釋否匪人也. 天地不交萬物不通者, 天地不得位, 萬物不得育也, 是之謂否也. 上下不交, 天下无邦者, 君不君, 臣不臣也, 是之謂匪人也.
이것은 "비는 바른 사람이 아니다"를 해석한 것이다. "천지가 교류하지 않아 만물이 통하지 못하는 것"은 천지가 제자리를 얻지 못하여 만물이 양육을 받지 못하니, 이를 비(否)라 하였다. "위아래가 교류하지 않아 천하에 나라가 없다"는 것은 임금이 임금답지 않고 신하가 신하답지 않으니, 이를 "바른 사람이 아니다"고 하였다.

內陰而外陽, 內柔而外剛, 內小人而外君子, 小人道長, 君子道消也.
안에 음이 있고 밖에 양이 있으며, 안에 부드러운 것이 있고 밖에 굳센 것이 있으며, 안에 소인이 있고 밖에 군자가 있으니, 소인의 도가 자라나고 군자의 도는 사라진다.
此釋大往小來也. 內陰者, 進也, 外陽者, 退也. 內柔者, 氣質也, 外剛者, 不屈也. 內小人者, 用事也, 外君子者, 疏遠也. 陰道盛, 陽道衰, 所以不利君子貞也.
이는 "큰 것이 가고 작은 것이 온다"는 것을 해석한 것이다. "안에 음이 있다"는 것은 나가는 것이고, "밖에 양이 있다"는 것은 물러서는 것이다. "안에 부드러운 것이 있다"는 것은 기질이고 "밖에 굳센 것이 있다"는 것은 굽히지 않는 것이다. "안에 소인이 있다"는 것은 일을 꾸미는 것[用事]이고, "밖에 군자가 있다"는 것은 소원(疏遠)한 것이다. 음의 도는 넘치고 양의 도는 쇠약해지니, 군자의 곧음에 이롭지 않게 되었다.

박문건(朴文健) 『주역연의(周易衍義)』

上一節, 釋大往小來之義, 下一節, 釋不利君子貞之義.
윗 일절은 "큰 것이 가고 작은 것이 온다"는 뜻을 해석하였고 아래 일절은 "군자의 곧음에 이롭지 않다"는 것을 해석하였다.
〈問, 倒釋卦辭何. 曰, 從泰卦彖辭文法也.
물었다: 괘사를 거꾸로 해석한 것은 무엇 때문입니까?
답하였다: 태괘 단사의 문장을 따랐기 때문입니다.〉

김기례(金箕澧) 「역요선의강목(易要選義綱目)」

泰之反也.
태괘와 반대이다.

○ 時否, 則君子不可貞固於行道也. 泰則顯, 否則晦, 卽與時推移之道.
때가 비색하면 군자는 도를 행하는데 곧게 하기가 어렵다. 태평하면 나타나고 비색하면 숨는 것은 때를 따라가는 도이다.

심대윤(沈大允) 『주역상의점법(周易象義占法)』

君子處否之世, 當審幾而行權, 不可泥常而取禍. 儉德辟難, 亦權之事也, 故曰, 不利君子貞.

군자가 비색한 때에 처해서는 마땅히 기미를 살펴 권도를 행해야 하고, 일상적인 도리에 얽매여 재앙을 취해서는 안 된다. "덕을 안으로 거두고 어려움을 피하는 것" 또한 권도의 일이기 때문에 "군자의 곧음에 이롭지 않다"고 말하였다.

오치기(吳致箕) 「주역경전증해(周易經傳增解)」

此卦卽泰之反也. 其義已見泰卦及彖解. 之匪人三字, 依彖辭亦衍也. 上下不交則邦旡君臣之道, 故言旡邦也. 彖傳之言陰陽者, 惟泰否二卦, 蓋以二卦, 獨具乾坤之體也. 泰言健順者, 以其德交泰也. 否言剛柔者, 以其氣蔽于質而不交, 故不以德言, 而以質言也.

이 비괘는 곧 태괘의 반대이다. 그 뜻은 이미 태괘의 괘사 및 「단전」의 해석에 보인다. '지비인(之匪人)' 세 글자는 단사(彖辭)[10]에 의하면 또한 잘못 들어간 문장이다. 위아래가 통하지 않아 나라에 군신의 도가 없기 때문에 "나라가 없다"고 하였다. 「단전」에서 음양이라고 말한 것은 오직 태괘와 비괘뿐인데, 두 괘만이 홀로 건괘와 곤괘의 몸체를 갖추고 있기 때문이다. 태괘에서 '건순(健順)'이라고 말한 것은 그 덕으로써 교류하여 태평하기 때문이다. 비괘에서 '강유(剛柔)'를 말한 것은 그 기가 질에 가려서 교류하지 못하기 때문에 '건순'이라는 덕으로써 말하지 않고 '강유'라는 '질(質)'로 말하였다.

이진상(李震相) 『역학관규(易學管窺)』

彖, 三陽大而往居外, 三陰小而來居內, 外君子而內小人也. 卦中三四爻, 是人位而九往居四, 六來居三, 皆失其位, 故首以匪人爲戒.

「단전」에 세 양은 크면서 밖으로 가 있고 세 음은 작으면서 안으로 와 있으니, 밖에 군자가 있고 안에 소인이 있다. 괘 가운데 삼효와 사효는 사람의 자리인데, 양은 가서 사효의 자리에 있고 음은 와서 삼효의 자리에 있으니, 모두 그 자리를 잃었기 때문에 「단전」의 첫 머리에서 "바른 사람이 아니다"라는 말로 경계하였다.

---

10) 단사(彖辭): 단경(彖經)이라고도 하며, 보통 괘사(卦辭)를 가리킨다. 주자는 비괘(否卦) 괘사를 주석하면서 '혹자(或者)'를 인용하여 '지비인(之匪人)' 세 글자는 연문이라고 하였다.

최세학(崔世鶴) 「주역단전괘변설(周易彖傳卦變說)」

泰否, 乾坤之雜也. 上下二體, 三陰三陽, 迭相往來, 故彖以卦變言之. 泰本純坤卦, 下體三陽自乾來爲泰之主爻. 否本純乾卦, 下體三陰自坤來爲否之主爻. 此外六十卦之變爻, 皆以乾坤泰否爲體, 迭相往來者也.
태괘와 비괘는 건괘(☰)와 곤괘(☷)가 섞였다. 위아래의 두 몸체는 세 음과 세 양이 번갈아 왕래하기 때문에 「단전」에서 괘의 변화로써 말하였다. 태괘(泰卦)는 본래 상체가 순전한 곤괘인데 하체인 세 양이 건괘로부터 와서 태괘의 주인이 되었다. 비괘(否卦)는 상체가 본래 순전한 건괘인데, 하체인 세 음이 곤괘로부터 와서 비괘의 주인이 되었다. 이외 육십괘의 변하는 효는 모두 건괘와 곤괘, 태괘와 비괘를 본체로 삼아 서로 번갈아 왕래하였다.

이병헌(李炳憲) 『역경금문고통론(易經今文考通論)』

匪人, 猶小人也.
"바른 사람이 아니다"고 한 것은 소인이란 말과 같다.

虞曰, 陰信陽詘. 故大往小來.
우번이 말하였다: 음은 폄[信]이고 양은 굽힘이다. 그러므로 큰 것이 가고 작은 것이 온다.

姚曰, 坤爲邦, 不能保其有, 故無邦.
요신이 말하였다: 곤은 나라가 되는데 그 소유를 보전할 수 없기 때문에 나라가 없다.

按, 否泰二卦彖經, 明言往來之義. 參諸十二辟卦, 而消息, 則亦可當爲卦變之證. 若言其極, 則一卦可變爲六十四耳. 然當以上下次第之變爲正, 泰一轉而爲否之類, 自此以後省文.
내가 살펴보았다: 비괘와 태괘는 괘사[彖經]에서 왕래의 뜻을 명확히 말하였다. 십이벽괘를 참조하여 소식(消息)하면 또한 마땅히 괘가 변화하는 증거로 삼을 수 있다. 만약 극단적으로 말한다면 하나의 괘가 변하여 육십사괘가 될 수 있다. 그러나 마땅히 위아래와 순서의 변화가 바르게 되고, 태괘(泰卦)가 한 번 바뀌어 비괘(否卦)가 되는 부류이니, 이후부터 글을 생략한다.

象曰, 天地不交, 否, 君子以, 儉德辟難, 不可榮以祿.

정전 「상전」에서 말하였다: 하늘과 땅이 교류하지 않는 것이 비이니, 군자가 그것을 본받아 덕을 안으로 거두고 어려운 것을 피하여 봉록으로 영달해서는 안 된다.

본의 「상전」에서 말하였다: 하늘과 땅이 교류하지 않는 것이 비이니, 군자가 그것을 본받아 덕을 안으로 거두고 어려운 것을 피하니, 봉록으로 영달하게 하지 못한다.

中國大全

傳

天地不相交通, 故爲否. 否塞之時, 君子道消, 當觀否塞之象而以儉損其德, 避免禍難, 不可榮居祿位也. 否者, 小人得志之時, 君子居顯榮之地, 禍患必及其身. 故宜晦處窮約也.

천지가 서로 교류하여 통하지 않기 때문에 비색하게 되었다. 비색할 때에는 군자의 도가 사라지니, 마땅히 비색한 상을 관찰하여 그 덕을 안으로 거두고 덜어서 재앙과 환난으로부터 피하여 면할 것이며, 봉록과 지위로 영달해서는 안 된다. 비괘는 소인이 뜻을 얻은 때이니, 군자가 영화롭고 현달한 지위에 있으면 화와 근심이 반드시 그 자신에게 미친다. 그러므로 마땅히 숨어서 곤궁하게 살아가야 한다.

小註

張子曰, 天地閉則賢人隱, 君子於此時, 期於无咎无譽, 足矣.
장자(張子)가 말하였다: 공자가 곤괘 「문언전」에서 "천지가 닫히면 현인이 숨는다"[11]고 했으니, 군자가 이때에 허물도 없고 명예도 없는 것에 만족한다.

○ 隆山李氏曰, 泰之時, 君子勝, 則包小人. 故泰之象辭, 止論后以財成輔相, 而不及君子小人. 否之時, 小人勝, 則害君子, 故否之象辭, 要使君子以儉德避難而辭榮祿. 孔子曰, 天地閉賢人隱, 善乎其處否者也.

---

11) 『周易 · 坤卦』: 天地閉, 賢人隱.

융산이씨가 말하였다: 태평한 시기에는 군자가 이기니 소인을 포용한다. 그러므로 태괘의 「대상전」에 "제후가 본받아서 천지의 도를 마름질하여 완성하고 천지의 마땅함을 돕는다"[12] 고 한 것만 논하고 군자와 소인까지는 언급하지 않았다. 비색한 시기에 소인이 이기면 군자에게 해를 끼치기 때문에 비괘의 「상전」에서 군자는 덕을 안으로 거두고 어려움을 피하며 영화로운 봉록을 사양하여야 한다고 하였다. 공자가 말한 "천지가 닫히면 현인이 숨는다"[13] 고 한 것은 그 비색한 때에 잘 대처하는 일이다.

本義

收斂其德, 不形於外, 以避小人之難, 人不得以祿位榮之.

덕을 안으로 거두고 밖에 드러내지 않아 소인의 어려움을 피하니, 사람들이 봉록과 지위로 영달하게 하지 못한다.

小註

平庵項氏曰, 儉德避難, 不與害交也. 不可榮以祿, 不與利交也. 不可榮者, 言不可得而榮, 非戒其不可也.

평암항씨가 말하였다: "덕을 안으로 거두고 어려움을 피한다"는 것은 해로움을 당하지 않는 것이다. "봉록으로 영달하게 하지 못한다"는 것은 이익을 추구하지 않는 것이다. "영달하게 하지 못한다"는 것은 영달하게 할 수 없다는 것이지 영달해서는 안 된다고 경계한 것이 아니다.

○ 建安丘氏曰, 儉德避難, 象坤陰之吝, 不可榮以祿, 象乾德之剛. 如六四之括囊无咎, 卽儉德避難也, 乾初九之遯世无悶, 卽不可榮以祿也.

건안구씨가 말하였다: "덕을 안으로 거두고 어려움을 피한다"는 것은 곤괘(坤卦)인 음의 부끄러움[吝]을 상징하고 "봉록으로 영달하게 하지 못한다"는 것은 건괘(乾卦)의 덕의 강함을 상징한다. 예를 들어 곤괘 육사의 "주머니를 졸라매면 허물이 없다"[14]고 한 것은 곧 "덕을 안으로 거두고 어려움을 피한다"[15]는 것이고, 건괘 초구의 "세상에 은둔해도 고민하지 아니한다"[16]는 것은 곧 "봉록으로 영달하게 하지 못한다"[17]는 것을 말한다.

---

12) 『周易 · 泰卦』: 象曰, 天地交, 泰, 后以, 財成天地之道, 輔相天地之宜, 以左右民.
13) 『周易 · 坤卦』: 天地閉, 賢人隱.
14) 『周易 · 坤卦』: 六四, 括囊, 无咎无譽.
15) 『周易 · 否卦』: 象曰, 天地不交, 否, 君子以, 儉德辟難….

韓國大全

조호익(曺好益)『역상설(易象說)』

自二至四艮, 自三至五巽. 儉德辟難, 取巽伏象, 不可榮以祿, 取艮止象.

이효부터 사효까지는 간괘(☶)이고 삼효부터 오효까지는 손괘(☴)이다. '검덕피난(儉德辟難)'은 손괘(☴)의 엎드리는 상[伏象]을 취하였고 '불가영이록(不可榮以祿)'은 간괘(☶)의 그치는 상을 취하였다.

김도(金濤)「주역천설(周易淺說)」

愚按, 程傳下, 張子李氏所釋凡二條, 本義下項氏丘氏所釋又凡二條, 而皆合於大象之旨矣. 蓋否之時, 君子道消, 小人道長. 君子當晦處窮約, 免夫小人之禍, 可也. 小人以害物爲心, 故猜忌撑腸而妨賢病國, 孟子所謂不祥之實者, 卽此人也. 當此之時, 辭榮困處, 乃君子之得計而小人之禍, 必不及於其身矣. 坤卦六四括囊, 正合於此卦之旨, 而終得无咎矣. 大槪君子得志, 則小人革面而順從之, 小人得志, 則君子不得容其身, 而禍患必及矣. 噫, 君子則陽類也, 小人則陰物也. 陰陽消長, 自然之理, 今雖消矣, 豈无他日之長乎. 然則君子當何以哉. 收斂其德學, 藏踪秘跡, 而以竢其亨泰之時, 則豈不善哉.

내가 살펴보았다: 『정전』 아래, 장자(張子)와 이씨가 해석한 두 개의 조항, 『본의』 아래 항씨와 구씨의 해석 두 개의 조항은 모두 「대상전」의 뜻과 일치한다. 비색한 때에 군자의 도는 사라지고 소인의 도는 자란다. 군자가 어둡고 궁벽한 때를 만나면 저 소인의 화를 면하는 것만으로도 족하다. 소인은 만물을 해치는 것을 마음으로 여기기 때문에 시기(猜忌)하는 마음이 뱃속에 가득하여 어진 이의 조정 진출을 방해하고 나라를 병들게 하니, 맹자가 말한 상서롭지 못한 실상[18]이 곧 이 사람이다. 이때를 당하여 영예를 사양하고 곤궁함에 처하는 것이 곧 군자가 취할 계책인데, 그렇게 하면 소인의 재앙이 반드시 그 자신에게 미치지는 않을 것이다. 곤괘 육사의 "주머니를 졸라매는 것"이 바로 이 괘의 뜻과 부합하니, 마침내 허물이 없게 된다. 군자가 뜻을 얻으면 소인은 얼굴을 바꾸어 순종하고, 소인이 뜻을 얻으면 군자는 그 몸을 용납할 곳이 없어 재앙과 근심이 반드시 미친다. 아아! 군자는 양의 부류이

---

16) 『周易 · 乾卦』: 子曰, 龍德而隱者也, 不易乎世, 遯世无悶.

17) 『周易 · 否卦』: 象曰, 天地不交, 否, 君子以… 不可榮以祿.

18) 『孟子 · 離婁』: 孟子曰, 言無實不祥, 不祥之實, 蔽賢者當之.

고 소인은 음의 부류이다. 음양이 사라지고 자라는 것은 자연스러운 이치이니, 이제 비록 사라졌다 해도 어찌 다른 날에 자라나지 않겠는가? 그렇다면 군자는 마땅히 어떻게 해야 하는가? 그 덕과 학문을 거두고 종적을 감추고서 그 형통하고 태평한 때를 기다리면 어찌 좋지 않겠는가?

이만부(李萬敷) 「역통(易統)·역대상편람(易大象便覽)·잡서변(雜書辨)」

愼戒.
삼가고 경계한다.

天地否之象曰, 天地不交, 否, 君子以, 儉德辟難, 不可榮以祿.
천지비괘의 「대상전」에 말하였다: 천지가 교류하지 않는 것이 비괘이니, 군자가 그것을 본받아서 덕을 안으로 거두고 어려운 것을 피해서 봉록으로 영달해서는 안 된다.

傳曰, 天地不相交通, 故爲否, 否塞之時, 君子道消[19], 當觀否塞之象, 而以儉損其德, 避免禍難, 不可榮居祿位也. 否者, 小乂得志之時, 君子居顯榮之地, 禍患必及其身, 故宜晦處窮約也.
『정전』에서 말하였다: 천지가 서로 교류하여 통하지 않기 때문에 비색하게 되었다. 비색한 때는 군자의 도가 사라지니, 마땅히 비색한 상을 관찰하여 그 덕을 안으로 거두고 덜어서 재앙과 환난으로부터 피하고 면해야 하며, 봉록과 지위로 영달해서는 안 된다. 비괘는 소인이 뜻을 얻은 때이니, 군자가 영화롭고 현달한 지위에 있으면 화와 근심이 반드시 그 자신에게 미친다. 그러므로 마땅히 숨어서 곤궁하게 살아가야 한다.

本義曰, 收斂其德, 不形於外, 以避小人之難, 人不[20]得以祿位榮之.
『본의』에서 말하였다: 덕을 안으로 거두고 밖에 드러내지 않아 소인의 어려움을 피하니, 사람들이 봉록과 지위로 영달하게 하지 못한다.

臣謹按, 傳, 專以君子居否之道言之, 而臣竊思之, 凡人君造時者也. 自否至泰, 自泰入否, 只在於人君之愼與不愼, 戒與不戒, 故敢以此終之. 而表其目曰, 愼戒. 惶恐死罪, 惟願聖明之惕念焉.

---

19) 消: 경학자료집성DB와 영인본에 모두 '淸'으로 되어있으나, 문맥을 살펴 '消'로 바로잡았다.
20) 不: 경학자료집성DB와 영인본에 모두 '不不'로 되어있으나, 문맥을 살펴 '不'로 바로잡았다.

신이 삼가 살펴보았습니다: 『정전』에서는 오로지 군자가 비색한 도에 있는 것으로써 말하였는데, 신이 가만히 생각하여 보니, 임금님께서는 때를 조성하시는 분입니다. 비색한 때로부터 태평한 때에 이르고, 태평한 때로부터 비색한 때로 들어가는 것은 다만 임금님께서 삼가느냐, 삼가지 않느냐에 달려 있고 경계와 경계하지 않는 것에 달려 있기 때문에 감히 이것으로써 마치는 것입니다. 그리고 그 조목을 표명하여 말하기를, 삼가고 경계하라고 하였습니다. 황공하게 죽을죄를 지었사오나, 오직 바라옵기는 전하께서 두려워하는 마음[惕念]을 가지소서.

심조(沈潮) 「역상차론(易象箚論)」

否, 象, 儉德辟難.
비괘의 「대상전」에서 말하였다: 덕을 안으로 거두고 어려움을 피한다.

互爲巽艮, 君子之入山也. 故曰儉德辟難, 其義妙哉.
호괘가 손괘(☴)와 간괘(☶)여서 군자가 산으로 들어간다. 그러므로 "덕을 안으로 거두고 어려움을 피하라"고 하였으니, 그 뜻이 오묘하다.

유정원(柳正源) 『역해참고(易解參攷)』[21]

天地 [至] 以祿.
천지 … 봉록으로써 한다.

潼川毛氏曰, 自象言之, 則以不交爲否. 因其象而用之, 則以不交爲宜. 遠而去之, 如天地之相絶, 所以身名俱全.
동천모씨가 말하였다: 상으로부터 말하면 교류하지 않는 것이 비색한 것이 된다. 그 상에 따라 비색한 것을 쓴다면 교류하지 않는 것이 마땅하다. 멀어져 떠나가니, 천지가 서로 단절된 것과 같아서 몸과 명성을 함께 보전할 수 있다.

김상악(金相岳) 『산천역설(山天易說)』

儉德避難, 取坤之括囊无咎, 不可榮以祿, 取乾之潛龍勿用.

21) 경학자료집성DB에서는 비괘(否卦) 괘사에 해당하는 것으로 분류했으나, 내용에 따라 이 자리로 옮겨 바로 잡는다.

“덕을 안으로 거두고 어려움을 피하라”고 한 것은 곤괘의 “주머니를 졸라매면 허물이 없다”는 것을 취하였고 “봉록으로 영달해서는 안 된다”라고 한 것은 건괘의 “잠긴 용이니, 쓰지 말라”[22]는 것을 취하였다.

김귀주(金龜柱) 『주역차록(周易箚錄)』

傳, 天地不相, 云云.
『정전』에서 말하였다: 천지가 서로 교류하지 않는다, 운운.

小註, 隆山李氏曰, 泰之, 云云.
소주에서 융산이씨가 말하였다: 태괘의, 운운.

○ 按, 泰之象辭, 論王者體天地開物成務之道. 蓋於卦辭之外, 別推一義, 而其義甚大. 初非論君子小人消長之分也. 李說君子勝則包小人云云, 語極無當.
내가 살펴보았다: 태괘의 「대상전」에서 임금이 천지가 만물을 열고 일을 이루는[開物成務] 도를 체득하는 것을 논하였다. 괘사 이외에 별도로 다른 뜻을 헤아렸는데, 그 뜻이 매우 크다. 처음부터 군자와 소인의 사라지고 자라나는 구분을 논한 것은 아니다. 이씨의 설에 “군자가 이기면 소인을 포용한다” 운운하였는데, 그 말은 전혀 타당하지 않다.

윤행임(尹行恁) 『신호수필(新湖隨筆)・역(易)』

君子當否塞之時, 不以寵祿爲心, 退處幽間之地, 以保其身, 小人則反是, 險然後行. 二疏, 申屠蟠, 其有覺乎否之象歟.
군자가 비색한 때를 당하여 총애와 벼슬을 갈구하지 않고 한적한 곳으로 물러나 자신을 보존하지만, 소인은 이와 반대로 혼란한 때가 된 뒤에 바로 움직인다. 소광(疏廣)과 그 조카 소수(疏受)[23]와 신도반[24]이 비색한 상을 깨달은 것인가?

---

22) 『周易・乾卦』: 初九, 潛龍勿用.
23) 이소(二疏): 한나라 선제(宣帝) 때 소광(疏廣, 생몰미상)과 그 조카 소수(疏受, 생몰미상)의 병칭(竝稱)이다. 소광은 태자 태부(太子太傅)이고 소수는 태자 소부(太子少傅)였는데, 소광이 소수와 함께 벼슬을 그만두고 고향으로 돌아올 때 천자와 태자는 황금을 하사하고 공경대부들은 동도문(東都門) 밖에서 성대하게 전별한 일이 있다.(『古文眞寶後集・送楊巨源少尹序』.)
24) 신도반(申屠蟠, 생몰미상): 후한 때 사람으로 자는 자룡(子龍)이다. 그는 은거하면서 학문에 열중하여 오경에 널리 통하고 참위설(讖緯說)에 밝았으며, 당고(黨錮)가 일어나자 산속으로 들어가 살아 있는 뽕나무를 마룻대로 삼아 집을 짓고 살면서 하진(何進), 동탁(董卓) 등이 불러도 끝내 벼슬에 나아가지 않았다.(『後漢書

서유신(徐有臣) 『역의의언(易義擬言)』

天地交則泰, 不交則否, 否, 不也, 謂不泰也. 隱德謝榮, 君子之否也. 儉德辟難, 如地之卑順也, 不可榮以祿, 如天之高遠不可攀也. 否曰, 不可榮以祿, 使爵祿自遠也, 遯曰不惡而嚴, 使患害自遠也. 君子處亂世卑屈, 則取辱, 高亢則見疾, 故聖人之訓曰, 危行言遜.

천지가 교류하면 태평해지고 교류하지 않으면 비색해지니, 비[否]는 '불(不)'로 태평하지 않음을 말한다. 덕을 거두고 영화를 사양하는 것은 군자가 비색하기 때문이다. "덕을 안으로 거두고 어려움을 피한다"는 것은 땅이 낮고 순응하는 것과 같고 "봉록으로 영달하게 하지 못한다"는 것은 하늘이 높고 멀어 오를 수 없는 것과 같다. 비괘에서 "봉록으로 영달하게 하지 못한다"고 한 것은 작록을 멀리하는 것이고, 돈괘(遯卦)의 "악하게 하지 말고 엄하게 해야 한다"[25]고 한 것은 근심과 상해를 멀리 한 것이다. 군자가 난세에 처하여 비굴해지면 욕됨을 받고 뜻을 고상하게 가져 남에게 굴하지 않으면 질시를 받기 때문에 공자의 가르침에 "나라에 도가 행해지지 않을 때는 행동은 준엄하게 하되 말은 낮춰서 해야 한다"[26]고 하였다.

강엄(康儼) 『주역(周易)』

象曰, 天地 [止] 以祿.

「대상전」에서 말하였다: 천지 … 봉록으로 한다.

按, 泰, 以后之財成輔相言, 否, 以君子之儉德辟難言. 夫當否之時, 尤當言人君治否之道, 而此不言人君, 但言君子者, 何也. 蓋否泰雖是天運之自然, 而亦係於人君之賢否, 若聖明之君達而在上, 則天運亦應之而通泰. 聖人又因其通泰而財成輔相之, 此泰所以言后也. 至於否之時則上下不交天下无泰, 君德之否已可知矣, 固旡可言者矣. 但君子當此時, 或弛其收斂戒謹之心, 則必爲小人之所害, 是則可憂也. 故不責之君, 而但言君子之儉德辟難, 其所以爲君子謀者深矣.

내가 살펴보았다: 태괘는 "임금이 마름질하고 완성하여 돕는다"고 말하였고 비괘는 "군자가 덕을 안으로 거두고 어려움을 피한다"고 말하였다. 비색한 때를 당해서는 더욱 임금이 비색

卷53·申屠蟠列傳』, 한국고전번역원DB.)

25) 『周易 · 遯卦』: 象曰, 天下有山, 遯, 君子以, 遠小人, 不惡而嚴.

26) 『論語·憲問』: 나라에 도가 행해질 때에는 말과 행동을 모두 준엄하게 해야 하나 나라에 도가 행해지지 않을 때는 행동은 준엄하게 하되 말은 낮춰서 해야 한다.[邦有道 危言危行 邦無道 危行言孫.]

함을 다스리는 도를 말해야 하는데, 여기서는 임금을 말하지 않고 단지 군자만을 말한 것은 무엇 때문인가? 비록 비색함과 태평함이 하늘 운행의 자연스러움일지라도 또한 임금의 어짊과 그렇지 않음에 매여 있으니, 성인처럼 밝은 임금이 나와서 위에 있으면 하늘의 운행 또한 호응하고 통하여 태평해진다. 성인이 또한 통하여 태평해짐으로 인하여 마름질하여 완성하여 도우니, 이것이 태괘에서 임금을 말하게 된 까닭이다. 비색한 때에 이른다면 위아래가 교류하지 않아 천하는 태평하지 못하고 임금의 덕은 비색해질 뿐임을 알 수 있으니, 더 말할 필요가 없다. 다만 군자가 이때를 당하여 수렴하고 경계하여 삼가는 마음을 해이하게 하면 반드시 소인에게 해를 당하게 되니, 이는 우려할 만한 일이다. 그러므로 임금을 책망하지 않고 군자가 "덕을 안으로 거두고 어려움을 피하는" 것을 말한 것은 군자를 위해 도모한 것이 깊다.

박문건(朴文健)『주역연의(周易衍義)』

〈問, 不可榮以祿. 曰項氏之說已備矣.
물었다: "봉록으로 영달하게 하지 못한다"는 무슨 뜻입니까?
답하였다: 항씨의 설에 이미 다 갖추어져 있습니다.〉

이항로(李恒老)「주역전의동이석의(周易傳義同異釋義)」

按, 不可字, 傳屬君子, 本義屬小人. 今以文勢考之, 則榮之以祿, 繫乎人而不繫[27]乎己. 以事理推之, 則名德已形, 祿位已及, 而我始不居, 則已失識微括囊之幾, 易致觸藩羸角之灾, 故收斂韜晦. 人不得以爵祿榮之則无咎矣. 觀於李業譙玄之事, 亦可戒也.
내가 살펴보았다: '불가(不可)'라는 글자는『정전』에서는 군자에 관련지었고,『본의』에서는 소인에 관련지었다. 이제 문장의 형세를 살펴보면 "봉록으로 영달하게 하지 못한다"는 것은 남에게 달려있지, 자기에게 달린 것이 아니다. 사리로써 미루어 본다면 명성과 덕이 이미 드러나면 봉록과 지위는 이미 주어진 것인데, 내가 그제야 거기에 있지 않으려고 한다면 이미 은미할 때를 알아 "주머니를 졸라매는" 기미를 알아채지 못하여 쉽게 "숫양이 울타리를 받아 그 뿔이 걸리는 재앙"[28]을 부르기 때문에 재지나 학덕을 감춘다. 다른 사람들이 벼슬과 봉록으로 나를 영화롭게 할 수 없다면 허물이 없을 것이다. 이업(李業)[29]과 초현(譙玄)[30]

27) 繫: 경학자료집성DB에서는 '繁'이라 했고 경합자료집성 영인본은 글자해독이 어려워 문맥을 살펴 '繫'로 바로잡았다.
28)『周易·大壯卦』: 九三, 小人, 用壯, 君子, 用罔, 貞, 厲, 羝羊, 觸藩, 羸其角.
29) 이업(李業): 당나라 예종(睿宗)의 다섯째 아들이자 현종(玄宗)의 아우이다.

의 일을 살펴보면 또한 경계할 만하다.

김기례(金箕澧) 「역요선의강목(易要選義綱目)」

坤六四之文言曰, 天地閉, 賢人隱.
곤괘(坤卦) 육사 「문언전」에 말하기를, "천지가 닫히면 현인이 숨는다"고 하였다.

심대윤(沈大允) 『주역상의점법(周易象義占法)』

儉德, 不耀其德也. 象坤之收藏, 如婦人之不出門, 是也. 辟難, 象乾之健行也. 坤一變爲艮, 艮爲榮, 乾一變爲兌, 兌爲祿. 君子居否之世, 不可躁進求變其窮困, 故取變也. 君子匪惡榮利也, 惟其不欲同禍難, 故不與共榮利. 昏君亂臣在上, 言不聽, 計不用, 志不通, 道不合, 故斂德深藏, 遺世獨善也. 艮背巽行爲辟. 坎爲難, 兌艮爲限節爲无光, 曰儉.
'검덕(儉德)'은 그 덕을 빛내지 않는 것이다. 곤괘의 거두어 감춘다는 것을 상징하는데, 예컨대 부인이 문밖을 나서지 않는 것과 같은 것이 이것이다. "어려움을 피한다[避難]"는 것은 건괘의 강건한 운행을 상징한다. 곤괘(☷)가 한번 바뀌면 간괘(☶)가 되는데, 간괘는 영화로움이 되며, 건괘(☰)가 한번 바뀌면 태괘(☱)가 되는데, 태괘는 봉록[祿]이 된다. 군자가 비색한 세상에 있을 때에는 조급하게 나아가 그 곤궁함을 벗어나고자 해서는 안 되기 때문에 변괘(變卦)를 취하였다. 군자가 영화와 이로움을 싫어하는 것은 아니고, 오직 똑같은 재앙과 재난을 당하지 않고자 하기 때문에 영화와 이로움을 함께하지 않는다. 어두운 임금과 어지럽히는 신하가 위에 있어 말을 들으려 하지 않고 계획을 세우지도 않으며, 뜻도 통하지도 않고 도가 부합하지 않으므로 "덕을 안으로 거두어" 깊이 감추고 세상을 버리며, 자기 홀로 선을 지킨다. 간괘(☶)는 등지고 손괘(☴)는 가니, 피하는 것이 된다. 감괘(☵)는 험난함이고, 태괘(☱)와 간괘(☶)는 분한과 절제이니, 빛을 잃어 "안으로 거둔다[儉]"고 하였다.

오치기(吳致箕) 「주역경전증해(周易經傳增解)」

否塞之時, 君子道消, 故君子觀否之象, 儉約守德, 以避小人之難, 人不得以祿位榮之

30) 초현(譙玄, ?~44): 전한 말기 사람으로 자는 군황(君黃)이다. 젊어서부터 학문을 좋아해서 『주역』과 『춘추』에 정통했다. 왕망(王莽)이 섭정을 하자 성명을 바꾸고 귀향하여 은거하면서 강학했다. 아들 초영(譙瑛)도 역학에 뛰어나 북궁위사(北宮衛士)를 지냈다. 그는 아우의 상사를 당하여 벼슬을 버리고 기년복을 입기도 했다.

也. 儉德辟難, 象坤之斂藏, 不可榮以祿, 象乾之剛健也.
비색한 때에 군자의 도는 사라지기 때문에 군자가 비괘의 상을 살펴서 안으로 검약하게 덕을 지켜 소인의 어려움을 피하니, 사람들이 봉록과 지위로 영달하게 하지 못한다. "덕을 안으로 거두고 어려움을 피하는" 것은 곤괘(坤卦)의 수렴하여 감추는 것을 형상하고 "봉록으로 영달하게 하지 못한다"는 것은 건괘(乾卦)의 강건함을 형상하였다.

이진상(李震相) 『역학관규(易學管窺)』

君子以, 儉德.
군자가 그것을 본받아 덕을 안으로 거둔다.

德, 不可損, 內崇其德而外務韜晦, 是乃損約收斂之義. 天地閉塞, 非君子祿仕之時, 故人亦不得 以爵祿縻之. 然自君子言之, 正不可榮居祿位也. 龜山應蔡京之薦, 敬軒赴王振之辟, 皆失此義.
덕은 덜어내서는 안 되니, 안으로 그 덕을 높이고 밖으로 재지와 학덕을 감추는데 힘쓰는 것이 곧 덜어내고 수렴하는 뜻이다. 천지가 닫히고 막힌 것이 군자가 벼슬하는 때가 아니기 때문에 남들이 또한 작록으로써 얽매이게 할 수가 없다. 그러나 군자의 입장에서 말하면 바로 봉록과 지위에 영화롭게 거처해서는 안 된다. 양구산(楊龜山)[31]이 채경(蔡京)[32]의 추천을 받아 응낙한 것[33]과 경헌(敬軒)[34]이 왕진(王振)[35]을 피하여 간 것은 모두 이 뜻을

31) 양시(楊時, 1053~1135): 북송 말기의 유학자로 남검주 장악(南劍州 將樂) 사람이며, 자는 중립(中立)이고, 호는 구산(龜山)이다. 정호(程顥)와 정이(程頤) 형제에게 사사(師事)하여 왕안석(王安石)의 학문을 극력 배척하였다. 그는 장수하면서 이정자(二程子)의 도학을 전하여 낙학(洛學)의 대종(大宗)이 되었다. 그 학맥에서 주자(朱子)·장식(張栻)·여조겸(呂祖謙) 등 뛰어난 학자가 많이 배출되었다. 저서로는 『구산집(龜山集)』, 『구산어록(龜山語錄)』, 『이정수언(二程粹言)』 등이 있다.

32) 채경(蔡京, 1047~1126): 북송 말 흥화군 선유 사람으로 자는 원장(元長)이다. 처음에 채확(蔡確)을 따르다가 후에 사마광을 좇았다. 철종 초에 장돈을 도와 신법을 시행하면서 유지(劉摯)와 범조우(范祖禹) 등을 유배 보냈다. 풍형예대설(豊亨豫大說)을 창안해 국고를 낭비하고 토목공사를 크게 일으키면서 수하들을 곳곳에 배치해 주민들을 괴롭히는 등 육적(六賊)의 수장으로 군림했다. 네 번의 국정을 장악하는 동안 여러 차례 파직과 재기를 반복했다. 흠종(欽宗)이 즉위한 후 손적(孫覿) 등이 그 간사함을 극력 탄핵하여 형주(衡州)에 안치되고 담주(儋州)로 옮겼는데, 도중에 담주(潭州)에서 죽었다.(『중국역대인명사전』, 임종욱 편저, 김해명 감수, 2010.1.20, 이회문화사.)

33) 양구산(楊龜山)이 채경(蔡京)의 천거를 응낙한 것에 대해 주자가 "구산의 사람됨이 구차하여 봉록을 위한 벼슬을 면하지 못한 채 잘못 나아갔다[龜山做人也苟且, 是時未免祿仕, 故胡亂就之]"고 한 말이 있다.(『주자어류·정자문인』.)

34) 경헌(敬軒): 명나라 전기 학자인 설문청(薛文淸, 1392~1464)의 호이다. 이름은 선(瑄) 자는 덕온(德溫), 정주학의 거벽으로 명대 이학의 주종이다.

잃은 것이다.

채종식(蔡鍾植) 「주역전의동귀해(周易傳義同歸解)」

否, 大象, 不可榮以祿, 傳云, 不可榮居祿位, 此蓋遯世无悶之義也. 本義云, 人不得以祿位榮之, 此蓋天子不得爲臣之義也. 然遯世之志, 確乎其不可拔, 故天子不得以爲臣, 則兩解雖殊, 其旨一也.

비괘의 「대상전」 중 "봉록으로 영달해서는 안 된다"는 말에 대해 『정전』에서는 "봉록과 지위에 영화롭게 거처해서는 안 된다"고 하였으니, 이는 "세상을 피해 살아도 근심이 없다"는 뜻이다. 『본의』에서는 "사람들이 봉록과 지위로 영달하게 하지 못한다"고 하였으니, 이는 천자가 신하로 삼을 수 없다는 뜻이다. 그러나 세상을 피하는 뜻이 확고하여 바꿀 수 없기 때문에 천자가 신하를 삼을 수 없으니, 두 가지 해석이 비록 다르나 그 뜻은 같다.

박문호(朴文鎬) 「경설(經說)·주역(周易)」

不可榮以祿, 程傳, 主可字文勢, 而以已爲說, 故不釋以字. 本義, 主以字文勢, 而以人爲說, 故變可字作得字.

"봉록으로 영달해서는 안 된다"는 말에 대해 『정전』은 '가(可)'자를 문장 형세의 주인으로 하여 '나'를 중심으로 말했기 때문에 '이(以)'자를 해석하지 않았다. 『본의』는 '이(以)'자를 문장 형세의 주인으로 하여 남을 중심으로 말했기 때문에 '가(可)'를 바꾸어 '득(得)'자로 썼다.

이병헌(李炳憲) 『역경금문고통론(易經今文考通論)』

宋曰, 天氣不下降, 地氣不上升, 二氣特隔, 故否.

송충(宋衷)[36]이 말하였다: 천기는 하강하지 않고 지기는 상승하지 않으며, 두 기운이 특히

---

35) 왕진(王振, ?~1449): 명나라 산서(山西) 사람이다. 어릴 때 환관으로 내서당(內書堂)에 들어가 영종(英宗)이 동궁으로 있을 때 모시면서 국랑(局郞)이 되었다. 영종이 어린 나이에 즉위했을 때 그가 교묘하게 황제의 마음을 사로잡아 사례감(司禮監) 태감(太監)이 되어 내외의 장주(章奏)와 주비(朱批)를 장악한 뒤 전횡을 일삼았다. 영종이 항상 선생이라고 불렀으며, 공경대신들은 옹보(翁父)라고 불렀다. 서희(徐晞) 등은 그 앞에서 궤례(跪禮)를 행했다. 야선(也先)이 침입했을 때 영종을 따라갔다가 토목 전투에서 패해 영종은 포로가 되고 자신은 전사했다. 영종이 복위한 뒤에 그를 잊지 못해 초혼의 제사를 올리면서 정충사(旌忠祠)를 세웠다.(『중국역대인명사전』, 임종욱 편저, 김해명 감수, 2010.1.20, 이회문화사.)

36) 송충(宋衷, 생몰미상): 후한 말기 정치가 겸 경학의 주석가이다. 형주(荊州) 남양군(南陽郡) 사람으로 중자(仲子)라는 별호가 있다. 『구가역』에서 9명 중의 1인이다. 190년에 형주자사 유표(劉表)의 명으로 오경의 장구를 찬정하였다. 저서로는 『주역주(周易注)』, 『양자태현경주(楊子太玄經注)』 등이 있다.(『손에 잡히는

떨어져 있기 때문에 비색하다.

虞曰, 難謂坤爲弑君, 故以儉德辟難.
우번이 말하였다: 어려움이란 곤괘(坤卦)에 "임금을 시해하는"[37] 일을 말하므로 "덕을 안으로 거두고 어려움을 피한다"고 하였다.

경전주석』, 대유학당편집, 2008, 107쪽.)
37)『周易 · 坤卦』: 文言曰…臣弑其君, 子弑其父.

初六, 拔茅茹. 以其彙, 貞, 吉亨

정전 초육은 띠풀의 뿌리를 뽑는다. 그 무리로써 곧게 하니, 길하여 형통하다.
본의 초육은 띠풀의 뿌리를 뽑는다. 그 무리들과 함께하니, 곧게 하면 길하여 형통하다.

中國大全

傳

泰與否, 皆取茅爲象者, 以群陽群陰同在下, 有牽連之象也. 泰之時則以同征爲吉, 否之時則以同貞爲亨. 始以內小人外君子, 爲否之義, 復以初六否而在下, 爲君子之道. 易隨時取義, 變動无常, 否之時, 在下者君子也. 否之三陰, 上皆有應, 在否隔之時, 隔絶不相通, 故无應義. 初六, 能與其類, 貞固其節, 則處否之吉而其道之亨也. 當否而能進者, 小人也, 君子則伸道免禍而已, 君子進退, 未嘗不與其類同也.

태괘와 비괘가 모두 띠풀을 상으로 한 것은 여러 양과 여러 음이 함께 아래에 있으면서 나란히 이끄는[牽連] 상이 있기 때문이다. 태평한 때에는 함께 나아가는 것을 길한 것으로 삼고 비색한 때에는 함께 곧게 하는 것을 형통한 것으로 삼는다. 처음에는 "안에 소인이 있고 밖에 군자가 있는 것"으로 비괘의 뜻을 삼았고 다시 초육이 비색하여 아래에 있는 것으로써 군자의 도를 삼았다. 『주역』은 때에 따라 뜻을 취하여 변하고 움직임에 일정함이 없으니, 비색한 때에 아래에 있는 자는 군자이다. 비괘의 세 음이 다 위로 호응하나, 비색하고 막히는 때가 있어 막히고 끊어져 서로 통하지 못하기 때문에 호응하는 뜻이 없다. 초육은 동류들과 더불어 절개를 곧고 바르게 지키니, 이는 비색한 때에 대처하는 길한 방도여서 그 도가 형통하다. 비색한 때를 당해서 나아갈 수 있는 사람은 소인이고 군자는 도를 펴고 화나 면할 뿐이니, 군자의 진퇴는 항상 동류들과 함께한다.

小註

或問, 程傳, 以此爻爲君子在下, 以正自守, 如何. 朱子曰, 恐牽强, 不是此意.

어떤 이가 물었다: 『정전』에 초효를 군자가 아래에 있으면서 바른 도로써 자신을 지키는 것으로 삼은 것은 어떻습니까?
주자가 말하였다: 아마도 억지로 해석한 것이니, 그런 뜻이 아닐 것입니다.

本義

三陰在下, 當否之時, 小人連類而進之象, 而初之惡則未形也, 故戒其貞則吉而亨. 蓋能如是, 則變而爲君子矣.

세 음이 아래에 있어서 비색한 때를 당했으니, 소인이 동류끼리 나란히 나아가는 상이고 초육은 아직 악이 형성되지 않았기 때문에 "곧음을 지키면 길하여 형통하다"고 경계하였다. 이와 같이 하면 변해서 군자가 될 수 있다.

小註

朱子曰, 拔茅茹貞吉亨, 這是吉凶未判時. 若能於此改變時, 小人便是做君子.
주자가 말하였다: "띠풀의 뿌리를 뽑아 곧게 하면 길하여 형통하다"고 한 것은 길흉이 나뉘지 않은 때이다. 만약 이로부터 고쳐서 변화시킬 때에 소인은 곧 군자가 될 수 있다.

○ 平庵項氏曰, 泰之初九, 君子始以類進, 君子難進, 故聖人勉之以征. 否之初六, 小人始以類進, 小人進而爲邪, 故聖人戒之以貞.
평암항씨가 말하였다: 태괘 초구에 군자가 처음으로 무리들과 나아가는데, 군자가 나아가기 어렵기 때문에 성인이 '나감[征]'으로써 권면하였다. 비괘 초육은 소인이 처음으로 무리들과 나가는데, 소인이 나아가지만 사악한 일을 하기 때문에 성인이 '곧음[貞]'으로써 경계하였다.

○ 建安丘氏曰, 君子小人本無定名, 唯正與不正而已. 正便是君子, 不正便是小人. 否, 小人長之卦, 不利君子正之時也. 以下三陰言之, 則皆爲時之小人. 唯初六之過未形, 易於從善, 聖人於此卽以正勉之. 蓋小人而能正, 則變爲君子矣. 故彖辭以貞字屬君子, 而初六以貞字訓小人. 所以爲小人謀, 卽所以爲君子謀也.
건안구씨가 말하였다: 군자와 소인이란 본래 정해진 명칭이 없고 오직 바름과 바르지 않음만이 있을 뿐이다. 바르면 곧 군자이고 바르지 않으면 곧 소인이다. 비괘는 소인이 자라는 괘이며, 군자가 바르기에 이롭지 않은 때이다. 아래 세 음으로써 말하면 모두가 당시의 소인이 된다. 오직 초육의 악이 아직 형성되지 않아서 쉽게 선을 따를 수 있어 성인이 이에 대해

'바름[正]'으로써 권면하였다. 소인이면서 올바르다면 변해서 군자가 될 수 있다. 그러므로 단사에 '정(貞)'자를 군자에 붙이고 초육에서는 '정(貞)'자로 소인을 경계하였다. 소인을 위해 도모하는 것이 곧 군자를 위해 도모하는 것이기 때문이다.

‖ 韓國大全 ‖

송시열(宋時烈) 『역설(易說)』

初六, 與泰反類, 故同辭. 蓋初之惡未著, 志在得君. 然泰初言征, 而此不言征. 泰初小象, 言志在外, 而此則云志在君也. 君者指陽爻也, 略有分別之意, 丘氏及吳氏說盡矣. 蓋外者, 通謂之外卦也, 君者, 指九五也.
초육은 태괘와 그 부류를 반대로 하기 때문에 효사가 같다. 초효의 악이 아직 드러나지 않아서 뜻은 임금의 신임을 얻는데 있다. 그러나 태괘(泰卦) 초육에서는 '정(征)'이라고 했는데, 여기서는 '정(征)'을 말하지 않았다. 태괘 초효 「소상전」에서는 "뜻이 밖에 있다"[38]고 말했는데, 여기서는 "뜻이 임금에게 있다"[39]고 하였다. 임금은 양효를 가리키며, 대략 분별의 뜻이 있는데, 구씨와 오씨가 설명을 다했다. '밖[外]'은 일반적으로 외괘를 가리키고 임금은 구오를 가리킨다.

김상악(金相岳) 『산천역설(山天易說)』

初六, 居否之時, 三陰同聚應四以進, 故有拔茅以彙之象. 否而无位者, 君子也. 苟以其類貞固其節, 則吉且亨矣. 陰之在下, 有正之義.
초육은 비색한 때에 세 음이 하나로 모여 사효와 호응하여 나아가기 때문에 "띠풀의 뿌리를 뽑아 무리로써 가는" 뜻이다. 비색한데 지위가 없는 사람이 군자이다. 만일 그 무리들이 절개를 곧고 굳게 한다면 길하고 또한 형통하다. 음이 아래에 있는 것은 "바르다[正]"는 뜻이다.

○ 拔茅以彙, 見泰初九. 貞, 戒辭也. 吉亨卽泰之卦辭, 而在否之初二者, 否一反則爲

---

38) 『周易 · 泰卦』: 象曰, 拔茅貞吉, 志在外也.
39) 『周易 · 否卦』: 象曰, 拔茅貞吉, 志在君也.

泰也. 初居陽, 故合言之. 二則陰, 雖已進, 而與五爲應, 故分小人大人, 而亨在大人之下. 卦雖名否, 天地定位, 故六爻无凶.
"띠풀의 뿌리를 뽑고 무리로써 한다"는 것은 태괘 초구에도 보인다. '곧음'은 경계하는 말이다. "길하여 형통하다"고 한 것은 곧 태괘의 괘사인데, 비괘의 초효와 이효에도 있는 것은 비괘가 한번 돌이키면 태괘가 되기 때문이다. 초효가 양의 자리에 있기 때문에 합하여 말하였다. 이효는 음으로 비록 이미 나아가더라도 오효와 호응하기 때문에 소인과 대인으로 구분하였고 형통하다는 것은 대인의 아래에 있다. 괘의 이름이 비록 막혔다는 의미이나 천지가 제자리를 잡고 있기 때문에 여섯 효에 흉이란 말이 없다.

서유신(徐有臣) 『역의의언(易義擬言)』

當否之初, 以其彙類, 竝應於陽剛, 故貞也. 貞故吉, 又當亨也. 卦之象不通, 而爻之情相與也. 泰言征, 否言貞, 陰陽之等也.
비괘의 처음을 당하여 무리들이 함께 굳센 양과 호응하기 때문에 '곧다[貞]'. 곧기 때문에 길하니, 또 마땅히 형통하다. 괘의 상은 통하지 않지만 효의 뜻은 함께한다. 태괘에서는 '정[征]'이라 하고 비괘에서는 '정[貞]'이라 한 것은 음양의 차이이다.

박문건(朴文健) 『주역연의(周易衍義)』

進以其道, 故有貞吉之象, 用貞而進, 則道亨也.
그 도로써 나아가기 때문에 곧고 길하다는 상이 있고, 곧음을 사용하여 나간다면 도는 형통하다.

이지연(李止淵) 『주역차의(周易箚疑)』

初爻辭與泰同, 而改征爲貞, 卽戒陰之意, 此所謂廣遷善之門也. 陰以陽爲君, 泰之初九曰, 志在外也, 以陰之居上也, 此曰志在君也, 以陽之在上故也. 貴陽賤陰, 於斯可見.
초효사가 태괘와 같은데, 태괘의 '정(征)'을 고쳐 '정(貞)'으로 한 것은 곧 음을 경계하는 뜻이니, 이는 성인이 개과천선의 길을 넓혀준 것이다. 음은 양을 임금으로 삼는데, 태괘의 초구에 "뜻이 밖에 있다"고 한 것은 음이 위에 있기 때문이고 여기 비괘 초효에 "뜻이 임금에 있다"고 한 것은 양이 위에 있기 때문이다. 양을 귀하게 여기고 음을 천하게 여기는 것을 여기에서도 볼 수 있다.

이항로(李恒老) 「주역전의동이석의(周易傳義同異釋義)」

按, 以形而下之器言之, 則陽固不得爲陰, 陰固不得爲陽, 君子不得爲小人, 小人不得爲君子矣. 以形而上之道言之, 則陽化爲陰, 陰變爲陽, 君子變爲小人, 小人化爲君子, 亦有其道. 此作易敎人之大旨也. 故善, 無可恃之善, 凶, 无不易之凶, 先識此義然後, 可以讀易也.
내가 살펴보았다: 형이하의 기로써 말하면 양은 진실로 음이 될 수 없고 음은 진실로 양이 될 수 없으니, 군자는 소인이 될 수 없고 소인은 군자가 될 수 없다. 형이상의 도로써 말한다면 양은 바뀌어 음이 되고 음은 바뀌어 양이 되며, 군자는 변해서 소인이 되고 소인은 변해서 군자가 되는데, 또한 그 도리가 있다. 이것이 『주역』을 지어 사람을 가르치게 된 큰 뜻이다. 그러므로 선에는 믿을 만한 선도 없고 흉에는 바뀌지 않는 흉도 없다. 먼저 이 뜻을 안 이후에야 『주역』을 읽을 수 있다.

김기례(金箕澧) 「역요선의강목(易要選義綱目)」

否, 无相應, 連類而進也.
비괘는 서로 호응함이 없이 동류끼리 나란히 나아간다.

○ 泰曰征, 君子可行, 否曰貞, 戒小人. 貞而得正, 蓋在下而功施未著者. 未有君子小人之定, 則聖人戒以連類歸貞, 以道事上, 則小人而亦爲君子者也.
태괘에서 말한 '정(征)'은 군자가 행할 만한 것이고 비괘에서 말한 '정(貞)'은 소인을 경계한 것이다. "곧으면서[貞] 올바름[正]을 얻는다"는 것은 아래에 있어서 공이 아직 드러나지 않은 것이다. 아직 "군자와 소인이 정해지지 않았다"는 것은 성인이 무리들끼리 나란히 곧음[貞]으로 돌아가서 도로써 윗사람을 섬긴다면 소인도 또한 군자가 될 수 있다고 경계한 것이다.

심대윤(沈大允) 『주역상의점법(周易象義占法)』

否之爻位, 居剛去否而求通也, 居柔處否而有通也. 凡物之理, 有否必有通, 无純否者也. 不交于彼, 則必交于此, 不交于此, 則必交于彼, 故否之義兼乎通也. 否之世不取應矣.
비괘의 효의 자리는 굳센 양의 자리에 있으면 막힘을 제거하여 통함을 구하고, 부드러운 음의 자리에 있으면 막힘에 대처하여 통함이 있다. 만물의 이치는 막힘이 있으면 반드시 통하니, 순전히 막혀있는 것은 없다. 저것과 교류하지 않으면 반드시 이것과 사귀고, 이것과 교류하지 않으면 반드시 저것과 사귀기 때문에 막혔다는 뜻은 통한다는 뜻을 겸하고 있다. 비색한 세상에서는 호응을 취하지 않는다.

否之无妄䷘, 无不也. 初六居剛去否而求通者也. 以柔居否之初, 處卑而无位, 最遠於陽, 否之主也. 全卦爲巽, 有茅茹之象. 君子當世, 莫我知之時, 與其彙類同貞, 隱居以求志, 故曰吉亨. 以其違於難, 故吉也. 蓋否於世, 而求通於類者也, 此庶人之否也〈同人, 人道也, 否, 匪人, 人道无純否者也〉.

비괘가 무망괘(无妄卦䷘)로 바뀌었으니, '무(无)'는 '불(不)'과 같다. 초육은 굳센 양의 자리에 있어 막힘을 제거하고 통함을 구하는 것이다. 부드러움으로써 비괘의 초효에 있으며, 낮은 곳에 처하여 지위가 없고 양에서 가장 먼 곳에 있으니, 비괘의 주인이다. 괘 전체의 모습은 손괘인데, "띠풀의 뿌리"라는 상이 있다. 군자가 세상에 있는데도 자신을 알아주는 이가 없는 때이니, 그 동류들과 함께 곧음을 한결같게 해서 은거하여 그 뜻을 구하기 때문에 "길하여 형통하다"고 말하였다. 그 어려움에서 떠나기 때문에 길하다. 세상에 막혔는데도 동류들에게서 통함을 구하는 자이니, 이는 서민들의 막힘이다. 〈동인은 인도이고 비괘는 바른 사람이 아니니, 인도가 순전히 막혀 있는 것은 없다.〉

오치기(吳致箕) 「주역경전증해(周易經傳增解)」

初六, 陰柔不正, 在否之初, 最先居內, 牽連私黨, 如拔茅茹, 引類竝起, 而其志, 亦在從君. 然在初爲惡未大, 故戒言, 若能反于正道, 則身家得吉, 邦運必亨. 此君子之戒小人, 出於忠厚之意也.

초육은 부드러운 음으로 바르지 않고 비괘의 초효에 있으니, 가장 앞서 안에서 사사롭게 붕당을 지어 나란히 이끌어내는 것이 마치 띠풀의 뿌리를 뽑으면 그 나머지 뿌리들도 함께 뽑혀 올라오는 것과 같아서 그 뜻이 또한 임금을 따르는데 있다. 그러나 초효에 있어 악이 아직 크게 드러나지 않기 때문에 만일 바른 도로 돌이킬 수 있다면 자신과 가족이 길함을 얻으며, 나라의 운명은 반드시 형통할 것이라고 경계하였다. 이는 군자가 소인을 경계한 것인데 충후(忠厚)한 뜻에서 나왔다.

○ 拔茅之義, 與泰初同, 而應體互巽爲茅之象也.

"띠풀의 뿌리를 뽑는다"는 뜻은 태괘 초효와 같고, 호응하는 몸체[應體]인 호괘는 손괘(巽卦)로 띠풀의 상이 된다.

이진상(李震相) 『역학관규(易學管窺)』

以其彙, 貞.

그 무리로써 하니 곧다.

此乃開小人爲善之路, 使之不極其惡也, 小人而勉於貞正, 則亦無不可爲君子之理. 初六陰柔在下, 固無形著之惡, 故聖人引誘而感化之.
이는 곧 소인에게 선을 행하는 길을 열어주어 소인으로 하여금 그 악을 다하지 않게 하는 것이다. 소인이지만 곧고 바름에 힘쓴다면 군자가 되지 못할 이치가 없다. 초육은 부드러운 음이 아래에 있어 드러나는 악이 없기 때문에 성인이 인도하여 감화시킨다.

박문호(朴文鎬) 「경설(經說)・주역(周易)」

初六之上下, 程傳頗覺費力. 蓋以志在君三字觀之, 本義之釋, 似爲平順.
초육의 위아래에 대해 『정전』에서는 자못 힘을 기울여 해석했다. 대개 "뜻이 임금에게 있다[志在君]"는 세 글자로 본다면 『본의』의 해석이 평이하고 순조로운 것 같다.

이병헌(李炳憲) 『역경금문고통론(易經今文考通論)』

荀曰, 拔茅茹, 取其相連也.
『순구가역』에서 말하였다: "띠풀의 뿌리를 뽑는다"고 한 것은 서로 이어져 있는 것을 취한 것이다.

姚曰, 君謂五.
요신이 말하였다: 임금은 오효를 말한다.

象曰, 拔茅貞吉, 志在君也.

「상전」에서 말하였다: "띠풀의 뿌리를 뽑는데 곧으면 길함"은 뜻이 임금에게 있기 때문이다.

傳

爻, 以六自守於下, 明君子處下之道, 象, 復推明, 以象君子之心. 君子固守其節, 以處下者, 非樂於不進獨善也, 以其道方否不可進, 故安之耳, 心固未嘗不在天下也. 其志常在得君而進, 以康濟天下, 故曰志在君也.

효사에서 초육이 아래에서 스스로를 지키는 것으로써 군자가 아래에 자리하는 도리를 밝혔고, 「소상전」은 군자의 마음을 상징한 것임을 다시 미루어 밝혔다. 군자는 그 절개를 굳게 지켜 아래에 있는 자이고 나아가지 않고 홀로 선한 것을 즐기는 것이 아니나, 그 도가 막 비색하여 나아갈 수 없기 때문에 편안히 여길 뿐이니, 마음은 항상 천하에 있다. 그 뜻은 항상 훌륭한 임금을 만나 나아가서 천하를 편안히 하고 다스리는데 있으므로 "뜻이 임금에게 있다"고 하였다.

小註

兼山郭氏曰, 居廟堂則憂其民, 處江湖則憂其君, 蓋泰之志在外, 而否之志在君之意也.
겸산곽씨가 말하였다: 벼슬할 때에는 백성들을 근심하고 초야에 있을 때에는 임금을 근심하니, 태괘(泰卦)에서는 "뜻이 밖에 있다"고 하였고 비괘(否卦)에서는 "뜻이 임금에게 있다"고 하였다.

本義

小人而變爲君子, 則能以愛君爲念, 而不計其私矣.

소인이 변해서 군자가 되면 임금을 사랑하는 것만을 생각하지 그 사사로움을 따지지 않는다.

小註

臨川吳氏曰, 泰初九應六四, 六四陰也民也. 初之陽志在澤民, 不獨善其身, 而兼濟天下, 故曰志在外. 否初六應九四, 九四陽也君也. 初之陰志在承君, 不自植私黨而同仕公朝, 故曰志在君.
임천오씨가 말하였다: 태괘(泰卦) 초구는 육사와 호응하는데, 육사는 음이며 백성이다. 초효인 양의 뜻은 백성들에게 은택을 주는데 있으니, 그 자신만을 홀로 선하고자 하지 않고 천하를 함께 구제하고자 하기 때문에 "뜻이 밖에 있다"고 하였다. 비괘(否卦) 초육은 구사와 호응하는데, 구사는 양이며 임금이다. 초효인 음의 뜻이 임금을 받드는데 있고 스스로 사사롭게 붕당을 짓지 않으며 조정의 공무를 함께 수행하기 때문에 "뜻이 임금에게 있다"고 하였다.

韓國大全

김상악(金相岳) 『산천역설(山天易說)』

君, 謂五也.
임금은 오효를 말한다.

○ 初六, 志在君, 而變五爲晉, 順而麗乎大明, 則當世道維新, 治理休明, 故曰貞吉亨. 泰初九, 志在外, 而四變則爲大壯. 不過藩決不羸而已, 故只曰征吉.
초육은 뜻이 임금에게 있는데, 비괘(否卦) 오효가 바뀌면 진괘(晉卦䷢)가 되니, 순해서 크게 밝은데 걸린다면 마땅히 세상의 도리가 새롭게 되고 다스리는 이치가 아름답고 밝게 되기 때문에 "곧고 길하여 형통하다"고 하였다. 태괘 초구에서 "뜻이 밖에 있다"고 했는데, 사효가 바뀌면 대장괘(大壯䷡)가 되니, "숫양이 돌진하다가 울타리를 받아 울타리가 터지니, 뿔이 상하지 않는 것"[40]에 불과하기 때문에 다만 "나가면 길하다"고 하였다.

김귀주(金龜柱) 『주역차록(周易箚錄)』

象曰, 拔茅[41]貞吉, 云云.

40) 『周易 · 大壯卦』: 九四, 貞吉, 悔亡, 藩決不羸, 壯于大輿之輹.
41) 茅: 경학자료집성DB에 '弟'로 되어 있으나, 경학자료집성 영인본을 참조하여 '茅'로 바로잡았다.

「상전」에서 말하였다: 띠풀의 뿌리를 뽑는데 곧으면 길하다, 운운.

○ 按, 志在君, 是對泰之初九志在外而言. 蓋泰之拔茅以彙者, 君子之志, 乃在於兼濟一世也, 故以征爲吉. 否之拔茅以彙者, 小人之志, 只在於干君媚君, 如孟子所謂仕則慕君, 及事君人者, 是也. 故戒其必貞而後吉. 貞者, 謂以正自持, 不汲汲於進也. 小人能以正自持, 不汲汲於進, 則將變而爲君子矣. 聖人之於君子則引之使進, 於小人則抑之使不進者, 亦視其志之所在而已. 象傳之意, 竊恐如此, 本義之說, 似頗費辭, 當更商.
내가 살펴보았다: "뜻이 임금에게 있다"는 것은 태괘 초구의 "뜻이 밖에 있다"는 말과 대조하여 말하였다. 태괘의 "띠풀의 뿌리를 뽑는데 무리로써 한다"는 것은 군자의 뜻이 곧 한 세상을 함께 구제하려는 데에 있기 때문에 나아가는 것으로 길함을 삼았다. 비괘의 "띠풀의 뿌리를 뽑는데 무리로써 한다"는 것은 소인의 뜻이 단지 임금에게 구하고 임금에게 아첨하는 데 있으니, 예를 들어 맹자가 말한 "벼슬하면 임금을 사모한다",[42] "임금을 섬기는 사람"[43]이라는 것이 그것이다. 그러므로 그들이 반드시 곧게 된 후에 길하게 된다고 경계하였다. 곧음은 스스로를 바르게 지키고 나아가는 데 급급해 하지 않는 것을 말한다. 소인이 바름으로 스스로를 지키고 나아가는데 급급해 하지 않는다면 변해서 군자가 될 수 있다. 성인이 군자에게는 그를 이끌어서 나아가게 하고 소인에게는 그를 억제하여 나아가지 못하게 한 것은 또한 그 뜻이 있는 곳을 보였을 뿐이다. 「상전」의 뜻이 이와 같은데 『본의』의 설은 자못 말을 허비한 듯하니, 마땅히 다시 생각해야 한다.

傳, 爻以六自守, 云云.
『정전』에서 말하였다: 효사에서 초육이 아래에서 스스로 절개를 지킨다, 운운.
小註, 兼山郭氏曰, 居廟堂, 云云.
소주에서 겸산곽씨가 말하였다: 벼슬하고 있는, 운운.
○ 按, 居廟堂者, 固憂其民而亦當憂其君. 處江湖者, 固憂其君, 而亦當憂其民. 蓋堯舜君民乃君子之心, 處內處外, 宜無間也, 郭氏分說, 恐未通.
내가 살펴보았다: 벼슬하고 있는 자는 진실로 그 백성들을 근심하고 또한 마땅히 그 임금을 근심해야 한다. 재야에 있는 자는 진실로 그 임금을 근심하고 또한 마땅히 그 백성들을 근심해야 한다. 요순시대의 임금과 백성이 바로 군자의 마음이어서 안에 있으나 밖에 있으나 마땅히 차이가 없었으니, 곽씨가 나누어 설명한 것은 아마도 통하지 않을 듯하다.

---

42) 『孟子 · 萬章』: 人少則慕父母, 知好色則慕少艾, 有妻子則慕妻子, 仕則慕君, 不得於君則熱中, 大孝, 終身慕父母, 五十而慕者, 予於大舜見之矣.
43) 『孟子 · 盡心』: 孟子曰, 有事君人者, 事是君, 則爲容悅者也.

本義, 小人而變, 云云.
『본의』에서 말하였다: 소인이 변하여, 운운.
小註, 臨川吳氏曰, 泰初九, 云云.
소주에서 임천오씨가 말하였다: 태괘 초구, 운운.
○ 按, 此以九四爲君, 而謂志在承君, 不植私黨, 云云, 語皆未當.
내가 살펴보았다: 여기서는 구사를 임금으로 여겨 뜻이 임금을 받드는데 있고 사사롭게 붕당을 짓지 않는다고 운운한 것은 말이 모두 합당하지 않다.

서유신(徐有臣) 『역의의언(易義擬言)』

乾爲坤之君, 陽爲陰之君也.
건은 곤의 임금이 되고 양은 음의 임금이 된다.

박문건(朴文健) 『주역연의(周易衍義)』

君, 謂九四也.
임금은 구사를 말한다.

김기례(金箕澧) 「역요선의강목(易要選義綱目)」

泰初九應六四之陰, 陰爲民, 志在澤民. 否初六應九四之陽, 陽爲君, 志在愛君.
태괘 초구는 육사의 음과 호응하는데, 음은 백성이 되고 뜻은 백성들에게 은택을 주는데 있다. 비괘 초육은 구사의 양과 호응하고 양은 임금이 되니, 초육의 뜻은 임금을 사랑하는데 있다.

심대윤(沈大允) 『주역상의점법(周易象義占法)』

疑其有讎世永絶之志, 故明其不然也.
원수는 대대로 영원히 끊어버리는 뜻이 있다고 의심했기 때문에 그렇지 않다고 밝혔다.

程子曰, 以其否而不可進, 故安之耳, 其心固未嘗不在於得君, 以康濟天下也.
정자가 말하였다: 그 도가 비색하여 나아가지 못하기 때문에 편안하게 있을 뿐이니, 그 마음은 본래 훌륭한 임금을 얻어 천하를 편안하게 다스리는데 있었다.

오치기(吳致箕)「주역경전증해(周易經傳增解)」

所以有拔茅貞吉之戒者, 以小人之志, 亦在於從君也.
"띠풀의 뿌리를 뽑는데 곧으면 길하다"고 경계한 까닭은 소인의 뜻도 또한 임금을 따르는 데 있기 때문이다.

이진상(李震相)『역학관규(易學管窺)』

君, 陽也. 陰性從陽, 小人之志, 亦在得君, 而能以貞正, 亦足以尊君而榮已. 不然則妨國病民, 而禍及其身矣.
임금은 양이다. 음의 성질은 양을 따르니, 소인의 뜻이 또한 임금을 얻는 데 있지만, 곧고 바름으로써 얻어야 또한 충분히 임금을 높이고 자신을 영화롭게 할 수 있다. 그렇지 않으면 나라에 방해가 되고 백성들을 병들게 하여 재앙이 자신에게 미친다.

이용구(李容九)「역주해선(易註解選)」

否, 初六, 郭氏曰, 居廟堂則憂其民, 處江湖之遠, 則憂其君. 蓋泰之志在外, 而否之志在君之意.
비괘 초육에 대해 곽씨가 말하였다: 벼슬할 때면 백성들을 근심하고 재야에 있을 때면 임금을 근심한다. 이에 대해 태괘 초효에서 "뜻이 밖에 있다"고 하였고, 비괘 초효에서 "뜻이 임금에게 있다"고 하였다.

六二, 包承, 小人, 吉, 大人, 否, 亨

정전 육이는 포용하고 받드니, 소인은 길하고 대인은 비색하니 형통하다.
본의 육이는 포용하며 받드니, 소인은 길하고 대인은 비색해야 형통할 것이다.

中國大全

傳

六二, 其質則陰柔, 其居則中正. 以陰柔小人而言, 則方否於下, 志所包畜者, 在承順乎上, 以求濟其否, 爲身之利, 小人之吉也. 大人當否, 則以道自處, 豈肯枉己屈道, 承順於上. 唯自守其否而已, 身之否, 乃其道之亨也. 或曰上下不交, 何所承乎. 曰正則否矣, 小人順上之心, 未嘗无也.

육이는 바탕이 유약한 음이고 중정에 자리하고 있다. 유약한 음인 소인으로 말하면 막 아래에서 막혔으니, 포용하고 기르는 뜻이 윗사람을 받들어 따르는 데 있다. 그 비색한 것을 구제하는 것을 자신의 이로움으로 삼으니, 이는 소인의 길함이다. 대인은 비색한 때를 당하면 도로써 스스로 처신하니, 어찌 자신을 굽히고 도를 굽혀서 윗사람을 순하게 받들기를 즐기겠는가? 오직 스스로 비색한 것을 지킬 뿐이니, 몸은 비색하지만 곧 그 도는 형통하다. 어떤 이가 "위아래가 교류하지 않는데 무엇을 받든단 말입니까?"라고 하기에 "올바름은 막혔으나 소인이 윗사람을 따르려는 마음은 없었던 적이 없습니다"라고 답하였다.

小註

中溪張氏曰, 六二以柔居柔, 包藏陰謀, 以承順其上. 當此之時, 群小彈冠相慶[44], 可謂小人吉矣. 唯大人之德, 以儉約自守, 不求榮祿, 身之否, 乃道之亨, 故曰大人否亨.
중계장씨가 말하였다: 육이가 부드러운 음으로서 유약한 자리에 있어 속으로 도모하는 것을

44) 탄관상경(彈冠相慶): 갓에 쌓인 먼지를 털어 냄. 갓의 먼지를 털고 벼슬길에 나가는 것을 비유한 말이다.(『한국고전용어사전』, 2001.3.30, 세종대왕기념사업회.)

포용하여 감추고서 윗사람을 받들어 따른다. 이러한 때에 여러 소인배들이 임금의 부름을 기다리며 서로 축하하는 것을 "소인이 길하다"고 말할 만하다. 오직 대인의 덕은 검약으로 자신을 지키고 봉록으로 영달하는 것을 구하지 않으니, 자신의 비색이 곧 도의 형통함이기 때문에 "대인은 비색하니, 형통하다"고 하였다.

○ 潛室陳氏曰, 此爻程傳謂承順乎上, 求濟其否爲身之利, 小人之吉, 看來只是否之時, 居中用事, 爲卦之主. 但其質柔順而居中正, 乃小人之忠厚善承君子者, 故在小人分上, 不害爲吉. 大人如是, 則可羞矣.
잠실진씨가 말하였다: 이 효는 『정전』에서 "윗사람을 받들어 따르는데 있어 그 비색한 것을 구제하는 것을 자신의 이로움으로 삼으니, 이는 소인의 길함이다"고 하여 단지 비색한 때에 중정의 자리에서 일을 벌이는 것을 괘의 주인이 되는 것으로 보았다. 다만 그 바탕이 유순하고 중정의 자리에 있어 소인의 충후(忠厚)함으로 군자를 잘 받들기 때문에 소인의 자리에서는 길함에 해가 되지 않는다. 대인이 이와 같이 한다면 부끄러워할 만하다.

本義

陰柔而中正, 小人而能包容承順乎君子之象, 小人之吉道也. 故占者小人如是則吉, 大人則當安守其否而後道亨, 蓋不可以彼包承於我而自失其守也.

유약한 음이면서 중정에 자리하고 소인이면서 군자를 포용하며 받들어 따를 수 있는 상이니, 소인이 길한 도이다. 그러므로 점치는 자가 소인일 경우에는 이와 같이 하면 길하고 대인일 경우에는 마땅히 비색함을 편안히 지킨 뒤에야 도가 형통하니, 저 소인이 나를 포용하고 받든다 하여 스스로 지킴을 잃어서는 안 된다.

小註

朱子曰, 易中亦有時而爲小人謀, 如包承小人吉, 大人否亨. 言小人當否之時, 能包承君子則吉. 但此雖爲小人謀, 乃所以爲君子謀也. 包承也, 是包得許多承順底意思.
주자가 말하였다: 『주역』 가운데도 또한 소인을 위해 도모하는 때가 있는데, 예를 들어 비괘(否卦) 육이의 "포용하며 받드니, 소인이 길하고 대인은 비색해야 형통하다"[45]고 한 것이다. 소인이 비색한 때를 당해 군자를 포용하여 받들면 길하다고 말한다. 다만 이것이 비록 소인

45) 『周易 · 否卦』: 包承, 小人, 吉, 大人, 否, 亨.

을 위해 도모한 것이라 해도 곧 군자를 위해 도모하는 까닭이기도 하기 때문이다.[46] "포용하며 받든다"고 한 것은 받들어 따른다는 뜻을 많이 내포하고 있다.

○ 雲峯胡氏曰, 初之惡未形, 故不稱曰小人, 至六二則直以小人稱矣. 泰卦辭曰吉亨, 否初爻辭亦曰吉亨, 否之初猶可變而爲泰也. 二曰小人吉, 大人否亨, 於是乎成否矣. 曰大人否亨者, 見得否者君子之事, 小人固无所謂否也. 小人能包容承順乎君子, 小人之吉也. 大人不可以其包承於我而自失其守, 大人之身, 雖否, 大人之道, 固亨也.
운봉호씨가 말하였다: 초효는 아직 악이 형성되기 이전이기 때문에 '소인'이라고 말하지 않았는데, 육이에 이르러 바로 '소인'이라고 했다. 태괘(泰卦)의 괘사에서 "길하고 형통하다"고 했고 비괘(否卦) 초효의 효사에서도 "길하고 형통하다"고 했는데, 비괘(否卦)의 초효는 오히려 바뀌어 태괘(泰卦)가 된 것이다. 비괘(否卦) 이효에 "소인은 길하고 대인은 비색해야 형통하다"고 했으니, 이에 비색함이 생겨난 것이다. "대인은 비색하여야 형통하다"고 했으니, 비색한 것은 군자의 일이고 소인은 진실로 비색하다고 말할 바가 없다는 것을 알 수 있다. 소인이 군자를 포용하고 받들어 따르는 것은 소인의 길함이다. 대인은 저 소인이 나를 포용하고 받든다 하여 스스로 지킴을 잃어서는 안 되니, 대인의 몸은 비록 비색하더라도 대인의 도는 진실로 형통하기 때문이다.

‖韓國大全‖

홍여하(洪汝河) 「책제(策題): 문역(問易) · 독서차기(讀書箚記)-주역(周易)」[47]

否, 六二, 程傳曰, 正則否矣.
비괘 육이에 대해 『정전』에서 "올바름은 막혔으나"라고 풀이했다.

正則否之否, 當作不字之義.
"올바름은 막혔으나"라고 할 때의 '막힘[否]'은 '불(不)'자의 뜻으로 써야 한다.

---

46) 『朱子語類 · 易三』: 但此雖爲小人謀, 乃所以爲君子謀也.
47) 경학자료집성DB에서는 비괘(否卦)의 「단전」에 해당하는 것으로 분류했으나, 내용에 따라 이 자리로 옮겨 바로 잡는다.

송시열(宋時烈) 『역설(易說)』

六二, 自此以上有大巽象. 故亦曰包承者, 承三爻也. 大人謂君子也. 君子居之, 則雖處否時, 不相雜乱於小人之群也. 本義已言之.
육이 이상의 효는 큰 손괘[大巽]의 상이다. 그러므로 “포용하고 받든다”고 한 것은 삼효를 받든다는 말이다. 대인은 군자를 말한다. 군자가 거처하면 비록 비색한 때에 있더라도 소인의 무리들에 의해 함부로 어지럽혀지지 않는다. 『본의』에서 이미 말했다.

이현익(李顯益) 「주역설(周易說)」

包承, 傳謂包畜者, 在承順于上, 本義謂包容承順乎君子, 其說不同. 而語類曰, 包承, 是包得許多承順底意思. 此則與傳合, 未知如何. 然當以本義爲正.
“포용하고 받드는 것”을 『정전』에서는 “포용하고 기르는 뜻이 윗사람을 받들어 따르는 데 있다”고 하였고 『본의』에서는 “군자를 포용하며 받들어 따른다”고 하였는데 두 설이 다르다. 그리고 『어류』에 “‘포용하며 받든다’고 한 것은 받들어 따른다는 뜻을 많이 내포하고 있다” 고 말하였다. 이는 『정전』과 부합하는데, 어떠한지 알지 못하겠다. 그러나 마땅히 『본의』를 바른 것으로 해야 한다.

이익(李瀷) 『역경질서(易經疾書)』

地道承天, 天之所荒, 惟地能兼包而承載, 故包承與包荒相照, 乾荒而坤承也. 包承者, 小人之道, 大人而包承, 是混亂於小人之群也.
지도(地道)가 하늘을 받든다는 것은 하늘의 거친 바를 오직 땅만이 아울러 포용하고 받들어 실을 수 있기 때문에 “포용하고 받드는 것”과 “거친 것을 포용한다”는 것은 서로 의미를 밝혀 주는 말이니, 건괘는 거칠음이고 곤괘는 받듦이다. “포용하고 받드는 것”은 소인의 도이니, 대인이면서 “포용하고 받든다”면 이는 소인의 무리에 의해 어지럽혀지는 것이다.

유정원(柳正源) 『역해참고(易解參攷)』

六二 [至] 否亨.
육이는 … 비색하여야 형통하다.

開封耿氏曰, 小人之在下也, 君子不遯則包之, 小人之在上也, 君子未能決則承之, 此以大人言包承也.

개봉경씨가 말하였다: 소인이 아래에 있는데 군자가 끊어내지 않는다면 소인을 포용하는 것이고, 소인이 위에 있는데 군자가 결단할 수 없다면 받드는 것이니, 이것은 대인으로서 "포용하고 받든다"는 사례를 말한 것이다.

○ 朱子曰, 龜山以包承小人爲一句, 言否之世, 當包承那小人, 如此卻不成句. 龜山之意, 蓋欲解說他從蔡京父子之失也. 〈徽宗宣和二年, 蔡京薦龜山爲秘書郎〉.
주자가 말하였다: 구산(楊龜山)[48]은 포승(包承)과 소인(小人)을 한 구절로 삼아 비색한 시대에는 마땅히 저런 소인들을 포용하며 받들어야 한다고 말하였는데, 이와 같이 하면 오히려 구절이 이루어지지 않는다. 구산(楊龜山)의 뜻은 그가 채경(蔡京)[49] 부자를 따랐던 실수를 해명하고자 한 것이다. 〈휘종 선화 2년에 채경(蔡京)이 양구산(楊龜山)을 비서랑으로 천거했다.〉

○ 西溪李氏曰, 包承於群小, 大人固否, 然實則亨也.
서계이씨가 말하였다: 여러 소인들을 포용하며 받드니, 대인은 진실로 비색하지만 실제는 형통하다.

○ 劉氏曰, 初在己下, 故包之, 六三在己上, 故承之.
유씨가 말하였다: 초효가 자신의 아래에 있기 때문에 포용하고, 육삼이 자신의 위에 있기 때문에 받든다.

○ 厚齋馮氏曰, 泰之二曰包荒, 蒙之二曰包蒙, 否之二曰包承. 蓋二在二體之中, 初與三左右之者也, 能引其類以爲之助也.

---

48) 양구산(楊龜山, 1053~1135): 자 중립(中立). 호 구산(龜山). 푸젠성[福建省] 장러[將樂] 출생. 정호(程顥)·정이(程頤) 형제에 사사(師事)했는데, 특히 형 정호의 신임을 받았다. 동생 이천(伊川)이 귀양지에서 돌아왔을 때, 제자들의 대부분이 영락한 가운데, 오직 구산과 상채(上蔡)만이 학문에 장족의 진보를 보였다고 칭찬하였다. 정호가 구산을 중히 여기고 정이가 상채를 중히 여긴 까닭은 그의 기질이 자기와 닮았기 때문이라 일컬어진다.(『한국민족문화대백과사전』.)

49) 채경(蔡京, 1047~1126): 북송 말 흥화군 선유 사람으로 자는 원장(元長)이다. 처음에 채확(蔡確)을 따르다가 후에 사마광을 좇았다. 철종 초에 장돈을 도와 신법을 시행하면서 유지(劉摯)와 범조우(范祖禹) 등을 유배 보냈다. 풍형예대설(豊亨豫大說)을 창안해 국고를 낭비하고 토목공사를 크게 일으키면서 수하들을 곳곳에 배치해 주민들을 괴롭히는 등 육적(六賊)의 수장으로 군림했다. 네 번의 국정을 장악하는 동안 여러 차례 파직과 재기를 반복했다. 흠종(欽宗)이 즉위한 후 손적(孫覿) 등이 그 간사함을 극력 탄핵하여 형주(衡州)에 안치되고 담주(儋州)로 옮겼는데, 도중에 담주(潭州)에서 죽었다.(네이버, 『중국역대인명사전』, 임종욱 편저, 김해명 감수, 2010.1.20, 이회문화사.)

후재풍씨가 말하였다: 태괘 이효에서 '포황(包荒)'이라고 했고 몽괘 이효에서 '포몽(包蒙)'이라고 했으며, 비괘 이효에서 '포승(包承)'이라고 했는데, 모두 이효로 두 몸체 가운데 있다. 초효와 삼효는 도와주는[左右] 자인데, 그 비슷한 동류를 이끌어 도울 수 있다.

○ 否亨, 猶所謂困窮而通也. 以小人而包承其類黨盛相安, 固吉. 以大人處群陰之中, 而能包其下承其上. 雖不與之爲群, 亦不與之爲敵. 所謂和而不同者, 雖處上下不交之時, 在上者, 知其不爲小人, 則終必進之, 斯其否而亨也.
"비색하지만 형통하다"는 것은 곤궁하지만 통한다고 말하는 것과 같다. 소인이면서 그 무리를 포용하며 받아들이고 사사롭게 붕당을 이루고 극성해져서 서로 편안하니 진실로 길하다. 대인으로 여러 음 가운데 있지만 그 아래를 포용하고 그 위를 받들 수 있다. 비록 여러 음들과 함께 무리를 이루지는 않더라도 그들과 적이 되지도 않는다. "군자는 화합하되 부화뇌동하지 않는 자"[50]라고 말한 것은 비록 위아래가 교류하지 않는 때일지라도 위에 있는 자가 소인이 되지 않는다는 것을 알면 마침내 반드시 나아가게 되니, 이는 비색하지만 형통하다.

○ 雙湖胡氏曰, 此爻諸家解與本義異. 然證以泰九二爻, 君子小人各引其類而進亦通.
쌍호호씨가 말하였다: 이 효에 대한 여러 학자들의 해석은 『본의』와는 다르다. 그러나 태괘 구이로써 증거해 보면 군자와 소인이 각각 그 무리를 이끌어 나아간다고 하여도 통한다.

김상악(金相岳) 『산천역설(山天易說)』

居三陰之中, 與五爲應, 爲包承之象. 包容於下, 承順於上, 求濟其否, 小人之吉也. 大人則不可以彼承順於我, 而自失其守, 故身雖否而道自亨也.
세 음의 가운데 있으면서 오효와 호응하니, "포용하며 받드는" 상이다. 아래를 포용하고 위를 받들어 따라 그 비색한 것을 구제하는 것이 소인의 길함이다. 대인은 소인들이 자신을 받들어 따른다고 하여 제 스스로 지키는 것을 잃어서는 안 되기 때문에 자신은 비록 비색하지만 도는 저절로 형통하다.

○ 包者, 包乎初也, 承者, 承乎五也. 小人吉, 如遯之小利貞也. 大人陽剛之稱, 否泰反類, 天地定位, 故與乾二五同稱大人. 否者, 當否之時也, 亨者, 休否之吉也.
'포용한다'는 것은 초효를 포용하는 것이고 '받든다'는 것은 오효를 받드는 것이다. "소인이

50) 『論語 · 子路』 23장: 子曰, 君子, 和而不同, 小人, 同而不和.

길하다"는 것은 돈괘(遯卦)의 "조금 곧게 함이 이롭다"[51]고 한 것과 같다. 대인은 굳센 양을 지칭하고 비괘와 태괘는 그 부류를 반대로 하니, 천지가 제자리를 잡기 때문에 건괘 이효와 오효에서 똑같이 '대인'이라고 칭하였다.[52] '비색하다'는 것은 비색한 때를 당한 것이고 '형통하다'는 것은 비색한 것을 그치게 한 길함이다.

김규오(金奎五) 「독역기의(讀易記疑)」

六二, 傳爲身之利, 小人之吉. 竊疑, 聖人无以利爲利之訓, 況許之以吉耶. 張氏推之爲彈冠相慶之說, 尤涉濫觴. 小人如此, 未有終不敗者, 雖以利害言之, 恐不可謂之吉也.

육이를 『정전』에서 "자신의 이로움으로 삼으니, 소인의 길함이다"고 했다.

내가 살펴보았다: 성인은 이로움을 자신의 이로움으로 여기는 가르침이 없는데,[53] 하물며 그것을 길하다고 하겠는가? 중계장씨는 그것을 장차 벼슬하기를 기다리며 서로 경하(慶賀)하는 설로 미루어 갔으니, 더욱 지나쳤다. 소인이 이와 같이 하면 끝내 실패하는 자가 되니, 비록 이로움과 해로움으로 말한다 하더라도 길하다고는 말할 수 없을 것이다.

김귀주(金龜柱) 『주역차록(周易箚錄)』

六二, 包承, 小人, 吉, 云云.

육이는 포용하며 받드니, 소인은 길하다, 운운.

○ 按, 六二陰柔而中正, 蓋小人中之良善而不至索性者也. 大人卽九五, 休否之大人也. 六二與九五爲正應, 自六二而言, 則順承剛中之大人爲獲吉, 而自九五而言, 則下應陰柔之小人爲可羞也. 此爻雖以六二小人爲主, 而亦兼言九五大人之吉[54]耳.

내가 살펴보았다: 육이는 부드러운 음으로 중정하니, 소인들 가운데 본래 선하여 제멋대로 하는데 이르지 않는 자이다. 대인은 구오이니, 비색을 그치는 대인이다. 육이와 구오는 정응인데, 육이로부터 말하면 굳세고 알맞은 대인을 받들어 따라 길함을 얻지만, 구오로부터 말하면 아래로 부드러운 음인 소인과 호응하여 부끄러울 만하다. 이 효가 비록 육이의 소인으로서 이 괘의 주인이 되지만, 또한 구오인 대인의 길함도 같이 말하였다.

---

51) 『周易·遯卦』: 遯, 亨, 小利貞.

52) 『周易·乾卦』: 九二, 見龍在田, 利見大人. 九五, 飛龍在天, 利見大人.

53) 『大學』: 孟獻子曰, 畜馬乘, 不察於鷄豚, 伐氷之家, 不畜牛羊, 百乘之家, 不畜聚斂之臣, 與其有聚 斂之臣, 寧有盜臣, 此謂國不以利爲利, 以義爲利也.

54) 吉: 경학자료집성DB와 영인본에 모두 '古'으로 되어 있으나, 문맥을 살펴 '吉'로 바로잡았다.

傳, 六二, 其質, 云云.
『정전』에서 말하였다: 육이는 그 바탕이, 운운.
○ 按, 程傳, 此說於義亦通, 然易不爲小人謀, 必不以承順其君爲吉也, 故本義不取之. 必如本義之論然後, 其所謂吉者, 乃是誘入於善道也, 意方圓暢.
내가 살펴보았다: 『정전』에서 이 말은 뜻에는 역시 통하지만 역은 소인을 위해 도모하지 않으므로 반드시 그 임금을 받들어 따르는 것을 길한 것으로는 삼지 않는다. 그러므로 『본의』에서는 취하지 않았다. 반드시 『본의』와 같이 해석한 이후에야 그 길함이라고 하는 것이 곧 선한 도리로 이끌어 들어가 그 뜻이 비로소 원만히 통한다.

小註, 潛室陳氏曰, 此爻, 云云.
소주에서 잠실진씨가 말하였다: 이 효, 운운.
○ 按, 此論極是而末段大人如是, 云云, 意甚未瑩.
내가 살펴보았다: 이 논의는 매우 옳지만, 마지막 단락에 있는 "대인이 이와 같다"고 운운한 것은 뜻이 전혀 분명하지 않다.

本義, 陰柔而中正, 云云.
『본의』에서 말하였다: 부드러운 음이면서 중정에 자리하고, 운운.
小註, 朱子曰, 易中, 云云.
소주에서 주자가 말하였다: 『주역』 가운데, 운운.
○ 按, 此釋包承二字, 與本義之訓, 少不同. 然以包羞之例言之, 恐此註爲長.
내가 살펴보았다: 이는 "포용하며 받든다"는 두 글자를 해석한 것인데 『본의』의 해석과 조금 다르다. 그러나 삼효의 "포용하는 것이 부끄럽다"는 것을 예시로써 말한 것은 아마도 이 주석이 더 나은 것 같다.

박제가(朴齊家) 『주역(周易)』

六二, 包承, 傳自妥當. 本義曰, 包容承順乎君子, 小人之吉道也.
육이의 "포용하며 받든다"에 대한 해석은 『정전』이 저절로 타당하다. 『본의』에서는 "소인이 포용하여 군자를 받들어 따르니, 소인의 길한 도이다"고 하였다.

案, 此一爻中竝言小人大人, 故必以包承連屬之而合看. 然此爻包承爲象, 以下則論也. 能如是則豈可曰小人乎. 此蓋從陰柔而中正言也. 然中正者, 位也, 陰柔, 其質也. 人之德, 豈必盡如其位乎. 至曰易中亦有時爲小人謀, 如包承小人吉云云, 夫一二陰柔居中, 小人而有才地者也.
比他小人爲據得可爲之勢者也, 自在下時, 已有承順之志, 卽他日諂諛之兆也, 故爻斷之曰, 小人吉大人否亨. 以否爲亨, 則其吉, 非君子所謂吉也. 此吉不過小人得志之吉兆耳, 乃所以爲君子謀, 此乃自然之象, 而寓戒之論也. 如筮得此爻者, 雖索性小人, 豈曰於我吉而聖人亦爲我謀者耶. 亦豈有自謂小人, 而謀諸易者耶.
내가 살펴보았다: 여기 한 효에서 소인과 대인을 함께 말했기 때문에 반드시 '포승(包承)'을 연속으로 합해 보아야 한다. 그러나 이 효는 '포승(包承)'을 상으로 삼았고 그 이하는 논의이다. 이와 같을 수 있다면 어찌 소인이라고만 말할 수 있겠는가? 이것은 부드러운 음이면서 중정한 것을 따라 말하였다. 그러나 중정은 자리를 가리키고 부드러운 음은 그 성질이다. 사람의 덕이 어찌 반드시 다 그 자리와 같을 수 있겠는가? 심지어 "『주역』 가운데에도 또한 소인을 위해 도모하는 때가 있는데, 포용하며 받드니 소인이 길하다"고 운운한 것은 초효와 이효가 부드러운 음으로 가운데 있어 소인으로서 재질과 지위를 갖고 있는 자이기 때문이다. 다른 소인에 비하여 그에 의지하여 무엇인가를 해 볼 수 있는 세력을 얻을 수 있는 사람으로, 아래에 있을 때에는 이미 받들어 따르는 뜻을 지녀 후일에 아첨할 조짐이 있기 때문에 효사에서 "소인은 길하고 대인은 비색하여야 형통하다"고 단정 지어 말하였다. 비색한 것이 형통하게 되면 그 길함은 군자가 길하다고 하는 것이 아니다. 이 길함은 소인이 뜻을 얻는 길한 조짐에 불과할 뿐으로 곧 군자를 위해 도모하였으니, 이는 자연스러운 상으로 가탁하여 경계한 논의이다. 예를 들어 점을 쳐서 이 효를 얻은 자가 비록 형편없는 소인일지라도 어찌 "나의 길함에 대해 성인도 또한 나를 위해 도모했다"고 말할 수 있겠는가? 또한 어찌 스스로를 소인이라고 하면서 역에서 도모하는 자가 있을 수 있겠는가?

서유신(徐有臣) 『역의의언(易義擬言)』

包者, 乾象也, 承者, 坤道也. 陽包而陰承, 五包而二承, 上下相交也. 故小人爲吉, 大人爲亨也. 否乃大人之否, 故曰大人否亨也. 否亨卽小人之吉也. 小人, 六二也, 大人, 九五也.
'포(包)'는 건괘의 상이고 '승(承)'은 곤괘의 도이다. 양은 포용하고 음은 받드니, 오효는 포용하고 이효는 받들어 위아래가 서로 사귄다. 그러므로 소인은 길하게 되고 대인은 형통하게 된다. 비색함은 곧 대인의 비색함이므로 "대인은 비색하여야 형통하다"고 하였다. "대인이 비색하여야 형통하다"는 것은 곧 소인이 길한 것이다. 소인은 육이(六二)고 대인은 구오(九五)이다.

박문건(朴文健) 『주역연의(周易衍義)』

以柔用順, 故有包承之象. 包承言包藏其承順之道也.
부드러움으로써 순하게 처신하기 때문에 "포용하며 받드는" 상이 있다. '포승(包承)'은 그 받들어 따르는 도리를 포용하여 간직하는 것을 말한다.
〈問, 小人吉大人否亨. 曰承順之道, 惟小人吉而大人則不吉. 然在大人而猶亨者, 用順而進, 不亂其同志也, 非如小人之屈己順辭也.
물었다: "소인은 길하고 대인은 비색하여야 형통하다"는 무슨 뜻입니까?
답하였다: 받들어 따르는 도이므로 오직 소인만이 길하고 대인은 길하지 않습니다. 그러나 대인에게 오히려 형통하다는 것은 순하게 처신하면서 나아가 그 뜻을 함께하는 사람들을 어지럽히지 않기 때문이니, 소인이 자신을 비굴하게 낮추어 말을 순하게 하는 것과 같지 않습니다〉.

이지연(李止淵) 『주역차의(周易箚疑)』

包承, 如唐之高力士之類. 否之六二, 本非大人之象, 而以其有中正之德, 故不忍舍之而系之以大人. 易之貴中也, 如此.
"포용하며 받든다"고 한 것은 당의 고역사(高力士)[55]와 같은 부류이다. 비괘의 육이는 본래 대인의 상이 아니지만 중정한 덕을 갖고 있기 때문에 차마 버리지 못하고 대인에게 매어둔다. 『주역』은 이처럼 '중(中)'을 귀하게 여긴다.

不耻不若人, 何若人有.[56]
부끄러워함이 남과 같지 못하면 어느 것이 남과 같은 것이 있겠는가?

이항로(李恒老) 「주역전의동이석의(周易傳義同異釋義)」

按, 包畜包容二釋不同, 旡甚利害也. 或問, 泰九二之包荒, 否六二之包承, 包則一也. 而彼泰此否, 彼大此小, 判然相反何也. 曰, 泰二包荒, 天下之公理也, 否二包承, 一人之私心也. 何謂公理. 以天包地, 以陽包陰, 以大字小, 以賢養愚, 天理人事之當然也.

---

55) 고역사(高力士, 684~762): 중국 당(唐) 현종(玄宗) 때의 환관(宦官)으로서 위황후(韋皇后)와 태평공주(太平公主) 세력을 제거하는 데 공을 세워 현종(玄宗)의 두터운 신임을 받았으며, 이를 바탕으로 권세를 부려 당(唐) 후기(後期)에 환관(宦官) 세도정치(勢道政治)의 길을 열었다.

56) 『孟子·盡心』: 不恥不若人, 何若人有.

何謂私心. 以弱挾强, 以柔說剛, 以暗附明, 以私憑公, 一己一夫之小知也. 是以君子在內而小人居外, 則君子小人, 各得其位而竝受其福. 小人在內而君子居外, 則君子小人, 皆失其位而竝受其禍, 此无他焉. 彼公而此私, 彼大而此小, 彼明而此暗, 彼剛而此柔故也. 觀其所包而君子小人之情, 大可見矣.

내가 살펴보았다: 『정전』에서는 '포축(包畜)'이라 하고 『본의』에서 '포용(包容)'이라 하여 두 해석이 다르지만, 큰 차이는 없다.

어떤 이가 물었다: 태괘 구이의 '포황(包荒)'과 비괘 육이의 '포승(包承)'에서 '포(包)'자를 쓴 것은 같습니다. 그런데 저것은 태괘이고 이것은 비괘이며, 저것은 크고 이것은 작아서 매우 상반된 것은 무엇 때문입니까?

답하였다: 태괘(泰卦) 이효의 '포황(包荒)'은 천하의 공리(公理)인데, 비괘(否卦) 이효의 '포승(包承)'은 한 사람의 사심(私心)입니다. 무엇을 공리라 말합니까? 하늘은 땅을 포용하고 양은 음을 포용하며, 큰 것은 작은 것을 기르고 현인은 어리석은 이를 기르는 것 등이 천리와 인사의 당연함입니다. 무엇을 사심이라 말합니까? 약한 사람으로서 강한 사람을 내세우고 유약하면서 굳센 이를 기쁘게 하며, 음험한 일에 밝은 명분을 갖다 붙이고 사사로운 일을 공적인 일로 빙자하니, 이는 한 개인의 작은 지식입니다. 그러므로 군자가 안에 있고 소인이 밖에 있다면 군자와 소인이 각각 그 자리를 얻어 함께 그 복을 받지만, 소인이 안에 있고 군자가 밖에 있다면 군자와 소인이 각각 그 자리를 잃어서 함께 그 화를 입으니, 이는 다른 까닭이 아닙니다. 저것은 공적이고 이것은 사적이며, 저것은 크고 이것은 작으며, 저것은 밝고 이것은 어두우며, 저것은 강하고 이것은 유약하기 때문입니다. 그 포용하는 바를 살피면 군자와 소인의 본래 모습을 대략 알 수 있습니다.

김기례(金箕澧) 「역요선의강목(易要選義綱目)」

泰二包荒, 君子遠抱也, 否二包承, 言小人包藏陰謀, 承順君子.

태괘 이효의 "거친 것을 포용한다"는 것은 군자가 멀리 포용하는 것이고, 비괘 이효의 "포용하며 받든다"는 것은 소인이 음모를 포장하여 감추며 군자를 받들어 따르는 것을 말한다.

○ 二爲中正, 雖小人, 而柔順者. 朱子曰, 易中亦時有爲小人謀, 其實戒也.

이효는 중정이 되니, 비록 소인일지라도 유순한 자이다. 주자는 "『주역』 가운데에도 소인을 위해 도모하는 때가 있다"고 했는데, 실제로는 경계한 것이다.

小人吉, 大人否亨.

소인은 길하고 대인은 비색하여야 형통하다.

否道在初則未形, 故聖人戒之以貞. 自二則已彰, 故言小人.

비색한 도가 초효에서는 아직 드러나지 않기 때문에 성인이 곧음으로써 경계하였다. 이효에서부터는 이미 드러나기 시작하므로 소인을 말하였다.
○ 蓋小人, 則柔順包承而得吉, 君子, 則晦而自守身, 雖否道則亨.
소인은 유순하게 포용하여 받들어 길함을 얻고 군자는 어두워도 스스로 자신을 지키니, 비록 비색한 도라고 해도 형통하다.

심대윤(沈大允)『주역상의점법(周易象義占法)』

否之訟☰☵, 兩心交爭也. 六二居柔處否而有通者也. 以柔道居卑位, 情意不通乎上, 欲留不安, 欲去 不忍. 兩心交爭于中而含包承順以從上令而不敢獻替, 故曰包承. 乾爲包, 言徧承于三陽也. 巽爲承, 夫徧包承順, 以服任使, 此小人之吉也. 离坤爲小人, 在大人則爲否而其道亨也. 坎乾爲大人, 鳥獸不可與爲群, 故仕而行其義也. 下有一陰從於二, 爲有通之象. 蓋否於上而通於下也.
비괘가 송괘(訟卦☰☵)로 바뀌었으니, 두 마음이 서로 다툰다. 육이는 부드럽게 처신하여 비색한 처지에 놓여서도 형통함이 있는 자이다. 부드러운 도로써 낮은 지위에 있어서 정의(情意)가 위와 통하지 않으니, 머물고자 하나 편하지 않고 떠나고자 하나 차마 하지 못한다. 두 마음이 마음속에서 서로 다투는데, 이 마음을 끌어안고 순종하여 위의 명령을 따르면서 감히 헌체(獻替)[57]할 수 없기 때문에 "포용하며 받든다"고 하였다. 건괘는 '포(包)'가 되니, 두루 세 양을 받드는 것을 말한다. 손괘는 승(承)이 되는데, 두루 포용하며 받들어 따라 맡겨진 일에 종사하니, 이것은 소인의 길함이다. '리괘(☲)'와 '곤괘(☷)'는 소인이 되니, 대인에게는 비색함이 되지만 그 도는 형통하다. '감괘(☵)'와 '건괘(☰)'는 대인이 되니, 조수(鳥獸)와 더불어 무리가 되어서는 안 되기 때문에[58] 벼슬하여 그 뜻을 실천한다. 아래에 하나의 음이 있어 이효를 따르니, 통하는 상이 된다. 위로는 막히지만 아래로는 통한다.

오치기(吳致箕)「주역경전증해(周易經傳增解)」

六二, 以陰柔而居柔, 其心包藏柔媚爲順以承君上, 而旣得時矣. 小人之吉, 卽大人之否. 然大人不從小人之群, 而能安守其否然後, 有必亨之道. 故戒君子如此也.
육이는 부드러운 음으로서 음의 자리에 있어 그 마음속에 유순하게 아첨하는 것을 감추고 임금을 받들어 따르는데, 이미 때를 얻었다. 소인의 길함은 곧 대인의 비색함이다. 그러나

---

57) 헌체(獻替): '헌가체부(獻可替否)'의 준말로, 임금이 마땅히 행해야 할 일은 과감히 건의하고 행하면 안 될 일은 그만두도록 간하는 대신의 도리를 말한다.(『春秋左氏傳 · 昭公』 20年.)
58) 『論語 · 微子』: 鳥獸不可與同群.

대인이 소인의 무리를 따르지 않고 편안히 그 비색함을 지킨 이후에 반드시 형통하는 도가 있다. 그러므로 군자를 이와 같이 경계하였다.

○ 包者, 包藏之謂也. 承者, 受也, 取於應體互艮, 已見師上. 大人卽指君子也.
'포(包)'는 싸서 감춘 것을 말한다. '받든다[承]'는 것은 받는 것이니, 호응하는 몸체인 간괘(艮卦)에서 취하였고, 이미 사괘(師卦) 상효에서 나타났다. 대인은 곧 군자를 가리킨다.

이진상(李震相)『역학관규(易學管窺)』

二以中正之體, 有包容承順之美. 此固小人之吉道, 而若在君子, 則不可以彼之包承爲其所牢寵, 失否亨之道也. 先儒謂, 初在己下, 故包之, 三在已上, 故承之, 此一義也. 小人之於同類, 固亦如此, 苟不至於肆惡而害善, 則固亦吉道也.
이효는 중정의 몸체로써 포용하고 받들어 따르는 아름다움이 있다. 이는 소인이 길한 도이지만, 만약 군자와 같은 경우라면 소인이 자신을 포용하며 받들어 주는 것에 마음을 뺏겨서 "비색하여야 형통해지는" 도를 잃어서는 안 된다. 이전의 유학자는 초효가 자신의 아래에 있기 때문에 포용하며, 삼효가 자신의 위에 있기 때문에 그것을 받든다고 하였는데, 이는 하나의 뜻이다. 소인이 동류들에 대해 진실로 이와 같이 하여 악행을 일삼아 선을 해치는데 이르지 않는다면 또한 길한 도이다.

박문호(朴文鎬)「경설(經說)・주역(周易)」

包承, 包羞, 本義作包且承, 包其羞, 而程傳則上下包字, 其釋同, 爲所包者, 承羞, 其義似長.
이효의 '포승(包承)'과 삼효의 '포수(包羞)'에 대해『본의』는 "포용하며 받든다", "부끄러움을 품는다"고 하였는데,『정전』에서는 위아래의 '포(包)'자에 대한 해석이 같아 품고 있는 생각이 "받드는 것"과 "부끄러운 것"이라고 하니, 그 뜻이 더 나은 것 같다.

正則否矣, 正謂君子之正道也.
비괘(否卦)에서는 바르면 비색해지는데, '정(正)'은 군자의 바른 도리를 말한다.

이병헌(李炳憲)『역경금문고통론(易經今文考通論)』

姚曰, 以陽包陰, 二欲以下三陰, 俱承五, 故包承.

요신이 말하였다: 양이 음을 포용하고 이효는 하괘의 세 음과 함께 오효를 받들고자 하기 때문에 "포용하며 받든다"고 하였다.

虞曰, 物三稱群.
우번이 말하였다: 어떤 사물이 셋이면 '무리'라고 할 수 있다.

按, 五與二得位, 故不亂群也.
내가 살펴보았다: 오효와 이효는 제자리를 얻었기 때문에 무리에게 어지럽혀지지 않는다.

象曰, 大人否亨, 不亂群也.

정전 「상전」에서 말하였다: "대인은 비색하니 형통함"은 무리들에게 어지럽혀지지 않기 때문이다.
본의 「상전」에서 말하였다: "대인은 비색해야 형통함"은 무리들에게 어지럽혀지지 않기 때문이다.

中國大全

傳

大人, 於否之時, 守其正節, 不雜亂於小人之群類, 身雖否而道之亨也. 故曰否亨. 不以道而身亨, 乃道之否也. 不云君子而云大人, 能如是, 則其道大矣.

대인은 비색한 때에 바른 절개를 지켜서 소인의 무리에 섞여서 어지럽혀지지 않으니, 몸은 비록 비색하지만 도는 형통하다. 그러므로 "비색하니 형통하다[否亨]"고 말하였다. 도로써 하지 않고 몸만 형통한 것은 바로 도가 비색한 것이다. 군자라고 말하지 않고 대인이라고 말한 것은 이와 같이 할 수 있으면 도가 크기 때문이다.

本義

言不亂於小人之群.

소인의 무리에 의해서 어지럽혀지지 않는 것을 말한다.

小註

雲峯胡氏曰, 二陰在下, 小人之群也. 大人不爲其群所亂, 雖否而亨矣.

운봉호씨가 말하였다: 육이의 음이 아래 있는 것은 소인들의 무리이다. 대인은 그 무리들에 의해 어지럽혀지지 않으니, 비록 비색하더라도 형통하다.

韓國大全

김상악(金相岳) 『산천역설(山天易說)』

群, 小人之群也.
무리는 소인들의 무리이다.

김규오(金奎五) 「독역기의(讀易記疑)」

象傳不云君子而云大人. 竊疑二五人位, 故多稱人. 此爻陰居二, 故謂之小人, 其云大人者, 似以否自泰來而指其本爻耳.
「상전」에서 '군자'라고 말하지 않고 '대인'이라고 말하였다.
내가 살펴보았다: 이효와 오효는 사람의 자리이기 때문에 대개 사람이라고 칭한 경우가 많다. 여기 효는 부드러운 음이 이효(二爻)에 있기 때문에 '소인'이라고 말했고, '대인'이라고 한 것은 비괘가 태괘로부터 온 것으로써 그 본래의 효를 지칭한 것 같다.

서유신(徐有臣) 『역의의언(易義擬言)』

陰陽群分, 自有截然不相亂之象焉. 其曰包承, 初非糊塗之謂也. 苟使朱紫混淆涇渭莫卞, 則否安得以亨也.
음양은 무리로 나뉘니, 자연히 뚜렷이 갈라져 서로 어지럽히지 않는 상이다. "포용하며 받든다"고 한 것은 애초에 모호하다는 말이 아니다. 붉은 색과 자주색을 뒤섞어 놓고 경수와 위수[涇渭][59]를 구분하지 않는다면, 막힌 것이 어찌 형통할 수 있겠는가?

박문건(朴文健) 『주역연의(周易衍義)』

群, 謂九五, 同志之稱也.
무리는 구오를 말하고 뜻을 같이하는 사람을 말한다.

---

59) 경위(涇渭): 옳고 그름과 청탁(淸濁)에 대한 분별이 엄격함을 이르는 말이다. 원래 중국 섬서성(陝西省)에 있는 두 물 이름인데, 경수(涇水)는 물이 탁하고 위수(渭水)는 맑기 때문에 비유한 것이다.

김기례(金箕澧) 「역요선의강목(易要選義綱目)」

不亂群.
어지럽혀지지 않는다.

坤爲衆, 故曰群.
곤괘는 여러 사람이 되므로 '무리[群]'라고 하였다.

○ 言君子不爲群陰所亂.
군자는 음의 무리에 의해 어지럽혀지지 않음을 말하였다.

심대윤(沈大允) 『주역상의점법(周易象義占法)』

雖包承而介然有守, 不亂于小人之群也.
비록 포용하며 받들지만 확고하게 자신을 지켜서 소인의 무리에 의해 어지럽혀지지 않는다.

오치기(吳致箕) 「주역경전증해(周易經傳增解)」

守其正道, 不亂於小人之群也.
그 바른 도를 지켜 소인의 무리에 의해 어지럽혀지지 않는다.

六三, 包羞.

정전 육삼은 품고 있는 것이 부끄럽다.
본의 육삼은 부끄러움을 품고 있다.

中國大全

傳

三以陰柔, 不中不正而居否, 又切近於上, 非能守道安命, 窮斯濫矣,60) 極小人之情狀者也. 其所包畜謀慮邪濫, 无所不至, 可羞恥也.

삼효는 유약한 음으로서 중정하지도 못하면서 비색한 때에 있고, 또 위와 매우 가까우나 도를 지키며 명을 편안히 여기는 자가 아니니, 궁하면 곧 넘쳐서 소인의 모습이 극도에 달한 자이다. 마음속에 품고 있는 꾀와 생각이 사특하고 넘쳐서 이르지 않는 바가 없으니, 부끄럽다.

本義

以陰居陽而不中正, 小人志於傷善而未能也, 故爲包羞之象. 然以其未發, 故无凶咎之戒.

음으로서 양의 자리에 있어 중정하지 못하니, 소인이 착한 사람을 해치려는 데 뜻을 두었으나 할 수 없기 때문에 "부끄러움을 품고 있는[包羞]" 상이다. 그러나 아직 나타나지 않았기 때문에 비괘(否卦)에는 '흉'과 '허물'에 대한 경계가 없다.

60) 『論語 · 衛靈公』: 子曰, 君子固窮, 小人窮斯濫矣.

小註

朱子曰, 初六是那小人欲爲惡而未發露之時, 到六二包承, 則已是打破頭面了. 然尙自承順那君子, 未肯十分做小人在. 到六三便全做小人了, 所以包許多羞恥. 大凡小人做了罪惡, 他心下也, 自不穩當, 此便是包羞之說.
주자가 말하였다: 초육은 저 소인이 악을 행하고자 하나 아직 악이 나타나지 않은 때인데, 육이의 "포용하며 받듦[包承]"에 이르면 이미 단서를 드러내었다. 그러나 여전히 스스로 저 군자를 받들고 따르면서 아직 완전하게 소인 노릇을 하지 않고 있다. 육삼에 이르러서야 곧 완전한 소인이 되어서 허다한 부끄러움을 품는다. 대체로 소인이 죄악을 저지르는 것은 그의 마음 씀이 스스로 온당하지 않기 때문이니, 이것이 곧 "부끄러움을 품고 있다"는 설이다.

○ 建安丘氏曰, 否下三爻雖皆陰類, 然初六六二, 則尙介乎君子小人正邪之間. 獨六三則邪而不正, 純乎小人矣. 宜其不顧屈辱而包羞忍恥也.
건안구씨가 말하였다: 비괘 아래 세 효가 비록 모두 음이나, 여전히 초육과 육이는 군자와 소인의 바름과 사악함의 사이에 놓여있다. 유독 육삼만이 사악하고 바르지 않으니 순전한 소인이다. 마땅히 그 굴욕을 돌아보지 않고 부끄러움을 품으며 수치심을 참아낸다.

○ 雲峯胡氏曰, 二與三皆陰柔, 故皆有包含之象. 六二陰柔中正, 其所蘊者, 欲承順乎君子. 六三陰柔不中正, 所蘊者, 直欲傷害君子, 而未能耳. 故有包羞之象. 占不曰凶咎者, 或謂包羞而未發也. 倘其自以爲可羞, 則亦羞恥之心, 義之端也, 故不言凶咎.
운봉호씨가 말하였다: 이효와 삼효는 모두 유약한 음이므로 모두 "품고 있다"는 상을 가지고 있다. 육이는 유약한 음으로 중정한데, 그가 품고 있는 것은 군자를 받들어 따르고자 함이다. 육삼은 유약한 음으로 중정하지 않은데, 그 품고 있는 생각은 바로 군자를 상해하고자 하나 할 수 없을 뿐이다. 그러므로 "부끄러움을 품고 있다[包羞]"는 상이 있다. 점사에 '흉구(凶咎)'라고 말하지 않은 것에 대해 어떤 사람은 품고 있는 것이 부끄러움이지만 아직 나타나지 않았기 때문이라고 말하기도 한다. 혹 스스로 부끄러워 할 만하다고 여기면 부끄러워하는 마음은 또한 의로움의 단서이므로 비괘(否卦)에서는 '흉'과 '허물'을 말하지 않았다.

∥韓國大全∥

조호익(曺好益) 『역상설(易象說)』

包, 取陰虛象, 羞, 取陰吝象.
품고 있다는 것은 음의 비어있는 상을 취한 것이며, '부끄럽다'는 것은 음의 '부끄러운[吝]' 상을 취한 것이다.

송시열(宋時烈) 『역설(易說)』

六三, 亦巽象, 故云包. 此爻不中不正, 以陰爻居陽位, 時當否塞, 不能行處否之道, 其道羞耻.
육삼도 또한 손괘의 상이기 때문에 "품고 있다"고 말하였다. 이 삼효는 중정하지도 않고 음효로서 양의 자리에 있으며, 비색한 때를 당해서도 비색함에 대처하는 도를 행하지 못하니, 그 도가 부끄럽다.

이익(李瀷) 『역경질서(易經疾書)』

包羞者, 非一羞也. 二三同德, 而二中正, 三不中正. 故二小人則猶吉, 而三則反是.
"품고 있는 것이 부끄러움이다"는 것은 한 번의 부끄러움이 아니다. 이효와 삼효는 같은 덕인데, 이효는 중정하지만 삼효는 중정하지 않다. 그러므로 이효의 소인은 오히려 길하지만 삼효는 이와 반대이다.

유정원(柳正源) 『역해참고(易解參攷)』

案, 初六, 小人之未判者也. 六二, 小人之已得志者也, 則六三便當爲索性之小人也. 其陰謀秘計, 皆是妒賢嫉能妨民病國之事, 言之可耻. 此正包羞之象, 其爲凶咎不言可知. 本義乃曰, 傷善而未能. 又曰未發, 故无凶咎. 蓋其包藏蘊畜, 无非禍心而位姑不當, 勢有不逮, 故未能而未發也. 君子時其未能未發, 而防微杜漸, 不及於難, 故无凶咎之戒歟. 雲峯說, 義之端, 恐涉太過.
내가 살펴보았다: 초육은 아직 소인으로 판단되지 않는다. 육이의 소인이 이미 뜻을 얻은 자라면 육삼은 곧 제멋대로 하는 소인이다. 그 음모와 비밀스런 계책은 모두 어진 이를 투기하고 유능한 이를 미워하며 백성을 해롭게 하고 나라를 병들게 하는 일이니, 말하기에도

부끄러워할 만하다. 이것이 바로 "품고 있는 것이 부끄러움이다"는 상이니, 효시에 흉과 허물을 말하지 않아도 알 수 있다. 『본의』에서는 "착한 사람을 해치려고 마음먹었으나 하지 못했다"고 하고 또 "아직 나타나지 않았기 때문에 흉과 허물을 말하지 않았다"고 하였다. 그 품고 감추며 쌓고 기르는 것은 재앙을 끼치려는 마음이 아닌 것이 없는데, 자리가 진실로 부당하여 세력이 미치지 못하기 때문에 아직 할 수 없고 아직 나타나지도 않았다. 군자는 아직 할 수 없고 아직 나타나지도 않았을 때에 기미를 막고 조짐을 막아서[防微杜漸][61] 어려움에 이르지 않게 하기 때문에 흉과 허물이라는 경계가 없다. 운봉(雲峰)[62]의 의리의 단서라는 말은 너무 지나치다.

김상악(金相岳)『산천역설(山天易說)』

六三, 以陰居陽, 不中不正. 雖有承應之陽而不從, 包下二陰, 爲包羞之象. 不言凶, 以其未發也.

육삼은 음으로서 양의 자리에 있어 중정하지 못하고 비록 받들어 호응하는 양이 있다 해도 따르지 않고 아래 두 음을 포용하니, '포수(包羞)'의 상이다. 흉을 말하지 않은 것은 아직 나타나지 않았기 때문이다.

○ 羞者, 恥也. 否三曰包羞, 包其傷善之志也. 恒三曰, 或承之羞, 承其不恒之德也, 皆以卦變言也. 卦所謂否之匪人, 三爻可以當之, 故直曰包羞, 比六三則比之匪人, 故象辭, 但嗟傷之.

'수(羞)'는 부끄러움이다. 비괘 삼효의 '포수(包羞)'는 착한 사람을 해치려는 뜻을 품은 것이다. 항괘(恒卦) 삼효의 "혹 부끄러움으로 이어질 것이니"[63]라고 한 것은 항구하지 않은 덕을 이은 것이니, 모두 괘의 변화로써 말하였다. 비괘(否卦)의 괘사에서 "비는 바른 사람이 아니다"라고 말한 것은 삼효가 해당하기 때문에 바로 "품고 있는 것이 부끄러움이다"고 했고, 비괘(比卦) 육삼은 "도울 사람이 아닌데 돕는다"[64]고 했기 때문에 「상전」에서 "상하지 않겠

---

61) 방미두점(防微杜漸): '방미'란 모종의 암계(暗計)를 획책하는 일이 있을 때, 미연에 방지하는 것을 말한다. '젊은 사람들이 대신을 그르다고 한다'는 것은 행여 그런 유언비어가 있다 하더라도 이는 실로 아직 실체가 드러나지 않은 말이다.

62) 호병문(胡炳文, 1250~1333): 원대의 경학자로 안휘성 무원사람이며, 자는 중호(仲虎)이고, 호는 운봉(雲峯)이다. 주자의 『주역본의』를 근거로 여러 설을 절충 · 시정하고 아울러 여러 학자의 학설을 보충하여 『주역본의통석(周易本義通釋)』 12권을 지었다. 이밖에 『서집해(書集解)』, 『춘추집해(春秋集解)』, 『예서찬술(禮書纂述)』, 『사서통(四書通)』, 『대학지장도(大學指掌圖)』, 『오경회의(五經會義)』, 『이아운어(爾雅韻語)』 등이 있다.(『손에 잡히는 경전주석 인물사전』, 대유학당 편집, 대유학당, 2008, 275쪽.)

63) 『周易 · 雷風恒』: 六三, 不恒其德, 或承之羞, 貞, 吝.

는가?"[65]라고 하였다.

김귀주(金龜柱) 『주역차록(周易箚錄)』

本義, 以陰居陽, 云云.
『본의』에서 말하였다: 음으로써 양의 자리에 있다, 운운.

小註, 建安丘氏曰, 否下, 云云.
소주에서 건안구씨가 말하였다: 비괘 아래, 운운.

○ 按, 六二爻辭, 直言小人, 而朱子亦以爲已打破頭面, 則今謂尙介乎君子小人正邪之間者, 誤矣. 若但謂之未至十分索性則可也, 末段不顧屈辱云云, 亦未當.
내가 살펴보았다: 육이 효사에서 바로 소인을 말하고 주자 또한 이미 전면(前面)에서 단서를 드러낸 것으로 여겼는데, 지금 오히려 군자와 소인이 바르고 사악한 사이에 끼였다고 말하는 것은 잘못이다. 만약 그들이 아직 충분히 제멋대로 하는 데에 이르지 않았다고 말한다면 괜찮지만, 마지막 단락에서 "굴욕을 돌보지 않는다"고 운운 한 것은 또한 타당하지 않다.

서유신(徐有臣) 『역의의언(易義擬言)』

六三, 不中正, 無以承上之包, 故曰包羞. 上包而三羞也. 當否之時, 居高顯之位, 可羞也. 所處不正, 可羞也. 尸祿苟冒, 不能決去, 可羞也.
육삼은 중정하지 않아서 상효가 포용하는 것을 받아들이지 못하기 때문에 "품고 있는 것이 부끄러움이다"라고 하였다. 상효는 품고 삼효는 부끄러워한다. 비색한 때를 당하여 높고 드러나는 자리에 있는 것은 부끄러워 할만하다. 거처하는 바가 바르지 않아도 부끄러워 할만하다. 자격도 없이 자리를 차지하고서 국록(國祿)만 축내고,[66] 구차스럽게 벼슬하는 것을 결단하여 떠나지 못하는 것도 부끄러워 할만하다.

박문건(朴文健) 『주역연의(周易衍義)』

欲害見抑, 故有包羞之象. 包羞, 言包藏其羞恥之志也.

---

64) 『周易·水地比』: 六三, 比之匪人.
65) 『周易·水地比』: 象曰, 比之匪人, 不亦傷乎.
66) 시록(尸祿): 자격도 없이 자리를 차지하고서 국록(國祿)만 축낸다는 뜻의 겸사(謙辭)로, 시위소찬(尸位素餐)과 같은 말이다.

해치려고 하나 억제를 당하기 때문에 "부끄러움을 품고 있다"는 상이 있다. "부끄러움을 품고 있다"는 것은 그 부끄러워하는 뜻을 싸서 감추는 것을 말한다.

이지연(李止淵) 『주역차의(周易箚疑)』

卦之爻則有定位, 道與德則爲虛位, 以虛位之道德, 處定位之卦爻, 則有耻且格矣.
괘의 효는 일정한 자리가 있고 도와 덕은 일정한 자리가 없는데, 일정한 자리가 없는 도덕을 일정한 자리가 있는 괘효에 놓는다면 부끄러워하고 또 바르게 될 것이다.[67]

김기례(金箕澧) 「역요선의강목(易要選義綱目)」

六三包羞, 陰爲中虛, 故二三皆曰包.
육삼의 "품고 있는 것이 부끄러움이다"는 것은 음이 가운데가 비어있기 때문에 이효와 삼효에서 모두 '포(包)'를 말하였다.

○ 否道已半, 小人專恣. 況陰居陽位, 不中不正, 濫僞妬狼, 不亦羞乎. 不言凶者, 天運苟如此, 但其羞惡之心, 亦有人性, 包凶而不至發見也.
비색한 도가 이미 반을 지나가니, 소인이 마음대로 방자하게 군다. 하물며 음으로서 양의 자리에 있어서 중정하지도 않고 거짓이 넘쳐서 투기하고 어지러우니, 또한 부끄럽지 않겠는가? 흉함을 말하지 않은 것은 하늘의 운행이 본래 이와 같고, 다만 그 부끄러워하는 마음 또한 사람의 본성에 있어, 흉함을 품고 있지만 드러나는데 이르지 않았기 때문이다.

심대윤(沈大允) 『주역상의점법(周易象義占法)』

否之遯䷠, 舍舊從新也. 六三居剛去否而求通者也. 居侯伯之位, 志不通乎君, 其政教不能行于民, 故曰包羞. 巽爲羞, 勢將遲之而外求君也, 蓋否於此而求通於彼也.
비괘가 돈괘(遯卦䷠)로 바뀌었으니, 옛 것을 버리고 새것을 따른다. 육삼은 굳센 양의 자리에 있어 비색함을 제거하여 통함을 구하는 자이다. 제후의 지위에 있으면서 뜻이 임금과 통하지 않고 그 다스림과 가르침이 백성들에게까지 행해지지 않기 때문에 "품고 있는 것이 부끄러움이다"고 하였다. 손괘(☴)는 부끄러움이 되는데 장차 세력이 약화되면서 밖으로 임금에게 구하니, 여기에서 막혀 저기에서 통함을 구한다.

---

67) 『論語 · 爲政』: 인도하기를 덕으로 하고 가지런히 하기를 예로써 하면, 백성들이 부끄러워하게 되고 또 선에 이르게 될 것이다.[道之以德, 齊之以禮, 有恥且格.]

오치기(吳致箕) 「주역경전증해(周易經傳增解)」

六三, 陰柔不中不正, 而在二陰之上, 當否盛過中之際, 介於君子小人之間, 左右陰陽, 有反復之態. 其所包藏, 无非羞吝之狀, 雖不言占, 其醜可知矣.
육삼은 부드러운 음으로서 중정하지도 못하고 두 음의 위에 있어 비색이 극성하여 가운데를 지나는 때에 해당되니, 군자와 소인의 사이에 끼어 좌우, 음양이 반복하는 모양이 있다. 그 포용하여 간직하는 바는 부끄럽고 인색한 상황이니, 비록 점사를 말하지 않았다 해도 그 부끄러움을 알 수 있다.

○ 否盛將消, 故小人媚附于君子, 有此情狀而聖人特言於剛柔之際者, 其志微矣.
비색함이 극성하면 장차 사라지기 때문에 소인이 군자에 붙어 아부하니, 이러한 정황을 두고서 성인이 특별히 굳센 세 양과 부드러운 세 음의 경계에서 말한 것은 그 뜻이 은미하다.

이진상(李震相) 『역학관규(易學管窺)』

六三, 不中不正, 而又不當位, 雖有妬賢疾能之心, 而未能行盧杞秦檜之事. 逼近於三陽, 其惡徒彰如是, 則包藏羞恥而已. 然其所羞, 非出於義之端也, 特羞其禍心之不售勢力之不逮. 苟使當位, 則逞其怨毒, 將無所不至矣.
육삼은 중정하지도 못한데다가 자리까지 마땅하지 않으니, 비록 어진 이를 투기하고 능력 있는 이를 질시하는 마음이 있더라도 노기(盧杞)[68]와 진회(秦檜)[69]와 같은 일을 아직은 행할 수 없다. 세 양과 매우 가까워서 이와 같이 그 악이 드러난다면 부끄러움을 싸서 감출 뿐이다. 그러나 그 부끄러워하는 바는 의로움의 단서로부터 나온 것이 아니라, 다만 그 재앙을 끼치려는 마음이 행해지지 않으며 세력도 미치지 않는 것을 부끄러워하는 것이다. 만일 그럴 수 있는 자리라면 그 원한과 해악을 부려서 앞으로 이르지 못하는 일이 없게 될 것이다.

---

68) 노기(盧杞): 당나라 덕종(德宗) 때의 간신. 충신을 모함하고 역적을 비호하여 종묘사직을 망쳐놓았는데도, 덕종은 그의 간사함을 깨닫지 못하였다.
69) 진회(秦檜): 남송(南宋) 때의 재상으로, 간신의 대표적 인물.

象曰, 包羞, 位不當也.

정전 「상전」에서 말하였다: "품고 있는 것이 부끄러움"은 자리가 마땅하지 않기 때문이다.
본의 「상전」에서 말하였다: "부끄러움을 품고 있음"은 자리가 마땅하지 않기 때문이다.

中國大全

傳

陰柔居否而不中不正, 所爲可羞者, 處不當故也. 處不當位, 所爲不以道也.

부드러운 음으로서 비색한 데 있어 중정하지 못하니, 하는 행동이 부끄러운 것은 마땅하지 못한 자리에 있기 때문이다. 거처하는 곳이 마땅한 자리가 아니니, 도로써 행동하지 못한다.

小註

東萊呂氏曰, 人无有不善, 所以包蓄邪濫, 至可羞恥者, 豈其本心也. 特所處之位不當而已. 位之一字, 當詳玩.
동래여씨가 말하였다: 사람이 선하지 않음이 없으므로[70] 사악함이 넘쳐흐르는 것을 끌어안아 감출 수 있으니, 수치스러워 할 만한 데에 이르는 것이 어찌 그 본심이겠는가? 다만 처한 위치가 부당하기 때문이다. '위(位)'라는 한 글자를 자세하게 완미해야 한다.

韓國大全

김상악(金相岳) 『산천역설(山天易說)』

位不當, 所以大往小來.
"자리가 마땅하지 않다"고 하므로 "큰 것이 가고 작은 것이 온다".

---

70) 『孟子・告子』: 人無有不善, 水無有不下.

김규오(金奎五) 「독역기의(讀易記疑)」

六三象, 位不當, 三是內卦之上, 蓋是可做之位, 而陰柔才弱, 故由其位而行者, 皆是可羞可惡之事也.
육삼의 「상전」에서 "자리가 부당하다"고 한 것은 삼효가 내괘의 맨 위에 있어서 일을 할 만한 자리이지만, 부드러운 음으로서 재질이 유약하기 때문에 그 자리에 따라 행하는 것이 모두 부끄러워하고 싫어할 만한 일이다.

김귀주(金龜柱) 『주역차록(周易箚錄)』

傳, 陰柔居否, 云云.
『정전』에서 말하였다: 부드러운 음이 비색한 데에 있다, 운운.

小註, 東萊呂氏曰, 人無, 云云.
소주에서 동래여씨가 말하였다: 사람이 없다, 운운.

○ 按, 象傳, 位不當, 位字本指爻位, 若以人而言, 則不但爵位之位, 卽其身所居之地. 如云居下流者, 亦是也. 位之一字, 恐當如此看.
내가 살펴보았다: 「상전」에서 "자리가 마땅하지 않다[位不當]"고 한 '위(位)'자는 본래 효의 자리를 가리키는데, 만약 사람의 자리로써 말한다면 작위의 지위뿐만 아니라 곧 자신이 거주하는 땅도 가리킨다. 마치 "하류에 거주하고 있다"[71]고 말하는 것과 같다. '위(位)'라는 한 글자는 아마도 이와 같이 보아야 할 것이다.

서유신(徐有臣) 『역의의언(易義擬言)』

三之爲羞, 由於其位, 故曰位不當也.
삼효가 부끄러움이 되는 것은 그 자리로 인하여 생긴 것이므로 "자리가 마땅하지 않다"고 하였다.

---

71) 거하류(居下流): 하류(下流)는 지형이 낮은 곳인데 모든 물이 모여드는 곳이다. 사람의 몸에 더럽고 천박한 실제 행실이 있으면 또한 악명이 모여드는 것과 같음을 비유한 것이다.(『논어 · 자장』편에 "폭군의 대명사로 일컬어지는 주왕의 악행이 이 정도로 심하지는 않았을 것이다. 그래서 군자는 하류에 있는 것을 싫어하나니, 그곳에 있으면 천하의 악이 모두 그에게로 모여들기 때문이다.[紂之不善, 不如是之甚也. 是以君子惡居下流, 天下之惡皆歸焉]"라는 말이 나온다.)

박문건(朴文健) 『주역연의(周易衍義)』

位不當, 則所爲亦不當也.
자리가 마땅하지 않으면 하는 바도 또한 마땅하지 않다.

김기례(金箕澧) 「역요선의강목(易要選義綱目)」

位不當, 冶容誨淫, 教猱升木.
"자리가 마땅하지 않다"는 것은 "얼굴을 가꾸는 것이 음탕함을 부르고",[72] "원숭이에게 나무를 오르도록 가르치는"[73] 것이다.

심대윤(沈大允) 『주역상의점법(周易象義占法)』

位不當, 故包羞而不敢自由也.
자리가 마땅하지 않기 때문에 "품고 있는 것이 부끄러움이다"라고 하였지만 감히 제멋대로 하지 않는다.

오치기(吳致箕) 「주역경전증해(周易經傳增解)」

不中不正, 而介乎君子小人之間, 故言位不當也.
삼효는 중정하지 않고 군자와 소인의 사이에 끼어 있기 때문에 "자리가 마땅하지 않다"고 말하였다.

---

72) 『周易 · 繫辭傳』: 上慢下暴, 盜思伐之矣. 慢藏誨盜, 冶容誨淫.
73) 원숭이를 나무에 오르도록 가르침[教猱升木]: 『시경 · 각궁(角弓)』에 나오는 말로, 원숭이에게 나무에 오르도록 가르친다는 뜻으로, 나쁜 사람에게 나쁜 짓을 하도록 권함을 비유한 말이다.

九四, 有命, 无咎, 疇離祉.

정전 구사는 임금의 명이 있으면 허물이 없어서 같은 무리가 모두 복을 누린다.
본의 구사는 하늘의 명이 있고 허물이 없어서 같은 무리가 모두 복을 누린다.

中國大全

傳

四以陽剛健體, 居近君之位, 是以濟否之才而得高位者也, 足以輔上濟否. 然當君道方否之時, 處逼近之地, 所惡在居助取忌而已. 若能使動必出於君命, 威柄一歸於上, 則无咎而其志行矣. 能使事皆出於君命, 則可以濟時之否, 其疇類皆附離其福祉. 離, 麗也, 君子道行, 則與其類同進, 以濟天下之否, 疇離祉也. 小人之進, 亦以其類, 同也.

사효는 굳센 양으로서 강건한 몸체를 가지고서, 임금과 가까운 자리에 있어서 비색함을 구제할 수 있는 재능을 가지고 높은 자리를 얻은 사람이니, 충분히 윗사람을 도와 비색함을 구제할 수 있다. 그러나 임금의 도가 비색한 때를 맞아 임금과 지나치게 가까운 곳에 있으니, 꺼려해야 할 바는 공(功)을 차지하여 남들에게 시기를 받는 점에 있을 뿐이다. 만약 움직일 때에 반드시 임금의 명으로부터 나오도록 하고 위엄과 권세를 한결같이 윗사람에게 돌릴 수 있다면, 허물이 없어서 그 뜻이 행해질 것이다. 모든 일을 임금의 명으로부터 나오도록 할 수 있다면, 이때의 비색함을 구제할 수 있어서 그와 함께하는 무리들은 모두 복을 누리게 된다. '리(離)'는 걸린다는 뜻이니, 군자는 도가 행해지면 그 동류들과 함께 나아가 천하의 비색함을 구제하기 때문에 같은 무리가 모두 복을 누리게 된다. 소인이 나아가는 것도 또한 그 동류들과 함께한다.

小註

龜山楊氏曰, 東漢之衰, 嬖倖持權, 內小人而外君子, 至是而否極矣. 竇武何進倚元舅之親, 招集天下名儒碩德, 共起而圖之, 宜若可爲也. 然命不出於君而下不應, 故與疇類皆陷於禍.

구산양씨가 말하였다: 동한(東漢)의 쇠락은 황제의 총애를 받는 자가 권력을 쥐고서 안으로는 소인을 불러들이고 밖으로 군자를 내쫓아 비색함이 극에 달하였기 때문이다. 두무(竇武)[74]와 하진(何進)[75]이 황제의 외삼촌으로써 그 친함을 믿고서 천하의 이름난 선비와 덕이 높은 이들을 불러 모아 함께 일으키기를 도모 하였으니, 이는 마땅히 할 수 있었던 일인 듯하다. 그러나 명이 임금으로부터 나오지 않고 아랫사람이 호응하지도 않았으니, 동류들과 함께 모두 화(禍)를 당했다.

本義

否過中矣, 將濟之時也. 九四以陽居陰, 不極其剛. 故其占, 爲有命无咎而疇類三陽, 皆獲其福也. 命, 謂天命.

비색한 시대의 가운데를 지났으니, 앞으로 비색함을 해결해야 할 때이다. 구사는 굳센 양으로서 유약한 음의 자리에 있으므로 그 굳셈을 지극하게 하지 않는다. 그러므로 그 점사가 "하늘의 명이 있으나 허물이 없어서 동류인 세 양이 모두 그 복을 받게 된다"고 하였다. '명(命)'은 하늘의 명을 말한다.

小註

朱子曰, 否已過中. 上三爻是說君子, 言君子有天命而无咎.
주자가 말하였다: 구사는 비색한 시대의 가운데를 지났다. 위의 세 효는 군자를 말하니, 군자에게 하늘의 명이 있어서 허물이 없다.

○ 否九四雖是陽爻, 猶未離乎否體. 只緣他是陽, 故可以有爲, 然須有命方做得. 有命是箇機會, 方可以做. 占者便須是有箇築著磕著時節, 方做得事成, 方无咎.

---

74) 두무(竇武, ?~168): 동한 시대 부풍(扶風) 평릉(平陵) 사람으로 자는 유평(游平)이다. 젊어서 반듯한 행동으로 일컬어져 이름이 관서 지방에 드러났다. 환제(桓帝)의 장인이 되어 괴리후(槐里侯)에 봉해졌다. 진번(陳蕃) 등과 모의하여 환관 조절(曹節)과 왕보(王甫) 등을 주살하려 하였으나 사전에 누설되어 피살당했다.

75) 하진(何進, ?~189): 후한 말기 남양(南陽) 완현(宛縣) 사람. 자는 수고(遂高)다. 영제(靈帝) 때 누이가 입궁하여 귀인이 되고 태후에 올랐다. 백정 출신이었지만 영제가 하태후를 총애하자 관직을 받았다. 황건적의 난이 발생한 뒤 대장군까지 지냈다. 장각(張角) 등의 거사 계획을 와해시키고 신후(愼侯)에 봉해졌다. 영제가 죽자 하황후의 아들 소제(少帝) 유변(劉辯)을 옹립한 뒤 태부(太傅) 원외(袁隗)와 함께 정치를 보좌했다. 원소(袁紹)와 함께 환관들을 주살하려 했지만 하태후의 만류로 중지했다. 외병(外兵)을 수도로 들이려 하다가 중상시(中常侍) 장양(張讓)과 단규(段珪) 등에게 속아 장락궁(長樂宮)에서 죽임을 당했다.(『중국역대인명사전』, 임종욱 편저, 김해명 감수, 2010.1.20, 이회문화사.)

비괘의 구사가 비록 양효이지만, 오히려 비괘의 몸체에서 떨어지지 않았다. 단지 그것이 양이기 때문에 일을 도모할 만하지만, 반드시 명이 있어야 할 수 있다. "하늘의 명이 있다"고 한 것은 기회이며, 이러한 기회가 있어야 막 그렇게 할 수 있다. 점을 치는 자는 반드시 그러한 시절(時節)을 만나야 일을 이룰 수 있어서 허물이 없게 된다.

又曰, 有命无咎, 疇離祉, 這裏是吉凶未判, 須是有命, 方得无咎. 故須得一箇幸會, 方能轉禍爲福.
또 말하였다: "하늘의 명이 있고 허물이 없어 같은 무리들이 복을 누린다"고 한 것은 길과 흉으로 아직 결판나지 않은 것이어서, 반드시 하늘의 명이 있어야 허물이 없을 수 있다. 그러므로 하늘의 명이 있는 다행스러운 기회를 얻어야만 화를 바꾸어 복을 만들 수 있다.

○ 問, 九四, 三陰已過而陽得亨, 則否過中而將濟之時, 與泰九三正相類. 曰, 泰九三時, 已有小人, 便是可畏如此, 故艱貞則无咎. 否下三爻, 君子尙畏他, 至九四, 卽不畏之矣, 故有有命无咎疇離祉之象占.
물었다: 구사는 세 음을 이미 지나서 양이 형통하게 되고, 비괘가 가운데를 지나 구제되는 때이니, 태괘의 구삼과 같은 종류입니까?
답하였다: 태괘에서 구삼의 때에 이미 소인이 있으면 곧 이와 같이 두려워할 수 있기 때문에 어려운 가운데서도 곧음을 지킨다면 허물이 없습니다. 비괘의 아래 세 효를 군자가 항상 두려워하는데, 구사에 이르러서야 이것을 두려워하지 않기 때문에, "하늘의 명이 있어서 같은 무리가 복을 누린다"는 상(象)과 점(占)이 있습니다.

○ 進齋徐氏曰, 否九四有命, 卽泰九三无往不復之義. 言陰陽往來, 否泰反復, 天運之常道, 固如此也.
진재서씨가 말하였다: 비괘(否卦) 구사에서 "하늘의 명이 있다"고 한 것은 태괘(泰卦) 구삼의 "가서 돌아오지 않는 것은 없다"고 한 뜻이다. 음과 양은 오고 가며 비색함과 태평함이 반복되니, 하늘이 운행하는 떳떳한 도가 진실로 이와 같음을 말하였다.

○ 雲峯胡氏曰, 諸解皆以命爲君命, 本義以爲天命. 蓋泰九三无平不陂无往不復, 否九四有命, 否泰之變皆天也. 然泰變爲否易, 故於內卦卽言之, 否變爲泰難, 故於外卦始言之. 此本義於泰否之四, 皆曰已過乎中, 而否之三不言也. 泰之三必无咎, 而後有福, 否之四必无咎, 而後疇離祉. 三四乾坤交接之處, 陰陽往來之會. 君子當此, 必自无過而後可爲福, 而後可爲疇類之福. 或曰, 否九四時, 吉凶未判, 必有命方得无咎, 其所謂无咎者, 天也, 非人也. 曰, 本義云九四以陽居陰, 不極其剛. 故其占爲有命无咎, 蓋唯四不極其剛, 此所以爲四之无咎也, 一諉諸天, 可乎哉.

운봉호씨가 말하였다: 여러 풀이에서는 모두 '명(命)'을 '임금의 명'으로 여겼으나, 『본의』에서는 '하늘의 명'으로 여겼다. 태괘의 구삼은 "평평한 것은 기울어지지 않는 것 없으며, 가서 돌아오지 않는 것은 없다"[76]고 하고 비괘의 구사는 "하늘의 명이 있다"고 하였으니, 비색함과 태평함의 변화는 모두 하늘이 변하게 한 것이다. 그러나 태평함이 비색함으로 바뀌는 것은 쉽기 때문에 내괘(內卦)에서 곧바로 이를 말하였고 비색함이 태평함으로 바뀌기는 어렵기 때문에 외괘(外卦)에서 비로소 이를 말하였다.[77] 이것이 『본의』에서 태괘와 비괘의 사효에서 모두 "이미 가운데를 지났다"고 말했지만 비괘의 삼효에서는 말하지 않은 까닭이다. 태괘의 삼효는 반드시 허물이 없어진 후에 복이 있고, 비괘의 사효는 반드시 허물이 없게 된 다음에 같은 무리가 모두 복을 누린다. 삼효와 사효는 비괘의 내괘와 외괘가 되는 건(乾)과 곤(坤)이 서로 만나는 곳이며, 음과 양이 왕래하여 모이는 곳이다. 군자가 이러한 때를 맞았을 때에는 반드시 스스로 허물을 없앤 후에 복을 누릴 수 있고, 또 이러한 후에 동류의 무리들이 복을 누릴 수 있다.

어떤 이가 물었다: 비괘 구사의 때에는 길흉이 아직 결판나지 않아서, 반드시 천명이 있어야만 허물이 없을 수 있으니, 이른바 "허물이 없다는 것"은 하늘이 그렇게 하는 것이지 사람이 하는 것이 아니지 않습니까?

답하였다: 『본의』에서 "구사는 양으로서 음의 자리에 있으므로 그 굳셈을 지극하게 하지 않는다. 그러므로 그 점이 '하늘의 명이 있고 허물이 없다'고 하였다"고 하였습니다. 오직 사효만이 그 굳셈을 지극하게 하지 않습니다. 이것은 사효가 허물이 없게 되는 까닭이니, 한결같이 이것을 하늘에게 떠넘길 수가 있겠습니까?

○ 雙湖胡氏曰 泰九三平陂往復, 皆警戒辭, 尙冀其艱貞无咎, 而否九四, 則直稱有命无咎疇離祉, 歡欣慶賀之意溢於言表. 然則爲小人者, 讀易至此爻, 曷不改心易慮, 何樂乎爲小人哉.

쌍호호씨가 말하였다: 태괘(泰卦)의 구삼에서 "평평함과 기울어짐, 감과 돌아옴"은 모두 경계하는 말로 오히려 어려움에 굴하지 않고 올바름을 지켜 허물이 없기를 기원한 것이지만, 비괘(否卦)의 구사는 곧바로 "하늘의 명이 있으면 허물이 없어서 같은 무리가 복을 누린다"고 말하니, 즐겁고 기쁘며 축하하는 뜻이 말의 표면에 가득하다. 그렇다면 소인이 『주역』을

---

76) 『周易·泰卦』: 九三, 无平不陂, 无往不復, 艱貞, 无咎, 勿恤其孚, 于食有福.

77) 태괘(泰卦) 초효 「상전」에 "뜻이 밖에 있다[志在外也]"고 하였고 비괘(否卦)의 사효 「상전」에서는 "뜻이 행해진다[志行也]"고 하였다. 즉 물극필반(物極必反)의 현상은 태괘의 경우, 태평함에서 비색함으로 바뀌는 것은 쉽기 때문에 내괘에서 말했고 비색함에서 태평함으로 바뀌는 것은 어렵기 때문에 외괘에서 말한 것 같다.(『주역』, 정병석, 을유문화사, 2010, 246쪽.)

읽다가 이 효에 이르게 되면, 어찌 마음을 고치고 생각을 바꾸지 않겠으며, 어찌하여 소인이 되는 것을 즐거워하겠는가?

韓國大全

송시열(宋時烈) 『역설(易說)』

九四有九五之命, 則可以无咎. 疇離祉者, 如曰誰能離去其福祉乎, 言必有福也. 蓋疇字, 傳以朋儔釋之, 故說者疑之, 言誰使附麗於福祉乎. 疇者, 指五也.
구사에게 구오의 명이 있다면 허물이 없을 수 있다. "주리지(疇離祉)"라는 것은 "누가[78] 그 복을 누리겠는가?" 라고 말한 것과 같으니, 반드시 복이 있다고 말한 것이다. '주(疇)'자를 『정전』에서는 '붕주(朋儔)'로 해석하였기 때문에 말하는 자가 의심하였으니, "누가 그로 하여금 복에 붙고 걸리게 하겠는가?"라고 말하였다. '누구[疇]'는 오효를 가리킨다.

이익(李瀷) 『역경질서(易經疾書)』

九四互體爲巽, 故云命, 於施命申命可證. 志行者, 命行於下也. 疇與儔通. 祉及疇類. 言其命不普, 只行於三陰之間也.
구사는 호체가 손괘이기 때문에 '명(命)이라고 하였으니, "명령을 베푼다",[79] "명령을 거듭 편다"[80]고 한 것으로 증명할 수 있다. "뜻이 행해진다"는 것은 아래에서 명령이 행해지는 것이다. '주(疇)'는 '주(儔)'와 통한다. '복'과 '같은 무리'는 그 명령이 널리 베풀어지지 않고 단지 세 음의 사이에서 행해지는 것을 말한다.

유정원(柳正源) 『역해참고(易解參攷)』

九四 [至] 離祉.
구사는 … 복을 누린다.

---

78) 『爾雅』: 疇・孰, 誰也.
79) 『周易・天風姤』: 天下有風, 姤, 后以, 施命誥四方.
80) 『周易・重風巽』: 隨風巽, 君子以, 申命行事.

案, 否之九四已過三爻, 則天命有回泰之期. 又居近君之位, 而不極其剛, 則人事有挽回之道焉. 人事旣盡天命不違, 故三陽之疇, 皆獲其福.
내가 살펴보았다: 비괘의 구사가 이미 삼효를 지나면 천명은 태평한 때로 회복되는 기회를 갖는다. 또 임금의 자리와 가깝지만 그 굳셈을 지극하게 하지 않는다면 인사(人事)에 만회하는 도리가 있다. 사람이 할 수 있는 도를 다하면 하늘의 명도 어기지 않기 때문에 세 양의 무리들이 모두 복을 얻는다.

本義, 小註, 朱子說, 築著磕著.
『본의』 밑의 소주에서 주자가 "만난다[築著磕著]"고 말하였다.
案, 語錄築著之下, 本有恰好二字, 纂註時, 以磕著二字, 釋築著之義, 而闕恰好二字. 磕, 韻會, 石相築聲, 磕著, 猶俗言撞著, 言撞著恰好底機會也.
내가 살펴보았다: 『어록』에 '축착(築著)'의 아래에 본래 '흡호(恰好)'라는 두 글자가 있었는데, 편찬할 때, '개착(磕著)' 두 글자로써 '축착(築著)'의 뜻을 해석하고 '흡호(恰好)'라는 두 글자를 빼버렸다. '개(磕)'는 『운회(韻會)』에 돌들이 서로 쌓일 때 나는 소리라고 했는데, '개착(磕著)'은 속어에서 '당착(撞著)'이라고 말하는 것과 같으니, 매우 좋은 기회를 만났다는 말이다.

김상악(金相岳) 『산천역설(山天易說)』

命, 天命也. 否已過中, 而居乾之初比. 三爲互巽, 故有命而无咎. 疇, 謂上二陽也. 四旣得无咎, 則其疇類, 亦皆獲祉, 復之朋來无咎是也.
명은 하늘의 명이다. 비색함이 이미 가운데를 지나가서 상괘인 건괘의 초효와 가까이에 있다. 삼효는 호괘가 손괘이므로 하늘의 명이 있어 허물이 없다. '주(疇)'는 위의 두 양[81]을 말한다. 사효에서 이미 허물이 없다면 그 동류들 또한 모두 복을 얻으니, 복괘(復卦)의 "벗이 와야 허물이 없다"[82]고 한 것이 이것이다.

○ 四居上下之際, 正天心已廻, 人事復盡之時, 故曰有命. 巽之命, 居乾天之下, 是天命下頒之象, 與姤九五相似, 故其象傳曰, 志不舍命也. 泰曰命亂, 否曰有命, 惟命之不于常也, 故子曰道之將行也歟, 命也, 道之將廢也歟, 命也. 四居乾體正革, 故鼎新之時. 故與革四曰有孚改命吉, 互見其象. 疇者, 陽類也, 離者, 附麗也. 泰二曰朋亡, 已

81) 두 양: 구오와 상구를 말한다.
82) 『周易・復卦』: 復, 亨, 出入无疾, 朋來无咎.

然之辭, 否四曰疇離祉, 將然之辭也. 本爻在漸爲三, 漸則比四異體之陰, 故曰離群醜也. 否則爲乾同體之陽, 故曰疇離祉. 蓋否泰三四陰陽, 往來之會, 必无咎而後有福而離祉. 泰之五則處尊位, 故直曰以祉元吉.

사효는 위아래의 경계에 있으니, 바로 천심이 이미 회복되어 인사가 다시 극진해지는 때이므로 "하늘의 명이 있다"고 말하였다. 손괘가 내리는 명령이 하늘의 아래에 있으니, 이것이 하늘의 명을 아래에 반포하는 상으로 구괘(姤卦) 구오[83]와 서로 비슷하다. 그러므로 그 「상전」에서 "뜻이 하늘의 명을 버리지 않기 때문이다"[84]라고 하였다. 태괘에서는 "명이 어지럽다"[85]고 했고 비괘에서는 "명이 있다"[86]고 한 것은 명이란 것이 항상된 것이 아니기 때문에 공자가 "도가 장차 행해지는 것도 명이고 도가 장차 폐해지는 것도 명이다"[87]라고 하였다. 사효는 막 건의 몸체로 바뀌는 자리에 있기 때문에 혁신[鼎新]의 때이다. 그러므로 혁괘(革卦) 사효에 "믿음이 있으면 명을 고쳐 길할 것이다"[88]고 하였으니, 서로 그 상을 볼 수 있다. '주(疇)'는 양의 무리이고 '리(離)'는 붙이고 걸리는 것이다. 태괘 이효에 "붕당을 없앤다"[89]고 한 것은 이미 그렇게 되었다는 말이고, 비괘 사효에서 "같은 무리들이 복을 받는다"[90]고 한 것은 장차 그렇게 된다는 말이다. 본효는 점괘(漸卦䷴)에서는 삼효가 되는데, 점괘에서는 음으로 다른 몸체[異體]인 사효와 친해지려 하기 때문에 "무리를 떠나는 것은 추하다"[91]고 하였다. 비괘는 건괘와 같은 몸체[同體]인 양이 되기 때문에 "같은 무리들이 복을 받는다"고 하였다. 비괘와 태괘의 삼효와 사효는 음양이 오고 가며 만나는 곳이니, 반드시 허물이 없은 뒤에 복이 있어 복을 받게 된다. 태괘의 오효는 임금의 자리에 있기 때문에 바로 "복이 있으며 크게 길하다"[92]고 말하였다.

김규오(金奎五) 「독역기의(讀易記疑)」

九四義解有命이오 以小註機會方做之說觀之, 當作有命이라야

『본의』에서는 구사의 '유명(有命)'을 "하늘의 명이 있다"고 풀이하였는데, 소주에서는 "기회

83) 『周易·姤卦』: 九五, 以杞包瓜, 含章, 有隕自天.
84) 『周易·姤卦』: 象曰, 九五含章, 中正也, 有隕自天, 志不舍命也.
85) 『周易·泰卦』: 象曰, 城復于隍, 其命亂也.
86) 『周易·泰卦』: 九四, 有命, 无咎, 疇離祉.
87) 『論語·憲問』: 道之將行也與, 命也, 道之將廢也與, 命也, 公伯寮其如命何.
88) 『周易·革卦』: 九四, 悔亡, 有孚, 改命, 吉.
89) 『周易·泰卦』: 九二, 包荒, 用馮河, 不遐遺, 朋亡, 得尙于中行.
90) 『周易·否卦』: 九四, 有命, 无咎, 疇離祉.
91) 『周易·漸卦(九三)』: 象曰, 夫征不復, 離群醜也.
92) 『周易·泰卦』: 六五, 帝乙歸妹, 以祉, 元吉.

가 있어야 할 수 있다"고 한 말로 보면 마땅히 "하늘의 명이 있어야"라고 해석해야 한다.

김귀주(金龜柱) 『주역차록(周易劄錄)』

九四, 有命無咎, 云云.

구사는 하늘의 명이 있으면 허물이 없다, 운운.

○ 按, 此爻當與泰之六四對看. 此之疇離祉, 便是彼之翩翩以隣也. 蓋泰過中而小人以其類復, 否過中而君子以其類復者, 皆天地交際, 自然之理也. 然聖人於小人之復, 則只言其類之, 不戒以孚, 而不言天命之當然. 九三, 雖說無平不陂, 無往不復, 其實爲君子設戒, 非爲小人言之也. 至於君子之復, 則特曰有命, 以明天道福善之所必然, 其慶喜之意, 溢於辭表矣.

내가 살펴보았다: 이 효는 반드시 태괘의 육사와 짝으로 보아야 한다. 이 "같은 무리가 복을 누리게 된다"[93]고 한 것은 저 태괘의 "훨훨 내려와 이웃과 함께하는 것"[94]이다. 태괘는 가운데를 지나서 소인들이 그 무리들과 돌아오고, 비괘는 가운데를 지나서 군자가 그 무리들과 함께 돌아오는 것은 모두 천지가 사귀는 때의 자연스러운 이치이다. 그러나 성인은 소인이 돌아오는 것에 대해서 단지 그 무리들이라고만 하였지 "믿음을 가져라"고 경계하지 않았으며, 천명이 마땅히 그러하다고 말하지 않았다. 구삼에서 비록 "평평한 것이 기울어지지 않는 것은 없으며, 가서 돌아오지 않는 것은 없다"[95]고 말했더라도 사실은 군자를 위한 경계이지, 소인을 위하여 말한 것이 아니다. 군자가 돌아옴에 대해서는 특별히 "하늘의 명이 있다"고 하여 천도가 선을 복 주는 것이 반드시 그러함을 밝혔으니, 그 경사스럽고 기쁜 뜻이 그 글에 넘친다.

本義, 否過中矣, 云云.

『본의』에서 말하였다: 비색함이 가운데를 지나서, 운운.

○ 按, 以陽居陰, 不極其剛, 有相時察機, 徐徐做去之意, 故其象爲有命, 其占爲無咎. 若或過剛不中, 而妄動輕擧, 則當否未終之時, 小人之勢尙可畏, 其取敗必矣. 本義之意, 蓋如此.

내가 살펴보았다: 양으로서 음의 자리에 있어 그 굳셈을 지극하게 하지 않고 때를 보고 기회를 살펴서 서서히 해나간다는 뜻이기 때문에 그 상이 "천명이 있다"는 것이 되고 그 점사는 "허물이 없는" 것이 된다. 만약 혹 굳셈이 지나쳐서 알맞지 않는데도 경거망동하면 비색함이

---

93) 『周易 · 否卦』: 九四, 有命 …疇離祉.

94) 『周易 · 泰卦』: 六四, 翩翩, 不富以其隣, 不戒以孚.

95) 『周易 · 泰卦』: 九三, 无平不陂, 无往不復, 艱貞无咎, 勿恤其孚, 于食有福.

끝나지 않는 때를 당하여, 소인의 세력이 아직까지도 두려워할 만하여 패할 것이 분명하다. 『본의』의 뜻이 이와 같다.

小註, 雲峯胡氏曰, 諸解, 云云.
소주에서 운봉호씨가 말하였다: 모든 해석, 운운.
○ 按, 本義於否之六三, 不言將過乎中者, 以爻辭本文, 無可說過中之意故耳. 非緣於否變爲泰之難也, 胡說有牽率之病.
내가 살펴보았다: 『본의』에서 비괘의 육삼에 대하여 가운데를 지나려 한다고 말하지 않은 것은 효사의 본문에 가운데를 지난다고 말할 만한 뜻이 없기 때문에 그러했을 뿐이다. 비괘가 바뀌어 태괘가 되기 어렵다는 말이 아니니, 호씨의 설은 견강부회하는 병통이 있다.

서유신(徐有臣) 『역의의언(易義擬言)』

乾體互巽, 天命象也, 疇, 類也. 九四有天命, 故包群陰而无咎, 群陰之類, 亦得以麗於福也. 卦雖以天地之氣不相交爲象, 然乾在上坤在下爲覆載之象. 故爻辭以上包下承爲義也. 雖似不切於卦象之否, 而乃若六爻之情僞, 可見於此也.
건체(乾體)는 호괘가 손괘이니, 천명의 상이고 '주(疇)'는 무리이다. 구사에서 하늘의 명이라 했기 때문에 여러 음을 품고 있어도 허물이 없으니, 여러 음의 무리가 또한 복을 누리게 된다. 괘는 비록 천지의 기가 서로 교류하지 않는 것을 상으로 삼지만, 건괘가 위에 있고 곤괘는 아래에 있어 하늘은 덮어주고 땅은 실어주는 상이 된다. 그러므로 효사는 위에서는 품고 아래에서는 받드는 것을 뜻으로 삼았다. 여섯 효의 의미가 비색하다는 괘상과 꼭 맞지 않는 것 같지만, 곧 여섯 효의 참과 거짓을 여기에서 볼 수 있다.

박문건(朴文健) 『주역연의(周易衍義)』

進處坤上, 故有有命之象. 疇類離麗也. 或曰疇治下民類, 言三陰從己, 故邑人亦皆遭福也. 問, 有命无咎疇離祉. 曰, 九四以陽剛而處三陰之上, 有天命者也, 故三陰皆順從而以致无咎. 不徒九四之无咎也, 三陰之類, 亦皆附麗於九四之福祉也. 蓋下順其上, 而上亦安其下也.
나아가 곤괘의 위에 있기 때문에 "하늘의 명이 있다"는 상이 있다. '주(疇)'는 무리[類]이고 '리(離)'는 걸림[麗]이다. 어떤 이는 "'주(疇)'는 백성을 다스리는 부류이니, 세 음이 자신을 따르기 때문에 읍인(邑人)[96] 또한 모두 복을 만나게 된다"고 하였다.
물었다: "하늘의 명이 있고 허물이 없어서 같은 무리가 모두 복을 누린다"는 무슨 뜻입니까?

납하였다: 구사는 굳센 양으로서 세 음의 맨 위에 있으니, 하늘의 명이 있는 자이기 때문에 세 음이 모두 순종하여 허물이 없게 된다. 구사가 허물이 없다는 것뿐만 아니라 세 음의 무리들도 또한 구사의 복에 딱 붙어 떨어지지 않는다. 아랫사람은 그 윗사람을 따르고 윗사람은 또한 그 아랫사람을 편안하게 한다.

이지연(李止淵) 『주역차의(周易箚疑)』

泰之九三, 以人勝天而无咎, 否之九四, 天定勝人而无咎. 泰之九三, 自求多福, 否之九四, 自天降祥, 君子之志, 可行之時也.
태괘의 구삼은 사람이 하늘을 이기기 때문에 허물이 없고, 비괘의 구사는 하늘이 반드시 사람을 이겨서 허물이 없다. 태괘의 구삼은 스스로 많은 복을 구하는 것이고, 비괘의 구사는 하늘로부터 상서로움이 내려와 군자의 뜻이 행해지는 때이다.

이항로(李恒老) 「주역전의동이석의(周易傳義同異釋義)」

按, 命一也, 而傳釋君命, 本義釋天命, 何也. 以有命, 訓以能使事皆出於君命, 則字少而義多. 訓以有天命存焉, 則文順而理足. 且以卦體論之, 則否極回泰, 天之命也, 非人之力也. 君子抱德需世, 亦天之命也, 非我之所求也. 故當否之時, 則安於否亨, 而旡包羞之耻, 遇泰之會, 則順以行志, 而致朋類之祉. 此非私智徼倖候伺而得之也, 乃有天命存焉故也. 若謂君命, 則君子之事君, 陳善閉邪獻可替否, 自是職分, 何可一一計出於君不出於君而以爲行不行耶. 以此爲心, 則恐亦有害事之時矣, 故本義不從.
내가 살펴보았다: 명은 하나인데, 『정전』에서는 '임금의 명'이라 했고 『본의』에서는 '하늘의 명'이라 해석한 것은 무엇 때문인가? 『정전』에서처럼 '유명(有命)'을 부리는 것과 섬기는 것이 모두 임금의 명으로부터 나오게 할 수 있다고 풀이하면, 글자는 적지만 뜻은 많다. "천명이 있다"고 풀이한다면 문장도 순조롭고 이치도 충분하다. 또 괘체로써 논한다면 비색함이 극에 달하여 태평함으로 돌아오는 것은 하늘의 명이지, 사람의 힘이 아니다. 군자가 덕을 품고 세상에 나아가 쓰이는 것 또한 하늘의 명이지, 내가 구한 바가 아니다. 그러므로 비색한 때를 당해서 막힘으로써 형통한 도리를 편안히 여겨 "부끄러움을 품고 있는[包羞]" 부끄러움을 없게 하고, 태평한 때에는 순리대로 뜻을 행하여 같은 무리들이 복을 누리도록 한다. 이것은 사사로운 지혜로 요행히 엿보아서 얻을 수 있는 것이 아니니, 곧 하늘의 명이 있기 때문이다. 만약 임금이 명이라면 군자가 임금을 섬기는 일은 사악함을 잘 막고 행해야 할

96) 『周易·无妄卦』: 六三, 无妄之災, 或繫之牛, 行人之得, 邑人之災也.

일을 진헌(進獻)하고 행해서는 안 되는 일을 폐지하도록 임금에게 건의하는[97] 일이니, 이것이 자신의 직분인데, 어떻게 일일이 임금에게서 나오고 임금으로부터 나오지 않는 것을 따져서 행하고 행하지 않을 수 있겠는가? 이를 마음으로 삼는다면 아마도 일을 방해하는 때가 있을 것이므로 『본의』에서는 『정전』을 따르지 않았다.

김기례(金箕澧) 「역요선의강목(易要選義綱目)」

亂極思治, 否道過半, 往者必復. 四才剛, 位柔不克自濟, 若有天命, 則三陽竝付麗于福, 可以濟否行志.
어지러움이 지극하면 다스려 질 것을 생각하고, 비색한 도가 반을 지나면 간 것은 반드시 돌아온다. 사효의 재질은 굳센 양이나 유약한 음의 자리여서 스스로 구제할 수 없으니, 만약 천명이 있다면 세 양이 함께 복을 누려 비색함을 구제하여 뜻을 펼칠 수 있다.

○ 否將還泰, 君子慶賀, 溢於辭旨.
비색함이 장차 태평함으로 돌아와 군자가 경하(慶賀)하는 취지가 넘친다.

심대윤(沈大允) 『주역상의점법(周易象義占法)』

否之觀䷓, 觀仰也. 九四以剛居柔, 處否而有通者也. 居大臣位, 逼於五而情不通, 然而下有三陰之觀仰, 情否于上而志行于下, 巽以承君[98]之命, 順以保其位, 故曰有命. 巽爲命令, 民爲爵命, 承順君上, 而能保天下, 故曰无咎. 上之三陽, 同獲其福, 故曰疇離祉. 乾爲類, 离爲麗, 下卦變爲小畜, 則全爲离. 九四能通天下之志而變其否上賴以安, 故只取下對而不變上卦也. 艮坤爲祉, 言順而安也.
비괘가 관괘(觀卦䷓)로 바뀌었으니, 우러러 본다는 말이다. 구사는 굳센 양으로서 유약한 음의 자리에 있어 비색함에 처했지만 통함이 있는 자이다. 대신의 지위에 있어 오효와 지척에 있어도 마음이 통하지 않지만 아래에서는 세 음이 우러러 살피고, 마음이 위로는 막혔으나 뜻은 아래에서 행해진다. 그러므로 공손하게 임금의 명을 받들어 공손하게 그 자리를 보전하기 때문에 "명이 있다"고 하였다. 손괘는 명령이 되고 백성은 작명(爵命)을 위하여 임금을 받들며 따라 천하를 보전할 수 있기 때문에 "허물이 없다"고 하였다. 위의 세 양이 함께 그 복을 받기 때문에 "같은 무리들이 복을 누린다"고 하였다. 건괘는 같은 무리가 되고 리괘

---

97) 헌가체부(獻可替否): 행해야 할 일을 진헌(進獻)하고 행해서는 안 되는 일을 폐지하도록 임금에게 건의한다는 것으로 중대한 국사(國事)를 조정에서 의논하는 것을 말한다.
98) 君: 경학자료집성DB에 '居'로 되어 있으나, 경학자료집성 영인본을 참조하여 '君'으로 바로잡았다.

(離卦)는 '걸리는 것[麗]'이 된다. 관괘의 하괘인 곤괘(☷)가 건괘(☰)로 바뀌면 소축괘(小畜卦䷈)가 되니, 괘의 전체적인 상은 큰 리괘(☲)가 된다. 구사는 천하의 뜻에 통하여 그 비색함을 바꾸어 윗사람이 편안히 의뢰할 수 있기 때문에 하괘의 음양이 바뀌는 것만 취하고 상괘는 바뀌지 않았다. 간괘(☶)와 곤괘(☷)는 복이 되는데, 순응하여 편안함을 말하였다.

오치기(吳致箕) 「주역경전증해(周易經傳增解)」

九四以剛健之德, 居大臣之位, 而否旣過中矣. 九五之君, 有濟否之命, 而將同行其志. 然剛失其正, 宜若有咎, 而以其居柔, 故能无過剛之咎. 而量時度勢, 可以漸致回泰之道, 當與同德之類, 竝麗于慶祉, 故其辭如此.
구사는 강건한 덕으로 대신의 자리에 있어 비색함이 이미 가운데를 지났다. 구오의 임금은 비색함을 구제하라는 명을 하여 앞으로 함께 그 뜻을 행하려고 한다. 그러나 굳센 양이 그 바름을 잃으므로 마땅히 허물이 있을 것 같지만, 유약한 음에 자리하기 때문에 지나치게 굳센 허물이 없을 수 있다. 그리고 시세를 헤아려 점차 태평을 회복하는 도를 이룰 수 있어 마땅히 같은 덕을 가진 무리들과 함께 경사와 복을 누리게 되기 때문에 그 말이 이와 같다.

○ 命取於互巽. 疇者, 類也, 離者, 麗也. 取於交體之離, 而二五交易, 則成離也.
'명'은 호괘인 손괘에서 취하였다. '주(疇)'는 무리[類]이고 '리(離)'는 걸림[麗]이다. 몸체를 교체한 리괘(離卦)에서 취했는데, 이효와 오효가 서로 바뀌면 상괘가 리괘(離卦)를 이룬다.

이진상(李震相) 『역학관규(易學管窺)』

有命, 无咎.
하늘의 명이 있으면 허물이 없다.

聖人之於泰極將否之際, 則曰勿恤其孚者, 欲其俯盡人事而不專諉於天運也. 否極將泰之際, 則曰有命无咎者, 欲其一聽天命而不得以人爲害之也. 本義成於丁酉, 小註第一條, 錄於癸丑, 皆連說有命而无咎, 可左右看. 而第二條, 錄於己未, 直曰須有命方做得, 又曰須是有命方得无咎. 此蓋正論也. 雲峰以一諉諸天駁之, 今諺釋從焉. 然極否之俟, 始得陽體, 天命未可必也, 人事未便盡也, 四本多懼, 安得以有命自期, 无咎自處, 遽然弛肆也哉. 但其理則否極將濟, 其體則以剛居柔, 可能有命而无咎也. 小註, 築着磕着, 猶言撞着, 語類本無恰好字, 而語錄有之.
성인이 태평함이 극에 달하여 앞으로 비색해지려는 때에 "근심하지 않더라도 미덥다"[99]고 한 것은 인사(人事)를 다하여 천운에만 맡기지 않게 하고자 한 것이고, 비색함이 극에 달하여 태평해지려는 때에 "하늘의 명이 있으면 허물이 없다"고 한 것은 한 번 하늘의 명을 듣고 사람이 해를 입지 않게 하고자 한 것이다. 『본의』는 정유년(1177)에 완성되었는데, 소주의 제 1조는 계축년(1193)에 기록하였고 모두 "하늘의 명이 있으면 허물이 없다"고 이어서 말하였으니, 참고하여 볼 수 있다. 그런데 제 2조는 기미년(1199)에 기록하였는데, 곧바로 "반드시 하늘의 명이 있어야만 바야흐로 할 수 있다"고 말하였고 또 "반드시 하늘의 명이 있어야 허물이 없을 수 있다"고 말하였다. 이것이 정론이다. 운봉은 한결같이 하늘에 맡긴다고 하는 것으로써 논박하였는데, 오늘날 『언해』는 이를 따라 해석하였다. 그러나 비색함이 극에 달한 후에 처음으로 양의 몸체를 얻었지만 반드시 천명을 얻은 것이라고 할 수 없고 인사도 곧 다할 것이라고 할 수 없다. 사효는 본래 두려움이 많은 자리인데, 어떻게 하늘의 명이 있기를 스스로 기약하고 허물이 없다고 자처하여 갑자기 해이하여 함부로 하겠는가? 다만 그 이치는 비색함이 극에 달하면 장차 구제되고, 그 몸체는 굳센 양이 유약한 음의 자리에 있어 "하늘의 명이 있으면 허물이 없게" 할 수 있다. 소주에서 '축착개착(築着磕着)'이라고 한 것은 '천착(擅着)'이라고 말하는 것과 같고, 『어류』에는 본래 '흡호(恰好)'라는 글자는 없으나 『어록』에는 있다.

채종식(蔡鍾植) 「주역전의동귀해(周易傳義同歸解)」

九四有命, 傳解作君命. 蓋言能使事皆出於君命, 則可以濟時之否也. 本義解作天命, 蓋言須得一箇機會, 方可以有爲也. 蓋九四否已過中, 則天運將泰矣. 近君之臣, 須知將泰之機會, 而可以有爲. 然若自居其功則取忌於小人, 故必使威柄一歸於上, 乃可以无咎, 而其志行矣. 合兩說而其義益備.

구사의 '유명(有命)'을 『정전』에서는 임금의 명으로 해석했는데, "일을 모두 임금의 명으로부터 나오도록 할 수 있다면, 이때의 비색함을 구제할 수 있다"는 말이다. 『본의』에서는 '하늘의 명'으로 해석하였으니, 한 번의 기회를 얻어야 훌륭한 일을 할 수 있음을 말한다. 구사의 비색함이 이미 가운데를 지났다면 천운은 앞으로 태평해질 것이다. 임금과 가까이에 있는 신하는 반드시 태평하게 되는 기회가 와야 훌륭한 일을 할 수 있다. 그러나 만약 스스로 그 공에 안주한다면 소인들로부터 꺼림을 받기 때문에 반드시 위엄과 권세를 윗사람에게 돌려 곧 허물이 없게 되어 그 뜻을 펼칠 수 있다. 두 설을 합하여 그 뜻이 더욱 갖추어진다.

---

99)『周易 · 泰卦』: 九三, 无平不陂…勿恤其孚, 于食有福.

박문호(朴文鎬) 「경설(經說) · 주역(周易)」

天命, 謂獲福之心也.

'하늘의 명'은 복을 누리는 마음을 말한다.

이병헌(李炳憲) 『역경금문고통론(易經今文考通論)』

姚曰, 有命, 五命之也. 荀九家曰, 疇者, 類也, 離, 附祉福也.

요신이 말하였다: "명이 있다"고 한 것은 오효가 명한 것이다. 『순구가역』에 "'주(疇)'는 무리[類]이고 '리(離)'는 복을 붙이는 것이다"고 하였다.

象曰, 有命无咎, 志行也.

정전 「상전」에서 말하였다: "임금의 명이 있으면 허물이 없음"은 뜻이 펼쳐지기 때문이다.
본의 「상전」에서 말하였다: "하늘의 명이 있고 허물이 없음"은 뜻이 펼쳐지기 때문이다.

中國大全

傳

有君命, 則得无咎, 乃可以濟否, 其志得行也.

임금의 명이 있으면 허물이 없을 수 있으니, 비로소 비색함을 구제하여 그 뜻이 펼쳐질 수 있다.

小註

東谷鄭氏曰, 君子不可榮以祿, 蓋爲不在位者設也. 若四之志行, 以居近君之位而任濟否之責者也, 而欲儉德避難, 可乎.

동곡정씨가 말하였다: "군자는 봉록으로 영달해서는 안 된다"고 하였으니, 아마도 지위에 있지 않은 자를 위하여 세운 말인 듯하다. 만약 사효의 뜻이 펼쳐지는 경우라면, 임금과 가까운 자리에 있어 비색함을 구제해야 하는 책임을 맡은 자인데 덕을 안으로 거두고 어려움을 피하고자 하면 되겠는가?

韓國大全

유정원(柳正源) 『역해참고(易解參攷)』

小註, 東谷說, 不在位.

소주에서 동곡 정씨는 "지위에 있지 않다"고 말하였다.
案, 不可榮祿, 君子處否之道也, 通言在位與不在位, 恐不必專爲不在位者設.
내가 살펴보았다: "군자는 봉록으로 영달해서는 안 된다"는 것은 군자가 비색한 때에 대처하는 도이니, 지위에 있거나 지위에 있지 않거나 포괄하여 말한 것이며, 전적으로 지위가 없는 자를 위해 이러한 말을 세운 것은 아닐 것이다.

김상악(金相岳) 『산천역설(山天易說)』

志者, 心之所之也, 泰曰中心願也, 否曰志行也, 乃陰陽之機會也.
뜻이란 마음이 가고자 하는 바인데, 태괘(泰卦)에서는 "마음속으로 원한다"[100]고 했고 비괘(否卦)에서는 "뜻이 펼쳐진다"[101]고 했으니, 곧 음양의 기회(機會)이다.

서유신(徐有臣) 『역의의언(易義擬言)』

上下之志行也. 三陰未必爲小人, 故諸爻之象, 如此也.
윗사람과 아랫사람의 뜻이 펼쳐진다. 세 음이 반드시 소인이 되는 것이 아니기 때문에 모든 효의 상이 이와 같다.

박문건(朴文健) 『주역연의(周易衍義)』

〈問, 有命无咎志行. 曰, 有天命而得下民, 其志得行也.
물었다: "하늘의 명이 있으면 허물이 없다는 것은 뜻이 펼쳐지기 때문이다"라고 한 것은 무슨 뜻입니까?
답하였다: 하늘의 명이 있어 아래 백성들을 얻어 그 뜻이 펼쳐질 수 있습니다.〉

오치기(吳致箕) 「주역경전증해(周易經傳增解)」

有君上之命, 而且能旡咎, 可以濟否而其志得行也.
임금의 명령이 있고 또 허물이 없을 수 있는 것은 비색함을 구제하여 그 뜻이 펼쳐질 수 있기 때문이다.

---

100) 『周易 · 泰卦』: 象曰…不戒以孚, 中心願也.
101) 『周易 · 否卦』: 象曰, 有命无咎, 志行也.

九五, 休否. 大人, 吉, 其亡其亡, 繫于苞桑.

구오는 비색한 것을 그치게 한다. 대인이 길하니, 망하게 되지나 않을까 망하게 되지나 않을까 해야 무더기로 난 뽕나무 뿌리에 맬 수 있다.

中國大全

傳

五以陽剛中正之德, 居尊位, 故能休息天下之否, 大人之吉也. 大人當位, 能以其道, 休息天下之否, 以循致於泰, 猶未離於否也. 故有其亡之戒. 否旣休息, 漸將反泰, 不可便爲安肆, 當深慮遠戒, 常虞否之復來, 曰其亡矣其亡矣. 其繫于苞桑, 謂爲安固之道, 如維繫于苞桑也. 桑之爲物, 其根深固, 苞謂叢生者, 其固尤甚, 聖人之戒, 深矣. 漢王允, 唐李德裕不知此戒, 所以致禍敗也. 繫辭曰危者, 安其位者也, 亡者, 保其存者也, 亂者, 有其治者也, 是故, 君子安而不忘危, 存而不忘亡, 治而不忘亂. 是以身安而國家可保也.

오효는 굳센 양으로서 중정의 덕을 가지고 높은 자리에 있기 때문에 천하의 비색함을 그치게 할 수 있으니, 대인의 길함이다. 대인이 마땅한 자리에 있어서 그 도로써 천하의 비색한 것을 그치게 하므로 태평한 세상에 이르게 할 수 있으나, 여전히 아직은 비색한 데서 벗어나지 못한다. 그러므로 "망하게 되지나 않을까?"하는 경계가 있다. 비색한 것이 이미 그쳐서 점차 태평함으로 돌아가더라도 곧바로 마음을 놓고 제멋대로 해서는 안 되니, 마땅히 깊게 생각하고 멀리 경계하여 항상 비색함이 다시 돌아올까를 걱정해야 하므로 "망하게 되지나 않을까? 망하게 되지나 않을까?"라고 말하였다. 그 "뿌리가 무더기로 난 뽕나무 뿌리에 맨다"고 한 것은 편안하고 굳게 하는 도를 실천하기를 마치 뿌리가 무더기로 난 뽕나무 뿌리에 매는 것과 같이 하라는 말이다. 뽕나무는 그 뿌리가 깊고 견고하며, '포(苞)'는 무더기로 난 것으로 그 굳음이 더욱 굳은 것이니, 성인의 경계함이 깊다. 한(漢)나라 왕윤(王允)[102]과 당(唐)나라 이덕유(李德裕)[103]는 이러한 경계를 몰랐으니, 이 때문에 화(禍)와 패

---

102) 왕윤(王允, 137~192): 후한 말, 기현(祁縣) 사람. 자는 자사(子師)다. 어려서 경전과 말 타기, 활쏘기를 배웠다. 처음에 군리(郡吏)가 되어 환관 당우(黨羽)를 죽였다. 영제 때 예주자사(豫州刺史)를 지냈고 황건적의 난을 진압하는 데 참여했다. 192년에 상서복야(尙書僕射) 손서(孫緖), 여포(呂布) 등이 밀모하여

망을 초래하였다. 「계사전」에서 "위태할까 걱정함은 그 자리를 편안히 하는 것이고, 망할까 걱정함은 그 존재를 지키는 것이고, 어지러울까 걱정함은 그 다스림을 유지하는 것이다. 이런 까닭으로 군자가 편안해도 위태함을 잊지 않으며, 존재해도 망함을 잊지 않으며, 다스려도 어지러움을 잊지 않는다. 이 때문에 자신이 편안하여 국가를 지킬 수 있다[104]"고 하였다.

本義

陽剛中正, 以居尊位, 能休時之否, 大人之事也. 故此爻之占, 大人遇之, 則吉. 然又當戒懼, 如繫辭傳所云也.

굳센 양으로서 중정하며 임금의 자리에 있어, 때가 비색한 것을 그치게 할 수 있으니, 대인의 일이다. 그러므로 이 효의 점사를 대인이 만나면 길하다. 그러나 또한 마땅히 「계사전」에서 말한 대로 경계하고 두려워해야 한다.

小註

或問, 九五其亡其亡, 繫于苞桑, 如何. 朱子曰, 有戒懼危亡之心, 則便有苞桑繫固之象, 蓋能戒懼危亡, 則如繫于苞桑, 堅固不拔矣. 如此說, 則象占乃有收殺, 非是其亡其亡而又繫于苞桑也.

어떤 이가 물었다: 구오에서 "망하게 되지나 않을까, 망하게 되지나 않을까 하면서 경계해야 무더기로 난 뽕나무 뿌리에 맬 수 있다"고 한 것은 무슨 뜻입니까?

동탁(董卓)을 죽이고 그로 하여금 조정을 다스리게 했다. 오래지 않아, 동탁의 잔당 이각(李傕), 곽사(郭汜) 등이 장안(長安)을 공격해 왔다. 여포가 도망할 것을 권했지만 응하지 않고 죽음으로써 나라에 보답하기로 결심했다. 이각과 곽사가 그를 죽였고 전 가족 남녀노소 할 것 없이 모두 해를 당했다.(네이버, 『중국역대인명사전』, 임종욱 편저, 김해명 감수, 2010.1.20, 이회문화사.)

103) 이덕유(李德裕, 787~850): 당나라 조군(趙郡) 사람. 자는 문요(文饒)이다. 어릴 때부터 큰 뜻을 품어 열심히 공부했지만 과거 시험은 좋아하지 않았다. 무종(武宗) 회창(會昌) 연간에 권세를 누려 회남절도사(淮南節度使)로 있다가 재상이 되고 번진(藩鎭)의 소요를 막으면서 더욱 권력이 막강해졌다. 이당(李黨)의 수령이 되어 우승유(牛僧孺)와 이종민(李宗閔)이 영수로 있던 우당(牛黨)과 심하게 대립하면서 그들을 탄압했고 폐불(廢佛)을 단행했다. 선종(宣宗)이 즉위하자 우당의 공격을 받아 애주사호(崖州司戶)로 쫓겨났다가 죽었다. 위국공(衛國公)에 추증되었다. 경학(經學)과 예법을 존중하고 귀족적 보수파로서 번진을 억압했으며, 회흘(回紇) 등 외족(外族)을 격퇴하는 데 힘써 중앙집권의 강화를 꾀했다.(네이버, 『중국역대인명사전』, 임종욱 편저, 김해명 감수, 2010.1.20, 이회문화사.)

104) 『周易 · 繫辭傳』: 子曰危者, 安其位者也, 亡者, 保其存者也, 亂者, 有其治者也, 是故, 君子, 安而不忘危, 存而不忘亡, 治而不忘亂. 是以, 身安而國家, 可保也, 易曰其亡其亡, 繫于苞桑.

주자가 말하였다: 위태로움과 망함에 대해 경계하고 두려워하는 마음은 곧 무더기로 난 뽕나무 뿌리에 견고하게 매달려 있는 상이니, 위태로움과 망함에 대해 경계하고 두려워할 수 있다면, 무더기로 난 뽕나무 뿌리에 맬 수 있어서 견고하기 때문에 뽑을 수 없는 것과 같습니다. 이와 같이 말한다면, 상과 점이 수렴되니, "망하게 되지나 않을까, 망하게 되지나 않을까?" 경계하면서 또 동시에 별개로 "무더기로 난 뽕나무 뿌리에 맨다"는 것이 아닙니다.

又曰, 九五以陽剛得位, 可以休息天下之否. 然須常存得危亡之心, 方有苞桑之固. 不知聖人於否泰, 只管說包字如何, 須是象上如何取其義, 今曉他不得.
또 말하였다: 구오는 굳센 양으로서 바른 자리를 얻었으니, 천하의 비색함을 그치게 할 수 있습니다. 그러나 반드시 위태로움과 망함에 대해 걱정하는 마음을 가질 수 있어야만 무더기로 난 뽕나무의 견고함을 가질 수 있다고 합니다. 잘 모르지만, 성인이 비괘와 태괘에서 단지 '포(包)'자를 어떻게 말하였는지, 반드시 상(象)에서 어떻게 그러한 뜻을 취하였는지를 지금 분명하게 알 수 없습니다.

問, 看否泰二卦, 見得泰无不否, 若是有手段底, 則是稍遲得. 曰, 自古由治而入亂者易, 由亂而入治者難. 治世少不支吾, 便入亂去. 亂時須是大人休否, 方做得.
물었다: 비괘와 태괘라는 두 괘를 보면, 태괘에도 비색함이 없지 않다는 것을 알 수 있으니, 만약 방법이 있다면 다소 늦출 수 있습니까?
답하였다: 예로부터 다스려짐으로 말미암아 어지러움으로 들어가기는 쉽고 어지러움으로 말미암아 다스려짐으로 들어가기는 어려웠습니다. 치세에는 조금이라도 나를 지탱하도록 하지 않으면 곧바로 어지러움으로 들어가 버립니다. 난세에는 대인이 비색함을 그치게 하여야만 그칠 수 있습니다.

○ 進齋徐氏曰, 否六二柔也, 故以大人小人對言, 蓋雖否塞之時未嘗无陽類也. 九五剛也, 故以大人獨言, 大人卽九五也.
진재서씨가 말하였다: 비괘의 육이는 유순하기 때문에 대인과 소인을 대구(對句)로 말하였으니, 비록 비색한 시기라고 하더라도 일찍이 양의 무리가 없었던 것은 아니다. 구오는 굳세기 때문에 오직 대인만을 말하였으니, 대인은 곧 구오이다.

○ 雲峯胡氏曰, 二五皆以大人言. 蓋以大人而處六二之時, 有德无位, 當守其否而後道亨. 以大人而居九五之位, 則有德有位能休時之否矣. 然則九五休否之大人, 卽六二所謂否亨之大人也. 前日不能處否而亨, 今日其能休天下之否乎. 然謂之休否, 否雖暫息猶未盡傾也. 九五大人當休否之初, 卽有戒懼危亡之心, 則是否之方休, 已有包桑繫固之象矣. 其卒能傾否而爲泰也, 固宜.
운봉호씨가 말하였다: 이효와 오효에서는 모두 대인을 말하였다. 대인이면서 육이의 때에 있으면 덕은 있지만 지위는 없으므로 마땅히 그 비색한 것을 지킨 후에야 도가 형통하다. 대인이면서 구오의 자리에 있으면 덕이 있으면서 지위도 있어서 그 때의 비색한 것을 그치게 할 수 있다. 그렇기 때문에 구오에서 비색함을 그치게 하는 대인이란 육이에서 이른바 "비색하여야 형통하다"고 할 때의 대인이다. 이전에는 비색한 것에 있으면서 형통할 수 없다가 오늘에 와서야 천하의 비색한 것을 그치게 할 수 있겠는가? 그러나 비색한 것을 그치게 한다고 한 것은 비색한 것이 비록 잠시 동안 그칠지라도 여전히 완전하게 기울어져 없어진 것은 아니다. 구오에서 대인이 비색한 것을 그치게 하는 처음에 곧바로 위태로움과 망함을 경계하고 두려워하는 마음을 가진다면, 비색한 것은 그치게 되어 이미 무더기로 난 뽕나무 뿌리에 견고하게 매달려 있는 상이다. 그리고 마침내 비색한 것이 완전히 기울어져 태평하게 되는 것이 본래 마땅하다.

韓國大全

조호익(曺好益) 『역상설(易象說)』

以九居五, 多功而能勝, 故有休否象. 五爲坎, 坎爲加憂. 故有其亡象. 苞, 指三陽.
양인 구(九)가 오효의 자리에 있으니, 공이 많으면서 이길 수가 있기 때문에 "비색한 것을 그치게 하는[休否]" 상이다. 오효는 감괘인데, 감괘는 근심을 더하는 것[加憂]이므로 "망하게 되지나 않을까[其亡]"하는 상이다. '포(苞)'는 세 양을 가리킨다.

송시열(宋時烈) 『역설(易說)』

九五, 來云, 休[105]字人之倚木也, 大人停依於巽之木云云, 蓋時雖否塞, 大人居君位, 不爲逼迫於小人, 有安徐休息之象. 然不繫之于盤石之固而繫於苞桑之, 小, 故有其亡其亡之戒. 六二爲小人之吉, 九五爲大人之吉, 各當位也.
래지덕이 구오를 해석하면서 "휴(休)자는 사람이 나무에 의지하는 것인데, 대인이 손괘의

105) 休: 경학자료집성DB에 '休'로 되어 있으나, 경학자료집성 영인본을 참조하여 '休'로 바로잡았다.

나무에 의지한다" 운운한 것은 때가 비록 비색하더라도 대인이 임금의 자리에 있고 소인에게 핍박받지 않아 편안하게 휴식하는 상이기 때문이다. 그러나 반석(盤石)의 견고함에 매지 않고 무더기로 난 뽕나무 뿌리에 매는 것은 작은 것이기 때문에 "망하게 되지나 않을까" 하는 경계가 있다. 육이는 소인이 길하고 구오는 대인이 길한 것은 각각 자리에 마땅하기 때문이다.

석지형(石之珩) 『오위귀감(五位龜鑑)』

臣謹按, 否之九五, 大人而居尊位, 故能休息天下之否. 而猶未離於否, 故設其亡繫苞桑之戒. 然則雖在將泰之時, 不忘戒懼之心, 矧當危亂之世, 可无深遠之慮乎. 噫, 元氣閉者, 天道之否也, 君心閉者, 王道之否也, 天道否則萬化不行, 王道否則衆情不通, 衆情不通而能保其安者, 理之所必无也. 然則欲轉其亡之危, 繫諸苞桑之固者, 務莫大於通下情而已, 伏願殿下, 毋患下情之壅, 而先廓聖心焉.

신이 삼가 살펴보았습니다: 비괘의 구오는 대인이 높은 자리에 있기 때문에 천하의 비색한 것을 그치게 할 수 있습니다. 그런데 오히려 비색한데에서 떠나지 못하는 것과 같기 때문에 "망하게 되지나 않을까 하여 무더기로 난 뽕나무 뿌리에 맨다"는 경계를 한 것입니다. 그러나 비록 태평한 때에 있더라도 경계하고 두려워하는 마음을 잊지 않을 것인데, 하물며 위태롭고 어지러운 세상에 이르러서야 깊은 배려가 없을 수 있겠습니까? 아! 원기(元氣)가 닫힌 것은 천도가 막힌 것이고 임금의 마음이 닫힌 것은 왕도가 막힌 것이니, 천도가 막히면 만방의 가르침이 행해지지 않고 왕도가 막히면 백성들의 뜻이 통하지 않으며, 백성의 뜻이 통하지 않는데 그 편안함을 보장하는 이치는 없습니다. 그렇다면 망하게 되지나 않을까하는 위태로움을 전환시키고자 하여 저 무더기로 난 뽕나무 뿌리에 견고하게 매는 것은 백성들의 정을 통하는 것 보다 큰 일이 없으니, 바라옵건대 전하께서는 백성들의 정이 막힐 것을 근심하지 마시고 먼저 성심을 넓게 하시옵소서.

이익(李瀷) 『역경질서(易經疾書)』

苞桑, 叢茂未長之樹. 余嘗驗之, 桑之爲樹, 直根最深固, 皮理亦靭堅. 雖未及高大, 繫以牛馬, 摩軋蕩搖, 亦危動而不拔不折, 得至拱抱. 否道之初, 休危厲未已. 惟大人處之有道, 能撑度於艱難之際. 雖八侵九攻, 終不至喪亡之患, 其象如此. 繫者, 物來繫之也. 若但以安固爲義, 則盤石鉅株自有其物, 何必曰包桑. 苟非大人方便維持, 何以得存.

'무더기로 난 뽕나무'는 무성하지만 다 자라지 않은 나무이다. 나는 일찍이 경험했는데, 뽕나무는 곧은 뿌리가 땅속에 깊고 굳게 뻗어 들어가며 딱딱한 껍질은 또한 질기고 단단하다.

비록 뽕나무가 높고 크지 않더라도 소와 말을 매어서 바찰하고 마구 흔들어도, 또한 위태롭게 움직여도 뽑히지 않고 꺾이지 않아 굵기가 한 주먹이나 한 아름에 이른다. 비색한 도의 초창기에 위태로움을 그치게 하려고 하지만 그치지 않는다. 오직 대인만이 대처해가는 방법이 있으니, 어려운 시기를 버텨낼 수 있다. 비록 여덟 번 침략에 아홉 번 공격을 할지라도 마침내 패망하는 근심에 이르지 않으니 그 상이 이와 같다. "맨다"는 것은 사물이 오면 매는 것이다. 만약 편안함과 견고함에 의미를 둔다면 반석과 큰 나무라는 물건이 있는데, 하필이면 '무더기로 난 뽕나무'를 말하겠는가? 만일 대인이 방편으로 유지해 주지 않는다면 어떻게 보존되겠는가?

심조(沈潮) 「역상차론(易象箚論)」

九五, 繫于苞桑.
구오는 무더기로 난 뽕나무 뿌리에 맨다.

互有巽, 巽爲繩, 故稱繫苞桑. 巽, 木也, 其根深固者, 乾剛也.
호괘로 손괘가 있는데, 손괘는 '줄[繩]'이 되므로 "무더기로 난 뽕나무 뿌리에 맨다"고 하였다. 손괘는 나무이고 그 뿌리가 깊고 견고한 것은 굳센 건괘이다.

유정원(柳正源) 『역해참고(易解參攷)』

九五 [至] 苞桑.
구오는 … 무더기로 난 뽕나무 뿌리에.

正義, 能行休美之事, 於否塞之時, 遏絶小人, 則是否之休美者也. 繫于苞桑者, 苞, 本也, 凡物繫于桑之苞本則牢固也.
『정의』에서 말하였다: 아름다운 일을 행할 수 있다는 것은 비색한 때에 소인을 막아 끊어내는 것이 비색한 것을 아름답게 하는 것이다. "무더기로 난 뽕나무 뿌리에 맨다"는 말에서 '포(苞)'는 근본이니, 물건을 무더기로 난 뽕나무 뿌리에 묶는다면 견고하다.

○ 隆山李氏曰, 二居三陰中, 小人吉, 五居三陽中, 大人吉. 卦雖否, 大人小人同歸于吉, 作易者, 所以闢小人通君子之門也.
융산이씨가 말하였다: 이효가 세 음의 가운데 있으니 소인이 길하고, 오효가 세 양의 가운데 있으니 대인이 길하다. 비록 괘가 비색하더라도 대인과 소인이 길함으로 함께 돌아가니,

『주역』은 소인을 물리치고 군자를 통하게 하는 문(門)이다.

○ 雙湖胡氏曰, 桑, 巽木象, 繫, 巽繩象. 苞, 位中象. 傳小註, 朱子說支吾, 文選左支右吾.
쌍호호씨가 말하였다: 뽕나무는 손괘인 나무의 상이고 "맨다[繫]"는 것은 손괘의 '줄[繩]'의 상이다. '포(苞)'는 자리가 가운데인 상이다. 『정전』 아래 소주에서 주자는 "나를 지탱한다"고 말하고 『문선』에서는 "좌를 '지(支)'라 하고 우를 '오(吾)'이다"고 하였다.

○ 漢書, 枝梧註, 小柱爲枝, 斜柱爲梧.
『한서』의 '지오(枝梧)'에 대한 주석에 "작은 기둥은 '지(枝)'가 되고, 기운 기둥은 '오(梧)'가 된다"고 하였다.

김상악(金相岳) 『산천역설(山天易說)』

陽剛中正, 以居尊位, 與二爲應, 二互艮體, 故有休否之象, 爲大人之吉, 然不可忘戒懼之心. 而四互巽體, 故又其象如此. 繫于苞桑, 謂其安固也.
굳센 양이 중정하고 높은 자리에 있어 이효와 더불어 호응하며, 이효는 호체가 간괘이므로 비색한 것을 그치게 하는 상이니, 대인의 길함이 되나 경계하고 두려워하는 마음을 잊어서는 안 된다. 그리고 사효는 호괘가 손괘이므로 또 그 상이 이와 같다. "무더기로 난 뽕나무 뿌리에 맨다"고 한 것은 편안하고 견고한 것을 말한다.

○ 艮爲止休之象, 不曰否休而曰休否, 有若容人力於其間者. 否之者匪人, 所以位不當也. 休之者大人, 所以位正當也. 其亡其亡者, 安不忘危, 存不忘亡之意也. 巽爲繩繫之象, 又爲陰木苞桑之象, 苞, 本也, 初之茅茹, 五之苞桑, 皆以類相連之象也. 姤之繫于金柅, 在成姤之初, 否之繫于苞桑, 在休否之後, 所以勉戒不同.
간괘는 그치는 상이 되는데, "비색함이 그친다[否休]"고 말하지 않고 "비색함을 그치게 한다[休否]"고 말했으니, 그 사이에 사람의 힘을 받아들이는 것과 같다. 비색하게 하는 것이 바른 사람이 아닌 것은 자리가 부당하기 때문이다. 그치게 하는 것이 대인인 것은 자리가 정당하기 때문이다. "망하게 되지나 않을까, 망하게 되지나 않을까"라고 한 것은 군자가 편안해 하면서도 위태함을 잊지 않으며, 보존하면서도 없어질 것을 잊지 않는 뜻이다. 손괘는 '줄[繩]'로 매는 상이며, 음(陰)인 목(木)으로서 '무더기로 난 뽕나무'의 상이다. '포(苞)'는 근본이라는 뜻으로, 초효의 '띠풀의 뿌리'와 오효의 '무더기로 난 뽕나무'는 모두 무리들이 나란히 이어져 있는 상이다. 구괘(姤卦)의 "쇠말뚝에 맨다"[106]는 것은 구괘의 초효에서 이루어지고,

비괘(否卦)의 "무더기로 난 뽕나무 뿌리에 맨다"는 것은 비색한 것을 그치게 한 후에 있게 되니, 권면과 경계가 같지 않게 된 까닭이다.

김규오(金奎五) 「독역기의(讀易記疑)」

九五傳解其亡其亡이라야 當作이라 若이라야 乃本義之意耳.
구오에 대한 『정전』의 해석 "기망기망(其亡其亡)이라야"는 "기망기망(其亡其亡)이라"로 해석하여야 한다. "기망기망(其亡其亡)이라야"로 해석하는 것은 곧 『본의』의 뜻이다.

김귀주(金龜柱) 『주역차록(周易箚錄)』

九五, 休否, 云云.
구오는 비색한 것을 그치게 한다, 운운.
○ 按, 休否 大人, 不必專作君位看. 卽如人臣之有德有位, 若漢之孔明, 唐之郭子儀, 亦足以當之矣. 程傳, 專作君位說, 恐未備.
내가 살펴보았다: 비색한 것을 그치게 하는 대인을 오로지 임금의 자리로 볼 필요는 없다. 예컨대 신하로서 학덕과 지위를 갖춘 이들은 한나라의 제갈공명, 당나라의 곽자의 등과 같은 이들이 충분히 거기에 해당한다. 『정전』에서 오로지 임금의 자리[君位]로 해석한 것은 충분한 설명이 못된다.

本義, 陽剛中正, 云云.
『본의』에서 말하였다: 굳센 양이 중정하다, 운운.
小註, 進齋徐氏曰, 否六二, 云云.
소주에서 진재서씨가 말하였다: 비괘(否卦)의 육이, 운운.
○ 按, 否六二與九五爲正應, 故亦兼言大人. 今謂否塞之時, 未嘗無陽類者, 恐未然.
내가 살펴보았다: 비괘 육이와 구오는 정응 관계이기 때문에 대인을 함께 말하였다. 이제 비색한 때라도 양의 부류가 없는 것은 아니라고 한 것은 아마도 그렇지 않을 것이다.

박제가(朴齊家) 『주역(周易)』

傳, 其亡矣, 其亡矣, 其繫于苞桑.

---

106) 『周易 · 姤卦』: 初六, 繫于金柅, 貞吉, 有攸往, 見凶, 羸豕孚蹢躅.

『정전』에서 말하였다: 망하지나 않을까, 망하지나 않을까 하여 무더기로 난 뽕나무 뿌리에 맨다.

案曰, 其繫則自爲之言矣, 經旨其亡者, 聖人設爲自戒之辭, 而繫于苞桑者, 不亡之論斷也. 朱子曰, 非是其亡其亡, 而又繫于苞桑也者, 豈所以發明程傳之未暢歟.
내가 살펴보았다: "맨다"는 것은 스스로 그렇게 하는 것을 말하니, 경문의 "망하지나 않을까" 라고 한 뜻은 성인이 스스로 경계하기 위해 베푼 말이고, "무더기로 난 뽕나무 뿌리에 맨다"는 것은 망하지 않는다는 것을 단정 지어 말한 것이다. 주자가 "망하게 되지나 않을까, 망하게 되지나 않을까 염려할 만한 상황이 아닌데도 또한 무더기로 난 뽕나무 뿌리에 맨다"고 말한 것은 아마도 『정전』에서 미처 다 밝히지 못한 뜻을 드러낸 것이다.

윤행임(尹行恁) 『신호수필(薪湖隨筆) · 역(易)』

否將休矣, 位得正矣. 凜乎若朽索之馭馬[107], 慄乎若春冰之履薄, 此其時也, 故周宣晏朝, 姜后脫簪, 而終成中興之業. 晉元, 宋高, 以偏安爲喜, 以苟活爲幸, 而否不能休焉. 九五大人, 其周宣王之謂乎.
비색함이 그치게 될 것이니, 자리가 올바름을 얻어서이다. 썩은 새끼줄로 여섯 마리의 말을 모는 것처럼 조심스럽게 하고 이른 봄에 살얼음판을 걸어가는 것처럼 두려워서 떠는 것이니, 이때가 그 때이다. 그러므로 주나라 선왕(宣王)이 아침에 늦게 일어나자 강후가 비녀를 뽑고 대죄를 청하여 하소연하여 마침내는 선왕이 정사에 전념하여 중흥의 업적을 이루었다[108]는 고사가 생겨났다. 진(晉)나라의 원제(元帝)와 송나라의 고종(高宗)은 혼자만 편안한 것을 즐기고 구차하게 살아남은 것을 다행이라 여기어 비색함이 그칠 수가 없었다. 구오의 대인은 주나라 선왕을 말하는 것인가?

서유신(徐有臣) 『역의의언(易義擬言)』

休, 止也. 九五雖中正, 此時未遽變否, 但可止否. 五包二承, 上下相交, 止否之道也.

---

107) 후삭(朽索)의 경계: 『서경 · 오자지가(五子之歌)』에 "내가 억조의 백성 위에 임하는 것이 마치 썩은 새끼줄로 여섯 마리의 말을 모는 것처럼 조심스럽기만 하니, 백성의 윗사람이 된 자로서 어떻게 공경하지 않을 수가 있겠는가?[予臨兆民, 凜乎若朽索之馭六馬, 爲人上者, 奈何不敬?]"라고 하였다.

108) 탈잠(脫簪): 주(周)나라 선왕(宣王)이 아침에 늦게 일어나자, 강후(姜后)가 비녀를 뽑고 궁중 복도에서 대죄(待罪)하며 말하기를, "첩(妾)이 재덕(才德)이 없어서 임금으로 하여금 실례(失禮)하고 늦게 일어나게 하였으니, 죄줄 것을 청한다"고 하므로 선왕이 드디어 정사(政事)에 부지런히 하여 중흥의 명망을 이루게 되었다.

故在二爲小人吉, 在五爲大人吉也. 其亡其亡, 經歷否運幾乎亡也, 繫于苞桑, 所以休否也. 巽爲繩, 桑巽象, 所繫者, 坤牛, 縶坤而止否俾不浸進也. 五至三互巽, 與陰相去只隔一爻, 无此巽則爲觀爲剝. 故爲繫于苞桑之象也.
'휴(休)'는 그침이다. 구오가 비록 중정하지만 이때는 갑자기 비색한 것을 바꿀 수는 없고 단지 비색한 것을 그치게 할 뿐이다. 오효는 품고 이효는 받들어 위아래가 서로 교류하여 비색한 도를 그치게 한다. 그러므로 이효는 소인이 길하게 되고 오효는 대인이 길하게 된다. "망하지나 않을까, 망하지나 않을까"하는 것은 비색한 운이 지나가 거의 없어진 것이고, "무더기로 난 뽕나무 뿌리에 맨다"는 것은 비색한 것을 그치게 하는 것이다. 손괘는 '줄[繩]'이 되고 뽕나무도 손괘의 상이니, '매는[繫]' 것은 곤괘인 소[牛]로써 곤괘(坤卦)를 매어 비색한 것을 그치게 하여 점점 나아가지 않도록 한다. 오효에서 삼효에 이르는 호괘인 손괘는 음과 거리가 겨우 한 효의 간격만 있게 되는데, 이 손괘가 없다면 관괘(觀卦䷓)와 박괘(剝卦䷖)가 되므로 "무더기로 난 뽕나무 뿌리에 맨다"는 상이 된다.

박문건(朴文健) 『주역연의(周易衍義)』

以剛處位, 故有休否之象. 休否, 言休明其四海之否也.
구오는 굳센 양으로서 바른 자리에 있기 때문에 비색한 것을 아름답게 하는 상이다. "비색한 것을 아름답게 한다"고 한 것은 세상[四海]의 비색한 것을 아름답게 밝히는 것을 말한다.
〈問, 苞桑之義. 曰, 桑之爲物, 其根深固而叢生者尤甚. 蓋用力多於其根也.
물었다: 무더기로 난 뽕나무라는 것은 무슨 뜻입니까?
답하였다: 뽕나무는 그 뿌리가 깊고 견고한데다 심지어 무더기로 자랍니다. 그래서 그 뿌리가 튼튼합니다.〉

〈○ 問, 休否以下. 曰, 九五雖因六二之進而致否塞, 然處得其位, 故有休否之象. 惟大人當之, 然後能致吉也. 必甚懼其將亡, 乃安固如繫於苞桑也. 休否之休與復之休復之休, 同義也.
물었다: 구오에서 "비색한 것을 아름답게 한다" 이하는 무슨 뜻입니까?
답하였다: 비록 육이가 위로 나아감에 따라 비색하게 되었다 해도 구오는 그 자리를 얻었기 때문에 비색한 것을 아름답게 하는 상입니다. 오직 대인만이 해당하고, 그런 후에 길함을 얻을 수 있습니다. 반드시 장차 없어지게 될까를 염려해야 곧 무더기로 난 뽕나무 뿌리에 맨 것처럼 편안하고 단단하게 됩니다. "비색한 것을 아름답게 한다[休否]"고 한 "아름답게 한다[休]"는 복괘(復卦)에서 "아름답게 회복한다"[109]고 할 때 "아름답다[休]"와 같은 뜻입니다.〉

이지연(李止淵) 『주역차의(周易箚疑)』

休否之大人, 卽乾之大人也.
비색한 것을 그치게 한 대인은 곧 건괘(☰)의 대인이다.

윤종섭(尹鍾燮) 『경(經) · 역(易)』

否五大人, 陽剛中正, 君天下者也. 互巽爲繫爲苞桑之象.
비괘 오효의 대인은 굳센 양으로서 중정하게 하여 천하에 임금 노릇을 하는 자이다. 호괘인 손괘(☴)는 매는 것이 되고 "무더기로 난 뽕나무"의 상이 된다.

이항로(李恒老) 「주역전의동이석의(周易傳義同異釋義)」

按, 此爻之義, 以繫辭傳義參觀, 則盡之矣. 蓋大人者, 三才竝立, 人位乎中. 陽爲大而陰爲小, 故喚九二九五爲大人, 易中之例也. 其亡其亡者, 傾否回泰, 幸存慮危之辭也. 苞桑, 三陽三陰, 互相根枝之象也. 立象設戒之妙, 斯可以觀矣.
내가 살펴보았다: 이 오효의 뜻은 「계사전」의 뜻을 참고하여 보면 잘 알 수 있다. 대인은 천지와 더불어 삼재(三才)로서 나란히 서는데, 사람은 천지의 가운데에 자리 잡는다. 양은 큰 것이고 음은 작은 것이 되므로 『주역』에서는 통상적으로 구이와 구오를 '대인(大人)'이라고 부른다. "망하지나 않을까, 망하지나 않을까"라고 한 것은 비색한 것이 기울어져 태평함을 회복하니, 보존되기를 바라고 위태로움을 염려한다는 말이다. '무더기로 난 뽕나무'는 세 양과 세 음이 서로 뿌리가 되고 가지가 되는 상이다. 성인이 상을 세워 경계를 베푼 오묘한 뜻을 알 수 있다.

김기례(金箕澧) 「역요선의강목(易要選義綱目)」

剛中而以乾五大人之道濟否而休之, 故吉. 唯戒[110]時否危亡之懼, 則可以固安, 如繫根深叢多之桑也.
굳세고 알맞아 건괘 구오의 대인의 도로써 비색한 것을 구제하여 그치게 하기 때문에 길하다. 비색한 때에 망할까 두려워하는 경계를 둔다면 뿌리가 깊고 총총하게 뿌리가 많이 뻗어 있는 뽕나무 뿌리에 맨 것처럼 단단하고 안전할 수 있다.

---

109) 『周易 · 地雷復』: 六二, 休復, 吉.
110) 戒: 경학자료집성DB에 '求'로 되어 있으나, 경학자료집성 영인본을 참조하여 '戒'로 바로잡았다.

○ 夫大人者, 與天地合其德, 在六二則否將極而无位, 故身否道亨. 在九五則否將傾而有位, 故能休否.
대인은 천지와 더불어 그 덕을 함께하는 존재이다.111) 육이는 비색함이 곧 극도에 달하려하고 지위도 없으므로 그 자신은 비색하나 도는 형통하다. 구오는 비색한 것이 기울기 시작하고 지위도 있기 때문에 비색한 것을 그치게 할 수 있다.

심대윤(沈大允) 『주역상의점법(周易象義占法)』

否之晉䷢, 進也. 去其否而進于通也. 以剛居剛得位而中正, 故爲休美之否也. 巽行艮止, 巽美艮光爲休能去天下之否, 而通其情大人之道也. 以四剛隔蔽, 下三陰不得上通, 故尙爲否也. 九五用力勤苦, 惟恐失天下之心, 故曰其亡其亡. 兌爲亡, 以五能變天下之否而獲安, 故只取下對也. 能使天下親附而安固, 故曰繫于苞桑. 巽爲繫, 坎巽爲苞桑.
비괘가 진괘(晉卦䷢)로 바뀌었으니, '나아가는 것[進]'이다. 그 비색한 것을 제거하고 통함으로 나아간다. 굳센 양으로서 굳센 양의 자리에 있어 지위를 얻고 중정하기 때문에 비색한 것을 그쳐 아름답게 한다. 손괘는 움직이고 간괘는 그치는 것이며, 손괘는 아름답고 간괘는 빛나서 천하의 비색한 것을 제거할 수 있으니, 대인의 도와 그 정을 통할 수 있다. 사효는 굳센 양으로서 떨어져 있고 가려져 있어 아래로 세 음이 위와 통하지 못하기 때문에 여전히 비색하다. 구오는 고생스러움을 마다하지 않고 오직 천하 사람들의 마음을 잃지 않을까 두려워하여 "망하지나 않을까, 망하지나 않을까" 염려한다. 태괘는 망함이 되는데, 오효가 천하의 비색한 것을 바꾸어 편안함을 얻을 수 있기 때문에 아래의 바뀐 괘를 취하였다. 천하 사람들로 하여금 친밀히 여겨 따르도록 해서 안정되고 튼튼하게 하기 때문에 "무더기로 난 뽕나무 뿌리에 맨다"고 하였다. 손괘는 매는 것이고 감괘와 손괘는 '무더기로 난 뽕나무'이다.

오치기(吳致箕) 「주역경전증해(周易經傳增解)」

九五剛健中正而居尊, 與九四同德之臣, 將有休否之功, 是爲大人之吉. 然時未已安, 常存危亡之戒, 然後可以囼泰, 使國家永保, 如繫苞桑之固矣. 此亦戒君子之辭也.
休者, 息也. 其亡其亡者, 不忘危亂之狀也. 繫取互巽爲繩繫之象, 苞謂根之固結也. 桑取互巽爲木, 亦以乾爲衣而桑以養蚕供衣, 故言桑於乾也.
구오는 강건하고 중정하며 높은 자리에 있고 구사의 덕을 같이하는 신하와 함께 장차 비색

111) 『周易·乾卦(文言傳)』: 夫大人者, 如天地合其德, 與日月合其明, 與四時合其序, 與鬼神合其吉凶.

한 것을 그치게 하는 공이 있으니, 대인이 길한 것이다. 그러나 때가 아직 편안하지 않으니, 항상 망할까 염려하는 경계를[112] 한 이후에 태평함을 맞이하여 마치 뽕나무 뿌리에 붙들어 맨 것처럼 튼튼하게 국가를 영원히 보전할 수 있다. 이 역시 군자를 경계하는 말이다. '휴(休)'는 '쉬는 것[息]'이다. "망하지나 않을까 망하지나 않을까" 염려하는 것은 위태로움과 혼란을 잊지 않는 상태이다. '매는[繫]' 것은 호괘인 손괘가 줄로 잇는 상을 취한 것이고, '포(苞)'는 뿌리를 견고하게 매는 것을 말한다. '뽕나무[桑]'는 호괘인 손괘(☴)가 나무를 상징하는 것을 취했으며, 또한 건괘(☰)는 옷이 되는데, 뽕나무는 양잠(養蠶)을 통해 옷을 제공하기 때문에 건괘를 뽕나무라고 하였다.

이진상(李震相) 『역학관규(易學管窺)』

九五註, 只管說包字.
구오에 대한 주석은 다만 '포(包)'자를 설명하였다.

天包地質, 地包天氣, 故否泰多說包. 否取苞桑. 以其互巽而爲繩爲木苞, 又陽包陰之象也.
하늘은 땅의 바탕[質]을 품고 땅은 하늘의 천기를 포용하므로 비괘와 태괘에서 '포(包)'를 많이 말했다. 비괘에서 '무더기로 난 뽕나무'를 취한 것은 그 호괘인 손괘가 '줄[繩]'이 되고 나무 '밑동[木苞]'이 되니, 또한 양이 음을 포용하는 상이기 때문이다.

112) 『周易·繫辭傳』: 子曰危者, 安其位者也, 亡者, 保其存者也.

象曰, 大人之吉, 位正當也.

「상전」에서 말하였다: "대인이 길함"은 자리가 바르고 마땅하기 때문이다.

中國大全

傳

有大人之德而得至尊之正位, 故能休天下之否, 是以吉也. 无其位, 則雖有其道, 將何爲乎. 故聖人之位, 謂之大寶.

대인의 덕을 가지고 있으면서 지극히 높은 바른 자리를 얻었기 때문에, 천하의 비색함을 그칠 수 있으니, 이 때문에 길하다. 그 합당한 자리가 없으면, 비록 그 도를 가지고 있다 하더라도 장차 어떻게 하겠는가? 그러므로 "성인의 자리는 큰 보물이다"113)라고 하였다.

小註

中溪張氏曰, 處否而能獲吉者, 以九五之位正當也. 有其德而无其位, 則否安能吉哉. 此漢光武自隴蜀既平之後, 未嘗不存苞桑之戒者, 是也.
중계장씨가 말하였다: 비색함에 있으면서 길함을 얻을 수 있는 것은 구오의 자리가 바르고 마땅하기 때문이다. 그 덕을 가지고서도 그 합당한 자리를 가지지 못한다면, 비색한 것이 어떻게 길할 수 있겠는가? 이것은 한(漢)나라 광무(光武)가 농(隴)땅과 촉(蜀)땅을 이미 평정한 후에도 "무더기로 난 뽕나무 뿌리에 맨다"는 경계함을 간직하지 않았던 적이 없었다고 하는 것이 바로 이것이다.

○ 勿軒熊氏曰, 泰不能不否者, 六五柔懦之君當任其咎. 否終復泰者, 九五剛明之君是賴焉. 然則爲君者與其爲泰六五之柔, 寧爲否九五之剛.
물헌웅씨가 말하였다: 태평한 것이 비색해지지 않을 수 없는 것은 태괘의 육오가 유약한

---

113) 『周易·繫辭傳』: 聖人之大寶曰位.

군주로 그 허물에 대해서 책임을 져야 하기 때문이다. 비색한 것이 끝내 태평한 것으로 회복될 수 있는 것은 구오가 굳세고 밝은 임금으로 의지할 수 있기 때문이다. 그렇기 때문에 임금이 되는 자는 태괘의 육오처럼 유약하게 되느니, 차라리 비괘의 구오처럼 굳센 것이 더 낫다.

韓國大全

김상악(金相岳) 『산천역설(山天易說)』

大人之吉, 語其德, 則不亂群, 語其功, 則能休息其否者, 位正當也.
대인이 길한 것은 그 덕으로 말하자면 무리를 어지럽히지 않아서이고, 그 공으로 말하자면 비색함을 그치게 할 수 있어서이니, 자리가 마땅하기 때문이다.

김귀주(金龜柱) 『주역차록(周易箚錄)』

傳, 有大人之德, 云云.
『정전』에서 말하였다: 대인의 덕, 운운.

小註, 勿軒熊氏曰, 泰不能, 云云.
소주에서 물헌웅씨가 말하였다: 태평한 것이 ~할 수 없었다, 운운.

○ 按, 泰之六五柔中虛己, 下應九二之剛, 故爻辭以以祉元吉言之, 則恐未可直說作柔懦之君也. 此卦與泰卦反類. 蓋泛論之, 則小往大來, 大往小來, 爻位均敵, 卻無參差. 而泰之內卦三爻, 則皆吉且無咎, 外卦六五, 亦以元吉言, 惟四上二爻不吉也. 否之內卦三爻, 雖皆小人得志之時, 然初云貞吉, 尙冀其變而爲善. 二云包承猶能順承君子, 三云包羞, 則可以傷善而亦終未能也. 及至外卦三爻, 則專說君子之道, 故有有命休否傾否之喜. 聖人扶陽抑陰之意, 至深切矣.
내가 살펴보았다: 태괘의 육오가 부드러운 음으로 가운데 있고 자기를 비워 아래로 구이의 굳센 양과 호응하기 때문에 효사에서 "복이 있으며 크게 길하다"고 하였으니, 바로 우유부단

하고 나약한 임금이라고 밀해서는 안 될 것 같다. 비괘는 태괘와 그 반대이다. 일반직으로 말하면 "작은 것이 가고 큰 것이 온다"고 한 것이나 "큰 것이 가고 작은 것이 온다"고 한 것은 효의 자리가 고루 대등하고 오히려 차이가 없다. 태괘의 내괘 세 효는 모두 길하고 또한 허물이 없으며, 외괘의 육오도 또한 크게 길함으로 말했고 오직 사효와 상효, 이효만이 길하지 않다. 비괘(否卦)의 내괘 세 효가 비록 모두 소인이 뜻을 얻은 때라 해도 초효에 "곧으면 길하다[貞吉]"고 한 것은 그것을 변화시켜 선이 될 수 있도록 바란 것이다. 이효에서 "포용하고 받든다"고 한 것은 군자를 순하게 받들 수 있고, 삼효에서 "품고 있는 것이 부끄럽다"고 한 것은 착한 이를 해칠 수 있으나 끝내 해치지 않은 것이다. 외괘 세 효의 경우는 오로지 군자의 도를 말했기 때문에 명이 있어서 비색한 것을 그치게 하고 비색한 것이 기울어지는 기쁨이 있다. 성인이 양을 북돋우고 음을 억제하는 뜻이 지극히 깊고 간절하다.

서유신(徐有臣) 『역의의언(易義擬言)』

正當爲剝之位, 故止否爲吉也.
바로 박괘의 자리에 해당하기 때문에 비색한 것을 그치게 하는 것이 길하다.

박문건(朴文健) 『주역연의(周易衍義)』

位正當, 言剛得天位而休否也.
"자리가 마땅하다"고 한 것은 굳센 양이 하늘 자리를 얻어 비색한 것을 그치게 한 것을 말한다.

김기례(金箕澧) 「역요선의강목(易要選義綱目)」

大人而有大位.
대인이면서 큰 지위를 가지고 있다.

오치기(吳致箕) 「주역경전증해(周易經傳增解)」

中正而居尊, 正當濟否之位也.
중정하면서 높은 자리에 있어 바로 비색함을 구제하는 지위를 담당하고 있다.

이병헌(李炳憲) 『역경금문고통론(易經今文考通論)』

包俗本作苞.

포(包)는 일반적으로 '포(苞)'라 썼다.

姚曰, 休, 止也. 大人以亡自惕, 故存不忘亡.
요신이 말하였다: '휴(休)'는 그침이다. 대인이 없어지는 것으로써 스스로를 두려워하기 때문에 "보존하면서도 없어지는 것을 잊지 않는다"고 하였다.

荀曰, 陰欲消陽, 由四及五, 故曰, 其亡其亡.
『순구가역』에서 말하였다: 음이 양을 사라지게 하고자 하여 사효로부터 오효에 도달하기 때문에 "망하지나 않을까, 망하지나 않을까"라고 하였다.

桑者, 上玄下黃, 以象乾坤, 言繫其本體.
뽕나무는 위가 검은 색이고 아래가 황색이니, 건괘와 곤괘를 상징하는데, 그 본체를 맨 것을 말한다.

京曰, 桑有衣食人之功, 聖人有天覆地載之德, 故以喩.
경방이 말하였다: 뽕나무는 사람들을 입히고 먹이는 공이 있고, 성인에게는 하늘이 덮고 땅이 싣는 것과 같은 덕이 있기 때문에 비유하였다.

上九, 傾否, 先否, 後喜.

정전 상구는 비색한 것이 기울어지니, 먼저 비색해지고 뒤에는 기뻐한다.
본의 상구는 비색한 것을 기울어지게 하니, 먼저 비색해지고 뒤에는 기뻐한다.

中國大全

傳

上九否之終也, 物理極而必反. 故泰極, 則否, 否極, 則泰. 上九否旣極矣. 故否道傾覆而變也, 先極否也, 後傾喜也. 否傾則泰矣, 後喜也.

상구는 비괘의 끝이니, 만물의 이치는 극에 도달하여 반드시 되돌아온다. 그러므로 태평한 것이 지극해지면 비색하게 되고, 비색한 것이 지극해지면 태평하게 된다. 상구는 비색한 것이 이미 지극해졌다. 그러므로 비색한 도가 기울어지고 뒤집혀져 바뀌니, 먼저 극도로 비색하고 뒤에 비색한 것이 기울어져 기쁘다. 비색한 것이 기울어지면 태평해지니, 뒤에는 기뻐한다.

本義

以陽剛居否極, 能傾時之否者也, 其占爲先否後喜.

굳센 양으로서 비괘의 끝에 있어 때가 비색한 것을 기울게 할 수 있는 자이니, 그 점이 처음에는 막히나 나중에는 즐겁다.

小註

朱子曰, 易爲君子謀, 如否內三爻, 是小人得志之時, 然不大段會做得事. 初則如此, 二又如此, 三雖做得些箇, 也不濟事. 到四, 則聖人便說他, 那君子得時, 否漸次反泰底道理. 五之苞桑, 繫辭中說得條暢, 盡之矣. 上九之傾否, 到這裏便傾了否, 做泰. 又曰, 否本是陰長之卦, 九五休否, 上九傾否. 又自大故好. 蓋陰之與陽, 自是不可相无者.

今以四時寒暑而論, 若是无陰陽, 亦做事不成. 但以善惡及君子小人而論, 則聖人直是要消盡了惡, 去盡了小人, 蓋亦抑陰進陽之義. 某於坤卦曾略發此意.
주자가 말하였다: 『주역』은 군자를 위해 도모한 것이니, 예를 들어 비괘(否卦)의 내괘 세 효는 소인이 뜻을 얻은 때이지만, 크게 일을 성취할 수는 없다. 초효가 이와 같고 이효 또한 이와 같으며, 삼효는 비록 약간 할 수 있다고 하더라도 또한 일을 이루지 못한다. 사효에 이르게 되면 성인은 이제야 그런 군자들이 때를 얻어 점차 비색한 것이 태평한 것으로 돌아가는 도리를 말하였다. 오효의 '무더기로 난 뽕나무'는 「계사전」에서 더할 나위 없이 유려하고 조리 있게 설명을 잘 하였다. 상구의 "비색한 것을 기울어지게 한다"는데 이르러 곧바로 비색한 것을 기울어지게 하여 태평하게 만든다.
또 말하였다: 비괘는 본래 음이 자라는 괘이지만, 구오에서는 "비색한 것을 그치게 한다"고 하였고, 상구에서는 "비색한 것을 기울어지게 한다"고 하였다. 거기에다가 또 괘가 하늘과 땅으로 이루어졌기 때문에 그 자체로 커서 좋다. 음은 양과 더불어 본래 서로 없을 수 없는 관계이다. 이제 사계절 및 추위와 더위로써 논의 할 때에 만약 음과 양이 없다면 하는 일이 이루어지지 않는다. 다만 선과 악 및 군자와 소인을 가지고 논의한다면 성인이 곧바로 악을 모두 없애 버리고 소인의 도를 모두 떨쳐 내니, 이 또한 음을 억제하고 양을 진작시키는 뜻이 된다. 나는 곤괘(坤卦)에서 일찍이 이러한 뜻을 대략 드러내었다.

○ 童溪王氏曰, 言傾否而不言否傾, 人力居多焉. 以陽剛之才居否之終, 固所優爲也.
동계왕씨가 말하였다: "비색한 것을 기울어지게 한다"고 말하고, "기울어지는 것이 비색하다"고 말하지 않은 것은 사람의 힘이 많이 들기 때문이다.[114] 굳센 양의 재질을 가지고 비괘의 맨 끝의 자리에 있기 때문에 넉넉하게 할 수 있다.

○ 雲峯胡氏曰, 九四有命, 是否已過中, 將濟之時, 九五休否, 是否方休息可濟之時, 上九傾否, 則如水之傾, 否於此盡矣. 先否後喜, 此喜字, 又自其亡其亡戒懼中來.
운봉호씨가 말하였다: 구사에서 "명이 있다[有命]"고 함은 비색함이 이미 가운데를 지나 장차 구제될 때이고, 구오에서 "비색한 것을 그치게 한다"고 한 것은 비색한 것이 막 그치게 되어 구제될 수 있는 때이며, 상구에서 "비색한 것이 기울어진다"고 한 것은 물[水]이 엎어지는 것과 같이 비색한 것이 여기서 다한다는 것이다. "먼저 비색해지고 뒤에 기뻐한다"고 하였으니, 여기서 '기뻐한다[喜]'는 글자는 또한 본래 "망하게 되지나 않을까" 경계하고 두려워

114) 상구에서 "비색한 것이 어떤 것에 의해 기울어진다[傾否]"고 하고 "비색한 것 자체가 저절로 전복된다[否傾]" 라고 말하지 않은 까닭은 비색의 상태가 기울어져 태평의 상태로 바뀌게 된 데는 인간의 힘이 크게 작용하였기 때문이라고 하여 단순히 가만히 놓아두어도 저절로 변화하고 발전되어서 그렇게 된 것이 아니라는 점을 강조하고 있다.(『주역』, 정병석, 을유문화사, 2012, 248쪽.)

하는 가운데에서 왔다.

○ 閭丘氏昕曰, 泰之終, 言城復于隍以戒之, 否之終, 言先否後喜以勸之. 若以否泰相仍爲一定之數, 則易不必作矣.
여구흔이 말하였다: 태괘의 상육에서 "성이 해자로 돌아온다"고 하여 경계하였고, 비괘의 상구에서 "먼저 비색해지고 뒤에 기뻐한다"고 말하여 부지런히 힘쓰도록 하였다. 만약 비색함과 태평함의 연속이 고정된 운수라면, 『주역』을 반드시 지을 필요가 없었을 것이다.

○ 和靖尹氏曰, 易之道如日星, 但患於理未精. 失其機會, 卽暗於理者也. 問, 所謂機會, 豈非當泰之時便可裁成輔相, 當否時便可儉德避難否. 曰, 非也. 易逆數也. 若是其時, 人誰不會如此做. 正在未到泰之上六, 便要知泰將極, 未到否之上九, 便知否欲傾也. 此謂機會.
화정윤씨가 말하였다: 『주역』의 도는 해와 별과 같으니, 다만 이치에 정밀하지 못할까를 걱정한다. 그 기회를 놓친다면 곧 이치에 어두운 사람이다.
물었다: 이른바 기회라는 것이 어찌 태평한 시대를 맞이하여서는 곧 "마름질하여 이루며 도울"[115] 수 있으며, 비색한 시대를 맞이하여서는 곧 덕을 안으로 거두어 어려움을 피할 수 있는 것이 아니겠습니까?
답하였다: 아닙니다. 『주역』이란 미래의 운수를 미리 알아차리는 것입니다. 만약 그러한 때라고 한다면, 사람이 누구인들 이와 같이 할 수 없겠습니까? 바로 아직 태괘의 상육에 이르지 않았을 때에 있다면, 곧 태평이 장차 지극하게 될 것을 알아야 하고, 아직 비괘의 상구에 이르지 않았을 때에 있다면, 곧 비색한 것이 기울어지려고 하는 것을 알아야 합니다. 이것을 기회라고 합니다.

▌韓國大全▐

조호익(曺好益) 『역상설(易象說)』

喜取陽象. 以喜怒對言, 喜屬陽, 怒屬陰. 陽主發散, 陰主翕聚. 或曰, 上變則兌, 故取.

115) 『周易 · 泰卦』: 象曰, 天地交泰, 后以, 財成天地之道, 輔相天地之宜, 以左右民.

"기뻐한다[喜]"는 것은 양의 상을 취하였다. 기뻐하고 성내는 것으로 상대하여 말하면, 기뻐하는 것은 양에 속하고 노여워하는 것은 음에 속한다. 양은 발현되어 흩어지는 것[發散]을 주로 하고 음은 거두어 모으는 것[翕聚]을 주로 한다. 어떤 이는 "상효가 바뀌면 태괘(☱)가 되므로 그 상을 취하였다"[116]고 하였다.

송시열(宋時烈) 『역설(易說)』

上九, 傾者, 傾側顚倒之謂也. 陽爻傾倒, 將復於下, 故有先否後喜之象. 且側則變, 變則爲兌, 兌爲悅象. 陽爻反生於下, 則爲震, 震爲喜笑象.

상구의 "기울어진다[傾]"는 것은 한쪽으로 기울고 엎어지는 것을 말한다. 양효가 기울고 넘어져 아래에서 회복되기 때문에 '먼저 비색해지고 뒤에는 기뻐하는' 상이다. 또 기울어진 것은 바뀌는데, 바뀌면 태괘(☱)가 되니 태괘는 기뻐하는 상이다. 양효가 다시 아래에서 생겨나면 진괘(☳)가 되니, 진괘(☳)는 기쁘게 웃는 상이다.

김상악(金相岳) 『산천역설(山天易說)』

傾否, 謂上九用剛陽之道, 傾覆其否也. 否傾則爲泰, 故先否而後喜也.

"비색한 것을 기울어지게 한다"는 것은 상구가 굳센 양의 도를 써서 그 비색한 것을 기울여 뒤집는 것을 말한다. 비색한 것이 기울어지면 태평하게 되기 때문에 먼저 비색해지고 뒤에는 기뻐한다.

○ 否傾則无往不復. 陰卦在前, 故曰先否 陽卦在後, 故曰後喜, 猶小往大來也. 上九雖當否時, 猶勝泰之上六者, 以居乾體也. 故同人九五居乾之中曰, 先號咷後笑, 明夷上六, 處坤之極曰, 初登于天後入于地. 否之爲卦, 二體不雜, 陰陽皆應, 故爻辭多吉. 三之包羞, 亦不至凶吝. 然其憂危之戒, 則未嘗不有也.

비색한 것이 기울어진다는 것은 "가서 돌아오지 않는 것은 없다"는 것이다. 음괘가 앞에 있기 때문에 "먼저 비색해진다"고 말하였고, 양괘가 뒤에 있기 때문에 "뒤에는 기뻐한다"고 하였으니, "작은 것이 가고 큰 것이 온다"는 것과 같다. 상구가 비록 비색한 때에 있더라도 오히려 태괘(泰卦)의 상육보다 나은 것은 건괘의 몸체에 있기 때문이다. 그러므로 동인괘(同人卦䷌) 구오는 건괘의 가운데에 있어 "먼저는 울부짖고 뒤에는 웃는다"[117]고 했고, 명

116) 천지비괘(䷋)를 구성하고 있는 상괘는 건괘(☰)인데, 건괘의 상효인 양효가 음효로 바뀌면 태괘(☱)가 된다.
117) 『周易·同人卦』: 九五, 同人, 先號咷而後笑, 大師克, 相遇.

이괘(明夷卦䷣) 상육은 곤괘(☷)의 끝에 있어 "처음엔 하늘에 오르고 뒤에는 땅으로 들어간다"[118]고 했다. 비괘(否卦)는 두 몸체가 섞이지 않고 음양이 모두 호응하기 때문에 효사에 길함이 많다. 삼효의 "품고 있는 것이 부끄러움이다"[119]라는 것 또한 흉하고 부끄러운 데에 이르지는 않는다. 그러나 그 우환과 위태로움에 대한 경계는 있지 않을 수 없다.

박제가(朴齊家) 『주역(周易)』

上九傾否, 本義傾時之否, 對上休時之否.
상구의 "비색한 것을 기울어지게 한다"고 한 것에 대해 『본의』에서 "비색한 때를 기울게 할 수 있는 자"라고 한 것은 구오에서 비색한 때를 그치게 한다는 것과 짝하여 말하였다.

案, 傾時之否者, 人爲之也.
내가 살펴보았다: '비색한 때를 기울게 하는 것'은 사람이 그렇게 한 것이다.

윤행임(尹行恁) 『신호수필(新湖隨筆)·역(易)』

寒往則暑來, 陰衰則陽盛, 蠖屈龍蟄,[120] 一晝一夜, 理之常也. 故先否者後喜, 以其窮則變, 變則通也. 其先也否, 故其後也喜. 當其喜也, 不忘其否, 然後其喜可久. 光武以豆粥麥飯長在心中, 能享錦玉之安. 此所以有守成之德, 而後可以傾否.
추위가 가면 더위가 오고, 음이 쇠약해지면 양이 극성하며, 자벌레가 굽히고 용이 움츠리며, 한번은 낮이고 한번은 밤인 것은 항상 된 도리이다. 그러므로 먼저 비색해진 자가 뒤에 기뻐하는 것은 궁하면 변하고 변하면 통하기 때문이다.[121] 먼저 비색하기 때문에 뒤에는 기뻐한다. 기쁠 때에 비색했던 것을 잊지 않은 후에야 그 기쁨을 오래 지속할 수 있다. 광무제가 풍이(馮異)에게 팥죽과 보리밥을 대접받은 뒤에 그 후의를 오래 동안 마음속에 갖고 있었기 때문에,[122] 비단옷과 쌀밥의 편안함을 누릴 수 있었다. 이것이 이루어진 것을 지키는 덕을

---

118) 『周易·明夷卦』: 上六, 不明, 晦, 初登于天, 後入于地.
119) 『周易·否卦』: 六三, 包羞.
120) 蟄: 경학자료집성DB에는 '伸'으로 되어 있으나, 경학자료집성 영인본을 참조하여 '蟄'으로 바로잡았다.
121) 『周易·繫辭傳』: 窮則變, 變則通, 通則久.
122) 광무제(光武帝) 유수(劉秀)가 칭제(稱帝)하기 전에 요양(鐃陽) 무루정(無蔞亭)에서 풍이(馮異)에게 팥죽을 대접받아 배고픔을 면하고 또 남궁(南宮)에 이르러서 보리밥을 대접받은 뒤에 호타하(滹沱河)를 건너갔는데, 제위에 오르고 나서 풍이에게 "창졸간에 무루정에서 대접받은 팥죽과 호타하의 보리밥에 대한 후의를 오래도록 보답하지 못했다"라고 하면서 값진 물건을 하사한 고사가 있다. 그래서 후대에 팥죽과 보리밥에 호타(滹沱)의 이름을 붙이게 되었다고 한다.(『후한서 권17·풍이열전』, 한국고전번역원DB.)

가지고 뒤에 비색한 것을 기울어지게 할 수 있었던 까닭이다.

서유신(徐有臣) 『역의의언(易義擬言)』

傾否, 傾陂之否也. 泰之終, 未便爲否, 否之終, 未便爲泰. 城復傾否, 皆言其漸也. 地之平者, 陂矣, 是爲傾否, 陂之極則爲泰也. 上下不通爲否, 應與相得爲喜. 先否者, 始不通也, 後喜者, 終相應也.
"비색한 것을 기울어지게 한다"는 것은 기울어지는 비색함이다. 태평이 끝났다고 하여 곧 비색하게 되는 것은 아니고 비색이 끝났다고 하여 곧 태평해지는 것은 아니다. 성이 기울어지는 것과 비색한 것이 기울어지는 것은 모두 점차로 이루어진다. 땅이 평평한 것은 기울어지는데, 이것이 "비색한 것을 기울어지게 한다"는 것이니, 기울어짐이 다하면 태평하게 된다. 위아래가 통하지 않는 것은 비색함이 되고, 호응하여 서로 마음을 얻는 것은 기쁨이 된다. "먼저 비색해진다"는 것은 처음에 통하지 않고, "뒤에 기뻐한다"는 것은 끝에 가서 서로 호응한다.

박문건(朴文健) 『주역연의(周易衍義)』

成否不久, 故有傾否之象. 傾否, 言傾寫其一身之否也.
이루어진 비색함은 오래가지 않기 때문에 "비색한 것이 기울어지는" 상이 있다. "비색한 것이 기울어진다"는 것은 한 몸의 비색한 것을 기울여 쏟아내듯 하는 것을 말한다.
〈問, 傾否, 先否, 後喜. 曰, 上九因六三之進而致否塞. 然彼柔我剛, 故有傾否之象. 先雖否後有喜者, 不爲下之所傷也.
물었다: "비색한 것을 기울어지게 하니, 먼저 비색해지고 뒤에는 기뻐한다"는 무슨 뜻입니까? 답하였다: 상구는 육삼이 나아감에 따라 비색한 것을 이루었습니다. 그러나 저는[육삼] 유약한 음이고 나는[상구] 굳센 양이기 때문에 "비색한 것을 기울어지게 하는" 상이 있습니다. 먼저 비록 비색하더라도 뒤에 기쁨이 있는 자는 아랫사람에게 상해를 입지 않습니다.〉

이지연(李止淵) 『주역차의(周易箚疑)』

以泰之世而小人居之, 則傾泰, 以否之世而君子居之, 則傾否. 不有君子, 其何能天地乎.
태평한 시대일지라도 소인이 거기에 있으면 태평한 것이 기울어지고, 비색한 시대일지라도 군자가 거기에 있으면 비색한 것이 기울게 된다. 군자가 없다면 어떻게 천지가 유지될 수 있겠는가?

김기례(金箕澧) 「역요선의강목(易要選義綱目)」

循環之理, 泰中有否, 否中有泰. 以剛明之才, 居否之終, 何難傾否. 否傾則泰, 故其亡之憂, 反爲後喜.
순환의 이치는 태평함 가운데 비색함이 있고 비색함 가운데 태평함이 있다. 굳세고 밝은 재질로써 비색함을 기울이는데 무슨 어려움이 있겠는가? "비색함이 기울어진다"는 것은 비색함이 기울어지면 태평함이 되기 때문에, "망하지나 않을까" 하는 근심은 도리어 뒤에 기쁨이 된다.

○ 傾否爲泰, 在大人之力, 故否上九能傾, 而屯上六不能變, 所謂天時不如人事.
비색함이 기울어져 태평함이 되는 것은 대인이 힘쓰기에 달려 있기 때문에, 비괘 상구는 비색함이 기울어지게 할 수 있고 준괘의 상육은 어려운 것을 변화시킬 수 없으니, "천시(天時)는 인사만 같지 못하다"[123]고 한 것이다.

○ 泰先言, 小往大來, 後言吉亨, 喜天運也. 否先言, 匪人不利君子貞, 後言大往小來, 責人事也.蓋弭災同陽, 皆在於人, 聖人之戒深.
태괘에서 먼저 "작은 것이 가고 큰 것이 온다"고 하고 뒤에 "길하여 형통하다"고 한 것은 천운을 기뻐한 것이다. 비괘에서 "바른 사람의 도가 아니니, 군자의 곧음에 이롭지 않다"고 하고 뒤에 "큰 것이 가고 작은 것이 온다"고 말한 것은 인사를 요구한 것이다. 재앙을 막는다거나 양을 붙들어 주는 것은 사람에게 달려있으니, 성인이 경계한 것이 깊다.

贊曰, 一治一亂, 如月[124]仄盈. 君子體此, 守之以貞. 其亡其亡, 憂變喜生, 非天无理, 由人不成.
찬미하여 말하였다: 한 번 다스려지고 한 번 어지러워지는 것은 달이 기울고 차는 것과 같으니, 군자는 이를 체득하여 곧음으로써 지킨다. "망하지나 않을까, 망하지나 않을까" 걱정하여 근심이 바뀌어 기쁨이 생겨나니, 하늘에 그런 이치가 없는 것은 아니지만 사람으로 말미암아 이루어진다.

심대윤(沈大允) 『주역상의점법(周易象義占法)』

否之萃䷬. 以陽德居, 師傅之位, 或有不通則敎喩以通之, 天下裒然和應矣. 蓋否極將

123) 『孟子 · 公孫丑』: 孟子曰, 天時不如地利, 地利不如人和.
124) 月: 경합자료집성DB와 영인본에 모두 '日'로 되어 있으나, 문맥을 살펴 '月'로 바로잡았다.

傾之時, 先否而後通者也, 故曰傾否. 言否極將變也. 兌喪巽伏爲傾覆, 坎爲先, 离爲後. 上九居萃, 則全卦爲坎, 而隔于二陽. 居對大畜, 則爲离而无阻, 故曰先否後喜. 兌坎爲失憂曰喜, 上九能變上下之否, 故全卦取對也〈上九否通,[125] 同人致一也〉.
비괘가 취괘(萃卦䷬)로 바뀌었다. 양의 덕으로서 사부(師傅)의 자리에 있는데, 혹 통하지 않으면 가르치고 깨우쳐서 천하에 충분히 조화하여 응하게 한다. 비색함이 극에 달하여 기울어질 때, 먼저 비색하고 뒤에 통하기 때문에 "비색한 것이 기울어진다"고 했으니, 비색함이 극에 달하여 태평함으로 변할 것임을 말한 것이다. 태괘(兌卦)는 잃는 것이고 손괘(巽卦)는 엎드리는 것[126]이니, 기울어지고 뒤집어지는 것이 되며, 감괘는 먼저가 되고 리괘(☲)는 뒤가 된다. 상구가 취괘(萃卦䷬)에서는 전체적인 괘의 모습은 감괘가 되고, 두 양에 막혀 있다. 취괘(萃卦䷬)의 음양이 바뀐 괘인 대축(大畜卦䷙)괘에서는 큰 리괘(☲)가 되어[127] 막힘이 없기 때문에 "먼저 비색해지고 뒤에는 기뻐한다"고 하였다. 태괘와 감괘는 근심을 잃은 것이 되어 "기쁘다"고 말하니, 상구는 위아래의 비색함을 변하게 할 수 있기 때문에 전체 괘를 바뀐 괘에서 취하였다. 〈상구에서 비괘는 통하고, 동인괘는 하나가 된다.〉

오치기(吳致箕) 「주역경전증해(周易經傳增解)」

上九以剛健之德, 同與衆陽往居于外, 而時當否極將傾矣. 先以失時而道否, 後乃泰囬而慶喜, 觀其辭而占可知也.
상구는 강건한 덕으로써 여러 양들과 함께 밖에 가 있고, 비색한 것이 극에 달하여 기울어지기 시작하는 때이다. 먼저 때를 잃어 도가 비색해지고 뒤에 곧 태평한 것이 회복되어 경사스럽고 기쁘니, 그 말을 보고서 점을 알 수 있다.

○ 傾者, 覆也. 聖人於否卦, 自九四已有濟否之辭, 而至此直言傾否, 其抑陰之意, 可知矣.
기울임이란 뒤집어지는 것이다. 성인은 비괘의 구사로부터 이미 비색한 것을 구제하는 말이 있었는데, 여기 상구에 이르러서는 바로 "비색한 것을 기울어지게 한다"고 말하니, 그 음을 억제하는 뜻을 알 수 있다.

---

125) 通: 경합자료집성DB와 영인본에 모두 '勇'으로 되어 있으나, 문맥을 살펴 '通'으로 바로잡았다.
126) 『周易 · 雜卦傳』: 兌, 見而巽, 伏也.
127) 삼 · 사 · 오 · 육효가 큰 리괘이다.

이진상(李震相) 『역학관규(易學管窺)』

上爻變兌, 兌在東南, 東南地之傾也. 傾其東南, 則必轉而爲泰, 泰東北之卦也.
상효가 바뀌면 태괘(兌卦)가 되고 태괘는 동남쪽이고 동남쪽의 땅이 기울어진다. 동남쪽이 기울어진다면 반드시 전환되어 태괘(泰卦)가 되니, 태괘는 동북쪽의 괘이다.

채종식(蔡鍾植) 「주역전의동귀해(周易傳義同歸解)」

上九, 傾否, 傳解作否道傾覆, 從象傳也. 本義解作傾時之否, 言人力也. 蓋極而必返, 理之常也. 然變否爲泰, 必有陽剛之才而後能也. 合傳義而旨益備也.
상구의 "비색한 것이 기울어진다"는 것에 대해 『정전』은 "비색한 도가 기울어지고 뒤집혀서 변한다"고 해석하여 「상전」을 따랐다. 『본의』에서는 "때가 비색한 것을 기울게 한다"고 하여 사람의 힘을 말하였다. 극하여 반드시 되돌아오는 것은 항상된 이치이다. 그러나 비색한 것이 바뀌어 태평한 것이 되는 것은 반드시 굳센 양의 재질을 가진 후에야 할 수 있다. 『정전』과 『본의』를 함께 보아야 뜻이 더욱 갖추어진다.

이병헌(李炳憲) 『역경금문고통론(易經今文考通論)』

程傳曰, 上九否之終也, 物理極而必反. 故否極則泰.
『정전』에서 말하였다: 상구는 비괘의 맨 끝이니, 만물의 이치는 극에 도달하면 반드시 되돌아온다. 그러므로 비색한 것이 극에 달하면 태평하게 된다.

按, 泰否三陽三陰, 皆連類, 故曰彙, 曰朋, 曰翩翩, 曰包, 曰疇. 以寓其意味之彷彿耳. 其策各一百八十, 合三百有六十. 凡綱領, 卦之策, 每對皆三百有六十, 自此以後, 勿論中數, 每對之策, 或過或不及, 自當類推, 故省文.
내가 살펴보았다: 태괘와 비괘는 세 양과 세 음이 모두 나란히 있기 때문에 '무리[彙]', '붕(朋)', '편편(翩翩)', '포(包)', '주(疇)'라고 하여, 그 비슷한 의미로 거기에 붙였을 뿐이다. 그 책수(策數)는 각각 백팔십이며, 합하여 삼백육십이다. 「강령」에서는 괘의 책수가 건과 곤 두 짝을 합하여 모두 삼백육십이라고 하였고, 이후로부터 중수(中數)는 물론 건과 곤 두 짝의 책수가 혹은 넘치고 혹은 미치지 못하는 것을 스스로 유추(類推)해야 하기 때문에 문장을 생략하였다.

象曰, 否終則傾, 何可長也.

「상전」에서 말하였다: 비색한 것이 끝나면 기울어지니, 어찌 오래갈 수 있겠는가?

中國大全

傳

否終則必傾, 豈有長否之理. 極而必反, 理之常也. 然反危爲安, 易亂爲治, 必有剛陽之才而後, 能也. 故否之上九則能傾否, 屯之上六則不能變屯也.

비색한 것이 끝나면 반드시 기울어지니, 어찌 비색한 것이 오래가는 이치가 있겠는가? 극에 달하여 반드시 되돌아오는 것은 변함없는 이치이다. 그러나 위태로움을 되돌려서 편안하게 하고 어지러운 것을 바꾸어 다스리게 하는 것은 반드시 굳센 양의 재질을 가진 후에만 이와 같이 할 수 있다. 그러므로 비괘의 상구는 비색한 것이 기울어지게 할 수 있지만, 준괘(屯卦)의 상육은 어려움[屯]을 바꿀 수가 없다.

小註

建安丘氏曰, 否卦以大往小來爲義, 故內三陰爻屬否, 外三陽爻屬泰. 初六言拔茅, 則小人用事之始, 六二言包承, 則小人得志之時, 六三言包羞, 則小人欲傷善而未能之意. 此三爻皆以否言也. 至九四言有命无咎, 則否已過中而泰欲來之時也, 九五言繫於苞桑, 則人君休否之事, 上九言先否後喜, 則否傾而爲泰矣. 天下豈有終否之時乎.

건안구씨가 말하였다: 비괘는 "큰 것이 가고 작은 것이 온다"는 것을 뜻으로 삼았기 때문에 내괘의 세 음효는 비색하고 외괘의 세 양효는 태평하다. 초육은 "띠풀의 뿌리를 뽑는다[拔茅]"고 말하니 소인이 일을 하는 시작이고, 육이는 "품고 받드는 것[包承]"이라고 말하니 소인이 뜻을 얻은 때이며, 육삼은 "품고 있는 것이 부끄럽다[包羞]"고 말하니 소인이 착한 사람을 해치려고 하지만 그렇게 할 수 없다는 뜻이다. 이상의 세 효는 모두 비색한 것을 가지고서 말하였다. 구사에 이르러서는 "명이 있고 허물이 없다"고 말하니 비괘의 가운데를 지나 태평한 것이 오고자 하는 때이며, 구오는 "무더기로 난 뽕나무 뿌리에 맨다"고 말하니 임금

이 비색한 것을 그치게 하는 일이고, 상구는 "먼저 비색하고 뒤에 기뻐한다"고 하니 비색한 것이 기울어져서 태평한 것이 된다. 천하에 어찌 끝까지 비색한 때가 있겠는가?

○ 趙氏曰, 泰三陽在內, 有君子同升之象. 陰雖在外而六五下應九二, 有柔得尊位而能下賢之象. 故六爻以交相應爲善. 否則三陰在內, 有小人方進之象, 陽雖在外而九五得位, 有剛健中正以興衰撥亂之象. 故六爻唯三陽爲善. 各以爻義取, 與成卦之體不同也.
조씨가 말하였다: 태괘는 세 양이 내괘에 있으므로 군자가 함께 오르는 상이다. 음이 비록 외괘에 있지만 육오는 아래로 구이와 호응하므로 유순하면서도 높은 자리를 얻어 어진 사람에게 자신을 낮출 수 있는 상이다. 그러므로 여섯 효가 서로 교제하면서 호응하여 선한 것이 된다. 비괘는 세 음이 내괘에 있으므로 소인이 바야흐로 나아가려는 상이며, 양은 비록 외괘에 있지만 구오가 알맞은 자리를 얻어 강건하고 중정하여 쇠약해지는 것을 흥기시켜서 어지러움을 다스리는 상이다. 그러므로 여섯 효 중에서 오직 세 양만이 선하다. 각각 효의 뜻으로 취하여 볼 때, 괘를 이룬 몸체는 같지 않다.

韓國大全

김상악(金相岳) 『산천역설(山天易說)』

否至於終, 其勢必傾, 豈能長久也.
비색한 것이 끝에 이르면 그 세력이 반드시 기우니, 어찌 오래갈 수 있겠는가?

박제가(朴齊家) 『주역(周易)』

象傳曰, 否終則傾, 自傾之義.
「상전」에 "비색한 것이 끝나면 기울어진다"고 한 것은 스스로 기울어진다는 뜻이다.

서유신(徐有臣) 『역의의언(易義擬言)』

傾, 何可長, 行將覆而爲泰也.

"기울어지니 어찌 오래 갈 수 있겠는가?"라고 한 것은 행한 것이 장차 뒤집어져서 태평하게 된다는 것이다.

박문건(朴文健)『주역연의(周易衍義)』

否道盡, 則傾寫而旡有矣.
비색한 도가 다하면 거꾸로 쏟아 내어 없어진다.

오치기(吳致箕)「주역경전증해(周易經傳增解)」

言否極則泰來也.
비색함이 극에 달하면 태평함이 온다는 것을 말하였다.

13

동인괘

同人卦䷌

中國大全

傳

同人序卦, 物不可以終否, 故受之以同人. 夫天地不交, 則爲否, 上下相同, 則爲同人, 與否義, 相反, 故相次. 又世之方否, 必與人同力, 乃能濟, 同人所以次否也. 爲卦乾上離下. 以二象言之, 天在上者也, 火之性炎上, 與天同也, 故爲同人. 以二體言之, 五居正位, 爲乾之主, 二爲離之主, 二爻以中正相應, 上下相同, 同人之義也. 又卦唯一陰, 衆陽所欲同, 亦同人之義也. 他卦固有一陰者, 在同人之時而二五相應, 天火相同, 故其義大.

동인괘는 「서괘전」에서 "사물[物]은 끝내 비색할 수가 없기 때문에 동인괘로 받았다"고 하였다. 하늘과 땅이 서로 교류하지 못하면 비색하게 되고, 위와 아래가 서로 함께하면 동인괘(同人卦䷌)가 되니, 비괘(否卦䷋)와 그 뜻이 반대가 되기 때문에 서로 이어지게 했다. 또 시대가 비색하게 되면 반드시 사람들과 함께 힘을 써야 구제할 수 있으니, 동인괘로 비괘를 이은 까닭이다. 괘의 모양은 건괘(乾卦☰)가 위에 있고 리괘(離卦☲)가 아래에 있다. 두 개의 상으로 말한다면, 하늘이 위에 있는데 불의 성질이 타 올라가서 하늘과 함께하기 때문에 동인괘이다. 두 개의 몸체로 말한다면, 오효가 바른 자리에 있어 건괘의 주인이고 이효는 리괘의 주인이니, 두 효가 가운데에 있고 제자리에 있음으로 상응하면서 위와 아래가 서로 함께하니, 남들과 함께하는 뜻이다. 또 괘에 하나의 음만 있어 여러 양들이 함께하고자 하는 것도 남들과 함께하는 뜻이다. 다른 괘에도 진실로 하나의 음이 있는 경우가 있지만, 남들과 함께하는 때에 있으면서 이효와 오효가 서로 응하고 하늘과 불이 서로 함께하기 때문에 그 뜻이 크다.

小註

厚齋馮氏曰, 上乾君也, 天也. 下離六二一爻在離之中, 人位也. 乾上離下, 五陽同歸二之一陰, 有以天同人之象, 亦爲人君同乎斯人之象. 故成卦曰同人.

후재풍씨가 말하였다: 위에 있는 건괘는 임금이며 하늘이다. 아래에 있는 리괘의 육이(六二) 한 효는 리괘의 가운데에 있으니 사람의 자리이다. 하늘이 위에 있고 불이 아래에 있으며, 다섯 양이 육이라는 하나의 음과 함께하려고 귀의하니, 하늘이 사람과 함께하는 상이 있고, 또한 인군(人君)이 이러한 사람들과 함께하는 상이다. 그러므로 괘를 만들어 동인이라 하였다.

○ 雲峯胡氏曰, 坎離皆乾坤之用. 易至此十二卦, 坎體凡六見, 離體於此始見焉. 需訟小畜履四卦互離, 至同人大有, 而見離體凡六. 離之用與坎等矣. 同人大有, 皆主離之一陰而言, 離一陰在二, 而上下五陽同與之, 故曰同人, 離一陰在五, 而上下五陽, 皆爲所有, 故曰大有也.

운봉호씨가 말하였다: 감괘와 리괘는 모두 하늘과 땅의 작용이다. 『주역』에서 이곳까지는 열두 개의 괘인데, 감괘(坎卦☵)의 몸체는 모두 여섯 번 드러나고, 리괘(離卦☲)의 몸체는 여기에서 처음으로 드러난다. 수괘(需卦䷄) · 송괘(訟卦䷅) · 소축괘(小畜䷈) · 리괘(履卦䷉)라는 네 개의 괘는 호괘가 리괘(離卦☲)이고, 동인괘(同人卦䷌) · 대유괘(大有卦䷍)까지 리괘의 몸체를 드러내는 것이 모두 여섯이다. 리괘의 작용은 감괘와 대등하다. 동인괘와 대유괘는 모두 리괘의 한 음을 위주로 말하니, 리괘 하나의 음이 두 번째 효에 있어 위아래의 다섯 양이 함께하기 때문에 동인이라고 하였고, 리괘의 하나의 음이 다섯 번째 효에 있어 위아래의 다섯 양이 그의 소유가 되기 때문에 대유라고 하였다.

同人于野, 亨, 利涉大川, 利君子貞.

정전 들에서 사람들과 함께하면 형통하리니, 큰 내를 건넘이 이로우며 군자의 곧음으로써 행함이 이롭다.

본의 들에서 사람들과 함께하면 형통하고, 큰 내를 건넘이 이로우니 군자의 곧음이 이롭다.

傳

野謂曠野, 取遠與外之義. 夫同人者, 以天下大同之道, 則聖賢大公之心也. 常人之同者, 以其私意所合, 乃暱比之情耳. 故必于野, 謂不以暱近情之所私, 而于郊野曠遠之地. 旣不繫所私, 乃至公大同之道. 无遠不同也, 其亨, 可知. 能與天下大同, 是天下皆同之也. 天下皆同, 何險阻之不可濟, 何艱危之不可亨. 故利涉大川, 利君子貞. 上言于野, 止謂不在暱比, 此復言宜以君子正道, 君子之貞, 謂天下至公大同之道. 故雖居千里之遠, 生千歲之後, 若合符節, 推而行之, 四海之廣, 兆民之衆, 莫不同. 小人則唯用其私意, 所比者, 雖非, 亦同, 所惡者, 雖是, 亦異. 故其所同者, 則爲阿黨, 蓋其心不正也. 故同人之道利在君子之貞正.

'들[野]'은 광활한 들판을 말하니, 멀리 있다는 것과 바깥에 있다는 것의 뜻을 취하였다. 남들과 함께한다는 것을 천하의 크게 함께하는 도를 가지고 한다면 성현의 크게 공정한 마음이 된다. 일반사람들이 함께하는 것은 사사로운 뜻을 가지고서 부합함이니, 바로 친해서 따르는 정일 뿐이다. 그러므로 반드시 들에서 해야 한다는 것은 친해서 가까이하는 정의 사사로움으로써 하지 않고 넓고 먼 교외의 들이 있는 곳에서 하라는 뜻이다. 이미 사사로운 바에 매이지 않았다면, 지극히 공정하여 크게 함께하는 도이다. 먼 곳까지 함께하지 않음이 없으니, 형통함을 알 수 있다. 천하와 크게 함께할 수 있으면, 바로 천하가 모두 함께하는 것이다. 천하가 모두 함께하면, 어찌 험난함을 구제할 수 없겠으며, 어찌 어렵고 위태로움을 형통하게 할 수 없겠는가? 그러므로 "큰 내를 건넘이 이로우며 군자의 곧음으로써 행함이 이롭다"고 하였다. 앞에서 '들에서'라고 한 말은 단지 친해서 따르는 데에 있지 않는다는 뜻이고, 여기에서 다시 군자의 바른 도로써 하여야 한다고 했으니, 군자의 바름[貞]은 천하의 지극히 공정하고 크게 함께하는 도를 뜻한다. 그러므로 비록 천 리나 되는 먼 곳에 있고, 천 년이나 뒤에 태어나더라도 마치 부절(符節)이 서로 딱 맞는 것과 같으니, 이로써 미루어나가 행하면 넓은 천하와 수많은 백성들이 함께하지 않음이 없을 것이다. 소인이라면 자신의 사사로운 뜻으로만 하여 따르는 사람이 비록 잘못되어도 함께하고, 미워하는 사람이 옳더라도 또한 달리한다. 그러므로 함께하는 자들이 아첨하는 패거리들이니, 자신의 마음이 바르지 않기 때문이다. 따라서 사람들과 함께하는 도의 이로움은 군자의 곧고 바름에 있다.

本義

離亦三畫卦之名, 一陰麗於二陽之間. 故其德爲麗爲文明, 其象爲火爲日爲電. 同人, 與人同也. 以離遇乾, 火上同於天, 六二得位得中而上應九五, 又卦唯一陰而五陽同與之, 故爲同人. 于野, 謂曠遠而无私也, 有亨道矣. 以健而行, 故能涉川. 爲卦內文明而外剛健. 六二中正而有應, 則君子之道也. 占者, 能如是, 則亨而又可涉險, 然必其所同, 合於君子之道, 乃爲利也.

리괘(離卦)도 삼획으로 된 괘의 이름이니, 하나의 음이 두 양 사이에 걸린 것이다. 그러므로 그 덕은 걸림이 되고 문명이 되며, 그 상은 불이 되고 해가 되며 빈개가 된다. '동인(同人)'은 사람들과 함께 함이다. 리괘가 건괘를 만나니 불이 위로 올라가 하늘과 함께하고, 육이는 제 자리와 가운데를 얻어 위로 구오와 호응하며, 또 괘에서 음이 하나만 있어 다섯 양이 함께하기 때문에 '남들과 함께함[同人]'이다. '들에서'란 광활하고 멀어서 사사로움이 없다는 말이니, 형통한 도가 있다. 굳셈으로써 행하기 때문에 내를 건널 수 있다. 괘의 성질은 안으로는 문명하고 밖으로는 강건하다. 육이는 중정하고 호응함이 있으니 군자의 도이다. 점치는 자가 이와 같이 할 수 있다면, 형통하고 또 험한 것을 건널 수 있으나 반드시 그 함께하는 바가 군자의 도에 부합되어야 이롭다.

小註

朱子曰, 同人于野亨, 利涉大川, 是兩象一義, 利君子貞, 是一象.
주자가 말하였다: "들에서 사람들과 함께하면 형통하고, 큰 내를 건넘이 이롭다"는 것은 두 가지 상이지만 하나의 뜻이고, "군자의 곧음이 이롭다"는 것은 하나의 상이다.

○ 建安丘氏曰, 以三畫卦言之, 二五皆在人位相應, 則相同, 故曰同人. 野者, 廣大曠遠之地, 川者, 險阻艱難之所, 于野而亨者, 大同也, 涉川而利者, 此同舟共濟, 何患胡越之異心也. 利君子貞者, 蓋正則同, 邪則異, 正則公, 邪則私, 所以利君子之守正也.
건안구씨가 말하였다: 삼획괘로 말한다면 이효와 오효가 모두 사람의 자리에서 서로 호응하면 서로 함께하기 때문에 '동인'이라고 하였다. '들[野]'이란 광대하고 멀리 떨어져 있는 땅이고, '내[川]'란 험난하고 어려운 곳이며, "들에서 함께하여 형통하다"는 크게 함께하는 것이고, "내를 건너서 이롭다"는 배를 함께 타고 모두 건너니, 어찌 호(胡)땅의 사람들과 월(越)땅의 사람들이 마음을 달리할까 걱정하겠는가? "군자의 곧음이 이롭다"는 것은 바르면 함께하고 사특하면 달리하며 바르면 공정하고 사특하면 사사롭게 되기 때문에 군자가 바름을 지키는 것이 이롭다는 것이다.

○ 雲峯胡氏曰, 或曰, 君子周而不比, 和而不同. 而卦名曰比曰同何哉. 曰, 比者, 一陽爲衆陰所比, 而坎陽居五爲得其正. 故曰元永貞, 是其比也, 卽所以爲君子之周. 同人一陰爲五陽所同, 而離陰居二爲得其正, 故曰利君子貞, 是其同也, 卽所以爲君子之和. 同人于野, 其同也大, 利君子貞, 其同也正. 爲人大同, 亨道也. 雖大川可涉, 然有所同者大而不出於正者, 故又當以正爲本.

운봉호씨가 말하였다: 어떤 이가 물었다: "군자는 사람들과 친하기를 두루 하지만 사사로이 치우치게 무리를 짓지 않고[1] 화합하지만 자신을 잃고 무턱대고 동화되지 않는다"[2]라고 하였습니다. 그런데 괘의 이름을 '비(比)'라고 하고 '동(同)'이라고 한 것은 어째서 입니까? 답하였다: 비괘(比卦䷇)란 하나의 양을 여러 음들이 가까이하고, 감괘(坎卦☵)의 양이 오효에 있어서 바름을 얻은 것입니다. 그러므로 "크고 영원하고 곧다"[3]고 하였으니, 이것이 비(比)가 군자가 두루 하는 까닭입니다. 동인괘(同人卦䷌)란 하나의 음을 다섯 양들이 함께하는 것이고, 리괘(離卦☲)의 음이 이효에 있어서 바름을 얻은 것입니다. 그러므로 "군자의 곧음이 이롭다"고 하였으니, 이것이 동(同)이 군자가 화합하는 까닭입니다. "들에서 사람들과 함께 한다"고 할 때의 함께함은 크고, "군자의 곧음이 이롭다"고 할 때의 함께함은 바릅니다. 사람들을 위하여 크게 함께하는 것은 형통한 도이니, 비록 큰 내를 건널 수 있을지라도 함께하는 바가 크고 바름에서 벗어나지 않음이 있으므로 바름을 근본으로 해야 합니다.

韓國大全

이익(李瀷) 『역경질서(易經疾書)』

卦有同之義, 同非指一身, 故曰同人. 人者對己之稱. 彖傳云文明以健, 中正而應, 同人之義, 不外於中正相應. 同人于野, 卽同人之極廣, 在爻則惟九五當之, 與上九之郊, 不同矣. 後笑相遇, 卽于野之所由然也. 凡中正相應, 而兩陽阻隔者四卦, 同人及咸遯革也. 四卦之中, 惟咸兩少相感, 物不能阻隔. 天與山勢絶, 則遯, 二女不相得, 則革, 惟天與火有相從之義, 故爲同人. 然三與四居中正相應之間, 故其辭皆險阻不平. 旣在同人之中, 終何敢間隔之乎. 或敵强而不興, 或反則而不攻, 此九五所以克三四而與二相

---

1) 『論語 · 爲政』: 子曰, 君子, 周而不比, 小人, 比而不周.

2) 『論語 · 子路』: 子曰, 君子, 和而不同, 小人, 同而不和.

3) 『周易 · 比卦』: 比, 吉. 原筮, 元永貞, 无咎. 不寧方來, 後夫凶.

遇也. 於是乎推之四野, 無不大同, 不復違戾之患也.
괘에 함께한다는 뜻이 있는데, "함께한다[同]"는 자신만을 가리키는 것이 아니기 때문에 "사람들과 함께한다[同人]"라고 하였다. '사람들[人]'은 자신과 상대되는 말이다. 「단전」에서 "문명하여 강건하며 가운데에 있고 제자리에 있어서 호응한다"라고 함이 동인의 뜻이니, 중정하여 상응함에서 벗어나지 않는다. "들에서 사람들과 함께한다"는 것은 바로 사람들과 함께함이 지극히 넓다는 말로 효에서는 구오만이 여기에 해당하니, 상구의 효사에서 말하는 '들[郊]'과는 같지 않다. "뒤에 웃으니 … 서로 만난다"라고 함은 바로 들에서 사람들과 함께해서 그렇게 된 것이다. 중정하여 상응하지만 두 양이 가로막아 격리되는 경우는 네 괘이니, 동인괘(同人卦䷌)·함괘(咸卦䷞)·돈괘(遯卦䷠)·혁괘(革卦䷰)이다. 네 괘 중에서 오직 함괘(咸卦䷞)에서만 '젊은 여자[☱]'와 '젊은 남자[☶]'가 서로 호응하여 사물이 가로막아 격리할 수 없다. 하늘과 산의 기세가 끊어진 것은 돈괘이고, '두 여자[☲☱]'가 서로 그 뜻이 맞지 않는 것은 혁괘이니, 오직 '하늘[☰]'과 '불[☲]'만이 서로 따르는 뜻이 있으므로 동인괘가 되었다. 그러나 삼효와 사효가 중정하여 상응하는 두 효의 사이에 있기 때문에 효사가 모두 험준하고 평탄하지 않다. 그런데 이미 사람들과 함께하는 가운데에 있으니, 끝내 어찌 감히 이간시켜 격리하겠는가? 혹 적이 강하여 일어나지 못하고,[4] 혹 법칙으로 돌아가서 공격하지 않으니,[5] 이것이 구오가 삼효와 사효를 이기고 이효와 서로 만나게 되는 까닭이다. 이에 사방의 들에 미루어도 크게 함께하지 못함이 없고 다시 어그러지는 걱정이 없다.

유정원(柳正源)『역해참고(易解參攷)』

同人 [至] 子貞.
사람들과 함께하면 … 군자의 곧음이 이롭다.

正義, 野是廣遠之處, 言和同於人, 必須寬廣. 故云同人于野, 亨. 與人同心, 足以涉難, 故利涉大川. 與人和同, 易涉私僻, 故利君子貞.
『주역정의』에서 말하였다: 들은 넓고 먼 곳이니, 다른 사람과 조화를 이루면서 함께하기 위해서는 반드시 마음이 너그럽고 넓어야 한다는 말이다. 그러므로 "들에서 사람들과 함께하면 형통하다"고 하였다. 사람들과 마음을 함께하면 충분히 어려움을 극복할 수 있기 때문에 "큰 내를 건넘이 이롭다"고 하였다. 사람들과 조화를 이루면서 함께하면, 사사롭고 편벽된 것을 쉽게 극복할 수 있기 때문에 "군자의 곧음이 이롭다"고 하였다.

---

4)『周易·同人卦』: 九三, 象曰, 伏戎于莽, 敵剛也, 三歲不興, 安行也.
5)『周易·同人卦』: 九四, 象曰, 乘其墉, 義弗克也, 其吉, 則困而反則也.

○ 厚齋馮氏曰, 離中虛, 有舟虛能載之象. 載上三陽, 健於行水, 故利涉大川.
후재풍씨가 말하였다: 리괘(離卦☲)는 가운데가 비어 있으니, 배 안이 비어 물건을 실을 수 있는 상이 있다. 위로 세 양을 싣고 있어 흐르는 물을 건너는 데 강건하기 때문에 "큰 내를 건넘이 이롭다"고 하였다.

김상악(金相岳)『산천역설(山天易說)』

于野, 謂于曠遠而无私也. 乾下行而應離, 故于野而亨, 涉川而利, 二五中正相遇, 故利君子貞. 于野者, 所同无私也, 涉川者, 求其所同也. 然必其所同合於君子之道, 天下大同, 莫不皆正也.
'들에서'라는 것은 넓고 멀어서 사사로움이 없는 데에서라는 말이다. 하늘[乾]이 아래로 가서 불과 호응하기 때문에 "들에서 함께하여 형통하고 내를 건너서 이롭다"고 하였다. 이효와 오효가 중정하면서 서로 만나기 때문에 "군자의 곧음이 이롭다"고 하였다. '들에서'는 함께하는 바에 사사로움이 없는 것이며, '내를 건넘'은 함께하는 바를 구함이다. 그러나 함께하는 바는 반드시 군자의 도와 부합되어야만 천하가 크게 함께하여 모두 바르지 않음이 없게 된다.

○ 離之彖傳曰, 百穀草木, 麗乎土, 百穀草木, 皆野之所有, 而離於象又爲人, 故曰同人于野. 涉川者, 乾之健也, 需同人之涉川, 同健而能. 須健而與人同, 皆涉川之利也. 否之者, 匪人, 故不利君子貞. 濟否者同人, 故利君子貞.
리괘(離卦)의 「단전」에서 "백곡과 초목이 땅에 붙어 있다"[6]라고 하였으니, 곡식과 초목은 모두 들에 있는 것이고, 리괘는 상(象)에 있어 또한 사람이 되기 때문에 "들에서 다른 사람들과 함께 한다"라고 하였다. '내를 건넘'은 건(乾)의 강건함이다. 수괘(需卦䷄)와 동인괘(同人卦䷌)에서 내를 건넌다는 것은 강건함과 함께하여 가능한 것이다. 모름지기 강건하여 사람들과 함께하는 것은 모두 내를 건너는 이로움이다. 비색함[否]은 바른 사람의 도가 아니기[7] 때문에 군자의 곧음이 이롭지 않고, 비색함을 구제하는 것은 사람들과 함께하는 것이기 때문에 군자의 곧음이 이롭다.

김규오(金奎五)「독역기의(讀易記疑)」

利涉大川, 更考大畜, 无坎离而亦稱大川. 雲峯以爲卦有乾體者, 多曰利涉大川. 然頤

---

6)『周易·離卦』: 彖曰, 離, 麗也, 日月, 麗乎天, 百穀草木, 麗乎土, 重明, 以麗乎, 乃化成天下.
7)『周易·否卦』: 否之匪人, 不利君子貞, 大往小來.

无乾而六五亦言大川, 不可臆說. 彖以涉川爲乾行, 則是涉之者乾而川卽离, 未可知也. 竊疑後天之易, 顚倒反復, 取象不一, 時取互藏其宅之義, 殆如京房之飛伏, 乾坤互言, 坎离相易. 如否六二之大人, 實乾之九二, 大有九二之大車, 實坤之大輿, 而此云大川, 三云伏云莽, 亦似以坎而言也.

"큰 내를 건넘이 이롭다"고 했는데, 대축괘(大畜卦䷙)를 다시 살펴보면, 감괘(坎卦☵)와 리괘(離卦☲)가 없는데도 또한 '큰 내'[8]라고 말하였다. 운봉은 괘에 건의 몸체가 있는 경우에 대부분 "큰 내를 건넘이 이롭다"는 말을 했다고 여겼다. 그러나 이괘(頤卦䷚)에는 건괘가 없는데도 육오에서 또한 '큰 내'[9]를 말하였으니, 억측하여 말해서는 안 된다. 「단전」에서는 '내를 건넘'을 "건괘의 행함이다"라고 하였으니, 이것은 건너는 것이 건괘(乾卦)이고 내[川]가 리괘(離卦)인 것을 몰랐던 것이다. 아마도 후천(後天)의 역(易)에서는 거꾸로 뒤바뀌고 이랬다저랬다 하여 상을 취하는 방식이 한 가지가 아니라서 때에 따라 '서로 그 집에 감추는 변화[互藏其宅]'[10]의 뜻을 취하였으니, 경방(京房)의 비복(飛伏)[11]에서 건괘와 곤괘를 서로 보충하여 말하고 감괘와 리괘를 서로 바꾸는 것과 거의 같다. 예를 들어 비괘(否卦䷋)의 육이에서 말하는 '대인(大人)'[12]은 실제로 건괘의 구이[13]이며, 대유괘(大有卦䷍)의 구이에서 말하는 '큰 수레[大車]'[14]는 실제로 곤괘의 '큰 수레[大輿]'[15]이니, 여기서 말하는 '큰 내[大川]'와 삼효에서 말하는 '매복시키다[伏]'와 '숲 속[莽]'은 또한 감괘를 가지고서 말한 듯하다.

---

8) 『周易 · 大畜卦』: 大畜, 利貞, 不家食吉, 利涉大川.

9) 『周易 · 頤卦』: 六五, 拂經, 居貞, 吉, 不可涉大川.

10) 이러한 말은 『주역전의대전 · 역본의도(易本義圖)』에 나오는 "구는 생수 일 · 삼 · 오가 모인 것이므로 북쪽[1]으로부터 동쪽[3]으로 가고 동쪽으로부터 서쪽[4]으로 가서 사의 밖에 이루어지고, 육은 생수 이 · 사가 모인 것이므로 남쪽[2]으로부터 서쪽[4]으로 가고 서쪽으로부터 북쪽[1]으로 가서 일의 밖에 이루어지며, 칠은 구가 서쪽으로부터 남쪽으로 간 것이고, 팔은 육이 북쪽으로부터 동쪽으로 간 것이니, 이는 또 음양의 노소가 서로 그 집에 감추는 변화이다.[其九者, 生數一三五之積也, 故自北而東, 自東而西, 以成于四之外, 其六者, 生數二四之積也, 故自南而西, 自西而北, 以成于一之外, 七則九之自西而南者也, 八則六之自北而東者也, 此又陰陽老少互藏其宅之變也.]"에 보인다. 이에 대하여 김석진은 『주역전의대전역해』(2011: 서울, 대유학당)에서 "음양의 노소가 서로 그 집에 감추는 변화'란 「하도」의 생수를 사위(四位: 노양위 일, 소음위 이, 소양위 삼, 노음위 사)와 사수(四數: 노양수 구, 소음수 팔, 소양수 칠, 노음수 육)로 나눌 때, 노양수 구는 노양위 일이 아닌 노음위 사의 밖에 있고, 노음수 육은 노음위 사가 아닌 노양위 일의 밖에 놓여 있으니, 이것이 노양과 노음의 '서로 그 집에 감추는 변화'이다. 또 소양수 칠은 소양위 삼이 아닌 소음위 이의 밖에 있고, 소음수 팔은 소음위 이가 아닌 소양위 삼의 밖에 놓여 있으니, 이것이 소양과 소음의 '서로 그 집에 감추는 변화'이다"라고 하였다.

11) 飛伏: 경방의 학설로 괘가 나타나는 것을 비(飛)라고 하고, 나타나지 않은 것을 복(伏)이라고 한다.

12) 『周易 · 否卦』: 六二, 包承, 小人, 吉, 大人, 否, 亨.

13) 『周易 · 乾卦』: 九二, 見龍在田, 利見大人.

14) 『周易 · 大有卦』: 九二, 大車以載, 有攸往, 无咎.

15) 『周易 · 說卦傳』: 坤, 爲地, 爲母, 爲布, 爲釜, 爲吝嗇, 爲均, 爲子母牛, 爲大輿, 爲文, 爲衆, 爲柄, 其於地也, 爲黑

서유신(徐有臣) 『역의의언(易義擬言)』

同人者, 同於人而人同之也. 野言其公也, 亨言其通也. 大川乾象也, 君子二五得正也. 君子之貞, 在否則不利, 在同人則利, 不利則卷而藏之, 利則出而行之.

'다른 사람과 함께함[同人]'은 다른 사람들과 함께하여 남들도 자신과 함께하는 것이다. '들[野]'은 공정함을 말하고 '형통함[亨]'은 통함을 말한다. '큰 내[大川]'는 건(乾)의 형상이고, '군자(君子)'는 이효와 오효가 제자리를 얻음이다. '군자의 곧음'은 비괘에서는 이롭지 못하고 동인괘에서는 이로우니, 이롭지 못할 경우에는 거둬들여 감추고, 이로운 경우에는 드러내어 행한다.

박문건(朴文健) 『주역연의(周易衍義)』

君子貞, 能柔能剛之道也. 進於野而同人, 則其道亨, 且利濟深險而利用柔剛也.

군자의 곧음은 유순할 수 있고 굳셀 수 있는 도이다. 들로 나아가 다른 사람들과 함께하면 도가 형통하니, 또 매우 험준함을 건너는 것이 이롭고, 유순함과 굳셈을 쓰는 것이 이롭다.

〈問, 同人于野, 亨. 曰, 六二處內而同, 則不過一人也. 若進於野而同, 則竝得四人, 所以亨也. 問 利涉大川. 曰, 陰麗陽而出, 故有利涉之象. 與中孚卦辭利涉大川, 義同也. 問 利君子貞. 曰, 用柔, 則能麗剛而進, 用剛, 則能制五剛而同, 故有此象也. 曰, 一陰能制五剛乎. 曰, 非陰之剛, 不能制陽之剛也.

물었다: "들에서 다른 사람들과 함께하면 형통하다"는 무슨 뜻입니까?

답하였다: 육이가 안에 있으면서 함께한다면, 한 사람에 지나지 않습니다. 만약 들로 나아가 함께한다면 네 사람을 아울러 얻으니, 형통하게 되는 까닭입니다.

물었다: "큰 내를 건넘이 이롭다"는 무슨 뜻입니까?

답하였다: 음이 양에 걸려 있다가 나가기 때문에 건넘이 이롭다는 상이 있습니다. 중부괘(中孚卦) 괘사의 "큰 내를 건너는 것이 이롭다"[16]와 뜻이 같습니다.

물었다: "군자의 곧음이 이롭다"는 무슨 뜻입니까?

답하였다: 유순함을 쓰면 굳셈에 걸려 있다가 나아갈 수 있고, 굳셈을 쓰면 다섯 양[剛]을 제어하여 함께할 수 있기 때문에 이러한 형상이 있습니다.

물었다: 하나의 음이 다섯 양을 제어할 수 있습니까?

답하였다: 음의 굳셈이 아니라면 양의 굳셈을 제어할 수 없습니다.〉

---

16) 『周易·中孚卦』: 中孚, 豚魚, 吉, 利涉大川, 利貞.

이지연(李止淵) 『주역차의(周易箚疑)』

陰在內而陽在外. 外是野也. 五人同涉一川, 何不利之有.
음이 안에 있고 양이 밖에 있다. 밖은 들이다. 다섯 사람이 함께 하나의 내를 건너니, 어찌 이롭지 않음이 있겠는가?

김기례(金箕澧) 「역요선의강목(易要選義綱目)」

同人〈世之方否, 與人同力而齊. 陽升炎[17]上, 二氣同進而上.〉 于野, 亨, 利涉大川, 利君子貞. 〈陰居[18]下體之人位, 而上下五陽同歸, 故曰同人.〉
다른 사람들과 함께하기를〈세상이 바야흐로 비색할 때에, 다른 사람들과 힘을 함께하여 구제한다. 양이 올라가고 화염이 솟아오르니 두 기가 함께 나아가 위로 올라간다.〉 들에서 하니 형통하고, 큰 내를 건넘이 이로우니 군자의 바름이 이롭다. 〈음이 하체의 사람 자리에 있어 위아래의 다섯 양들이 함께하려고 귀의하기 때문에 '동인(同人)'이라고 하였다.〉

○ 火體上升, 就外乾而進, 故曰于野.
불의 몸체는 위로 올라가 밖에 있는 건(乾)을 향하여 나아가니, '들에서'라고 하였다.

○ 大同之道, 无所暱比, 故亦曰野.
크게 함께하는 도는 사사로운 뜻을 가지고 가까이함이 없기 때문에 또한 '들'이라고 하였다.

○ 上體[19]健行, 下體虛中, 故曰利涉大川
상괘에서는 굳건하게 행하여지고, 하괘는 가운데가 비어 있기 때문에, "큰 내를 건넘이 이롭다"고 하였다.

○ 內明外剛, 五剛二柔 俱得中正, 无私无異, 故利君子守正. 而同人, 則亦何難涉川.
내괘는 밝고 외괘는 굳세며, 오효의 굳셈과 이효의 유순함이 모두 중정을 얻어 사사로움이 없고 달리함이 없기 때문에 군자가 곧음을 지킴이 이롭다. 게다가 다른 사람과 함께하니, 또한 내를 건넘에 무슨 어려움이 있겠는가?

---

17) 炎: 경학자료집성DB와 영인본에 모두 '災'로 되어 있으나, 문맥을 살펴 '炎'으로 바로잡았다.
18) 居: 경학자료집성DB와 영인본에 모두 '君'으로 되어 있으나, 문맥을 살펴 '居'로 바로잡았다.
19) 體: DB에 '禮'로 되어 있으나, 경학자료집성 영인본을 참조하여 '體'로 바로잡았다.

이항로(李恒老) 「주역전의동이석의(周易傳義同異釋義)」

按, 傳演繹同人之義, 正大明白, 當與本義參觀.

내가 살펴보았다: 『정전』에서 동인의 뜻을 연역한 것이 정대하고 명백하지만, 마땅히 『본의』를와 함께 참조해야만 한다.

허전(許傳) 「역고(易考)」

離雖火象, 六二一陰在前, 柔順而得位, 故有利涉大川之義. 几卦有陰爻[20]在前者, 多言涉川.

리괘(離卦)가 비록 불의 형상이지만, 육이라는 하나의 음이 앞에 있고 유순하며 제자리를 얻었기 때문에 "큰 내를 건넘이 이롭다"는 뜻이 있다. 괘에서 음효가 앞에 있는 경우에는 '내를 건넌다'라고 말하는 경우가 많다.

심대윤(沈大允) 『주역상의점법(周易象義占法)』

同人于野, 言廣大无私也. 乾爲野, 同于人者, 私暱朋比, 則不亨矣. 利涉大川言與人同, 然後可以濟難也. 巽下有剛爻, 乘舟涉險之象. 對師有坎, 坤爲大川. 同人, 生人之道也, 故獨言君子貞. 同人, 同類也, 與否之匪人義, 相反也. 夫鳥獸不可與爲群, 必與人爲類. 與人爲類者, 必通其情而可也. 旣通其情, 則必有以施行之者也. 格物致知, 所以通其情也, 忠恕, 所以施行也. 格致者何. 以我之所欲, 知人之所欲, 以我之所惡, 知人之所惡也. 忠恕者何. 己之所欲推以施之人, 己之所惡勿以加諸人也. 知之者, 行之之始也, 行之者, 知之之終也. 人之道一而已矣, 格致而忠恕之謂也. 同人, 格致也, 大有, 忠恕也. 同人小同而大分, 知之事也, 大有小分而大同, 仁之事也. 不有小同, 不可以大分, 不有小分, 不可以大同也.

"들에서 다른 사람들과 함께 한다"는 넓고 크며 사사로움이 없다는 말이다. 건괘(乾卦)가 '들'이 되는데, 사람들과 함께할 때 사사롭게 친하며 붕당을 만들어 부합한다면, 형통하지 않다. "큰 내를 건넘이 이롭다"는 것은 다른 사람들과 함께한 후에 어려움을 극복할 수 있음을 말한다. 호괘인 손괘(巽卦)의 아래에 굳센 양의 효가 있으니, 배를 타고 험준함을 건너는 형상이다. 음양이 바뀐 사괘(師卦䷆)에는 감괘(坎卦)가 있고 곤괘(坤卦)는 큰 내이다. 동인은 사람을 살리는 도이기 때문에 오직 군자의 곧음만을 말하였다. 동인은 무리들과 함께한다는 것이니, 비괘의 "바른 사람이 아니다"[21]라는 뜻과 서로 반대가 된다. 날짐승과 들짐승

---

20) 爻: 경학자료집성DB에 '交'로 되어 있으나, 경학자료집성 영인본을 참조하여 '爻'로 바로잡았다.

은 사람들과 무리가 될 수 없으므로, 반드시 사람들과 무리가 된다. 사람들과 무리가 되는 것은 반드시 그 실정을 통해야만 가능하다. 이미 그 실정을 통했다면 반드시 이를 시행함이 있다. 격물치지란 그 실정을 통하는 방법이며, 충서란 이를 시행하는 방법이다. 격물치지란 무엇인가? 내가 하고자 하는 바를 가지고서 다른 사람이 하고자 하는 바를 알며, 내가 싫어하는 바를 가지고서 다른 사람이 싫어하는 바를 아는 것이다. 충서란 무엇인가? 내가 하고자 하는 바를 미루어서 다른 사람에게 베풀며, 내가 싫어하는 바를 다른 사람에게 하지 말아야 하는 것이다. 아는 것은 행하는 것의 시작이며, 행하는 것은 아는 것의 끝이다. 사람의 도는 한 가지일 뿐이니, 격물치지하고 충서함을 말한다. 동인은 격물치지이며, 대유는 충서이다. 동인은 함께함이 작고 나눔이 크니 지(知)의 일이며, 대유는 나눔이 작고 함께함이 크니 인(仁)의 일이다. 함께함을 작게 하지 않으면 나눔을 크게 할 수 없고, 나눔을 작게 하지 않으면 함께함을 크게 할 수 없다.

오치기(吳致箕) 「주역경전증해(周易經傳增解)」

同人者, 與人同也. 乾得中正於上體之人位, 離得中正於下體之人位, 爲同人之象. 天體至健, 火性至明. 以明遇健, 上與天同, 亦爲同之象也. 天之下, 地之上, 統謂之野, 而言廣遠也. 卦體則二五皆得中正而應, 卦義則同人于天下, 故亨. 乾健而有濟功, 故言利涉大川. 乾離皆得正位, 而時在同人, 故曰利君子貞, 而謂大公以同天下者, 惟君子也.

동인(同人)이란 다른 사람들과 함께하는 것이다. 건괘(乾卦☰)는 상체 중 사람의 자리에서 중정함을 얻었고, 리괘(離卦☲)는 하체 중 사람의 자리에서 중정함을 얻어서 동인의 상이 되었다. 하늘의 몸체는 지극히 굳세고 불의 성질은 지극히 밝다. 밝음으로 굳셈을 만나 위로 하늘과 함께하는 것도 함께하는 상이다. 하늘의 아래와 땅의 위를 통틀어 '들'이라고 하니, 광활하고 멂을 말한다. 괘의 몸체는 이효와 오효가 모두 중정함을 얻어서 호응하고, 괘의 뜻은 천하에서 다른 사람들과 함께하기 때문에 형통하다. 건괘는 굳세어서 구제하는 공이 있기 때문에 "큰 내를 건넘이 이롭다"고 하였다. 건괘와 리괘(離卦)가 모두 바른 자리를 얻어 때가 사람들과 함께함에 있기 때문에 "군자의 곧음이 이롭다"고 하여, 크게 공정하여 천하와 함께하는 자는 군자뿐임을 말하였다.

○ 對體之坎, 爲川之象, 互巽爲木, 乃乘木之象, 而利涉之義, 則以乾健而居君位也. 離一陰爲主而在下, 不得尊位, 故不言大亨.

---

21) 『周易 · 否卦』: 否之匪人, 不利君子貞, 大往小來.

하괘의 음양이 바뀐 몸체인 감괘(坎卦☵)는 내[川]의 상이고, 호괘인 손괘는 나무여서 바로 나무를 타고 있는 상인데, "건넘이 이롭다"는 뜻은 건(乾)의 굳셈이면서 임금의 자리에 있기 때문이다. 리괘(離卦☲)는 하나의 음이 주인이지만 아래에 있어 존귀한 자리를 얻지 못하였기 때문에 크게 형통하다고 말하지 않는다.

이진상(李震相) 『역학관규(易學管窺)』

天地旣交, 陽盛而包陰, 故更以同人, 大有一陰得中正之卦次之. 同人自履來〈柔[22]得位得中〉師之反也〈先天圖象下同〉. 大有自小畜來〈柔得尊位〉比之反也. 師比陽得中正, 同人大有則陰得中正. 小畜履一陰在上下之際, 謙豫則一陽在上下之際, 其序亦甚齊整. 而特有先後之參差者, 抑陰而使不敢敵陽也. 陰陽旣交, 則陰自下升, 故先其內卦. 乾坤之次, 用坎而表出中男, 否泰之次, 用離而表出中女. 然需訟小畜履已自互離, 故不連擧六卦也. 此則中女裕父而長女與焉.

하늘과 땅이 사귄 후에 양이 융성하여 음을 포용하고 있기 때문에 다시 동인으로 하고, 대유괘(大有卦䷍)는 하나의 음이 중정함을 얻은 괘여서 그 다음에 왔다. 동인괘(同人卦䷌)는 리괘(履卦䷉)에서 왔고〈유순함이 제자리를 얻고 가운데를 얻었다.〉, 사괘(師卦䷆)의 음양이 바뀐 괘이다.〈「선천도」에서 상(象)이 아래에 있는 것으로 같다.〉 대유괘(大有卦䷍)는 소축괘(小畜卦䷈)로부터 와서〈유순함이 존귀한 자리를 얻었다.〉 비괘(比卦䷇)의 음양이 바뀐 괘이다. 사괘(師卦䷆)와 비괘(比卦䷇)는 양이 중정함을 얻었고, 동인괘(同人卦䷌)와 대유괘(大有卦䷍)는 음이 중정함을 얻었다. 소축괘(小畜卦䷈)와 리괘(履卦䷉)는 하나의 음이 위아래의 양들 사이에 있으며, 겸괘(謙卦䷎)와 예괘(豫卦䷏)는 하나의 양이 위아래의 음들 사이에 있고 그 순서도 매우 가지런하다. 그런데 단지 선후가 일정하지 않는 것은 음을 눌러 감히 양에 대적할 수 없도록 하였기 때문이다. 음과 양이 사귄 다음에는 음이 아래에서 올라가기 때문에 내괘를 먼저 한다. 건괘(乾卦䷀)와 곤괘(坤卦䷁)의 다음인 준괘(屯卦䷂)에서는 상괘인 감괘(坎卦☵)로 둘째 아들을 드러냈고, 비괘(比卦䷋)와 태괘(泰卦䷊)의 다음인 동인괘(同人卦䷌)에서는 하괘인 리괘(離卦☲)로 둘째 딸을 드러냈다. 그러나 수괘(需卦䷄)·송괘(訟卦䷅)·소축괘(小畜卦䷈)·리괘(履卦䷉)는 이미 본래 리괘(離卦)가 호괘로 있기 때문에 여섯 괘를 이어서 거론하지 않았다. 이것은 둘째 딸은 아버지를 너그럽게 대하고[23] 첫째 딸은 함께하는 것이다.

---

22) 柔: 경학자료집성DB에는 '東'으로 되어 있으나, 경학자료집성 영인본에는 이에 해당하는 글자가 명확하게 '東'인지 알기 어려울 뿐만 아니라 또 '柔'로도 보이며 아울러 문맥을 살펴보더라도 '柔'가 맞아 보이므로 '柔'로 바로잡았다.

23) 『周易·蠱卦』: 六四, 裕父之蠱, 往, 見吝.

박문호(朴文鎬) 「경설(經說)·주역(周易)」

同人卦辭, 本義取健行六二而釋者, 蓋用彖傳之柔得位乾行之意也. 此於卦義似狹而於文爲密矣.

동인괘의 괘사에 대해 『본의』가 굳셈으로써 행하는 육이를 취하여 풀이한 것은 아마도 「단전」에서 "유순함이 제 자리를 얻었다. … 건괘의 행함이다"라고 한 뜻을 가져다 쓴 듯하다. 이것은 괘의 뜻에서는 협소한 것 같지만 문장에서는 치밀하다.

이용구(李容九) 「역주해선(易註解選)」

同人象, 馮氏曰, 類族如天之兼覆, 辨物如火之燭照.[24]

동인괘의 「상전」에 대하여 풍거비는 "'종류끼리 모으는 것'은 하늘이 겸하여 덮는 것과 같고, '사물을 분별하는 것'은 불이 밝게 비추는 것과 같다"라고 하였다.

24) DB와 영인본에는 뒤에 '物'이 있는데, 『주역대전』에 따라 지웠다.

彖曰, 同人, 柔得位, 得中而應乎乾, 曰同人.

「단전」에서 말하였다: 동인(同人)은 유순함이 제자리와 가운데 자리를 얻어서 건괘에 호응하기 때문에 동인이라고 하였다.

中國大全

傳

言成卦之義. 柔得位, 謂二以陰, 居陰, 得其正位也. 五中正, 而二以中正應之, 得中而應乎乾也. 五剛健中正, 而二以柔順中正應之, 各得其正, 其德同也, 故爲同人. 五乾之主, 故云應乎乾. 象取天火之象, 而彖專以二言.

완전히 이루어진 괘의 뜻을 말하였다. "유순함이 제자리를 얻었다"고 함은 이효가 음으로써 음의 자리에 있어서 바른 자리를 얻었다는 뜻이다. 구오가 중정하고 이효가 중정함으로 호응하니, "가운데 자리를 얻어서 건괘에 호응한다"는 것이다. 구오는 강건하면서 중정하고 이효는 유순함과 중정함으로 호응하니, 각각 바름을 얻었고 그 덕이 같기 때문에 동인이다. 구오는 건괘의 주인이기 때문에 "건괘에 호응한다"고 하였다. 「상전」에서는 하늘과 불의 상을 취하였고, 「단전」에서는 오로지 육이를 가지고서 말하였다.

本義

以卦體, 釋卦名義. 柔六二, 乾謂九五.

괘의 몸체를 가지고서 괘 이름의 뜻을 풀었다. '유순함[柔]'은 육이이고, 건은 구오를 말한다.

小註

沙隨程氏曰, 所以成卦者在六二, 故曰柔得位得中而應乎乾.

사수정씨가 말하였다: 괘를 이루는 것이 육이에 있기 때문에 "유순함이 제자리와 가운데 자리를 얻어서 건괘에 호응한다"고 하였다.

○ 厚齋馮氏曰, 孔子贊易, 五陽一陰卦, 則以一陰爲主, 明卦名義, 自是孔子之例, 非經之本旨也. 至序卦乃云, 與人同者物必歸焉, 則經之本旨, 孔子非不知之.
후재풍씨가 말하였다: 공자가 『주역』을 보충하면서 다섯 양과 하나의 음으로 된 괘일 때에는 하나의 음을 주인으로 삼아 괘의 이름과 뜻을 밝혔으니, 본래 공자의 예이지 경의 본래 의미는 아니다. 그러나 「서괘전」에서 "사람과 함께하는 자는 물건이 반드시 돌아온다"[25]라고 하였으니 경의 본래 의미를 공자가 알지 못했던 것은 아니다.

韓國大全

김상악(金相岳) 『산천역설(山天易說)』

以卦體釋卦名義. 柔謂二也, 乾謂五也. 以卦變言, 六二自初而上, 是得位得中也
괘의 몸을 가지고서 괘 이름을 풀었다. 유순함[柔]은 이효를 말하고, 건(乾)은 오효를 말한다. 괘의 변화를 가지고서 말하면, 육이가 초효에서 위로 올라가서 제자리와 가운데를 얻는다.

김귀주(金龜柱) 『주역차록(周易箚錄)』

本義以卦體云云.
『본의』에서 말하였다: 괘의 몸체를 가지고, 운운.

小註厚齋馮氏曰, 孔子云云.
소주에서 후재풍씨가 말하였다: 공자가, 운운.

○ 按, 經雖不言同人之義, 而同人之所以得名, 則實由於一陰之應乎乾也. 今爲非經之本旨, 則經之本旨果於何見之耶. 若序卦所謂與人同者, 物必歸焉, 乃孔子合大有而言之者也, 是豈經之本旨哉. 馮氏未能深察乎經文與彖傳義例不同之本義, 而每如此說去, 已於小畜小註卞之.

---

25) 『周易·序卦傳』: 泰者, 通也, 物不可以終通. 故受之以否, 物不可以終否. 故受之以同人, 與人同者, 物必歸焉. 故受之以大有, 有大者, 不可以盈. 故受之以謙.

내가 살펴보았다: 경에서는 동인의 뜻에 대해 말하지 않았지만, 동인이라는 이름을 얻게 된 까닭은 실제로 하나의 음이 건에 호응한다는 데에서 말미암는다. 이제 "경의 본래 의미는 아니다"라고 한다면, 경의 본래 의미는 과연 어디에서 볼 수 있는가? 「서괘전」에서 "사람과 함께하는 자는 물건이 반드시 돌아온다"고 한 것은 곧 공자가 대유괘와 합해서 말한 것이니, 이것이 어찌 경의 본래 의미이겠는가? 풍씨는 경문과 「단전」의 의례가 같지 않은 본래의 의미에 대하여 깊이 살필 수가 없어서 매번 이와 같이 말하였으니, 이미 소축괘의 소주에서 변별하였다.

박문건(朴文健) 『주역연의(周易衍義)』

得位, 謂以六居二. 此以卦體釋卦名.
"제자리를 얻다"는 것은 육(六)이 이효에 있음을 말한다. 이것은 괘의 몸체를 가지고 괘의 이름을 풀이한 것이다.

김기례(金箕澧) 「역요선의강목(易要選義綱目)」

得中而應乎乾.
가운데 자리를 얻어서 건(乾)에 응한다.

指二五中正相[26]應.
이효와 오효가 중정하고 서로 호응함을 가리킨다.

최세학(崔世鶴) 「주역단전괘변설(周易彖傳卦變說)」

彖曰, 同人, 柔得位, 得中而應乎乾.
「단전」에서 말하였다: 동인(同人)은 유순함이 제자리와 가운데 자리를 얻어서 건괘에 호응한다.

同人乾之一體變也. 二一爻爲主, 故彖以得位得中言之. 坤二來居於下體之中, 以陰居陰而應乎五也.
동인괘는 건괘의 한 몸체가 변한 것이다. 이효인 한 효가 주인이 되기 때문에 「단전」에서 제자리와 가운데 자리를 얻음을 가지고서 말하였다. 곤괘의 이효가 하체의 가운데로 와서 있으니, 음이 음의 자리에 있으면서 오효와 호응하는 것이다.

---

26) 相: 경학자료집성DB에 '相'로 되어 있으나, 경학자료집성 영인본을 참조하고 문맥을 살펴 '相'으로 바로잡았다.

同人曰.

동인에 말하였다.

▌中國大全▌

傳

此三字, 羡文.

이 세 글자는 잘못 들어간 말이다.

本義

衍文.

잘못 들어간 말이다.

小註

嵩山晁氏曰, 按虞翻諸儒, 無一人爲之說者, 特王弼失之耳.

숭산조씨가 말하였다: 살펴보건대 우번(虞翻)[27]과 여러 학자들은 누구도 이 구절에 대해 설명하지 않았는데, 특히 왕필[28]의 주장은 잘못되었다.[29]

---

27) 우번(虞飜, 170~240): 삼국시대 오나라의 경학자이다. 한대 역술의 대성자이기도 하다. 자는 중상(仲翔)이다. 동오(東吳)의 손권에게 발탁되어 기도위(騎都尉)에 임명되었다. 그의 고조부 우광(虞光)은 전한의 금문역학인 맹씨역을 연구하였고, 증조부 우성(虞成), 조부 우봉(虞鳳), 아버지 우흠(虞欽) 등이 모두 대를 이어 가학을 이루었다. 그는 조상들의 유업을 이어 맹씨의 역경연구에 전력하였다. 그의 역학은 단지 맹씨 일가를 전한 것에만 그치는 것이 아니고 실제로는 상수역이래 여러 학자들의 학설을 종합한 것이었다. 그가 지었다는 『역주(易注)』는 전해지지 않으나, 당의 이정조의 『주역집해』에 상당부분이 채록되어 있고, 장혜언(張惠言)은 『주역우씨의(周易虞氏義)』, 『주역우씨소식(周易虞氏消息)』, 『우씨역례(虞氏易例)』 등을 지어 우번의 역설을 천명하였다.

韓國大全

박문건(朴文健) 『주역연의(周易衍義)』

此三字衍文, 因上文曰同人三字而誤也.
이 구절은 잘못 들어간 말이니, "동인이라고 하였다[曰同人]"는 위의 문구 때문에 잘못 기록된 것이다.

심대윤(沈大允) 『주역상의점법(周易象義占法)』

同人, 人道之始也, 故更端而始之也.
동인괘는 인도(人道)의 시작이므로, 단서를 바꾸어 시작하였다.

---

28) 왕필(王弼, 226~249) : 산양(山陽) 고평(高平: 현 산동성 금향현(金鄕縣)) 사람으로 자는 보사(輔嗣)이다. 중국 삼국시대 위(魏)나라의 학자로 상서랑(尚書郎)을 지냈다. 그는 24세의 나이로 죽었음에도 이미 『도덕경(道德經)』과 『주역(周易)』의 주석을 낼 정도로 탁월한 학자였다. 저서로 『주역주(周易注)』·『주역약례(周易略例)』·『노자주(老子注)』·『노자지략(老子指略)』·『논어석의(論語釋疑)』가 있다.

29) 『周易註·同人卦』: 同人曰, 同人于野, 亨, 利涉大川, 乾行也. 구절의 주, 所以能同人于野, 亨, 利涉大川, 非二之所能也. 是乾之所行, 故特曰同人曰.

同人于野亨, 利涉大川, 乾行也,

정전 "들에서 사람들과 함께하면 형통하리니, 큰 내를 건넘이 이로움"은 건괘의 행함이고,
본의 "들에서 사람들과 함께하면 형통하고, 큰 내를 건넘이 이로움"은 건괘의 행함이고,

中國大全

傳

至誠无私, 可以蹈險難者, 乾之行也. 无私, 天德也.

지극히 정성스럽고 사사로움이 없어서 험하고 어려움을 밟을 수 있는 것은 건의 행함이다. 사사로움이 없음은 하늘의 덕이다.

小註

朱子曰, 乾行也, 言須是這般剛健之人, 方做得這般事. 若柔弱者, 如何會出去外面同人, 又去涉險.
주자가 말하였다: '건의 행함'은 반드시 이렇게 강건한 사람이어야만 이런 일을 할 수 있다는 뜻이다. 유약한 자라면 어떻게 밖으로 나가 사람들과 함께할 수 있겠으며 또 험난함을 건널 수 있겠는가?

○ 沙隨程氏曰, 所以同人利涉者, 在九五, 故曰乾行.
사수정씨가 말하였다: 사람들과 함께해서 내를 건넘이 이로운 것은 구오에게 있기 때문에 "건의 행함이다"라 하였다.

韓國大全

권근(權近) 『주역천견록(周易淺見錄)』

同人于野, 亨, 以一卦而言. 曠然而无所私者也, 故大同之道, 无遠不通. 同人于郊, 无悔, 以一爻而言. 孑[30]然而无所與者也, 始不擇交, 終必有悔. 此爻在同人之終, 下无應與, 是在荒遠之地, 終無所與之象. 故雖无妄交自失之, 欲同之志, 未得遂也.
"들에서 사람들과 함께하면 형통하다"는 한 괘의 전체를 두고 한 말이다. 광활한데 사사로움이 없는 자이기 때문에 크게 함께하는 도가 멀리까지 통하지 않는 바가 없다. 상구에서 말하는 "상구는 사람들과 함께하기를 들에서 하니 후회가 없다"는 하나의 효를 두고 한 말이다. 외로운데 함께하는 것이 없으니, 처음에 가려서 사귀지 않다가는 끝내 반드시 후회를 한다. 이 효는 동인괘의 끝에 있고 아래에는 호응하여 함께하는 자가 없으니, 이것은 황량하고 먼 땅에 있으면서 끝내 함께할 자가 없는 상(象)이다. 그러므로 비록 함부로 사귀어 스스로 잘못되는 경우는 없다고 하더라도, 함께하고자 하는 뜻은 아직 이룰 수 없다.

심조(沈潮) 「역상차론(易象箚論)」

彖, 于野.
「단전」에서 말하였다: 들에서.

陽畫多, 看來有廣濶如野之象
양효가 많으니, 살펴보건대 들처럼 광활한 상이 있다.

서유신(徐有臣) 『역의의언(易義擬言)』

同人, 柔得位, 得中而應乎乾, 曰同人. 同人曰. 同人于野亨,
동인(同人)은 유순함이 제자리와 가운데 자리를 얻어서 건괘에 호응하기 때문에 동인이라고 하였다. 동인에 말하였다. 들에서 사람들과 함께하면 형통하니,

---

30) 孑: DB와 영인본에 '子'로 되어 있으나, 『정전』의 "함께하기를 구하는 사람은 반드시 서로 친하고 서로 더불어야 하지만, 상구는 밖에 있으면서 응함이 없으니, 끝내 더불어 함께할 사람이 없다[求同者, 必相親相與, 上九居外而无應, 終无與同者也]"라는 말과 『본의』의 "밖에 있으면서 응함이 없으니, 사물 중에서 어느 것도 함께하지 않는다[居外无應, 物莫與同]"라는 말을 참고로 '孑'로 수정했다.

竊疑, 同人曰同人五字爲衍, 此當讀作應乎乾曰, 同人于野亨, 又當爲段節, 釋同人于野亨也. 成卦由於六二, 故曰柔得位得中而應乎乾. 一乾字兼包應乎五應乎外之意, 所以爲同人于野而亨也.
아마도 의심컨대, "동인에 말하였다. 사람들과 함께하면[同人曰. 同人]"이라는 구절은 잘못 들어간 말 같으니, 이곳은 "건에 호응하기 때문에 '들에서 사람들과 함께하면 형통하다'고 말하였다.[應乎乾曰, 同人于野亨]"라고 풀이해야 하고, 또 마땅히 이처럼 구문을 끊어서 "들에서 사람들과 함께하면 형통하다"라는 구절을 풀이해야만 한다. 괘를 이룬 것이 육이에서 말미암기 때문에 "유순함이 제자리와 가운데 자리를 얻어서 건괘에 호응한다"라고 하였다. 건이라는 하나의 글자는 오효에 호응하고 바깥에서 호응한다는 뜻을 아울러 포함하고 있으니, 사람들이 들에서 함께하여 형통한 까닭이다.

利涉大川, 乾行也.
"큰 내를 건넘이 이로움"은 건괘의 행함이고,
釋利涉大川也, 以大川, 喩乾行之不息也.
"큰 내를 건넘이 이롭다"에 대하여 풀이함에 큰 내를 가지고서 건의 행함이 그치지 않음을 비유하였다.

박문건(朴文健) 『주역연의(周易衍義)』

同人于野, 則有亨道不待言也. 乾行, 謂乾之三陽進於上也. 此亦以卦體釋卦辭.
들에서 사람들과 함께하면 형통한 도가 있음은 말할 필요도 없다. 건괘의 행함이란 건의 세 양이 위에서 나아감을 말한다. 이것도 괘의 몸체를 가지고서 괘사를 풀이한 것이다.

김기례(金箕禮) 「역요선의강목(易要選義綱目)」
乾行.
건괘의 행함이다.

指九五.
구오를 가리킨다.

文明以健, 中正而應, 君子正也,

문명하여 강건하며 가운데에 있고 제자리에 있어서 호응함은 군자의 바름이니,

中國大全

傳

又以二體言其義. 有文明之德而剛健, 以中正之道相應, 乃君子之正道也.

또 두 몸체를 가지고서 그 뜻을 말하였다. 문명한 덕이 있으면서 강건하고, 중정한 도를 가지고 서로 호응하니, 군자의 바른 도이다.

小註

節齋蔡氏曰, 以象言, 則文明以健, 以爻言, 則中正而應.
절재채씨가 말하였다: 상으로 말한다면 문명하여 강건하며, 효를 가지고서 말한다면 가운데에 있고 제자리에 있어서 호응한다.

○ 沙隨程氏曰, 所以利君子貞者, 在二體之相爲用, 故曰文明以健, 中正而應.
사수정씨가 말하였다: 군자의 곧음이 이롭다고 하는 까닭은 두 몸체에 있는 형상이 쓰임이 되기 때문에 "문명하여 강건하며 가운데에 있고 제자리에 있어서 호응한다"고 하였다.

○ 臨川吳氏曰, 內文明, 則察於理, 外剛健, 則勇於義. 中正則內无私心, 應乾則外合天德, 此皆君子之正道也.
임천오씨가 말하였다: 안으로 문명하면 이치를 살필 수 있고, 밖으로 강건하면 의로움에 용감하다. 중정하면 안으로 사사로운 마음이 없으며, 건괘에 호응하면 밖으로 하늘의 덕에 부합하니, 이것은 모두 군자의 바른 도이다.

韓國大全

김귀주(金龜柱) 『주역차록(周易箚錄)』

文明以健, 云云.
문명하여 강건하며, 운운.
○ 按, 以成卦之義言, 則六二爲主, 以乾行之義言, 則九五爲主. 若夫統言君子之正道, 則兩體無偏主. 彖傳三節當如此看.
내가 살펴보았다: 이루어진 괘의 뜻으로 말하면 육이가 주인이고, 건괘가 행한다는 뜻으로 말하면 구오가 주인이다. 군자의 바른 도를 통틀어서 말하면 두 몸체에 한쪽으로 치우친 주인은 없다. 「단전」의 세 절은 마땅히 이와 같이 보아야 한다.

傳, 又以二體言, 云云.
『정전』에서 말하였다: 두 몸체를 가지고 그 뜻을 말하였다, 운운.
小註, 臨川吳氏曰, 內文, 云云.
소주에서 임천오씨가 말하였다: 안으로 문명하면, 운운.
○ 按, 勇於義之云, 恐不甚襯 必如程傳所云能克己, 然後方合同人之義也.
내가 살펴보았다: 임천오씨가 "의로움에 용감하다"라고 말한 부분은 거의 모르겠으니, 반드시 『정전』에서 "자신을 이길 수 있다"[31]고 말한 것과 같이 한 후에 동인의 뜻과 부합될 수 있다.

김기례(金箕澧) 「역요선의강목(易要選義綱目)」

文明以健.
문명하여 강건하다.

指上下二體.
위아래의 두 몸체를 가리킨다.

---

31) 『程傳 · 同人卦』: 剛健則能克己, 故能盡大同之道.

唯君子, 爲能通天下之志.

군자만이 천하의 뜻에 통할 수 있다.

中國大全

傳

天下之志萬殊, 理則一也. 君子明理, 故能通天下之志, 聖人視億兆之心, 猶一心者, 通於理而已. 文明則能燭理, 故能明大同之義, 剛健則能克己, 故能盡大同之道, 然後, 能中正, 合乎乾行也.

천하의 뜻은 만 가지이지만 이치는 하나이다. 군자는 이치에 밝기 때문에 천하의 뜻에 통할 수 있으니, 성인이 수많은 백성들의 마음을 하나의 마음과 같이 보는 것은 이치에 통해서이다. 문명하면 이치에 밝을 수 있으므로 크게 함께하는 뜻을 밝힐 수 있고, 강건하면 자신을 이길 수 있으므로 크게 함께하는 도를 다할 수 있으니, 이러한 뒤에 중정할 수 있다면 건이 행함에 부합한다.

小註

朱子曰, 程傳說得通天下之志處好. 云文明則能燭理, 故能明大同之義, 剛健則能克己, 故能盡大同之道, 此說甚善. 大凡讀書, 只就眼前說出底便好, 崎崎嶇尋出底便不好.

주자가 말하였다: 『정전』에서 "천하의 뜻에 통할 수 있다"라고 설명한 곳은 좋다. 그리고 "문명하면 이치에 밝을 수 있으므로 크게 함께하는 뜻을 밝힐 수 있고, 강건하면 자신을 이길 수 있으므로 크게 함께하는 도를 다할 수 있다"라고 하였는데 이 설명은 매우 좋다. 대체로 책을 읽으면서 단지 눈앞의 것에 나아가 설명해 내는 것은 좋지만, 어렵고 힘든 곳에서 찾아내는 것은 좋지 않다.

本義

以卦德卦體, 釋卦辭. 通天下之志, 乃爲大同, 不然則是私情之合而已, 何以致亨而利涉哉.

괘의 덕과 괘의 몸체를 가지고서 괘사를 풀이하였다. 천하의 뜻에 통해야 이에 크게 함께할 수 있고, 그렇지 않다면 사사로운 정이 합해졌을 뿐이니, 어떻게 형통함에 이르고 큰 내를 건넘이 이롭겠는가?

小註

誠齋楊氏曰, 人與人群, 居天地中, 能高飛遠走, 不在人間乎, 而獨與人異何也. 人異乎人者, 物之棄. 人同乎人者, 物之歸. 然同而隘, 則其同不大, 同而暱, 則其同不公. 同人于野, 公而大也.
성재양씨가 말하였다: 사람들이 남들과 무리지어 천지에 있음에 높이 날 수 있고 멀리 달릴 수 있는 것이 사람들에게 있지 않은데, 유독 남들과 다른 것은 어째서인가? 사람들이 남들과 다른 것은 사물이 버리는 것이고, 사람들이 남들과 함께하는 것은 사물이 귀의하는 것이다. 그러나 함께해서 협소하게 되면 함께함이 크지 않고, 함께해서 가까워지면 함께함이 공정하지 않다. '들에서 사람들과 함께함'은 공정하고 큰 것이다.

○ 雲峯胡氏曰, 必通天下之志, 乃爲大同. 然非明與健, 不能大同也.
운봉호씨가 말하였다: 반드시 천지의 뜻에 통해야 크게 함께할 수 있다. 그러나 밝음과 강건함이 아니면 크게 함께할 수 없다.

韓國大全

권근(權近) 『주역천견록(周易淺見錄)』

唯君子能通天下之志. 程傳君子明理, 故能通天下之志, 聖人視億兆之心, 猶一心者, 通於理而已. 文明則能燭理, 故能明大同之義, 剛健則能克己. 故能盡大同之道. 朱子謂此說極好.
군자만이 천하의 뜻에 통할 수 있다. 『정전』에서는 "군자는 이치에 밝기 때문에 천하의 뜻에 통할 수 있으니, 성인이 수많은 백성들의 마음을 하나의 마음과 같이 보는 것은 이치에 통해서이다. 문명하면 이치를 밝힐 수 있으므로 크게 함께하는 뜻을 밝힐 수 있고, 강건하면 자신을 이길 수 있으므로 크게 함께하는 도를 다할 수 있다"고 하였다. 주자는 이러한 설명이 지극히 좋다고 하였다.

愚按, 程子之說, 兼知行而言, 所謂通者, 非但自知而能通也, 又使天下之人皆得以通其志也.
내가 살펴보았다: 정자의 설명은 지와 행을 겸하여 말했으니, 정자가 "천하의 뜻에 통할 수 있다"고 할 때의 "통하다[通]"란 스스로 알아서 통할 수 있을 뿐만 아니라, 또 천하의 사람들이 모두 그 뜻에 통할 수 있도록 하는 것이다.

유정원(柳正源)『역해참고(易解參攷)』

正義, 君子能以正道, 通達天下之志.
『주역정의』에서 말하였다: 군자는 정도(正道)를 가지고서 천하의 뜻에 통달할 수 있다.

○ 隆山李氏曰, 一陰宜可以統衆陽矣, 而位則居二, 故止可以謂同人之象, 而不可以爲大有之象.
융산이씨가 말하였다: 하나의 음이 마땅히 여러 양을 통솔할 수 있어야 하지만, 자리가 이효에 있기 때문에 '사람들과 함께하는[同人]' 상이라고 할 수 있을 뿐이고, '크게 소유하는 [大有]' 상이 될 수는 없다.

○ 案, 天下之志一而已, 不得一者, 私勝故也. 君子之道, 廓然大公, 內文明而察盡人心之情僞, 外剛健而克去人欲之私邪, 如日之无私照, 如天之无私覆. 是大同之道而君子之正也.
내가 살펴보았다: 천하의 뜻은 하나일 뿐인데, 하나를 얻지 못하는 것은 사사로움이 기승을 부리기 때문이다. 군자의 도는 확 트이어 크게 공정하니 안으로는 문명하여 인심의 진정과 거짓을 살펴서 다하고, 밖으로는 강건하여 인욕의 사사로움을 제거하니, 마치 해가 사사로이 비춤이 없고 하늘이 사사로이 덮어줌이 없는 것과 같다. 이것이 크게 함께하는 도이며 군자의 바름이다.

김상악(金相岳)『산천역설(山天易說)』

以卦德卦體釋卦辭. 能于曠遠而利涉, 皆乾之行也. 文明以健, 則所同必公, 中正而應,則所同无邪, 故能通天下之志, 以盡大同之道.
괘의 덕과 괘의 몸체를 가지고 괘사를 풀이하였다. 광활한 곳에서 능할 수 있고 내를 건넘이 이로운 것은 모두 건괘의 행함이다. 문명하여 강건하다면 함께하는 바가 반드시 공정하고, 중정하여 호응한다면 함께하는 바에 사사로움이 없기 때문에 천하의 뜻에 통하여 크게 함께하는 도를 다할 수 있다.

○ 卦名之應, 乾離之上同也. 卦辭之乾行, 乾之下同也, 所以火同於天, 人同於野. 離乾合體, 故曰文明以健, 與乾九二相似, 需則乾坎合體, 故曰位乎天位, 與乾九五相似. 蓋爲乾之二得離之位, 五得坎之位也.
괘의 이름에서 상응하는 것은 건괘(乾卦☰)가 위에 있고 리괘(離卦☲)가 타올라서 함께하는 것이다. 괘사에서 '건괘의 행함'은 건이 아래로 함께하기 때문에 불이 하늘과 함께하고 사람들이 들에서 함께한다. 리괘(離卦☲)와 건괘(乾卦☰)가 몸체를 합하기 때문에 "문명하여 강건하다"라고 하였으니, 건괘의 구이[32]와 서로 비슷하고, 수괘(需卦䷄)는 건괘(乾卦☰)와 감괘(坎卦☵)가 몸체를 합하기 때문에 "하늘 자리에 위치한다"[33]라고 하였으니, 건괘의 구오[34]와 서로 비슷하다. 대체로 건괘의 이효는 리괘(離卦☲)가 될 수 있는 자리이고, 건괘의 오효는 감괘(坎卦☵)가 될 수 있는 자리이다.

서유신(徐有臣) 『역의의언(易義擬言)』

釋利君子貞也. 所謂君子貞者, 文明以健, 中正而應, 是也. 通天下之志, 所以爲同人, 所以爲利君子貞也. 通天下之志, 其道何由焉. 由乎天下之志同也. 何同焉. 其正同也. 繫辭曰, 天下之動, 貞夫一者也, 君子以吾之正, 知彼之正, 所以能通天下之志也. 夫子之道, 忠恕而已, 正其忠也, 通其恕也.
"군자의 곧음이 이롭다"에 대하여 풀이한 것이다. 이른바 '군자의 곧음'은 "문명하여 강건하며 가운데에 있고 제자리에 있어서 호응한다"라는 것이 이것이다. 천하의 뜻에 통할 수 있으니, 사람들과 함께하는 까닭이고, 군자의 곧음이 이로운 까닭이다. 천하의 뜻에 통하는 것은 그 도가 어디에서 말미암는가? 천하의 뜻이 함께하는 것에서 말미암는다. 무엇이 함께 한다는 것인가? 그 바름이 함께한다는 것이다. 「계사전」에서 "천하의 움직임은 하나를 늘 하는 것이다"[35]라고 하였으니, 군자는 자신의 바름을 가지고서 저 사람의 바름을 알기 때문에

32) 『周易·乾卦』: 九二, 見龍在田, 利見大人.
33) 『周易·需卦』: 需, 有孚, 光亨, 貞吉, 位乎天位, 以正中也.
34) 『周易·乾卦』: 九五, 飛龍在天, 利見大人.
35) 『周易·繫辭傳』: 天地之道, 貞觀者也, 日月之道, 貞明者也, 天下之動, 貞夫一者也.

천하의 뜻에 통할 수 있다. "선생님의 도는 충서(忠恕)일 따름이다"[36]라고 하였으니, 바름은 공자의 충(忠)이고, 통함은 공자의 서(恕)이다.

김귀주(金龜柱) 『주역차록(周易箚錄)』

按, 此云通天下之志, 主離體文明而言. 上文雖或以乾行而言, 或合兩體而言, 然畢竟又以文明爲主. 蓋以此卦下體一陰爲衆陽所同, 乃爲成卦之主故耳.
내가 살펴보았다: 여기에서 "천하의 뜻에 통할 수 있다"라고 말한 것은 리괘(離卦)의 몸체가 문명함을 위주로 말한 것이다. 위의 글에서 '건괘의 행함'을 가지고 말하기도 하고 두 몸체를 합하여 말하기도 하였지만, 필경 문명을 위주로 했다. 아마도 이 괘의 하체에 있는 하나의 음을 여러 양들이 함께하는 것이 바로 괘를 이루는 주된 이유일 뿐이다.

윤행임(尹行恁) 『신호수필(薪湖隨筆) · 역(易)』

同人之時, 通志爲先. 通志之功, 及遠爲美. 天下至廣, 億兆至衆, 以渺然君子之一身能洞然通達者, 非窮理盡性者, 不能做. 此君子卽成德之大人.
동인의 때는 뜻을 통하는 것이 먼저이다. 뜻을 통하는 공은 먼 곳까지 미치는 것이 아름답다. 천하는 지극히 넓고 사람들은 헤아릴 수 없을 정도로 많으니, 조그마한 군자의 일신으로 막힘이 없이 환하게 통달할 수 있는 것은 이치를 궁구하고 성을 지극히 한 사람이 아니라면 그렇게 할 수가 없다. 이러한 군자는 곧 덕을 이룬 대인(大人)이다.

박문건(朴文健) 『주역연의(周易衍義)』

有文明之德而剛健, 以中正之道而外應, 君子之正也. 此以卦德卦體釋卦辭, 而贊君子之利正也.
문명한 덕이 있어서 강건하고 중정한 도를 가지고서 밖으로 응하는 것이 군자의 바름이다. 여기에서는 괘의 덕과 괘의 몸체를 가지고 괘사를 풀이하여 군자가 바름을 이롭게 여김을 찬미한 것이다.
〈問, 中正而應. 曰, 六二處內體之中正, 而應外體之乾也. 問, 通天下之志. 曰, 通者无所不知也. 君子有文明中正之德, 故所以通天下之志而致大同也. 此乃君子正之大者也.
물었다: "가운데에 있고 제자리에 있어서 호응한다"는 무슨 뜻입니까?

---

36) 『論語 · 里仁』: 子出, 門人, 問曰, 何謂也? 曾子曰, 夫子之道, 忠恕而已矣.

답하였다: 육이가 안에 있는 몸체의 가운데와 제자리에 있으면서 밖에 있는 몸체의 건에 호응한다는 것입니다.
물었다: "천하의 뜻에 통할 수 있다"는 말은 무슨 뜻입니까?
답하였다: 통한다는 것은 알지 못하는 바가 없는 것입니다. 군자는 문명하고 중정한 덕을 가지고 있으므로 천하의 뜻에 통하고 크게 함께하는 데에 이르는 까닭입니다. 이것이 군자의 바름이 큰 것입니다.〉

이지연(李止淵) 『주역차의(周易箚疑)』

愽學之, 明辯之, 悠久不息, 而不偏不倚, 君子之道, 於斯正矣.
널리 배우고 밝게 변별하기를 아주 오랫동안 쉬지 않고 기울어지거나 치우치지 않게 한다. 군자의 도는 이 때문에 바르다.

김기례(金箕澧) 「역요선의강목(易要選義綱目)」

文[37]明而通理 剛健而中道, 使天下之心爲一心, 則大同也.
문명하여 리(理)에 통하고 강건하여서 도(道)에 맞아 천하 사람들의 마음이 하나가 되도록 하니 크게 함께하는 것이다.

이항로(李恒老) 「주역전의동이석의(周易傳義同異釋義)」

傳, 文明則能燭理, 而能明大同之義, 剛健則能克己, 而能盡大同之道.
『정전』에서 말하였다: 문명하면 이치에 밝을 수 있으므로 크게 함께하는 뜻을 밝힐 수 있고, 강건하면 자신을 극복할 수 있으므로 크게 함께하는 도를 다할 수 있다.

本義, 通天下之志, 乃爲大同, 不然則是私情之合而已.
『본의』에서 말하였다: 천하의 뜻에 통해야만 크게 함께할 수 있고, 그렇지 않다면 사사로운 정이 합하여졌을 뿐이다.

按, 傳釋能通之義, 本義釋大同之意, 互相發明.
내가 살펴보았다: 『정전』에서는 "통할 수 있다[能通]"는 뜻으로 풀이하였고, 『본의』에서는

37) 文: 경학자료집성DB에 '女'로 되어 있으나, 경학자료집성 영인본을 참조하여 '文'으로 바로잡았다.

"크게 함께한다[大同]"는 뜻으로 풀었으니, 서로 보완하여 밝게 드러낸다.

심대윤(沈大允) 『주역상의점법(周易象義占法)』

同人之道, 以小同而致大分者也, 又以我應彼也, 不可曰上下應也. 自明誠, 故曰文明而健, 忠恕而中庸, 故曰中正而應. 同人同類相從也, 大有萬物大同也. 君子同其同而分其分, 審同而致分, 故能通天下之志. 分其分而同其同, 知分而施同, 故能盡萬物之性也.

동인의 도는 약간 같은 것을 가지고서 크게 나누는 데에 이르는 것이며, 또 나를 가지고서 상대에게 호응하는 것이니, 위와 아래가 호응한다고 말해서는 안 된다. 밝음으로부터 성실하기 때문에 "문명하여 강건하다"고 하였으며, 충서를 하여 중용(中庸)하기 때문에 "가운데에 있고 제자리에 있어서 호응한다"고 하였다. 동인이란 동류가 서로 좇는 것이며, 대유란 만물이 크게 함께하는 것이다. 군자는 같은 것을 함께하고 나누어진 것을 구분하며, 같은 바를 살펴서 구별을 지극히 하기 때문에 천하의 뜻에 통할 수 있다. 나누어진 것을 구분하고 같은 것을 함께하여 구분할 줄을 알고 같은 것을 베풀기 때문에 만물의 성을 다할 수 있다.

오치기(吳致箕) 「주역경전증해(周易經傳增解)」

此以主爻卦體釋卦名義, 以卦德卦體釋卦辭也. 傳義已備而又見象解. 〈沙隨程氏曰, 以成卦者在六二故, 曰, 柔得位, 得中而應乎乾.〉

여기에서는 주인이 되는 효와 괘의 몸체를 가지고서 괘 이름의 뜻을 풀이하였고, 괘의 덕과 몸체를 가지고서 괘사를 풀이하였다. 『정전』과 『본의』에 이미 갖추어져 있고 또 「단전」의 풀이에서도 보인다. 〈사수정씨가 말하였다: 괘를 이루는 것이 육이에 있기 때문에 "유순함이 제자리와 가운데 자리를 얻어서 건(乾)에 응한다"고 하였다.〉

이진상(李震相) 『역학관규(易學管窺)』

象之取象, 多與爻異. 此言于野乾象, 涉川離象也. 蓋先天之位, 乾居前南, 凡人之居, 野在前南. 野色, 曠遠而際天, 天勢, 曠遠而圍野, 同人外乾, 所以言野也. 馮氏曰, 離之中虛, 有舟虛能載之象, 載上三陽, 健於行水 故利涉大川〈止此〉. 蓋易象中言利涉大川, 多矣. 大畜蠱外有厚離之象, 渙中孚益中有厚離之象. 訟之不利涉, 雖有互離, 而內險外健, 所以不利也. 蠱雖有厚坎, 而內順外止, 所以得利也. 卦中二五相應, 人位也, 故象取同人, 象稱君子.

「단전」에서 상을 취하는 것은 대부분 효와 다르다. 여기서 말한 '들에서[于野]'는 건괘(乾卦)의 상이고, '내를 건넘[涉川]'은 리괘(離卦)의 상이다. 「선천육십사괘방위도」에서는 건괘가 남쪽인 앞에 있으며, 사람의 거처에서는 들이 남쪽인 앞에 있다. 들의 정경은 광활하여 하늘과 맞닿아 있으며, 하늘의 형세는 광활하여 들을 둘러싸고 있으니, 동인괘에서 외괘인 건괘를 들이라고 말하는 까닭이다. 풍씨는 "리괘(離卦)는 가운데가 비어 있어서, 배 안이 비어 물건을 실을 수 있는 상을 가지고 있다. 위로 세 양을 싣고 있어 흐르는 물에서 강건하기 때문에 '큰 내를 건넘이 이롭다'고 하였다"〈풍씨의 말은 여기까지〉라고 말하였다. 『주역』의 「단전」 중에는 "큰 내를 건넘이 이롭다"고 한 곳이 많다. 대축괘(䷙)와 고괘(蠱卦䷑)는 바깥으로 '두터운 리괘[厚離卦☲]'의 상이 있고, 환괘(䷺)와 중부괘(䷼)와 익괘(益卦䷩)의 가운데에도 두터운 리괘의 상이 있다. 송괘(訟卦䷅)에서 "건넘이 이롭지 못하다"고 한 것은 호괘인 리괘(離卦☲)가 있지만 안으로는 험난하고 밖으로는 굳세기 때문에 이롭지 않다. 고괘(蠱卦䷑)는 '두터운 감괘[厚坎☵]'가 있지만 안으로는 순하고 밖으로는 그치기 때문에 이롭다. 괘 중에 이효와 오효가 서로 호응하고 사람의 자리이기 때문에 「상전」에서는 동인을 취하였고 「단전」에서는 군자를 칭하였다.

이병헌(李炳憲) 『역경금문고통론(易經今文考通論)』

坤之六二一陰入乾, 則當例推而泰否之後, 以火繼之, 猶乾坤之後, 以水繼之也. 同人, 同心之人, 于野, 曠遠之謂也. 鄭曰會通之德大行, 故曰同人于野亨. 三曰, 同人于野亨, 利涉大川, 非二所能, 是乾之所行, 故曰同人, 自此無坎象.

곤괘의 육이인 하나의 음이 건괘로 들어간 것이니, 당연히 관례대로 미루어서 태괘(泰卦䷊)와 비괘(否卦䷋)의 뒤를 화[離卦☲]로 이은 것으로,[38] 건괘(乾卦䷀)와 곤괘(坤卦䷁)의 뒤를 수[坎卦☵]로 이은 것[39]과 같다. '동인'은 마음을 같이하는 사람이며, '들에서'란 광활함을 말한다. 정강중(鄭剛中)은 "회통하는 덕이 크게 유행하기 때문에 '사람들이 들에서 함께하면 형통하다'라고 하였다"[40]라고 하였다. 「단전」의 세 번째 단락에서 말하는 "들에서 사람들과 함께하면 형통하리니, 큰 내를 건넘이 이롭다"고 함은 이효가 할 수 있는 바가 아니라 건이 행한 바이기 때문에 '동인'이라고 하였으니, 여기서부터는 감괘의 상이 없다.

---

38) 태괘(䷊)와 비괘(䷋) 다음에 동인괘(䷌)와 대유괘(䷍)로 이어지는데, 동인괘의 내괘와 대유괘의 외괘가 리괘(離卦)로 불이 된다.

39) 건괘와 곤괘 다음에 준괘(䷂)와 몽괘(䷃)로 이어지는데, 준괘의 외괘와 몽괘의 내괘가 물 곧 감괘(坎卦)이다.

40) 『增補鄭氏周易 · 周易上經』: 會通之德大行, 故曰同人于野亨.

象曰, 天與火同人, 君子以, 類族, 辨物.

정전 「상전」에서 말하였다: 하늘과 불이 동인이니, 군자가 그것을 본받아 류(類)와 족(族)으로 물(物)을 분별한다.

본의 「상전」에서 말하였다: 하늘과 불이 동인이니, 군자가 그것을 본받아 족(族)을 분류하고 물(物)을 분별한다.

中國大全

傳

不云火在天下, 天下有火, 而云天與火者, 天在上, 火性炎上, 火與天同, 故爲同人之義. 君子觀同人之象而以類族辨物, 各以其類族, 辨物之同異也. 若君子小人之黨, 善惡是非之理, 物情之離合, 事理之異同, 凡異同者, 君子能辨明之, 故處物不失其方也.

불이 하늘 아래에 있다거나 하늘 아래에 불이 있다고 하지 않고 '하늘과 불'이라고 한 것은 하늘이 위에 있고 불의 성질은 타올라가 불이 하늘과 함께하기 때문에 동인의 뜻이 된다. 군자가 동인의 상을 관찰하여 류와 족으로써 사물을 분별하니, 각각 그 류와 족으로써 물의 같고 다름을 분별한다. 만약 군자 및 소인의 무리와 선악 및 시비의 이치와 물정의 떨어지고 합함과 사리의 다르고 같음이라고 한다면, 다르고 같은 것을 군자는 분별하여 밝힐 수 있기 때문에 사물을 처리할 때에 합당한 방법을 잃지 않는다.

小註

或問, 伊川說云各以其類族辨物之同異, 則是就類族上辨物否. 朱子曰, 類族是就人上說, 辨物是就物上說. 天下有不可皆同之理, 故隨他頭項去分別. 類族如分姓氏, 張姓同作一類, 李姓同作一類. 辨物如牛類是一類, 馬類是一類. 就其異處以致其同, 此其所以爲同. 伊川之說不可曉.

어떤 이가 물었다: 이천선생이 "각각 그 류와 족으로써 물(物)의 같고 다름을 분별한다"고

하였으니, 이는 류와 족에 따라서 물(物)을 구별한다는 것입니까?
주자가 답하였다: "족(族)을 분류한다[類族]"란 사람을 두고 말하였으며, "물을 분별한다[辨物]"란 사물로 말하였습니다. 천하에는 모두 함께할 수 없는 이치가 있기 때문에 그것에 따라 분별을 합니다. "족을 분류한다"는 마치 성씨를 나눌 때에 장씨 성은 다 함께 하나의 종류가 되고, 이씨 성도 다 함께 하나의 종류가 되는 것과 같습니다. "물을 분별한다"는 마치 소가 하나의 종류가 되고 말이 하나의 종류가 되는 것과 같습니다. 다른 것으로 같은 것에 도달하니, 이것이 함께하는 까닭이 됩니다. 이천 선생의 말은 이해할 수 없습니다.

本義

天在上而火炎上, 其性同也. 類族辨物, 所以審異而致同也.

하늘은 위에 있고 불은 타오르니 그 성질이 같다. "족을 분류하고 물을 분별함"은 다름을 살펴서 함께함에 도달하는 것이다.

小註

朱子曰, 類族辨物, 言類其族, 辨其物. 且如靑底做一類, 白底做一類, 恁地類了時, 同底自同, 異底自異.
주자가 말하였다: "족을 분류하고 물을 분별함"은 족을 분류하고 사물을 분별하는 것이다. 마치 파란색이 하나의 종류이고 하얀색이 하나의 종류이니, 이와 같이 종류를 만들 때에 같은 것은 저절로 같게 되고 다른 것은 저절로 다르게 된다.

○ 馮氏去非曰, 類族如天之兼覆, 辨物如火之燭照.
풍거비가 말하였다: '족을 분류함'은 하늘이 겸하여 덮는 것과 같고, '물을 분별함'은 불이 밝게 비추는 것과 같다.

○ 厚齋馮氏曰, 族如非此族也, 不在祀典之族, 物如是其生也與吾同物之物. 如士大夫之族爲士大夫, 農之族爲農, 工商之族爲工商, 此類族也. 裸生爲裸物, 羽生爲羽物, 毛生爲毛物, 鱗介之生爲鱗介之物, 此辨物也.
후재풍씨가 말하였다: '종류[族]'는 "이 종류가 아니라면 제사를 지내는 예전(禮典)에 있을 수 없다"[41]에서의 '종류'와 같고, '사물[物]'은 "태어남이 나와 같은 사물이다"[42]에서의 '사물'과 같다. 예를 들어 사대부의 종류는 사대부가 되고 농민의 종류는 농민이 되며 상공인의

종류는 상공인이 되니, 이것이 종류를 분류하는 것이다. 털 없이 태어나면 털 없는 사물이 되고, 날개를 가지고 태어나면 날개 달린 사물이 되며, 털이 난 채로 태어나면 털이 난 사물이 되고, 비늘이나 딱딱한 껍질을 달고 태어나면 비늘이나 딱딱한 껍질을 단 사물이 되니, 이것이 사물을 분별하는 것이다.

○ 臨川吳氏曰, 天之所生, 各族殊分, 法乾覆之无私者, 於殊分之族而類聚其所同, 異中之同也. 火之所及, 凡物均照. 法離明之有別者, 於均照之物而辨析其所異, 同中之異也.
임천오씨가 말하였다: 하늘이 낳은 바는 각각의 족이 다르게 나뉘므로, 하늘[乾]이 세상을 사사로움이 없이 덮음을 본받는 자는 다르게 나뉜 족에서 같은 바를 분류하여 모으니, 다름 가운데에서의 같음이다. 불이 미침은 모든 물에 균등하게 비추므로, 불[離]의 밝음에 구별을 있음을 본받는 자는 균등하게 비춰지는 물에서 그 다른 바를 구별하니, 같음 가운데에서 다름이다.

○ 東坡蘇氏曰, 水之於地爲比. 火之於天爲同人. 然比以无所不比爲比, 同人以有所不同爲同也.
동파소씨가 말하였다: 물(☵)이 땅(☷)에 있는 것은 비괘(比卦䷇)가 되고, 불(☲)이 하늘(☰)에 있는 것이 동인괘(同人卦䷌)가 된다. 그러나 비괘는 친하지 않은 바가 없음으로 친하고, 동인괘는 함께하지 않은 바가 있음으로 함께한다.

韓國大全

조호익(曺好益)『역상설(易象說)』

天之與火, 其性同而其質異. 君子法其性之同, 則類其族, 法其質之異, 則辨其物. 類之辨之, 所以審異作一類, 則致同.
하늘과 불은 성질이 같지만 재질이 다르다. 군자가 성질의 같음을 본받으면 그 종류를 분류

41)『禮記 · 祭法』: 及夫日月星辰, 民所瞻仰也, 山林川谷丘陵, 民所取財用也. 非此族也, 不在祀典.
42)『春秋左氏傳 · 桓公』: 公曰, 是其生也, 與吾同物, 命之曰同.

하고, 재질의 다름을 본받으면 사물을 분별한다. 분류하고 분별하는 것은 다름을 살펴 하나의 종류로 만드는 것이니, 함께하기를 이룬다.

김도(金濤) 「주역천설(周易淺說)」

愚按, 程傳下朱子所釋惟一條, 本義下朱子所釋又一條, 馮氏以下諸儒所釋又凡四條, 而皆合於大象之旨矣. 然而類族辨物之義, 最難分析, 程朱兩賢之見, 各有不同, 非後學之所可詳知也. 大概天之生物也, 无不覆燾, 火之燭物也, 无不均照. 君子法此象, 而知上達之義, 則天地萬物之情, 皆可以推測, 況類辨之事乎. 然則當何以哉. 格致之功立, 然後物理可辨, 下學之事盡, 然後上達可言, 君子可不知所務哉. 又曰, 大象之中有理一萬殊之義, 天與火同者, 理一也, 物各異形而族類不同者, 萬殊也. 君子苟能見物象之不同, 而究其理之一致, 則於爲學也, 何有.
내가 살펴보았다: 『정전』 아래에 주자가 풀이한 것은 오직 한 조목이고, 『본의』 아래에 주자가 풀이한 것도 또한 한 조목이며, 풍씨 이하 여러 학자들이 풀이한 것은 또한 모두 네 조목인데, 모두 「대상」의 뜻과 부합한다. 그러나 '류족변물(類族辨物)'의 뜻만은 분석하기가 가장 어려워서 정자와 주자라는 두 현인의 견해가 각각 같지 않으니, 후학들이 상세하게 알 수 있는 바가 아니다. 하늘이 사물을 낳을 때 덮어서 길러주지 않음이 없고, 불이 사물을 비출 때 골고루 비추어주지 않음이 없다. 군자가 이러한 상을 본받아 위로 통달하는 뜻을 안다면, 천지만물의 실정을 모두 추측할 수 있으니, 하물며 분류하고 분별하는 일에 있어서랴! 그렇다면 마땅히 무엇으로써 해야 하는가? 격물의 공을 세운 다음에 사물의 이치를 변별할 수 있으며, 아래로 사람의 일에 대해 배우기를 다 한 후에 위로 하늘의 일에 대해 통달함을 말할 수 있으니, 군자가 힘써야 할 바를 알지 못해서야 되겠는가? 또 "「대상」 가운데에는 '리(理)는 하나이지만 만 가지로 다르다[理一萬殊]'는 뜻이 있다"고 하였으니, 하늘이 불과 함께하는 것은 리가 하나이기 때문이고, 사물이 각각 형태가 다르고 종류를 종류대로 하여 함께하지 못하는 것은 만 가지로 다르기 때문이다. 군자가 진실로 함께하지 않는 사물의 상을 알아 일치하는 이치를 궁구할 수 있다면, 학업을 하는 데에 어떠한 어려움이 있겠는가?

이만부(李萬敷) 「역통(易統) · 역대상편람(易大象便覽) · 잡서변(雜書辨)」

君子小人.
군자와 소인.

䷌ 天火.
하늘이 위에 있고, 불이 아래에 있다.

이현익(李顯益) 「주역설(周易說)」

類族辨物, 以本義及張姓李姓牛類馬類靑底白底之說看, 馮氏及臨川吳氏之分言者, 非也. 〈朱子則以天與火爲同姓, 而類族辨物, 不分屬之, 俱爲審異致同之事. 然則以此分屬於天與火, 非朱子之意. 蓋大象所言, 固有二象之辨, 而渾淪說處, 亦多, 如此卦之類, 是也.〉

「대상」에서 말하는 '류족변물(類族辨物)'에 대해, 『본의』 및 『주자어류』에서 '장성(張姓)'과 '이성(李姓)', '소의 류(類)'와 '말의 류', '파란색'과 '하얀색'43) 등으로 풀이하는 설을 가지고서 살펴본다면, 풍씨 및 임천오씨가 분별하여 말한 것은 잘못되었다. 〈주자는 하늘과 불을 같은 성(性)으로 여기고 족을 분류하고 물을 분별하는 것은 분속하지 않았으니, 모두 다른 것을 살펴 같은 것에 이르도록 하는 일이다. 그렇다면 이러한 방법으로 '하늘과 불'에 대하여 분속하는 것은 주자의 생각이 아니다. 대체로 「상전」에서 말하는 바는 본래 두 가지 상에 대하여 변별함이 있지만 뒤섞여 말하는 곳도 또한 많으니, 이를테면 이런 괘의 종류가 여기에 해당한다.〉

심조(沈潮) 「역상차론(易象箚論)」

象, 類族, 辨物.

「상전」에서 말하였다: 족을 분류하고 물을 분별한다.

能辨者, 離明也.

분별할 수 있는 것은 리괘(離卦)의 밝음 때문이다.

先儒曰, 火之燭照也.

이전 유학자들이 말하였다: 불이 밝게 비추는 것이다.

○ 六二卦之主, 而陰爻分釋, 故爲類族辨物.

육이는 괘의 주인이고 음효는 나누어 풀이하기 때문에 "족을 분류하고 물을 분별한다"가 된다.

---

43) 『朱子語類』: "類族辨物", 言類其族, 辨其物. 且如靑底做一類, 白底做一類, 恁地類了時, 同底自同, 異底自異. 問: "'類族辨物', 如伊川說云: '各以其類族辨物之同異也.' 則是就類族上辨物否?" 曰: "'類族'是就人上說, '辨物'是就物上說. 天下有不可皆同之理, 故隨他頭項去分別. '類族', 如分姓氏, 張姓同作一類, 李姓同作一類. '辨物', 如牛類是一類, 馬類是一類. 就其異處以致其同, 此其所以爲同也. 伊川之說不可曉."

유정원(柳正源) 『역해참고(易解參攷)』

王氏曰, 君子小人各得所同.
왕필이 말하였다: 군자와 소인이 각기 함께하는 것을 얻는다.

○ 案, 天在上而火炎上, 理之所同也. 類其族而辨其物, 分之各殊也. 乾覆无私, 類聚所同, 萬殊而一本也, 離明有別, 辨析所異, 一本而萬殊也.
내가 살펴보았다: 하늘이 위에 있고 불이 위로 타오르는 것은 이치가 함께하는 것이다. 같은 종류를 종류대로 하여 사물을 분별하니, 분류가 각각 다른 것이다. 하늘[乾]은 만물을 덮어주면서 사사로움이 없어 같은 바를 종류대로 취하니, 갖가지로 다르지만 근본이 하나인 것이며, 불[離]은 밝음에 구별이 있어 다른 바를 나누어 변별하니, 근본은 하나이지만 만 가지로 다른 것이다.

김상악(金相岳) 『산천역설(山天易說)』

朱子曰, 類族是就人上說, 辨物是就物上說. 是人與人爲一類, 物與物爲一類也. 蓋同人者, 與人同也. 人與物不相雜, 爲同人也. 故卦爻皆以人事言之. 類族象乾之三陽, 辨物象離之一陰.
주자는 "'족을 분류한다'는 것은 사람으로 말하였으며, '물을 분별한다'는 것은 사물로 말하였다"고 하였다. 사람과 사람이 하나의 종류가 되고, 사물과 사물이 하나의 종류가 된다는 것이다. 동인이란 사람과 함께함이다. 사람이 사물과 서로 섞이지 않는 것은 사람들과 함께하기 때문이다. 그러므로 괘사와 효사에서 모두 사람의 일을 가지고 말하였다. 종류를 분류하는 것은 건괘(乾卦☰)에 있는 세 양을 상징하고, 사물을 분별하는 것은 리괘(離卦☲)에 있는 하나의 음을 상징한다.

서유신(徐有臣) 『역의의언(易義擬言)』

天與火, 其爲太陽之精, 同也, 其爲上升之性, 同也. 在下而能達於天者, 唯火光爲然也, 故曰天與火同人也. 天與火同人, 澤上有雷歸妹, 蓋就其已有卦名之後, 而但言同歸之象也. 類族者, 欲其和同也, 辨物者, 嫌其雷同也. 天與火同, 而非一物也. 天火皆明, 故類之辨之也.
하늘과 불은 그것들이 태양(太陽)의 정수이기 때문에 함께하고, 위로 올라가는 성질 때문에 함께한다. 아래에 있으면서 하늘에 도달할 수 있는 것은 불빛만 그렇기 때문에 "하늘과 불이 동인이다"라고 하였다. 「상전」에서 "하늘(☰)과 불(☲)은 동인(䷌)이다", "연못(☱) 위에 우레(☳)가 있는 것은 귀매(䷵)이다"[44]라고 한 것은 이미 괘의 이름이 있은 이후에 나아가서 단지 '동인'에서는 "함께한다"와 '귀매'에서는 "돌아온다"는 상을 말한 것이다. "족을 분류한다"는 것은 화합하여 함께하도록 하는 것이고, "물을 분별한다"는 것은 부화뇌동(附和雷同)[45]하는 것을 싫어하는 것이다. 하늘과 불은 함께하지만 하나의 사물은 아니다. 하늘과 불이 모두 밝기 때문에 분류하고 분별하는 것이다.

김귀주(金龜柱) 『주역차록(周易箚錄)』

象曰, 天與火同人, 云云.

「상전」에서 말하였다: 하늘과 불이 동인이니, 운운.

○ 按, 類族辨物, 所以卞其異, 何以合於同人之義也. 蓋物之不齊, 物之情也, 親疏貴賤大小精粗有許多般樣. 若必欲强同之, 則其弊將至於華夷無別, 人獸無分, 涇渭合流, 薰蕕同器, 而其所以異者, 則固自在也. 此莊周齊物之論, 卒不免爲異端之歸矣. 惟君子知理如是, 故必類其族而卞其物[46], 然後親親而仁民, 仁民而愛物. 分殊燦然而人與人同類, 物與物同類, 則其所以爲同者, 實莫大於此. 本義所謂審異而致同者, 然也. 近世儒者, 深主人物同具五常之說, 而反斥南塘先生所謂本然之性人與物不同, 而人與人同, 物與物同之論者, 蓋皆不識此義者也.

내가 살펴보았다: "족을 분류하고 사물을 변별한다"는 것은 다름을 변별하는 것이니, 어떻게 사람들과 함께하는 뜻과 합하겠는가? 사물이 가지런하지 않음은 사물의 실정이니, 친소·귀천·대소·정조 등 허다한 양태가 있다. 만약 이것들을 억지로 같게 하고자 한다면, 폐단은 중화와 오랑캐의 구별이 없고, 사람과 짐승의 구분이 없으며, 경수(涇水)의 흐린 물과 위수(渭水)의 맑은 물을 합치고, 향이 나는 풀과 누린내가 나는 풀을 같은 그릇에 담아두는 경우에 이를 것이니, 다른 것은 본래부터 있는 것이다. 이것이 장주(莊周)의 제물론이 끝내 이단으로 귀착되는 것을 벗어나지 못한 이유이다. 오직 군자만이 이치가 이와 같음을 알기 때문에, 반드시 그 종류끼리 모아서 사물을 분별한 후에 친한 사람을 친히 하여 백성들에게 인(仁)으로 대하고, 백성들에게 인으로 대하여 사물을 아끼는 것이다.[47] 구별이 명확하여 사람과 사람이 종류를 함께하고, 사물과 사물이 종류를 함께하니, 함께함이 되는 까닭이 실제

---

44) 『周易·歸妹卦』: 象曰, 澤上有雷歸妹, 君子以, 永終, 知敝.

45) 『禮記·曲禮』: 虛坐, 盡後, 食坐, 盡前. 坐必安, 執爾顏, 長者, 不及, 毋儳言, 正爾容, 聽必恭, 毋勦說, 毋雷同, 必則古昔, 稱先王.

46) 物: 경학자료집성DB에 '拘'로 되어 있으나, 경학자료집성 영인본을 참조하여 '物'로 바로잡았다.

47) 이러한 내용은 『맹자·진심(盡心)』에 다음과 같이 나온다. "孟子曰, 君子之於物也, 愛之而弗仁, 於民也, 仁之而弗親. 親親而仁民, 仁民而愛物."

로 이보다 큰 것이 없다. 『본의』에서 이른바 "나름을 실펴시 함께함에 도달한다"는 것이 그런 것이다. 근래의 학자들은 사람과 사물이 모두 오상(五常)을 함께 갖추고 있다는 설에 깊이 주목하여 도리어 남당(南塘) 한원진의 이른바 "본연지성은 사람과 사물이 함께하지 않으니, 사람과 사람이 함께하고 사물과 사물이 함께한다"[48]는 설을 배척하였으니, 모두 이러한 뜻을 알지 못했기 때문이다.

○ 天與火本是不同之物, 而謂之同者, 姑取其上升之性同耳. 若爲類族卞物, 則天與火, 亦當異處云爾, 則乃是以辭害意.
하늘과 불은 본래 같지 않은 사물인데도 같다고 한 것은 잠시 위로 올라가는 성질이 함께하는 것을 취했을 뿐이다. 만약 "류와 족으로 물을 분별한다[類族卞物]"라고 한다면, 하늘과 불도 다른 것이라고 해야 할 뿐이니, 이는 말로써 뜻을 해치는 것이다.

本義, 天在上, 云云.
『본의』에서 말하였다: 하늘은 위에 있고, 운운.
小註, 馮氏去非曰, 類族, 云云.
소주에서 풍거비가 말하였다: 족(族)을 분류함은, 운운.
○ 按, 此以類族卞物分屬天火, 甚未安. 且類族何以爲天之兼覆之象耶? 蓋類族卞物, 所以各致其同, 致其同者, 則天火同性之象也. 馮氏於此有所未瑩矣.
내가 살펴보았다: 이것은 족을 분류하고 사물을 분별하는 것으로 하늘과 불에 분속시킨 것이니, 매우 타당하지 않다. 또 어째서 '족을 분류함'을 하늘이 겸하여 덮고 있는 상으로 여기는가? 족을 분류하고 물을 분별하기 때문에 각각 같음에 도달하니, 같음에 도달한다는 것은 하늘과 불은 성질의 상이 같다는 것이다. 풍씨는 이에 대하여 아직 분명하게 이해하지 못한 점이 있다.

臨川吳氏曰, 天之, 云云.
임천오씨가 말하였다: 하늘이, 운운.
○ 按, 法乾覆無私云云, 與馮去非同病. 異中之同, 同中之異, 亦說得未瑩. 蓋類族卞物, 皆是異中之同. 類族就人上說, 以張姓與李姓對言, 則爲異, 而張姓與張姓, 李姓與李姓, 則爲同也. 卞物就物上說, 以牛與馬對言, 則爲異, 而午與午, 馬與馬, 則爲同也. 何謂類族獨爲異中之同, 而卞物乃爲同中之異耶.
내가 살펴보았다: 하늘[乾]이 세상을 사사로움 없이 덮음을 본받는다고 했는데, 이것은 풍거비와 함께 잘못되었다. 다름 속의 같음과 같음 속의 다름이라는 것도 설명이 분명하지 않다.

48) 『南塘先生文集·題寒泉詩後[又書]』 참조.

'류족변물(類族卞物)'이란 모두 다른 것 가운데 같은 것을 말한다. "족을 분류하다"란 사람으로 말하였으니, 장씨 성과 이씨 성으로 짝하여 말한다면 다른 것이며, 장씨 성과 장씨 성, 혹은 이씨 성과 이씨 성끼리를 짝하여 말한다면 같은 것이다. "물을 분별한다"는 사물로 말하였으니, 소와 말을 짝하여 말한다면 다른 것이며, 소와 소 혹은 말과 말끼리 짝하여 말한다면 같은 것이다. 어째서 "족을 분류하다"는 것만이 다른 것 중에서 같은 것이겠으며, "물을 분별한다"는 것이 같은 것 중에서 다른 것이겠는가?

東坡蘓氏曰, 水之, 云云.
동파소씨가 말하였다: 물이, 운운.
○ 按, 此云以有所不同爲同者, 亦恐錯說, 當曰, 就有所不同處, 而各致其同也.
내가 살펴보았다: 여기서 "함께하지 않은 바가 있음으로 함께한다"라고 말한 것은 아마도 잘못된 말인 듯하니, "같지 않음이 있는 것으로 각각 그 같음에 도달해야 한다"고 말해야 할 것이다.

박제가(朴齊家) 『주역(周易)』

大象, 類族辨物.
「대상」에서 말하였다: 족을 분류하고 물을 분별한다.

傳義, 辨物之類族, 朱子謂類其族, 辨其物, 當從朱義. 蓋類族辨物之必於同人之象者, 何也. 所以明人類之特異於物也. 子曰天地之性, 人爲貴, 而孟子所稱人性之獨善, 蓋取諸同人可知矣.
『정전』에서 말한 물을 분류하는 류와 족에 대해서, 주자는 족을 분류하고 물을 분별한다고 하였으니, 주자의 뜻을 따라야 한다. "족을 분류하고 사물을 분별한다"는 것을 굳이 동인의 상에서 행하는 것은 무엇 때문인가? 사람의 종류가 사물과 특별히 다른 것을 밝히기 위함이다. 공자가 "천지 사이의 성(性) 중에서 사람이 귀하다"[49]라고 하고, 맹자가 "사람의 성만이 선하다"라고 한 말은 동인에서 취한 것임을 알 수 있다.

卦名同人, 而先儒多說同義, 不說人義. 象云通天下之志者 人志也, 非物志也. 聖人見同人之象, 而惟恐其或同於物也, 於是乎必類其族. 莊周之齊物, 佛氏所謂蠢動含靈, 皆有佛性者, 觀於類族辨物之象, 可以知其所離矣.

---

49) 이러한 구절은 『효경(孝經)·성치장(聖治章)』에 다음과 같이 나온다. "曾子曰, 敢問聖人之德無以加於孝乎. 子曰, 天地之性, 人爲貴. 人之行莫大於孝, 孝莫大於嚴父. 嚴父莫大於配天, 則周公其人也."

괘의 이름이 동인(同人)이이시 이전의 유학자들은 동(同)의 뜻에 대해서는 대부분 설명하였지만, 인(人)의 뜻에 대해서는 설명하지 않았다. 「단전」에서 "천하의 뜻에 통한다"고 한 것은 인(人)의 뜻이지 사물의 뜻이 아니다. 성인은 동인의 「단전」을 보고서 혹 사물과 함께할까 염려하여, 이에 반드시 그 종류를 분류해야 한다고 했던 것이다. 장주의 제물(齊物)과 부처의 이른바 "움직이면서 영혼이 있는 것은 모두 불성을 가지고 있다"[50]고 한 말을 "족(族)을 분류하고 물(物)을 분별한다"는 상에서 보면, 그것이 멀리 벗어나 있음을 알 수 있다.

朱子曰, 類族是就人上說, 辨物是就物上說. 然物者對人而言者也, 族者, 當通人物看. 如禽謂羽族 則族義可見. 厚齋馮氏曰, 士大夫之族爲士大夫, 農之族爲農, 工商之族爲工商, 此類族也. 此當於士民, 不通上說, 非此卦之旨. 同人于宗, 已涉黨, 故爲吝. 何況作此九品中正之論耶.

주자는 "'족을 분류한다'란 사람으로 말하였으며, '물을 분별한다'란 사물로 말하였다"라고 하였다. 그런데 물은 사람과 상대해서 말한 것이고, 족은 사람과 사물을 통틀어서 보아야 하는 것이다. 이를테면 날짐승을 날개가 있는 종류라고 했다면, 족의 의미를 알 수 있다. 후재풍씨[51]는 "사대부의 종류는 사대부가 되고 농민의 종류는 농민이 되며 상공인의 종류는 상공인이 되니, 이것이 족을 분류하는 것이다"라고 하였다. 이것은 사와 민에는 해당하지만, 위의 주자설과는 통하지 않으니, 이 괘의 뜻은 아니다. '사람들과 함께하기를 종친(宗親)의 무리끼리 하여'는 이미 편당과 관련이 되기 때문에 "부끄럽다"고 하였다. 그런데 하물며 이러한 구품중정(九品中正)[52]의 논의를 하겠는가?

윤행임(尹行恁) 『신호수필(新湖隨筆)·역(易)』

類族辨物, 亦一分辨人物之大關棙, 族則人也, 物則萬物也. 故朱子曰, 天下有不可皆同之理. 所謂理者, 性也. 人之族以類而人與人同, 物之類以辨而物與物同, 是謂大同. 同中有異, 異處有同, 同者, 不可以强分也, 異者, 不可以强合也. 莫不有本然者存焉.

"족을 분류하고 물을 분별한다"는 것 또한 사람과 사물을 분별하는 하나의 핵심적인 관건이니, '족(族)'은 사람이고 '물(物)'은 만물이다. 그러므로 주자는 "천하에는 모두 함께할 수 없는 이치가 있다"고 하였다. 이른바 리(理)란 성(性)이다. 사람이라는 종류를 분류대로 하면

50) 이러한 구절은 송나라 홍매(洪邁)가 지은 『용재속필(容齋續筆)·지주결망(蜘蛛結網)』에 보인다.
51) 풍후재(馮厚齋): 남송의 역학자 풍의(馮椅)이다. 자는 의지(儀之), 호는 후재(厚齋)이다. 풍거비(馮去非)의 아버지이다. 주진(朱震)으로부터 학문을 배웠다. 박학다식하여 저술도 많았으나 오직 『후재역학(厚齋易學)』 52권만이 사고전서에 실려 있다.
52) 구품중정(九品中正): 중국 위진 남북조 시대의 관리 등용 제도.

사람과 사람이 함께하고, 사물이라는 종류를 분별하면 사물과 사물이 함께하니, 이것이 크게 함께하는 것이다. 함께하는 것 가운데에 다름이 있고 다른 곳에 함께하는 것이 있으니, 같은 것은 억지로 나눌 수 없고, 다른 것은 억지로 합할 수 없으니, 본래 그러한 것이 있지 않음이 없기 때문이다.

박문건(朴文健) 『주역연의(周易衍義)』

本義曰, 類族辨物, 所以審異而致同也.
『본의』에서 말하였다: "족을 분류하고 물을 분별함"은 다름을 살펴서 함께함에 도달하는 것이다.
〈問, 天與火, 何謂同人. 曰天火, 非人類而謂之同人者, 據人事上而言也.
물었다: 하늘과 불을 어째서 동인이라고 합니까?
답하였다: 하늘과 불은 사람의 종류가 아닌데 동인이라고 말한 것은 사람의 일에 근거하여 말했기 때문입니다.〉

이지연(李止淵) 『주역차의(周易箚疑)』

民之秉彝, 好是懿德, 惟知道之君子, 然後知其然矣. 炎上者與在上者, 類而族也. 天是在上之陽物, 物之大者也, 火是在下之陽物, 物之小者也.
"백성들이 떳떳함을 잡음이여, 아름다운 덕을 좋아한다"고 하였으니, 오직 도를 아는 군자가 된 후에 그러함을 안다. 불타오르는 것과 위에 있는 것은 종류끼리 모여서 같은 종류이다. 하늘은 위에 있는 양의 사물이고 사물 중에서도 큰 것이며, 불은 아래에 있는 양의 사물이고 사물 중에서도 작은 것이다.

김기례(金箕澧) 「역요선의강목(易要選義綱目)」

君子以, 類族, 辨物.
군자는 이를 본받아서 족을 분류하고 사물을 분별한다.

君子, 則以君子爲類, 馬牛, 則謂馬牛以辨.
군자라면 군자를 종류로 하고, 말과 소라면 말과 소로 분별함을 말한다.

이항로(李恒老) 「주역전의동이석의(周易傳義同異釋義)」

傳, 以類族辨物, 各以其類族, 辨物之同異也.

『정전』에서 말하였다: 류와 족으로써 사물을 분별하니, 각각 그 류와 족으로써 사물의 같고 다름을 분별한다.

本義, 類族辨物, 所以審異致同也.
『본의』에서 말하였다: "족을 분류하고 물을 분별함"은 다름을 살펴서 함께함에 도달하는 것이다.

按, 此義得失, 小註朱子說已悉矣. 蓋族與物貼同人之人字, 類與辨解同人之同字, 曰審異而致同. 凡天下之物小異而大同. 如太極生兩儀四象八卦, 而各自不同以至百千萬億面貌, 各殊性情不類, 是所謂異也. 形形各具一太極, 物物同出一太極, 是所謂同也. 君子審其異而義以裁之, 使天地萬品各得其所, 而不相亂焉, 致其同而仁以敦之, 使天下億兆之心統會于一, 而不相離焉. 喜同而惡異, 則天下之情流於和附, 而无謇諤規正之風, 尙異而賤同, 則天下之言局於偏私, 而无渙群光大之象矣, 豈同人之云哉?
내가 살펴보았다: 이러한 뜻의 잘잘못은 소주에 있는 주자의 설명에 이미 자세히 기술되어 있다. '종류[族]'와 '사물[物]'은 '동인(同人)'에서의 '인(人)'자와 관계시키고, '분류[類]'와 '분별[辨]'은 '동인'에서의 '동(同)'자를 풀이하여 "다름을 살펴서 함께함에 도달하는 것이다"라고 하였다. 천하의 사물은 작게는 다르지만 크게는 같다. 이를테면 태극이 양의 · 사상 · 팔괘를 낳는데, 각기 함께하지 않음에서 엄청나게 많은 모습에 이르고, 각기 성정을 달리하여 모이지 않으니, 이것이 이른바 다른 것이다. 형체마다 각기 하나의 태극을 갖추고 사물마다 함께하여 하나의 태극에서 나왔으니, 이것이 이른바 함께하는 것이다. 군자는 다름을 살피고 의(義)로써 제재하여 천지 만물이 각각 마땅한 곳을 얻고 서로 어지럽게 되지 않도록 하고, 함께함에 도달하고 인(仁)으로써 돈독하게 하여 천하의 모든 백성들의 마음이 하나로 전부 모여 서로 떨어지지 않도록 한다. 함께함을 기뻐하고 다름을 싫어한다면, 천하의 마음이 동조하는 데로 흘러가 거리낌 없이 바른 말을 하고 바름을 모범으로 하는 풍속이 없어질 것이고, 다름을 숭상하고 함께함을 천하게 여긴다면, 천하의 말은 편협한 사사로움에 국한되어 흩어져서 무리를 이루는 광대한 상[53]이 없어질 것이니, 어찌 동인이라고 말하겠는가?

심대윤(沈大允) 『주역상의점법(周易象義占法)』

族, 同類也, 物, 萬物也. 類其族, 則物自辨, 小同而大分也. 類族象乾之氣同類也, 辨物象离之明而麗也. 乾爲族, 离爲物. 乾之變自兌, 而离兌爲辨. 九象皆先貞後悔, 而

53) 『周易 · 渙卦』: 六四, 渙, 其群. 元吉, 渙, 有丘, 匪夷所思; 象曰, 渙其群元吉, 光大也.

此獨先悔後貞, 來詳其義.
'족(族)'은 같은 종류이며, '사물[物]'은 만물이다. 같은 종류를 분류하면 만물은 저절로 분별되니, 작게는 같아지고 크게는 나누어진다. 같은 종류를 분류하는 것은 건괘의 기(氣)가 같은 부류임을 본뜬 것이고, 사물을 분별하는 것은 리괘(離卦)의 밝고 빛남을 본뜬 것이다. 건(乾)은 같은 종류이며 리(離)는 만물이다. 건괘(乾卦☰)는 태괘(兌卦☱)에서 변하였고, 리괘와 태괘는 분별하는 것이다. 구(九)의 상은 모두 곧음을 먼저하고 뉘우침을 뒤로 하는데, 여기에서만 뉘우침을 먼저하고 곧음을 뒤로 하였으니, 래지덕이 그 뜻을 상세히 밝혔다.

오치기(吳致箕) 「주역경전증해(周易經傳增解)」

天道上行, 火性炎上, 相與之同, 故曰天與火而爲同人之象. 君子觀其象, 凡各族之殊者, 則于其族而類之, 庶物之同者, 則于其物而辨之也, 亦似天之廣覆而類萬族, 火之明照而辨庶物也.
하늘의 도는 위에서 유행하고 불의 성질은 타오르니, 서로 같이 함께하기 때문에 하늘이 불과 함께해서 동인의 상이 된다고 했다. 군자가 상을 관찰하여 각 종류의 다른 것은 그 종류에서 그것을 분류하고, 여러 사물 중에서 같은 것은 그 사물에서 분별하니, 또한 하늘이 넓게 덮어주지만 갖가지의 족을 분류하고, 불이 밝게 비추지만 여러 사물들을 분별하는 것과 비슷하다.

이진상(李震相) 『역학관규(易學管窺)』

馮氏曰, 類族如天之兼覆, 辨物如火之燭照.
풍거비가 말하였다: '족을 분류함'이란 하늘이 겸하여 덮는 것과 같고, '물을 분별함'은 불이 밝게 비추는 것과 같다.

박문호(朴文鎬) 「경설(經說)·주역(周易)」

類族辨物, 上下之釋不可異同. 小註朱子所云類其族辨其物, 恐是也. 類族言分類其族也, 凡此等處當以文勢斷之.
'류족변물(類族辨物)'은 앞뒤로 풀이가 달라서는 안 된다. 소주에서 주자가 "족을 분류하고 물을 분별한다"라 하였으니 옳은 것 같다. '류족(類族)'이란 종류를 분류한다는 말이다. 이와 같은 곳에서는 문세(文勢)로써 판단하여야 한다.

初九, 同人于門, 无咎.

초구는 사람들과 함께하기를 문 밖에서 하니, 허물이 없다.

中國大全

傳

九居同人之初而无係應, 是无偏私, 同人之公者也. 故爲出門同人. 出門謂在外. 在外則无私昵之偏, 其同博而公. 如此則无過咎也.

구(九)가 동인괘의 처음에 있으면서 매이거나 응함이 없으니 이것은 치우치거나 사사로움이 없어 사람들과 함께함에 공정한 자이다. 그러므로 문을 나가 사람들과 함께하는 것이다. 문을 나간다는 것은 밖에 있음을 말한다. 밖에 있으면 사사롭게 친하게 하는 치우침이 없어 함께함이 넓고 공정하다. 이와 같이 하면 잘못과 허물이 없다.

本義

同人之初, 未有私主, 以剛在下, 上无係應, 可以无咎. 故其象占如此.

동인괘의 처음에는 사사로이 주장함이 없고, 굳셈으로 아래에 있으면서 위로는 매이거나 호응함이 없으니, 허물이 없을 수 있다. 그러므로 괘의 상과 점이 이와 같다.

小註

節齋蔡氏曰, 同人之始, 出門卽同, 未見遠近廣狹之情, 故无咎.

절재채씨가 말하였다: 동인괘의 처음에는 문을 나가면서 바로 함께하여 멀고 가깝고 넓고 좁은 실정을 아직 알지 못하기 때문에 허물이 없다.

○ 建安丘氏曰, 兩戶爲門. 陰畫偶, 有門之象. 同人隨之初九, 節之九二, 皆前遇偶, 故謂之門. 一扇爲戶, 陽畫奇, 有戶之象. 節之初九, 亦前遇奇, 故謂之戶. 戶一而門二也.
건안구씨가 말하였다: 두 개의 홑 문으로 만든 것이 문이다. 음의 획은 짝[--]으로 되어 있으니, 문의 상이 있다. 동인괘(同人卦䷌)·수괘(隨卦䷐)의 초구와 절괘(節卦䷻)의 구이는 모두 앞에서 짝[--]으로 된 것을 만나기 때문에 문이라고 하였다. 하나의 문짝이 홑 문[戶]이고, 양의 획은 홀[−]로 되어 있으니, 홑 문의 상이 있다. 절괘(節卦䷻)의 초구도 앞에서 홀[−]로 된 것을 만나기 때문에 홑 문이라고 하였다. 홑 문은 문이 하나이고, 문은 문이 두 개이다.

○ 雲峯胡氏曰, 同人與隨之初, 皆易溺於私. 隨必出門, 而後可以有功. 同人必出門而後可以无咎. 蓋易以人名卦者有二, 卦名家人, 一家之人也, 卦名同人, 天下之人也. 門以內所同者, 一家之人而已, 六二同人于宗是也. 出門同人, 所同者, 一國之人也. 天下之人也. 卦辭同人于野是也.
운봉호씨가 말하였다: 동인괘(同人卦䷌)와 수괘(隨卦䷐)의 초효는 모두 쉽게 사사로움에 빠진다. 수괘(隨卦䷐)는 반드시 문을 나간 후에 공이 있을 수 있다.[54] 동인괘(同人卦䷌)는 반드시 문을 나간 후에 허물이 없을 수 있다. 『주역』에서는 '인(人)'자를 가지고 괘에 이름을 붙인 경우가 둘 있으니, 괘의 이름을 가인(家人䷤)이라고 한 괘는 한 집안의 사람을 뜻하고, 괘의 이름을 동인(同人䷌)이라고 한 괘는 천하의 사람을 뜻한다. 문 안에서 함께하는 자들은 한 집안의 사람일 뿐이니, 육이에서 "사람들과 함께하기를 종친의 무리끼리 한다"라는 것이 여기에 해당한다. "문을 나가 사람들과 함께한다"에서 함께하는 자들은 한 나라의 사람이고, 천하의 사람이다. 「괘사」에서 "들에서 사람들과 함께한다"라는 것이 여기에 해당한다.

‖韓國大全‖

송시열(宋時烈) 『역설(易說)』

門者, 限側也. 隨之初爻有艮象. 艮爲門闕, 而此則無之, 但以內外限閾言耶. 今之卜筮, 以四爻謂之門爻者, 亦此意耶. 蓋與四爻俱是陽爻, 故曰同人于門.

54) 『周易·隨卦』: 初九, 官有渝, 貞, 吉, 出門交, 有功.

문이란 한 측면으로 경계 짓는 것이다. 수괘(隨卦䷐)의 초효에는 간괘(艮卦☶)의 상이 있다. 간괘는 대궐의 문이 되지만 여기에는 이와 같은 것이 없으니, 단지 내외의 경계로 말하였을 것이다. 요즘 점을 칠 때에 사효를 문의 효라고 말하는 것도 이런 뜻일 것이다. 사효와 함께 모두 양효이기 때문에 "사람들과 함께하기를 문 밖에서 한다"고 하였다.

이익(李瀷) 『역경질서(易經疾書)』

本乎天者親上, 本乎地者親下. 火陽物, 水陰物. 火親於天, 則爲同人, 水親於地, 則爲比, 其義均也. 族者, 氣類相親也, 物者, 他物也. 觀火必親上, 水必親下 則可以類族, 觀上下不相混 則可以辨物.

하늘에 근본 하는 것은 위와 친하고, 땅에 근본 하는 것은 아래와 친하다.[55] 불은 양의 사물이고 물은 음의 사물이다. 불이 하늘과 친한 것은 동인괘이고, 물이 땅과 친한 것은 비괘(比卦䷇)이니 그 뜻이 같다. '종류[族]'는 기(氣)가 같은 것이어서 서로 친한 것이며, '물(物)'이란 다른 사물이다. 불이 반드시 위와 친하고 물이 반드시 아래와 친한 것을 보면, 같은 종류끼리 모을 수 있고, 위와 아래가 서로 섞이지 않는 것을 보면, 사물을 분별할 수 있다.

于門, 出門也. 子曰, 出門如見大賓, 凡門內之治, 不與于同人也. 父子兄弟夫婦, 同則同矣, 不離於己私, 故以出門爲始. 同人重在二五中正相應. 初無正應, 必從二而同於五, 故曰出門, 與隨二互發.

'문에서'는 문을 나간다는 것이다. 공자가 "문을 나가서는 큰 손님을 뵙듯이 공경한다"[56]라고 하였으니, 문 안에서의 다스림은 사람들과 함께함에 관여되지 않는다. 부자 · 형제 · 부부는 함께하면 함께하지만 자기의 사사로움에서 벗어나지 못하기 때문에 문을 나가는 것을 시작으로 삼았다. 동인괘의 중점은 이효와 오효가 중정으로 상응함에 있다. 그런데 초효는 바르게 호응함이 없어 반드시 이효를 따라 오효와 함께하기 때문에 "문을 나간다"고 말하였으니, 수괘(隨卦䷐) 이효[57]와 서로 뜻을 드러내준다.

유정원(柳正源) 『역해참고(易解參攷)』

案, 初九變艮, 艮有門之象. 宋祖洞開重門曰, 此如我心, 小有邪曲, 人皆見之, 政合此爻之象.

---

55) 『周易 · 文言傳』: 聖人作而萬物覩, 本乎天者, 親上, 本乎地者, 親下, 則各從其類也.

56) 『論語 · 顔淵』: 仲弓問仁. 子曰, 出門如見大賓, 使民如承大祭.

57) 『周易 · 隨卦』: 六二, 係小子, 失丈夫.

내가 살펴보았다: 초구가 변해 간괘(艮卦☶)이니, 간괘에는 문의 상이 있다. 송나라 태조가 여러 문들을 활짝 열어놓고 "이것은 내 마음과 같으니 약간이라도 사특함과 치우침이 있다면 사람들이 모두 볼 것이다"[58]라고 하였으니, 바로 여기에서의 효의 상과 부합한다.

김상악(金相岳) 『산천역설(山天易說)』

于門者, 謂于門外也. 初九居離之下, 變而居无位之地. 剛而得正, 无所偏私, 故能同人于門而无咎也.

'문에서'란 '문 밖에서'를 말한다. 초구는 리괘(離卦☲)의 아래에 있으니, 변하더라도 지위가 없는 곳에 있다. 굳세면서 바름을 얻어 치우쳐 사사롭게 하는 바가 없기 때문에, 문 밖에서 사람들과 함께하더라도 허물이 없을 수 있다.

○ 門, 離之陰偶也. 卦變而居外于門之象, 傳又言出. 隨下卦, 亦互離體, 而初變居下, 曰出門交, 二爻皆謹於出門之始, 故不苟同, 不詭隨也.

문은 리괘(離卦☲)에서 음이 짝[--]으로 되어 있는 것이다. 괘가 변하여 문 밖에 있는 상이므로, 「상전」에서 또 "나간다"고 하였다. 수괘(隨卦䷐)의 하괘도 호괘가 리괘(離卦☲)의 몸체이고, 초효가 변하여 아래에 있으니 "문을 나가 사귄다"[59]고 하였으니, 두 효가 모두 문을 나서기 시작할 때 삼가기 때문에 구차하게 함께하지 않고 무작정 따르지 않는다.

김규오(金奎五) 「독역기의(讀易記疑)」

初九, 只言同人于門, 而象云出門. 蓋二偶爲門, 而初則門之內也. 初欲比二, 則自成出門矣. 爻雖在初, 而其意在二, 如同人于宗, 宗實指五, 而同之者, 乃二也.

초구에서 단지 "사람들과 함께하기를 문 밖에서 한다"라고 하였고, 「상전」에서 "문을 나간다"라고 하였다. 육이가 짝[--]으로 되어 있는 것이 문이니, 초효는 문의 안쪽이다. 초효가 이효와 친하고자 하니, 스스로 문을 나가게 된다. 효가 비록 처음에 있지만 마음이 이효에 있으니, 이효의 "사람들과 함께하기를 종친의 무리끼리 한다"는 것에서 '종친[宗]'은 실제로 오효를 가리키고, 함께하고 있는 것이 바로 이효이다.

서유신(徐有臣) 『역의의언(易義擬言)』

58) 『宋史 · 太祖』: 御正殿坐令洞開諸門, 謂左右曰, 此如我心, 少有邪曲, 人皆見之.

59) 『周易 · 隨卦』: 初九, 官有渝, 貞, 吉, 出門交, 有功.

同人于門, 猶云開同人之門. 同人之始, 故有此象也. 四爲門也. 同於門外之人, 宜无偏係之咎也. 初之應四爲咎, 而在同人, 則爲開門同人之義, 故无咎也.
"사람들과 함께하기를 문 밖에서 한다"는 "사람들과 함께하는 문을 연다"고 말하는 것과 같다. 동인괘의 시작이기 때문에 이러한 상이 있다. 사효는 문이 된다. 문 밖에 있는 사람들과 함께하니, 당연히 치우쳐 얽매이는 허물이 없다. 초효가 사효와 호응하는 것은 허물이지만 사람들과 함께하는 데에 있는 것은 문을 열어 사람들과 함께하는 뜻이기 때문에 허물이 없다.

박문건(朴文健) 『주역연의(周易衍義)』

出而欲遇, 故有同人門之象. 不失其爲下之道, 故无咎.
나가서 만나고자 하기 때문에 사람들과 함께하는 문의 상이 있다. 아랫사람의 도리를 잃지 않기 때문에 허물이 없다.

이지연(李止淵) 『주역차의(周易劄疑)』

好而知其惡, 惡而知其美, 卽出門同人之道也.
좋아하지만 그의 나쁜 점을 알고, 싫어하지만 그의 좋은 점을 아는 것이 바로 문을 나가 사람들과 함께하는 도이다.

김기례(金箕澧) 「역요선의강목(易要選義綱目)」

坤爲闔戶, 故易中陽前有陰處, 多謂之門.
곤괘(坤卦)는 출입문이기 때문에 『주역』에서 양 앞에 음이 있는 것은 대부분 문이라고 말하였다.

○ 門內, 卽家內. 出門, 則遠可爲天下, 近可爲野外. 君子不同人于家內而同人于門外, 可謂大同, 无私暱也.
문안은 곧 집안이다. 문을 나가면 멀게는 천하, 가깝게는 야외라 할 수 있다. 군자가 집안에서 사람들과 함께하지 않고 문 밖에서 사람들과 함께하니, 함께함을 크게 하여 사사롭게 친함이 없다고 말할 만하다.

○ 易中合无咎, 九十九, 多補過之辭.

『주역』에서 "허물이 없다"라는 말을 모두 합치면 아흔 아홉 번 나오는데, 대부분 잘못을 바로잡아 고친다는 말이다.

허전(許傳) 「역고(易考)」

門, 指六二也. 耦坼爲二, 有門之象. 同人于門, 言同于六二之人也.
문은 육이를 가리킨다. 짝[--]으로 갈라져 둘이 되니 문의 상이 있다. "사람들과 함께하기를 문 밖에서 한다"는 육이라는 사람들 속에서 함께한다는 말이다.

심대윤(沈大允) 『주역상의점법(周易象義占法)』

同人之道, 莫如交友之爲切近, 故同人之六爻, 以交友言之也. 同人之爻, 位居剛求同於人者也, 居柔有所不同也.
사람들과 함께하는 도로 벗을 사귀는 것처럼 절실하고 가까운 것이 없기 때문에 동인괘의 여섯 효는 벗을 사귀는 것으로 말한다. 동인의 효는 자리가 굳센 곳에 있으면 사람들과 함께하기를 구하고, 유순한 곳에 있으면 함께하지 못하는 바가 있다.

同人之遯䷠, 舍舊從新也, 初九, 以剛居剛, 求同于人, 當同人之初. 舍其家人而出求於外, 三十出遊遜友視志, 是也. 艮爲門.
동인괘가 돈괘(遯卦䷠)로 바뀌었으니, 옛 것을 버리고 새로운 것을 따른다. 초구가 굳셈으로 굳센 자리에 있어 사람들과 함께하기를 구하니, 동인의 처음에 해당하는 것이다. 가족을 버리고 밖으로 나가 구하니, 나이 30세에 나가 돌아다니며 벗과 함께하는 그 뜻을 살핀다[60]는 것이 이것이다. 간괘는 문이다.

오치기(吳致箕) 「주역경전증해(周易經傳增解)」

初九, 以剛居剛, 在下无位, 當同人之初. 外无應與, 而切比於六二之柔, 宜若有偏係之咎. 然陽剛而得正, 无私昵之累, 出門而廣同, 有大公之志, 故言无咎也.
초구는 굳셈으로 굳센 자리에 있고 아래에 있으며 지위가 없으니, 동인의 처음에 해당한다. 밖으로 호응하여 함께하는 것이 없고 육이의 유순함과 매우 가까이 하니, 당연히 한 쪽으로 치우쳐 얽매이는 허물이 있을 듯하다. 그러나 양으로 강하면서 제자리를 얻어 사사롭게 친

60) 『禮記注疏 · 內則』: 三十而有室, 始理男事, 博學無方, 孫友視志.

한 얽매임이 없고, 문을 나서 함께함을 넓게 하여 크게 공정한 뜻이 있기 때문에 "허물이 없다"고 말하였다.

○ 門取爻變之艮 而亦以兩扇爲門, 故取前有耦爻, 爲門之象. 他卦倣此.
문은 효가 변하여 간괘(艮卦☶)로 된 데에서 취하였고, 또 두 쪽으로 된 것이 문이기 때문에 앞에 짝[--]으로 된 효를[61] 가지고 문의 상으로 삼았다. 다른 괘에서도 이와 같다.

이진상(李震相) 『역학관규(易學管窺)』

上承一陰門象, 而爻變成艮, 艮爲門. 離體炎上, 而同德在外, 有出門之義. 未出門, 則疑於有咎, 而得道, 故无咎.
위로 하나의 음인 문의 상을 잇고 있는데, 효가 변하여 간괘(艮卦☶)가 되니, 간괘는 문이다. 리괘(離卦)의 몸체가 타오르고 있는데, 함께하는 덕이 밖에 있으니, 문을 나가는 뜻이 있다. 아직 문을 나가지 않았다면 허물이 있는 것으로 의심되지만, 도를 얻었기 때문에 허물이 없다.

61) 『周易 · 繫辭傳』: 陽卦, 奇, 陰卦, 耦.

象曰, 出門同人, 又誰咎也.

「상전」에서 말하였다: 문을 나가 사람들과 함께함을 또 누가 허물하겠는가?

中國大全

傳

出門同人于外, 是其所同者廣, 无所偏私. 人之同也, 有厚薄親疏之異, 過咎所由生也, 旣無所偏黨, 誰其咎之.

문을 나가 밖에서 사람들과 함께함은 함께하는 바가 넓어서 치우치거나 사사로운 바가 없다. 사람이 함께할 때에 두텁게 하고 얇게 하며 친하게 하고 소원하게 하는 차이가 있으면 잘못과 허물이 이로 인해서 생겨나지만, 이미 치우치고 사사로운 무리를 짓지 않는다면 누가 허물하겠는가?

小註

朱子曰, 易中所謂又誰咎也自有三箇, 而其義則有兩樣. 如不節之嗟與自我致寇言之, 則謂咎皆由己, 不可咎諸人. 如出門同人言之, 則謂人誰有咎之者矣. 以此見古人立言, 有用字雖同, 而其義則不同.

주자가 말하였다: 『주역』에서 이른바 "누가 허물하겠는가?"라고 한 부분은 본래 세 군데가 있지만, 그 뜻에는 두 가지 양상이 있다. 예를 들어 "절제하지 못한 한탄"[62]과 "나로부터 도적들을 불렀다"[63]라고 말할 때에는 허물이 모두 자신으로부터 말미암아 다른 사람에게 허물할 수 없음을 말한다. 또 예를 들어 "문을 나가서 사람들과 함께한다"라고 말할 때에는 사람들 중에서 누가 허물하는 경우가 있겠는가라는 말이다. 이로써 옛사람이 말을 할 때에, 쓰는 글자가 같을지라도 그 뜻이 다르다는 것을 알 수 있다.

62) 『周易 · 節卦』: 象曰, 不節之嗟, 又誰咎也.
63) 『周易 · 解卦』: 象曰, 負且乘, 亦可醜也, 自我致戎, 又誰咎也.

○ 誠齋楊氏曰, 門室之始, 初九同人之始. 吾與人曷嘗不同. 隔之者門也, 吾一出門, 則天地四方, 孰不吾同者, 何咎之有.
성재양씨가 말하였다: 문은 집의 시작이고 초구는 동인괘의 시작이다. 내가 사람들과 어찌하여 함께하지 않았던 것인가? 나누는 것이 문이니, 내가 일단 문을 나서기만 한다면 천지사방에서 누가 나와 함께하지 않겠으며 무슨 허물이 있겠는가?

○ 雷氏曰, 同人于門, 亦吝道也. 故釋之曰出門同人, 則通而不狹矣.
뇌씨가 말하였다: "사람들과 함께하기를 문 밖에서 한다"라는 것도 인색한 도이다. 그러므로 『정전』에서 "문을 나가 사람들과 함께한다"라 풀었으니, 통하면서도 협소하지 않다.

韓國大全

송시열(宋時烈) 『역설(易說)』

小象, 又誰咎者, 誰能咎我之謂也.
소상에서 "또 누가 허물하겠는가?"라고 한 말은 "누가 나에게 허물할 수 있겠는가?"라는 뜻이다.

김상악(金相岳) 『산천역설(山天易說)』

門以內, 卽一家之人, 門以外, 卽天下之人也. 故必出門而同, 不累於私繫. 同人而能如是 又誰咎也.
문 안으로는 한 집안의 사람들이며, 문 밖으로는 천하의 사람들이다. 그러므로 반드시 문을 나가서 함께하면 사사롭게 얽매이는 데에 묶이지 않는다. 사람들과 함께하면서 이와 같이 할 수 있다면, 또한 누가 허물하겠는가?

서유신(徐有臣) 『역의의언(易義擬言)』

同於外, 故曰出門也. 同於四, 亦不可咎也.
밖에서 함께하기 때문에 "문을 나간다"고 하였다. 사효와 함께하니, 또한 허물할 수가 없다.

김귀주(金龜柱) 『주역차록(周易箚錄)』

傳, 出門人同[64], 云云.

『정전』에서 말하였다: 문을 나가 밖에서 사람들과 함께함은, 운운.

小註, 誠齋楊氏曰, 門室, 云云.

소주에서 성재양씨가 말하였다: 문은 집의 시작이고, 운운.

○ 按, 門室之始云云, 恐涉附會其下天地四方. 天地字, 亦說得太濶, 無當於同人之義.

내가 살펴보았다: '문은 집의 시작'이라고 말한 부분은 아마도 그 아래에서 '천지사방'이라는 말을 억지로 끌어들여 설명하고자 하는 것과 관련된 듯하다. '천지(天地)'라는 말도 너무 넓게 설명하여 동인의 뜻에는 해당되지 않는다.

雷氏曰, 同人, 云云.

뇌씨가 말하였다: 사람들과 함께하기를, 운운.

○ 按, 門者, 人所出處也. 旣曰于門, 則已見得出底意思象, 傳出門之云, 不過述其意而已. 今謂于門, 亦吝道. 故釋之曰, 出門者, 未知何謂

내가 살펴보았다: 문이란 사람이 나가는 곳이다. 이미 '문에서'라고 말하였다면, 나가려는 생각의 상을 벌써 드러낸 것이니, 『정전』에서 '문을 나가'라고 말한 것은 그 뜻을 서술하는 데에 지나지 않는다. 이제 뇌씨가 "'문 밖에서 한다'라는 것도 인색한 도이다. 그러므로 『정전』에서 '문을 나가'라고 풀었으니"라고 한 것은 무슨 말인지 못하겠다.

박제가(朴齊家) 『주역(周易)』

象傳變于門爲出門, 蓋以无咎推之, 知于門之爲出門也. 雷氏曰, 同人于門 亦吝道也 故釋之曰, 出門, 則直以夫子爲改經矣.

소상에서 '문 밖에서[于門]'라는 말을 바꿔서 '문을 나가[出門]'라고 하였는데, "허물이 없다"는 말을 가지고 미뤄보니, '문 밖에서'라는 말이 '문을 나가'라는 말임을 알 수 있다. 뇌씨가 "'문 밖에서 한다'라는 것도 인색한 도이다. 그러므로 『정전』에서 '문을 나가'라고 풀었으니" 라고 하였으니, 바로 공자가 경을 고친 것으로 여겼던 것이다.

강엄(康儼) 『주역(周易)』

按, 爻辭曰, 同人于門, 而象傳則曰出門同人者, 何也. 蓋陰畫偶[65]有門之象, 方同人之

64) 여기서의 '인동(人同)'은 『정전』에서는 '동인(同人)'으로 되어 있다.

時, 初九以剛在下, 上无係應, 有出門同人之象. 故繫之曰, 同人于門. 然又恐人或疑其與六二相同, 如六二之同于宗. 故象傳特加出字, 而爻辭之旨, 益較然矣.
내가 살펴보았다: 효사에서는 "사람들과 함께하기를 문 밖에서 한다"고 하였는데, 「상전」에서는 "문을 나가 사람들과 함께한다"고 한 것은 어째서인가? 음획은 짝[--]으로 되어 있어 문의 상이 있고, 동인의 때가 되면 초구가 굳셈으로 아래에 있으면서 위로 얽매여 호응하는 것이 없으니, 문을 나와 사람들과 함께하는 상이 있다. 그러므로 "사람들과 함께하기를 문 밖에서 한다"라고 설명하였다. 그러나 또 사람들이 혹 육이와 서로 함께하여 "사람들과 함께하기를 종친의 무리끼리 한다"는 육이와 같다고 의심하는 것이 두려웠다. 그러므로 「상전」에서 특별히 '나가'라는 말을 더하여 효사의 뜻이 더욱 비교되게 하였다.

박문건(朴文健) 『주역연의(周易衍義)』

〈問, 又誰咎. 曰, 初九能出門而交九四, 深得其道者也, 所以无咎也. 釋无咎二字而謂之又誰咎者, 夫子之旨也, 言咎初者无有也.
물었다: "또 누가 허물하겠는가?"는 무슨 뜻입니까?
대답하였다: 초구가 문을 나가 구사와 교제할 수 있는 것은 도를 깊이 체득했기 때문에 허물이 없다는 것입니다. "허물이 없다"는 말을 풀이하여 "또 누가 허물하겠는가?"라고 말한 것은 공자의 가르침이니, 초구를 허물하는 자가 없다는 말입니다.〉

김기례(金箕澧) 「역요선의강목(易要選義綱目)」

又誰咎, 合三, 義有不同. 此則言誰得以咎也. 解與節六三, 言咎自我致, 誰怨誰咎也.
"또 누가 허물하겠는가?"라는 말은 총 세 번 나오는데, 의미에 같지 않은 것이 있으니, 여기서는 "누가 허물할 수 있겠는가?"라는 의미이다. 해괘(解卦䷧)와 절괘(節卦䷻)의 육삼은 허물이 나에게서 나왔으니, 누구를 원망하고 누구를 허물하겠는가[66]라는 말이다.

○ 易[67]春秋書法, 美惡不嫌同辭.
『주역』과 『춘추』의 글을 쓰는 법은 아름답거나 추한 것에 대해 똑같은 말로 쓰는 것에 대하여 꺼리지 않는다.[68]

---

65) 偶: 경학자료집성DB와 영인본 '隅'로 되어 있는 것을 문맥에 따라 '偶'로 바로잡았다.
66) 『周易 · 解卦』: 象曰, 負且乘, 亦可醜也, 自我致戎, 又誰咎也. ; 『周易 · 節卦』: 象曰, 不節之嗟, 又誰咎也.
67) 易: 경학자료집성 영인본에서는 여기에 해당하는 글자가 무슨 글자인지 알 수가 없고, 경학자료집성DB에는 여기에 해당하는 글자가 비어 있으나, 문맥을 살펴 '易'으로 바로잡았다.

오치기(吳致箕) 「주역경전증해(周易經傳增解)」

所同者, 廣而无偏係之私, 又誰有咎我者乎?
함께하는 바가 넓고도 한쪽으로 치우쳐 얽매이는 사사로움이 없으니, 또 누가 나를 허물하겠는가?

이진상(李震相) 『역학관규(易學管窺)』

傳出門同人. 同人于門, 如言賓于四門. 而夫子特言出門者, 初爲門閾, 二爲門扇, 同人之道, 出門則尤廣也. 蓋云同于門, 尙可无咎, 出而同, 則又誰咎之也.
『정전』에서 "문을 나가 사람들과 함께한다는 것이다"라고 하였다. "사람들과 함께하기를 문에서 한다"는 것은 이를테면 사방의 문에서 손님을 맞이한다는 말이다. 그런데 공자가 단지 "문을 나간다"라고만 말한 것은 초효가 문턱이고 이효가 문짝이니, 사람들과 함께하는 도는 문을 나가면 더욱 넓어지기 때문이다. 그래서 "함께하기를 문에서 하여도 오히려 허물이 없는데, 문을 나가서 함께한다면, 또한 누가 허물하겠는가?"라고 말한 것이다.

---

68) 『춘추공양전주소(春秋公羊傳注疏) · 은공(隱公)』 7년 참조. 『周易本義通釋 · 周易上經』: 易 · 春秋書法, 美惡不嫌同辭.

六二, 同人于宗, 吝.

육이는 사람들과 함께하기를 종친의 무리끼리 하니, 부끄럽다.

中國大全

傳

二與五爲正應, 故曰同人于宗. 宗謂宗黨也. 同於所係應, 是有所偏與, 在同人之道, 爲私狹矣, 故可吝. 二若陽爻, 則爲剛中之德, 乃以中道, 相同, 不爲私也.

이효와 오효는 제자리에 있으면서 정응이 되기 때문에, "사람들과 함께하기를 종친의 무리끼리 한다"고 하였다. '종친의 무리'는 종족이다. 매이고 호응하는 것에 함께하는 것은 바로 편협되게 함께하는 바가 있으니, 사람들과 함께하는 도리에서는 사사롭고 편협하기 때문에 부끄러워할 만하다. 이효가 만약 양효라면 굳세고 알맞은 덕이 되어 중도(中道)로써 서로 함께하여 사사로움이 되지 않는다.

本義

宗, 黨也. 六二雖中且正, 然有應於上, 不能大同而係於私, 吝之道也. 故其象占, 如此.

'종친'은 친척들이다. 육이가 비록 가운데에 있고 제자리에 있지만, 위에 호응함이 있어서 함께함을 크게 할 수 없고 사사로움에 매이니, 부끄러운 도이다. 그러므로 그 상과 점이 이와 같다.

小註

朱子曰, 易雖抑陰, 然有時把陰爲主, 如同人是也. 然此一陰雖是一卦之主, 又卻柔弱, 做主不得.

주자가 말하였다: 『주역』은 비록 음을 억누르지만 어떤 때에는 음을 위주로 하니, 이를테면 동인괘가 여기에 해당한다. 그러나 이곳의 한 음은 한 괘의 주인이지만, 또한 오히려 유약하여 주인 노릇을 할 수 없다.

○ 問, 六二與九五, 柔剛中正, 上下相應, 可謂盡善. 卻有同人於宗吝與先號咷之象, 如何. 曰, 以其太好. 兩者時位相應, 意趣相合, 只知款密, 卻无至公大同之心, 未免係於私, 故有吝. 觀二人同心其利斷金, 同心之言其臭如蘭, 固是他好處. 然於好處猶有失, 以其係於私暱, 而不能大同也. 大凡悔者自凶而之吉, 吝者自吉而趨凶.
물었다: 육이와 구오는 유약함과 굳셈이 중정하고 위아래로 상응하여 선을 극진하게 한다고 할 수 있습니다. 그런데 오히려 "사람들과 함께하기를 종친의 무리끼리 하니, 부끄럽고" 또 "먼저 울부짖는" 상이 있는 것은 어째서 입니까?
답하였다: 너무 좋기 때문입니다. 둘은 시기와 지위가 상응하고 의지와 취향이 서로 부합하는데, 단지 친할 줄만 알고 오히려 공정함을 지극하게 하고 함께함을 크게 하는 마음이 없어 사사로움에 매임을 면할 수가 없기 때문에 부끄러움이 있습니다. "두 사람의 마음을 함께하니, 그 날카로움이 쇠를 끊는다"고 하고 "마음을 함께하는 말은 그 향기가 난초와 같다"[69]고 한 것을 살펴보면, 진실로 그것은 좋은 것입니다. 그러나 좋은 것에 도리어 잘못이 있어 사사로운 친함에 매여서 함께함을 크게 할 수가 없습니다. 대체로 후회란 흉함에서 길(吉)함으로 가는 것이며, 부끄러움이란 길함에서 흉함으로 달려가는 것입니다.

○ 節齋蔡氏曰, 二與五本應, 故曰宗.
절재채씨가 말하였다: 이효와 오효는 본래 호응하기 때문에 '종친의 무리[宗]'라고 하였다.

○ 雲峯胡氏曰, 二往同五, 復成離, 五來同二, 復成乾. 往來相同, 乾離各反其本, 是之謂宗. 同人于宗, 似不失其爲六二之正也, 較之于野之同, 則亦係於私矣. 初九出門无所係, 故无咎, 六二于宗有所係, 故吝.
운봉호씨가 말하였다: 이효가 가서 오효와 함께하면 다시 리괘(離卦☲)를 이루고, 오효가 와서 이효와 함께하면 다시 건괘(乾卦☰)를 이룬다. 가기도 하고 오기도 하면서 서로 함께하며, 건괘와 리괘가 각각 그 근본으로 돌아가니, 이것을 '종친의 무리'라고 한다. "사람들과 함께하기를 종친의 무리끼리 한다"는 것은 그것이 육이의 바름을 잃지 않은 것 같지만, 들에서 함께함과 비교해 보면, 또한 사사로움에 매여 있다. 초구는 문을 나가 매여 있는 것이 없기 때문에 허물이 없고, 육이는 종친의 무리에 매여 있기 때문에 부끄럽다.

○ 縉雲馮氏曰, 以卦體言之, 則有大同之義, 以爻義言之, 則示阿黨之戒.
진운풍씨가 말하였다: 괘의 몸체로 말한다면 함께함을 크게 하는 뜻이 있고, 효의 뜻으로

69) 『周易·繫辭傳』: 同人, 先號咷而後笑, 子曰, 君子之道, 或出或處或黙或語, 二人同心, 其利斷金. 同心之言, 其臭如蘭.

말한다면 아첨하며 패거리 짓는 것의 경계를 보여주었다.

○ 雙湖胡氏曰, 卦統論乾天下同乎離六二之人. 而六二爻則自論其與人同之道, 固不可以一概論也.
쌍호호씨가 말하였다: 괘는 건(☰)이라는 하늘이 내려와 리괘(離卦☲)의 육이인 사람과 함께하는 것을 통론하였다. 그런데 육이의 효는 본디 다른 사람과 함께하는 도를 논한 것이니, 참으로 일률적으로 논할 수 없다.

韓國大全

조호익(曺好益) 『역상설(易象說)』

六二, 同人于宗,
육이는 사람들과 함께하기를 종친의 무리끼리 하니,

宗, 節齋, 雲峯註, 云云.
'종친의 무리'에 대해 절재채씨(節齋蔡氏)와 운봉호씨(雲峯胡氏)가 주(註)에서 말하였다.

愚謂, 陽者, 陰之所宗. 臣之於君, 子之於父, 婦之於夫, 皆宗陽之義.
내가 살펴보았다: 양이란 음이 종주(宗主)로 여기는 것이다. 신하가 임금에 대한 것, 자식이 아버지에 대한 것, 지어미가 지아비에 대한 것은 모두 양을 종주로 하는 뜻이다.

송시열(宋時烈) 『역설(易說)』

宗者, 以族類而言也, 比門稍遠也. 同人之道, 當與諸爻, 皆爲比同, 乃君子之大公至正. 而二以女之道, 獨比同於九五之應, 所以爲吝道也. 且宗者, 以宗主言也, 五爲卦之宗.
'종친의 무리끼리'는 동족으로 말한 것이어서 문에 비하여 조금 멀다. 사람들과 함께하는 도는 당연히 여러 효와 모두 가깝게 함께하는 것이니, 군자의 크게 공정하고 지극히 바름이다. 그런데 이효는 여자의 도를 가지고서 유독 정응인 구오와 가깝게 함께하기 때문에 부끄러운 도가 된다. 또 '종친의 무리끼리'는 종주로써 말한 것이니, 오효는 괘의 종주이다.

이익(李瀷) 『역경질서(易經疾書)』[70]

宗族者, 比門內則公, 比郊野則私, 易以爲吝, 故曰吝道也, 謂易至於吝道也. 苟非孔子之釋, 人或錯看以同人于宗者吝也.
종족은 문안에 비해 공정하고, 교외보다는 사사로워서 부끄러움이 되기에 쉽기 때문에 "부끄러운 도이다"라고 하였으니, 부끄러운 도에 쉽게 이른다는 말이다. 공자의 풀이가 아니라면, 사람들은 사람들과 함께하기를 종친의 무리끼리 하는 것이 부끄럽다고 잘못 볼 수도 있었을 것이다.

심조(沈潮) 「역상차론(易象箚論)」

六二, 宗.
육이, 종친의 무리끼리.

宗字, 從二, 二爻也, 從小, 陰小也. 在中, 故曰宗.
'종친[宗]'이라는 글자에는 '이(二)'가 있으니 이효이고, '소(小)'가 있으니 음의 작음이다. 가운데 자리에 있기 때문에 '종친'이라고 하였다.

유정원(柳正源) 『역해참고(易解參攷)』

案, 同人之時, 與天下同其道, 與天下同其心, 乃吉亨之道也. 以六二之中正, 上應九五之中正, 時位相合, 志趣相同. 然畢竟是二人之偏私, 而不能與天下大同, 是吝之道也
내가 살펴보았다: 사람들과 함께할 때 천하 사람들과 도를 함께하고, 천하 사람들과 마음을 함께하니, 길하고 형통한 도이다. 육이의 중정함으로써 위로 구오의 중정함과 호응하니, 시기와 지위가 서로 부합하고 뜻과 취향이 서로 같다. 그러나 끝내 이것은 두 사람의 치우친 사사로움이어서 천하 사람들과 함께함을 크게 할 수가 없으니, 부끄러운 도이다.

김상악(金相岳) 『산천역설(山天易說)』

同人貴无私. 六二居離之中, 應乾之五, 故有同人于宗之象. 不能大同而繫於私, 吝之道也.
사람들과 함께함에는 사사로움이 없는 것을 귀하게 여긴다. 육이는 리괘(離卦)의 가운데에

---

70) 경학자료집성DB에서는 동인괘 초효에 해당하는 것으로 분류했으나, 내용에 따라 이 자리로 옮겨 바로잡는다.

있으면서 건괘의 오효와 호응하기 때문에 "사람들과 함께하기를 종친의 무리끼리 한다"는 상이 있다. 함께함을 크게 할 수 없고 사사로움에 얽매이니 부끄러운 도이다.

或曰, 宗, 黨也. 離性附麗, 繫於同體之陽, 故曰, 同人于宗, 亦通.
어떤 이는 "'종친'은 친척들이다. 리괘(離卦☲)의 성질은 딱 붙어 함께하는 몸체인 양들에게 매달려 있는 것이기 때문에 '사람들과 함께하기를 종친의 무리끼리 한다'고 말하였다"고 하였으니, 이 뜻도 통한다.

○ 二往同五, 則成離, 五來同二, 則成乾. 往來相同, 故謂五曰宗. 二爲同人之主, 不能于野而亨, 于宗而吝者, 何也. 彖辭者, 卦之靜也, 爻辭者, 爻之動也. 見其靜者, 則有文明以健, 中正以應之象, 見其動者, 則有同人于宗, 吝之象, 所以彖爻之動靜不同.
이효가 가서 오효와 함께하면 리괘(離卦☲)를 이루고, 오효가 와서 이효와 함께하면 건괘(乾卦☰)를 이룬다. 오가면서 서로 함께하기 때문에 오효를 '종친'이라고 하였다. 이효는 사람들과 함께하는 주인인데도 들에서 함께하여 형통할 수 없고, 종친의 무리끼리 함께하여 부끄러운 것은 어째서인가? 단사는 괘가 고요한 것이고, 효사는 효가 움직인 것이다. 괘의 고요함을 보면 "문명하여 굳세고 중정하여 응한다"는 상이 있고, 효의 움직임을 보면 "사람들과 함께하기를 종친의 무리끼리 하여 부끄럽다"는 상이 있으니, 단사와 효사의 움직임과 고요함이 같지 않은 까닭이다.

서유신(徐有臣) 『역의의언(易義擬言)』

宗者主於一也, 中正相應, 寂爲所美, 而在同人, 則爲偏而不廣也. 易義, 不兼與, 故同人于宗, 而不與乎初三, 是爲吝也. 凡卦者, 一卦共一象也, 爻者, 六爻各一象也. 通言一卦之象, 則爲同人于野, 亨, 止言一爻之象, 則爲同人于宗, 吝. 夫爻者, 各有其位而遠近不同矣, 各有其情而愛惡不同矣. 此卦爻所以不能無異同也.
'종친'은 하나를 주장하는 것이니, 중정으로 서로 호응하여 가장 아름답지만 남과 함께하는 것에서는 치우쳐서 넓지 않다. 『주역』의 뜻은 겸하여 친하지 않기[71] 때문에 사람들과 함께하기를 종친의 무리끼리 하여 초효·삼효와 함께 친하지 않으니, 이것이 부끄러움이다. 괘는 하나의 괘가 하나의 상을 함께하는 것이며, 효는 여섯 효가 어떤 상을 각각으로 하는 것이다. 하나의 괘상을 총괄적으로 말하면, "들에서 사람들과 함께하면 형통하다"는 것이며,

---

71) 『周易 · 隨卦』: 六二, 象曰, 係小子, 弗兼與也. 『程傳 · 隨卦』 六二 · 象傳: 人之所隨, 得正則遠邪, 從非則失是, 无兩從之理. 二苟係初, 則失五矣, 弗能兼與也. 所以戒人從正, 當專一也.

다만 하나의 효에 대한 상만을 말하면, "사람들과 함께하기를 종친의 무리끼리 하니 부끄럽다"는 것이다. 효는 각각 제 자리가 있어 멀고 가까움이 같지 않고, 각각 그 실정이 있어서 사랑하고 미워함이 같지 않다. 이것이 괘와 효가 다르고 같음이 없을 수 없는 까닭이다.

김귀주(金龜柱) 『주역차록(周易箚錄)』

六二, 同人于宗, 云云.

육이는 사람들과 함께하기를 종친의 무리끼리 하니, 운운.

○ 按, 以卦體而論之, 則六二之應乎乾, 是爲同人之道, 以爻意而言之, 則六二之獨與五應, 不免私係之吝. 易之隨時取義, 蓋如此矣, 小註馮氏已言此意.

내가 살펴보았다: 괘의 몸체를 가지고 논한다면, 육이가 건과 상응하는 것은 사람들과 함께하는 도이고, 효의 뜻을 가지고 말한다면, 육이가 유독 오효와 호응하는 것은 사사롭게 매이는 부끄러운 것을 면하지 못한 것이다. 『주역』이 때에 따라 뜻을 취함이 이와 같으니, 소주에서 풍씨가 이러한 뜻을 이미 말하였다.72)

本義, 宗黨也, 云云.

『본의』에서 말하였다: 종친은 친척들이다, 운운.

小註, 雲峯胡氏曰, 二往, 云云.

소주에서 운봉호씨가 말하였다: 이효가 가서, 운운.

○ 按, 乾離各反其本, 是謂之宗云云, 似頗傷巧反晦本旨. 蓋宗之爲言, 如宗族, 宗黨之謂也. 二五以其本應, 相同, 非如小人之以利苟合者, 則正好以宗族宗黨爲喩. 但比之與一國天下相同者, 不免爲私狹矣, 故又謂之吝. 爻辭之意, 只是如此. 何必曲爲他說以文之耶.

내가 살펴보았다: "건괘(乾卦☰)와 리괘(離卦☲)가 각각 그 근본으로 돌아가니, 이것을 '종친의 무리[宗]'라고 한다"라고 말한 부분은 본래의 뜻을 많이 해치고 교묘하게 하여 도리어 분명하지 못하게 한 듯하다. '종친'은 종족이나 종당(宗黨)을 이르는 것과 같다. 이효와 오효가 본래 상응하는 것으로 서로 함께하여 소인이 이익 때문에 구차하게 영합하는 것과 같지 않으니, 마침 종족과 종당을 가지고서 깨우침으로 삼았다. 다만 한 나라나 천하와 함께하는 것과 비교해 보면, 사사로워서 좁게 되는 것으로부터 면하지 못하기 때문에 부끄럽다고 말하였다. 효사의 뜻이 다만 이와 같을 뿐이다. 그런데 어떻게 굳이 다른 설명을 곡진하게 해서 글을 지을 수 있겠는가?

---

72) 『周易傳義大全·同人卦』 六二·小註: 縉雲馮氏曰, 以卦體言之, 則有大同之義, 以爻義言之, 則示阿黨之戒.

雙湖胡氏曰, 卦統, 云云.
쌍호호씨가 말하였다: 괘는 … 통론하였다, 운운.
○ 按, 乾天下同, 六二之人, 云云, 恐未安, 與上馮厚齋說同病, 已論在上.
내가 살펴보았다: "건이라는 하늘이 아래로 내려와 리괘(離卦☲)의 육이인 사람과 함께하는"이라고 한 말은 아마도 타당하지 않은 듯하니, 위에 있는 후재풍씨(厚齋馮氏)의 설[73]과 같은 잘못이다. 이미 위에서 논하였다.

박문건(朴文健) 『주역연의(周易衍義)』

捨他從應, 故有同人宗之象. 宗, 宗黨也.
다른 것은 버려두고 호응하는 것만 좇으므로 함께하기를 종친의 무리끼리 하는 상이 있다. '종친'은 친족의 무리들이다.
〈問 同人于宗, 吝. 曰, 六二捨群剛, 而獨從九五, 故有同人于宗之象. 是以爲在中二剛之所隔, 不得進而致吝也.
물었다: "사람들과 함께하기를 종친의 무리끼리 하니, 부끄럽다"는 무슨 뜻입니까?
답하였다: 육이가 여러 굳셈을 버려두고 유독 구오만 따르기 때문에 사람들과 함께하기를 종친의 무리끼리 하는 상이 있습니다. 이 때문에 가운데 있는 구삼·구사라는 두 굳셈에 가로 막혀 나아가지 못하고 부끄러움에 이르게 됩니다.〉

이지연(李止淵) 『주역차의(周易箚疑)』

柔順之性, 每有從剛之心. 如大有之世, 達而在上, 上下五陽皆爲吾有. 如是, 則公天下而大同者也. 在同人之世, 窮而在下, 所施不廣, 只可系戀於所應之陽. 如是, 則近於私, 故謂之吝. 或謂宗, 非專指九五也, 兼指一三也, 此則不必然. 六二以中正之德, 若以同體之上下二陽, 謂之宗, 而與之同心, 則未免昵近之嫌, 而爲累於中正之道也. 爲六二自處之道, 雖知其不廣之爲吝, 而不得不求同於正應之九五也.
유순한 성질은 매번 굳셈을 따르는 마음이 있다. 그런데 대유(大有)의 시대라면 육오가 통달하고 위에 있으니, 위와 아래에 있는 다섯 양들은 모두 자신의 소유이다. 이와 같다면 천하를 공정하게 하여 함께함을 크게 하는 것이다. 동인의 시대에는 궁하면서 아래에 있고 베푸는 바가 넓지 않아 다만 호응하는 양에 대해서만 몹시 사모하게 된다. 이와 같다면 사사로움에 가깝기 때문에 부끄럽다고 하였다. 혹자는 '종친'은 구오만 가리키는 것이 아니라, 초효와 삼효를 아울러 가리킨다고 하였는데, 이것은 굳이 그럴 필요는 없다. 육이가 중정한

73) 『주역전의대전·동인괘』 육이·소주에는 후재풍씨(厚齋馮氏)의 주석이 보이지 않는다.

덕을 가지고 만약 같은 몸체의 위아래에 있는 두 양을 '종친의 무리'라고 하면서 그들과 마음을 함께하면, 가까이 있는 자들만 친하게 한다는 혐의를 면하지 못하여 중정한 도에 얽매이게 된다. 육이가 자처하는 도는 비록 넓지 않아서 부끄럽다는 것을 알더라도 정응인 구오를 구하여 함께하지 않을 수 없다.

김기례(金箕澧) 「역요선의강목(易要選義綱目)」

離爲乾卦, 故曰宗.
리괘(離卦)가 건괘가 되었기 때문에 '종친'이라고 하였다.

○ 二[74]往居五, 則外爲離, 五來居二, 則內爲乾, 二體往來相反, 故曰宗. 他卦則二柔五剛, 皆吉, 而大同之義, 則无私暱, 故吝. 吝者, 當吉而凶, 悔則當凶而吉.
이효가 가서 오효의 자리에 있으면 외괘가 리괘(離卦)가 되며, 오효가 와서 이효에 있으면 내괘가 건괘가 되니, 두 몸체가 오가며 서로 돌아가기 때문에 '종친'이라고 하였다. 다른 괘에서는 이효가 유순하고 오효가 굳세면 모두 길하지만, 함께함을 크게 하는 뜻에서는 사사롭게 친함이 없어야 하기 때문에 부끄럽다. 부끄러움은 길해서 흉하게 되는 경우에 해당하고, 뉘우침은 흉해서 길하게 되는 경우에 해당한다.

○ 卦義爻辭不同, 易義多變.
괘의 뜻과 효사가 같지 않으니, 『주역』의 뜻은 변화가 많다.

심대윤(沈大允) 『주역상의점법(周易象義占法)』

同人之乾☰. 同人之道, 貴和遜而不貴剛嚴. 二居柔而有所不同, 以剛嚴自持而无外交之志, 有五之正應, 故曰同人于宗. 宗, 父族也. 乾爲宗, 吝, 褊小也.
동인괘가 건괘(乾卦☰)로 바뀌었다. 사람들과 함께하는 도는 조화롭고 겸손함을 귀하게 여기고 굳세고 엄격함을 귀하게 여기지 않는다. 이효는 유순한 자리에 있어 함께하지 않는 바가 있고, 굳세고 엄격함으로써 자신을 지켜 밖으로 사귀는 뜻이 없는데, 오효의 정응이 있기 때문에 "사람들과 함께하기를 친족의 무리끼리 한다"고 하였다. '종친'은 아버지의 친족이다. 건괘가 '종친'이고, '부끄러움'은 편협한 것이다.

---

74) 二: 경학자료집성DB에 '一'로 되어 있으나, 경학자료집성 영인본을 참조하여 '二'로 바로잡았다.

오치기(吳致箕) 「주역경전증해(周易經傳增解)」

六二, 柔得中正, 而上有九五剛中之應, 宜有其譽. 然當同人之時, 所同者, 唯在於所宗之地, 失大公天下之義, 有偏私一人之志, 故言其吝也.
육이는 유순함으로 중정함을 얻어 위로 굳세고 알맞은 구오와 호응하니, 명예가 있는 것은 당연하다. 그러나 사람들과 함께하는 때를 맞아서 함께하는 자들이 오직 종친끼리 하는 곳에 있어 크게 천하를 공정하게 하는 뜻을 잃고 한 사람에게 치우치고 사사롭게 하는 뜻이 있기 때문에 부끄럽다고 말하였다.

○ 宗者, 主也. 陽爲陰主, 故陰指陽曰宗, 而睽五之謂九二曰厥宗, 亦同也. 此卦五不取君義者, 以其有私係, 非人君大公之道也.
'종친'은 주인이다. 양은 음의 주인이기 때문에 음은 양을 가리켜 종친이라고 하니, 규괘(睽卦☲) 오효에서 구이를 일러 '그 종친'이라고 한 것도[75] 마찬가지이다. 이 괘의 오효에서 임금의 뜻을 취하지 않는 것은 그것에 사사롭게 얽매임이 있어 임금이 크게 공정하게 하는 도가 아니기 때문이다.

이진상(李震相) 『역학관규(易學管窺)』

二變, 則爲乾, 而乾爲萬物之宗. 但同于宗, 則未廣, 故吝. 〈胡氏曰, 二往同五, 復成離, 五來同二, 復成乾. 各反其本, 是之謂宗.〉
이효가 변하면 건괘가 되는데, 건괘는 만물의 종주이다. 다만 함께하기를 친족의 무리끼리 하면 넓지 않기 때문에 부끄럽다. 〈호씨가 말하였다: 이효가 가서 오효와 함께하면 다시 리괘(離卦☲)를 이루고, 오효가 와서 이효와 함께하면 다시 건괘(乾卦☰)를 이룬다. 각각 그 근본으로 돌아가니, 이것을 '종친의 무리'라고 한다.〉

박문호(朴文鎬) 「경설(經說)・주역(周易)」

卦辭不見六二之可吝, 至爻辭乃言其吝, 易之隨時變易而取義, 如此.
괘사에서는 육이의 부끄러워할 만한 것은 드러내지 않았고, 효사에서야 부끄러움을 말하였으니, 『주역』이 때에 따라 변하고 바뀌면서 뜻을 취함이 이와 같다.

---

75) 『周易・睽卦』: 六五, 悔亡, 厥宗, 噬膚, 往, 何咎? 『程傳・睽卦』: 厥宗, 其黨也, 謂九二正應也. … 五雖陰柔之才, 二輔以陽剛之道而深入之, 則可往而有慶, 復何過咎之有?

이병헌(李炳憲) 『역경금문고통론(易經今文考通論)』

孟曰, 同姓相聚, 吝道也.

맹씨가 말하였다: 같은 성(姓)의 사람들이 서로 모이는 것은 부끄러운 도이다.[76]

按, 宗, 亦黨也. 無偏無黨, 則進於大同.

내가 살펴보았다: '종친끼리'도 또한 무리 짓는 것이다. 치우침이 없고 무리 짓는 것이 없다면, 크게 함께함에 나갈 수 있다.

---

76) 『통전(通典)·가(嘉)』를 보면 "又按, 『易』曰, 同人于宗, 吝, 言同姓相娶, 吝道也."라고 하여 '취(聚)'가 '취(娶)'로 바뀌어져 있는 구절을 찾을 수 있다.

象曰, 同人于宗, 吝道也.

「상전」에서 말하였다: "사람들과 함께하기를 종친의 무리끼리 함"은 부끄러운 도이다.

中國大全

傳

諸卦以中正相應爲善, 而在同人則爲可吝, 故五不取君義. 蓋私比非人君之道, 相同以私, 爲可吝也.

여러 괘에서 중정하고 상응함을 좋은 것으로 여기는데, 동인괘에서는 부끄러워해야 할 것이기 때문에, 오효에서 임금의 뜻을 취하지 않았다. 사사롭게 친함은 임금의 도가 아니니, 서로 함께하기를 사사롭게 하는 것은 부끄러워해야 하는 것이다.

小註

臨川吳氏曰, 六二一爻衆陽之所與, 而獨同於五, 所同者私狹而不公廣, 其爲道可吝也.
임천오씨가 말하였다: 육이라는 한 효는 여러 양들이 함께하는 것인데, 유독 오효와 함께하여 함께하는 것이 사사롭고 좁으며 공정하고 넓지 않으니, 도가 부끄러워해야 하는 도이다.

韓國大全

김상악(金相岳) 『산천역설(山天易說)』

吝道, 謂有致吝之道也.

'부끄러운 도'는 부끄럽게 되는 도라는 말이다.

서유신(徐有臣) 『역의의언(易義擬言)』

同人而偏係, 取吝之道也.
사람들과 함께하는데 한쪽으로 치우쳐 관계하는 것은 부끄럽게 되는 도이다.

오치기(吳致箕) 「주역경전증해(周易經傳增解)」

所同在乎私, 則失大公至正之道, 故爲可羞也.
함께하는 것이 사사로운 데에 있으면 크게 공정하고 지극히 바른 도를 잃기 때문에, 부끄럽게 된다.

九三, 伏戎于莽, 升其高陵, 三歲不興.

구삼은 숲속에 군사를 매복시키고, 높은 언덕에 올라 삼 년 동안 일어나지 못한다.

中國大全

傳

三以陽居剛, 而不得中, 是剛暴之人也. 在同人之時, 志在於同. 卦唯一陰, 諸陽之志皆欲同之, 三又與之比, 然二以中正之道, 與五相應. 三以剛强, 居二五之間, 欲奪而同之, 然理不直義不勝, 故不敢顯發, 伏藏兵戎于林莽之中. 懷惡而內負不直, 故又畏懼, 時升高陵以顧望. 如此, 至于三歲之久, 終不敢興. 此爻深見小人之情狀, 然不曰凶者, 旣不敢發, 故未至凶也.

삼효는 양으로 굳센 자리에 있어 가운데 자리를 얻지 못하였으니, 이것은 강포한 사람이다. 사람들과 함께하는 때에는 마음이 함께하는 것에 있다. 괘에는 음이 유일하여 여러 양들의 마음이 모두 함께하고 싶어 하고, 삼효는 또 이효와 가깝지만 그것이 알맞고 바른 도로 오효와 상응한다. 삼효가 굳셈과 강함으로 이효와 오효의 사이에 있어 빼앗아 함께하고자 하지만, 이치가 바르지 않고 의리상 이기지 못하기 때문에, 감히 드러내어 나가지 못하고 군사를 숲 속에 매복시켜 놓고 있다. 나쁜 마음을 품고 안으로 바르지 못한 생각을 가지고 있기 때문에 또한 두려워서 때때로 높은 언덕에 올라가 둘러본다. 이와 같이 삼 년이라는 긴 세월에 이르더라도 끝내 감히 일어나지 못한다. 이 효는 소인의 정황을 깊이 드러내었지만 흉하다고 말하지 않은 것은 감히 일어나지 못하였으므로 아직 흉한 데에 이르지 않았기 때문이다.

小註

或問, 伏戎于莽, 升其高陵, 如何. 朱子曰, 只是伏于高陵之草莽中, 三歲不敢出, 與九四乘其墉, 皆爲剛盛而高. 三欲同於二, 而懼九五之見攻, 故升高伏戎欲敵之. 而五陽方剛則不可奪, 故三歲不興, 而象曰不能行也. 四欲同於二, 而爲三所隔, 故乘墉攻之, 而以居柔, 遂自反而弗克, 而象曰義弗克也. 程傳謂升高陵, 有升高顧望之意, 此說雖巧, 恐非本意.

어떤 이가 물었다: "숲 속에 군사를 매복시키고, 높은 언덕에 오르다"는 무슨 뜻입니까? 주자가 답하였다: 이것은 단지 높은 언덕의 숲 속에 숨기고 삼 년 동안 감히 나오지 못한다는 것이니, 구사의 "담에 올라가다"와 함께 모두 굳셈[陽]이 왕성하여 높아지게 된다는 것입니다. 삼효가 이효와 함께하고자 하지만 구오에게 공격을 받을까 두려워하기 때문에 높은 데에 올라 군사를 매복시켜놓고 구오와 대적하고자 합니다. 그런데 오효의 양이 굳세게 되면 감히 빼앗을 수가 없기 때문에 효사에서 "삼 년 동안 일어나지 못 한다"고 하였고, 「상전」에서는 "갈 수 없다"고 하였습니다. 사효가 이효와 함께하고자 하지만 삼효가 막고 있기 때문에 그 담에 올라가 공격을 하려고 하다가 유약한 자리에 있어서 마침내 스스로 돌이켜보고 공격하지 않으니, 「상전」에서 "의리상 이길 수 없다"고 하였습니다. 『정전』에서 "높은 언덕에 오른다"에는 높은 데에 올라가 둘러본다는 뜻이 있다고 했으니, 이 설이 비록 정교하지만 아마도 본래의 뜻은 아닌 듯합니다.

○ 東谷鄭氏曰, 伏戎于莽, 以伺五之隙. 升其高陵, 以窺二之動.

동곡정씨가 말하였다: 숲 속에 군사를 매복시킴은 오효와 틈이 있는지 엿보려는 것이다. 높은 언덕에 오름은 이효가 움직이는지 살피려는 것이다.

本義

剛而不中, 上无正應, 欲同於二, 而非其正, 懼九五之見攻, 故有此象.

굳세지만 가운데에 있지 않아 위로 정응이 없고, 육이와 함께하고자 하지만 바른 자리에 있지 않고 구오의 공격을 받을까 두렵기 때문에 이러한 상이 있다.

小註

劉氏瓛曰, 三居下體之上, 故謂之陵, 有憑上之志, 故謂之升.

유환이 말하였다: 삼효가 아래 몸체의 맨 위에 있기 때문에 '언덕'이라고 하였고, 위를 빙자하려는 뜻을 가지고 있기 때문에 '오른다'라고 하였다.

○ 西溪李氏曰, 三與五隔三爻, 故曰三歲.

서계이씨가 말하였다: 삼효와 오효는 떨어져 있는 것이 세 효이기 때문에 삼 년이라고 하였다.

○ 雲峯胡氏曰, 二與五同者也. 九三欲攘二而畏五, 伏與升, 備見三之情狀. 伏戎于莽, 欲攻二, 似有畏五意, 升其高陵. 雖畏五, 又有顧望意. 五終不可敵也, 是以三歲不興. 卦唯三四不言同人, 二與五相同, 而三四有爭奪之象, 非同者也.
운봉호씨가 말하였다: 이효와 오효는 함께하는 자이다. 구삼은 이효를 가로채고자 하지만 오효를 두려워하니, 군사를 매복시키고 높은 언덕에 오르는 것으로 삼효의 정황을 갖추어 드러냈다. 숲 속에 군사를 매복시켜 이효를 빼고자 하지만, 오효를 두려워하는 뜻이 있어 높은 언덕에 올라가는 것 같다. 오효를 두려워하더라도 또 육이를 돌아보고 싶은 의도가 있다. 오효를 끝내 대적할 수 없으니, 이 때문에 삼 년 동안 일어나지 못한다. 괘의 삼효와 사효에서만 "사람들과 함께한다"고 말하지 않았으니, 이효와 오효는 서로 함께하지만, 삼효와 사효가 싸워 빼앗고자 하는 상이 있어 함께하는 자가 아니기 때문이다.

○ 隆山李氏曰, 天下之理, 萃則必爭. 卦以相同爲義, 而三則伏戎, 四則乘墉, 五則大師克, 何也. 二應五, 而三爻據之, 所以爭也. 嗚呼. 出而與人同, 至易至簡之事, 而乃如此, 故易中必知險, 簡中必知阻. 不學易者, 殆不可以涉世也.
융산이씨가 말하였다: 천하의 이치는 모이면 반드시 다투게 된다. 괘는 서로 함께하는 것을 뜻[義]으로 삼았는데, 삼효는 '군사를 매복시키고' 사효는 '담에 오르'며 오효는 '큰 군사로 이기는 것'은 어째서인가? 이효는 오효와 호응하지만 세 효가 움켜잡기 때문에 다툰다. 아! 나가서 사람들과 함께하는 것이 지극히 쉽고 지극히 간단한 일인데도, 이와 같기 때문에 쉬운 것에서는 반드시 험함을 알아야 하고, 간략한 데에서는 막힘을 알아야 한다. 『주역』을 배우지 않은 자는 아마도 세상살이를 제대로 할 수 없을 것이다.

韓國大全

조호익(曺好益) 『역상설(易象說)』

戎, 離戈兵象, 莽, 巽草木象. 自二至四爲巽, 離在巽下, 有伏戎于莽象. 高, 巽象. 雙湖曰, 三變則爲艮, 有陵象. 三在一卦之上, 有升象. 三歲, 雙湖以一爻爲一年. 不興, 取巽伏象.
'군사'는 리괘(離卦☲)가 의미하는 무기의 상이고, '숲속'은 호괘인 손괘(巽卦☴)가 의미하는 초목의 상이다. 이효에서 사효까지는 손괘가 되고, 리괘는 손괘의 아래에 있으니, 숲 속에 군사를 매복시키는 상이 있다. '높다[高]'는 손괘의 상이다. 쌍호호씨는 "삼효가 변하면 간괘가 되니, 언덕의 상이 있다. 삼효는 한 괘의 위에 있으니, 오르는 상이 있다"고 하였다. '삼 년[三歲]'은 쌍호호씨가 한 효를 일 년으로 여긴 것이고, "일어나지 못한다"는 손괘의 매복[伏]하는 상을 취한 것이다.

송시열(宋時烈) 『역설(易說)』

伏者, 坎之隱伏也, 戎者, 離之戈兵也, 莽者, 坎之林莽也. 言離中有坎隱之象, 而莽又荒野之象, 比宗尤遠也. 互巽爲高77), 故云高陵也, 言三爻互78)巽之中爻也. 三爲離數, 不興者, 有隱伏故也. 小象敵剛者, 以剛遇剛也. 三爻與上九相敵, 則傷害必至之勢, 而但三爻猶處內卦, 無動作之事, 至於三歲之久. 此安其位而行事者也. 傳以安能行乎釋之, 不敢輕議.

'매복한다'는 감괘(坎卦)가 의미하는 숨어서 엎드린다는 것이며, '군사'란 리괘(離卦)가 의미하는 무기라는 것이며, '숲'이란 감괘가 의미하는 우거진 숲이라는 것이다. 리괘(離卦) 가운데에 감괘가 숨어 있는 상이 있고 '숲'은 또 황량한 들판의 상이니, '종친[宗]'보다 더욱 소원하다. 호괘인 손괘가 높은 것이기 때문에 '높은 언덕'이라고 하였으니, 삼효는 호괘인 손괘의 가운데 효를 말한다. '삼(三)'은 리괘(離卦)의 수(數)이고, "일어나지 못한다"는 것은 숨어서 엎드려 있기 때문이다. 「상전」에서 말한 "적이 강하기 때문이다[敵剛]"는 것은 굳셈이 굳셈을 만나기 때문이다. 삼효가 상구와 서로 대적한다면 상하고 해를 당하는 형세가 반드시 이르게 되어 단지 삼효는 여전히 내괘에 있으면서 움직이고 일어나는 일이 없었으니, 삼 년이라는 오랜 세월에 이르렀다. 이것이 자리를 편안하게 여기면서도 일을 행하는 것이다. 『정전』에서 "어떻게 행할 수 있겠는가?"라고 풀이했으니, 감히 가볍게 의론할 수 없다.

이현익(李顯益) 「주역설(周易說)」

伏戎于莽, 朱子謂伏于高陵之草莽中, 以傳升高陵以顧望之云, 爲非本旨. 然則東谷鄭氏雲峯胡氏之分而言者皆非矣. 且升其高陵, 鄭氏謂窺二之動, 胡氏謂畏五顧望, 二義少異.
"숲 속에 군사를 매복시키다"에 대하여 주자는 "높은 언덕의 숲 속에 숨기다"라고 하면서, 『정전』에서 "높은 언덕에 올라가 둘러본다"라고 한 것을 효사의 본래 뜻이 아니라고 여겼다. 그렇다면 동곡정씨와 운봉호씨가 "숲 속에 군사를 매복시키다[伏戎于莽]"와 "높은 언덕에

77) 高: 경학자료집성DB와 영인본에 모두 이 글자가 없으나, 문맥을 살펴 '高'를 보충 하였다.
78) 互: 경학자료집성 영인본에서는 여기에 해당하는 글자가 무슨 글자인지 알 수가 없고, 경학자료집성DB에는 '升'으로 되어 있으나, 문맥을 살펴 '互'로 바로잡았다.

오르다[升其高陵]"를 나누어 말한 것은 모두 잘못이다. 또 "높은 언덕에 오르다"에 대하여 정씨는 "이효가 움직이는지 살피려는 것이다"라고 하였고, 호씨는 "오효를 두려워하지만 돌아보고 싶어 한다"라고 하였으니, 두 사람의 의미가 다소 다르다.

雲峯胡氏以伏戎于莽爲欲攻二, 潛齋胡氏以升其墉爲乘三而攻二, 殊不知二則是三四之所欲同者, 而非所欲攻者也.
운봉호씨는 "숲 속에 군사를 매복시키다"에 대하여 "이효를 공격하고 싶다"로 여겼고, 잠재호씨는 "담에 오르다"[79]에 대하여 "삼효를 타고 이효를 공격한다"로 여겼으니, 이효는 삼효와 사효가 함께하고자 하는 것이지 공격하고자 하는 것이 아님을 전혀 몰랐던 것이다.

이익(李瀷) 『역경질서(易經疾書)』[80]

卦以二五中正相應爲義, 而兩陽居間, 阻隔者也. 戎[81]與九五之師相照. 或伏[82]戎于莽, 或升其高陵, 始欲阻隔之至也. 升承戎字說, 伏與升, 皆指戎也.
괘는 이효와 오효가 중정하여 상응하는 것을 뜻으로 삼고 있지만, 구삼과 구사의 두 양은 그 사이에 있으면서 이 둘을 막아서 서로 떼어 놓는 자이다. '군사[戎]'는 구오의 '군대[師]'와 서로 대조된다. "숲 속에 군사를 매복시킨다" 또는 "높은 언덕에 올라간다"는 것은 처음에는 막아서 서로 떼어놓기를 지극히 하고자 한 것이다. "올라간다"는 '군사(戎)'라는 말을 이어서 말한 것이니, "매복시키다[伏]"와 "올라간다[升]"는 말은 모두 '군사[戎]'를 가리킨다.

심조(沈潮) 「역상차론(易象箚論)」

九三, 高陵, 伏戎, 三歲.
구삼, 높은 언덕, 군사를 매복시키다, 삼 년.

高而有木〈互巽〉, 非陵乎. 又離爲兵戈, 故曰伏戎. 三歲之三, 離數也.
높은 곳인데 나무가 있다면〈호괘 손괘(巽卦☴)이다〉, 언덕이 아니겠는가? 또 리괘(離卦)는 무기이기 때문에 군사를 매복시킨다고 하였다. '삼 년'의 '삼'은 리괘의 수이다.[83]

---

79) 『周易·同人卦』: 九四, 乘其墉, 弗克攻, 吉.
80) 경학자료집성DB에서는 동인괘 육이에 해당하는 것으로 분류했으나, 내용에 따라 이 자리로 옮겨 바로잡는다.
81) 戎: 경학자료집성과 DB 모두 '戒'로 되어 있으나, 영인본을 참조하여 '戎'으로 바로잡았다.
82) 伏: 경학자료집성DB와 영인본에 모두 '伏'로 되어 있으나, 문맥을 살펴 '伏'으로 바로잡았다.
83) 팔 괘의 순서 중 세 번째가 리괘(離卦)이다.

유정원(柳正源) 『역해참고(易解參攷)』

雙湖胡氏曰, 戎, 兵戎, 離象. 莽互巽象, 巽又爲入, 有伏象, 又爲高, 有高陵象. 位三, 有三歲象.

쌍호호씨가 말하였다: '군사'는 병기이니 리괘(離卦)의 상이다. '숲[莽]'은 호괘인 손괘(巽卦☴)의 상인데, 손괘는 또 들어옴이니 숨는 상이 있고, 또 높음이니 높은 언덕이라는 상이 있다. 자리가 세 번째여서 삼 년이라는 상이 있다.

김상악(金相岳) 『산천역설(山天易說)』

九三, 體離互巽. 剛而不中, 比二欲同, 而畏五見攻, 故其象如此. 伏戎于莽者, 窺二之動也. 升其高陵者, 伺五之隙也. 三歲不興, 言其久也.

구삼은 몸체가 리괘(離卦☲)이며 호괘는 손괘(巽卦☴)이다. 굳센데 가운데 자리에 있지 않고, 육이와 가까워 함께하고자 하지만 구오에게 공격을 당할까 두려워하기 때문에 그 상이 이와 같다. "숲 속에 군사를 매복시킨다"는 것은 육이의 움직임을 엿보는 것이다. "높은 언덕에 오르다"는 것은 구오의 빈틈을 살피는 것이다. "삼 년 동안 일어나지 못한다"는 것은 오랜 시간을 말한다.

○ 三四二爻, 皆有爭奪之象, 无得於同人之義者, 故雖居人位, 不以同人言也. 離爲戈兵, 巽爲草, 爲伏, 故曰伏戎于莽. 巽爲高, 離之成數爲艮, 艮爲山, 故曰升其高陵. 三歲不興, 亦巽之伏也. 三者, 離之居三也. 自離之己至巽之辛, 爲三歲也. 伏戎而不興, 故不至于凶也. 此爻之象, 與震六二曰, 蹟于九陵, 七日得, 相反, 敵剛與乘剛之不同也. 乘剛, 則有相交之義也.

삼효와 사효에는 모두 다투어서 빼앗는 상이 있어 사람들과 함께하는 뜻을 얻는 것이 없기 때문에 비록 사람의 자리에 있지만, 사람들과 함께하는 것으로 말하지 않았다. 리괘(離卦)는 무기이고, 호괘인 손괘는 풀이고 숨음이기 때문에 "숲 속에 군사를 매복시킨다"고 하였다. 손괘는 높음이고 리괘의 성수(成數) 칠은 일곱 번째의 간괘이며, 간괘는 산이기 때문에 "높은 언덕에 오른다"고 하였다. "삼 년 동안 일어나지 못한다"는 것도 손괘의 숨음 때문이다. '삼'이란 리괘가 세 번째 자리에 있기 때문이다. 십간(十干)으로 보면 리괘(離卦)의 기(己)에서 손괘(巽卦)의 신(辛)까지가 삼 년이다. 군사를 매복시켰지만 일어나지 못하기 때문에 흉한 데에는 이르지 않았다. 이 효의 상은 진괘(震卦䷲) 육이의 효사에서 "아주 높은 언덕에 오르니, … 칠일에 얻으리라"[84]고 한 것과는 상반되니, 굳셈을 대적하는 것과 굳센

84) 『周易·震卦』: 六二, 震來厲, 億喪貝, 躋于九陵, 勿逐, 七日得.

것을 타는[85] 것은 같지 않기 때문이다. 굳센 것을 탄다면 서로 교제하는 뜻이 있다.

김규오(金奎五) 「독역기의(讀易記疑)」

九三, 小註, 只是伏于高陵之草莽中.
구삼의 소주에서는 "단지 높은 언덕의 숲 속에 숨긴다"고 하였다.

竊疑, 如是, 則似當先言升陵, 而經先言伏莽. 其曰升, 曰興者, 對伏而言也. 曰高陵者, 對莽而言也. 蓋懼九五之見攻, 故伏戎以備之. 又自升高而望之, 而終不能興其所伏之戎, 蓋升者, 伏戎興戎之主也, 伏與興, 則升者之所使耳. 傳說恐不止爲巧而已.
내가 살펴보았다: 이와 같다면, 마땅히 언덕에 오름을 먼저 말하여야 할 것 같은데도 경문에서는 숲에 매복시킴을 먼저 말했다. "오르다"를 말하고 "일어나다"를 말한 것은 매복함을 상대하여 말한 것이다. '높은 언덕'을 말한 것은 '숲'을 상대하여 말한 것이다. 구오에게 공격을 당할까 두려워하기 때문에 군사를 매복시켜서 대비한 것이다. 또 스스로 높은 곳에 올라서 둘러보다가 끝내 매복한 군사를 일으킬 수 없으니, 올라가는 자는 군사를 매복시키고 일으키는 주인이며, 매복하고 일어나는 것은 올라가는 자가 시키는 것일 뿐이다. 『정전』의 설명이 정교할 뿐만은 아닌 것 같다.

서유신(徐有臣) 『역의의언(易義擬言)』

大凡天下無純同之理, 同之中必有不同焉. 三四在兩體變易之際, 故爲不同之象也. 三與上九在應位, 而不得同, 故伏莽而備之, 升高而候之. 當同不同, 猜疑便生, 近而不相得, 則凶或害之也. 然是特猜疑耳, 其實無可怒之怨, 故至于三歲, 竟不興戎也. 戎, 離有兵甲象也. 曰伏, 曰莽, 曰高, 皆互巽象也.
천하에는 순수하게 함께하는 이치는 없으니, 함께하는 가운데에는 반드시 함께하지 않는 것이 있다. 삼효와 사효는 두 몸체가 변하여 바뀌는 사이에 있기 때문에 함께하지 않는 상이 된다. 삼효는 상구와 호응하는 자리에 있지만 함께할 수 없기 때문에 군사를 숲 속에 매복시켜 대비하고는 높은 언덕에 올라서 살핀다. 함께해야 하는데 함께하지 않으면 시기와 의심이 곧바로 생겨나 가까운데도 서로 얻을 수 없으니, 흉함이 해칠 수 있다. 그러나 단지 시기하고 의심할 뿐이고, 실제로는 노여워할 만한 원망은 없기 때문에 삼 년이 지나도록 끝내 군사를 일으키지 않는다. '군사'는 리괘(離卦)에 무기의 상이 있는 것이다. "매복한다"고 하고, '숲'이라고 하며, '높은'이라고 한 것은 모두 호괘인 손괘(巽卦☴)의 상이다.

---

85) 『周易 · 震卦』: 六二, 象曰, 震來厲, 乘剛也.

김귀주(金龜柱) 『주역차록(周易箚錄)』

九三, 伏戎于莽, 云云.
구삼은 숲 속에 군사를 매복시키다, 운운.
○ 按, 九三在離體之內. 離爲戈兵, 則有戎之象, 爲木之科上槁, 則有荒莽之象. 在下體之上, 則有高陵之象, 又於互體爲巽, 巽爲入, 則有入伏之象. 離爲火, 火炎上, 則有升之象. 爻居第三, 則有三歲之象. 爻辭取象, 恐或如此歟, 然未敢信其盡然也.
내가 살펴보았다: 구삼은 리괘(離卦)의 몸체 안에 있다. 리괘는 무기이니 군사의 상이 있고, 나무의 밑동 위가 메말라 있음이니 황폐한 숲의 상이 있다. 하체의 맨 위에 있으니, 높은 언덕의 상이 있고, 또 호괘의 몸체는 손괘(巽卦☴)이고 손괘는 들어옴이니, 들어와 숨는 상이 있다. 리괘는 불이고 불은 타오르니, 올라가는 상이 있다. 효가 세 번째에 있으니, 삼 년의 상이 있다. 효사에서 상을 취함은 아마도 이와 같은 듯하지만, 그 뜻이 다 그런지는 아직 감히 믿을 수 없다.

本義, 剛而不中, 云云.
『본의』에서 말하였다: 굳세지만 가운데에 있지 않아, 운운.
小註, 雲峰胡氏曰, 二與, 云云.
소주에서 운봉호씨가 말하였다: 이효와, 운운.
○ 按, 欲攻二之云, 恐失文義. 三四, 不言同人, 只是文勢則然, 以非三四非同者也. 三四爭奪, 雖失同人之道, 然旣皆欲同於二, 則亦可爲同也. 何謂非同者耶.
내가 살펴보았다: "이효를 공격하고자 한다"는 말은 아마도 문장의 뜻을 잃은 듯하다. 삼효와 사효에서 사람들과 함께함을 말하지 않은 것은 단지 문장의 형세가 그런 것이지, 삼효와 사효가 함께하지 않은 것은 아니다. 삼효와 사효는 다투어 빼앗아 사람들과 함께하는 도를 잃었을지라도 모두 이효와 함께하고자 했던 것이니, 또한 함께함이 될 수 있다. 어찌 함께하는 것이 아니라고 말할 수 있겠는가?

박문건(朴文健) 『주역연의(周易衍義)』

懼而退避, 故有升高陵之象. 陵, 大阜也.
두려워서 물러나 피하기 때문에 높은 언덕에 오르는 상이 있다. '언덕[陵]'은 큰 언덕이다.
〈問, 伏戎于莽, 升其高陵, 三歲不興. 曰, 九三深畏上九之逼己, 故伏其兵於草莽之中, 升避高陵而三歲不起也. 蓋三在下體之上, 故取高陵之義.
물었다: "숲 속에 군사를 매복시키고, 높은 언덕에 올라 삼 년 동안 일어나지 못한다"는 무슨 뜻입니까?

답하였다: 구심은 상구가 자기를 핍박할 것을 매우 두려워하기 때문에 숲속에 그의 군사를 매복시켜 놓고 높은 언덕에 올라가 피해 있으면서 삼 년 동안 일어나지 못하는 것입니다. 아마도 삼효가 하체의 맨 위에 있기 때문에 높은 언덕이라는 뜻을 취한 듯합니다.〉

이지연(李止淵) 『주역차의(周易箚疑)』

離有甲冑戈兵之象. 故伏戎指六二之陰, 陵指其所居之位. 且此卦之正對, 乃師之六三, 故亦云伏戎. 以九四之壓己[86], 故不興. 九三之强敵, 非但九五也, 九四亦强敵也.
리괘(離卦)에는 갑옷과 무기의 상이 있다. 그러므로 "군사를 매복시킨다"는 것은 육이의 음을 가리키고, '언덕'은 그것이 있는 자리를 가리킨다. 또 이 괘의 음양이 바뀌면 바로 사괘(師卦䷆)의 육삼이기 때문에 또한 "군사를 매복시킨다"고 하였다. 구사가 자기를 억누르기 때문에 일어나지 못한다. 구삼의 강한 적은 구오일 뿐만이 아니라 구사도 강한 적이다.

윤종섭(尹鍾燮) 『경(經)·역(易)』

同人之大師, 卦無坤, 不與泰六之用師自邑同, 而曰大師克者, 卦變爲師也. 三之伏戎于莽互巽, 而三歲不興者, 离爲歲而其數三.
동인괘(同人卦䷌)의 '큰 군사'는 괘에 곤괘(☷)가 없으니, 태괘(泰卦䷊)의 상육에서 "군사를 쓰지 말고 읍으로부터"[87]라고 한 것과는 같지 않고, "큰 군사로 이긴다"라고 말한 것은 괘가 사괘(師卦䷆)로 변하기 때문이다. 삼효에서 "숲속에 군사를 매복시킨다"라고 한 것은 호괘인 손괘(巽卦☴) 때문이고, "삼 년 동안 일어나지 못한다"라고 한 것은 리괘(離卦)가 해[歲]이고 그 수가 삼이기 때문이다.

김기례(金箕澧) 「역요선의강목(易要選義綱目)」

離爲兵弋, 故曰戎.
리괘(離卦)는 무기이기 때문에 '군사'라고 하였다.

○ 莽, 指二陰.
'숲'은 이효인 음을 가리킨다.

---

86) 已: 경학자료집성DB에 '已'로 되어 있으나, 경학자료집성 영인본을 참조하여 '己'로 바로잡았다.
87) 『周易·泰卦』: 上六, 城復于隍, 勿用師, 自邑告命, 貞, 吝.

○ 三爲下體之上, 故曰高陵.
삼효는 하체의 맨 위이기 때문에 '높은 언덕'이라고 하였다.

○ 三至五, 三畫, 故曰三歲.
삼효에서 오효까지 세 획이기 때문에 '삼 년'이라고 하였다.

○ 三以重剛不中正, 欲比二, 而畏五之相應, 陰蓄不軌, 登高窺覘, 至三歲不興兵, 則安能行乎?
삼효는 거듭된 굳셈으로 중정하지 않아서 이효와 친하고자 하지만 구오가 상응하는 것이 두려워 마음속으로 반역할 마음을 품고 높은 곳에 올라 엿보면서도 삼 년이 지나도록 군사를 일으키지 못하니, 어떻게 행하겠는가?

○ 敵剛指五.
"적이 강하기 때문이다"는 오효를 가리킨다.

이항로(李恒老) 「주역전의동이석의(周易傳義同異釋義)」

傳, 時升高陵以顧望.
『정전』에서 말하였다: 때때로 높은 언덕에 올라가 둘러본다.

本義, 懼九五之見攻, 故有此象.
『본의』에서 말하였다: 구오의 공격을 받을까 두렵기 때문에 이러한 상이 있다.

小註, 朱子曰, 程傳, 升高顧望之說, 恐非本義.
소주에서 주자가 말하였다: 『정전』에서 "높은 언덕을 올라가 둘러본다"에 대한 설명은 아마도 본래의 뜻은 아닌 듯하다.

愚按, 時升顧望與三歲不興, 文勢牴牾.
내가 살펴보았다: "때때로 높은 언덕에 올라가 둘러본다"와 "삼 년 동안 일어나지 못한다"는 문장의 형세가 서로 어긋난다.

심대윤(沈大允) 『주역상의점법(周易象義占法)』

同人之无妄☰, 无, 不也. 九三以剛居剛, 强求同于人人, 而不置其不與者也. 同人之世, 志在於應, 而不在於比近, 故不取比近也. 上九非三之正應, 而四五志不同於三, 三求同焉, 畏其强而不敢遽進, 故曰伏戎于莽. 巽爲伏, 离爲戎, 對坎互巽爲莽, 言巽而憂疑也. 巽爲升爲高. 艮爲陵, 連於上, 故曰高陵. 升其高陵, 言望上之三陽也, 其不一之辭. 巽爲三, 坎离爲歲, 震爲興. 三歲不興, 言終不敢進交也.
동인괘가 무망괘(无妄卦䷘)로 바뀌었으니, 무(无)는 불(不)이다. 구삼은 굳셈으로 굳센 자리에 있어 사람들과 함께하기를 억지로 구하고, 함께하지 않는 자들을 놔두지 않는다. 동인의 시대에는 뜻이 호응하는 데에 있고 아첨하면서 가까이하는 데에 있지 않기 때문에 아첨하면서 가까이하는 데에서 취하지 않는다. 상구는 삼효의 정응이 아니고 사효와 오효는 뜻이 삼효와 함께하지 않으니, 삼효가 함께하기를 구함에 그들의 강함을 두려워하여 감히 선뜻 나아가지 못하기 때문에 "숲 속에 군사를 매복시킨다"고 하였다. 호괘인 손괘(巽卦☴)는 숨음이고, 하괘인 리괘(離卦☲)는 군사이며, 리괘의 음양이 바뀐 감괘(坎卦☵)와 호괘인 손괘(巽卦☴)는 숲이니, 공손하게 있으면서 걱정하고 의심함을 말한다. 손괘는 오름이고 높음이다. 간괘(☶)가 언덕인 것은 위와 연관이 되기 때문에 '높은 언덕'이라고 하였다. "높은 언덕에 오른다"란 위의 세 양을 바라봄을 말하니, 하나가 아니라는 말이다. 손괘는 삼이고, 감괘와 리괘는 해[歲]이며, 진괘(震卦)는 일어남이다. "삼 년 동안 일어나지 못한다"란 끝내 감히 나가 사귀지 못함을 말한다.

오치기(吳致箕) 「주역경전증해(周易經傳增解)」

九三以陽剛過中之質, 外无正應, 而內比於六二, 故志欲敵五而同二. 潛伏戎器于林莽之中, 升其高陵而顧望左右, 欲乘時伺發. 然以其得正而居離明之體故, 自知理不可克勢莫能敵, 乃至三歲之久而終不敢興也. 雖不言占, 卽象可知矣.
구삼은 양의 굳셈이 적당함을 지나치는 자질로 밖으로는 정응이 없고 안으로는 육이와 가깝기 때문에 마음으로 오효에 대적하면서 이효와 함께하고자 한다. 숲 속에 군사와 무기를 숨겨두고, 높은 언덕에 올라가 좌우를 둘러보며 적당한 때를 타고 나가기를 엿보려고 한다. 그러나 그것이 제자리를 얻고 리괘의 밝은 몸체에 있기 때문에 이치로나 형세로나 이길 수 없고 대적할 수 없음을 스스로 알고 삼 년이라는 오랜 시간을 지내도록 끝내 감히 일어나지 않는다. 비록 점사를 말하지 않았지만 상으로 알 수 있다.

○ 互巽爲伏. 離爲戈, 兵戎之象. 莽亦取於互巽. 爻變之震爲足, 互巽爲高. 爻變互艮爲山, 故曰升高陵. 三取離之數, 興者, 起也, 亦取變震, 而互巽爲不果, 故爲不興也.
호괘인 손괘(巽卦☴)는 숨음이다. 리괘(離卦☲)는 창이니, 군사의 상이다. '숲'도 호괘인 손괘에서 취하였다. 효가 변한 진괘(震卦☳)는 다리이고, 호괘인 손괘는 높음이다. 효가 변한 호괘 간괘(☶)는 산이기 때문에 "높은 언덕에 오른다"라고 하였다. '삼'이란 리괘를 취한 수이다. "일어난다"는 것은 기동한다는 것이니, 또한 변한 진괘에서 취하였고, 호괘인 손괘는 결과를 내지 못하는 것이기 때문에 "일어나지 못한다"는 것이다.

이진상(李震相) 『역학관규(易學管窺)』

戎, 離爲戈兵之象, 莽, 巽爲陰木之象. 巽又爲入, 有伏[88]象, 爲高, 有陵象. 離位本三, 歷三爻而得上九. 我無應援, 故不能興. 五之同二, 亦歷三爻, 非三所能制, 故不敢興. 又此爻變艮. 艮爲山, 陵象, 艮爲止, 不興象.

'군사'라고 말한 것은 리괘(離卦☲)가 무기의 상이기 때문이며, '숲[莽]'이라고 말한 것은 손괘가 음목(陰木)의 상이기 때문이다. 손괘(巽卦☴)는 또 들어옴이니 숨는 상이 있고, 높음이니 언덕의 상이 있다. 리괘의 자리는 본래 세 번째이고, 세 효를 지나야 상구를 만날 수 있다. 삼효는 자신에게 호응하여 도와주는 자가 없기 때문에 일어날 수 없다. 오효가 이효와 함께하는 것도 세 개의 효를 지나야 하는데, 삼효가 제어할 수 있는 바가 아니기 때문에 감히 일어나지 못한다. 또 이 효가 변하여 간괘(☶)가 된다. 간괘는 산이니 언덕의 상이고, 간괘는 그침이니 일어나지 못하는 상이다.

박문호(朴文鎬) 「경설(經說)·주역(周易)」

三之所處於位爲三, 故有三歲之象耳. 三之伏戎升陵, 旣主五而言, 則九四之乘墉, 恐不可異同. 而本義乃作攻二之象, 其義未詳. 且以九五之大師克相遇觀之, 是五爲三四之强敵, 非三四之自相爲敵, 又可知也.

삼효가 있는 곳은 자리에서 세 번째이기 때문에 삼 년이라는 상이 있을 뿐이다. 삼효의 "군사를 매복시킨다"와 "언덕에 오른다"는 것은 이미 오효를 위주로 하여 말한 것이니, 구사의 "담에 오른다"는 것도 아마도 다르지 않은 듯하다. 그런데 본래의 의미는 이효를 공격하는 상이 되나 그 뜻이 자세하지 않다. 또 구오의 "큰 군사로 이겨야 서로 만나게 된다"는 말로 살펴보면, 이것은 오효가 삼효와 사효의 강적이지, 삼효와 사효는 본래 서로 적이 아님을 또 알 수 있다.

이병헌(李炳憲) 『역경금문고통론(易經今文考通論)』

姚曰, 三動欲據二而敵五, 故伏戎升高. 不化, 故不興.

요신이 말하였다: 삼효가 움직여 이효를 움켜잡고 오효와 대적하고자 하기 때문에 군사를 매복시키고 높은 곳에 올라갔다. 변화하지 않기 때문에 일어나지 못한다.

---

88) 伏: 경학자료집성DB와 영인본에 모두 '伏'로 되어 있으나, 문맥을 살펴 '伏'으로 바로잡았다.

象曰, 伏戎于莽, 敵剛也, 三歲不興, 安行也.

「상전」에서 말하였다: "숲속에 군사를 매복시킴"은 적이 강하기 때문이고, "삼 년 동안 일어나지 못하니" 어떻게 행하겠는가?

中國大全

傳

所敵者五, 旣剛且正, 其可奪乎. 故畏憚伏藏也. 至於三歲不興矣, 終安能行乎.

적으로 삼는 것이 오효인데, 이미 굳세고 또 바르니, 어찌 이효를 빼앗을 수 있겠는가? 그러므로 두려워서 매복시켜 숨긴다. 삼 년이 되도록 일어나지 못하니, 끝내 어떻게 행할 수 있겠는가?

本義

言不能行.

행할 수 없음을 말하였다.

小註

平庵項氏曰, 言敵剛, 恐人誤以爲攻二也.

평암항씨가 말하였다: "적이 강하기 때문이다[敵剛]"라고 말한 것은 사람들이 이효를 공격하는 것으로 오인할까 염려했기 때문이다.

○ 節齋蔡氏曰, 安, 何也. 讀如安往而不得貧賤之安.

절재채씨가 말하였다: '안(安)'자는 '어찌[何]'라는 뜻이니, "어디 간들 빈천하지 않겠는가?"[89]

89) 이러한 구절은 『자치통감(資治通鑑) · 주기(周紀)』에 다음과 같이 나온다. "子方曰, 亦貧賤者驕人耳, 富貴

라고 할 때의 '어디(安)'와 같다.

韓國大全

이현익(李顯益) 「주역설(周易說)」

平菴項氏曰, 言敵剛, 恐人誤以爲攻二也, 此爲得.
평암항씨는 "'적이 강하기 때문이다[敵剛]'라고 말한 것은 사람들이 이효를 공격하는 것으로 오인할 것을 염려했기 때문이다"라고 하였으니, 이것이 옳다.

이익(李瀷) 『역경질서(易經疾書)』[90]

三歲不興, 則戎之莽者, 陵者, 皆不敢起, 敵强故也. 敵指九五. 安行, 謂安敢行, 其伏與升之志也. 莽陵遠而城墉近, 伏緩而攻逼. 然中正相應, 其可克乎?
"삼 년 동안 일어나지 못한다"는 것은 군사가 숲 속에 있고 언덕에 있는 것이 모두 감히 일어나지 못하는 것은 적이 강하기 때문이다. 적은 구오를 가리킨다. "어떻게 행하겠는가?"라는 것은 어떻게 감히 행하겠는가를 말한 것이니, 매복하고 올라가려는 마음이다. 숲과 언덕[91]은 멀리 있지만 성의 담[92]은 가까이 있고, 매복[93]은 천천히 하지만 공격[94]은 급박하게 한다. 그러나 중정으로 서로 호응하니 어떻게 이길 수가 있겠는가?

김상악(金相岳) 『산천역설(山天易說)』

三之敵[95]剛謂五. 敵剛者, 五有在上之勢也. 安, 何也.

者安敢驕人. 國君而驕人, 則失其國, 大夫而驕人, 則失其家. 失其國者, 未聞有以國待之者也, 失其家者, 未聞有以家待之者也. 夫士貧賤者, 言不用, 行不合, 則納履而去耳, 安往而不得貧賤哉."

90) 경학자료집성DB에서는 동인괘 육이에 해당하는 것으로 분류했으나, 내용에 따라 이 자리로 옮겨 바로잡는다.
91) 『周易·同人卦』: 九三, 伏戎于莽, 升其高陵, 三歲不興.
92) 『周易·同人卦』: 九四, 乘其墉, 弗克攻, 吉.
93) 『周易·同人卦』: 九三, 伏戎于莽, 升其高陵, 三歲不興.
94) 『周易·同人卦』: 九四, 乘其墉, 弗克攻, 吉.

삼효의 강한 적은 오효를 말한다. 적이 강한 것은 오효가 높은 자리에 있는 권세가 있기 때문이다. '어떻게(安)'는 '어찌[何]'이다.

서유신(徐有臣) 『역의의언(易義擬言)』

敵, 等也. 兩剛敵體, 不相應, 故致疑怒也. 伏戎危道, 而不興安道也.
'적(敵)'이란 대등하다는 것이다. 두 굳센 양은 대등한 몸체여서 서로 호응하지 않기 때문에 의심하고 노여워하는 데에 이른 것이다. "군사를 매복시킨다"는 것은 위태로운 도이고, "일어나지 못한다"는 것은 편안한 도이다.

박문건(朴文健) 『주역연의(周易衍義)』

敵, 謂上九也, 安行, 言不能行也.
'적(敵)'은 상구를 말하고, "어떻게 행하겠는가?"는 행할 수 없음을 말한다.

오치기(吳致箕) 「주역경전증해(周易經傳增解)」

所敵者五, 而旣尊且剛, 故理屈而勢畏, 終不能行也.
적으로 삼는 것은 오효인데, 이미 존귀하고 또한 굳세기 때문에 이치로나 형세로나 굴복하고 두려워하니 끝내 행할 수 없다.

95) 敵: 경학자료집성DB와 영인본에 모두 '過'로 되어 있으나, 문맥을 살펴 '敵'으로 바로잡았다.

九四, 乘其墉, 弗克攻, 吉.

구사는 담에 올라가지만 공격하지 못하니 길하다.

中國大全

傳

四剛而不中正, 其志欲同二, 亦與五, 爲仇者也. 墉垣, 所以限隔也. 四切近於五, 如隔墉耳. 乘其墉, 欲攻之, 知義不直而不克也. 苟能自知義之不直而不攻, 則爲吉也. 若肆其邪欲, 不能反思義理, 妄行攻奪, 則其凶, 大矣. 三以剛居剛, 故終其强而不能反, 四以剛居柔, 故有困而能反之義, 能反則吉矣. 畏義而能改, 其吉, 宜矣.

사효는 굳세지만 중정하지 않으면서 그 뜻이 이효와 함께하고자 하니, 또한 오효와 원수가 된다. '용(墉)'은 담장이니, 막아 경계를 두는 것이다. 사효는 오효와 아주 가까이 있어 담 하나 사이를 둔 것과 같다. 담에 올라가 공격하고자 하다가 의리상 바르지 못함을 알아 하지 않는다. 의리상 바르지 못함을 알아 공격하지 않는다면 길하다. 그러나 그 사특한 욕심을 함부로 부리고 의리를 돌이켜 생각할 수 없어서 함부로 행하여 공격하고 빼앗으면 흉함이 크다. 삼효는 굳센 양으로써 굳센 양의 자리에 있기 때문에 강함을 끝까지 하여 돌이킬 수 없고, 사효는 굳센 양으로서 유순한 음의 자리에 있기 때문에 곤란하여 돌이킬 수 있는 뜻이 있으므로, 돌이킬 수 있다면 길하다. 의(義)를 두려워하여 고칠 수 있으므로 길함이 마땅하다.

小註

童溪王氏曰, 九四乘其墉, 其志亦欲阻三以攻五也. 然九三以剛敵剛, 猶不能行其欲, 況九四之非全剛乎. 其弗克攻也, 宜矣.

동계왕씨가 말하였다: 구사가 담에 올랐으니, 그 뜻은 또한 삼효를 막고 오효를 공격하고자 함이다. 그러나 구삼이 굳센 양으로서 굳센 양을 대적해도, 오히려 하고자 하는 것을 행할 수 없었는데, 하물며 구사가 완전한 굳셈이 아님에야 말해 무엇 하겠는가! 공격하지 않음이 마땅하다.

本義

剛不中正, 又无應與, 亦欲同於六二而爲三所隔, 故爲乘墉以攻之象. 然以剛居柔, 故有自反而不克攻之象. 占者, 如是, 則是能改過而得吉也.

굳셈이 중정하지 않고 또 호응하여 함께하는 이가 없고 또한 육이와 함께하고자 하지만 삼효가 막고 있기 때문에 담에 올라가서 공격하는 상이 된다. 그러나 굳셈으로서 유약한 자리에 있기 때문에 스스로 돌이켜보고 공격하지 못하는 상이 있다. 점을 치는 자가 이와 같이 한다면, 잘못을 고치고 길함을 얻을 수 있다.

小註

或問, 同人三四, 皆有爭奪之義. 朱子曰, 只是爭六二一陰爻, 卻六二自與九五相應. 三以剛居剛, 便迷而不返. 四以剛居柔, 便有反底道理. 繫辭云近而不相得, 則凶. 如初上, 則各在事外, 不相干涉, 所以无爭.
어떤 이가 물었다: 동인괘의 삼효와 사효는 모두 다투고 빼앗는 뜻이 있습니까?
주자가 답하였다: 단지 육이 한 음효를 두고서 다툴 뿐인데, 육이는 본래 구오와 호응합니다. 삼효는 굳셈으로서 굳센 자리에 있어 곧 미혹되어 돌이키지 못합니다. 사효는 굳셈으로서 유약한 자리에 있어 곧 돌이키는 도리가 있습니다. 「계사전」에서는 "가까이 있으나 서로 맞지 않으면 흉하다"[96]라고 하였습니다. 초효와 상효라면 각각 일의 밖에 있어서 서로 간섭하지 않기 때문에 다툼이 없게 됩니다.

○ 潛齋胡氏曰, 三之升高陵, 升四而望五也. 四之乘其墉, 乘三而攻二也. 三惡五之親二, 故有犯上之心, 四惡二之比三, 故有陵下之志.
잠재호씨가 말하였다: 삼효가 높은 언덕에 오름은 사효에 올라 오효를 바라보는 것이다. 사효가 담에 올라가는 것은 삼효를 타고 이효를 공격하는 것이다. 삼효는 오효가 이효와 친한 것을 미워하기 때문에 윗사람을 범하는 마음이 있고, 사효는 이효가 삼효와 가까이 있는 것을 미워하기 때문에 아랫사람을 업신여기는 마음이 있다.

○ 雲峯胡氏曰, 三雖以剛居剛, 猶懼五之見攻者, 屈於勢而不可敵也. 四以剛居柔, 欲乘墉以攻, 終不克攻者, 是能屈於義而不敢敵也. 春秋文公十年, 書晉人納捷菑于邾, 弗克納, 有得於周公爻辭弗克攻之旨矣. 穀梁傳曰弗克納, 其義也, 有得於夫子象傳義

96)『周易·繫辭傳』: 凡易之情, 近而不相得, 則凶或害之, 悔且吝.

弗克之旨矣. 諸家多以三四爲欲攻五, 於理悖甚. 唯本義得之.
운봉호씨가 말하였다: 삼효가 굳셈으로서 굳센 자리에 있지만, 오히려 구오가 공격할 것을 두려워하는 것은 세력에 굴복하여 대적할 수 없기 때문이다. 사효는 굳셈으로서 유약한 자리에 있으므로, 담에 올라가 공격하고자 하지만 끝내 공격하지 않으니, 이것은 의리에 굴복하여 감히 대적하지 못 하는 것이다. 『춘추』 문공 10년에는 "진(晉)나라 사람들이 주(邾)나라에서 첩치(捷菑)를 받아들이고자 하였으나 받아들이지 않았다"고 기록하였으니,[97] 주공의 효사에서 "공격하지 않는다"는 가르침을 얻은 것이다. 『곡량전』에서는 "받아들이지 않은 것은 의(義)이다"[98]라고 하였으니, 공자의 「상전」에서 "의리상 이기지 못한다"는 가르침을 얻은 것이다. 여러 학자들이 대부분 삼효와 사효가 오효를 공격하고자 한 것으로 여긴 것은 이치에 매우 어그러진다. 『본의』만이 올바른 뜻을 얻었다.

韓國大全

김장생(金長生) 『주역(周易)』

同人, 九四, 象, 傳, 二者.
동인괘 구사 「상전」에 대한 『정전』에서 말하였다: 이자(二者)는.

二者, 指第二爻也. 二爻指三四爻也. 三爻四爻在二五之間故也.
『정전』에서 말하는 '이자(二者)'는 두 개의 효를 가리킨다. '두 효(二爻)'는 삼효와 사효를 가리킨다. 삼효와 사효가 이효와 오효의 사이에 있기 때문이다.

송시열(宋時烈) 『역설(易說)』

在離卦之上, 若乘之也. 墉者, 城也, 離爲城. 蓋中虛外實, 有城之象. 四爻見伏戎而攻

---

97) 『春秋左氏傳 · 文公』 14년: 晉趙盾以諸侯之師八百乘納捷菑于邾. 邾人辭曰, "齊出貜且長." 宣子曰, "辭順, 而弗從, 不祥." 乃還. 周公將與王孫蘇訟于晉, 王叛王孫蘇, 而使尹氏與聃啓訟周公于晉. 趙宣子平王室而復之. 楚莊王立, 子孔、潘崇將襲群舒, 使公子燮與子儀守, 而伐舒蓼. 二子作亂. 城郢, 而使賊殺子孔, 不克而還.

98) 『春秋穀梁注疏 · 文公』 14년: 弗克納, 未伐而曰弗克何也. 弗克其義也.

之不克, 五以大師克之. 四之不克, 雖爲困敗之道, 而亦反爲常法, 其義吉也.
리괘(離卦)의 위에 있어 올라타는 것과 같다. '담'은 성곽이니, 리괘는 성곽이 된다. 아마도 가운데가 비어 있고 밖이 채워져 있어 성곽의 상이 있다. 사효는 매복한 군사를 보고 공격하지만 이기지 못하고, 오효는 큰 군대를 가지고 이긴다. 사효가 이기지 못하는 것은 위태롭고 패배하는 도가 되지만, 또한 도리어 떳떳한 법이 되니, 의리상 길하기 때문이다.

이현익(李顯益)「주역설(周易說)」

童溪王氏謂九四乘其墉, 欲阻三而攻五, 此非本義之旨. 本義則以九四之攻爲攻三也. 建安丘氏謂四之所欲攻者三, 此爲得之.
동계왕씨가 "구사가 담에 올랐으니 삼효를 막고 오효를 공격하고자 함이다"라고 하였으니, 이것은『본의』의 뜻이 아니다.『본의』는 구사의 공격을 삼효를 공격하는 것으로 여겼기 때문이다. 건안구씨는 "사효가 공격하고자 하는 것은 삼효이다"라고 하였으니, 이것은 그 뜻을 제대로 이해한 것이다.

심조(沈潮)「역상차론(易象箚論)」

九四, 乘其墉.
구사는 담에 올라간다.

陽爻似墻, 故稱墉.
양효가 담과 유사하기 때문에 '담'이라고 말하였다.

유정원(柳正源)『역해참고(易解參攷)』

王氏曰, 處上攻下, 力能乘墉者也, 履非其位, 以與人爭. 二自五應, 三非犯己, 攻三求二, 尤而效之, 違義傷理, 衆所不與. 故雖乘墉而不克也. 不克則反, 反則得吉也.
왕필이 말하였다: 위에 있으면서 아래를 공격하니 힘이 담에 올라갈 수 있는 자이고, 밟고 있는 것이 제 자리가 아니니 남들과 다툰다. 이효는 본래 오효와 호응하고 삼효가 자신을 범한 것이 아닌데도 삼효가 이효를 구하는 것을 공격하니, 남이 하는 못된 짓을 본받아서 의(義)를 위반하고 이치를 손상시키므로 여러 사람들이 함께하지 않기 때문에 담에 올라가지만 공격하지 못한다. 공격하지 못하면 돌이키고, 돌이키면 길할 수 있다.[99]

○ 吳園張氏曰, 不曰悔亡, 而曰吉, 聖人貴遷善, 如此.
오원장씨가 말하였다: 망하게 됨을 뉘우친다고 말하지 않고 길하다고 말하였으니, 성인이 선으로 옮겨감을 귀하게 여기는 것이 이와 같다.[100)]

○ 雙湖胡氏曰, 三以四爲陵, 三歲不興, 有終下卦之象. 四以三爲墉, 不克攻, 才雖剛而志終弱也. 聖人與四以吉, 開其自反之門耳. 然與四不與三者, 以其无君之惡尤甚, 而不可與也.
쌍호호씨가 말하였다: 삼효는 사효를 언덕으로 삼아 삼 년 동안 일어나지 못하였으니, 하체를 끝내는 상이 있다. 사효는 삼효를 담으로 삼아 공격하지 않았으니, 재질은 비록 굳세지만 의지가 끝내 약하기 때문이다. 성인은 사효를 길한 것으로 인정하였으니, 그것이 스스로 되돌아가는 문을 열었기 때문이다. 그러나 사효에게는 인정하고 삼효에게는 인정하지 않은 것은 삼효가 임금을 무시하는 패악이 더욱 심해 인정할 수가 없었기 때문이다.[101)]

○ 案, 四近於五, 而必欲比二, 何也. 易以少爲主, 故二爲一卦之主. 朱子所謂只爭六二一爻者, 是也.
내가 살펴보았다: 사효는 오효에 가까운데도 반드시 이효와 친하고자 하는 것은 어째서인가? 『주역』에서는 적은 것으로써 주인으로 삼기 때문에 이효가 한 괘의 주인이다. 주자가 이른바 "단지 육이 한 효를 다툰다"고 한 것이 여기에 해당한다.[102)]

김상악(金相岳) 『산천역설(山天易說)』

三爲二之墉, 而四居其上, 欲攘二求同, 故有乘墉以攻之象. 然爲三所隔, 自反而不克攻, 故吉也.
삼효는 이효의 담인데, 사효가 그 위에 있으면서 이효를 무찔러 놓고 함께하기를 구하고자 하기 때문에 담에 올라가 공격하는 상이 있다. 그러나 삼효가 가로막아 스스로 돌이키고 공격할 수가 없으므로 길하다.

---

99) 『周易注疏 · 同人卦』: 九四, 乘其墉, 弗克攻, 吉. 注, 處上攻下, 力能乘墉者也, 履非其位, 以與人爭. 二自五應, 三非犯已, 攻三求二, 尤而效之, 違義傷理, 衆所不與, 故雖乘墉而不克也. 不克則反, 反則得吉也.

100) 『吳園周易解 · 同人卦』: 以陽處陰, 故不曰悔亡, 而言吉, 聖人貴遷善, 如此.

101) 이 내용은 『주역회통(周易會通) · 동인괘(同人卦)』에 보인다.

102) 『朱子語類 · 易 · 同人卦』: 伯豊問: "同人三四, 皆有爭奪之義." 曰: "只是爭六二一陰爻, 卻六二自與九五相應. 三以剛居剛, 便迷而不返; 四以剛居柔, 便有反底道理. 繫辭云: '近而不相得則凶.' 如初上則各在事外, 不相干涉, 所以無爭."

○ 離體中虛外圍, 墉之象. 離之戈兵, 巽以進退, 故有欲攻不攻兩象也. 同人者, 師之對也. 師六四曰, 師左次, 故此曰, 不克攻. 五則爲師之主, 故曰大師克. 又四變則與解爲對. 解之上曰, 射隼于高墉之上, 獲之, 爲解悖也, 此曰, 乘其墉, 不克攻, 爲反則也. 蓋三有犯上之心, 四有陵下之志. 而過剛與用柔不同, 故三終不興, 四能反則也.
리괘(離卦☲)의 몸체는 속이 비어 있고 밖으로는 둘러싸여 있으니 담의 상이다. 리괘는 병장기이고, 손괘(巽卦☴)는 진퇴이기 때문에 공격하거나 공격하지 않고자 하는 상이 있다. 동인괘(同人卦䷌)는 사괘(師卦䷆)가 음양이 바뀐 괘이다. 사괘의 육사에서 "군대가 후퇴하여 머문다"[103]고 하였기 때문에 여기에서 "공격하지 못한다"고 하였다. 오효는 군대의 주인이기 때문에 "큰 군대로 이긴다"고 하였다. 또 사효가 변하면 해괘(解卦䷧)와 음양이 바뀐 괘가 된다. 해괘의 상효에서 "새매를 높은 담 위에서 쏘아 잡는다"[104]고 한 것은 패란을 풀기 위한 것이 되며,[105] 여기에서 "담에 올라가지만 공격하지 못한다"고 한 것은 법칙으로 돌아오는 것이 된다. 삼효는 윗사람을 범하는 마음이 있고, 사효는 아랫사람을 업신여기려는 뜻이 있다. 굳셈을 지나치게 함과 부드러움을 씀[106]이 같지 않기 때문에 삼효는 끝내 일어나지 못하고, 사효는 법칙으로 돌아올 수 있다.

김규오(金奎五) 「독역기의(讀易記疑)」

九四, 乘其墉.
구사는 담에 올라간다.
墉與陵皆陽. 而墉不言高者, 位柔也.
담과 언덕은 모두 양이다. 그런데 담을 높다고 하지 않은 것은 자리가 유순하기 때문이다.

○ 弗克攻.
공격하지 못한다.
傳欲攻五, 義欲攻三. 然四之不得同二, 以三隔之耳, 捨三攻五, 似過矣. 四之攻三, 其德等耳, 恐无義不義之可辨者. 胡氏以爲欲攻二而以兵劫脅, 亦豈爲同人之道也? 三說俱未甚穩, 然以象中義字見之, 傳或稍長否.
『정전』에서는 오효를 공격하고자 한다고 하였고 『본의』에서는 삼효를 공격하고자 한다고 하였다. 그런데 사효가 이효와 함께할 수 없는 것은 삼효가 가로막아서일 뿐인데, 삼효를

103) 『周易 · 師卦』: 六四, 師左次, 无咎.
104) 『周易 · 解卦』: 上六, 公用射隼于高墉之上, 獲之, 无不利.
105) 『周易 · 解卦』: 上六, 象曰 公用射隼, 以解悖也.
106) 『程傳 · 大過卦』: 過剛, 則不能有所爲, 九三是也, 得中用柔, 則能成大過之功, 九二是也.

놔두고 오효를 공격한다는 것은 잘못인 것 같다. 사효가 삼효를 공격하는 것은 그들의 덕이 같아서일 뿐인데, 의롭고 의롭지 않음을 구별할 수 있는 자가 없었던 것 같다. 호씨는 이효를 공격하여 군사로 위협을 하고자 한다고 여겼으니, 또한 어찌 사람들과 함께하는 도이겠는가? 이상의 세 가지 설은 모두 아주 불편하지만, 「상전」에 있는 '의리'라는 말로 본다면, 『정전』이 다소 나은 듯하다.

서유신(徐有臣) 『역의의언(易義擬言)』

四與初九不得同, 故乘墉而攻之, 旣以應位之義而弗攻也, 又以兩體之初, 故終得以與同, 是爲吉也. 三在內卦, 爲伏戎象, 四在外卦, 爲乘墉象. 伏則藏怒也. 藏則怒之深而難解, 故至于三歲也. 乘則發怒也. 發則怒之暴而易息, 故便弗克攻也.
사효는 초구와 함께할 수 없기 때문에 담에 올라가서 공격하지만 이미 호응하는 자리의 의리 때문에 공격하지 않고 또 두 몸체의 처음이기 때문에 끝내 함께할 수 있으니, 이것이 길함이 되는 이유이다. 삼효는 내괘에 있어서 군사를 매복시키는 상이고, 사효는 외괘에 있어서 담에 올라가는 상이다. 매복하는 것은 분노를 감추는 것이다. 감추면 분노가 깊어져서 풀기 어렵기 때문에 삼 년이라는 시간을 보낸다. 담에 올라가는 것은 분노를 드러내는 것이다. 드러내면 분노가 폭발하지만 쉽게 그치기 때문에 곧 공격할 수 없다.

김귀주(金龜柱) 『주역차록(周易箚錄)』

九四, 乘其墉, 云云.
구사는 담에 올라가나, 운운.
○ 按, 九四居上體, 有乘墉之象. 弗克攻, 謂可攻而不攻也. 蓋三則居下而欲攻五, 其勢逆, 故雖欲攻而不能攻. 四則居上而欲攻三, 其勢順, 是則可攻而不攻也.
내가 살펴보았다: 구사는 상괘의 몸체에 있어서 담에 올라가는 상이 있다. "공격할 수 없다"는 공격해도 되는데 공격하지 않는 것을 말한다. 삼효가 아래에 있으면서 오효를 공격하고 싶지만 그 형세가 거꾸로 되어 있기 때문에 공격하고 싶어도 공격할 수 없는 것이다. 사효가 위에 있으면서 삼효를 공격하고 싶지만 그 형세도 순조로우니, 이것은 공격해도 되는데 공격하지 않는 것이다.

本義, 剛不中正, 云云.
『본의』에서 말하였다: 굳세면서도 중정하지 않고, 운운.
小註, 潛齋胡氏曰, 三之, 云云.
소주에서 잠재호씨가 말하였다: 삼효가, 운운.

○ 按, 四之攻二云云, 恐未當. 四方欲同於二, 何爲而反攻之耶. 況凡相攻者, 必兩剛相敵, 豈有以剛攻柔之理也.
내가 살펴보았다: "사효가 이효를 공격한다"고 말한 것은 아마도 맞지 않은 듯하다. 사효는 이효와 함께하고자 하는데 무엇 때문에 도리어 공격하겠는가? 하물며 서로 공격한다는 것은 반드시 두 굳셈이 서로 대적하는 것이니, 어찌 굳셈이 유순함을 공격하는 이치가 있겠는가?

雲峰胡氏曰, 三[107]雖, 云云.
운봉호씨가 말하였다: 삼효가 비록, 운운.
○ 按, 四則固非攻五者, 而三之伏戎于莽, 果欲攻誰者耶. 今混謂之, 於理悖甚者, 未可知也. 況本義未嘗言不欲攻五 而朱子又嘗曰三欲同於二, 而懼九五之見攻, 故升高伏戎, 欲敵之云云, 欲敵, 豈非欲攻耶.
내가 살펴보았다: 사효가 진실로 오효를 공격했던 것은 아니지만, 삼효가 숲 속에 군사를 매복시킨 것은 과연 누구를 공격하고자 했던 것인가? 그러므로 그것을 뒤섞어서 "이치에 매우 어그러진다"고 말한 것은 알 수가 없다. 하물며 『본의』에서는 오효를 공격하지 않고자 한다고 말한 적이 없고, 주자는 또 "삼효가 이효와 함께하고자 하지만 구오에게 공격을 받을까 두려워하기 때문에 높은 데에 올라 군사를 매복시켜놓고 구오와 대적하고자 한다"라고 말하였으니, "대적하고자 한다"는 것이 어찌 공격하고자 하는 것이 아니겠는가?

本義, 乘其墉矣, 云云.
『본의』에서 말하였다: 담에 올라갔으니, 운운.
小註, 建安丘氏曰, 或謂, 云云.
소주, 건안구씨가 말하였다: 어떤 이가 말하였으니, 운운
○ 按, 三臣位, 五君位云云, 恐不必如此說.
내가 살펴보았다: 건안구씨가 "삼효는 신하의 자리이고, 오효는 임금의 자리이니"라고 했는데, 굳이 이와 같이 설명할 필요는 없을 듯하다.

박문건(朴文健) 『주역연의(周易衍義)』

持剛肆暴, 故有乘其墉之象. 墉謂初九之墉也.
굳셈이어서 방자하고 난폭하기 때문에 담에 올라가는 상이 있다. '담'은 초구의 담을 말한다.
〈問, 乘其墉, 弗克攻, 吉. 曰, 九四過剛, 故失撫下之道, 而有乘墉之象. 蓋乘墉而後悔

107) 三: 경학자료집성DB와 영인본에 모두 '五'로 되어 있으나, 『주역대전』을 참고하여 '三'으로 바로잡았다.

心方萌. 故弗至克攻也, 所以致吉也.
물었다: "담에 올라가지만 공격하지 못하니 길하다"는 무슨 뜻입니까?
답하였다: 구사는 지나치게 굳세기 때문에 아랫사람을 어루만지는 도를 잃어서 담에 올라가는 상이 있습니다. 담에 올라간 후에 뉘우치는 마음이 바로 싹트게 됩니다. 그러므로 공격하는 데에 이르지 않으니, 길함에 이르는 까닭입니다.〉

이지연(李止淵)『주역차의(周易箚疑)』

九四下視六二, 爲互巽. 巽爲高, 爲進退, 爲不果.
구사가 육이를 내려다 보면, 호괘인 손괘(巽卦☴)가 된다. 손괘는 높음이고 나아가고 물러남이며 과단하지 못함이다.

秦王猛言於苻堅曰, 晉雖僻處江南, 正朔相承, 勿以爲圖, 深得此卦九四之義歟.
오호 십육국 시대 전진(前秦)의 왕맹이 왕인 부견(苻堅)에게 "진(晉)나라가 비록 강남으로 피난해 있지만 정통을 계승하고 있으니, 도모하지 마십시오"라고 하였으니, 이 괘의 구사가 뜻하는 바를 깊이 깨달았구나![108]

김기례(金箕澧)「역요선의강목(易要選義綱目)」

四亦欲同於二, 而爲三所隔[109], 故曰乘墉. 量力而自反, 故曰不克攻. 理屈則困矣, 不至難而反. 故曰吉.
사효도 이효와 함께하고자 하지만, 삼효가 가로막기 때문에 "담에 올라간다"고 하였다. 역량을 헤아려서 스스로 돌이키기 때문에 "공격하지 못한다"고 하였다. 이치상 굴복하니 곤란하지만 어려움에 이르지 않고 돌아온다. 그러므로 "길하다"고 하였다.

심대윤(沈大允)『주역상의점법(周易象義占法)』

同人之家人䷤, 私鄙也. 九四居柔, 有所不同, 而初九非其正應. 同人之世, 志在於應, 故曰乘其墉. 巽升离麗爲乘. 离爲墉, 謂五與初也. 如大臣志在民, 而非其有也, 上承

108) 『資治通鑑 · 晉紀 · 烈宗孝武皇帝上之上』: 秋七月, … 猛曰, 晉雖僻處江南, 然正朔相承, 上下安和, 臣沒之後, 願勿以晉爲圖.

109) 隔: 경학자료집성 영인본에서는 여기에 해당하는 글자가 무슨 글자인지 알 수가 없고, 경학자료집성DB에는 비어 있으나, 문맥을 살펴 '隔'으로 바로잡았다.

君而不可强同也. 知其不可而反以同於其相與者, 故曰不克攻. 离爲攻.
동인괘가 가인괘(家人卦☴)로 바뀌었으니, 사적인 마을이다. 구사가 유순한 자리에 있어 함께하지 않는 것이 있지만 초구가 그것의 정응은 아니다. 사람들과 함께하는 시대에는 뜻이 호응하는 데에 있기 때문에 "담에 올라간다"고 하였다. 손괘의 오름과 리괘의 걸림이 올라감이다. 리괘는 담이니 오효와 초효를 말한다. 이를테면 대신들은 뜻이 백성들에게 있지만 그의 소유가 아니고, 위로 임금을 받들지만 억지로 함께할 수가 없다. 불가함을 알아 되돌아와서 서로 따르는 것에서 함께하기 때문에 "공격하지 못한다"고 하였다. 리괘는 공격하는 것이다.

오치기(吳致箕) 「주역경전증해(周易經傳增解)」

九四, 剛失其正, 而下无應與. 故欲同於二而有侵犯之志, 乃至乘二之墉而覬覦. 然以剛居柔, 故自知義之不直而終弗能攻, 是所以得吉也.
구사의 굳셈은 제자리를 잃었고 아래로 호응하여 함께함이 없다. 그러므로 이효와 함께하고 싶어 침범할 생각을 가졌으니, 바로 이효의 담장에 올라 분수에 넘는 일을 엿본다. 그러나 굳셈이 부드러운 자리에 있기 때문에 스스로 의리상 곧지 않음을 알아 끝내 공격하지 못하니, 이것이 길하게 되는 까닭이다.

○ 四乘于三, 故曰乘, 而三爲二之墉也. 內虛外圍者爲墉, 而離之象也. 爻變互離爲戈兵, 故言攻, 而互巽爲不果, 故言弗克攻也. 此爻之言吉, 與他占異, 此謂僅免攻伐之凶, 而幸爲吉也. 爻中三四獨有爭奪之義者, 以其居二五之間也.
사효가 삼효에게 올라가기 때문에 "올라간다"고 하였으니, 삼효는 이효의 담이다. 안으로는 비어 있고 밖으로 둘려쳐져 있는 것이 담이니, 리괘의 상이다. 사효가 변한 호괘인 리괘는 무기이기 때문에 "공격한다"고 하였고, 호괘인 손괘는 과단성이 있지 않은 것이기 때문에 "공격하지 못한다"고 하였다. 이곳의 효에서 "길하다"고 말한 것은 다른 점사와는 다르니, 여기에서는 겨우 공격하여 흉하게 되는 것을 면하여 다행히 길하게 됨을 말한다. 효 중에서 삼효와 사효만이 다투어 빼앗는 뜻이 있는 것은 그것들이 이효와 오효 사이에 있기 때문이다.

이진상(李震相) 『역학관규(易學管窺)』

乘, 乘九三也. 三以四爲陵, 四以三爲墉. 墉, 人爲之高也. 巽象, 巽體之極, 故不克攻. 旣離離體又無甲兵矣.
"올라간다"는 것은 구삼에게 올라간다는 것이다. 삼효는 사효를 언덕으로 삼고, 사효는 삼효을 담으로 삼는다. '담'은 사람들이 만든 높은 것이다. 손괘(巽卦☴)의 상은 공손한 몸체의 궁극이기 때문에 공격하지 못한다. 이미 리괘(離卦☲)의 몸체를 떠났으니, 또한 갑옷과 병장기가 없다.

채종식(蔡鍾植) 「주역전의동귀해(周易傳義同歸解)」

同人, 九四不克攻, 傳謂攻五, 本義謂攻三. 蓋同人之世, 二五正應, 當同者也. 四居其間, 欲爭而奪之, 是邪不顧義也. 故自知義之不直而不克也. 又爲三所隔, 故欲爭而攻之, 然以剛居柔, 故有自反而不克也. 然則攻五攻三, 其不義則同也. 傳義之所以互相發, 明也.

동인괘의 "구사는 공격하지 못한다"고 한 것에 대하여 『정전』에서는 오효를 공격한다고 하였고, 『본의』에서는 삼효를 공격한다고 하였다. 사람들과 함께하는 시대에는 이효와 오효가 정응이니, 함께해야 하는 것이다. 사효는 그 사이에 있어 다투어 빼앗고자 하니, 바로 사특하여 의리를 돌아보지 않는 것이다. 그러므로 스스로 의리상 곧지 않음을 알아 공격하지 않는다. 또 삼효가 가로막고 있기 때문에 다투어 공격하고자 하지만 굳셈이 부드러운 자리에 있기 때문에 스스로 돌이켜서 공격하지 못한다. 그렇다면 오효를 공격하거나 삼효를 공격하는 것은 의롭지 않다는 점에서 같다. 『정전』과 『본의』가 서로 보완하여 드러내기 때문에 분명하다.

象曰, 乘其墉, 義弗克也, 其吉, 則困而反則也.

「상전」에서 말하였다: "담에 올라감"은 의리상 이길 수 없는 것이고, "길함"은 곤란하여 법칙으로 돌아오기 때문이다.

中國大全

傳

所以乘其墉而弗克攻之者, 以其義之弗克也. 以邪攻正, 義不勝也, 其所以得吉者, 由其義不勝, 困窮而反於法則也. 二者, 衆陽所同欲也, 獨三四, 有爭奪之義者, 二爻居二五之間也. 初終遠, 故取義別.

담에 올라가지만 공격하지 못하는 것은 의리상 이기지 못하기 때문이다. 사특함을 가지고서 바름을 공격하면 의리상 이기지 못하니, 길하게 되는 것은 의리상 이기지 못하기 때문에 곤궁해져 법칙으로 되돌아오기 때문이다. 이효는 여러 양들이 함께 있고 싶어 하는 것인데, 유독 삼효와 사효에서 다투고 빼앗는 뜻이 있는 것은 두 효가 이효와 오효 사이에 있기 때문이다. 초효와 상효는 멀기 때문에 뜻을 취함이 다르다.

本義

乘其墉矣, 則非其力之不足也. 特以義之弗克而不攻耳. 能以義斷, 困而反於法則, 故吉也.

담에 올라갔으니 역량이 부족한 것은 아니다. 다만 의리상 이기지 못해 공격하지 않았을 뿐이다. 이치로써 결단함에 곤란하여 법칙으로 돌아오기 때문에 길하다.

小註

雲峯胡氏曰, 力不足而不攻者, 屈於勢也, 力有餘而不攻者, 屈於理也. 則者, 理之不可踰者也.
운봉호씨가 말하였다: 힘이 부족해서 공격하지 않는 것은 세력에 굴복함이고, 힘이 넘치는데도 공격하지 않는 것은 이치에 굴복함이다. '법칙(則)'은 이치상 넘어갈 수 없는 것이다.

○ 進齋徐氏曰, 四之困而反則, 聖人予之以吉者, 正欲反天下之睽異而爲同也.
진재서씨가 말하였다: 사효가 곤란하여 법칙으로 되돌아옴은 성인이 길하다고 인정한 것은 바로 천하가 어그러진 것을 되돌려서 함께하도록 하기 때문이다.

○ 建安丘氏曰, 或謂同人之世, 二五正應, 當同者也, 而三四介乎其間, 皆欲爭之, 其不顧命義一也, 而商其罪之輕重, 則三爲甚, 何也. 曰, 三近二而爭者也, 四遠二而爭者也. 四之乘墉, 方萌窺伺之意, 而三之伏戎, 已見爭奪之形矣. 四之反則, 則知義之不勝而止, 而三之不興, 則畏勢之不敵而不敢爭, 況四之所欲攻者三. 三臣位, 同人之冠也. 三之欲敵者五, 五君位, 同人之主也. 其逆順之勢又不侔焉. 噫. 此四之吉, 所以異乎三之不興歟.
건안구씨가 말하였다: 어떤 이가 말하였다: 사람들과 함께하는 시대에 이효와 오효가 정응이니 함께해야 하는 것인데, 삼효와 사효가 그 사이에 개입하여 모두 빼앗으려 합니다. 명(命)과 의(義)를 돌아보지 않음은 동일하지만, 그 죄의 경중을 헤아려 보면 삼효가 더욱 심하니, 어째서입니까?
답하였다: 삼효는 이효와 가까워서 다투는 자이고, 사효는 이효와 멀어서 다투는 자입니다. 사효가 담에 올라갔으니, 엿보려는 마음이 막 생겨난 것이고, 삼효가 군사를 매복시켰으니, 이미 싸워서 빼앗는 모습을 드러낸 것입니다. 사효가 법칙으로 돌아감은 의리상 이기지 못함을 알아 그치는 것이지만, 삼효가 일어나지 못함은 기세상 대적하지 못함을 두려워하여 감히 다투지 못하는 것입니다. 하물며 사효가 공격하고자 하는 바에 있어서이겠습니까? 삼효는 신하의 자리로서 동인(同人)의 원수입니다. 삼효가 대적하고자 하는 상대는 오효이고 오효는 임금의 자리이니 사람들과 함께하는 것의 주인입니다. 거스르고 따르는 형세가 또한 같지 않습니다. 아! 이것이 사효의 길함이니, 삼효가 일어나지 못하는 것과 다른 까닭입니다.

韓國大全

김상악(金相岳)『산천역설(山天易說)』

以義字釋, 不克攻以反則. 釋吉字, 同人與訟之四, 皆乾體也. 故訟不克訟, 而復就正理, 此不克攻而反於法則, 所以用九曰乃見天則.

'의리'라는 말로 풀이하면, 공격하지 못해 법칙으로 돌아온다는 것이다. "길하다"는 말을 풀이하면, 동인괘(同人卦☰)와 송괘(訟卦☰)의 사효는 모두 건괘의 몸체이다. 그러므로 송괘에서는 "쟁송할 수 없다"[110]고 하였으니, 올바른 이치[正理]로 나아가는 것이다. 이것이 "공격하지 못하는 것이고, 법칙으로 돌아오기 때문이다"는 것이니, "구(九)를 씀은 이에 하늘의 법칙을 볼 수 있다"[111]라고 하는 까닭이다.

○ 困者, 卦名. 四變則巽. 反兌, 離伏坎而爲困. 三曰升其高陵, 四曰乘其墉, 所以升而不已, 必困也. 九四之人不得其同人之志, 動而之家人, 得上九反身之義. 故曰困而反則, 如傷於外者, 必反于家也. 又三五之象, 皆取於困, 升其高陵, 三歲不興, 與困初曰入于幽谷, 三歲不覿相似, 五曰以中直, 與困同. 先號咷後笑, 卽乃徐有說也. 又上卦對坤爲明夷, 明夷之二曰順則, 上六曰失則, 而四居中, 故曰反則, 從二之順也.

"곤란하다"의 곤(困)은 괘의 이름이다. 사효가 변하면 손괘(巽卦☴)이다. 이것을 거꾸로 하면 태괘(兌卦☱)이고, 리괘(離卦☲)가 감괘(坎卦☵)를 숨기고 있으니 곤괘(困卦☰)이다. 삼효에서는 "높은 언덕에 올라간다"라고 하였고, 사효에서는 "담에 올라간다"라고 하였는데, 오르면서 그치지 않을 뿐이라면 반드시 곤란하게 된다. 구사의 사람이 다른 사람과 함께하려는 뜻을 얻지 못하고 움직여 가인괘(家人卦☰)로 변하니, 상구의 "자신에게로 돌이킨다"[112]는 뜻을 얻었다. 그러므로 본 괘의 「상전」에서 "곤란하여 법칙으로 돌아오기 때문이다"라고 하였으니, 밖에서 상처를 입은 자가 반드시 집으로 돌아오는 것과 같다. 또 삼효와 오효의 상은 모두 곤괘(困卦☰)에서 취하였으니, "높은 언덕에 올라 삼 년 동안 일어나지 못한다"는 말과 곤괘 초효에서 "어두운 골짜기로 들어가서 삼 년 동안 만나보지 못한다"[113]는 말이 서로 비슷하고, 구오의 「상전」에서 "가운데에 있고 바르기 때문에"라는 말과 손괘 구오의 「상전」[114]이 같다. "먼저 울부짖고 뒤에 웃는다"는 말은 바로 "늦게는 기쁨이 있

---

110) 『周易·訟卦』: 九四, 不克訟, 復卽命, 渝, 安貞, 吉.
111) 『周易·乾卦·文言傳』: 乾元用九, 乃見天則.
112) 『周易·家人卦』: 上九, 象曰, 威如之吉, 反身之謂也.
113) 『周易·困卦』: 初六, 臀困于株木. 入于幽谷, 三歲, 不覿.

다"[115]는 말이다. 또 상괘의 음양이 바뀐 곤괘는 명이괘(明夷卦䷣)이니, 명이괘 이효의 「상전」에서 "순하고 법칙에 맞기 때문이다"[116]라고 하였고, 명이괘 상육의 「상전」에서 "법칙을 잃은 것이다"[117]라고 하였으나 사효가 가운데 있기 때문에 "법칙으로 돌아오기 때문이다"라고 하였으니, 이효의 유순함을 따른 것이다.

김규오(金奎五) 「독역기의(讀易記疑)」

象義弗克, 蓋以叶韻之故, 不下攻字, 而其意只言以義而弗克攻也. 只仍爻辭本文而添一義字, 亦足以發明, 恐不必別作義之所不勝矣, 可疑可疑.

「상전」에서 "의리상 이길 수 없는 것이다[義弗克]"라고 한 것은 운을 맞추느라, "공격하다[攻]"라는 말을 쓰지 않았지만, 그 뜻은 의리상 공격하지 못하였다는 말일 뿐이다. 효사 본문에 따라 '의리상'이라는 말을 더한 것만으로도 충분히 드러내 2밝히니, 의리상 이기지 못할 것을 굳이 별도로 만들 필요는 없을 듯하므로, 의심해야 하고 의심해야 한다.

서유신(徐有臣) 『역의의언(易義擬言)』

應與之際, 故稱義也. 原應相同當然之道, 故曰則也. 弗攻未遽爲吉, 反則方爲吉也.

호응하고 함께하는 사이이기 때문에 '의리상'이라고 하였다. 원래 호응하여 서로 함께하는 것은 당연한 도이기 때문에 '법칙'이라고 하였다. 공격하지 않는 것으로는 갑자기 길하게 되지 않으니, 법칙으로 되돌아와야 길하게 된다.

박문건(朴文健) 『주역연의(周易衍義)』

雖乘其墉, 悔心已萌, 故於義弗克也.

담에 올라가지만, 뉘우치는 마음이 이미 싹트기 때문에 의리상 공격하지 못하는 것이다.

〈問, 困而反則. 曰, 乘其墉, 而始弗克, 悔過已晩矣. 故謂之困而反則也.

물었다: "곤란하여 법칙으로 돌아온다"는 무슨 뜻입니까?

답하였다: 담에 올라가지만 처음부터 이기지 못하니, 잘못을 뉘우침이 이미 과감하기 때문에 이를 "곤란하여 법칙으로 돌아온다"라고 하였습니다.〉

---

114) 『周易・困卦』: 九五, 象曰, 劓刖, 志未得也, 乃徐有說, 以中直也, 利用祭祀, 受福也.

115) 『周易・困卦』: 九五, 劓刖, 困于赤紱, 乃徐有說, 利用祭祀.

116) 『周易・明夷卦』: 六二, 象曰, 六二之吉, 順以則也.

117) 『周易・明夷卦』: 上六, 象曰, 初登于天, 照四國也, 後入于地, 失則也.

이항로(李恒老) 「주역전의동이석의(周易傳義同異釋義)」

或問 九三不興, 九四不攻, 一也, 而彼不言吉, 此獨言吉, 何也.
曰, 彼之不興, 力不勝也, 此之不攻, 義不克也. 力義之間, 吉凶以判, 可潛玩.
어떤 이가 물었다: 구삼에서 "일어나지 못한다"고 한 것과 구사에서 "공격하지 못한다"고 한 것은 같은 것인데, 저기에서는 길하다고 말하지 않고 여기서만 길하다고 말한 것은 어째서입니까?
답하였다: 저기에서 일어나지 못하는 것은 힘에서 이기지 못한 것이며, 여기서 공격하지 못하는 것은 의리상 하지 못한 것입니다. 힘과 의리의 사이에서 길흉이 구별되니, 깊이 음미해야 합니다.

심대윤(沈大允) 『주역상의점법(周易象義占法)』

言非攻而不勝也, 以義不可而止也.
공격하여 이기지 못하기 때문이 아니라 의리상 불가하여 그만둠을 말한다.

오치기(吳致箕) 「주역경전증해(周易經傳增解)」

旣乘其墉, 則非其力之不足也. 特以義之弗克而不攻, 此乃困于思慮而反于法則者也.
이미 담에 올라갔으니, 그 힘이 부족한 것은 아니다. 다만 의리상 할 수 없어 공격하지 않으니, 이것은 생각에서는 곤란하지만 법칙으로 돌아오는 것이다.

이병헌(李炳憲) 『역경금문고통론(易經今文考通論)』

姚曰, 墉, 城也. 失位, 故義弗克. 爲五所困, 反之正, 故反則.
요신이 말하였다: '담'은 성곽이다. 제자리를 잃었기 때문에 의리상 이기지 못하는 것이다. 오효가 곤란하게 하여 바른 것으로 돌아오므로 "법칙으로 돌아오기 때문이다"라고 하였다.

九五, 同人, 先號咷而後笑, 大師克, 相遇.

구오는 사람들과 함께하지만 먼저는 울부짖고 뒤에는 웃으니, 큰 군사로 이겨야 서로 만날 것이다.

中國大全

傳

九五同於二, 而爲三四二陽所隔. 五自以義直理勝, 故不勝憤抑, 至於號咷. 然邪不勝正, 雖爲所隔, 終必得合, 故後笑也. 大師克, 相遇, 五與二正應, 而二陽非理隔奪, 必用大師, 克勝之, 乃得相遇也. 云大師云克者, 見二陽之强也. 九五君位, 而爻不取人君同人之義者, 蓋五專以私暱, 應於二而失其中正之德. 人君當與天下大同, 而獨私一人, 非君道也, 又先隔則號咷, 後遇則笑, 是私暱之情, 非大同之體也. 二之在下, 尙以同於宗, 爲吝, 況人君乎. 五旣於君道, 无取, 故更不言君道, 而明二人同心不可間隔之義. 繫辭云, 君子之道, 或出或處, 或黙或語, 二人同心, 其利斷金. 中誠所同, 出處語黙, 无不同, 天下莫能間也. 同者, 一也. 一不可分, 分, 乃二也. 一可以通金石冒水火, 无所不能入, 故云其利斷金. 其理至微, 故聖人贊之曰同心之言, 其臭如蘭, 謂其言意味深長也.

구오는 이효와 함께하려 하지만 삼효와 사효의 두 양이 가로막고 있다. 오효는 스스로 의(義)가 곧고 이치상 우월하기 때문에 분하고 억울함을 이기지 못해서 울부짖는 지경에 이른다. 그러나 사특함이 곧음을 이기지 못하니, 가로막혔지만 끝내 반드시 합할 수 있기 때문에 뒤에 웃게 된다. 큰 군사로 이겨서 서로 만나게 되는 것은 구오와 이효가 정응인데 두 양이 도리가 아닌 것으로 가로막고 빼앗으니, 반드시 큰 군사를 동원하여 이겨야 서로 만날 수가 있다. '큰 군사'라고 하고 '이겨야'라고 한 것은 두 양이 강함을 나타낸 것이다. 구오는 임금의 자리인데, 효사에서 임금이 사람들과 함께하는 뜻을 취하지 않은 것은 오효가 마음대로 사사로운 친함을 가지고서 이효와 호응하여 중정한 덕을 잃기 때문이다. 임금은 천하 사람들과 크게 함께하여야 하는데, 다만 한 사람만을 사사로이 함은 임금의 도가 아니고, 또한 먼저 막혀 있을 때 울부짖고 뒤에 만났을 때 웃는 것은 사사롭게 가까이하는 정이니, 크게 함께하는 몸체가 아니다. 이효가 아래에 있으면서 오히려 종친의 무리와 함께함도 부끄러움이 되는데, 하물며 임금에 있어서랴! 오효는 이미 임금의 도에 대하여 취할 바가 없기 때문에 다시 임금의 도를 말하지 않고, 두 사람이 마음을 함께하여 두 사람을 떼어놓을 수 없다는 뜻을 밝혔다. 「계사전」에서 "군자의 도가 혹은 나아가고 혹은 그대로 있으며, 혹은 침묵하고 혹은 말하나 두 사람이 마음을 함께하니, 그 날카로움이 쇠를 절단한다"[118]고 하였다. 마음의 진실이 함께하는 것은 나가고 그대로 있으며 말하고 침묵할 때에 함께하지 않음이 없는 것이니, 천하의 그 누구도 갈라놓을 수 없다. '함께하는 것'은 하나로 되는 것이다. 하나로 된 것은 나눌 수 없으니, 나누어지면 둘이 된다. 하나로 된 것은 쇠와 돌을 관통하고 물과 불을 마음대로 할 수 있으니, 들어갈 수 없는 것이 없다. 그러므로 "그 날카로움이 쇠를 절단한다"라고 하였다. 그 이치가 지극히 은미하기 때문에 성인이 찬미하여 "마음을 함께하는 말은 그 향기가 난초와 같다"고 하였으니, 그 말의 의미가 아주 깊다.

本義

五剛中正. 二以柔中正, 相應於下, 同心者也, 而爲三四所隔, 不得其同. 然義理所同, 物不得而間之, 故有此象. 然六二柔弱而三四剛强, 故必用大師以勝之然後, 得相遇也.

오효는 굳세고 중정하다. 이효는 유순하고 중정함으로 아래에서 상응하여 마음을 함께하는 자인데, 삼효와 사효가 가로막아 함께할 수 없다. 그러나 의리가 함께하는 것이어서 사물이 갈라놓을 수 없기 때문에 이러한 상이 있다. 그러나 육이는 유약하고 삼효와 사효는 굳세고 강하기 때문에 반드시 큰 군사를 동원하여 이긴 후에 서로 만날 수 있다.

小註

厚齋馮氏曰, 九五大君也, 當與天下相孚於大同之世, 而乃私繫所應. 是以彊弗友之徒競起而爭之. 夫以上伐下, 直擧而措之耳, 何至動大衆而僅能勝之哉, 私故也. 作易者以爲失君人大同之道, 故備言其私昵之狀, 而以敵國交兵之法言之, 其訓嚴矣.

후재풍씨가 말하였다: 구오는 천자이니, 천하와 크게 함께하는 시대에 서로 믿어야 하는데도 사사로이 얽매여 호응한다. 이 때문에 친구가 될 수 없는 강한 무리들이 경쟁하듯이 일어나서 다툰다. 윗사람이 아랫사람을 정벌할 때에는 직접 들어서 처리할 뿐인데, 어떻게 큰 무리를 움직여 겨우 이길 수 있는 지경까지 가게 되었겠는가? 사사롭기 때문이었다. 『주역』을 지은 자는 임금이 크게 함께하는 도를 잃었다고 여겼기 때문에 사사롭게 친한 정황을 자세히 말하면서 적국과 전쟁하는 법으로 말하였으니, 그 가르침이 엄격하다.

118) 『周易·繫辭傳』: 同人, 先號咷而後笑, 子曰, 君子之道, 或出或處或默或語, 二人同心, 其利斷金. 同心之言, 其臭如蘭.

○ 雲峯胡氏曰, 二五剛柔相應, 而皆合乎中正, 本義所謂義理之同也. 程傳謂五自以義直理勝, 不勝憤抑, 故號咷. 邪不勝正, 終必得合, 故後笑. 春秋書鄭伯克段于鄢, 傳曰如二君, 故曰克, 五之於四也, 必用大師克之, 而始與二遇. 則三之非理而强, 可見矣.
운봉호씨가 말하였다: 이효와 오효는 굳셈과 유순함이 상응하고 모두 중정한 데에서 합하였으니, 『본의』에서 이른바 의리가 함께하는 것이다. 『정전』에서 "오효는 스스로 의(義)가 곧고 이치상 우월하기 때문에 분하고 억울함을 이기지 못하기 때문에 울부짖게 된다. 그러나 사특함이 곧음을 이기지 못하니, 끝내 반드시 합할 수 있기 때문에 뒤에 웃게 된다"고 하였다. 『춘추좌씨전』에서 "정백(鄭伯)이 언(鄢) 땅에서 단(段)을 이겼다"[119]고 한 것에 대하여 주석에서 "임금이 둘인 것과 같기 때문에 이겼다고 하였다"[120]라고 하였던 것이니, 오효가 사효에 대해서 반드시 큰 군사를 동원해서 이겨야 비로소 이효와 만나는 것이다. 그렇다면 삼효는 이치가 아닌데도 강함을 알 수가 있다.

又曰, 同人九五, 剛中正而有應于六二, 故先號咷而後笑. 旅上九, 剛不中正而无應于九三, 故先笑而後號咷.
또 말하였다: 동인괘(同人卦䷌)의 구오는 굳셈이 중정하며 육이에 호응하기 때문에 먼저 울부짖은 뒤에 웃는다. 려괘(旅卦䷷)의 상구는 굳셈이 중정하지 않고 구삼과 호응하지도 않기 때문에 먼저 웃은 후에 울부짖는다.[121]

韓國大全

조호익(曺好益) 『역상설(易象說)』

號笑, 五變則離, 火有聲. 又互兌口象. 遇自二至上爲姤體, 有遇象.
"울다"와 "웃다"는 오효가 변하면 리괘이니 불에 소리[聲]가 있다. 또 호괘인 태괘(兌卦☱)는 입의 상이다. "만난다"는 '이효에서 상효까지(䷫)' 구괘(姤卦䷫)의 몸체여서 만나는 상이 있다.

---

119) 『春秋左傳注疏·隱公』 元年: 夏, 五月, 鄭伯克段于鄢.
120) 『春秋左傳注疏·隱公』 元年: 書曰, 鄭伯克段于鄢, 段不弟, 故不言弟, 如二君, 故曰克. 稱鄭伯, 譏失教也, 謂之鄭志. 不言出奔, 難之也.
121) 『周易·旅卦』: 上九, 鳥焚其巢, 旅人, 先笑後號咷. 喪牛于易, 凶.

○ 號咷, 哭聲.
"울부짖다"는 우는 소리다.

곽설(郭設) 『역전요의(易傳要義)』

釋同人九五爻, 同人, 先號咷而後笑, 子曰, 君子之道, 或出或處或語或默, 二人同心, 其利斷金, 同心之言, 其臭如蘭.
「계사전」에서 동인괘의 구오 효사에 대하여 다음과 같이 풀었다: "사람들과 함께하지만 먼저 울부짖고 뒤에 웃는다"라고 하니, 공자는 "군자의 도가 혹은 나아가고 혹은 그대로 있으며, 혹은 침묵하고 혹은 말하나 두 사람이 마음을 함께하니, 그 날카로움이 쇠를 절단한다. 마음을 함께해서 하는 말은 그 향기가 난초와 같다"라고 하였다.[122]

송시열(宋時烈) 『역설(易說)』

巽爲號. 錯則爲震, 震爲笑. 言互巽爲號咷而爲震, 則將有後笑之象也. 來易云, 五爻變則爲兌悅, 故爲後笑, 未詳是否. 旅之上九先笑後號者, 九三爲互巽卦中爻, 自下綜之, 則爲震故也, 先震而後巽也. 旅亦有互兌, 來氏亦以此爲兌說之笑耶. 師者坤象也, 乾錯爲坤也. 五得君位, 故用大師而克之相遇者, 指二爻正應也. 小象中直者, 以居中正直之道也, 相克者, 克其伏戎於三爻, 然後與六二爲相遇也.
손괘(巽卦☴)는 부르짖음이다. 음양이 바뀌면 진괘(震卦☳)이고 진괘는 웃음이다. 호괘인 손괘가 울부짖음인데 진괘가 되니 뒤에 웃는 상이 있다는 말이다. 래지덕의 『주역집주』에서 "오효가 변하면, 태괘(兌卦☱)의 즐거움이기 때문에 나중에 웃는 것이다"[123]고 하였는데, 옳은지는 알 수 없다. 려괘(旅卦䷷) 상구의 "먼저 웃다가 나중에 울부짖는다"[124]는 것은 구삼이 호괘인 손괘(巽卦☴)의 가운데 효이고 아래에서 거꾸로 하면 진괘(震卦☳)이기 때문이니, 진괘를 먼저하고 손괘를 나중에 하는 것이다. 려괘(旅卦䷷)에도 호괘인 태괘(兌卦☱)가 있으니, 래지덕도 이것을 태괘의 즐거움인 웃음으로 삼았던 것이다. 군대는 곤괘의 상이고, 건괘(乾卦☰)의 음양이 바뀐 괘가 곤괘(坤卦☷)이다. 오효가 임금의 자리를 얻었기 때문에 큰 군대를 동원하여 이겨야 서로 만날 수 있다는 것이니, 이효와 정응인 것을 가리킨다. 「소상전」에서 "가운데에 있고 바르다"고 한 것은 중정하고 바른 도에 있기 때문이며,

122) 『周易 · 繫辭傳』: 同人, 先號咷而後笑, 子曰, 君子之道, 或出或處或默或語, 二人同心, 其利斷金. 同心之言, 其臭如蘭.
123) 『周易集註 · 同人卦』: 及九五變, 則中爻爲兌悅, 故後笑.
124) 『周易 · 旅卦』: 上九, 鳥焚其巢, 旅人, 先笑後號咷. 喪牛于易, 凶.

"서로 이긴다"고 한 것은 삼효에서 매복시킨 군사를 이긴 후에 육이와 서로 만나게 된다는 것이다.

석지형(石之珩) 『오위귀감(五位龜鑑)』

臣謹按, 同人之九五, 程傳云, 於君道, 无取, 臣竊以爲猶可取於諸侯之道也. 何則天子當與天下大同, 不可私暱於一人也. 若諸侯則恪謹侯度, 以徼寵于一人, 實不害於是爻之義矣. 姑置君臣定位, 直論二五相應之情, 則二與五爲三四所隔, 不忍抑鬱, 至於號咷, 然義理所同, 終必得合, 先號後笑. 大師克, 相遇, 乃理數之固然也, 故孔子曰其利斷金, 又曰其臭如蘭. 蓋謂雖有剛物, 莫能間隔, 其言至美播聞于遠也. 此可反觀於時事, 伏願殿下取其言外之旨焉.

신이 삼가 살펴보았습니다: 동인괘의 구오에 대하여, 『정전』에서는 "이미 임금의 도에 대하여 취할 바가 없다"고 하였으나, 신이 생각하기에는 그래도 제후의 도에 대해서는 취할 만하다고 봅니다. 왜냐하면 천자는 천하 사람들과 크게 함께하여야 하기 때문에 사사롭게 한 사람과 가까이할 수 없습니다. 제후라면 제후가 지켜야 할 법도를 삼가고 조심하여서 한 사람에 대한 총애를 구한다면, 실제로는 이 효의 뜻에 해가 되지는 않습니다. 잠시 임금과 신하의 정해진 자리를 놔두고 곧바로 이효와 오효가 서로 호응하는 실정을 논한다면, 이효와 오효는 삼효와 사효가 가로막고 있어 답답함을 참을 수가 없어서 울부짖게 되지만, 의리상 함께하는 것이어서 끝내 반드시 합칠 수 있게 되니, 먼저 울부짖은 후에 웃게 됩니다. 큰 군사로 이겨야 서로 만나게 된다는 것은 이치상 본래 그러한 것이므로, 공자가 "그 날카로움이 쇠를 절단한다"고 하였고, "그 향기가 난초와 같다"라고 하였습니다.[125] 굳센 사물이 있더라도 사이를 갈라 막아놓을 수 없고, 그 말이 지극히 아름다워서 멀리까지 퍼져 들리게 된다는 말입니다. 이것은 오늘날의 일에 돌이켜 살펴볼 수 있으니, 엎드려서 바라건대 전하께서는 말 밖에 있는 뜻을 취하십시오.

이현석(李玄錫) 「역의규반(易義窺斑)」

隔則號咷, 遇則笑, 乃私昵之情, 非人君之道, 此固然矣. 第君臣之際, 雖非私昵, 而或有遭時, 如此者, 唐代宗出李泌於江西, 俟誅元載而召之, 此卽大師克而遇者也. 昭宗貶韓偓於濮州, 密與泣別, 而無奈何於全忠, 此卽先號咷, 而不能克者也. 代昭兩君誠

125) 『周易·繫辭傳』: 同人, 先號咷而後笑, 子曰, 君子之道, 或出或處或默或語, 二人同心, 其利斷金. 同心之言, 其臭如蘭.

不足於君道, 而泌與偓則不可謂私昵也. 二以中正與五相應, 三四以强剛居其問欲奪之. 而伏莽乘墉, 終不敢發者, 以五之剛中正直能, 有大師克之威權故也. 況二以柔應剛, 旣正且中, 未見其有非道相私, 非義相昵之象. 繫辭亦以斷金, 如蘭贊美, 此兩爻則獨以先咷後笑之故. 諉之以私暱, 未知果何如也.
가로막히면 울부짖고 만나면 웃는 것은 바로 사사롭게 가까이하는 정이고 임금의 도가 아니니, 이것은 진실로 그러하다. 단지 군신의 사이에 사사롭게 가까이하는 것이 아닐지라도 간혹 만날 때가 있어 이와 같은 경우는 당나라 대종(代宗)이 이필(李泌)을 강서(江西)로 내보내 원재(元載)를 주살하기를 기다려서 그를 불러들인 것이니,[126] 이것은 큰 군대로 이겨서 만나는 것이다. 당나라 소종(昭宗)이 한악(韓偓)을 복주(濮州)로 귀양 보내면서 은밀히 함께 울면서 이별을 하면서도 주전충(朱全忠)을 어떻게 할 수 없었으니,[127] 이것이 먼저 울고도 이길 수 없는 것이다. 대종과 소종 두 황제는 진실로 임금의 도에 부족하였지만, 이필과 한악은 사사롭게 가까웠다고 말할 수 없다. 이효가 중정하면서 오효와 상응하는데 삼효와 사효가 강하고 굳셈으로 그들 사이에 있으면서 이효를 빼앗고자 한다. 그러나 군사를 매복시키고 또 담에 올라가면서도 끝내 감히 자신의 뜻을 감히 일으키지 않은 것은 오효의 굳셈이 중정하고 올바르며 큰 군대로 이기는 위엄과 권세가 있기 때문이다. 하물며 이효가 유순함으로 굳셈에 호응하고 이미 올바르고 또 알맞으니, 그것에 도와 의가 아니면서 서로 사사로이 하고 가까이하는 상이 있는 것을 아직 보지 못했다. 「계사전」에서도 "쇠를 절단하고, 난초와 같다"[128]고 찬미하였으니, 이것이 두 효가 오직 먼저 울부짖고 나중에 웃는 까닭이다. 사사롭게 가까이 한다는 것으로 떠넘기는 것은 진실로 어떻게 해야 할지 모르겠다.

或曰, 然則, 六二何以有于宗之吝哉. 曰宗謂宗黨也, 親而且近, 自二而論, 則三四兩爻當之矣. 蓋六二爲成卦之主, 而爲衆陽所說. 三四親且近, 而又說焉. 二若與之同焉, 而不同於正應, 則乃吝也. 二雖中正而質則陰柔, 慮其不能自守自奮而見奪於三四, 故有是戒也. 彖曰, 同人, 柔得位, 得中而應乎乾, 曰同人, 程傳及本義 皆以二五中正同德相應, 釋之, 此豈係着私昵之比乎, 以卦末小註建安丘氏說, 觀之, 則二五相同之出於正, 尤可知也.
어떤 이가 물었다: 그렇다면 육이는 어째서 종친의 무리끼리 하는 부끄러움이 있습니까? 답하였다: '종친의 무리'는 종족이어서 친하고 또 가까우니, 이효로부터 논한다면, 삼효와

---

126) 『新唐書 · 列傳 · 李泌』을 참조.
127) 『新唐書 · 列傳 · 畢崔劉陸鄭朱韓』을 참조
128) 『周易 · 繫辭傳』: 同人, 先號咷而後笑, 子曰, 君子之道, 或出或處或默或語, 二人同心, 其利斷金, 同心之言, 其臭如蘭.

사효인 두 효에 해당합니다. 육이는 이루어진 괘의 주인이어서 여러 양들이 즐거워하는 대상입니다. 삼효와 사효가 친하고 또 가까운데 즐거워하기까지 합니다. 이효가 만약 그들과 함께하면 바른 호응으로 함께하지 못한 것이니, 바로 부끄럽게 됩니다. 이효는 비록 중정할지라도 자질은 유순한 음이기 때문에 스스로를 지키고 스스로 성을 낼 수가 없어 삼효와 사효에게 자신을 빼앗길까 염려하기 때문에 이런 경계가 있습니다. 「단전」에서 "동인은 유순함이 제 자리와 가운데 자리를 얻어서 건(乾)에 응하기 때문에 '동인'이라고 하였다"라고 하였고, 『정전』과 『본의』에서는 모두 "이효와 오효가 중정으로 덕을 함께하여 서로 호응한다"고 풀이하였으니, 이것이 어찌 사사롭게 가까이하는 친함과 관련이 되겠습니까? 괘의 끝에 있는 소주 건안구씨의 설로 살펴보면, 이효와 오효가 서로 함께함이 바름에서 나왔음을 더욱 잘 알 수 있습니다.

이익(李瀷) 『역경질서(易經疾書)』[129]

師之義宜於地中有水推之, 必不得已而後用之, 故藏而時出, 有師之象也. 同人者, 師之反也. 如湯武征誅, 顯明宜行之師. 故此卦九五有此象, 可以互證也, 大師屬先號咷, 相遇屬後笑. 伏戎乘墉, 非師不克. 中正相應, 而只緣三與四爲阻隔, 故不能大同. 克彼而遇此, 同人于野, 包在其中, 故不言, 彖辭蓋專爲此發也. 象云同人之先, 言先, 則後在其中. 中直, 中正也, 屬後笑, 不帖先號咷.

사괘(師卦䷆)의 뜻이 마땅히 땅 속에 물이 있는 것에서 미루어야 한다. 반드시 부득이한 후에 쓰기 때문에 숨어 있다가 때때로 나오는 것에 사괘(師卦䷆)의 상이 있다. 동인괘(同人卦䷌)는 사괘(師卦䷆)와 음양이 반대이다. 이를테면 탕왕과 무왕이 정벌하고 주벌하는 것은 행하여야 하는 군사[師]를 명백하게 밝히는 것이다. 그러므로 여기 동인괘의 구오에 이러한 상이 있어서 서로 증명할 수 있으니, '큰 군사'는 "먼저 울부짖는다"에, "서로 만나게 된다"는 "뒤에 웃는다"에 소속되는 것이다. 군사[戎]를 매복시키고 담에 올라가는 것은 군사[師]가 아니면 능하지 못하다. 육이와 구오는 중정으로 상응하는데 단지 구삼과 구사가 가로막고 있기 때문에 크게 함께할 수 없다. 저들을 이기고 이들을 만나면 "함께하기를 들에서 한다[同人于野]"는 것은 그 안에 들어있기 때문에 말하지 않았으니, 단사는 오로지 이것을 위하여 말하였다. 「상전」에서 "사람들과 함께하지만 먼저는 울부짖는다"라고 하여 '먼저'만을 말했으니, '나중[後]'은 그 속에 들어 있다. "중심이 곧기 때문이다"는 중정하다는 것이어서 "뒤에 웃는다"에 붙이고, "먼저 울부짖는다"에 붙이지 않는다.

---

129) 경학자료집성DB에서는 동인괘 구삼에 해당하는 것으로 분류했으나, 내용에 따라 이 자리로 옮겨 바로잡는다.

심조(沈潮) 「역상차론(易象箚論)」

九五, 號, 笑.
구오는 부르짖고 웃는다.

號之從虎, 笑之從天, 皆乾也.
"부르짖는다[號]"는 말에는 '호(虎)'자가 있고, "웃는다[笑]"는 말에는 '천(天)'자가 있는 것은 모두 건괘이기 때문이다.

유정원(柳正源) 『역해참고(易解參攷)』

王氏曰, 體柔居中, 近隔乎二剛, 未獲厥志. 是以先號咷也. 居中處尊, 戰必克勝, 故後笑也. 不能使物自歸, 而用其强直, 故必須大師克之, 然後相遇也.
왕필이 말하였다: 몸체가 유순하고 가운데 자리에 있으며 가까이 있는 두 양이 가로막아 그 뜻을 얻지 못한다. 이 때문에 먼저 울부짖는다. 가운데 있고 높은 자리에 있어서 전쟁에 반드시 승리하기 때문에 뒤에 웃는다. 사물들이 스스로 귀의하도록 하지 못해 강직함을 사용하기 때문에 반드시 큰 군사로 이긴 다음에 서로 만나게 된다.[130)]

○ 雙湖胡氏曰, 同人一卦, 二五君臣, 剛柔中正, 所宜配合. 何至有爭奪之事哉. 使純陽无陰, 二五且同於利見之不暇. 唯六二一陰破純乾之體, 一陰者, 五陽之所必爭. 三不中, 四不正, 又介乎其間, 不免爲剛暴之男, 有侵陵貞女之事, 此所以爭也, 所以必待大師克而後遇也. 然邪不勝正, 二終不可奪, 五終不可犯. 爲九三九四者, 可退而自省矣.
쌍호호씨가 말하였다: 동인이라는 한 괘에서 이효와 오효는 임금과 신하이고 굳셈과 유순함이 중정하니, 마땅히 짝이 되어 합해야 한다. 그런데 어찌하여 서로 다투어 빼앗는 일이 있는가? 가령 순수한 양이어서 음이 없을 때는 이효와 오효는 또 서둘러 만나는 것을 이롭게 여기는 것에서 함께했다. 그런데 단지 육이라는 하나의 음이 순전한 건의 몸체를 파괴했으니, 하나의 음을 다섯 양들이 서로 쟁탈하려는 것이다. 삼효는 가운데 자리에 있지 않고 사효는 제자리에 있지 않은 데다가 이효와 오효의 사이에 끼어 있기까지 하니, 굳세고 사나운 사내가 되어 정숙한 여인을 욕보이는 일에서 벗어나지 못한다. 이것이 싸우는 까닭이고, 반드시 큰 군사가 이기기를 기다린 후에 만나게 되는 까닭이다. 그러나 사특함은 올바름을 이기지 못하니, 이효를 끝내 빼앗을 수 없고 오효를 끝내 범할 수 없다. 구삼과 구사인 자는 물러나서 스스로 성찰해야 된다.[131)]

---

130) 『周易注疏 · 同人卦』.

○ 案, 行師而不能克者, 以其偏於私而不中不正故也. 苟能以義而勝邪, 以公而克私, 无偏黨間隔之患, 而有中正相應之德, 則何師之不可興, 何敵之不可克乎,
내가 살펴보았다: 군대를 움직여서 이길 수 없는 것은 그것이 사사로움에 치우치고 중정하지 않기 때문이다. 만약 의로움으로 사특함을 이기고 공정함으로 사사로움을 이긴다면, 편당을 짓고 가로막히는 우환이 없을 것이고, 중정하여 상응하는 덕이 있을 것이니, 어떻게 군대를 일으키지 않겠으며, 적을 이길 수 없겠는가?

김상악(金相岳) 『산천역설(山天易說)』

九五與二爲應, 而離互巽體. 先號咷者, 爲三四所爭也, 後笑者, 同於二也. 然三四剛强, 必用大師而克之, 乃得相遇也.
구오는 이효와 호응하지만 호괘인 손괘(巽卦☴)의 몸체에 걸려 있다. 먼저 울부짖는 것은 삼효와 사효 때문에 다툰다는 것이며, "나중에 웃는다"는 이효와 함께한다는 것이다. 그러나 삼효와 사효가 굳세고 강해 반드시 큰 군대를 동원해서 이겨야 서로 만날 수 있다.

○ 凡易中言先後者, 皆巽體之卦. 巽爲進退也, 故蠱巽二卦, 皆言先後號與笑. 離象火无常體, 故重離之三曰, 不鼓缶而歌, 則大耋之嗟, 是也. 中孚之三曰, 或泣, 或歌, 亦取之於離也. 九五得中而有應, 故曰先號咷而後笑. 旅上九則居極而无應, 故曰先笑而後號咷. 蓋同人親也, 親寡旅也, 故笑號之先後不同. 得雋曰克, 謂三之剛也, 春秋書鄭伯克段于鄢, 傳曰如二君, 故曰克. 以卦象言, 乾金爲離火所克, 然金又生水, 水克火, 故爻曰克, 象曰相克. 相遇者, 乾離同卦, 終能鎔金合土, 成同人之功也, 故旣言克, 又言遇. 此爻之義, 以人從欲失于野之義, 故不言其吉.
『주역』에서 먼저 하고 뒤에 한다고 말한 경우는 모두 손(☴)을 몸체로 하는 괘이다. 손괘는 나아가고 물러남이기 때문에 고괘(蠱卦䷑)와 손괘(巽卦䷸) 두 괘에서는 모두 앞뒤로 울부짖고 웃는다고 말하였다. 리괘(離卦☲)는 불을 본떠 일정한 형체가 없기 때문에 리괘(重離卦䷝)의 삼효에서 "질장구를 두드리며 노래를 하지 않으면 너무 늙음을 한탄한다"[132]고 하였다. 중부괘(中孚卦䷼)의 삼효에서 "울기도 하고 노래하기도 한다"[133]고 하였으니, 리괘(離卦)에서 취한 것이다. 구오는 가운데 자리를 얻었고 호응이 있기 때문에 "먼저 울부짖고 나중에 웃는다"고 하였다. 려괘(旅卦䷷)의 상구는 지극한 곳에 있지만 호응이 없기 때문에

---

131) 『주역회통(周易會通) · 동인』 구오에 보인다.
132) 『周易 · 離卦』: 九三, 日昃之離, 不鼓缶而歌, 則大耋之嗟, 凶.
133) 『周易 · 中孚卦』: 六三, 得敵, 或鼓, 或罷, 或泣, 或歌.

"먼저 웃고 나중에 울부짖는다"고 하였다. 동인괘는 친함이녀, 친함이 적은 것이 려괘이기 때문에 웃고 우는 선후가 같지 않다. "적의 우두머리를 잡는 것을 이긴다고 부른다"[134]고 하였으니, 삼효의 군셈을 말한다. 『춘추좌씨전』에서 "정백이 단(段)을 언(鄢)에서 이겼다"[135]고 한 것에 대하여 주석에서 "두 임금이 있는 것과 같기 때문에 이겼다고 하였다"[136]라고 하였다. 괘의 상으로 말하면, 건괘인 쇠를 리괘(離卦)인 불이 이기지만, 금은 또한 물을 낳고 물은 불을 이기기 때문에 효사에서는 "이긴다"고 말하였고, 「상전」에서는 "서로 이긴다"고 말하였다. "서로 만난다"는 것은 건괘와 리괘가 괘를 함께하여 끝내 쇠를 녹여 흙과 합하여 동인의 공을 이룰 수 있다는 것이기 때문에 이미 "이긴다"고 말해놓고 또 "만난다"라고 말하였던 것이다. 이 효의 뜻은 사람들이 욕심을 따르다가 초구에서 말하는 '들에서'의 뜻을 잃었기 때문에 "길하다"고 말하지 않았다.

김규오(金奎五) 「독역기의(讀易記疑)」

九五, 大師克.
구오는 큰 군대로 이긴다.

三伏戎四乘墉, 而此云大師, 則三四之欲敵, 似在於五.
삼효는 군사를 매복시키고, 사효는 담에 올라간다고 하였는데, 여기서는 '큰 군사'라고 하였으니, 삼효와 사효가 대적하고자 하는 것이 오효에 있는 듯하다.

서유신(徐有臣) 『역의의언(易義擬言)』

九五, 同於六二者也. 同之, 如何先號咷而後笑也. 先號咷者, 先不同也, 後笑者, 後同也. 曷以後同焉. 大師克而相遇也. 大師克者, 肆力求同, 必同乃已者也. 不吉吉, 其義可見也. 二五互姤, 故曰相遇也.
구오는 육이와 함께하는 자이다. 함께하는데 어째서 먼저 울부짖고 나중에 웃는 것인가? 먼저 울부짖는 것은 먼저 함께하지 못하기 때문이고, 나중에 웃는 것은 나중에 함께하기 때문이다. 어째서 나중에 함께하게 되는가? 큰 군대로 이겨서 서로 만나기 때문이다. 큰

134) 『春秋左傳注疏 · 隱公』 元年: 不稱國討, 而言鄭伯譏失教也, 段不弟故不言弟, 明鄭伯雖失教而段亦凶逆. 以君討臣而用二君之例者, 言段强大雋傑, 據大都以耦國, 所謂得雋曰克也. 國討例在莊二十二年, 得雋例在莊十一年.

135) 『春秋左傳 · 隱公』 元年: 夏五月, 鄭伯克段于鄢.

136) 『春秋左傳注疏 · 隱公』 元年: 書曰, 鄭伯克段于鄢, 段不弟, 故不言弟, 如二君, 故曰克. 稱鄭伯, 譏失教也, 謂之鄭志. 不言出奔, 難之也.

군대로 이기는 것은 있는 힘을 다해 함께하기를 구하고 반드시 함께한 후에야 그치는 것이다. 그러니 불길함과 길함의 뜻을 알 수 있다. 동인괘(同人卦☰)의 이효에서 오효까지 호괘가 구괘(姤卦☰)이기 때문에 "서로 만난다"고 하였다.

김귀주(金龜柱) 『주역차록(周易箚錄)』

本義, 五剛中正, 云云.
『본의』에서 말하였다: 오효는 굳셈이 가운데에 있고 제자리에 있다, 운운.

小註, 厚齋馮氏曰, 九五, 云云.
소주에서 후재풍씨가 말하였다: 구오는, 운운.

○ 按, 此爻不必以大[137]君之位而言, 當以程傳爲正. 下雲峰胡氏說, 亦準此.
내가 살펴보았다: 이 효는 굳이 천자의 자리를 가지고서 말할 필요는 없으니, 『정전』을 바른 풀이로 삼아야 한다. 그 아래에 있는 운봉호씨의 설도 이것을 따랐다.

박문건(朴文健) 『주역연의(周易衍義)』

志在必遇, 故有先號咷之象. 號咷, 號泣也.
뜻이 반드시 만나는 데에 있기 때문에 먼저 울부짖는 상이 있다. 울부짖는 것은 소리 내어 우는 것이다.
〈問, 同人, 先號咷而後笑, 大師克, 相遇. 曰, 九五處得中正, 故與二欲同, 而爲二剛所隔, 故先號咷也. 用師克攻而後相遇, 故後笑也.
물었다: "사람들과 함께하지만 먼저 울부짖고 뒤에 웃으니, 큰 군사로 이겨서 서로 만날 것이다"는 무슨 뜻입니까?
답하였다: 구오는 있는 곳이 중정을 얻었기 때문에 이효와 함께하고자 하지만, 두 양이 가로막고 있기 때문에 먼저 울부짖습니다. 군사를 써서 공격하여 이긴 후에 서로 만나기 때문에 뒤에 웃게 됩니다.〉

이지연(李止淵) 『주역차의(周易箚疑)』

九三伏戎, 九四乘墉, 九五用大師, 以一女子之故. 動天下之兵, 貽害於无辜之生靈, 爲

---

137) 大: 경학자료집성DB에 '火'로 되어 있으나, 경학자료집성 영인본을 참조하여 '大'로 바로잡았다.

人君者可不鑑乎. 與其同乎流俗必爲鄕愿, 无寧踽踽凉凉而爲君子也
구삼이 군사를 매복시키고, 구사가 담에 올라가며, 구오가 큰 군사를 동원하는 것은 한 여자 때문이다. 천하의 군대를 움직여서 무고한 생명에 해를 끼치니, 임금이 된 자가 거울삼지 않을 수 있겠는가? 세상의 흐름과 함께하여 굳이 향원(鄕愿)이 되기보다는 차라리 외롭고 슬픈 군자가 되겠다.

김기례(金箕澧) 「역요선의강목(易要選義綱目)」

五[138]二正應, 爲三四所阻, 有不同之歎. 故先號咷. 邪不勝正, 三四終不克, 而以正相合, 故後笑.
오효와 이효는 정응(正應)인데 삼효와 사효가 가로막아 함께하지 못하는 탄식이 있다. 그러므로 먼저 울부짖는다. 사특함이 바름을 이기지 못하여 삼효와 사효가 끝내 이기지 못하고 바름으로 서로 합한다. 그러므로 뒤에 웃는다.

○ 乾陽爲大, 離爲戈兵, 故曰大師.
건양(乾陽☰)은 큼이고 리괘(☲)는 무기이기 때문에 '큰 군사'라고 하였다.

○ 以大同之君位聲討□藉. 苟合私應, 非君人大同[139]之體. 故曰先號後笑, 易義嚴矣.
크게 함께하는 임금의 자리를 가지고 □자(□藉)를 성토하였다. 만약 사사롭게 호응하는 것과 부합한다면, 임금의 크게 함께하는 몸체가 아니다. 그러므로 "먼저 부르짖고 뒤에 웃는다"고 하였으니, 『주역』의 뜻이 엄중하다.

심대윤(沈大允) 『주역상의점법(周易象義占法)』

同人之离䷝. 九五以剛居剛, 求同於人者也. 有二之正應, 而隔于二剛, 志不相通, 故克而同之也. 坎爲先, 兌爲號咷, 离之對坎, 五居兌. 始則隔于彼, 故先取對象. 离爲後, 互兌爲笑, 終則同于此, 故後取本卦也. 坎爲大, 离爲兵, 互艮得爲克, 巽爲遇, 如人[140]主之力求同臣于民也.
동인괘가 리괘(離卦䷝)로 바뀌었다. 구오는 굳셈으로 굳센 자리에 있으면서 사람과 함께하기를 구하는 것이다. 정응인 이효가 있지만 두 양이 가로막고 있어 뜻이 서로 통하지 않기

---

138) 五: 경학자료집성DB에 '三'으로 되어 있으나, 경학자료집성 영인본을 참조하여 '五'로 바로잡았다.
139) 同: 경학자료집성DB에 '□' 되어 있으나, 문맥에 맞추어 '同'으로 바로잡았다.
140) 人: 경학자료집성DB에 '入'으로 되어 있으나, 경학자료집성 영인본을 참조하여 '人'으로 바로잡았다.

때문에 이겨서 함께한다. 감괘(坎卦☵)는 앞섬이고, 태괘(兌卦☱)는 울부짖음인데, 리괘(離卦☲)의 음양이 바뀐 괘가 감괘(坎卦☵)이고 리괘의 오효가 손괘에 있다. 처음에는 저것들이 가로막았기 때문에 음양이 바뀐 상을 취하였다. 리괘는 나중이고, 호괘인 태괘는 웃음이니, 끝마칠 때에는 여기서 함께하기 때문에 뒤에 본괘를 취하였다. 감괘는 큼이고 리괘는 무기이며 호괘인 간괘(艮卦☶)는 이김이 될 수 있고 손괘(巽卦☴)는 만남이니, 임금이 백성들 속에서 신하와 함께하기를 힘써 구하는 것과 같다.

오치기(吳致箕) 「주역경전증해(周易經傳增解)」

九五, 剛健中正, 而同於六二之柔順中正, 然三四兩剛隔其間, 而欲以匪義相奪. 故先而號咷, 憤此强寇之未易敵也 後而悅笑, 喜其師克而終與遇也. 卽其象而占可知矣.
구오가 강건하고 중정해서 유순하고 중정한 육이와 함께하려고 하지만, 삼효와 사효가 그 사이를 가로막고 의가 아닌 것으로 서로 빼앗으려고 한다. 그러므로 먼저 울부짖는다는 것은 대적하기 쉽지 않은 강한 도적에 대적하기 쉽지 않음에 분개한다는 것이고, 뒤에 기뻐서 웃는다는 것은 군대가 이겨서 마침내 함께 만남을 기뻐한다는 것이다. 상(象)을 통해서 점을 알 수 있다.

○ 爻變互兌爲口, 號咷之象, 而笑亦取於兌. 對坤爲衆, 師之象也. 此卦二五相應, 其无大同之義一也. 而二言吝, 五不言吝者, 二則爲成卦之主, 而失卦義, 故責以吝也, 五則非卦主, 故不與二同論. 然其不言占者, 乃所以示意也.
효가 변한 괘의 호괘인 태괘(兌卦☱)가 입이니, 울부짖는 상인데, 웃는다는 것도 태괘에서 취했다. 음양이 바뀐 괘인 곤괘(坤卦☷)는 무리이니, 군대의 상이다. 이 괘의 이효와 오효가 상응하니, 크게 함께하는 뜻이 없는 것은 동일하다. 그런데 이효에서는 "부끄럽다"고 하고 오효에서는 부끄럽다고 하지 않은 것은 이효는 육획괘의 주인임에도 괘의 뜻을 잃었기 때문에 부끄럽다고 꾸짖었던 것이고, 오효는 괘의 주인이 아니기 때문에 이효와 같이 논하지 않았던 것이다. 그러나 그 점을 말하지 않은 것은 바로 그것으로 뜻을 내보인 것이다.

이진상(李震相) 『역학관규(易學管窺)』

爻變成離, 有甲胄戈兵大師之象. 動而互兌. 兌爲口, 有咷笑之象. 二陽隔之, 故先咷, 一陰應我, 故後笑.
효가 변하여 리괘(離卦☲)가 되니, 갑옷 · 무기 · 큰 군사의 상이 있다. 움직이면 호괘가 태괘(兌卦☱)이다. 태괘는 입이니, 울부짖거나 웃는 상이 있다. 두 양이 가로막기 때문에 먼저 울부짖는 것이고, 하나의 음이 나와 호응하기 때문에 뒤에 웃는 것이다.

象曰, 同人之先, 以中直也, 大師相遇, 言相克也.

「상전」에서 말하였다: 사람들과 함께하지만 먼저는 울부짖는 것은 중심이 바르기 때문이며, "큰 군사로 서로 만남"은 서로 이김을 말한다.

中國大全

傳

先所以號咷者, 以中誠理直, 故不勝其忿切而然也. 雖其敵剛强, 至用大師, 然義直理勝, 終能克之, 故言能相克也. 相克謂能勝, 見二陽之强也.

먼저 울부짖는 까닭은 마음이 성실하고 이치가 바르기 때문에 분함과 절통함을 이기지 못하여 그런 것이다. 비록 적이 굳세고 강하여 큰 군사를 쓰는 데까지 이르렀지만, 의리가 곧고 이치가 우월하여서 끝내 그를 이길 수 있기 때문에 서로 이길 수 있다고 말한 것이다. "서로 이긴다"는 것은 이길 수 있음을 말하니, 두 양의 강함을 볼 수가 있다.

本義

直, 謂理直.

"바르다[直]"는 것은 이치상 바름을 말한 것이다.

小註

盤澗董氏曰, 二五本自同心, 而爲三四所隔, 故先號咷. 先謂理直也. 雖大師相克而後相遇, 亦以義理之同, 物終不得而間之故也.

반간동씨가 말하였다: 이효와 오효는 본래 마음을 함께하지만 삼효와 사효에 의하여 막히게 되기 때문에 먼저 울부짖는다. '먼저[先]'란 이치상 바름을 말한다. 비록 큰 군사로 서로 이긴 후에야 이효와 서로 만나게 되지만, 또한 의리를 함께하여 남이 그들을 갈라놓을 수 없기 때문이다.

○ 雲峯胡氏曰, 六爻惟三四不言同, 傳以二五之同者爲理直, 則可以見三四之爭同者爲非理矣.
운봉호씨가 말하였다: 여섯 효에서 오직 삼효와 사효에서는 '함께함[同]'을 말하지 않았고, 『정전』에서는 이효와 오효가 함께하는 것을 이치상 바름으로 여겼으니, 삼효와 사효가 다투어 함께하는 것은 이치가 되지 않음을 알 수가 있다.

韓國大全

김상악(金相岳) 『산천역설(山天易說)』

中, 誠所同理之直也.
'중(中)'이란 진실로 이치를 함께하는 바름이다.

서유신(徐有臣) 『역의의언(易義擬言)』

卦中互巽爲直爲豚. 豚項直, 不能屈不能顧. 二五之先不同有是象也. 相克者, 力制而强勝也.
괘 가운데의 호괘인 손괘(巽卦☴)는 곧음이 되고 돼지가 된다. 돼지의 머리는 곧아서 굽힐 수도 없고 뒤돌아볼 수도 없다. 이효와 오효는 먼저 함께할 수 없기 때문에 이러한 상이 있다. "서로 이긴다"는 것은 힘써 제재하여 억지로 이긴다는 것이다.

박문건(朴文健) 『주역연의(周易衍義)』

中直, 猶言中正也. 相克, 言二五同心而相攻也.
"중심이 바르기 때문이다"는 것은 중정하다고 말하는 것과 같다. "서로 이긴다"는 것은 이효와 오효가 마음을 함께하여 서로 공격한다는 말이다.
〈問, 同人之先. 曰, 同人而先號咷也, 斷節而取之也.
물었다: "사람들과 함께하지만 먼저[同人之先]"는 무슨 뜻입니까?
답하였다: 사람들과 함께하면서 먼저 울부짖는다는 것이니, 구절을 잘라 뜻을 취한 것입니다.〉

심대윤(沈大允) 『주역상의점법(周易象義占法)』

求其正應, 故曰中直. 明其克二而同之, 故曰大師相遇, 言相克也. 凡同人之言攻克者, 乃强求知於人也, 非謂眞有攻戰之事也.
정응을 구하기 때문에 "중심이 바르다"고 하였다. 두 효를 이겨서 함께함을 밝히기 때문에 "큰 군사가 서로 만난다는 것은 서로 이김을 말한다"고 하였다. 동인괘에서 "공격한다"거나 "이긴다"고 말하는 것은 억지로 다른 사람들에게 알려지기를 구한다는 것이지, 진짜로 공격하여 싸우는 일이 있다고 말하는 것은 아니다.

오치기(吳致箕) 「주역경전증해(周易經傳增解)」

中正而理直, 故曰以中直也. 師克而後相遇, 故終言相克也.
중정하면서 이치가 바르기 때문에, "중심이 바르기 때문이다"라고 하였다. 군대가 이긴 후에 서로 만나기 때문에, 끝에서 "서로 이긴다"라고 하였다.

이병헌(李炳憲) 『역경금문고통론(易經今文考通論)』

程傳曰, 九五同於二, 而爲三四二陽所隔. 理直不勝憤, 抑終必得合也. 云大師云克者, 見二陽之强也.
『정전』에서 말하였다: 구오는 이효와 함께하려 하지만 삼효와 사효의 두 양이 가로막고 있다. 이치가 곧아 억울함을 이기지 못하나 끝내 반드시 합할 수 있다. '큰 군사'라고 하고 '이겨야'라고 한 것은 두 양이 강함을 나타낸 것이다.

按, 六二同於五, 而不同于三四, 則爲類族辯物之道. 二爲同人之主, 故曰得位, 曰得中. 勿論陰陽, 當惟一之位者, 皆爲一卦之主. 於此可見陰陽雙扶之義, 觀夫火開闢之運. 唯同人二火爲文明之主, 五剛之中, 九五爲正應. 當中當位, 非五則無以鎭火開闢之運, 立大同平和之基礎矣. 誰爲大師克. 非文明之胄武强之至, 其孰能與於此哉.
내가 살펴보았다: 육이가 오효와 함께하고 삼효 및 사효와 함께하지 않으니, 같은 종류끼리 모아서 사물을 분별하는 도이다. 이효는 사람들과 함께하는 주인이 되기 때문에 제자리를 얻었다고 하고, 가운데 자리를 얻었다고 한다. 음과 양을 막론하고 오직 하나의 자리가 한 괘의 주인이다. 여기에서 음과 양이 서로 돕는 뜻을 알 수 있고, 불로 개벽하는 흐름을 볼 수 있다. 오직 동인의 이효인 불이 문명의 주인이니, 다섯 양 가운데에서 구오가 정응이다. 가운데 자리와 제자리를 얻었으니, 오효가 아니라면 불로 개벽하는 흐름을 진화하여 크게 함께하는 평화의 기초를 세울 수 없다. 누가 큰 군대로 이길 수 있겠는가? 문명의 갑주와 무력의 지극히 강함이 아니라면, 그 누가 여기에 참여할 수 있겠는가?

上九, 同人于郊, 无悔.

정전 상구는 사람들과 함께하기를 들에서 하니 후회가 없다.
본의 상구는 사람들과 함께하기를 들에서 하지만 후회가 없다.

中國大全

傳

郊在外而遠之地. 求同者, 必相親相與, 上九居外而无應, 終无與同者也. 始有同則至終, 或有睽悔, 處遠而无與, 故雖无同, 亦无悔, 雖欲同之志不遂, 而其終无所悔也.

'들[郊]'은 외지에 있어 멀리 떨어져 있는 땅이다. 함께하기를 구하는 사람은 반드시 서로 친하고 서로 더불어야 하지만, 상구는 밖에 있으면서 호응함이 없으니, 끝내 더불어 함께할 사람이 없다. 처음에 함께할 사람이 있으면 끝에 가서는 혹 어그러지고 후회함이 있을 수 있지만, 먼 곳에 있어서 함께할 사람이 없기 때문에 비록 함께하는 사람은 없지만 또한 후회는 없으니, 비록 함께하고자 하는 뜻은 이루지 못하였어도 그 끝에 후회하는 바는 없다.

本義

居外无應, 物莫與同. 然亦可以无悔, 故其象占如此. 郊在野之內, 未至於曠遠, 但荒僻无與同耳.

밖에 있으면서 호응함이 없으니, 사물 중에서 어느 것도 함께하지 않는다. 그러나 또한 후회가 없을 수 있기 때문에 상과 점이 이와 같다. '들[郊]'은 광야[野] 안에 있어서 광활하고 매우 먼 곳에까지는 이르지 않지만, 단지 거칠고 궁벽하여 더불어 함께할 사람이 없을 뿐이다.

小註

朱子曰, 郊是荒寂无人之所, 言不能如同人于野曠遠无私, 荒僻无與同. 蓋居外无應, 莫與同者, 亦可以无悔也. 又曰, 同人于野, 是廣大无我之意, 同人于郊, 是无可與同之人也, 取義不同, 自不相悖.
주자가 말하였다: '들[郊]'은 거칠고 적막하여 사람이 없는 곳이니, "사람들과 함께하기를 들에서 한다"고 했을 때 광활하고 매우 멀어 사사로움이 없는 것과는 같을 수 없고, 거칠고 적막하여 더불어 함께할 사람이 없음을 말한다. 밖에 있고 호응함이 없어서 더불어 함께할 사람이 없지만, 또한 후회가 없을 수 있다.
또 말하였다: "사람들과 함께하기를 들[野]에서 함"은 광대하여 자아가 없다는 뜻이고, "사람들과 함께하기를 들[郊]에서 함"은 더불어 함께할 수 있는 사람이 없다는 말이니, 뜻을 취함이 같지는 않지만, 자연히 서로 어긋나지는 않는다.

○ 節齋蔡氏曰, 國外曰郊, 郊外曰野. 雖在卦上, 猶未出乎卦也, 故止曰郊.
절재채씨가 말하였다: 수도[國] 밖을 교(郊)라고 하고, 교 밖을 야(野)라고 한다. 비록 괘의 맨 위에 있지만, 오히려 괘에서 벗어나지 못하기 때문에 다만 '교'라고 하였다.

○ 雲峯胡氏曰, 初上皆無應, 初出門同人, 出乎家之外而同乎國之人也. 在下而无私應者也. 上九不同乎國之人, 乃出乎國之外, 是荒僻无人之所. 在外而无與應者, 如荷蕢之徒是也, 故不謂之凶, 但謂之无悔.
운봉호씨가 말하였다: 초효와 상효는 모두 호응함이 없으니, 초효가 문을 나와 사람들과 함께하다가 집 밖으로 나와 나라 사람들과 함께한다. 맨 아래에 있으면서 사사롭게 호응함이 없는 것이다. 상구는 나라 사람들과 함께하지 못하고 이내 나라 밖으로 나가니, 이곳은 거칠고 궁벽하여 사람이 없는 곳이다. 밖에 있으면서 더불어 호응함이 없는 것은 하궤(荷蕢)[141]와 같은 무리가 이것이니, 그러므로 흉하다고 말하지 않고 다만 후회가 없다고 하였다.

---

141) 하궤(荷蕢): 세상에 나가지 않고 은거한 현인(賢人)을 말한다. 『論語 · 憲問』: 子擊磬於衛, 有荷蕢而過孔氏之門者.

▌韓國大全▐

조호익(曺好益) 『역상설(易象說)』

上九, 同人于郊,
상구는 사람들과 함께하기를 들에서 하니,

郊, 五是君之所居, 上在外, 有郊象. 國外曰郊. 或曰, 乾之伏坤, 自三至五坤, 上在坤之外, 故曰郊.
'교(郊)'는 오효는 임금이 있는 곳이며, 상효는 밖에 있으므로 교(郊)의 상이 있다. 수도[國] 밖을 교(郊)라고 한다.
어떤 이가 말하였다: 건괘는 곤괘를 숨기고 있으니, 삼효로부터 오효에 이르는 호괘는 건괘이고 곤을 숨기고 있으며, 상효는 곤괘의 밖에 있기 때문에 '교(郊)'라고 하였다.

심조(沈潮) 「역상차론(易象箚論)」

上九, 郊.
상구, 교(郊).

在最外而廣, 故稱郊.
가장 밖에 있으면서 광활하기 때문에 '교(郊)'라고 하였다.

유정원(柳正源) 『역해참고(易解參攷)』

雙湖胡氏曰, 初之同人于門, 上之同人于郊, 郊對門而言, 卦之首末, 可見. 曰无咎, 則同人之初, 已无疵之可咎, 曰无悔, 則同人之終, 又无過之可悔, 此皆同人之善者也.
쌍호호씨가 말하였다: 초효에서는 "사람들과 함께하기를 문 밖에서 한다"고 하였고, 상효에서는 "사람들과 함께하기를 들에서 한다"고 하였으니, '들[郊]'을 '문(門)'과 서로 대구로 말하였으니, 괘의 처음과 끝을 알 수가 있다. "허물이 없다"고 말하였으니 동인의 처음에는 이미 허물이 될 만한 결점이 없으며, "후회가 없다"고 말하였으니 동인 끝에 또한 후회할 만한 잘못이 없으므로, 이것이 모두 동인의 선한 것이다.

김상악(金相岳)『산천역설(山天易說)』

國外曰郊, 郊外曰野. 郊在野之內, 未至於曠遠, 但荒僻而已. 上九居乾之終, 无應於下物, 莫與同者也. 然无同人之累, 故无悔也.

수도 밖을 '교(郊)'라고 하고, 교 밖을 '야(野)'라고 한다. 교는 야(野) 안에 있고, 광활하고 먼 곳에는 이르지 않아서 단지 황량하고 외질 뿐이다. 상구는 건괘의 맨 끝에 있으므로 아래의 물(物)들과 호응함이 없어 더불어 함께할 자가 없다. 그러나 남과 함께하는 얽매임이 없기 때문에 뉘우칠만한 것이 없다.

○ 郊者, 乾之象. 郊與野皆曠遠之地, 而于野者, 取大同之義, 于郊者, 取无所與同之象. 但云无悔者, 不深取之也. 子曰, 鳥獸, 不可與同群, 吾非斯人之徒, 與而誰與, 是也.

'교(郊)'란 건의 상이다. '교'와 '야(野)'는 모두 광활하고 먼 땅인데도 '들에서'는 대동의 뜻을 취하였고 '교에서'는 함께함이 없는 상을 취하였다. 다만 "후회가 없다"고 한 것은 깊게 취하지 않았기 때문이다. 공자가 "새와 짐승은 함께 무리 지을 수 없으니, 내가 이러한 사람의 무리들이 아니라면 누구와 함께하겠는가?"[142]라고 한 것이 이것이다.

서유신(徐有臣)『역의의언(易義擬言)』

上九不出於同人之卦, 爲同人者也. 在卦外爲郊之象也. 此蓋故不爲恠異詭激之事, 而欲避離群絶俗之名者, 故无悔也.

상구는 동인의 괘에서 벗어나지 않으므로 다른 사람과 함께하는 자이다. 괘의 가장 바깥쪽에 있으므로 '교(郊)'의 상이 된다. 이러한 자는 일부러 남들과 다른 특이하거나 모난 일을 하지 않으며, 무리를 피해 떠나고 세속의 명예를 끊어버리는 자이므로 후회가 없게 된다.

或疑三四旣爲不得同於初上之象, 則初上獨何以爲同人于門于郊歟? 初爲同人之始, 上爲同人之終也, 無始無終, 其爲同人乎.

어떤 이는 삼효와 사효가 이미 초효와 상효와 함께할 수 없는 상이 된다면, 초효와 상효만 유독 어째서 사람들과 함께하기를 문에서 한다고 하고, 들[郊]에서 한다고 하였냐고 했는데, 초효는 동인의 시작이 되고, 상효는 동인의 끝이 되니, 시작도 없고 끝도 없으면 동인이 된다고 할 수 있겠는가?

142)『論語 · 微子』: 子路行以告, 夫子憮然曰, 鳥獸, 不可與同群, 吾非斯人之徒, 與而誰與?

김귀주(金龜柱) 『주역차록(周易箚錄)』

上九, 同人于郊, 云云.
상구는 사람들과 함께하기를 들에서 하니, 운운.

○ 按, 郊字或有取曠遠之義者, 如需之初九需于郊, 是也, 而此郊字只取荒僻無人之義, 與于野之云, 自別.
내가 살펴보았다: '교(郊)'자에는 혹 광활하고 멀다는 뜻을 취하는 것이 있으니, 예를 들어 수괘(需卦䷄)의 초구에서 "들[郊]에서 기다린다"143)고 한 것이 이것인데, 여기서의 '교(郊)'자는 단지 황량하고 외져서 사람이 없다는 뜻을 취했을 뿐이므로, '들[野]에서'라고 말한 것과는 자연스럽게 구별된다.

○ 上九處荒僻之地, 超然於三四爭奪之場, 故固能無悔. 然志過高, 行果潔, 離群絶俗, 不與人同. 小註胡雲峰以爲荷蕢之徒者, 是矣. 夫人生斯世, 非斯人之徒, 與而誰與哉. 是非同人之道也.
상구는 황량하고 외진 땅에 있어서 삼효와 사효가 쟁탈하는 곳을 넘어서 있기 때문에 진실로 후회가 없을 수 있다. 그러나 뜻은 지나치게 높지만 행동은 결과적으로 간결하여 무리를 떠나고 속세를 끊어버려 사람들과 함께하지 않는다. 소주에서 운봉호씨가 삼태기를 메는 은자(隱者)의 무리로 여긴 것144)이 바로 이들을 가리킨다. 사람이 이러한 시대를 살 때에 대해 "이러한 사람들의 무리가 아니라면 누구와 함께하겠는가?"145)라고 하였는데, 이것은 동인의 도가 아니다.

박문건(朴文健) 『주역연의(周易衍義)』

懼而出遠, 故有同人郊之象, 不失其處窮之道, 故无悔.
두려워서 멀리 떠나갔으므로 사람들과 함께하기를 들[郊]에서 하는 상이 있고, 궁벽한 곳에 처하는 도를 잃지 않았기 때문에 후회가 없다.
〈問, 同人于郊, 无悔. 曰, 上九深畏九三之害己, 故遠出郊外, 而同之志雖未得, 善處故无悔.

---

143) 『周易 · 需卦』 초구 : 初九, 需于郊, 利用恒, 无咎.
144) 『本義 · 同人卦』 上九 · 小註: 在外而无與應者, 如荷蕢之徒, 是也,
145) 『論語 · 微子』: 子路行以告, 夫子憮然曰, 鳥獸, 不可與同群, 吾非斯人之徒, 與而誰與. 天下有道, 丘不與易也.

물었다: "사람들과 함께하기를 들에서 하니 후회가 없다"는 무슨 뜻입니까?
답하였다: 상구는 구삼이 자기를 해칠까 깊이 두려워하기 때문에 교외(郊外)로 멀리 나가고, 함께하고자 하는 뜻을 비록 얻지는 못하지만 좋게 처해 있기 때문에 후회가 없습니다.〉

김기례(金箕澧) 「역요선의강목(易要選義綱目)」

上六, 同人于郊,
상구는 사람들과 함께하기를 들에서 하니,

國外曰郊. 上九无應, 內无所同, 遠出郊外, 可謂悔矣. 然无同不如三四之相攻, 故不至悔.
수도 밖을 교(郊)라고 한다. 상구는 호응함이 없고 또 안으로 함께하는 대상이 없어서 멀리 교외로 나가므로 후회한다고 말할 만하다. 그러나 함께하는 자가 없음이 삼효와 사효가 서로 공격하는 것과는 같지 않기 때문에 후회하는 데에는 이르지 않는다.

○ 卦中六二爲主, 五陽皆欲同之. 初在下出門而比二, 故无咎无爭. 三四介於五而有爭像, 无理而不能同也. 二曰宗, 五曰遇, 雖是正應, 非大同也. 上不能同, 而遠而不爭則未得志也. 蓋同人之道取廣, 不取挾, 故曰于野.
괘 가운데에 육이는 주인이 되고, 다섯 양은 모두 이효와 함께하고자 한다. 초효는 아래에 있으므로 문을 나가고 이효와 비(比)의 관계에 있기 때문에 허물이 없고 다툼이 없다. 삼효와 사효는 이효와 오효 사이에 있어서 다투는 상이 있고 이치에 맞지 않아 함께할 수 없다. 이효에서는 '종친[宗]'이라고 하고 오효에서는 '만난다'라고 하니, 비록 정응이지만 크게 함께하는 것은 아니다. 상효는 함께할 수 없어서 멀리하고 다투지 않으니, 뜻을 얻을 수 없다. 동인의 도는 넓게 취하지 좁게 취하지 않기 때문에 '들[野]에서'라고 하였다.

贊曰, 同人之道, 有難大同. 无偏无黨, 剛明正中. 无爭无奪, 天下共公. 噫彼小人, 同利爭功.
찬미하여 말하였다: 동인의 도는 크게 함께하기에 어려움이 있다. 치우침도 없고 사사롭게 무리 지음도 없어 굳세고 밝으며 바르고 알맞다. 다툼도 없고 빼앗음도 없어 천하의 공공(公共)스러운 바이다. 아! 저 소인은 이익을 함께하고 공(功)을 다투는구나.

허전(許傳) 「역고(易考)」

上九, 同人于郊,
상구는 사람들과 함께하기를 들에서 하니,

郊義見上需初九. 需之郊言於下, 同人之郊言於上, 皆曠遠之義, 而其爲祭天之所, 亦同矣.
'교(郊)'의 뜻은 위에 있는 수괘(需卦䷄)의 초구에 보인다. 수괘의 '교(郊)'는 괘의 가장 아래에서 말하고 동인의 '교(郊)'는 괘의 가장 위에서 말하였는데, 모두 광활하고 멀다는 의미이며 하늘에 제사를 드리는 곳이 된다는 점에서 또한 같다.

심대윤(沈大允) 『주역상의점법(周易象義占法)』

同人之革䷰, 去故也. 上九才剛而居柔, 處同人之極, 有所不同者也, 而无正應. 前所同者, 未[146]見資益, 故已之也. 故曰同人于郊. 乾巽爲郊, 明其无私憾也. 交友之道, 有不善焉, 可以絶之而无悔也. 上九又有規過責善之義, 皆去故之惡也, 卽大有遏惡之義也
동인괘가 혁괘(革卦䷰)로 바뀌었으니, 옛 것을 버림이다.[147] 상구는 자질이 굳세면서 유순한 자리에 있으며 동인의 지극한 곳에 있어서 함께하지 않는 바가 있으니, 정응인 대상이 없다. 앞에서 함께하던 자들은 자신에게 유익함을 보지 못하기 때문에 관계 맺기를 그쳤다. 그러므로 "사람들과 함께하기를 들에서 한다"라고 하였다. 건괘와 손괘(巽卦☴)는 '들[郊]'이 되며, 사사로운 근심이 없음을 밝혔다. 친구를 사귀는 도는 선하지 않음이 있으면 끊어 낼 수 있어야 후회가 없다. 상구는 또한 잘못을 바로잡고 착하고 옳은 일을 하도록 서로에게 권하는 뜻이 있으니, 모두 옛 잘못을 제거해 버리는 것이므로 대유괘에서 말하는 악을 막는다는 뜻이다.[148]

이진상(李震相) 『역학관규(易學管窺)』

郊取巽象, 乾極爲巽. 上與三應, 而兩剛非應, 疑於有悔. 然同德相與, 所以无悔, 本志在陰, 所以未得. 若與五爭, 有悔必矣.
'교(郊)'는 손괘(巽卦☴)의 상에서 취하였으니, 건괘가 극에 이르면 손괘가 된다. 원래 상효는 삼효와 호응관계에 있지만 여기서의 두 굳센 양은 호응이 아니라서 후회가 있을까 의심하게 된다. 그러나 덕을 함께하고 서로 같이 하므로 후회가 없게 되고, 본래의 뜻은 음에 있으므로 뜻을 얻지 못하게 된다. 만약 오효와 다툰다면 반드시 후회가 있게 된다.

---

146) 未: 경학자료집성DB에 '末'로 되어 있으나, 경학자료집성 영인본을 참조하고 문맥을 살펴 '未'로 바로잡았다.
147) 『周易·雜卦傳』: 大有, 衆也, 同人, 親也. 革, 去故也, 鼎, 取新也. 小過, 過也, 中孚, 信也. 豊, 多故, 親寡, 旅也.
148) 『周易·大有卦』: 象曰, 火在天上, 大有, 君子以, 遏惡揚善, 順天休命.

오치기(吳致箕) 「주역경전증해(周易經傳增解)」

上九剛健在上, 无應无比, 而當同人之終, 處于荒僻之郊, 未得其志, 固當有悔. 然居高而物莫與同, 在外而无所係戀, 故言无悔.
상구는 강건한 양으로 가장 위의 자리에 있으므로 호응함도 없고 비(比)의 관계도 없으며, 동인괘의 맨 끝에 해당하여 황량하고 외진 들에 있으므로 그 뜻을 얻지 못하니, 마땅히 후회가 있다. 그러나 높은 곳에 있으므로 물(物) 중에는 더불어 함께하는 것이 없고 바깥쪽에 있으므로 연모하여 잊지 못한 대상이 없기 때문에 "후회가 없다"고 하였다.

○ 郊取於乾, 已見上諸卦. 此卦之義在於大同无私, 而諸爻皆失此義, 故二同于宗而吝, 三伏戎[149]而欲奪, 四乘墉而欲攻, 五師克而遇私, 上雖无私而亦无所同, 惟初九有出門大同之志. 時義之不同, 有如斯矣.
'들[郊]'은 건괘에서 취하였으니, 위에 있는 여러 괘에서 이미 보인다. 이 괘의 뜻은 크게 함께하여 사사로움이 없는 데에 있으나, 여러 효들은 이 뜻을 잃었기 때문에 이효는 함께하기를 종친의 무리와 하여 부끄럽고, 삼효는 군사를 매복시켜 빼앗고자 하며, 사효는 담에 올라가서 공격하고자 하고, 오효는 군사로 이기고 만나 사사로우며, 상효는 비록 사사로움은 없지만 함께하는 대상이 없으니, 오직 초구만이 문을 나와 크게 함께하는 뜻을 가지고 있다. 때에 따라 뜻이 같지 않음이 이와 같다.

이진상(李震相) 『역학관규(易學管窺)』

同人于郊.
사람들과 함께하기를 들[郊]에서 하였다.

野則人之所折[150]處, 郊則荒僻而無人. 上九之象無所與同, 故以郊言. 悔生於非義之爭, 而不爭故无悔.
'들[野]'은 사람이 타협하는 곳이며, '들[郊]'은 황량하고 외져서 사람이 없다. 상구의 상에는 함께하는 대상이 없기 때문에 '교(郊)'라고 말하였다. 후회는 의롭지 못한 다툼에서 생기는데, 다투지 않기 때문에 후회가 없다.

---

149) 戎: 경학자료집성DB에 '我'로 되어 있으나, 경학자료집성 영인본을 참조하여 '戎'으로 바로잡았다.
150) 折: 경학자료집성 영인본에서는 여기에 해당하는 글자가 무슨 글자인지 알 수가 없고, 경학자료집성DB에는 '析'으로 되어 있으나, 문맥을 살펴 '折'으로 바로잡았다.

박문호(朴文鎬) 「경설(經說)·주역(周易)」

卦辭之于野, 上九之于郊, 其事似同而其義有異, 于野是有同者也, 于郊是無同者也. 于郊, 无悔, 遯世無悶之君子, 可以當之.
괘사에서 말하는 '들[野]에서'와 상구에서 말하는 '들[郊]에서'는 그 일은 서로 비슷하지만 그 뜻은 다르니, '들[野]에서'는 함께하는 자가 있고, '들[郊]에서'는 함께하는 자가 없다. "들에서 하니 후회가 없다"는 세상을 피해 있어 걱정이 없는 군자가 여기에 해당한다.

이용구(李容九) 「역주해선(易註解選)」

上九, 在外而無與應者, 如荷蕢之徒.
상구는 밖에 있으면서 더불어 호응하는 자가 없으니, 삼태기를 메고 있는 은자(隱者)의 무리와 같다.

象曰, 同人于郊, 志未得也.

「상전」에서 말하였다: "사람들과 함께하기를 들에서 함"은 뜻을 얻지 못한 것이다.

中國大全

傳

居遠莫同, 故終无所悔. 然而在同人之道, 求同之志, 不得遂, 雖无悔, 非善處也.

먼 곳에 있어서 함께할 사람이 없기 때문에 끝내 후회가 없다. 그러나 사람들과 함께하는 도에 있어서 함께하려는 뜻을 구하였으나 이룰 수가 없었으니, 비록 후회는 없지만 좋은 처신은 아니다.

小註

臨川吳氏曰, 无可同之人, 故志未得.
임천오씨가 말하였다: 함께할 수 있는 사람이 없기 때문에 뜻을 얻지 못하였다.

○ 建安丘氏曰, 上九處同人之世, 豈不欲與人同者哉. 特以一卦五陽, 皆欲同二, 而三伏戎, 四乘墉, 五用師, 相刃相摩, 不奪不厭. 而己適處於无與同之地, 超然出於群爭之表, 於人固无所失矣, 而於己亦未爲得也. 周公於爻, 以不異於人者喜之, 故言其无悔. 孔子於象, 以不能同於人者病之, 故釋之曰志未得也.
건안구씨가 말하였다: 상구는 동인의 시대에 있으면서 어찌 다른 사람과 함께하고자 하지 않겠는가? 다만 한 괘에 다섯 양이 있어서 모두 이효와 함께하고자 하여, 삼효는 군사를 매복시키고, 사효는 담 위에 오르며, 오효는 군사를 써서 서로 칼로 베고 서로 공격하여 빼앗지 않고서는 만족하지 못한다. 그러나 상구 자신은 더불어 함께할 사람이 없는 곳에 있게 되어, 초연하게 여러 다툼의 밖으로 나와 다른 사람에게는 진실로 잃은 바가 없고 자신에게는 또한 얻지 못한다. 주공은 효사에서 다른 사람과 다르지 않은 점을 가지고서 기뻐하였기 때문에 후회가 없다고 말하였고, 공자는 「상전」에서 다른 사람과 함께할 수 없는 점을 가지고서 근심으로 삼았기 때문에 이를 풀어서 뜻을 얻지 못하였다고 하였다.

又曰, 同人六爻, 以六二一陰爲卦主, 上下五陽皆欲同之. 同人之道, 貴廣不貴狹, 卦言于野亨是也. 在諸爻以比應爲同, 故不能盡卦義. 合而論之, 有應而同者, 有比而同者, 有遠而无與同者, 有爭而不能同者. 二與五應以正道相同, 在二言于宗, 五言相遇, 此應而同者. 初在卦下, 出卽遇二, 无爭于五, 故同人于門, 此比而同者. 上處卦外, 无應于五, 亦无得於二, 故同人于郊, 此遠而无與同者. 三四介乎二五之間, 與五爭二, 而不知天理之同, 物莫能間, 故三伏戎不興, 四乘墉弗克, 此爭而不能同者. 同人之道難矣哉. 然則世之與人同者, 與其爲初之比而同, 不若五之應而同者之出於正. 爲三四之爭而不能同, 不若上之遠而无與同者之无所爭也.

또 말하였다: 동인괘의 여섯 효는 육이 하나의 음을 괘의 주인으로 삼았으며, 위와 아래의 다섯 양은 모두 육이와 함께하고자 한다. 다른 사람과 함께하는 도는 넓음을 귀하게 여기고 좁음을 귀하게 여기지 않으니, 괘사에서 "들에서 함이 형통하다"고 한 것이 이것이다. 여러 효에서는 '비(比)의 관계에 있고 호응하는 것을 함께하는 것으로 여겼기' 때문에 괘의 뜻을 다할 수가 없었다. 종합적으로 논하자면, 호응하여 함께하는 경우가 있고, 친하게 하여[比] 함께하는 경우가 있으며, 먼 곳에 있어 함께할 사람이 없는 경우가 있고, 다투어서 함께할 수 없는 경우가 있다. 이효와 오효는 바른 도를 가지고서 서로 함께하는데, 이효에서는 "종친의 무리끼리"라고 하였고 오효에서는 "서로 만난다"고 하였으니, 이것은 호응하여 함께하는 경우이다. 초효는 괘의 맨 아래에 있으므로, 나가면 이효를 만나고 오효와 다툼이 없기 때문에 "사람들과 함께하기를 문 밖에서 한다"고 하였으니, 이것은 비(比)의 관계에 있어서 함께하는 경우이다. 상효는 괘의 밖에 있고 오효와 호응함이 없으며 또한 육이를 얻을 수 없기 때문에 "사람들과 함께하기를 들[郊]에서 한다"고 하였으니, 이것은 먼 곳에 있어서 더불어 함께할 사람이 없는 경우이다. 삼효와 사효는 이효와 오효의 사이에 끼어들어 오효와 이효를 두고 다투는데, 천리가 함께하여 아무도 이효와 오효를 갈라놓을 수 있는 것을 알지 못하기 때문에, 삼효는 군사를 숨기고 일어나지 못하고, 사효는 담에 올라가지만 이기지 못하니, 이것은 다투어서 함께할 수 없는 경우이다. 다른 사람들과 함께하는 도는 어렵구나! 그렇기 때문에 세상에서 다른 사람과 함께하고자 하는 경우, 초효와 친한 자가 되어 함께하는 것은 오효가 호응하여 함께하는 것이 바름에서 나오는 것보다 못하다. 삼효와 사효가 다투어 함께할 수 없는 것은 상효가 먼 곳에 있어서 함께할 사람이 없어서 다툼이 없는 것보다 못하다.

韓國大全

송시열(宋時烈) 『역설(易說)』

郊者, 乾象也, 又遠外也. 與三爻莽字對待而言也. 與三雖爲應而皆不得中正之位, 但相同於遠外之郊, 此志未得也, 僅能无悔而已.
'교(郊)'란 건괘의 상이며, 또 멀리 떨어진 밖을 뜻한다. 삼효의 '망(莽)'자와 상대해서 말한 것이다. 삼효와 비록 호응하지만 모두 중정한 자리를 얻지 못하여 다만 멀리 밖에 있는 들에서 함께하니, 이것은 뜻을 얻을 수 없는 것이고 겨우 후회가 없을 수 있을 뿐이다.

유정원(柳正源) 『역해참고(易解參攷)』

節齋蔡氏曰, 未及乎野, 非盡乎大同之道者也. 故曰, 志未得.
절재채씨가 말하였다: 들[野]에는 미치지 않았으므로 대동의 도를 다한 것은 아니다. 그러므로 "뜻을 얻지 못한 것이다"라고 하였다.

김상악(金相岳) 『산천역설(山天易說)』

不得其同人之志也
그 동인의 뜻을 얻지 못한 것이다.

서유신(徐有臣) 『역의의언(易義擬言)』

雖則同之, 非其志也.
비록 함께하더라도 자신의 뜻은 아니다.

김귀주(金龜柱) 『주역차록(周易箚錄)』

傳, 居遠莫同, 云云.
『정전』에서 말하였다: 먼 곳에 있어서 함께할 사람이 없기, 운운.

小註, 建安丘氏曰, 上九, 云云.
소주에서 건안구씨가 말하였다: 상구는, 운운.

○ 按, 丘氏以初九爲比而同者, 恐失文義. 蓋初九前遇六二, 六二是陰爻, 陰本虛, 虛則有門之象, 故初九特取出門之義. 若謂與二比同, 則是乃小人昵比之象, 安得爲無咎乎. 末[151]端不若矣, 矣字恐上之誤.
내가 살펴보았다: 건안구씨는 초구를 편당(偏黨)을 만들어[152] 함께하는 자로 여겼으니, 아마도 문장의 뜻을 잃은 듯하다. 초구는 앞에서 육이를 만나는데, 육이는 음효이고 음은 본래 가운데가 비어 있으며, 가운데가 비어 있다면 문의 상을 가지고 있기 때문에 초구는 단지 문을 나오는 상을 취하였다. 만약 이효와 편당을 만들어 함께한다고 말한다면, 이것은 소인이 지나치게 친한 상이 되니, 어떻게 허물이 없다고 할 수 있겠는가? 문장 끝부분에 있는 '불약의(不若矣)'에서 '의(矣)'자는 '상(上)'자의 잘못인 듯하다.[153]

此卦, 以一卦言, 則同人于野是爲至善, 以六爻言, 則三四之非理爭奪, 固無足論, 而上九于郊, 雖曰無悔, 有失同人之道. 惟二五之以中正相應, 不害爲君子之交. 然其交不廣, 故二有于宗之吝, 五有先咷之厄, 終皆非同人之大公至正者. 然則處斯世而欲同人者, 當以初九之出門同人爲法矣. 丘建安總論, 多有未安.
이 괘에 대하여 하나의 괘로써 말한다면, "들에서 사람들과 함께한다"는 지극히 선한 것이 되고, 여섯 효를 가지고서 말한다면, 삼효와 사효가 이치에 맞지 않는 쟁탈을 하는 것은 본래 말할 것도 없고, 상구에서 말한 '들[郊]에서'에 대해 비록 "후회가 없다"고 했지만 사람들과 함께하는 도를 잃었으며, 오직 이효와 오효가 중정하면서 서로 호응하여 군자의 사귐이 되는 데에 해를 끼치지 않는다. 그러나 사귐은 넓지 않기 때문에 이효에서는 '친족의 무리와'라는 부끄러움이 있고, 오효에서는 "먼저 운다"는 불행이 있으니, 끝내 모두 동인의 크게 공정하고 지극히 올바른 것은 아니다. 그렇기 때문에 이러한 세상에 있으면서 사람들과 함께하고자 하는 자는 마땅히 초구가 문을 나가서 사람들과 함께하는 것을 법으로 삼아야 한다. 건안구씨가 총체적으로 논의한 바는 온당하지 못한 부분이 많다.

심대윤(沈大允) 『주역상의점법(周易象義占法)』

同人之時, 初求友也, 二始交於親鄙也, 三无所不交也, 四始有親疏也, 五交道立而求无不合也, 上去損而取益也.
동인의 때에 초효는 친구를 구하고, 이효는 비로소 친족 일가와 교제하며, 삼효는 교제하지

---

151) 末: 경학자료집성DB에 '未'로 되어 있으나, 경학자료집성 영인본을 참조하고 문맥을 살펴 '末'로 바로잡았다.
152) 여기서의 '비(比)'자에 대해서는 『논어(論語)·위정(爲政)』에 나오는 "子曰, 君子, 周而不比, 小人, 比而不周."를 참조.
153) 김귀주가 본 판본에는 '불약의(不若矣)'으로 되어 있었던 듯하다.

않는 바가 없고, 사효는 비로소 소원한 사와 친함이 있으며, 오효는 시귀는 도가 세워져 구할 때에 마음이 맞지 않는 자가 없고, 상효는 손해를 제거하고 이익을 취한다.

오치기(吳致箕)「주역경전증해(周易經傳增解)」

居于荒僻之地, 无與所同, 故求同之志, 不得遂. 雖无悔而非善處也
황량하고 외진 곳에 있으므로 더불어 함께할 대상이 없기 때문에 함께하려는 뜻을 구하지만 이 뜻을 이룰 수가 없다. 비록 후회는 없지만 좋은 처신은 아니다.

이병헌(李炳憲)『역경금문고통론(易經今文考通論)』

本義曰, 郊在野內.
『본의』에서 말하였다: '들[郊]'은 광야[野] 안에 있다.

按, 不動則無悔, 而未能得位, 故志未得.
내가 살펴보았다: 움직이지 않으면 후회가 없고 제자리를 얻을 수 없기 때문에 뜻을 얻을 수 없다.

14

대유괘

大有卦䷍

中國大全

傳

大有, 序卦, 與人同者, 物必歸焉. 故受之以大有. 夫與人同者, 物之所歸也, 大有所以次同人也. 爲卦火在天上, 火之處高, 其明及遠, 萬物之衆, 无不照見, 爲大有之象. 又一柔居尊, 衆陽竝應, 居尊執柔, 物之所歸也, 上下應之, 爲大有之義. 大有, 盛大豊有也.

대유괘(大有卦)는 「서괘전」에 "다른 사람과 함께하는 자는 물(物)이 반드시 그에게로 돌아온다. 그러므로 대유(大有)로 받았다"고 하였다. 다른 사람과 함께하는 자는 물(物)이 그에게로 돌아오는 바가 되기 때문에 대유괘가 동인괘(同人卦䷌) 다음에 온 것이다. 괘는 불[☲]이 하늘[☰]위에 있으므로, 불이 높은 곳에 있기 때문에 밝기가 멀리까지 미쳐서 만물(萬物)이 비추어 드러내지 않는 것이 없으니, 대유괘의 형상이 된다. 또 하나의 유순한 음(陰)이 존귀한 자리에 있어서 여러 양(陽)들과 함께 호응하고 존귀한 자리에 있으면서 유순함을 굳게 지키니 물(物)이 돌아오는 바이며, 위와 아래가 호응하니 대유괘의 뜻이 된다. 대유괘는 성대하고 풍요롭게 가지고 있는 것이다.

小註

雙湖胡氏曰, 易以陽爲大, 凡卦稱大者, 皆以陽得名. 大有以一陰統五陽, 大畜以一陰畜三陽, 大過四陽過盛於中, 大壯四陽壯長於下, 皆名之曰大也.

쌍호호씨가 말하였다: 『주역』은 양(陽)을 크게 여기니, 괘에서 크다고 하는 것은 모두 양(陽)으로 이름을 얻은 것이다. 대유괘에서는 하나의 음으로 다섯 양을 통섭하고, 대축괘(大畜卦䷙)에서는 하나의 음으로 세 양을 저지하며, 대과괘(大過卦䷛)에서는 네 양이 괘의 가운데에서 지나치게 융성하고, 대장괘(大壯卦䷡)에서는 네 양이 괘의 아래에서 굳건하게 길러지니, 모두 이러한 이유로 '대(大)'라고 이름 지은 것이다.

○ 雲峯胡氏曰, 或曰, 小畜亦五陽一陰之卦, 主巽之一陰則曰小, 此主離之一陰則曰大, 何也. 曰, 巽之一陰在四, 欲畜上下五陽, 其勢逆而難, 離之一陰在五, 而有上下五陽, 其勢順而易. 卦名因四五二爻而有大小之分, 君人者之大分明矣. 故小畜之亨不在六四, 而在上下五陽, 大有之元亨, 不但在上下五陽而在六五.

운봉호씨가 말하였다: 혹자가 말하기를 "소축괘(小畜卦䷈)는 또한 다섯 양과 하나의 음으로 된 괘인데, 외괘인 손괘(巽卦)의 음 하나를 주로 해서 말하여 '소(小)'라고 했고, 대유괘는

외괘인 리괘(離卦)의 음 하나를 주로 해서 말하여 '대(大)'리고 한 것은 어째서입니까?"리고 하니, 말하기를 "손괘에서의 음 하나는 사효의 위치에 있어서 위아래의 다섯 양을 저지하고자 하지만 기세가 거슬려서 어렵고, 대유괘 외괘인 리괘에서의 음 하나는 오효의 자리에 있어서 위아래의 다섯 양을 가지고 있으니, 그 기세가 순하여 쉽습니다. 괘의 이름은 사효와 오효인 두 효에 의해서 크고 작은 구분이 있으니, 임금의 자리가 큰은 분명합니다. 그러므로 소축괘에서의 형통함은 육사에 있지 않고 위아래의 다섯 양에 있으며, 대유괘의 크게 형통함은 단지 위아래의 다섯 양에 있을 뿐만이 아니라 육오에도 있습니다"라고 하였다.

大有, 元亨.

대유(大有)는 크게 형통하다.

中國大全

傳

卦之才, 可以元亨也. 凡卦德, 有卦名自有其義者, 如比吉, 謙亨, 是也. 有因其卦義, 便爲訓戒者, 如師貞丈人吉, 同人于野亨, 是也. 有以其卦才而言者, 大有元亨, 是也. 由剛健文明, 應天時行, 故能元亨也.

괘(卦)의 재질은 크게 형통할 수 있다. 괘의 덕은 괘의 이름에 그 의미를 스스로 가지고 있는 것이 있으니, 예를 들면 "비는 길하다"[1]는 것과 "겸은 형통하다"[2]는 것이 이것이다. 괘의 뜻으로 인해서 곧 훈계로 삼는 괘가 있으니, 예를 들면 "사괘는 바르게 해야 하니 장인(丈人)이어야 길하다"[3]는 것과 "동인괘는 들에서 하여야 형통하다"[4]라는 것이 이것이다. 괘의 재질을 가지고서 말하는 괘가 있으니, "대유괘는 크게 형통하다"는 것이 이것이다. 강건하고 문명하므로 하늘에 응하고 때에 맞게 행하기 때문에 크게 형통할 수 있다.

本義

大有, 所有之大也. 離居乾上, 火在天上, 无所不照. 又六五一陰居尊得中, 而五陽應之, 故爲大有. 乾健離明, 居尊應天, 有亨之道, 占者, 有其德, 則大善而亨也.

대유는 가지고 있는 바가 크다. 리괘(離卦)가 건괘(乾卦) 위에 있으니, 불이 하늘 위에 있어서 비추

---

1) 『周易 · 比卦』: 彖曰, 比, 吉也.
2) 『周易 · 謙卦』: 謙, 亨, 君子有終.
3) 『周易 · 師卦』: 師, 貞, 丈人, 吉, 无咎.
4) 『周易 · 同人卦』: 同人于野, 亨, 利涉大川, 利君子貞.

지 않는 것이 없다. 또 육오의 한 음이 존귀한 자리에 있으면서 알맞음을 얻었고, 다섯 양들이 음에 호응하기 때문에 대유괘가 된다. 건괘는 굳세고 리괘는 밝으며, 존귀한 자리에 있으면서 하늘에 호응하므로 형통하는 도가 있으니, 점을 치는 자가 이러한 덕을 가지고 있다면 크게 선하면서 형통하다.

小註

建安丘氏曰, 一陰在上卦之中, 而五陽宗之, 居尊能柔, 物之所與, 而諸爻之有, 皆六五之有也, 豈不大哉? 唯其所有者大, 故其亨亦大也.
건안구씨가 말하였다: 하나의 음이 상괘의 가운데에 있고 다섯 양들이 음을 높이므로 존귀한 자리에 있으면서 유순할 수 있기 때문에 물(物)이 육오와 함께하는 바이고, 여러 효가 가지고 있는 것은 모두 육오가 가지고 있는 것이 되니, 어찌 크다고 하지 않겠는가? 오직 그 가지고 있는 바가 크기 때문에 형통하고 또 크다.

韓國大全

김장생(金長生) 『주역(周易)』

乾坤惟以四德釋之, 此卦亦以元且亨釋之, 非也.
건괘와 곤괘는 오직 사덕을 가지고서 풀이하였지만, 이 괘에서도 또한 크고 또 형통함을 가지고서 풀이한다면 잘못이다.

이익(李瀷) 『역경질서(易經疾書)』

凡惡者, 隱暗之所爲也. 苟爲人所覺, 無不斂戢. 傳所謂厭然揜其不善, 是也. 天上之火日也. 白日所照, 不肖者豈敢肆行. 君子以則之, 明燭衆理, 有以畏服民志, 故可以遏惡. 其有善, 亦能深知實德, 無有隱蔽也.
악이란 은밀하고 어두운 곳에서 하게 된다. 만약 다른 사람이 이것을 깨닫게 된다면 자신을 검속하지 않을 수 없다. 『대학』에서 이른바 "슬그머니 그 불선(不善)을 가린다"[5]고 한 것이

5) 『大學』: 小人閒居爲不善, 無所不至, 見君子而后, 厭然揜其不善, 而著其善.

이것이다. 하늘 위의 불은 태양이다. 태양은 환하게 비추니, 불초자가 어찌 감히 방자하게 행동할 수 있겠는가? 군자는 이것을 본받아 여러 이치를 환하게 살피고 이로써 백성의 뜻을 두렵게 하고 복종하게 만들기 때문에 악을 막을 수 있다. 선을 가지고 있다면, 또한 실제적인 덕을 깊이 알 수가 있으니, 숨겨지거나 가려짐이 없다.

유정원(柳正源)『역해참고(易解參攷)』

正義, 柔處尊位, 群陽竝應, 能大所有, 故稱大有. 旣能大有, 則其物大得亨通, 故云大有元亨.

『주역정의(周易正義)』에서 말하였다: 유순한 음이 존귀한 자리에 있고 여러 양들이 또한 호응하여 크게 소유할 수 있기 때문에 대유라고 하였다. 이미 크게 소유할 수 있다면, 그 물(物)이 크게 형통할 수 있기 때문에 "대유는 크게 형통하다"고 하였다.

○ 隆山李氏曰, 卦言元亨者四, 大有蠱升鼎. 皆六居五, 九居二, 柔中應剛, 陽剛有應, 故進而爲亨通也.

융산이씨가 말하였다: 괘 중에서 "크게 형통하다"라고 말한 것은 네 가지이니, 대유괘 · 고괘(蠱卦䷑)[6] · 승괘(升卦䷭)[7] · 정괘(鼎卦䷱)[8]이다. 모두 음이 오효에 있고 양이 이효에 있어서 부드러운 음이 가운데 자리를 얻어 굳센 양과 호응하고, 굳센 양은 호응함이 있기 때문에 나아가 형통하게 된다.

○ 啓蒙翼傳, 乙亥六月朔, 日食, 旣以蓍筮之得大有之需, 上體三爻俱變也. 法當以兩卦彖辭占, 求之辭未悟, 以本之卦體占. 下體乾天不動, 上體以離日變坎月, 日在天上倏變爲月, 在天上矣, 以月掩日, 正日食象. 以南方之離, 變北方之坎, 獨无意乎. 得非本卦彖辭所謂元亨之兆歟.

『주역계몽익전』에서 말하였다: 을해년 유월 초하루에 일식이 있었는데, 시초점을 쳐서 대유괘에서 바뀐 수괘(需卦䷄)를 얻었으니, 대유괘의 위 몸체 세 효가 모두 변한 것이었다. 방법으로 보면 점을 치는 자[9]가 마땅히 두 괘의 단사를 가지고서 점을 쳐야 하지만, 단사로 구해보아도 깨닫지 못하여 본괘의 몸체를 가지고서 점을 쳤다.

---

6)『周易 · 蠱卦』: 蠱, 元亨, 利涉大川, 先甲三日, 後甲三日.

7)『周易 · 升卦』: 升, 元亨, 用見大人, 勿恤, 南征吉.

8)『周易 · 鼎卦』: 鼎, 元吉, 亨.

9) 원(元) 나라 호일계(胡一桂)가 지은『주역계몽익전 · 천지자연지역』에는 '旣'와 '以蓍筮' 사이에 "天漆黑, 久漸光時, 愚在祈門, 梓溪李氏館,"라는 구절이 있다.

下體乾天不動, 上體以離日變坎月, 日在天上倏變爲月, 在天上矣, 以月掩日, 正日食象. 以南方之離, 變北方之坎, 獨无意乎. 得非本卦彖辭所謂元亨之兆歟.
아래 몸체 하늘인 건괘가 움직이지 않고, 위 몸체 해인 리괘(離卦)로부터 달인 감괘(坎卦)로 변했으니, 해가 하늘 위에 있다가 갑자기 변하여 달이 되어서 하늘 위에 있는 것으로, 달이 해를 가리므로 바로 일식의 상이다. 남방의 리가 북방의 감으로 변한 것을 유독 뜻이 없다고 하겠는가? 본 괘의 단사에서 말한 크게 형통할 조짐이 아니겠는가!

○ 案, 諺解, 分元亨, 爲二德, 蓋諸卦有元亨利貞四字, 則夫子恐後人疑其與乾坤同作四德, 故彖皆作大亨以別之. 其无利貞字, 則彖雖直曰元亨, 而只是爲善爲大而已, 則自不同於乾坤之二德爾. 无論傳義, 恐當以大善而亨之意, 釋之.
내가 살펴보았다: 『주역언해』에서는 큼[元]과 형통함[亨]을 나누어 두 가지 덕으로 삼았으니,[10] 여러 괘 중에서 원형리정(元亨利貞)이라는 네 가지 덕이 있는 괘는 공자가 후세의 사람들이 건괘·곤괘와 네 가지 덕을 같다고 볼까봐 염려하였기 때문에 괘사에서 모두 크게 형통하다고 하여 구별하였다. '리(利)'와 '정(貞)'자가 없으니, 괘사에서 비록 곧바로 "크게 형통하다[元亨]"라고 하였을지라도, 단지 선하고 클 뿐이므로 본래 건괘와 곤괘에서의 두 덕과는 같지 않을 뿐이다. 『정전』과 『본의』를 논할 필요도 없이, 아마도 크게 선하고 형통하다는 뜻으로 풀어야 할 듯하다.

김상악(金相岳) 『산천역설(山天易說)』

離乾之合爲大有. 乾之健得其元, 離之明有其亨. 五六爲成卦之主, 故應天而時行.
리괘와 건괘가 합한 것은 대유괘이다. 건괘의 굳셈이 큼을 얻고, 리괘의 밝음이 형통함을 얻는다. 오효인 육(六)은 이루어진 괘의 주인이기 때문에 "하늘에 응하면서 때에 맞게 행한다"고 했다.

○ 乾六爻七變而返於離乾, 則爲大有, 而得乾之元亨. 坤六爻四變, 而入於震乾, 則爲大壯, 而得乾之利貞, 皆所以爲大. 大有, 同人之反, 同人則離之陰在二, 故只言其亨, 大有則在五, 故曰元亨, 如旣未濟之亨小亨也.
건괘의 육효가 일곱 번 변하여 리괘(離卦☲)가 위에 있고 건괘(乾卦☰)가 아래에 있는 데로 되돌아오면, 대유괘가 되고 건괘의 크게 형통함을 얻는다. 곤괘의 육효가 네 번 변하여 진괘(震卦☳)가 위에 있고 건괘가 아래에 있는 데로 들어가면, 대장괘(大壯卦䷡)가 되고

---

10)『周易諺解』: 大有는 元코 亨ᄒᆞ니라

건괘의 이롭고 바름을 얻으니, 대유괘와 대장괘가 모두 큼이 되는 까닭이다. 대유괘는 동인괘(同人卦䷌)가 거꾸로 된 괘이니, 동인괘는 리괘의 음이 이효의 자리에 있기 때문에 단지 그 형통함만을 말했고, 대유괘는 리괘의 음이 오효의 자리에 있기 때문에 크게 형통하다고 하였으니, 기제괘(既濟卦䷾)[11]와 미제괘(未濟卦䷿)[12]에서 형통하다고 하고 약간 형통하다고 한 것과 같다.

서유신(徐有臣) 『역의의언(易義擬言)』

大有五陽之盛大, 而六五之有也. 元亨兩體之元善, 而六五之亨也.
대유괘는 다섯 양이 성대하지만 육오의 소유이다. 크게 형통함은 두 몸체의 크게 선함이고 육오의 형통함이다.

박문건(朴文健) 『주역연의(周易衍義)』

進居天位, 而大有五衆, 其道大亨也.
나아가 하늘의 자리에 있고 다섯 무리를 크게 소유하고 있으니, 도가 크게 형통하다.

이지연(李止淵) 『주역차의(周易箚疑)』

六五一爻陰, 故不足於利貞.
육오라는 하나의 효가 음이기 때문에 이롭고 바르기에는 부족하다.

김기례(金箕澧) 「역요선의강목(易要選義綱目)」

易以陽爲大.
『주역』은 양을 큰 것으로 삼는다.

○ 與人同志, 物有大歸. 火在天上, 无所不照. 元亨一陰居尊 五陽歸宗 故大而亨.
다른 사람들과 뜻을 함께하면, 물(物)이 크게 돌아온다. 불이 하늘 위에 있어서 비추지 않음이 없다. 크게 형통함은 하나의 음이 존귀한 자리에 있고 다섯 양이 종주에게로 돌아오기 때문에 크면서도 형통하다.

---

11) 『周易・既濟卦』: 既濟, 亨小, 利貞, 初吉終亂.
12) 『周易・未濟卦』: 未濟, 亨, 小狐汔濟, 濡其尾, 无攸利.

심대윤(沈大允)『주역상의점법(周易象義占法)』

无妄先天之後天也. 誠者先天, 而自明誠者, 先天之後天也. 中庸後天, 而忠恕者, 後天之先天也. 无妄道之工力也, 大有道之規矩也. 言其大體, 則性先天也, 道後天也. 單主於道而言之, 則忠先天也, 恕後天也, 恕忠先天也, 中庸後天也, 忠恕人道之始而亨也. 故曰元亨. 有忠恕而无中庸, 則亦不可用也, 故不言利貞.
무망괘(无妄卦☰)는 선천(先天)이 후천(後天)으로 바뀌었다. 성실함은 선천이며 밝음으로부터 성실하게 됨은 선천이 후천으로 바뀐 것이다. 중용(中庸)은 후천이며 충서(忠恕)란 후천이 선천으로 바뀐 것이다. 무망은 도의 공력(工力)이며 대유는 도의 법칙이다. 대체(大體)로 말하면 성(性)은 선천이고 도는 후천이다. 단지 도를 위주로 하여 말하면, 충(忠)은 선천이고 서(恕)는 후천이며, 충서는 선천이고 중용은 후천이며, 충서는 인도의 시작이며 형통하다. 그러므로 크게 형통하다고 하였다. 충서는 있으면서 중용이 없다면, 또한 쓸 만한 것이 못 되기 때문에 이롭고 바르다고 하지 않았다.

오치기(吳致箕)「주역경전증해(周易經傳增解)」

大有者, 所有之大也. 一柔居尊而有五剛之大, 故爲大有之象. 離在上遠照, 而乾剛益著光大. 乾在下爲應, 而離明尤得盛有, 亦爲大有之義也. 卦體則主爻柔得中而應, 卦義則所有甚大, 故言元亨.
대유란 소유한 바가 큰 것이다. 하나의 유순한 음이 존귀한 자리에 있으면서 다섯 양의 큼을 소유하였기 때문에 대유의 상이 된다. 리괘가 위에 있어서 멀리 비추고 굳센 건괘가 더욱 드러나고 크게 빛을 낸다. 건이 아래에 있으면서 호응하고 리의 밝음이 더욱 성대하게 소유할 수 있으니, 또한 대유의 뜻이 된다. 괘의 몸체는 주인이 되는 효가 유순한 음으로 가운데 자리를 얻어 호응하고, 괘의 뜻은 소유하는 바가 매우 크기 때문에 크게 형통하다고 하였다.

○ 離乾二體, 皆失正位, 故不言貞.
리괘와 건괘의 두 몸체가 모두 바른 자리를 잃었기 때문에 곧음을 말하지 않았다.

이진상(李震相)『역학관규(易學管窺)』

元亨.
크게 형통하다.

本義於此, 獨曰大善而亨者, 以其卦才之善大, 不足以盡元義故也. 傳義本同而諺釋誤分之.

『본의』에서 이에 대하여 단지 "크게 선하면서 형통하다"고 한 것은 그 괘의 재질이 선함은 크지만 '원(元)'의 뜻을 다하기에는 부족하기 때문이다. 『정전』과 『본의』의 뜻은 본래 같지만 『주역언해(周易諺解)』의 해석이 잘못 나누었다.[13]

이병헌(李炳憲) 『역경금문고통론(易經今文考通論)』

大人,[14] 元亨.

대인(大人)이 크게 형통하다.

---

13) 『周易諺解』: 大有ᄂᆞᆫ 元코 亨ᄒᆞ니라

14) 人: 경학자료집성 영인본을 보면 '有'자 위에 '人'자를 덧붙여 쓴 것으로도 보이며, 이렇게 보았을 때에 대유괘의 괘사와 같기 때문에 이병헌이 단지 괘사를 옮겨 놓았다고 할 수 있으므로 갑작스럽게 '大人'이 나오는 것보다는 이와 같이 '有'로 보는 것이 이해하기가 더욱 쉽다고 본다. 다만 여기서는 '人'자가 명확해 보이므로 이에 의하여 번역하였다.

彖曰, 大有, 柔得尊位, 大中而上下應之, 曰大有,

「단전」에서 말하였다: 대유(大有)는 부드러운 음이 존귀한 자리를 얻었고, 크게 가운데에 있으면서 위와 아래가 그에 호응하므로 대유라고 하니,

中國大全

傳

言卦之所以爲大有也. 五以陰居君位, 柔得尊位也, 處中, 得大中之道也, 爲諸陽所宗, 上下應之也. 夫居尊執柔, 固衆之所歸也, 而又有虛中文明大中之德. 故上下同志應之, 所以爲大有也.

괘가 대유괘가 된 까닭을 말하고 있다. 육오는 음으로 임금의 자리에 있으니 유순함이 존귀한 자리를 얻은 것이고, 가운데에 처하니 크게 알맞은 도를 얻은 것이며, 여러 양에게 높이는 바가 되었으니 위와 아래가 호응하는 것이다. 존귀한 자리에 있으면서 유순함을 지키고 있으니 진실로 여럿이 돌아가는 바이고, 또 가운데가 비어 문명(文明)하고 크게 알맞은 덕을 가지고 있다. 그러므로 위와 아래가 같은 뜻으로 그에게 호응하니, 이것이 대유괘가 되는 까닭이다.

本義

以卦體釋卦名義. 柔, 謂六五, 上下, 謂五陽.

괘의 몸체로 괘의 이름을 풀이하였다. 유순함은 육오를 말하며, 위와 아래는 다섯 양을 말한다.

小註

誠齋楊氏曰, 同人大有一柔五剛, 均也. 柔在下者, 曰得位, 曰得中, 曰應乎乾, 而爲同人, 我同乎彼之辭也. 柔在上者, 曰尊位, 曰大中, 曰上下應, 而爲大有, 我有其大之辭也.
성재양씨가 말하였다: 동인괘(同人卦☰)와 대유괘는 하나의 유순한 음과 다섯 개의 굳센

양을 가지고 있는 것이 같다. 음이 내괘(內卦)에 있는 것은 "제자리를 얻었다"고 하고 "가운데 자리를 얻었다"고 하며 "건(乾)에 응한다"[15]고 하여 동인괘가 되니, "내가 그와 함께 한다"는 말이다. 음이 외괘에 있는 것은 '존귀한 자리'라고 하고 "크게 가운데 자리에 있다"라고 하며 "위와 아래가 그에 호응한다"고 하며 대유괘가 되니, "내가 큰 것을 가지고 있다"는 말이다.

○ 雲峯胡氏曰, 同人以六居二, 則曰柔得位得中, 大有以六居五, 則曰柔得尊位大中, 上下之分嚴矣.
운봉호씨가 말하였다: 동인괘는 육(六)이 이효의 자리에 있으니, "유순함이 제자리와 가운데 자리를 얻었다"고 하며, 대유괘는 육(六)이 오효의 자리에 있으니, "유순함이 존귀한 자리를 얻었고, 크게 가운데에 있다"고 하니, 위와 아래의 구분이 엄격하다.

韓國大全

권근(權近) 『주역천견록(周易淺見錄)』

愚謂, 柔得尊位謂六五, 大中謂九二, 上下二五相應也. 陽[16]爲大, 大有謂大者有之也. 主九二而言, 故曰應乎天而時行, 謂六五下應乾之九二也. 以象言之, 乾陽在下而上進, 火[17]在其上, 其性相應, 光焰益熾而發揚, 明暗庶類無遠不通, 所謂應乎天而時行, 是以元亨者也. 故火在天上爲大有之象, 非火之功, 由天有之也. 或主六五, 謂一柔居尊, 上下五陽應之, 故爲大有, 非也.
내가 살펴보았다: "유순한 음이 존귀한 자리를 얻었다"란 육오를 말하고, "크게 가운데에 있다"란 구이를 말하니, '위와 아래'란 이효와 오효가 서로 호응하는 것이다. 양은 큼이 되니 대유란 큰 것을 가짐을 말한다. 구이를 주인으로 삼아 말하기 때문에 "하늘에 응하여 때에 맞게 행한다"고 하였으니, 육오가 아래로 건괘의 구이와 호응함을 말한다. 상으로 말하면 건괘의 양이 아래에 있어서 위로 나아가고 리괘(離卦)가 의미하는 불이 그 위에 있으므로

15) 『周易・同人卦』: 彖曰, 同人, 柔得位, 得中而應乎乾, 曰同人.
16) 陽: 경학자료집성DB와 영인본에 모두 '飭'으로 되어 있으나, 문맥을 살펴 '陽'으로 바로잡았다.
17) 火: 경학자료집성DB와 영인본에 모두 '以'로 되어 있으나, 문맥을 살펴 '火'로 바로잡았다.

성질은 서로 호응하여 광염(光焰)이 더욱 거세게 발휘되어, 밝고 어두운 많은 종류들에 대하여 멀리 있어도 통하지 않음이 없으니, 이른바 "하늘에 호응하여 때에 맞게 행하기 때문에 크게 형통하다"라는 것이다. 그러므로 불이 하늘 위에 있는 것이 대유괘의 상이 되니, 불의 공이 아니라 하늘을 가지고 있기 때문이다. 어떤 이는 육오를 주인으로 삼아 하나의 유순한 음이 존귀한 자리에 있고 위와 아래의 다섯 양이 그와 호응하기 때문에 대유가 된다고 하였으나 잘못된 주장이다.

홍여하(洪汝河) 「책제(策題): 문역(問易) · 독서차기(讀書箚記)-주역(周易)」

大有, 彖傳, 應乎天而時行.
대유의 「단전」에서 말하였다: 하늘에 호응하여 때에 맞게 행한다.

時行, 卽同人之乾行也, 故本義不重釋.
"때에 맞게 행한다"는 것은 곧 동인괘(同人卦☰)의 건이 행함이기 때문에 『본의』에서는 거듭 풀이하지 않았다.

유정원(柳正源) 『역해참고(易解參攷)』[18]

柔得尊位.
부드러운 음이 존귀한 자리를 얻었다.

厚齋馮氏曰, 大有之六爻, 與同人必相反, 蓋反對也. 聖人之大寶曰位, 一陰得尊位大中, 而同人之爭奪息矣.
후재풍씨가 말하였다: 대유괘의 여섯 효는 동인괘(同人卦☰)와 서로 거꾸로 되었으니 반대괘이다. 성인(聖人)의 큰 보물을 지위라고 하니, 하나의 음이 존귀한 자리를 얻어 크게 가운데에 있고 동인의 쟁탈을 끝마친다.

김상악(金相岳) 『산천역설(山天易說)』

以卦體釋卦名義, 大中謂處得大中之道也. 以卦變言, 六五自四而上, 是柔得尊位而大中也. 有大中之德, 故上下同志以應.

---

18) 유정원(柳正源)의 『역해참고(易解參攷)』에 나오는 이 구절은 경학자료집성DB에서는 대유괘 괘사에 해당하는 것으로 분류해 두었으나, 내용을 살펴보면 「단전」과 관련되어 있으므로 여기에 옮겨 실었다.

괘의 몸체로 괘의 이름을 풀이한다면, "크게 가운데에 있다"는 것은 있는 곳이 크게 알맞은 도를 얻음을 말한다. 괘의 변화를 가지고서 말하면, 육오는 사효로부터 올라왔으니 이것은 유순한 음이 존귀한 지위를 얻고 크게 가운데에 있는 것이다. 크게 알맞은 덕을 가지고 있기 때문에 위와 아래가 뜻을 함께하여 호응한다.

서유신(徐有臣) 『역의의언(易義擬言)』

大有之五, 故曰尊位, 曰大中, 所以有其大也.
대유괘의 오효 때문에 '존귀한 자리'라고 하였고, "크게 가운데에 있다"고 하였으니, 큰 것을 소유했기 때문이다.

박문건(朴文健) 『주역연의(周易衍義)』

得尊位與大中, 故所以來應也. 此以卦體釋卦名.
존귀한 자리와 크게 가운데에 있음을 얻었기 때문에 와서 호응한다. 이것은 괘의 몸체로 괘의 이름을 풀이하였다.
〈問, 大中. 曰, 六五處五陽之中而得位, 故謂之大中. 與觀彖大觀文法同也.
물었다: "크게 가운데에 있다"는 무슨 뜻입니까?
답하였다: 육오가 다섯 양들 가운데에 있으면서 지위를 얻었기 때문에 "크게 가운데에 있다"고 하였습니다. 관괘(觀卦䷓)의 「단전」에서 말한 '크게 봄'[19]과 글을 쓰는 법이 같습니다.〉

이지연(李止淵) 『주역차의(周易箚疑)』

大中, 指九二也.
"크게 가운데에 있다"는 구이를 가리킨다.

김기례(金箕澧) 「역요선의강목(易要選義綱目)」

柔得尊位, 大中,
부드러운 음이 존귀한 자리를 얻었고, 크게 가운데에 있다.

19) 『周易·觀卦』: 彖曰, 大觀, 在上, 順而巽, 中正, 以觀天下, 觀盥而不薦有孚顒若,은 下觀而化也. 觀天之神道而四時不忒, 聖人, 以神道設教而天下服矣.

同人明居二, 故曰得中, 大有明居尊, 故曰大中.
동인괘(同人卦䷌)는 밝음이 이효의 자리에 있기 때문에 "가운데 자리를 얻었다"[20]고 하였고, 대유괘는 밝음이 오효의 자리에 있기 때문에 "크게 가운데에 있다"고 하였다.

심대윤(沈大允) 『주역상의점법(周易象義占法)』

尊位大中者, 特言之也.
'존귀한 자리'와 "크게 가운데에 있다"고 한 것은 특별히 말한 것이다.

이진상(李震相) 『역학관규(易學管窺)』

柔得尊位.
부드러운 음이 존귀한 자리를 얻었다.

此與同人, 皆五陽一陰, 而同人之陽居尊位, 理之正也, 此之陰居尊位, 非理之正, 而同人則不免有三四之爭, 此則上下皆應而無所爭, 何也. 一陰在下, 則衆志未定而皆有凌犯之勢, 一陰在上, 則衆志已定而各得依歸之願. 六五之德, 又能以柔道馭下, 而調伏[21]群剛, 皆爲吾有故也. 且同人次否, 濟否之時, 用武而克, 所謂彊不友剛克也. 大有次同人, 君臣同心同力, 旣有以勘定禍亂, 則偃武修文, 德化以綏之, 所謂高明柔克也. 武王之始, 十亂同心, 同人之象也, 成康之世, 刑措不用, 大有之象也.
대유괘와 동인괘(同人卦䷌)는 모두 다섯 양과 하나의 음으로 이루어져 있으나, 동인괘는 양이 존귀한 자리에 있어서 이치가 바르며, 대유괘는 음이 존귀한 자리에 있어서 이치가 바르지 않는데도, 동인괘는 삼효와 사효의 다툼에서 벗어나지 못하고, 대유괘는 위와 아래가 모두 호응하여 다투는 바가 없는 것은 어째서인가? 하나의 음이 아래에 있으면 여러 뜻이 아직 정해지지 않아서 모두 무리하게 침범하는 형세가 있고, 하나의 음이 위에 있으면 여러 뜻이 이미 정해져서 각각 의지하여 돌아가는 바람을 얻을 수 있다. 육오의 덕은 또 유순한 도로써 아래를 부릴 수 있고, 자신의 몸과 마음을 고르게 하여 여러 굳센 양을 교화하여 굴복시키니, 모두 자신의 소유가 되기 때문이다. 또 동인괘는 비괘(否卦䷋) 다음에 오니 비색함을 구제하는 시대에서는 무력을 사용하여 이기므로, 이른바 "강하여 따르지 않는 자는 굳셈으로써 이긴다"[22]고 하는 것이다. 대유괘는 동인괘의 다음에 오니 임금과 신하가

20)『周易・同人卦』: 彖曰, 同人, 柔得位, 得中而應乎乾, 曰同人.
21) 伏: 경학자료집성DB와 영인본에 모두 '伏'로 되어 있으나, 문맥을 살펴 '伏'으로 바로잡았다.
22)『書經・洪範』: 彊弗友剛克, 以剛克剛也, 燮友柔克, 以柔克柔也, 沈潛剛克, 以剛克柔也, 高明柔克,

마음과 힘을 함께하여 이미 재앙과 혼란을 헤아려 바로 잡음이 있어서, 전쟁이 끝나고 문(文)을 닦고 덕으로 감화시켜 편안하게 하므로, 이른바 "성질이 강하고 쾌활한 자는 부드럽고 순함으로 그 굳셈을 극복한다"고 하는 것이다. 무왕이 일어날 때 열 명의 어진 신하가 마음을 함께한 것은 동인의 상이고, 주나라 성왕과 강왕의 시대에 나라가 잘 다스려져서 죄를 짓는 사람이 없던 것은 대유의 상이다.

최세학(崔世鶴)「주역단전괘변설(周易彖傳卦變說)」

大有, 乾之一體變也. 五一爻爲主, 故彖以柔得尊位言之. 坤五處於上體之中, 以陰居君位, 而五陽應之也.

대유는 건괘(乾卦☰)라는 하나의 몸체가 변한 것이다. 다섯 번째의 한 효가 주인이 되기 때문에 「단전」에서는 "부드러운 음이 존귀한 자리를 얻었다"고 하였다. 곤괘(坤卦☷)의 오효가 상체의 가운데에 있으니, 음이 임금의 자리에 있고 다섯 양이 음에 호응한다.

以柔克剛也, 正直之用, 一而剛柔之用四也.

其德, 剛健而文明, 應乎天而時行. 是以元亨.

그 덕이 강건하면서 문명하고, 하늘에 호응하여 때에 맞게 행한다. 이 때문에 크게 형통하다.

中國大全

傳

卦之德, 內剛健而外文明. 六五之君應於乾之九二, 五之性柔順而明, 能順應乎二. 二, 乾之主也, 是應乎乾也, 順應乾行, 順乎天時也. 故曰, 應乎天而時行. 其德如此, 是以元亨也. 王弼云, 不大通, 何由得大有乎? 大有則必元亨矣, 此不識卦義. 離乾成大有之義, 非大有之義便有元亨, 由其才, 故得元亨, 大有而不善者與不能亨者, 有矣. 諸卦具元亨利貞, 則彖皆釋爲大亨, 恐疑與乾坤, 同也. 不兼利貞, 則釋爲元亨, 盡元義也. 元有大善之義, 有元亨者四卦, 大有, 蠱, 升, 鼎也, 唯升之彖, 誤隨他卦作大亨.

괘의 덕이 안으로는 강건하고 밖으로는 문명(文明)하다. 육오의 군주가 건괘의 구이와 호응하니, 육오의 성질이 유순하면서도 밝아서 이효와 호응할 수 있다. 이효는 건괘의 주인이므로 건괘에 호응하는 것이며, 건괘의 행함에 순응함은 천시(天時)에 순응한다는 것이다. 그러므로 "하늘에 호응하여 때에 맞게 행한다"고 하였다. 그 덕이 이와 같으니 "이 때문에 크게 형통하다"고 한 것이다. 왕필이 "크게 통하지 않으면, 무엇에 말미암아서 크게 소유함을 얻을 수 있겠는가? 대유괘는 반드시 크게 형통하다"고 하였으니, 이것은 괘의 뜻을 깨닫지 못한 것이다. 리괘와 건괘가 대유괘의 뜻을 이루므로, 대유괘의 뜻이 곧 크게 형통함을 가지고 있다는 것이 아니라 그 재질에 말미암아서 크게 형통함을 얻은 것이니, 크게 소유하면서도 착하지 않는 자와 형통할 수 없는 자도 있다. 모든 괘가 '원형리정(元亨利貞)'을 갖추고 있는데도 「단전(彖傳)」에서는 모두 "크게 형통하다"라고만 풀이하였으니, 아마도 건괘 및 곤괘와 같다고 의심할까봐 염려했기 때문일 것이다. '이정(利貞)'을 겸하지 않을 때에는 '원형(元亨)'으로 풀이하였으니, '원(元)'의 뜻을 다한 것이다. '원(元)'은 크게 착하다는 뜻을 가지고 있고, '원형(元亨)'을 가지고 있는 괘는 4가지로, 대유괘 · 고괘(蠱卦䷑) · 승괘(升卦䷭) · 정괘(鼎卦䷱)인데, 오직 승괘의 「단전」에서는 다른 괘를 잘못 따라서 "크게 형통하다"라고 하였다.

曰, 諸卦之元與乾不同, 何也? 曰, 元之在乾, 爲元始之義, 爲首出庶物之義, 他卦則不能有此義, 爲善爲大而已.

물었다: 여러 괘의 원(元)이 건괘와 같지 않은 것은 어째서입니까?
답하였다: 원은 건괘에 있어서 맨 처음이라는 뜻이 되고 여러 물(物)에서 가장 먼저 나온다는 뜻이 되지만, 다른 괘에서는 이러한 뜻을 가질 수가 없으니 착함이 되고 큰 것이 될 뿐입니다.

曰, 元之爲大可矣, 爲善, 何也? 曰, 元者物之先也, 物之先, 豈有不善者乎? 事成而後有敗, 敗非先成者也, 興而後有衰, 衰固後於興也, 得而後有失, 非得則何以有失也. 至於善惡治亂是非, 天下之事莫不皆然, 必善爲先. 故文言曰, 元者, 善之長也.

물었다: 원이 큰 것이 된다고 하는 것은 괜찮지만, 선함이 된다고 하는 것은 어째서입니까?
답하였다: 원이란 물(物)의 처음이 되니, 물의 처음에 어찌 선하지 않음이 있겠습니까? 일이 이루어진 이후에 실패함이 있으니, 패함은 이루는 것보다 먼저 하는 것이 아니며, 흥(興)한 이후에 쇠(衰)함이 있으니 쇠함은 진실로 흥함보다 나중에 있는 것이며, 얻음이 있음 이후에 잃음이 있으니 얻음이 아니면 어찌 잃음이 있겠습니까? 선악(善惡)·치란(治亂)·시비(是非)에 이르기까지 천하의 일은 모두 그렇지 않음이 없으니, 반드시 선함이 먼저가 됩니다. 그러므로 「문언전」에서 "원은 선함의 으뜸이다"라고 하였습니다.

小註

涑水司馬氏曰, 夫柔而不明, 則前有讒而不見, 後有賊而不知, 明而不健, 則知善而不能擧, 知惡而不能去, 二者皆亂亡之端也. 明以燭之, 健以決之, 居不失中, 行不失時, 然後能保有其衆, 元亨也.

속수사마씨가 말하였다: 유순하면서 밝지 못하다면 앞에서는 참소함이 있는데도 보지 못하고 뒤에서 자신을 해침이 있는데도 알지를 못하며, 밝으면서 강건하지 못하다면 선한 줄을 알지만 등용하지 못하고 악한 줄을 알지만 물리치지 못하니, 이 두 가지는 모두 어지럽히고 망하게 하는 단서이다. 밝음으로써 밝히고 강건함으로써 결단을 하여 거처함에 알맞음을 잃지 않고 행함에 적절한 때를 잃지 않은 뒤에야 자신과 가까이 있는 무리를 보호할 수 있으니, 크게 형통하다.

○ 或問, 應乎天而時行, 程說以爲應天時而行, 何如? 朱子曰, 是以時而行, 是有可行之時.

어떤 이가 물었다: "하늘에 호응하여 때에 맞게 행한다"에 대하여 『정전』에서는 하늘의 때에 호응하여 행한다고 하였으니, 무슨 뜻입니까?

주자가 답하였다: 때에 맞게 행한다는 것이며, 행할 수 있는 때가 있다는 것입니다.

○ 楊氏文煥曰, 上下應而不得尊位者, 小畜之六四也, 有能致之資, 居得致之位者, 正大有之時也.

양문환이 말하였다: 위와 아래가 호응하면서 존귀한 자리를 얻지 못한 자는 소축괘(小畜卦☴)의 육사이고, 지극히 할 수 있는 자질을 가진 자가 지극할 수 있는 자리에 있는 것이 바로 대유괘의 때이다.

本義

以卦德卦體釋卦辭. 應天, 指六五也.

괘의 덕과 괘의 몸체로 괘사를 풀이하였다. "하늘에 호응한다"는 것은 육오를 가리킨다.

小註

建安丘氏曰, 六五以柔居尊, 故曰尊位, 處剛而中, 故曰大中. 卦唯一柔而二體皆以剛應, 故曰上下應之. 剛健居內, 乾德也, 文明居外, 離德也. 五以柔而應二之剛, 應乎天也, 順時而行, 是以大亨也.

건안구씨가 말하였다: 육오는 유순함으로써 존귀한 자리에 있으므로 '존귀한 자리'라고 하였고, 굳센 양의 자리이면서 가운데 자리에 있기 때문에 "크게 가운데에 있다"고 하였다. 괘에는 오직 유순한 음이 하나인데, 내괘와 외괘는 모두 굳센 양으로서 그와 호응하고 있으므로, "위와 아래가 호응한다"고 하였다. 강건함이 안에 있으니 건괘의 덕이고, 문명이 밖에 있으니 리괘의 덕이다. 오효는 유순한 음으로 이효의 굳센 양과 호응함은 "하늘에 호응한다"는 것이어서 때에 맞게 행하므로 크게 형통하다.

○ 雙湖胡氏曰, 彖辭自柔得尊位以下, 專主六五一爻, 以論人君之位能有衆陽之大, 自其德剛健以下, 實兼上下兩體, 以論人君之德能致元亨之治也. 唯一陰居尊位, 故可以全體歸之.

쌍호호씨가 말하였다: 「단전」에서 "부드러운 음이 존귀한 자리를 얻었다" 이하는 오로지 육오 한 효만을 위주로 하여 임금의 지위가 여러 양을 가질 수 있을 만큼 크다고 논하였으며, "그 덕이 강건하면서" 이하는 실제로 위와 아래의 두 몸체를 아울러서 임금의 덕이 크게

형통한 정치를 지극히 할 수 있음을 논하였다. 오직 하나의 음이 존귀한 자리에 있기 때문에 전체가 돌아갈 수 있다.

○ 雲峯胡氏曰, 文明以健, 自明而誠之事, 剛健而文明, 自誠而明之事, 又若有聖賢之等焉.
운봉호씨가 말하였다: 동인괘(同人卦䷌)의 「단전」에서 말하는 "문명하여 굳세다"[23]고 하는 것은 『중용』에서 말하는 "밝음으로부터 성실하게 된다"는 일이고, 여기 대유괘의 「단전」에서 말하는 "강건하면서 문명하다"는 것은 "성실함으로부터 밝아지게 된다"는 일이니,[24] 또한 성인과 현인의 등급이 있는 것과 같다.

‖韓國大全‖

김상악(金相岳) 『산천역설(山天易說)』

以卦德卦體釋卦辭, 剛健, 德之體也, 故五以文明應二之剛健. 時行者, 以時而行也.
괘의 덕과 괘의 몸체를 가지고서 괘사를 풀이하였으니, 강건함은 덕의 본체이기 때문에 오효는 문명함을 가지고 이효의 강건함에 호응하였다. 때에 맞게 행함이란 때에 의하여 맞게 행한다는 것이다.

○ 剛健與需同, 文明與同人同. 胡氏曰, 文明以健, 自明而誠也, 剛健而文明, 自誠而明也. 履同人乾在上, 曰應乾, 以定位言, 大有大畜乾在下, 曰應天, 以相交言. 離日在乾天之上, 一日一周, 與天同運, 故曰應天時行.
"강건하다"는 수괘(需卦䷄)의 「단전」에서 말하는 "강건하다"[25]와 같고, "문명하다"는 동인괘(同人卦䷌)의 "문명하다"[26]와 같다. 운봉호씨는 "동인괘의 「단전」에서 말하는 '문명하여 굳세다'고 하는 것은 『중용』에서 말하는 '밝음으로부터 성실하게 된다'는 것이고, 대유괘의

23) 『周易 · 同人卦』: 文明以健, 中正而應, 君子正也.
24) 『中庸』: 自誠明謂之性, 自明誠謂之敎, 誠則明矣, 明則誠矣.
25) 『周易 · 需卦』: 彖曰, 需, 須也, 險, 在前也, 剛健而不陷, 其義不困窮矣.
26) 『周易 · 同人卦』: 文明以健, 中正而應, 君子正也.

「단전」에서 말하는 '강선하변서 문명하다'는 것은 '성실함으로부터 밝아지게 된다'는 것이다" 라고 하였다. 리괘(履卦☰)와 동인괘는 건이 위에 있어서 "건에 호응한다"[27]고 하였으므로 정해진 자리를 가지고서 말하였고, 대유와 대축괘(大畜卦☶)는 건이 아래에 있어서 "하늘에 호응한다"[28]고 하였으므로 서로 사귐을 가지고서 말하였다. 해인 리괘가 하늘인 건괘 위에 있어서 하루에 한 번씩 돌아 하늘과 함께 운행하기 때문에, 하늘에 호응하고 때에 맞게 행한다고 하였다.

서유신(徐有臣) 『역의의언(易義擬言)』

其德疑衍文. 大有時也, 剛健文明, 行也. 天者, 時也, 應之者, 行也, 有是時, 有是行, 是以元亨也.
'기덕(其德)'은 아마도 잘못 들어간 글인 듯하다. 대유의 때에 강건하면서 문명한 것은 행함이다. '하늘'이란 때이고, 호응한다는 것은 행함이니, 때가 있고 행함이 있으므로 크게 형통하다.

김귀주(金龜柱) 『주역차록(周易箚錄)』

其德, 剛健而文明, 云云.
그 덕이 강건하면서 문명하고, 운운.

○ 按, 此云剛健而文明, 疑若與同人文明以健無異. 然其實有不同者, 蓋內文明, 則其知能燭理, 外剛健則其行能克己,[29] 是所謂同人之道也. 剛健之德, 充積於內, 而文明之輝, 發於外, 是爲大有之象. 中庸章句所云至誠之德, 著於四方, 而爲悠遠博厚[30]高明者, 亦是此意.
내가 살펴보았다: 여기에서 말하는 "그 덕이 강건하면서 문명하다"란 아마도 동인괘(同人卦☰)의 「단전」에서 말하는 "문명하여 강건하다"[31]와 다르지 않은 듯하다. 그러나 실제로는 다른 점이 있으니, 안으로 문명하다면 그 지혜가 이치를 꿰뚫어 볼 수 있어야 하고, 밖으로

---

27) 『周易・履卦』: 說而應乎乾, 是以履虎尾不咥人亨. ; 『周易・同人卦』: 彖曰, 同人, 柔得位, 得中而應乎乾, 曰同人.
28) 『周易・大畜卦』: 利涉大川, 應乎天也.
29) 己: 경학자료집성DB에 '已'로 되어 있으나, 경학자료집성 영인본을 참조하여 '己'로 바로잡았다.
30) 厚: 경학자료집성DB에 '原'으로 되어 있으나, 경학자료집성 영인본을 참조하고 『중용』을 살펴보아 '厚'로 바로잡았다.
31) 『周易・同人卦』: 文明以健, 中正而應, 君子正也.

강건하다면 그 행함이 자기를 이길 수 있어야 하므로, 이른바 동인의 도이다. 강건한 덕은 안으로 가득 쌓이고 문명의 빛남은 밖으로 드러나니, 이것은 대유의 상이다. 『중용장구』에서 이른바 "지극히 성실한 덕은 사방에 드러난다"[32]고 하고, "유원하여 넓고 두텁게 되고, 넓고 두터워서 높고 밝게 된다"[33]고 하는 것도 또한 이러한 뜻이다.

윤행임(尹行恁) 『신호수필(薪湖隨筆)·역(易)』

五陽一陰之卦, 如小畜, 則以陰而居四, 故有惕出无咎之象, 如履, 則以陰而居三, 故有武人大君之象, 如同人, 則以二應五而在同人之時, 故爲私昵, 如大有, 則以柔居尊而在大有之世, 故爲文明, 此所以交易變易之謂易.

다섯 양과 하나의 음으로 된 괘에서 소축괘(小畜卦☰)인 경우에는 음이 사효에 있기 때문에 두려움에서 벗어나 허물이 없는[34] 상이 있고, 리괘(履卦☰)인 경우에는 음이 삼효에 있기 때문에 무인(武人)과 대군(大君)[35]의 상이 있으며, 동인괘(同人卦☰)인 경우에는 이효가 오효와 호응하면서 동인의 때에 있기 때문에 사사로이 가깝게 되고, 대유괘인 경우에는 유순한 음이 존귀한 자리에 있으면서 대유의 세상에 있기 때문에 문명하니, 이것이 교역(交易)과 변역(變易)을 역(易)이라고 말하는 까닭이다.

박문건(朴文健) 『주역연의(周易衍義)』

應天之命而時行, 剛明之德也. 此以卦德釋卦辭.

하늘의 명에 응하고 때에 맞게 행하는 것이 굳세고 밝은 덕이다. 이것은 괘의 덕을 가지고 괘사를 풀이하였다.

〈問, 應乎天. 曰, 剛健文明之德, 應天之本. 應天而時行其德者, 六五之亨也. 此應乎天與中孚彖應乎天, 義同也.

물었다: "하늘에 호응한다"는 무슨 뜻입니까?

답하였다: 강건하면서 문명한 덕은 하늘에 호응하는 근본이니, 하늘에 호응하여 때에 맞게 덕을 행하는 것이 육오의 형통함입니다. 여기서의 "하늘에 호응한다"는 것은 중부괘(中孚卦☰)의 「단전」에서 말하는 "하늘에 호응한다"[36]와 뜻이 같습니다.〉

---

32) 『中庸章句』: 鄭氏所謂至誠之德著於四方者, 是也.
33) 『中庸』: 徵則悠遠, 悠遠則博厚, 博厚則高明.
34) 『周易·小畜卦』: 六四, 有孚, 血去, 惕出, 无咎.
35) 『周易·履卦』: 六三, 眇能視, 跛能履. 履虎尾, 咥人, 凶, 武人, 爲于大君.
36) 『周易·中孚卦』: 中孚, 以利貞, 乃應乎天也.

김기례(金箕澧) 「역요선의강목(易要選義綱目)」

剛健而文明, 應乎天而時行.
강건하면서 문명하고, 하늘에 호응하여 때에 맞게 행한다.

健而不明, 則不能燭理, 明而不健, 則不能決行, 旣燭且決行, 何失時.
굳세면서 밝지 않으면 이치를 밝힐 수 없고, 밝으면서도 굳세지 않으면 결행할 수가 없으므로, 이미 이치를 밝히면서 또한 결행하니 어찌 때를 놓치겠는가?

○ 五應二剛, 故曰應天.
오효가 이효의 굳센 양과 호응하기 때문에 "하늘에 호응한다"고 하였다.

○ 順時而行, 故曰大亨也.
때에 따라 행하기 때문에 "크게 형통하다"고 하였다.

심대윤(沈大允) 『주역상의점법(周易象義占法)』

獨曰其德云者, 无妄天之明命也, 大有人之明德也. 德以成其命也, 窮理盡性以至於命, 是也. 剛健而文明, 自誠明也, 應乎天而時行, 時中也. 大有君子之道也, 故釋元也.
유독 '그 덕'이라고 말한 것은 무망괘(无妄卦䷘)는 하늘의 밝은 명(命)이며, 대유괘는 사람의 밝은 덕이기 때문이다. 덕이란 그 명을 이루는 것이니, 이치를 궁구하고 성(性)을 다하여 명에 이르는 것이 이것이다. 강건하면서 문명한 것은 성실함으로부터 밝아지는[37] 것이며, 하늘에 호응하여 때에 맞게 행한다는 것은 "때에 알맞다"[38]는 것이다. 대유는 군자의 도이기 때문에 "크다[元]"로 풀이하였다.

오치기(吳致箕) 「주역경전증해(周易經傳增解)」

此以主爻卦體釋卦名義, 以卦德卦體卦象釋卦辭元亨之義. 六五以一柔居尊, 得位於五陽之中, 故曰大中. 五爲成卦之主, 而應下體之乾, 故曰應乎天而時行, 言順天時而行大有之道也. 天者以象言也, 象主於氣而氣交在下, 故凡卦乾在下者, 必曰應乎天. 如大有大畜, 是也. 乾者, 以德言也, 德必有位而位尊在上, 故凡卦乾在上者, 必曰應乎

---

37) 『中庸』: 自誠明謂之性, 自明誠謂之敎, 誠則明矣, 明則誠矣.
38) 『中庸』: 君子之中庸也, 君子而時中, 小人之中庸也, 小人而無忌憚也.

乾. 如履同人, 是也.

이것은 주가 되는 효와 괘의 몸체를 가지고서 괘의 이름을 풀이하였고, 괘의 덕 · 괘의 몸체 · 괘의 상을 가지고서 괘사의 "크게 형통하다"라는 뜻을 풀이하였다. 육오는 하나의 유순한 음이 존귀한 자리에 있어서 다섯 양들의 가운데에서 자리를 얻었기 때문에 "크게 가운데에 있다"고 하였다. 오효는 이루어진 괘의 주인이 되고 하괘인 건괘와 호응하기 때문에 "하늘에 호응하여 때에 맞게 행한다"고 하였으니, 하늘의 때를 따라 '대유'의 도를 행함을 말한다. 하늘이란 상으로 말한 것이니, 상은 기를 위주로 삼으며 기는 아래에 있는 것과 교섭하기 때문에 괘 중에서 건이 아래에 있는 것은 반드시 "하늘에 호응한다"고 하였다. 대유괘와 대축괘(大畜卦䷙)가 이러한 경우에 해당한다. '건(乾)'이란 덕으로 말한 것이니, 덕은 반드시 지위가 있어야 하고 지위가 존귀한 것은 위에 있기 때문에 괘 중에서 건이 위에 있는 것은 반드시 "건에 호응한다"고 하였다. 리괘(履卦䷉)와 동인괘(同人卦䷌)가 이러한 경우에 해당한다.

象曰, 火在天上, 大有, 君子以, 遏惡揚善, 順天休命.

「상전(象傳)」에서 말하였다: 불이 하늘 위에 있는 것이 대유(大有)이니, 군자가 그것을 본받아 악을 막고 선을 드날려서 하늘의 아름다운 명을 따른다.

中國大全

傳

火高在天上, 照見萬物之衆多. 故爲大有, 大有繁庶之義. 君子觀大有之象, 以遏絶衆惡揚明善類, 以奉順天休美之命. 萬物衆多, 則有善惡之殊, 君子享大有之盛, 當代天工, 治養庶類, 治衆之道, 在遏惡揚善而已. 惡懲善勸, 所以順天命而安群生也.

불이 하늘 위에 높이 있어서 대부분의 만물을 비추어 드러내기 때문에 대유괘가 되었으니, 대유괘는 번성하고 많다는 뜻이다. 군자는 대유괘의 상을 관찰하고서 여러 악들을 막아 끊어내고 선한 부류를 드날려 밝혀서 하늘의 아름다운 명을 받들어 따른다. 만물은 굉장히 많으므로 선과 악의 구별이 있어서, 군자가 대유괘의 풍성함을 누릴 때에는 마땅히 하늘의 일을 대신하여 여러 부류를 다스려 길러야 하니, 여럿을 다스리는 도는 악을 막고 선을 드날리는 데에 있을 뿐이다. 악을 징벌하고 선을 권면함은 하늘의 명을 따르고 여러 생물들을 편안하게 하는 것이다.

本義

火在天上, 所照者廣, 爲大有之象. 所有旣大, 无以治之, 則釁孽萌於其間矣. 天命有善而无惡, 故遏惡揚善, 所以順天, 反之於身, 亦若是而已矣.

불이 하늘 위에 있어서 비추는 바가 넓으므로 대유괘의 형상이 되었다. 가지고 있는 바가 이미 큰데도 다스림이 없다면, 허물이 그 사이에서 싹트게 된다. 하늘의 명은 선은 있지만 악은 없기 때문에 악을 막고 선을 드날리는 것은 하늘을 따르는 것이니, 자신에게서 돌이켜 보는 것도 이와 같을 뿐이다.

小註

朱子曰, 火在天上, 大有, 凡有物須是自家照見得, 方見得有. 若不照見, 則有无不可知, 何名爲有. 天命有善而无惡, 當大有時, 遏止其惡, 顯揚其善. 反之於身, 亦莫不然. 非止用人, 用人乃其一事耳.
주자가 말하였다: "불이 하늘 위에 있는 것이 대유이다"라고 하였으니, 물(物)이 있는 것은 모름지기 스스로 비추어 볼 수 있어야 있는 것을 볼 수가 있다. 만약 비추어 보지 않는다면 있고 없음을 알 수가 없으니, 어떻게 대유괘(大有卦)에 대해 '유(有)'라고 이름을 지을 수 있겠는가? 하늘의 명은 선은 있지만 악은 없으니, 대유괘의 때를 맞이하여서는 악을 막아 저지하고 선을 드러내어 드날린다. 자신에게서 돌이켜 보는 것도 그렇지 않음이 없다. 이것은 다만 사람을 쓰는 데에 그칠 뿐만이 아니니, 사람을 쓰는 것은 여러 일 들 중에 하나의 일일뿐이다.

○ 龜山楊氏曰, 因天之明, 物无遁形矣. 君子觀火天之象, 以遏惡揚善. 休命者, 正命也. 善惡不當其實, 非順休命者也
구산양씨가 말하였다: 하늘의 밝음으로 인해서 물(物)에는 형체를 숨김이 없다. 군자는 불이 하늘 위에 있는 대유괘의 형상을 관찰하여 악을 막고 선을 드날린다. '아름다운 명(命)'이란 올바른 명이다. 선과 악이 그 실제에 마땅하지 못하면 아름다운 명을 따르는 것이 아니다.

○ 誠齋楊氏曰, 天討有罪, 吾遏之以天, 天命有德, 吾揚之以天, 吾何與焉. 此舜禹有天下而不與也, 故曰順天休命. 同人離在下而權不敢專, 故止於類而辨, 大有離在上而權由己出, 故極於遏而揚.
성재양씨가 말하였다: 하늘은 죄가 있는 자를 토벌하므로 나는 하늘로써 악을 막고, 하늘의 명(命)은 덕에 있으므로 나는 하늘로써 선을 드날리니, 내가 어찌 여기에 관여하겠는가? 이것이 순임금과 우임금이 천하를 소유하고도 여기에 관여하지 않았다는 것이므로,[39] "하늘의 아름다운 명을 따른다"고 하였다. 동인괘(同人卦䷌)는 리괘가 하늘 아래에 있어서 감히 권세를 마음대로 하지 못하므로 부류를 분별하는 데에 그치고, 대유괘는 리괘가 하늘 위에 있어서 권세가 자기로부터 나오므로 막고 드날리는 데에 지극하다.

○ 雲峯胡氏曰, 休命, 諸家多作眷命. 本義以爲性命, 蓋天命之性, 有善而无惡, 遏惡揚善, 亦不過順天命之本然者而已. 用人反身, 皆當若是, 本義之說精矣.

39) 『孟子·滕文公』: 孔子曰, 大哉. 堯之爲君也. 惟天爲大, 惟堯則之, 蕩蕩乎, 民無能名焉. 君哉. 舜也. 巍巍乎, 有天下而不與焉. 堯舜之治天下, 豈無所用心哉. 亦不用於耕耳.

운봉호씨가 말하였다: '아름다운 명'에 대하여 여러 학사들은 대부분 하늘이 돌보아 내리는 명[眷命]이라고 하였는데, 『본의』에서는 성명(性命)이라고 여겼으니, 아마도 천명의 성(性)은 선은 있지만 악이 없으므로 악을 막고 선을 드날리는 것도 천명의 본연(本然)에 따르는 것에 불과할 뿐이다. 사람을 씀과 자신을 돌이킴이 모두 이와 같아야 하니, 『본의』의 설명이 정밀하다.

韓國大全

권근(權近) 『주역천견록(周易淺見錄)』

愚謂, 火[40]在天上, 天陽上進, 火[41]氣益熾, 去其暗而發其明, 以順應乎天, 陽之上進也. 君子觀此象, 遏惡揚善, 以順承乎天之休命. 天命之性, 本有善而無惡, 人皆可以爲善, 猶火性之炎上也.

내가 살펴보았다: 불이 하늘 위에 있고 하늘을 의미하는 건괘의 양들이 위로 나아가 불의 기운이 더욱 거세져서 어두운 것을 제거하고 밝음을 일으켜 하늘에 유순하게 호응하니, 양이 위로 나아감이다. 군자가 이러한 상을 관찰하여 악을 막고 선을 드날려서 하늘의 아름다운 명을 따르고 받든다. 천명으로 받은 성(性)은 본래 선함은 있으나 악함이 없어서 사람은 모두 선할 수 있으니, 불의 성질이 타오르는 것과 같다.

조호익(曺好益) 『역상설(易象說)』

火在天上, 則能徧照萬物, 而物莫能遁其形, 故君子法之, 遏而揚之. 又遏惡法乾之剛, 揚善法離之明. 天命乾象, 順天休命, 法離五之應乾. 又卦體乾天在內, 離明在外, 有明善復性之象. 明之於外, 所以存之於內也. 本義所謂反身者, 指此.

불이 하늘 위에 있으니 만물을 두루 비출 수가 있어서 물(物)은 그 형체를 숨길 수가 없기 때문에 군자가 이를 본받아 악을 막고 선을 드날린다. 또 악을 막는 것은 건괘의 굳셈을 본받은 것이고, 선을 드날리는 것은 리괘의 밝음을 본받은 것이다. 하늘의 명은 건의 상이고

40) 火: 경학자료집성DB와 영인본에 모두 '大'로 되어 있으나, 문맥을 살펴 '火'로 바로잡았다.
41) 火: 경학자료집성DB와 영인본에 모두 '大'로 되어 있으나, 문맥을 살펴 '火'로 바로잡았다.

"하늘의 아름다운 명을 따른다"는 리괘의 오효가 건에 호응함을 본받은 것이다. 또 괘의 몸체는 건괘가 의미하는 하늘이 안에 있고 리괘가 의미하는 밝음이 밖에 있으니, 선을 밝히고 성(性)을 회복하는 상이 있다. 밖에서 밝힘은 안에서 보존되는 까닭이다. 『본의』에서 이른바 "자신에게서 돌이킨다"[42]는 것이 이것을 가리킨다.

김도(金濤) 「주역천설(周易淺說)」

愚按, 本義下朱子所釋, 惟一條, 楊氏以下諸儒所釋, 凡三條, 而皆合於大象之旨矣. 蓋遏惡揚善, 非特用人者爲然, 君子之治心, 實不外於此. 遏惡者, 去人欲也, 揚善者, 明天理也. 當人欲始發之時, 無以遏之, 則惡因以滋, 當天理藹然之初, 无以明之, 則善不能存. 善惡之不能相无, 其幾甚明, 學者, 不可不察. 夫天命者, 人所受之正理也. 爲人者, 能不以人欲害其性之本然, 則善可存而惡可去矣, 則所謂順天命者, 此也. 王者用此道於衆, 則惡懲善勸, 而能保有其衆, 學者用此道於身, 則善積惡去而能養有其德, 豈不休哉.

내가 살펴보았다: 『본의』 아래에 주자가 주석한 것은 오직 한 조목이고, 구산양씨 이하로 여러 학자가 주석한 것은 모두 세 조목인데, 모두 「대상」의 뜻과 부합한다. 악을 막고 선을 드날리는 것은 다만 사람을 쓰는 데에서만 그렇게 하는 것이 아니라, 군자가 마음을 다스리는 것도 실제로 여기에서 벗어나지 않는다. 악을 막는 것은 인욕을 제거하는 것이며, 선을 드날리는 것은 천리를 밝히는 것이다. 인욕이 막 싹터 일어나려고 할 때를 당해서 그것을 막음이 없다면, 악은 이로 인해서 더욱 자라게 될 것이며, 천리가 성대해지기 시작하는 때를 당해서 이것을 밝힘이 없다면, 선은 보존될 수 없을 것이다. 선악은 서로 없을 수 없으나 그 기미가 매우 분명하여 배우는 자는 살피지 않을 수 없다. 천명이란 사람이 받은 바른 이치이다. 사람이 된 자가 인욕을 가지고서 본성의 본래 그러한 것을 해치지 않을 수 있다면 선은 보존될 수 있고 악은 제거될 수 있으니, 이른바 천명을 따른다는 것이 이것이다. 왕노릇을 하는 자가 여러 사람들에게 이 도를 쓴다면 악은 징계되고 선은 권장되어 여러 사람들을 보호하여 소유할 수 있고, 배우는 자가 자신에게서 이 도를 쓰면 선을 쌓고 악을 제거하여 그 덕을 길러 가질 수가 있으니, 어찌 아름답지 않겠는가?

이만부(李萬敷) 「역통(易統)·역대상편람(易大象便覽)·잡서변(雜書辨)」

臣謹按, 合此三條而觀之, 曰類族辨物, 曰不惡而嚴, 曰遏惡揚善. 聖人之於君子小人

42) 『본의』에서는 "反之於身"이라고 하였다.

辨之, 惟恐其不明, 取舍之, 惟恐其不審, 因易象而屢垂戒, 何也. 蓋君子進, 則小人退, 小人進, 則君子退, 一進一退, 國之治亂興亡, 係焉. 考之前史, 歷歷可見, 可不懼哉. 然小人有索性爲惡者, 此猶易辨, 亦有陰惡陽掩, 詐善濟惡者 此尤難辨. 君子有直道無諱者, 此猶易知, 亦有韜晦退讓安分, 若愚者, 此尤難知. 況群奔衆趨, 混混滔滔, 因其一言一事, 而定其某近君子, 某近小人, 不亦難而益難矣乎. 朱子曰, 聖人作易, 遂以陽爲君子, 陰爲小人, 予嘗竊推易說, 以觀天下之人, 凡其光明正大踈暢洞達, 如靑天白日, 如高山大川, 如雷霆之爲威而雨露之爲澤, 如龍虎之爲猛而麟鳳之爲祥, 磊磊落落, 無纖芥可疑者, 必君子也. 而其依阿淟涊, 回互隱伏, 糾結如蛇蚓, 瑣細如蟣蝨, 如鬼蜮狐蠱, 如盜賊詛祝, 閃倏狡獪, 不可方物者, 必小人也, 此於觀人之法備矣. 而程子曰, 人君宜接賢士大夫之時多, 見宦官宮妾之時少, 伏願, 尋常以此爲戒焉.

신이 삼가 살펴보았습니다: 이러한 세 가지 조목을 합하여 살펴보면, "같은 종류로 물(物)을 분별한다"[43]고 말하고, "나쁜 소리로 하지 않고 위엄 있게 한다[44]고 말하며, "악을 막고 선을 드날린다"고 말할 수 있습니다. 성인이 군자와 소인을 구별하는 데에서는 오직 밝지 않을까 두려워하고, 취하고 버리는 데에서는 깊게 살피지 못할까 두려워하였으니, 『주역』의 상으로 인하여 여러 차례 경계함을 드리운 것은 어째서입니까? 군자가 나아가면 소인은 물러나고 소인이 나아가면 군자가 물러나니, 한 번 나아가고 한 번 물러날 때에 나라가 다스려지고 어지러워지며 흥하고 망하는 것이 여기에 달려 있기 때문입니다. 이전의 역사를 살펴보면 뚜렷이 알 수 있으니, 두려워하지 않겠습니까? 그러나 아예 드러내놓고 나쁜 짓을 하는 소인은 오히려 구별하기 쉽지만, 또 속으로는 악하면서도 밖으로는 이러한 악을 가려서 겉으로만 선한 체하면서 악을 구제하는 척하는 자는 더욱 구별하기가 어렵습니다. 곧은 도를 꺼려하지 않는 군자는 오히려 알기가 쉽지만, 또 자신의 재능을 숨기고 다른 사람에게 사양하고 물러나와 자신의 분수를 편안히 하여 마치 어리석은 듯한 자는 알기가 더욱 어렵습니다. 하물며 여러 사람들이 함께 달려 나가 뒤섞여 흘러갈 때에 한 가지 말과 한 가지 일로 어떤 사람은 군자에 가깝다거나 어떤 사람은 소인에 가깝다고 결정하는 것은 어렵고도 어렵지 않겠습니까? 주자는 "성인이 역을 지을 적에 마침내 양을 군자로 여기고 음을 소인으로 여겼다. 내가 일찍이 역의 설을 미루어서 천하의 사람들을 살펴보니, 대체로 광명하고 정대하며 널리 통달하여 마치 파란 하늘과 환하게 빛나는 태양과 같고, 높은 산이나 큰 내와 같으며, 천둥소리가 위엄이 되고 비와 이슬이 윤택함이 되는 것과 같으며, 용과 호랑이가 용맹스러우며 기린이나 봉황이 상서로운 것과 같아 마음이 넓고 깨끗하여 털끝만큼도 의심할 수 없는 자는 반드시 군자이다. 아첨에 의지하고 지저분하며 서로 숨기고 감추어 헝클어지고 얽

43) 『周易 · 同人卦』: 象曰, 天與火同人, 君子以, 類族, 辨物.

44) 『周易 · 遯卦』: 象曰, 天下有山, 遯, 君子以, 遠小人, 不惡而嚴.

힘이 뱀이나 지렁이 같고, 소심하기가 서캐나 이와 같으며, 귀신이나 여우처럼 홀리고, 도적처럼 저주하며, 재빠르고 교활하기가 다른 것에 비교할 수 없는 자는 반드시 소인이다"[45]고 하였으니, 여기에 사람을 살펴보는 법이 갖추어져 있습니다. 정자는 "임금은 마땅히 어진 사대부를 만나는 시간이 많아야 하고 환관이나 궁첩들을 보는 시간은 적어야 한다"[46]고 말하였습니다. 엎드려 바라옵건대, 평상시에 이것으로써 경계하시옵소서.

이익(李瀷) 『역경질서(易經疾書)』[47]

順天休命, 帖剛健文明, 若不體乾之剛健, 則遏揚有時乎不終, 不體離之文明, 則命令或失節度 而不能休美也.

"하늘의 아름다운 명을 따른다"는 말은 「단전」의 "강건하면서 문명하다"는 말을 따랐으니, 만약 건괘의 강건함을 본받지 않는다면 악을 막고 선을 드날리는 것을 어떤 때에는 이루지 못하며, 리괘의 문명함을 본받지 않는다면 명령이 간혹 절도를 잃어 아름답게 될 수가 없다.

심조(沈潮) 「역상차론(易象箚論)」

象, 遏惡揚善, 順天休命.

「상전」에서 말하였다: 악을 막고 선을 드날려서 하늘의 아름다운 명을 따른다.

離在於上, 登高開眼之象也. 人之善惡, 安能逃吾鑑乎. 遏惡如火之克金, 揚善如火之發輝.

리괘가 위에 있으니 높은 곳에 올라가 눈을 뜨는 상이다. 사람의 선과 악은 어찌 나의 감시에서 도망갈 수 있겠는가? 악을 막는 것은 불이 쇠를 이기는 것과 같고, 선을 드날리는 것은 불이 빛을 발하는 것과 같다.

---

45) 『晦庵集 · 王梅溪文集序』 : 蓋天地之間, 有自然之理, 凡陽必剛, 剛必明, 明則易知, 凡陰必柔, 柔必暗, 暗則難測, 故聖人作易, 遂以陽爲君子, 陰爲小人, 其所以通幽明之 故類萬物之情者, 雖百世不能易也. 予嘗竊推易說, 以觀天下之人, 凡其光明正大, 疏暢洞達, 如青天白日, 如高山大川, 如雷霆之爲威而雨露之爲澤, 如龍虎之爲猛而麟鳳之爲祥, 磊磊落落, 無纖芥可疑者, 必君子也, 而其依阿淟涊, 回互隱伏, 糾結如蛇蚓, 鎖細如蟣蝨, 如鬼蜮狐蠱, 如盜賊詛祝, 閃倏狡獪, 不可方物者, 必小人也.

46) 『孟子集註 · 告子』 : 程子爲講官, 言於上曰, 人主一日之間, 接賢士大夫之時多, 親宦官宮妾之時少, 則可以涵養氣質而薰陶德性, 時不能用, 識者恨之.

47) 이익(李瀷)의 『역경질서(易經疾書)』에 나오는 이 구절은 경학자료집성DB에서는 대유괘 괘사에 해당하는 것으로 분류해 두었으나, 내용을 살펴보면 「대상」과 관련되어 있으므로 여기에 옮겨 실었다.

유정원(柳正源) 『역해참고(易解參攷)』[48]

涑水司馬氏曰, 火在天上, 明之至也. 至明則善惡无所逃. 慶賞刑威得其當然後, 能保有四方, 所以順天休命也.
속수사마씨가 말하였다: 불이 하늘 위에 있으니 밝기가 지극한 것이다. 지극히 밝으면 선과 악이 도망가 숨을 곳이 없다. 경사에 상을 내리고 형벌로 위엄을 세워서 당연한 바를 얻은 후에 사방을 보호할 수 있으니, 하늘의 아름다운 명을 따르는 것이다.

○ 節齋蔡氏曰, 遏惡揚善, 離象, 順天休命, 乾象.
절재채씨가 말하였다: 악을 막고 선을 드날리는 것은 리괘의 상이고, 하늘의 아름다운 명을 따르는 것은 건괘의 상이다.

김상악(金相岳) 『산천역설(山天易說)』

遏惡, 乾之剛也, 揚善, 離之明也. 天命有善无惡, 故遏止其惡, 顯揚其善, 所以順天之休命也.
악을 막는 것은 건괘의 굳셈이며, 선을 드날리는 것은 리괘의 밝음이다. 하늘의 명에는 선은 있고 악이 없기 때문에 악을 막아 저지하고 선을 높이 드러내는 것이 하늘의 아름다운 명을 따르는 것이다.

서유신(徐有臣) 『역의의언(易義擬言)』

以火之明在天之上, 普天之下宜無不照, 是爲大有也. 竊疑火在天上, 必有其象. 抑聖人之世, 乃有此象, 而爲大有之瑞應歟. 如所謂火流王屋. 近之欲質於天文家, 而世無其人, 可恨也. 大有之中, 不能不有惡有善. 君子明照如日, 仁覆如天, 所以有其大, 而答天休也. 休命如火在天上之瑞應也. 乾卦有遏塞象, 離火有揚發象.
불의 밝음이 하늘 위에 있어서 온 세상에 마땅히 비추지 않음이 없으니, 이것은 대유가 된다. 아마도 불이 하늘 위에 있는 괘에는 반드시 이러한 상이 있을 것이다. 또한 성인의 시대에도 이러한 상이 있으니, 대유의 길한 징조가 될 것이다. 이른바 "불이 무왕의 집으로 흘러 들어갔다"고 한 것과 같다. 근래에는 천문가에게 질정을 하고자 하지만 세상에는 여기에 딱 맞는 사람이 없으니 한스럽다. 대유괘의 가운데에는 악도 있을 수 있고 선도 있을 수

---

48) 이 구절은 경학자료집성DB에서는 대유괘 괘사에 해당하는 것으로 분류해 두었으나, 내용을 살펴보면 「대상」과 관련되어 있으므로 여기에 옮겨 실었다.

있으니, 군자가 밝게 비춤은 해와 같고 인(仁)으로 덮음은 하늘과 같아서 큼을 소유하여 하늘의 아름다움과 부합하는 것이다. '아름다운 명'은 불이 하늘 위에 있는 길한 징조와 같다. 건괘에는 막는 상이 있고 리괘가 의미하는 불에는 일으켜 드러내는 상이 있다.

김귀주(金龜柱) 『주역차록(周易箚錄)』

象曰, 火在天上, 云云.

「상전(象傳)」에서 말하였다: 불이 하늘 위에 있는 것이, 운운.

○ 按, 天之剛有遏絶之勢, 火之明有發揚之象. 如是分看, 亦或備一說.

내가 살펴보았다: 하늘의 굳셈에는 막아 끊는 형세가 있고, 불의 밝음에는 일으켜 드날리는 상이 있다. 이와 같이 나누어 본다면 또한 하나의 설이 갖추어질 수 있다.

本義, 火在天上, 云云.

『본의』에서 말하였다: 불이 하늘 위에 있어, 운운

小註朱子曰, 火在, 云云.

소주에서 주자가 말하였다: 불이 하늘 위에 있는, 운운.

○ 按, 何名爲宴, 宴字恐有之誤. 命有善上恐脫天字.

내가 살펴보았다: "무엇을 잔치한다고 하겠는가?"에서 '연(宴)'자는 아마도 '유(有)'자의 오기인 듯하다. 『본의』에 나오는 '명유선(命有善)'이라는 구절 위에는 아마도 '천(天)'자가 빠진 듯하다.[49]

誠齋楊氏曰, 天討, 云云.

성재양씨가 말하였다: 하늘은 죄가 있는 자를 토벌하므로, 운운

○ 按, 遏之以天, 揚之以天, 語恐生受[50]. 離在下, 權不敢專以下, 不免穿鑿謬戾之病.

내가 살펴보았다: 하늘로써 막고 하늘로써 드날린다고 하였으니 이 말은 매우 생소하다. "리괘가 아래에 있어서 감히 권세를 마음대로 하지 못한다"고 한 이하의 내용은[51] 천착하여 그릇되는 잘못에서 벗어나지 못하였다.

---

49) 본 번역의 저본에는 '天'자가 있다. 아마도 김귀주가 본 판본에는 '天'자가 없었던 듯하다.

50) 受: 경학자료집성DB에 '愛'로 되어 있으나, 경학자료집성 영인본을 참조하여 '受'로 바로잡았다.

51) 『周易傳義大全·大有卦』: 誠齋楊氏曰, … 同人離在下而權不敢專, 故止於類而辨, 大有離在上而權由已出, 故極於遏而揚.

박제가(朴齊家) 『주역(周易)』

遏惡揚善, 順天休命.
악을 막고 선을 드날려서 하늘의 아름다운 명을 따른다.

本義, 反身之說甚精. 大象專屬自己[52]功夫說, 故與象不同. 此順天休命與詩之俟天休命, 同一句法. 順卽殀壽不貳之謂. 其曰揚, 在人爲暴揚, 在己[53]爲導揚而已. 邨婦有聞雷聲而服罪者, 君子見火在天上, 明無不照之象, 不待恐懼而後修省, 所以終日乾乾對越上帝者也. 聖人之敎, 固不待釋氏之說業鏡 道家之守三彭, 而明白, 易直如此. 如雷在天上大壯, 以之, 非禮弗履, 亦此意.
『본의』에서 말한 "자신에게서 돌이켜 본다"는 설은 매우 정밀하다. 「대상」에서는 오로지 자기의 공부에 속하는 것으로 설명하기 때문에 각 효에 대한 「상전」과는 같지 않다. 「대상」에서 말하는 "하늘의 아름다운 명을 따른다"는 『시경』의 "하늘의 아름다운 명을 기다린다"[54]와 구(句)를 짓는 법이 동일하다. "따른다"는 말은 "일찍 죽거나 오래 살거나에 의심하지 않다"[55]를 말한다. "드날리다"는 말은 다른 사람에게는 폭로하여 드러냄이 되고, 자신에게는 이끌어서 드러냄일 뿐이다. 시골의 아낙 중에도 천둥소리를 듣고서 자신의 죄를 인정하고 형벌에 복종하는 자가 있는데, 군자는 불이 하늘 위에 있어 밝게 비추지 않음이 없는 상을 보고 두려워 한 이후까지 기다리지 않고도 수양하고 반성하니, 종일토록 힘쓰고 힘써서 상제를 대하듯이 하는 자이다. 성인의 가르침은 진실로 불가에서 말하는 업경(業鏡)[56]이나 도가에서 지키는 삼팽(三彭)[57]을 기다리지 않고도 명백하니, 『주역』도 이와 같아서, 예를 들어 대장괘(大壯卦䷡)의 「대상」에서 "우레가 하늘 위에 있는 것이 대장(大壯)이니, 군자가 이것을 본받아 예가 아니면 실행하지 않는다"[58]라고 한 말도 이러한 뜻이다.

---

52) 己: 경학자료집성DB에 '已'로 되어 있으나, 경학자료집성 영인본을 참조하여 '己'로 바로잡았다.
53) 己: 경학자료집성DB에 '已'로 되어 있으나, 경학자료집성 영인본을 참조하여 '己'로 바로잡았다.
54) 이 구절은 『시경』에 보이지 않고, 『서경 · 주서(周書) · 무성(武成)』에 다음과 같이 나온다. "惟爾有神, 尙克相予, 以濟兆民, 無作神羞, 旣戊午, 師渡孟津, 癸亥, 陳于商郊, 俟天休命."
55) 『孟子 · 盡心』. 夭壽不貳, 脩身以俟之, 所以立命也.
56) 업경(業鏡): 저승의 길 어귀에 염마왕(閻魔王)이 가지고 있다는 거울. 여기에 비추면 죽은 이의 생전(生前)에 지은 착한 일, 악(惡)한 일의 행업(行業)이 나타난다.
57) 삼팽(三彭): 도교(道敎)에서 말하는 사람의 몸 속에 있으면서 수명 · 질병 · 욕망 등을 좌우한다는 세 마리의 벌레. 팽거(彭倨) · 팽질(彭質) · 팽교(彭矯)를 가리키는데 성(姓)이 모두 팽이므로 삼팽이라 하였다.
58) 『周易 · 大壯卦』: 象曰, 雷在天上, 大壯, 君子以, 非禮弗履.

윤행임(尹行恁) 『신호수필(新湖隨筆)·역(易)』

人君一號一令, 一施措一擧動, 動合天, 則是謂順天. 福善禍淫, 天之道也, 故人君體天, 而遏惡揚善. 若善惡相混, 而當遏者揚, 當揚者遏, 則拂人之性也. 人性旣拂, 則天聽自我, 而其國危焉. 擧元凱誅四凶, 大舜所以順天也, 殺賢聖用二侯, 帝辛所以逆天也.
임금이 한 번 부르고 한 번 명령을 내리며, 한 번 어떤 일을 시행하고 조치를 취하며 한 번 거동할 때, 움직일 때마다 하늘과 합치한다면 이것을 "하늘을 따른다"라고 말한다. 착한 사람에게는 복을 주고 악한 사람에게는 화를 내리는 것이 하늘의 도이기 때문에 임금은 하늘을 본받아 악을 막고 선을 드날린다. 만약 선과 악이 서로 혼재되어 마땅히 막아야 할 것은 드날리고 마땅히 드날려야 할 것은 막는다면, 사람의 성(性)을 어기는 것이다. 사람의 성에 이미 어긋나게 되면 하늘은 나로부터 듣기 때문에 그 나라는 위험에 빠지게 된다. 원개(元凱)를 등용하고 네 명의 흉악한 자들을 주살한 것은 대순(大舜)이 하늘을 따른 것이고, 성현을 죽이고 이후(二侯)를 등용한 것은 주왕(紂王)이 하늘을 거스른 것이다.

박문건(朴文健) 『주역연의(周易衍義)』

惡辱而善榮, 天道之常, 故君子象火之高明而廣照, 遏惡揚善而順乎天之休命也.
악한 자는 욕되고 착한 자는 영화롭게 되는 것이 천도의 일정함이기 때문에, 군자가 불이 높은 곳에서 밝아 넓게 비추는 것을 본받아 악을 막고 선을 드날려서 하늘의 아름다운 명을 따른다.
〈問, 遏惡揚善, 亦有大有之義否. 曰, 遏惡揚善, 眞大有者之事也.
물었다: 악을 막고 선을 드날리는 것에 또한 대유의 뜻이 있습니까?
답하였다: 악을 막고 선을 드날리는 것은 진실로 크게 소유한 사람의 일입니다.〉

이지연(李止淵) 『주역차의(周易箚疑)』

天之休命, 果如本義所謂有善而无惡. 蓋明入地中之時, 物之善惡混淆不辨, 而及其火在天上也, 善者自著, 惡者益彰. 著者自揚, 彰者自遏, 終至於有善无惡, 而順天休命矣.
하늘의 아름다운 명은 과연 『본의』에서 "선은 있지만 악은 없다"는 것과 같다. 밝음이 땅 가운데로 들어갈 때에는 물(物)의 선과 악은 뒤섞여 구별되지 않다가 불이 하늘 위에 있는 데에 이르면 선한 것은 저절로 드러나고 악한 것은 더욱 뚜렷해진다. 드러나는 것은 스스로 드날리고 뚜렷해지는 것은 스스로 막혀서 끝내 선은 있지만 악이 없는 데에 이르러 하늘의 아름다운 명을 따르게 된다.

김기례(金箕澧) 「역요선의강목(易要選義綱目)」

君子以, 遏惡揚善, 順天休命.
군자가 그것을 본받아 악을 막고 선을 드날려서 하늘의 아름다운 명을 따른다.

物衆則不无善惡之相殊. 當遏揚而用人, 反身而順性命之本善.
사람이 많으면 선과 악이 서로 다르지 않을 수 없다. 마땅히 악을 막고 선을 드날려서 사람을 써야 하며, 자신에게서 돌이켜 성명의 본래 선한 것을 따라야 한다.

이항로(李恒老) 「주역전의동이석의(周易傳義同異釋義)」

按, 火之焚灼, 有遏惡之象, 火之光明, 有揚善之象. 天道福善而禍淫也.
내가 살펴보았다: 불이 태움에는 악을 막는 상이 있고, 불이 빛나고 밝음에는 선을 드날리는 상이 있다. 천도는 선한 자에게 복을 내리고 악한 자에게 화를 내린다.

심대윤(沈大允) 『주역상의점법(周易象義占法)』

遏惡揚善, 克己復禮而爲仁也. 仁者忠恕中庸而成德也. 惡者害也, 善者利也. 仁者所以去害而全其性之利也. 遏惡, 象乾之无私也, 揚善, 象离之明著也. 艮遏兌惡巽揚, 艮巽爲休, 坤爲順, 乾爲性命. 對比全爲坎坤之變, 自坎而巽, 忠恕施人而反得歸化, 故取對卦之變也. 天之休命, 性也, 善以成其性, 順命也. 无妄曰天之命也, 大休命, 終始之事也. 无妄則大有矣, 大有則无妄矣, 故无妄便言對時育物, 大有言遏惡揚善, 一事而有體用也. 中庸曰誠則明矣, 明則誠矣, 无妄有大有矣, 大有有无妄矣, 未嘗有間也. 中庸曰自誠明, 自明誠, 而不言而也.
악을 막고 선을 드날리는 것은 "자기를 이겨 예로 돌아가서 인을 행한다"[59]는 것이다. 인(仁)이란 충서를 행하는 것으로 중용(中庸)을 하면서 덕을 이룸이다. 악이란 해로움이며 선이란 이익이다. 인이란 악을 제거하여 성의 이익을 온전하게 하는 바이다. "악을 막는다"는 것은 건괘의 사사로움이 없는 것을 상징하며, "선을 드날린다"는 것은 리괘의 밝게 드러남을 상징한다. 간괘는 막음이고 태괘는 악이며, 손괘는 드날림이고, 간괘와 손괘는 아름다움이 되며, 곤괘는 따름이 되고, 건괘는 성명(性命)이 된다. 대유괘의 음양이 바뀐 비괘(比卦☷)는 전체 괘로 보면 팔괘 중에서 감괘(坎卦☵)와 곤괘(坤卦☷)로 바뀐 것이고, 감괘로부터 손괘가 되는데, 충서는 사람들에게 베풀어 도리어 사람들이 귀화할 수 있게 하기 때문

59) 『論語 · 顔淵』: 顔淵問仁, 子曰, 克己復禮爲仁.

에 음양이 바뀐 괘의 변화를 취하였다. 하늘의 아름다운 명은 성(性)이니, 착하게 하여 성을 이룸이 명을 따르는 것이다. 무망괘(无妄卦䷘)의 「단전」에서 "하늘의 명이다"[60]라고 하였으니, 크게 아름다운 명은 끝내고 시작하는 일이다. 무망이 대유이고 대유가 무망이기 때문에 무망에서는 곧 "성대하게 합하여 만물을 기른다"[61]고 하였고, 대유에서는 "악을 막고 선을 드날린다"고 하였으니, 한 가지 일이며 본체와 작용의 관계가 있다. 『중용』에서 "성실함은 밝음이고, 밝음은 성실함이다"라고 하였으니, 무망에는 대유가 있고 대유에는 무망이 있으므로, 이 둘에 틈이 있지 않다. 『중용』에서 "성실함으로부터 밝아지고, 밝음으로부터 성실해진다"[62]고 하였으니, 이 점에 대해서 말할 필요도 없다.

오치기(吳致箕) 「주역경전증해(周易經傳增解)」

火本性明而高在天上, 所照者廣, 爲大有之象. 在大有之時, 萬物繁庶无以治之, 則孽蘖萌於其間, 故君子以之, 遏絶衆惡, 揚顯善類, 以順天之休命, 而反之于身, 亦若是也. 休者美也, 天命有善而无惡, 故言休命也. 知善辨惡, 象乎離明, 遏之揚之, 象乎乾健也.

불의 본성은 밝음인데 높이 하늘 위에 있으니, 비추는 바가 넓어서 대유의 상이 된다. 대유의 때에 있으면서 만물이 대단히 많은데도 다스릴 수 없다면, 허물이 그 사이에서 싹트기 때문에 군자는 이를 본받아 여러 악들을 막아 끊어내고 착한 부류들을 높이 드러내어 하늘의 아름다운 명을 따르고, 자신에게서 돌이킴도 이와 같이 할 뿐이다. '휴(休)'란 아름다움이니, 천명에는 선은 있지만 악은 없기 때문에 아름다운 명이라고 하였다. 선을 알아 악을 구별하는 것은 리괘의 밝음을 형상하고, 악을 막고 선을 드날리는 것은 건괘의 굳셈을 형상한다.

이진상(李震相) 『역학관규(易學管窺)』

遏惡揚善.

악을 막고 선을 드날린다.

火內暗外明, 而明極, 則暗不見, 此乃遏惡揚善之象也. 蓋天理有善而無惡, 故明於理者, 必有以遏絶其惡而揚著其善, 此所以順性命之理者也. 治人治己[63], 皆用此道. 明

---

60) 『周易 · 无妄卦』: 動而健, 剛中而應, 大亨以正, 天之命也.

61) 『周易 · 无妄卦』: 象曰, 天下雷行, 物與无妄, 先王, 以, 茂對時, 育萬物.

62) 『中庸』: 自誠明謂之性, 自明誠謂之教, 誠則明矣, 明則誠矣.

理知也, 順理行也, 理學之要, 其在斯乎.
불은 안이 어둡고 밖이 밝으니, 밝음이 지극하면 어두움은 보이지 않으므로, 이것이 악을 막고 선을 드날리는 상이다. 천리에는 선은 있지만 악이 없기 때문에 이치에 밝은 자는 반드시 악을 막아 끊어내고 선을 널리 드러냄이 있으니, 이것이 성명의 이치를 따르는 것이다. 다른 사람을 다스리고 자신을 다스리는 것은 모두 이 도를 사용한다. 이치에 밝은 것은 지혜로움이고 이치를 따르는 것은 행함이니, 이학(理學)의 요체가 이 안에 있다.

○ 火在天下, 則其明只足以類辨, 而火在天上, 則兼衆美而有之. 遏之揚之, 陽之義也, 順之者, 陰之美也, 皆主離體而言, 以合乎乾德.
불이 하늘 아래에 있으면 밝음은 단지 같은 부류로 분별하기에 충분할 뿐이지만, 불이 하늘 위에 있으면 여러 아름다움을 겸하여 가지고 있다. 악을 막고 선을 드날리는 것은 양의 뜻이고 따른다는 것은 음의 아름다움이니, 모두 리괘의 몸체를 위주로 말함으로써 건괘의 덕에 부합시켰다.

이정규(李正奎) 「독역기(讀易記)」[64]

大有卦象, 遏惡揚善, 似指六五而言也. 此爻居尊執柔, 則固宜衆之所歸. 然至於遏惡揚善, 則似是陽剛者之能力, 非執柔者之所能爲也. 然以順天休命觀之, 則實權自在於我, 而又應乎乾健, 何爲不可哉.
대유괘의 「대상」에서 "악을 막고 선을 드날린다"고 한 것은 육오를 가리켜 말한 듯하다. 이 효는 존귀한 곳에 있으면서 부드러움을 잡고 있으니, 진실로 여러 양들이 돌아가야 하는 바이다. 그런데 "악을 막고 선을 드날린다"고 한 데에 이르러서는 굳센 양들의 능력이지, 부드러움을 잡고 있는 음이 할 수 있는 바가 아닌 듯하다. 그러나 "하늘의 아름다운 명을 따른다"는 것으로 살펴보면, 실제적인 권세는 본래 나에게 있고 또 굳건한 건괘와 호응하니, 어찌 가능하지 않겠는가?

---

63) 己: 경학자료집성DB에 '已'로 되어 있으나, 경학자료집성 영인본을 참조하여 '己'로 바로잡았다.
64) 이정규(李正奎) 「독역기(讀易記)」에 나오는 이 구절은 경학자료집성DB에서는 대유괘 괘사에 해당하는 것으로 분류해 두었으나, 내용을 살펴보면 「대상」과 관련되어 있으므로 여기에 옮겨 실었다.

初九, 无交害, 匪咎, 艱則无咎.

초구는 해로운 데에 교섭함이 없으니, 허물은 아니지만 어렵게 여기면서 처신하면 허물이 없다.

中國大全

傳

九, 居大有之初, 未至於盛, 處卑无應與, 未有驕盈之失. 故无交害, 未涉於害也. 大凡富有, 鮮不有害, 以子貢之賢, 未能盡免, 況其下者乎. 匪咎, 艱則无咎, 言富有, 本匪有咎也, 人因富有, 自爲咎耳. 若能享富有而知難處, 則自无咎也, 處富有而不能思艱兢畏, 則驕侈之心, 生矣, 所以有咎也.

구(九)가 대유괘의 초효 자리에 있어서 아직 성대함에 이르지 않고, 낮은 데에 처하므로 호응하고 함께함이 없어서 아직 교만하고 넘치는 잘못이 없다. 그러므로 "해로운 데에 교섭함이 없다"는 것이니, 아직 해로운 데에 교섭하지 않은 것이다. 대체로 부유하면 해롭지 않는 경우가 드무니, 자공(子貢)의 현명함으로도 이루다 그 해로움을 면할 수가 없는데, 하물며 현명함이 그보다 아래에 있는 사람에 있어서랴! "허물은 아니지만 어렵게 여겨서 처신하면 허물이 없다"는 말은 부유함이란 본래 허물이 있는 것은 아니지만 사람이 부유함으로 인해서 스스로 허물을 만들 뿐이라는 말이다. 만약 부유함을 누리면서도 어렵게 여겨 처신할 수 있다면 스스로 허물이 없겠지만, 부유함에 처하면서도 어렵게 생각하고 삼가며 두려워할 수 없다면 교만하고 사치스러운 마음이 생겨나니, 허물이 있게 되는 까닭이 된다.

本義

雖當大有之時, 然以陽居下, 上无係應而在事初, 未涉乎害者也, 何咎之有. 然亦必艱以處之, 則无咎, 戒占者, 宜如是也.

비록 대유의 때를 맞이하더라도 양이 아래에 있고, 위로는 매이고 호응함이 없으면서 일의 처음에 있으니, 아직 해로운 데에 교섭하지 않는 것이므로 어찌 허물이 있겠는가? 그러나 또한 반드시 어렵게 여겨 처신하여야 허물이 없으니, 점을 치는 자에게 경계함을 마땅히 이와 같이 하였다.

小註

或問 初九, 无交害, 匪咎, 艱則无咎. 朱子曰, 此爻本最吉, 不解有咎. 然須說艱則无咎, 蓋易之書, 大抵敎人戒謹恐懼, 无有以爲易而處之者. 雖至易之事, 亦必以艱難處之, 然後无咎也.

어떤 이가 물었다: "초구는 해로운 데에 교섭함이 없으니, 허물은 아니지만 어렵게 여기면서 처신하면 허물이 없다"는 무슨 뜻입니까?

주자가 답하였다: 이 효는 본래 가장 길하므로 허물이 있다고 풀이하지 않았습니다. 그러나 모름지기 "어렵게 여겨서 처신하면 허물이 없다"고 설명하여야 하니, 『주역』이라는 책은 대체로 사람들에게 경계하고 삼가며 두려워하여 쉽게 여겨 처신함이 없도록 하는 것입니다. 비록 지극히 쉬운 일이라 하더라도 또한 반드시 어렵게 여기고 조심함으로써 처신한 후에야 허물이 없게 됩니다.

○ 雲峯胡氏曰, 諸家多以初九无交害爲无上下之交, 所以有害. 本義從程子之說, 謂居下无係應而未涉乎害. 蓋无係應三字, 已自見无上下之交矣. 富者, 怨之府, 故當大有之時, 反易有害. 初陽在下, 未與物接, 所以未涉於害也, 何咎之有. 然以爲匪咎而以易心處之, 反有咎矣. 无交害, 大有之初如此. 艱則无咎, 大有自初至終, 皆當如此.

운봉호씨가 말하였다: 여러 학자들은 대체로 "초구는 해로운 데에 교섭함이 없으니"를 위와 아래가 교섭함이 없으므로 해로움이 있게 된다고 여겼다. 『본의』는 정자의 설을 따라 양이 아래에 있으면서 매이고 호응함이 없어서 아직 해로움에 교섭하지 않는다고 하였다. 아마도 "위로는 매이고 호응함이 없다"라는 세 글자는 이미 본래부터 위와 아래의 교섭이 없음을 드러내는 듯하다. 부유함이란 원망이 모이는 곳이므로 대유괘의 때를 맞이하여서는 오히려 해로움이 있기가 쉽다. 초효의 양이 아래에 있어서 아직 물(物)과 교접하지 않으니, 아직 해로운 데에 교섭하지 않는데, 무슨 허물이 있겠는가? 그러나 허물이 아니라고 여겨서 안이한 마음으로 처신을 한다면 오히려 허물이 있게 된다. "해로운 데에 교섭함이 없다"고 한 것은 대유괘의 초효가 이와 같은 것이다. "어렵게 여기면서 처신하면 허물이 없다"는 것은 대유괘의 처음부터 끝까지 모두 마땅히 이와 같이 하여야 한다는 것이다.

韓國大全

조호익(曺好益) 『역상설(易象說)』

初九, 健體而居正, 在初无應, 有未交乎害之象. 未交於害, 故曰匪咎. 陽性喜動, 又在健體, 恐必失之易, 故戒以艱, 能免於害, 故曰无咎.

초구는 굳센 몸체이면서 바른 자리에 있으며 처음에 있으면서 호응하는 대상이 없어, 해로운 데에 교섭하지 않는 상이 있다. 해로운 데에 교섭하지 않기 때문에 "허물이 아니다"고 하였다. 양의 성질은 움직임을 기뻐하는데 또 굳센 몸체에 있으니, 아마도 반드시 잘못을 하기 쉽기 때문에 어렵게 처신하는 것으로써 경계한 듯하며, 해로움에서 면할 수 있기 때문에 "허물이 없다"고 하였다.

송시열(宋時烈) 『역설(易說)』

初與四, 皆陽爻而爲應, 無相害之意. 然處之以艱難貞固之道然後, 乃能無咎也. 泯頭無驕盈艱之事.

초효와 사효는 모두 양효이면서 호응이 되며 서로에게 해가 되는 뜻이 없다. 그러나 어렵게 여기면서 바르고 견고한 도를 가지고 처신한 후에야 허물이 없을 수 있다. 교만하지 않아서 교만으로 가득 차 어려워지는 일이 없다.

유정원(柳正源) 『역해참고(易解參攷)』

王氏曰, 以夫剛健爲大有之始, 不能履中, 滿而不溢. 術斯以往, 後害必至, 其欲匪咎, 艱則无咎也

왕필이 말하였다: 강건한 양으로 대유의 시작을 삼았으니, 중(中)을 행할 수 없고, 가득 차지만 넘치지는 않는다. 이대로 나아가면 후에 해로움이 반드시 이르게 되지만 허물이 없고자 하여 어렵게 여기면서 처신하면 허물은 없을 것이다.

○ 節齋蔡氏曰, 初去五遠而非應, 无交也, 故有害之者. 害非己致, 故曰匪咎. 艱難處之, 其咎可无.

절재채씨가 말하였다: 초효는 오효와의 거리가 멀고 호응하는 것이 아니라서 교섭함이 없기 때문에 해로움이 있다. 그러나 해로움은 자기가 이루는 것이 아니기 때문에 "허물이 아니다" 라고 하였다. 어렵게 여겨서 처신한다면 허물은 없을 수 있다.

○ 進齋徐氏曰, 六五柔得尊位, 爲大有之主, 或應或近, 未見其有害者, 故六五曰厥孚交如. 二應於五, 三亨於五, 四與上近五, 遠而无交者, 唯初而已. 是以无交而有害也. 君子窮而在下, 不獲乎上, 患難之來有所不免, 亦有修身補過, 以俟之耳. 是不失此爻之義也.
진재서씨가 말하였다: 육오는 유순한 음으로 존귀한 자리를 얻어 대유괘의 주인이 되었으니, 혹은 호응하고 혹은 가깝지만 아직 해로움이 있는 경우를 보지 못하기 때문에 육오에서 "믿음으로써 사귄다"고 하였다. 이효는 오효에 호응하고 삼효는 오효에서 형통하며 사효와 상효는 오효에 가깝지만, 오효와 멀어서 교섭함이 없는 것은 오직 초효뿐이다. 이 때문에 교섭함이 없어 해로움이 있다. 군자는 궁핍하고 아래에 있으면서 윗사람에게 신임을 얻지 못하면[65] 걱정과 어려움이 다가옴에 그것을 면하지 못하는 바가 있지만, 또한 자신을 닦고 잘못을 보완하여 신임을 받기를 기다릴 뿐이다. 이것은 이 효의 뜻을 잃지 않는 것이다.

○ 案, 九居大有之初, 有德而无位, 是賢而在下者也. 上无係應而隱居獨善, 无出位干進之事, 則何咎之有. 克念艱難, 戰兢自持, 則終无咎也. 匪咎, 人不咎我也, 无咎, 我自无咎也.
내가 살펴보았다: 구(九)가 대유의 처음에 있어서 덕은 있지만 지위가 없으니, 이는 어질면서 아래에 있는 자이다. 위로는 얽매이고 호응하는 대상이 없어 숨어 지내면서 홀로 선을 행하고, 지위에 나아가거나 벼슬을 구하는 일이 없으니, 무슨 허물이 있겠는가? 어렵게 여김을 생각하여 조심스럽게 스스로를 지킬 수 있다면 끝내 허물이 없을 것이다. "허물이 아니다"는 다른 사람들이 나를 허물하지 않는다는 것이고, "허물이 없다"는 것은 내가 스스로 허물이 없다는 것이다.

김상악(金相岳) 『산천역설(山天易說)』

大有之時, 以乾遇離, 與四无應, 故有无交害匪咎之象. 然必艱而處之, 終得无咎也.
대유의 때에 건괘가 리괘를 만났으나, 초구는 사효와 서로 호응함이 없기 때문에 해로운 데에 교섭함이 없어 허물이 아닌 상이 있다. 그러나 반드시 어렵게 여기면서 처신하여야 끝내 허물이 없을 수 있다.

○ 乾金離火, 火克金爲害, 而初去離尙遠, 故曰无交害. 二則交離境而較近, 故曰小人害也, 蓋五曰有孚交如, 而初之與五遠而不交, 四則以位相交, 故曰无交害, 匪咎, 艱則无咎. 與豫之三與四相比, 曰盱豫, 悔遲, 有悔相似, 豫則震木克坤土也. 又金火相遇,

65) 『孟子 · 離婁』: 孟子曰, 居下位而不獲乎上, 民不可得而治也.

終能鎔金合土, 故曰艱則, 无咎. 見睽六三.
건괘는 쇠이고 리괘는 불인데, 불은 쇠를 이기니 건괘의 입장에서 해로움이 되지만, 초효는 리괘와 오히려 거리가 멀기 때문에 "해로운 데에 교섭함이 없다"고 하였다. 삼효는 리괘와 경계에서 교섭하여 리괘와 비교적 가깝기 때문에 "소인은 해로울 것이다"[66]라고 하였으며, 오효에서는 "그 믿음으로써 사귄다"고 하였는데, 초효는 오효와 거리가 멀어 교섭하지 못하고 사효와는 자리를 가지고서 서로 교섭하기 때문에 "해로운 데에 교섭함이 없으니 허물은 아니지만, 어렵게 여기면서 처신하면 허물이 없다"고 하였다. 예괘(豫卦☳☷)의 삼효와 사효는 서로 비(比)의 관계에 있으므로 "올려다보며 아래로는 즐기니, 뉘우치기를 더디게 하면 후회가 있을 것이다"[67]고 한 것과 서로 유사하니, 예괘는 진괘(震卦☳)의 나무가 곤괘(坤卦☷)의 흙을 이기는 것이다. 또 쇠와 불이 서로 만나 끝내 쇠를 녹여 흙에 합할 수 있기 때문에 "어렵게 여겨 처신하면 허물이 없다"고 하였다. 규괘(睽卦☲☱)의 육삼[68]에 드러나 있다.

서유신(徐有臣) 『역의의언(易義擬言)』

大有至於九四, 則盛滿爲害矣. 初九乃不與之相應, 故曰无交害也. 不應四爲義, 故曰匪咎也. 富有而不知艱, 則驕淫不期而至, 故曰艱則无咎也.
대유괘는 구사에 이르게 되면 성대하고 가득하여 해를 입게 된다. 초구는 구사와 서로 호응하지 않기 때문에 "해로운 데에 교섭함이 없다"고 하였다. 사효와 호응하지 않음은 의로움이 되기 때문에 "허물이 아니다"고 하였다. 부유하면서 어렵게 처신함을 모르면 교만하고 음탕하기를 기약하지 않아도 이르게 되기 때문에 "어렵게 여기면서 처신하면 허물이 없다"고 하였다.

박문건(朴文健) 『주역연의(周易衍義)』

上有敵應, 故有无交害之象. 无交而致害, 匪初之咎也.
위에 대적하는 호응관계가 있기 때문에 해로운 데에 교섭함이 없는 상이 있다. 교섭하여 해로운 데에 이르지 않으니, 초효의 허물이 아니다.
〈問, 艱則无咎. 曰, 初九无交者也. 故難其進而不往, 則无咎也.
물었다: "어렵게 여기면서 처신하면 허물이 없다"는 무슨 뜻입니까?
답하였다: 초구는 교섭함이 없는 자입니다. 그러므로 나아감을 어렵게 여겨 가지 않으면 허물이 없을 것입니다.〉

---

66) 『周易 · 大有卦』: 구삼, 象曰, 公用亨于天子, 小人, 害也.
67) 『周易 · 豫卦』: 六三. 盱豫, 悔, 遲, 有悔.
68) 『周易 · 睽卦』: 六三, 見輿曳, 其牛掣, 其人, 天且劓, 无初, 有終.

이지연(李止淵) 『주역차의(周易箚疑)』

大有之主, 六五也. 初九位卑而處下, 欲忮而不得, 又非正應, 欲求而不得. 不忮不求, 何用不臧. 然而此亦至難之事.

대유괘의 주인은 육오이다. 초구는 자리가 낮고 아래에 있어서 오효를 해치려고 해도 할 수가 없으며, 또 정응이 아니라서 호응하는 대상을 구하려고 해도 할 수가 없다. 다른 사람을 해치려 하지 않으며 다른 사람의 것을 구하려 하지 않는다면, 어찌 착하지 않겠는가?[69] 그러나 이것 또한 지극히 어려운 일이다.

김기례(金箕澧) 「역요선의강목(易要選義綱目)」

以陽居下自處, 而不干涉於害, 則非有咎. 然富有之時, 怨易生矣. 在下无應援者, 當知艱難而行, 則終无咎也.

양으로서 아래에 있기를 자처하면서 해로운 데에 관여하여 교섭하지 않으니, 허물이 있지 않다. 그러나 부유한 때에는 원망이 생기기가 쉽다. 아래에 있으면서 호응하여 도움을 줄 수 있는 자가 없으니, 마땅히 어렵게 여겨 행할 줄 알면 끝내 허물이 없을 것이다.

허전(許傳) 「역고(易考)」

初以陽在下, 而四亦爲陽, 則是上無應也, 無應則無交也. 且初卑而未至於富盛, 四剛而遠處於柔位, 則兩無相害之義, 故無交害也. 匪咎者, 非上爻之所咎也. 然富不可以盈盛也, 若處之以艱則永無咎矣. 匪咎, 人不咎我也, 無咎, 我自無咎也.

초효는 양으로 아래에 있고 사효는 또한 양이므로 이것은 위로 호응하는 대상이 없다는 것이니, 호응하는 대상이 없다면 교섭함이 없다. 또 초효는 낮아서 부유하고 풍성한 곳에 아직 이르지 않았으며, 사효는 굳센 양으로 멀리 유순한 음의 자리에 있으니, 둘 다 서로 해가 되는 뜻이 없기 때문에 해로운 데에 교섭함이 없다. "허물이 아니다"란 위의 효들이 허물하는 바가 아니라는 것이다. 그러나 부유함에 대해서는 가득 채우고 풍성하게 할 수가 없으니, 만약 어렵게 여기면서 처신한다면 영원토록 허물이 없을 것이다. "허물이 아니다"란 사람들이 나를 허물하지 않는다는 것이며, "허물이 없다"는 것은 내가 본래 허물이 없다는 것이다.

---

69) 『論語 · 子罕』: 子曰, 衣敝縕袍, 與衣狐貉者, 立而不恥者, 其由也與. 不忮不求, 何用不臧. 子路終身誦之, 子曰, 是道也何足以臧.

심대윤(沈大允) 『주역상의점법(周易象義占法)』

大有之六爻, 皆以與人同, 取義也. 大有之爻位, 居剛, 克己遏惡去害, 自明誠者也, 居柔, 復善全利, 自誠明者也. 大有後天之理也, 率性之敎也, 故先去害而後利也.

대유괘의 여섯 효는 모두 다른 사람들과 함께하는 것으로써 뜻을 취하였다. 대유괘 효의 자리가 굳센 양의 자리에 있으면 자기를 이겨 악을 막고 해로움을 제거하므로 밝음으로부터 성실한 것이며, 유순한 음의 자리에 있으면 선을 회복시키고 이로움을 온전히 하므로 "성실함으로부터 밝은 것이다.[70] 대유괘는 후천(後天)의 이치이며, 성을 따르는 가르침이기 때문에 먼저 해로움을 제거한 후에 이로움이 된다.

大有之鼎䷱, 變惡爲善也. 大有之世, 不取應矣. 初九居大有之初, 才剛而志堅, 背暗就明, 去異尙同, 棄无取有而未及彰也. 无交害, 言不求於害也. 巽爲交互, 克其欲而爲人, 始若不利, 故特言匪咎, 以勸成之也. 兌爲欲爲害. 艱言擇善而固執也. 坎爲艱, 克己, 非剛果不能也.

대유괘가 정괘(鼎卦䷱)로 바뀌었으니, 악은 변하여 선이 된 것이다. 대유괘의 시대에는 호응을 취하지 않는다. 초구는 대유괘의 처음에 있으면서 자질은 굳센 양이고 뜻은 견고하여 어둠을 등지고 밝음으로 나아가 다름을 버리고 같음을 숭상하며 없음을 버리고 있음을 취하였으나 아직 드러나는 데에 미치지 못하였다. "해로운 데에 교섭함이 없다"는 해로운 데에서 구하지 않는다는 말이다. 손괘(巽卦☴)는 양인 초효가 음으로 바뀐 괘이며 욕심을 이기고 다른 사람을 위하니, 처음에는 이롭지 않는 것과 같기 때문에 단지 "허물이 아니다"라고만 말하여 덕을 이루기를 권면하였다. 태괘는 욕심이 되고 해로움이 된다. '간(艱)'은 "선을 택하여 굳게 잡는다"[71]는 것이다. 감괘는 어려움이 되지만, 자기를 이기는 것은 강한 결단이 아니면 할 수 없는 것이다.

오치기(吳致箕) 「주역경전증해(周易經傳增解)」

初九, 剛健得正而在大有之初, 遠而无應, 近而无比. 剛不交柔, 无與相援, 固當有害. 然在下而居正, 故匪可以爲咎. 若能常存艱危之思, 以戒滿溢, 則可得无咎, 而反是, 則眞有害也. 是以戒之如此.

초구는 강건한 양이 바른 자리를 얻어 대유괘의 처음에 있지만 멀리는 호응하는 대상이 없

---

70) 『中庸』: 自誠明謂之性, 自明誠謂之敎, 誠則明矣, 明則誠矣.

71) 『中庸』: 誠者天之道也, 誠之者人之道也. 誠者, 不勉而中, 不思而得, 從容中道, 聖人也. 誠之者, 擇善而固執之者也.

고 가깝게는 비(比)의 관계에 있는 대상도 없다. 굳센 양이 유순한 음과 교섭하지 못하고 함께 서로 도와주는 대상도 없어서, 진실로 해로움이 있는 경우에 해당한다. 그러나 아래에 있고 바른 자리에 있기 때문에 허물이 될 만하지는 않다. 만약 항상 어렵고 위험하게 여기는 생각을 보존하여 가득 차서 넘치는 것을 경계할 수 있다면 허물이 없을 수 있지만, 이와 반대로 한다면 진실로 해로움이 있게 된다. 이 때문에 이와 같이 경계한 것이다.

○ 剛柔之相應相比曰交, 而若无一於應比, 則爲害也. 害者, 不利之謂, 而所以致咎者也.
굳센 양과 유순한 음이 서로 호응하고 서로 비(比)의 관계에 있으면 "교섭한다"고 하지만, 만약 호응하거나 비의 관계에 있는 대상이 하나라도 없다면 해롭게 된다. 해로움이란 이롭지 않음을 말하니, 허물을 이루는 것이다.

이진상(李震相) 『역학관규(易學管窺)』

艱則无咎.
어렵게 여기면서 처신하면 허물이 없다.

參攷曰, 匪咎, 人不咎我也. 无咎, 我自无咎也. 蓋賢人在下, 未能見之行事, 則旣無利害於人. 人自不咎, 而陽性上進, 終有涉事之日, 旣交於害, 則前日之匪咎不足恃, 而咎之者衆矣. 所以未進之前, 預盡艱毖之道, 不敢慢易以處之, 可以无咎矣.
『역해참고』에서 말하였다: "허물이 아니다"란 다른 사람들이 나를 허물하지 않는다는 말이다. "허물이 없다"라고 한 것은 내가 본래 허물이 없다는 말이다. 어진 사람이 아래에 있어서 일을 시행함에 드러날 수 없다면, 이미 다른 사람과의 이해관계가 없다. 사람은 스스로 허물하지 않지만 양의 성질은 위로 나아가므로 끝내 일과 교섭하는 날이 있게 되고, 이미 해로운 데에 교섭하게 되면, 전날의 허물이 아닌 것이 믿기에 부족하여 허물을 짓는 것이 많다. 아직 나아가기 전에 미리 어렵게 여기고 삼가는 도를 다하여 감히 태만하고 쉽게 처신하지 않아야 허물이 없을 수 있다.

박문호(朴文鎬) 「경설(經說) · 주역(周易)」

匪咎之義, 程傳屬於下句, 本義屬於上句. 凡諺讀同, 而傳義異者, 往往有之, 讀者察之.
"허물이 아니다"의 뜻을 『정전』에서는 아래의 구절에다 붙였고, 『본의』에서는 위의 구절에다 붙였다. 『주역언해』에서는 『정전』과 『본의』의 뜻이 같다고 읽었지만, 『정전』과 『본의』가 다른 경우가 늘 있으므로, 읽는 사람들은 살펴보아야 한다.

象曰, 大有初九, 无交害也.

「상전」에서 말하였다: 대유괘의 초구는 "해로운 데에 교섭함이 없다".

中國大全

傳

在大有之初, 克念艱難, 則驕溢之心, 无由生矣, 所以不交涉於害也.

대유괘의 처음에 있어서 어렵게 여기고 조심함을 생각할 수 있다면, 교만하고 분수에 넘치는 마음이 말미암아 생겨날 바가 없을 것이니, 해로운 데에 교섭하지 않는 까닭이 된다.

小註

中溪張氏曰, 大有其時也, 初九其位也. 時位如此, 是以无害也.
중계장씨가 말하였다: 대유괘는 마땅한 때이고 초구는 마땅한 자리이다. 때와 자리가 이와 같기 때문에 해로움이 없다.

韓國大全

김상악(金相岳) 『산천역설(山天易說)』

但言无交害, 則匪咎與无咎, 皆在其中矣.
단지 "해로운 데에 교섭함이 없다"고 하였으면, "허물이 아니다"와 "허물이 없다"는 것은 모두 그 안에 있다.

서유신(徐有臣) 『역의의언(易義擬言)』

初九, 陽剛, 故不應四也.
초구는 굳센 양이기 때문에 사효와 호응하지 않는다.

오치기(吳致箕) 「주역경전증해(周易經傳增解)」

時當大有, 而无交, 則未免乎害, 所以戒危也.
시대는 대유에 해당하지만 교섭함이 없다면 해로움에서 벗어나지 못하니, 이 때문에 위험함을 경계하였다.

이병헌(李炳憲) 『역경금문고통론(易經今文考通論)』

虞曰, 害謂四. 匪, 非也, 艱, 難也.
우번이 말하였다: 해로운 데란 사효를 말한다. '비(匪)'란 아니다는 뜻이며, '간(艱)'이란 어렵다는 뜻이다.

按, 無交害, 謂毋與四交也.
내가 살펴보았다: "해로운 데에 교섭함이 없다"란 사효와 교섭하지 말라는 것을 말한다.

九二, 大車以載, 有攸往, 无咎.

정전 구이는 큰 수레로 실으니, 가는 바가 있어서 허물이 없다.
본의 구이는 큰 수레로 실으니, 가는 바가 있으면 허물이 없다.

中國大全

傳

九以陽剛居二, 爲六五之君所倚任, 剛健則才勝, 居柔則謙順, 得中則无過. 其才如此, 所以能勝大有之任, 如大車之材强壯, 能勝載重物也, 可以任重行遠. 故有攸往而无咎也. 大有豊盛之時, 有而未極, 故以二之才, 可往而无咎, 至於盛極, 則不可以往矣.

구(九)가 굳센 양으로서 이효의 자리에 있으므로 육오의 군주에게 의지하면서 신임을 받는데, 강건하기 때문에 재질이 감당해낼 수 있고, 유순한 자리에 있기 때문에 겸손하고 순하며, 알맞음을 얻었기 때문에 허물이 없다. 재질이 이와 같아서 대유괘의 소임을 감당해낼 수 있음은 마치 큰 수레의 재질이 강하고 굳세서 무거운 물건들도 다 실을 수 있음과 같으니, 중책을 맡아 멀리 갈 수 있다. 그러므로 가는 바를 두어서 허물이 없다. 크게 소유하고 풍성한 때에, 소유하고는 있으나 아직 지극하지는 않기 때문에 이효의 재질로써 가서 허물이 없을 수 있으니, 성함의 지극한 데에 이르면 갈 수가 없다.

本義

剛中在下, 得應乎上, 爲大車以載之象, 有所往而如是, 可以无咎矣. 占者必有此德, 乃應其占也.

굳센 양으로 가운데에 있으면서 아래에 있고 위와 호응할 수 있으니, 큰 수레로 싣는 형상이 되므로 가는 바를 두어서 이와 같이 한다면 허물이 없을 수 있다. 점을 치는 자는 반드시 이러한 덕을 가지고 있어야 그 점에 응하게 된다.

小註

節齋蔡氏曰, 大車二也, 載謂載五也. 剛健居中而應五, 故有大車以載之象.
절재채씨가 말하였다: 큰 수레는 이효이고, 싣는다는 것은 오효를 실음을 말한다. 강건한 것이 가운데 자리에 있으면서 오효에 호응하기 때문에 큰 수레로 싣는 상을 가지고 있다.

○ 林氏栗曰, 二五相應, 陽志上行. 故有有攸往之象. 以是而往, 何咎之有?
임율이 말하였다: 이효와 오효는 서로 호응하고, 양은 뜻이 위로 가려고 하는 데에 있다. 그러므로 갈 바가 있는 상이 있으니, 이러한 이유로 간다면 무슨 허물이 있겠는가?

○ 雲峯胡氏曰, 坤爲大輿, 九二體乾而曰大車者, 輿指軫之方而能載者言, 車則以其全體而言. 引之以馬之健, 行之以輪之圜, 皆乾象也. 況九二以剛居柔. 柔則其虛足以受, 剛則其健足以行, 有大車象. 得應乎五, 載上之象. 有所往而如是, 可以无咎矣. 不曰吉者, 大臣任天下之重, 職當如此也. 僅得无咎處, 大有之難如此.
운봉호씨가 말하였다: 곤괘는 큰 수레가 된다[72]고 하는데, 구이가 있는 괘가 건괘인데도 구이를 큰 수레라고 하는 것은 '여(輿)'는 수레 중 뒤턱 나무의 네모난 것이 물건을 실을 수 있음을 가리켜 말한 것이고, '거(車)'는 수레 전체로 말한 것이기 때문이다. 말의 강건함으로써 이끌고 바퀴의 둥긂으로써 움직이니, 모두 건괘의 형상이다. 하물며 구이가 강건함으로써 유순한 자리에 거함에 있어서랴! 유순하면 비어 있어서 충분히 받아들일 수 있고 강건하면 굳세어서 충분히 갈 수가 있으니 큰 수레의 상이 있다. 그리고 오효와 호응할 수 있으니, 위의 구오를 싣는 상이다. 가는 바가 있고 또 이와 같이 한다면 허물이 없을 수 있다. 길하다고 말하지 않는 것은 대신은 천하의 중책을 맡아서 직분이 마땅히 이와 같아야 하기 때문이다. 겨우 허물이 없는 곳을 얻었을 뿐이니, 대유의 어려움이 이와 같다.

韓國大全

권근(權近) 『주역천견록(周易淺見錄)』

愚按, 此卦所以爲大有者, 以此爻大中, 而得六五之應也. 以大在下[73], 上[74]有六五之

72) 『周易·說卦傳』: 坤, 爲地, 爲母, 爲布, 爲釜, 爲吝嗇, 爲均, 爲子母牛, 爲大輿, 爲文, 爲衆, 爲柄, 其於地也, 爲黑.
73) 下: 학자료집성DB와 영인본에 모두 '上'로 되어 있으나, 문맥을 살펴 '下'으로 바로잡았다.

應, 猶以大車載重, 可以有往而无損敗之咎也. 故云大有, 大者有之也.
내가 살펴보았다: 이 괘가 대유괘가 되는 까닭은 이 효가 크게 가운데에 있으면서 육오의 호응을 얻고, 큰 것이 아래에 있으면서 위로 육오의 호응이 있기 때문이니, 마치 큰 수레로 무거운 짐을 싣고 가더라도 잃거나 실패하는 허물이 없는 것과 같다. 그러므로 대유라고 하였으니, 큰 것을 가지고 있다는 것이다.

이익(李瀷) 『역경질서(易經疾書)』

此卦二五, 雖不正, 得中而爲正應, 三四兩陽, 雖間之, 然旣在大有, 終何能阻碍. 阻碍則必害, 九三所謂小人害, 是也. 是以九二能大車積中, 而六五能厥孚交如也. 初九在卦之下, 無與於二五之交, 亦無三四之害. 其匪咎者, 以其無交與害故也. 若更加艱艱之功, 則益无咎, 無勝於匪也.
이 괘의 이효와 오효는 비록 바른 자리가 아니지만 가운데 자리를 얻어서 바르게 호응함이 되고, 삼효와 사효라는 두 양은 비록 이효와 오효 사이에 있지만 이미 대유에 있으므로 끝내 어찌 이 둘을 막아서 방해를 할 수 있겠는가? 막아서 방해한다면 반드시 해가 될 것이니, 구삼의 「상전」에서 이른바 "소인은 해로울 것이다"라고 한 것이 이것이다. 이 때문에 구이는 큰 수레로 가운데에 쌓을 수 있고, 오효는 그 믿음으로써 사귈 수 있다. 초구는 괘의 가장 아래에 있어서 이효와 오효의 사귐에 간여함이 없고 또 삼효와 사효의 해로움이 없다. "허물이 아니다"[75]란 사귐과 해로움이 없기 때문이다. 만약 다시 어렵게 여기면서 처신하는 공을 더한다면 더욱 허물이 없게 되어, 허물이 아님을 이루 다할 수 없을 것이다.

유정원(柳正源) 『역해참고(易解參攷)』

王氏曰, 健不違中, 爲五所任, 任重不危, 致遠不泥, 故可以往而无咎,
왕필이 말하였다: 굳셈이 알맞음에 어긋나지 않고, 오효에 의하여 책임을 맡게 되지만, 중책을 맡았지만 위험하지 않고 먼 곳에 이르러도 장애가 되지 않기 때문에 가서 허물이 없을 수 있다.

○ 劉氏曰, 下乘陽爲動, 上乘陽爲實, 得中之位爲安, 五以虛中接下, 往則无咎.
유장민이 말하였다: 아래에서 양을 타고 있으면 움직이게 되고, 위에서 양을 타고 있으면 실질이 되며, 가운데 자리를 얻게 되면 편안해지니, 오효는 가운데가 비어 있으면서 아래와 만나기 때문에 가면 허물이 없다.

---

74) 上: 학자료집성DB와 영인본에 모두 '下'로 되어 있으나, 문맥을 살펴 '上'으로 바로잡았다.
75) 『周易 · 大有卦』: 初九, 无交害, 匪咎, 艱則无咎.

○ 案, 中虛下動, 車載之象.
내가 살펴보았다: 가운데가 비어 있으면서 아래에서 움직이니, 수레에 싣는 상이다.

김상악(金相岳) 『산천역설(山天易說)』

九二, 居乾之中, 與五爲應, 故有大車以載之象. 有所往而如是, 得无咎也.
구이는 건괘의 가운데에 있으면서 오효와 서로 호응하기 때문에 큰 수레로 싣는 상이 있다. 가는 바가 있으면서 이와 같이 한다면, 허물이 없을 수 있다.

○ 陽爲大, 乾對坤. 坤之爲輿, 指軫之方也, 乾之爲車, 以輪之圓也. 蓋其日夜東西運轉者, 只是健也, 故凡於乾體之卦, 多以車輿言之. 離火生於震木, 大有之變, 自大壯而來. 大壯之四曰壯于輿輹, 故此曰大車以載. 睽則兌水生於乾金, 卦變, 自大有而來, 故三曰見曳輿, 上曰載鬼一車. 困之四, 則得睽之兌體, 與初爲應而爲二所阻, 故曰困于金車, 賁之初, 則得大有之離體, 應四而舍二, 故曰舍車而徒. 又大小畜互體爲大有, 故二三皆取輿象, 而爲陰所畜, 故說輻與說輹同象. 又本爻變, 則爲離. 離又伏坎而互爲二濟, 旣濟之初, 未濟之二曰, 曳其輪, 皆自止而不進者也. 往者應五而進也, 離日昇於乾天之上, 而車載以往, 山海經所謂每日出, 羲和爲御推, 以升太虛, 是也.
양은 큼이 되고 건괘의 음양이 바뀐 괘는 곤괘이다. 곤괘가 수레[輿]가 되는 것은 수레의 뒤턱 나무[軫]의 네모난 것을 가리키기 때문이고, 건괘가 수레[車]가 되는 것은 바퀴가 둥글기 때문이다. 낮과 밤에 동과 서로 실어 나르는 것은 단지 강건함이기 때문이니, 건괘의 몸체가 있는 모든 괘에는 '거(車)'나 '여(輿)'를 말한 것이 많다. 리괘가 의미하는 불은 진괘가 의미하는 나무에서 생기고, 대유괘로 바뀜은 대장괘(大壯卦☳)로부터 온다. 대장괘의 사효에서 "큰 수레의 바퀴살이 장성하다"[76]하였기 때문에 여기서는 "큰 수레로 싣는다"고 하였다. 규괘(睽卦☲)는 태괘가 의미하는 물이 건괘가 의미하는 쇠에서 생기고 괘의 변함은 대유로부터 오기 때문에 규괘의 삼효에서는 "수레가 끌린다"[77]고 하였고 상효에서는 "귀신이 한 수레에 실려 있다"[78]고 하였다. 곤괘(困卦☱)의 사효인 경우에는 규괘가 바뀐 태괘(兌卦☱)의 몸체에서 얻었고 초효와 호응이 되지만 이효에 의하여 막히기 때문에 "쇠수레 때문에 어렵다"[79]고 하였고, 비괘(賁卦☶)의 초효인 경우에는 대유가 바뀐 리괘(離卦☲)의

76) 『周易 · 大壯卦』: 九四, 貞, 吉, 悔亡, 藩決不羸, 壯于大輿之輹.
77) 『주역 · 규괘』의 육삼을 보면 "六三, 見輿曳, 其牛掣, 其人, 天且劓, 无初, 有終."라고 하였으니, "見輿曳"로 되어 있음을 알 수가 있다.
78) 『周易 · 睽卦』: 上九, 睽孤, 見豕負塗, 載鬼一車. 先張之弧, 後說之弧, 匪寇, 婚媾, 往遇雨, 則吉.
79) 『周易 · 困卦』: 九四, 來徐徐, 困于金車, 吝, 有終.

몸체에서 얻었고 사효와 호응하면서 이효를 버렸기 때문에 "수레를 버리고 걸어간다"[80]고 하였다. 또 대축괘(大畜卦☶)와 소축괘(小畜卦☴)에서 호괘의 몸체는 대유괘가 되기 때문에 이효와 삼효에서 모두 수레의 상을 취하였고[81], 음에 의하여 저지되기 때문에 대축괘와 소축괘에는 바퀴살이 빠지고 바퀴통이 빠지는 동일한 상이 있다. 또 본 괘인 대유괘에서 이 효가 변하면 리괘(離卦☲)가 된다. 리괘는 또 감괘(坎卦☵)에 숨어 있고 호괘는 기제괘(旣濟卦☵)와 미제괘(未濟卦☲)가 되므로, 기제괘의 초효와 미제괘의 이효에서는 "수레바퀴를 뒤로 끌다"라고 하였으니,[82] 모두 스스로 멈추고 나아가지 않는 것이다. "간다"란 오효와 호응하여 나아간다는 것으로 리괘가 의미하는 해가 건괘가 의미하는 하늘 위에 떠오름에 수레로 싣고 간다는 것이니, 『산해경』에서 "매일 해가 뜨면, 희씨(羲氏)와 화씨(和氏)가 수레를 몰아서 태허(太虛)에 오른다"고 한 말이 이것이다.

서유신(徐有臣) 『역의의언(易義擬言)』

大車以載, 富有之象也. 車者, 二也, 載者, 其任也. 以乾剛之體得中, 而應於六五, 以大車載重也. 以此進泩, 宜无咎也.

"큰 수레로 싣는다"는 부유한 상이다. '수레'란 이효이며, "싣는다"란 말은 임무이다. 굳센 양의 몸체로 가운데 자리를 얻어 육오와 호응하니, 큰 수레로 무거운 것을 싣는 것이다. 이것을 가지고 나아간다면, 마땅히 허물이 없다.

김귀주(金龜柱) 『주역차록(周易箚錄)』

傳, 九以陽剛, 云云.

『정전』에서 말하였다: 구(九)는 굳센 양[陽剛]으로써, 운운

○ 按, 任重行遠者, 非弘毅, 不能也. 此爻居柔得中, 有弘之象, 才剛體健有毅之象, 所以爲大車以載也. 處大有者, 固當如此, 而士之任道者, 亦宜視此爲法.

내가 살펴보았다: 임무가 막중하고 멀리 가는 자는 뜻이 넓고 굳세지 않으면 할 수가 없다. 이 효는 유순한 음의 자리에 있으면서 가운데 자리를 얻었으므로 넓은 상이 있고, 자질이 굳세고 몸체가 강건하여 굳센 상이 있으니, 큰 수레로 싣게 되는 까닭이다. 대유에 있는

---

80) 『周易 · 賁卦』: 初九, 賁其趾, 舍車而徒.

81) 『周易 · 大畜卦』: 九二, 輿脫輹. 『周易 · 大畜卦』: 九三, 良馬逐, 利艱貞, 日閑輿衛, 利有攸往. 『周易 · 小畜卦』: 九二는 牽復, 吉. 『周易 · 小畜卦』: 九三, 輿說(脫)輻, 夫妻反目. 단 『周易 · 小畜卦』 구이에는 수레라는 말이 없다.

82) 『周易 · 旣濟卦』: 初九, 曳其輪, 濡其尾, 无咎 ; 『周易 · 未濟卦』: 九二, 曳其輪, 貞, 吉.

자는 진실로 이와 같아야 하고, 선비로서 도를 자임하는 자는 또한 마땅히 이것을 보고 본받아야 한다.

박문건(朴文健) 『주역연의(周易衍義)』

積中安固, 故有大車載之象. 雖犯上之難, 而升進无害於己也.
가운데에 쌓아 안정되고 견고하기 때문에 큰 수레에 싣는 상이 있다. 비록 위를 범하는 어려움이 있을지라도 올라가는 것이 자기에게 해로움이 없다.
〈問, 大車以載. 曰, 九二有剛中之德, 故其安固, 如載大車之上也.
물었다: "큰 수레로 싣는다"는 무슨 뜻입니까?
답하였다: 구이는 굳세고 알맞은 덕을 가지고 있기 때문에 안정되고 견고하므로 큰 수레 위에 싣는 것과 같습니다.〉

이지연(李止淵) 『주역차의(周易箚疑)』

皇明太祖皇帝欲相胡惟庸, 問於誠意 伯對曰小犢, 將僨轅矣. 其言深得大有九二之旨乎.
명(明)나라 태조황제가 호유용을 재상으로 삼고자 하여 이에 대해 유성의(劉誠意)에게 물으니, 백(伯; 劉誠意)이 대답하여 말하기를 "작은 송아지와 같으니, 장차 수레의 끌채를 세차게 움직일 것입니다."[83]라고 하였다. 그 말이 대유괘 구이의 뜻을 깊이 터득하였도다.

김기례(金箕澧) 「역요선의강목(易要選義綱目)」

九二, 大車以載, 有攸往.
구이는 큰 수레로 실음이니, 가는 바가 있다.
剛中在下, 負順君倚任之重, 故曰大車以載.
굳센 양으로 가운데에 있으면서 아래에 있어서, 임금이 맡긴 중책을 담당하기 때문에 "큰 수레로 싣는다"고 하였다.

○ 以陽應五, 有上進之志, 故曰攸往.
양으로 오효와 호응하니 위로 나아가는 뜻이 있기 때문에 '가는 바'라고 하였다.

---

83) 『元明事類鈔 · 識鑒』: 劉誠意行狀, 上欲相楊憲公與憲素厚, 以爲不可, 曰憲有相才, 無相器, 上曰汪廣洋何如, 公曰此褊淺, 曰胡惟庸何如, 公曰此小犢, 將僨轅矣.

○ 乾爲圜而居二, 二卽兩也. 兩圜爲車.
건은 동그라미가 되고 이효의 자리에 있으니 이(二)란 둘이다. 두 개의 동그라미는 수레가 된다.

윤종섭(尹鍾燮) 『경(經)・역(易)』

大有之大車以載, 變坤有大車之象. 陽進, 故有往而无咎也. 三, 天子指六五, 三在公位, 用享于五, 六五威如之吉, 五以陰順處君位, 有可畏之威, 然後能服群陽之在下也.
대유의 "큰 수레로 싣는다"는 하괘의 음양이 바뀐 괘가 곤괘가 되어 큰 수레의 상이 있다. 양은 나아가기 때문에 가서 허물이 없을 수 있다. 삼효에서 '천자'는 육오를 가리키고, 삼효는 공(公)의 자리에 있으면서 육오에게 형통하도록 하며, 육오에서 위엄 있게 하면 길하다는 것은 오효가 유순한 음으로 임금의 자리에 있어서 두려워할 만한 위엄이 있은 후에 아래에 있는 여러 양들을 굴복시킬 수 있다는 것이다.

심대윤(沈大允) 『주역상의점법(周易象義占法)』

大有之离(☲). 九二, 以剛中居柔, 復善而與人同利, 有离之義, 故曰大車以載, 有攸往. 离之對坎爲大車, 乾之對坤爲載. 方施于人而未及利于己, 故取對而不兼本卦也. 离巽爲往. 初九之无交害, 克己也而恕也. 九之二有攸往, 復善也而忠也.
대유괘가 리괘(離卦☲)로 바뀌었다. 구이는 굳센 양이 가운데 자리를 얻어 유순한 음의 자리에 있으니, 선을 회복하여 다른 사람들과 이익을 함께하므로 리괘의 뜻이 있기 때문에 "큰 수레로 실음이니, 가는 바가 있다"고 하였다. 리괘의 음양이 바뀐 괘인 감괘(坎卦☵)는 큰 수레가 되고, 하괘인 건괘의 음양이 바뀐 괘인 곤괘는 싣는다는 뜻이 된다. 바야흐로 사람들에게 베풀지만 아직 자기에게 이익이 미치지 않기 때문에 해석을 취할 때에는 음양이 바뀐 괘를 취하고 본래의 괘는 겸해서 보지 않는다. 리괘와 손괘는 간다는 뜻이 된다. 초구에서 "해로운 데에 교섭함이 없다"는 "자기를 이기다"는 것이 되며 '서(恕)'가 되고, 구이에서 "가는 바를 두다"는 "선을 회복한다"는 것이 되며 '충(忠)'이 된다.

오치기(吳致箕) 「주역경전증해(周易經傳增解)」

九二剛健得中, 而在大有之時, 爲六五柔中之君所專信, 故委畀天下之重任, 有大車積載之象, 而以其居柔, 宜若有不能堪勝之咎. 然剛中之才可以任重而致遠, 故言以此, 而有攸往, 則能得无咎也.
구이는 강건한 양이 가운데 자리를 얻어, 대유의 때에 유순한 음으로 가운데 자리에 있는 육오의 임금이 전적으로 믿는 자가 되기 때문에 천하의 무거운 임무를 믿고 줄 수 있으니, 큰 수레에 쌓고 싣는 상이 있으나 유순한 음의 자리에 있기 때문에 마땅히 감당해 낼 수 없는 허물이 있는 듯하다. 그러나 굳세면서 알맞은 재질이 무거운 일을 맡아 멀리까지 갈 수가 있기 때문에 이와 같이 말하였으니, 가는 바가 있다면 허물이 없을 수 있다.

○ 對體之坤爲大輿車之象, 剛居剛上, 有積載之象也.
하괘의 음양이 바뀐 괘인 곤괘는 큰 수레의 상이 되고, 굳센 양이 굳센 양의 위에 있으므로 쌓아 싣는 상이 있다.

이정규(李正奎) 「독역기(讀易記)」

大有九二, 則以剛健之才性, 居謙順之柔位, 又得中而無過, 可以擔勝大任, 而處不動之位, 則或緩於擔任之意也. 有攸往, 无咎者, 豈非勉戒之辭耶. 若无攸往, 有咎必矣.
대유괘의 구이는 강건한 재질과 성질로 겸손하고 순응하는 유순한 자리에 있고 또 가운데를 얻어 잘못이 없으므로 큰 임무를 감당해낼 수 있지만, 움직이지 않는 자리에 있으므로 혹 임무를 담당하는 데에 느슨하게 하려는 뜻이 있다. "가는 바가 있어서 허물이 없다"는 어찌 힘써 경계하는 말이 아니겠는가? 만약 가는 바가 없다면 반드시 허물이 있을 것이다.

이용구(李容九) 「역주해선(易註解選)」

張中溪曰, 伊尹任天下之重, 此大車以載[84]當之.
장중계가 말하였다: 이윤이 천하의 중책을 스스로 맡았으니, 이것이 "큰 수레로 싣는다"에 해당한다.

雲峰胡氏曰, 九二宰相任重之事, 九三諸侯朝享之事.
운봉호씨가 말하였다: 구이는 재상이 중책을 맡는 일이고, 구삼은 제후가 조회하여 바치는 일이다.

明主在上, 群賢畢集, 無一敗亂之小人, 無一害治之粜德. 士生斯世也, 緼袍華於佩玉, 飲水甘於列鼎, 而況九二之大臣.

84) 大車以載: 경학자료집성DB와 영인본에 모두 '大車載以'로 되어 있으나, 『주역 · 대유』의 구이 효사에 의하여 '大車以載'로 바로잡았다.

밝은 군주가 위에 있어서 여러 어진 사람들이 모여들어 실패와 난리를 일으키는 소인은 하나도 없고, 정치를 해치는 변변치 못한 덕을 가진 사람이 하나도 없다. 선비가 이 세상에 태어나서 평범한 옷을 입더라도 패옥보다도 화려하고, 냉수를 마심이 진수성찬보다 단데, 하물며 구이인 대신에 있어서랴!

이병헌(李炳憲) 『역경금문고통론(易經今文考通論)』

車蜀才本作輿.

'거(車)'는 촉재본(蜀才本)에 '여(輿)'로 되어 있다.

象曰, 大車以載, 積中不敗也.

「상전」에서 말하였다: "큰 수레로 실음"은 가운데에 쌓아도 망가지지 않는 것이다.

中國大全

傳

壯大之車, 重積載於其中而不損敗, 猶九二材力之强, 能勝大有之任也.

장대한 수레는 가운데에 무겁게 실어도 상하거나 무너지지 않으니, 구이의 재질과 힘이 강하여 대유의 임무를 이루 다 할 수 있는 것과 같다.

小註

臨川吳氏曰, 車大則能勝重載. 故載雖多積於中, 而車行不至於敗, 占之所以往而无咎也.
임천오씨가 말하였다: 수레가 크면 무거운 짐을 다 실을 수 있다. 그러므로 짐을 실을 때에 비록 수레 가운데에 많이 쌓더라도 수레의 움직임이 수레가 무너지는 데에까지 이르지 않으니, 점사에서 가서 허물이 없다고 하는 까닭이다.

○ 中溪張氏曰, 伊尹任天下之重, 此爻足以當之.
중계장씨가 말하였다: 이윤이 천하의 중책을 맡았다고 하였으니, 이 효가 충분히 여기에 해당한다.

韓國大全

조호익(曺好益)『역상설(易象說)』

積中, 取柔虛能受象, 指二, 不敗, 取剛健能行象, 指九.
"가운데에 쌓는다"는 것은 유순하고 비어있어서 받아들일 수 있는 상을 취하였으니 이효의 자리를 가리키고, "망가지지 않는다"는 강건하여 행할 수 있는 상을 취하였으니, 양인 구(九)를 가리킨다.

송시열(宋時烈)『역설(易說)』

九二, 乾錯爲坤之大輿, 故曰大車以載, 有往而得正應之理也. 蓋坤者載物, 故曰載. 積於載車之中, 無覆敗之患, 其道無咎.
구이는 건괘의 음양이 바뀌어서 곤괘의 큰 수레가 되기 때문에 "큰 수레로 싣는다"고 하였으니, 가서 정응이 되는 이치가 있다. 곤괘란 물(物)을 싣기 때문에 '재(載)'라고 하였다. 수레의 가운데에 쌓을 때에 전복되거나 망가지는 우환이 없으니, 그 도는 허물이 없다.

이익(李瀷)『역경질서(易經疾書)』

大車以載, 與厥孚交如, 相勘. 將有攸往, 故稱大車. 彼有威如之吉, 故此乃積中不敗也.
"큰 수레로 싣는다"는 "그 믿음으로써 사귄다"와 서로 헤아려 볼 수 있다. 장차 가는 바가 있기 때문에 '큰 수레'라고 하였다. 육오에서 위엄 있게 하면 길함이 있기 때문에 여기서는 가운데에 쌓아도 망가지지 않게 된다.

三四兩陽, 間於二五之交, 而卦有大有之義, 故皆不敢阻害也. 三遠而四近, 則三諸侯, 而四近臣也. 三不但不爲害, 反用享天子, 其容有害之者, 卽小人而不克也. 彭, 充盛之貌, 據膨脝之膨, 可見. 四居近君之地不中不正, 疑其爲阻害之充盛, 而其實匪然, 蓋自能明辯而審處也.
삼효와 사효인 두 양은 이효와 오효의 사귐을 떼어놓으려 하지만, 괘에 대유의 뜻이 있기 때문에 모두 감히 막거나 방해하지 못한다. 오효에서 삼효는 멀고 사효는 가까우니, 삼효는 제후이고 사효는 가까운 신하이다. 삼효는 단지 해가 되지 않을 뿐만 아니라 도리어 천자에게 형통하도록 하지만 해롭게 하는 자를 받아들인다면 즉 소인이니 감당할 수 없다. '팽(彭)'

은 가득 차고 풍성한 모양이니, "부풀어 오른 달빛의 풍성함에 의지한다"고 할 때의 '팽(膨)'에서 볼 수가 있다. 사효는 임금과 가까운 곳에 있으면서 가운데 자리에 있지 않고 제자리에 있지 않아 아마도 막고 방해하는 바가 가득할 듯하지만, 실제로는 그렇지 않으니 스스로 밝게 분별하여 살피며 처신할 수 있다.

김상악(金相岳) 『산천역설(山天易說)』

積中, 謂陽德積於中也.
"가운데에 쌓다"는 양의 덕이 가운데에 쌓임을 말한다.

서유신(徐有臣) 『역의의언(易義擬言)』

積者, 其任重也. 以中應中, 積載車中也. 載任偏重, 則車必傾覆, 車旣壯大, 又載於中, 任重而不危, 致遠而不泥, 寧有僨敗之憂哉. 富有而善保者也.
"쌓는다"란 무거운 일을 맡음이다. 가운데로써 가운데와 호응하니, 수레의 가운데에 실어 쌓는 것이다. 짐을 실을 적에 편중되면 수레는 반드시 기울거나 뒤집힐 것이지만, 수레가 이미 장중하고 또 가운데에 실어서 짐이 무겁더라도 위험하지 않고 멀리 이르러도 장애가 되지 않으니, 어찌 실패하는 우환이 있겠는가? 부유하면서도 잘 보존하는 자이다.

박문건(朴文健) 『주역연의(周易衍義)』

不敗, 言積中之物, 不敗損也.
"망가지지 않는다"란 가운데 쌓은 물건은 부서지거나 훼손되지 않음을 말한다.

김기례(金箕澧) 「역요선의강목(易要選義綱目)」

積中不敗.
가운데에 쌓아도 망가지지 않는 것이다.

陽剛, 故負重而不敗.
굳센 양이기 때문에 무거운 것을 짊어져도 망가지지 않는다.

심대윤(沈大允) 『주역상의점법(周易象義占法)』

兌互离爲敗, 艮爲積.
태괘의 호괘인 리괘는 망가진다는 뜻이 되고, 태괘의 음양이 바뀐 간괘는 쌓는다는 뜻이 된다.

오치기(吳致箕) 「주역경전증해(周易經傳增解)」

剛中之德, 能勝大有之任, 猶大車重積於其中而不損敗也.
굳세고 알맞은 덕은 대유의 임무를 다할 수 있으니, 큰 수레가 가운데에 무겁게 실어도 상하게 되거나 망가지지 않는 것과 같다.

이진상(李震相) 『역학관규(易學管窺)』

大車以載.
큰 수레로 싣는다.

天體剛健而轉運, 故取大車象, 而此爻動, 則中虛而能載矣.
하늘의 몸체는 강건하면서 실어서 보내는 성질을 가지고 있기 때문에 큰 수레의 상을 취하였고, 이 효가 움직이면 가운데가 비어서 물건을 실을 수 있다.

이병헌(李炳憲) 『역경금문고통론(易經今文考通論)』

本義曰, 剛中在下, 得應乎上, 爲大車以載之象.
『본의』에서 말하였다: 굳센 양으로 가운데에 있으면서 위에 응할 수 있으니, 큰 수레로 싣는 형상이 된다.

九三, 公用亨于天子, 小人, 弗克.

정전 구삼은 공이 천자에게 형통하도록 하니, 소인은 능하지 못하다.
본의 구삼은 공이 천자에게 조공을 드리니, 소인은 감당하지 못한다.

中國大全

傳

三居下體之上, 在下而居人上, 諸侯人君之象也. 公侯上承天子, 天子居天下之尊, 率土之濱, 莫非王臣, 在下者, 何敢專其有. 凡土地之富, 人民之衆, 皆王者之有也, 此理之正也. 故三當大有之時, 居諸侯之位, 有其富盛, 必用亨通乎天子, 謂以其有爲天子之有也, 乃人臣之常義也. 若小人處之, 則專其富有, 以爲私, 不知公己奉上之道. 故曰小人弗克也.

삼효가 아래 괘의 위에 있으므로 아래에 있으면서 사람들의 위에 있으니, 제후와 임금의 상이다. 공후(公侯)는 위로 천자를 받들고, 천자는 천하의 존귀한 자리에 있어서 온 천하에 모든 사람들은 왕의 신하가 아님이 없으니, 아래에 있는 자가 어찌 감히 그의 소유를 마음대로 할 수 있겠는가? 토지의 부유함과 백성들의 많음은 모두 왕 노릇하는 자의 소유이니, 이것이 이치의 바름이다. 그러므로 삼효는 대유의 때를 맞아 제후의 자리에 있어서 부유함과 풍성함을 가지고 있어도 반드시 천자에게 형통하도록 써야 하니, 이것은 자신의 소유를 천자의 소유로 여김이 신하의 떳떳한 의(義)가 된다고 말하는 것이다. 만약 소인이 그 자리에 있으면 부유함을 마음대로 하여 사사롭게 여겨 자신의 부유함을 공적으로 쓰고 위를 받드는 도(道)를 알지 못한다. 그러므로 "소인은 능하지 못한다"고 한 것이다.

小註

隆山李氏曰, 居下卦之上, 爲三陽之長, 以君子而當公侯之任者也.
융산이씨가 말하였다: 아래 괘의 위에 있으면서 세 양의 우두머리가 되어 군자로서 공후의 임무를 감당하는 자이다.

○ 臨川王氏曰, 易之辭有王, 有先王, 有帝, 有后, 有大君. 王以德業言, 先王以垂統言, 帝以主宰言, 天子以正位言, 后天子諸侯通稱, 大君天子尊稱.
임천왕씨가 말하였다: 『주역』에 나오는 말에는 '왕(王)'이 있고 '선왕(先王)'이 있고 '제(帝)'가 있고 '후(后)'가 있고 '대군(大君)'이 있다. '왕'은 덕업(德業)으로 말한 것이며, '선왕'은 훌륭한 사업을 자손에게 전함으로 말한 것이고, '제'는 주재(主宰)함으로 말한 것이며, '천자'는 바른 자리로 말한 것이고, '후'는 천자와 제후를 통틀어 칭한 것이며, '대군'은 천자의 존귀함을 칭한 것이다.

本義

亨春秋傳作享, 謂朝獻也. 古者, 亨通之亨, 享獻之享, 烹飪之烹, 皆作亨字. 九三居下之上, 公侯之象, 剛而得正, 上有六五之君, 虛中下賢, 故爲享于天子之象. 占者有其德, 則其占, 如是, 小人无剛正之德, 則雖得此爻, 不能當也.

'형(亨)'은 『춘추전』에 향(享)으로 되어 있으니, 입조하여 조공을 드린다는 말이다. 옛날에 형통(亨通)의 형(亨)자와 향헌(享獻)의 향(享)자와 팽임(烹飪)의 팽(烹)자는 모두 형(亨)자로 썼다. 구삼은 아래 괘의 위에 있으니 공후의 상이고, 강하면서도 바름을 얻었으며, 위 괘에 있는 육오인 임금이 마음을 비워 어진 사람에게 자신을 낮추기 때문에 천자에게 입조하여 조공하는 상이 되었다. 점을 치는 사람이 그만한 덕을 가지고 있다면 그 점이 이와 같을 것이지만, 소인은 강하고 바른 덕이 없으므로 비록 이 효를 얻었더라도 감당할 수가 없다.

小註

朱子曰, 古文无亨字, 亨享烹竝通用, 如公用亨于天子 解作亨字便不是. 又曰亨享二字據說文本是一字, 故易中多互用, 如王用亨于岐山, 亦當爲享, 如王用享于帝之云也. 字畫音韻是經中淺事, 故先儒得其大者多不留意. 然不知此等處不理會, 卻枉費了无限辭說牽補而卒不得其本義, 亦甚害事也.
주자가 말하였다: 고문에는 형(亨)자가 없었고, 형(亨)·향(享)·팽(烹)은 통용되었으니, '공용형우천자(公用亨于天子)'와 같은 데에서는 형(亨)자를 형(亨)자 그대로 풀이하면 옳지 않다.
또 말하였다: 형(亨)과 향(享) 두 글자는 『설문해자』에 근거하면 본래 한 글자였기 때문에 『주역』 중에는 서로 바꿔 사용한 경우가 많으므로, '왕용형어기산(王用亨于岐山)'[85]과 같은 데에서도 또한 마땅히 '형(亨)'은 향(享)이 되어야 하니, '왕용향우제(王用享于帝)'[86]라고 말한

85) 『周易·升卦』: 六四, 王用亨于岐山, 吉, 无咎.

곳에서의 '향(享)'과 같다. 글자의 획(畫)과 음운(音韻)은 경(經) 중에서는 작은 일이므로 선유(先儒)들은 그 큰 것만을 얻고 이러한 것들에 대해서는 대부분 유의하지 않았다. 하지만 잘 모르겠으나, 이러한 부분이 나오는 곳에서는 이해하지 못하고 오히려 무한한 말들을 헛되이 사용하여 끌어다 보완하였으니, 끝내 그 본뜻을 얻지 못하였으므로 일을 매우 해쳤다.

○ 京房傳曰, 享, 獻也.
「경방전」에서 말하였다: '향(享)'은 바친다는 뜻이다.

○ 雙湖胡氏曰, 按春秋傳晉文公將納王, 使卜偃筮之. 遇大有之睽曰吉, 遇公用享于天子之卦, 戰克而王享, 吉孰大焉, 則是卜偃時已讀爲享矣.
쌍호호씨가 말하였다: 『춘추전』을 살펴보면, 진문공이 장차 왕을 수도로 모시고 들여보내는 일에 대하여 복언(卜偃)에게 시초점을 치게 하였다. 그러자 복언은 대유괘의 삼효가 바뀌어 규괘(睽卦☲)가 되는 점을 얻었으므로 길(吉)하다고 하였고, "공(公)이 천자에게 드리는 괘를 얻었으므로 전쟁에서 이겨 왕이 공을 대접하니, 길함에 어느 것이 이보다 크겠습니까?"[87] 라고 하였으니, 이것은 복언(卜偃)이 이미 향(享)의 뜻으로 읽은 것이다.

○ 雲峯胡氏曰, 九二宰相任重之事, 九三諸侯朝享之事, 皆不言吉, 皆臣職之當然者. 然享有朝享之享, 有宴享之享, 本義直訓享爲朝獻. 又曰六五虛中下賢, 則又兼宴享之義矣. 享禮之盛者, 必如九三有剛正之德, 乃能當之, 在小人, 則有不供苞茅不修朝貢者矣, 安足以當此.
운봉호씨가 말하였다: 구이는 재상으로 막중한 임무를 맡는 일에 해당하고, 구삼은 제후로 입조하여 조공하는 일에 해당하므로, 모두 길하다고 하지 않았으니, 모두 신하의 직분이 마땅히 그러한 것이기 때문이다. 그러나 향(享)에는 입조하여 조공한다는 뜻의 향(享)이 있고 나라의 귀한 손님을 대접하는 잔치라는 뜻의 향(享)이 있는데, 『본의』에서는 곧바로 향(享)을 입조하여 조공한다는 뜻으로 풀이하였다. 또 『본의』에서 육오는 마음을 비워 어진 사람에게 자신을 낮춘다고 하였으니, 또 연향(宴享)의 뜻도 겸하고 있다. 향(享)의 예(禮)를 성대하게 할 수 있는 경우는 반드시 구삼과 같이 강직하면서 바른 덕을 가지고 있어야만 이를 감당할 수 있으니, 소인과 같은 경우라면 포모(苞茅)를 공급하지 않고[88] 조공을 거행하지 않는 자이므로 어찌 이것을 감당하기에 충분하겠는가?

---

86) 『周易 · 益卦』: 六二, 或益之, 十朋之, 龜, 弗克違, 永貞, 吉, 王用享于帝, 吉.
87) 『춘추좌씨전 · 희공』 25년.
88) 『춘추좌씨전 · 희공』 4년.

韓國大全

송시열(宋時烈) 『역설(易說)』

九三, 來易云三居下卦之上, 故曰公, 云云. 天子, 指六五也. 陽道方盛, 三以陽爻居陽位, 君子當之. 若小人, 則必不能處此也, 克能也. 處此, 則必有害也.
구삼은 래지덕의 『주역집주』에서 "삼효는 아래 괘의 맨 위에 있기 때문에 공(公)이라고 하였다"라고 하였다. 천자는 육오를 가리킨다. 양의 도가 성할 때에 삼효는 양효로서 양의 자리에 있으므로 군자에 해당한다. 만약 소인이라고 한다면, 반드시 여기에 있을 수 없으므로 능할 수 없다. 소인이 여기에 있으면 반드시 해로움이 있다.

유정원(柳正源) 『역해참고(易解參攷)』

九三 [至] 天子.
구삼 … 천자.

王氏曰, 處大有之時, 居下體之極, 乘剛健之上, 而履得其位, 與五同功, 威權之盛, 莫此過焉. 公用斯位, 乃得通乎天子之道也.
왕필이 말하였다: 대유의 때에 있으면서 아래 괘의 지극한 곳에 있고 강건한 양들의 위에 타고 있으며, 밟고 있는 자리가 제자리를 얻어 오효와 공을 함께하니, 권위의 성대함이 이보다 넘어서는 것이 없다. 공은 이 자리를 가지고서 천자와 통할 수 있는 도를 얻었다.

○ 案, 九三以剛居剛, 過乎剛者也, 无僭逼之過, 而有朝享之禮, 何也. 大有之世, 明主在上, 群賢竝進, 在內者夙夜唯寅, 在外者朝聘以時. 三之剛居得其正, 又下比於二同德相濟, 只知有公己[89]奉上之道, 安得有過剛之失乎.
내가 살펴보았다: 구삼은 굳센 양으로 굳센 양의 자리에 있으니 지나치게 굳센 것인데도, 지나치게 참람하거나 핍박받음이 없고 조공을 바치는 예가 있음은 어째서인가? 대유의 시대에 총명한 임금이 위에 있고 여러 어진 신하들이 아울러 나아가 등용되어, 안에 있는 자는 이른 아침부터 밤늦게까지 오직 공경하고, 밖에 있는 자는 때에 맞춰 조빙(朝聘)한다. 삼효의 굳센 양이 바른 자리를 얻고, 또 아래에 있는 이효와 비(比)의 관계에 있어 덕을 함께하고 서로를 구제하여 단지 공은 자신의 소유를 윗사람에게 바치는 도만을 알 뿐이니, 어찌 지나친 굳셈에서 오는 잘못이 있을 수 있겠는가?

---

89) 己: 경학자료집성DB와 영인본에 모두 '已'로 되어 있으나, 문맥을 살펴 '己'으로 바로잡았다.

김상악(金相岳)『산천역설(山天易說)』

以乾承離, 三五同功, 故有公用亨于天子之象. 然爲小人所害而不能也. 小人謂四也.
건괘로 리괘를 이어서 삼효와 오효가 공을 함께하기 때문에 공이 천자를 형통하도록 하는 상이 있다. 그러나 소인에게 해를 입어서 이와 같이 할 수가 없다. 소인은 사효를 말한다.

○ 用亨謂用離之德, 使天子享大有之亨也. 晉之爲卦, 離居上而坤與乾對, 故卦辭言康侯, 三接, 大有言公之用亨, 皆公侯朝天子之象也. 又與比爲對, 與師爲反對, 師之二曰, 王三錫命, 比之象曰, 親諸侯, 皆天子臨公侯之象也. 蓋變爻爲睽, 睽之二曰, 遇主于巷, 故本爻之象如此. 小人四之陰, 居得人位也. 睽初九曰, 見惡人, 謂三, 而變而得正, 則謂之公. 指四爲小人, 而三當離乾之交, 與四爲比, 金受火制, 不能遽達, 故曰小人不克.
"형(亨)을 쓴다"는 리괘의 덕을 쓴다는 것을 말하니, 천자에게 대유의 형통함을 향유하도록 하는 것이다. 진괘(晉卦☲)는 리괘괘가 위에 있고 곤괘는 건괘와 음양이 바뀐 괘이기 때문에 괘사에서 "나라를 편안하게 하는 제후를 … 세 번 접견한다"[90]고 하였고, 대유에서는 공이 향유하도록 한다고 말하였으니, 모두 공후(公侯)가 천자에게 조회하는 상이다. 또 비괘(比卦☵)와 서로 음양이 바뀐 괘가 되고, 사괘(師卦☷)와 음양이 바뀌고 거꾸로 된 괘가 되는데, 사괘의 이효에서 "왕이 총애하는 명령을 세 번 내린다"[91]고 하였고, 비괘의 대상에서 "제후들을 친애한다"[92]고 하였으니, 모두 천자가 공후를 다스리는 상이다. 삼효가 변하면 규괘(睽卦☲)가 되는데, 규괘의 이효에서 "임금을 골목에서 만난다"[93]라고 하였기 때문에 삼효의 상이 이와 같다. 소인은 사효의 음이니, 사람의 자리를 얻고 있다. 규괘의 초구에서 "나쁜 사람을 만난다"[94]라고 하였는데 이는 삼효를 말하며, 삼효가 변하여 양으로 바른 자리를 얻으면 공이라고 말한다. 사효를 가리켜 소인이 된다고 하고 삼효는 리괘와 건괘가 만나는 곳에 해당하여 사효와 비(比)의 관계가 되는데 쇠가 불을 받아 억눌려 곧바로 도달할 수 없기 때문에 "소인은 감당하지 못한다"고 하였다.

或曰, 隨之爲卦, 震下兌上, 木遇金克, 而上六曰, 王用亨于西山, 得人之所隨, 與小人害, 相反, 何也. 曰, 兌澤之水, 又生震木, 所以易之取象, 以所勝爲義.
어떤 이가 물었다: 수괘(隨卦☱)는 진괘가 아래에 있고 태괘가 위에 있어서 나무가 쇠를

90)『周易 · 晉卦』: 晉, 康侯, 用錫馬蕃庶, 晝日三接.
91)『周易 · 師卦』: 九二, 在師, 中, 吉, 无咎, 王三錫命.
92)『周易 · 比卦』: 象曰, 地上有水比, 先王, 以, 建萬國, 親諸侯.
93)『周易 · 睽卦』: 九二, 遇主于巷, 无咎.
94)『周易 · 睽卦』: 初九, 悔亡, 喪馬, 勿逐, 自復, 見惡人, 无咎.

만나서 이기므로 상육에서 "왕이 서쪽 산에서 형통하도록 하였다"[95]라고 하였으니, 이 말은 사람들이 따르는 바를 얻었다는 뜻으로, 소인은 해롭게 된다는 것과 서로 반대가 되는데 어째서입니까?
답하였다: 태괘가 의미하는 연못이라는 물은 또한 진괘가 의미하는 나무를 생겨나게 하니, 『주역』에서 상을 취함은 이기는 바를 가지고서 뜻으로 삼았기 때문입니다.

김규오(金奎五) 「독역기의(讀易記疑)」

九三, 小人弗克, 謂小人不能當也.
구삼에서 "소인은 감당하지 못한다"는 소인은 감당할 수 없음을 말한다.

서유신(徐有臣) 『역의의언(易義擬言)』

三之位, 有公侯象. 大有之三, 晉楚之富也. 夫同人之中, 有不同焉, 大有之中, 有不有焉, 三四不有者也. 有而不自有, 其爲不有等耳. 九三居下卦之上, 下卦皆其所有, 卽是公侯富有之象也. 下卦竝屬於六五之所有, 卽是九三不自有而歸之六五之象, 公用亨于天子也. 小人弗克者, 弗克有也, 弗克有, 亦有而不有也. 小人何能保其有乎. 自然灾害竝至而失其有也.
삼효의 자리에는 공후의 상이 있다. 대유괘의 삼효는 진나라나 초나라와 같은 부유함이다. 동인의 가운데에는 함께하지 않음이 있고, 대유의 가운데에는 소유하지 않음이 있으니, 삼효와 사효는 소유하지 않는 자이다. 가지고 있으면서도 스스로 소유하지 않으니, 소유하지 않음과 같을 뿐이다. 구삼은 아래 괘의 맨 위에 있고 아래 괘 모두는 그의 소유이니, 즉 이것이 공후로 부유한 상이다. 아래 괘는 모두 육오의 소유에 속하니, 이것이 구삼은 스스로 소유하지 않고 육오에게로 돌아가는 상이므로 "공이 천자에게 조공을 드린다"는 것이다. "소인은 감당하지 못한다"란 소유할 수 없음이며, 소유할 수 없음은 또 가지고 있어도 가지고 있지 않는 것이다. 소인이 어찌하여 그 소유를 보존할 수 있겠는가? 자연히 재앙과 해로움이 이르게 되어 소유를 잃게 된다.

박제가(朴齊家) 『주역(周易)』

九三, 公用享于天子.
구삼은 공이 천자에게 형통하도록 한다.

---

95) 『周易 · 隨卦』: 上六, 拘係之, 乃從維之, 王用亨于西山.

下交於上. 非陽剛, 不能成大有, 故曰小人不克.
아래에 있으면서 위와 교섭함이다. 굳센 양이 아니라면 대유를 이룰 수가 없기 때문에 "소인은 능하지 못하다"고 하였다.

박문건(朴文健) 『주역연의(周易衍義)』

正功受勞, 故有公用亨之象. 亨, 享禮也.
공(功)을 바로 하고 위로를 받기 때문에 공이 이로써 바치는 상이 있다. '형(亨)'은 향례(享禮)이다.
〈問, 公用亨于天子, 小人, 弗克. 曰, 古者, 諸候有征伐之功, 則天子出而勞之也. 是以諸候設享禮, 而以答天子也. 小人則安能克敵而立功乎. 所以見敗而有害於身也. 蓋上九從他而不來, 故取此義也.
물었다: "공이 천자에게 조공을 드리니, 소인은 감당하지 못한다"는 무슨 뜻입니까?
답하였다: 옛날에는 제후에게 정벌한 공이 있으니, 천자가 나가서 그를 위로하였습니다. 이 때문에 제후는 향례를 실시하여 천자에게 화답을 합니다. 소인이라면 어찌 적을 이겨서 공을 세울 수 있겠습니까? 패배를 당하여 자신에게 해로움이 있게 되는 까닭입니다. 상구는 다른 자를 따라서 오지 않기 때문에 이러한 뜻을 취하였습니다.〉

이지연(李止淵) 『주역차의(周易箚疑)』

九三, 剛而不中, 本非中正之君子, 而生於文明之世, 漸於文明之化, 能修以下奉上之道, 此爲職分之所當. 然而一失之, 則不免於小人之歸, 故戒之.
구삼은 굳센 양이면서 가운데 자리에 있지 않아 본래 알맞고 바른 군자는 아니지만, 문명한 시대에 태어나 문명의 교화로 점차 나아가 아래 사람이 위 사람을 받드는 도를 닦을 수 있으니, 이것이 직분의 마땅한 바가 된다. 그러나 하나라도 잃게 되면, 소인으로 돌아가는 데에서 벗어나지 못하기 때문에 이를 경계하였다.

김기례(金箕澧) 「역요선의강목(易要選義綱目)」

三以公侯之位, 剛正, 則君子之德也. 若陰柔小人, 則以得君虛中下賢之恩爲私利, 而不能朝聘以時享獻以禮, 則鮮克保終, 故曰小人弗克.
삼효는 공후의 자리로 굳세고 바르니 군자의 덕이다. 만약 유순한 음인 소인이라면, 임금이 마음을 비우고 어진 사람에게 낮추는 은혜를 얻음을 사사로운 이익으로 여겨, 때에 맞게 조빙(朝聘)하지 않고 예(禮)에 맞게 바치지 않으므로 끝내 보존할 수 있는 자가 드물기 때문에 "소인은 감당하지 못한다"라고 하였다.

○ 天子, 指六五.
천자는 육오를 가리킨다.

이항로(李恒老) 「주역전의동이석의(周易傳義同異釋義)」

傳, 亨通于天子
『정전』에서 말하였다: 천자에게 형통하도록 하다.[96]
本義, 亨春秋傳作享
『본의』에서 말하였다: 형(亨)은 『춘추전』에 향(享)으로 되어 있다.

按, 朱子曰, 字畫音韻, 是經中淺事, 故先儒得其大者, 多不留意. 然不知此等處不理會, 枉費了无限辭說牽補, 而卒不得其本義, 亦甚害事.
내가 살펴보았다: 주자는 "글자의 획과 음운(音韻)은 경(經) 중에서는 작은 일이기 때문에 선유들이 그 큰 것을 얻을 때에는 이 점에 대하여 주의를 기울이지 않은 경우가 많았다. 그러나 이러한 곳에서 이해하지 못하면 무한히 여러 설들을 끌어다가 보충하여 끝내 그 본래의 뜻을 얻을 수 없게 됨을 알지 못하였으니, 또한 일에 해로움이 매우 많다."[97]고 하였다.

심대윤(沈大允) 『주역상의점법(周易象義占法)』

大有之睽☲, 立異也. 以剛居剛, 能有得於善而去其害以及人之害者也, 其事彰矣. 公用亨于天子, 言與人同利也. 乾爲天, 兌之對艮爲子爵, 坎爲酒食, 兌爲亨. 小人不克, 言去害也. 离坤爲小人, 乾之對坤, 离艮爲克. 凡交對取象, 皆有至理. 讀者自知之矣.
대유괘가 규괘(睽卦☲)로 바뀌었으니, 다름을 세운다. 굳센 양으로 굳센 양의 자리에 있으므로, 선을 얻고 악을 제거하여 다른 사람의 해로움에도 미칠 수가 있는 자이니, 그 일이 뚜렷하게 드러난다. "공이 천자에게 조공을 드린다"는 다른 사람과 이익을 함께함을 말한다. 건괘는 하늘이 되고, 태괘의 음양이 바뀐 간괘는 자작(子爵)이 되며, 감괘는 술과 음식이 되고, 태괘는 드린다는 뜻이 된다. "소인은 하지 못한다"는 해로움을 제거한다는 뜻이다. 리괘와 곤괘는 소인이 되는데, 건괘의 음양이 바뀐 괘는 곤괘이며, 리괘와 간괘는 능하다는

96) 『정전』에는 이러한 구절이 없다.
97) 『회암집 · 합양원범』.

뜻이 된다. 아래와 위 괘나 호괘의 음과 양을 서로 바꾼 괘에서 상을 취하였으니, 모두 지극한 이치가 있다. 읽는 자가 스스로 알게 될 것이다.

오치기(吳致箕) 「주역경전증해(周易經傳增解)」

九三, 剛健得正而在下之上. 居公侯之位, 以其大有之物享獻于天子之庭, 以修藩邦之職. 而至於在下之小人, 則雖或富[98]有, 惟其正供之外, 罔敢踰分濫節, 而有所私獻, 故雖切向上之誠, 而弗克爲也. 此所以戒之也.
구삼은 강건한 양이 바른 자리를 얻어 아래 괘의 맨 위에 있다. 공후(公侯)의 자리에 있으면서 크게 소유한 물(物)을 가지고 천자의 뜰에 바쳐서 나라를 지키는 직책을 수행해야 한다. 아래에 있는 소인에 이르러서는 비록 부유하더라도 오직 정당한 부세를 제외하고는 감히 경솔하게 직분을 넘고 절도에 넘치게 할 수 없는데, 사사롭게 바치는 바를 가지기 때문에 비록 윗사람을 향한 정성이 절실하더라도 할 수가 없다. 이것이 경계하는 까닭이다.

○ 亨本義作享, 而謂享獻也. 卦中有車馬玉帛之象, 故言享獻也. 克, 能也. 當大有之時, 四海臣庶罔不嚮應于六五之君, 故竝及小人而言也.
'형(亨)'은 『본의』에서는 '향(享)'으로 되어 있으니, 바치고 드린다는 말이다. 괘중에는 수레·말·옥·비단의 상이 있기 때문에 "바치고 드린다"고 하였다. '극(克)'은 능하다는 뜻이다. 대유의 때를 맞아서 세상의 여러 신하들은 감히 경솔하게 육오의 임금과 직접 대하면서 호응할 수가 없기 때문에 아울러 소인까지도 언급하였다.

이진상(李震相) 『역학관규(易學管窺)』

公用亨于天子,
공이 천자에게 조공을 드리니,

只言公, 則未見其爲君子小人也. 聖明在上, 遏惡而揚善, 故朝享于天子者, 如是君子, 則進必以禮享, 亦多儀, 而如是小人, 則儀不及物, 是爲不役志于享, 惟曰不享. 所以有害, 恐非以專其富有而爲害也.
단지 '공(公)'이라고만 말하였으니, 그가 군자인지 혹은 소인인지를 알 수 없다. 현명한 천자가 위에 있으면서 악을 막고 선을 드날리기 때문에 천자에게 조공(朝貢)을 드리는 자가 만일 군자라고 한다면 나아갈 때에 반드시 예(禮)로써 드릴 것이니 예의(禮儀)가 많을 것이고,

98) 富: 경학자료집성DB와 영인본에 모두 '當'으로 되어 있으나, 문맥을 살펴 '富'로 바로잡았다.

만일 소인이라고 한다면 예의가 물건에 미치지 못하니, 이것이 "드림[享]에 뜻을 쓰지 않으면 백성들이 '굳이 드릴 필요가 없다'고 한다"는 것이다.[99] 해로움이 있는 까닭을 살펴보면, 아마도 오로지 그 부유함 때문에 해로움이 되는 것은 아닌 듯하다.

채종식(蔡鍾植) 「주역전의동귀해(周易傳義同歸解)」

大有, 九三, 公用亨于天子,
대유괘 구삼은 공이 천자에게 조공을 드리니,

傳作亨通之亨, 本義作朝享之亨. 蓋居諸侯之位者, 不自有其富盛, 而必用亨通于天子, 則乃恪恭奉職, 而不失朝享之義也. 兩說不相妨耳.
『정전』에서는 형통하다고 할 때의 형(亨)이라고 하였고, 『본의』에서는 "조공을 드리다[亨]"라고 할 때의 형(亨)이라고 하였다. 제후의 자리에 있는 자가 부유하고 성대함을 자신의 소유로 하지 않고 반드시 이로써 천자를 형통하도록 한다면, 이내 삼가고 공손하게 자신의 직분을 받들어 조공하여 드리는 의로움을 잃지 않는다. 두 설은 서로 모순되지 않을 뿐이다.

박문호(朴文鎬) 「경설(經說)·주역(周易)」

亨字當從本義作享, 如此然後, 於程子所釋之義, 爲尤密矣.
'형(亨)'자는 마땅히 『본의』에서 말한 '향(享)'을 따라야 하니, 이와 같은 후에 정자가 풀이한 뜻이 더욱 엄밀하게 된다.

小人大有, 則爲害, 此主小人而言, 大有爲小人之害, 此主大有而言, 互相發明, 而其義則一也.
"소인이 크게 소유하면 해롭게 된다"고 하였으니, 이것은 '소인'을 위주로 하여 말한 것이고, "크게 소유하는 것이 소인에게 해가 된다"는 '크게 소유함'을 위주로 하여 말한 것이니, 서로 뜻을 드러내 밝히므로 그 뜻은 동일하다.

이용구(李容九) 「역주해선(易註解選)」

九三之諸侯, 上九功成身退之耆舊乎.
구삼은 제후이니, 상구는 공을 이루고 난 후 스스로 은퇴한 나이 많은 옛 신하일 것이다.

---

99) 『書經·洛告』: 汝其敬, 識百辟, 享, 亦識其有不享, 享, 多儀, 儀不及物, 惟曰不享, 惟不役志于享, 凡民, 惟曰不享, 惟事 其爽侮.

象曰, 公用亨于天子, 小人, 害也.

정전 「상전」에서 말하였다: "공이 천자에게 형통하도록 함"은 소인은 해로울 것이다.
본의 「상전」에서 말하였다: "공이 천자에게 조공을 드림"은 소인은 해로울 것이다.

中國大全

傳

公當用亨于天子, 若小人處之, 則爲害也. 自古, 諸侯能守臣節, 忠順奉上者, 則蕃養其衆, 以爲王之屛翰, 豊殖其財, 以待上之徵賦. 若小人處之, 則不知爲臣奉上之道, 以其爲己之私, 民衆財豊, 則反擅其富强, 益爲不順. 是小人大有, 則爲害, 又大有爲小人之害也.

공은 마땅히 천자에게 형통하도록 해야 하니, 만약 소인이 이런 자리에 처하게 된다면 해롭게 된다. 예로부터 제후로 신하의 절개를 지켜 충직하고 순종함으로 윗사람을 받드는 자는 자신의 무리를 번성하도록 길러내어 왕의 울타리로 만들고, 자신의 재물을 풍성하게 늘려서 윗사람의 징부(徵賦)를 대비한다. 만약 소인이 이런 자리에 처하게 된다면 신하가 되어서 윗사람을 받드는 도를 알지 못하여 그 재물을 자신의 사사로운 것으로 여겨 백성이 많고 재물이 풍부하면 도리어 부강함을 마음대로 하여 더욱 순종하지 않게 된다. 이것이 소인이 크게 소유하면 해롭게 된다는 것이며, 또 크게 소유하는 것이 소인에게 해가 된다는 것이다.

小註

臨川吳氏曰, 小人得此占, 則不利也.
임천오씨가 말하였다: 소인이 이 점괘를 얻으면 이롭지 않다.

韓國大全

조호익(曺好益) 『역상설(易象說)』

象曰, 小人害也.
「상전」에서 말하였다: 소인은 해로울 것이다.

三變, 則陰柔不正, 又在坎體, 豈能免於害也.
삼효가 변하면 유순한 음이 바른 자리에 있지 않으며, 또 감괘의 몸체에 있으니, 어찌 해로운 데에서 벗어날 수 있겠는가?

김상악(金相岳) 『산천역설(山天易說)』

害者, 害公之用亨也.
해로움이란 공이 향유하도록 하는 것을 해롭게 하는 것이다.

김규오(金奎五) 「독역기의(讀易記疑)」

象, 小人, 害也, 謂小人遇之, 則非徒不吉而反爲害也. 其言比不克, 夐深一層, 朱子所謂无其德, 而得是占者, 卻是反說, 如南蒯云云. 蓋亦周孔本意耳.
「상전」에서 "소인은 해로울 것이다"라고 한 것은 소인이 이러한 상황을 만나면 단지 길하지 못할 뿐만 아니라, 도리어 해로움이 됨을 말한다. 그러므로 그 말이 "능하지 못하다[不克]"와 비교하면 한 층 더 깊이가 있으니, 주자가 "그 덕이 없으면서 이러한 점괘를 얻은 자는 도리어 이러한 말과 반대가 되니, 남괴(南蒯)[100]와 같다"[101]고 한 것이다. 또한 주공과 공자의 본래 뜻일 뿐이다.

서유신(徐有臣) 『역의의언(易義擬言)』

小人反致灾害, 而弗克有也.

---

100) 남괴(南蒯): 춘추시대 노(魯)나라 비읍(費邑)의 재상이었는데, 당시 노나라의 실권자였던 계평자(季平子)의 홀대에 모반을 일으켰다가 실패하였다.

101) 『춘추좌씨전 · 소공』 12년과 14년.

소인은 도리어 재앙과 해로움에 이르게 되고 소유할 수 없다.

오치기(吳致箕) 「주역경전증해(周易經傳增解)」

小人而若踰濫常分, 有所私獻, 則反爲大有之咎害也.
소인이면서 만약 떳떳한 직분을 넘어 사사롭게 드리는 바가 있다면, 도리어 대유의 허물과 해로움이 된다.

九四，匪其彭，无咎.

정전 구사는 지나친 풍성함에 처하지 않도록 하면 허물이 없다.
본의 구사는 성함을 지극히 하지 않으므로 허물이 없다.

中國大全

傳

九四居大有之時, 已過中矣, 是大有之盛者也. 過盛則凶咎所由生也, 故處之之道匪其彭, 則得无咎, 謂能謙損, 不處其太盛, 則得无咎也. 四近君之高位, 苟處太盛, 則致凶咎. 彭盛多之貌, 詩載馳, 云汶水湯湯, 行人彭彭, 行人盛多之狀, 雅大明云 駟騵彭彭, 言武王戎馬之盛也.

구사는 대유의 때를 맞아 이미 중간을 지나쳤으니, 이것은 대유의 성(盛)한 것이다. 지나침이 성함은 흉함과 허물이 생겨나도록 하는 바이므로, 이것에 대처하는 도가 풍성하지 않도록 한다면 허물이 없을 수 있다는 것이니, 겸손할 수 있어서 그 지나친 풍성함에 처하지 않는다면 허물이 없을 수 있다는 말이다. 구사는 군주의 높은 자리에 가까우므로 만약 크게 풍성한 데에 처하게 되면 흉함과 허물에 이르게 된다. '팽(彭)'은 성하고 많은 모양으로, 『시경 · 재구』에서 "문수는 세차게 흐르는데, 행인은 아주 많구나"라고 하였으니, 행인이 성하고 많은 형상이며 「대아 · 대명」에서 "사원(駟騵)이 아주 많구나"라고 하였으니, 무왕의 전투마가 성함을 말한 것이다.

本義

彭字音義未詳, 程傳曰, 盛貌, 理或當然. 六五柔中之君, 九四以剛近之, 有僭偪之嫌, 然以其處柔也, 故有不極其盛之象而得无咎. 戒占者宜如是也.

팽(彭)자의 음과 뜻은 상세하지 않으나 「정전」에서는 성한 모양이라고 하였으니, 이치가 혹 마땅히 그럴 듯하다. 육오는 유순하면서 중을 얻은 군주인데, 구사는 강건함으로써 그를 가까이 하니 참람하고 핍박하는 혐의가 있으나 그가 유순함에 처하기 때문에 성함을 지극히 하지 않는 상을 가지고 있어서 허물이 없을 수 있다. 점을 치는 사람에게 마땅히 이와 같이 하기를 경계한 것이다.

小註

東谷鄭氏曰, 九四居四陽之首, 而率諸陽與之偕進, 其盛多蓋彭彭矣. 然明不能燭理, 智不能慮遠, 以其盛多者而震之, 必非柔中之君所能安也. 下三陽皆健體, 四乃明之首也, 有明辨之晳, 則匪其彭, 然後免於咎.
동곡정씨가 말하였다: 구사는 네 양의 맨 위에 있어서 여러 양들을 거느리고 함께 나아가니, 성하고 많음이 대체로 빽빽하다. 그러나 밝음은 이치를 밝힐 수 없고 지혜는 멀리까지 헤아릴 수 없이시 성하고 많은 것을 가지고 놀라게 하니, 반드시 유순하면서 알맞음을 언은 군주가 편안히 할 수 있는 바가 아니다. 아래의 세 양은 모두 강건한 몸체이며 사효는 밝음의 가장 높은 곳에 있어서 분명하게 분별할 수 있는 지혜를 가지니, 성한 데에 이르지 않아야 그러한 후에 허물에서 벗어난다.

○ 雲峯胡氏曰, 卦名大有, 彭字卽大字之義. 大有皆六五之有也. 六五在上, 而九四以剛近之, 有僭偪之嫌, 必不有其大而後可以无咎也.
운봉호씨가 말하였다: 괘의 이름이 '대유(大有)'이니, 방(彭)자는 대(大)자의 뜻이다. 크게 소유한다는 것은 모두 육오의 소유이다. 육오가 위에 있고 구사는 강건함을 가지고서 그를 가까이 하기 때문에 참람하고 핍박한다는 혐의가 있으므로 반드시 큰 것을 가지지 않은 후에 허물이 없을 수 있다.

韓國大全

조호익(曺好益) 『역상설(易象說)』

九四, 匪其彭,
구사는 지나친 풍성함에 처하지 않도록 하면,

四以剛居柔, 謙也. 體又離明, 謙虛而明辨, 所以有匪其彭之象.
사효는 굳센 양으로 유순한 음의 자리에 있으니 겸손하다. 몸체는 또한 리괘로 밝으니, 겸허하면서도 밝게 분별하여 지나치게 성하지 않은 상이 있다.

송시열(宋時烈)『역설(易說)』

九四彭, 傳以爲盛多貌. 來氏云彭皷聲也. 震爲皷, 四變則爲震, 云云, 未知是否.
구사의 '팽(彭)'에 대하여『정전』에서는 '성하고 많은 모양'으로 여겼다. 래지덕은 "'팽(彭)'은 북소리다. 진괘는 북이 되는데, 사효가 변하면 진괘가 된다"라고 하였으나, 옳은지 그른지 알지 못하겠다.

유정원(柳正源)『역해참고(易解參攷)』

王氏曰, 旣失其位, 而上近至尊之威, 下比分權之臣, 可謂危矣. 專心承五, 常匪其旁, 則无咎矣. 旁謂三也.
왕필이 말하였다: 이미 제자리를 잃었으나 위로는 지존의 위엄이 있는 육오와 가깝고 아래로는 권력을 나눠가진 신하와 비(比)의 관계에 있으므로 위태로울 만하다. 마음을 한결같이 하여 오효를 받들고 항상 옆에 있는 구삼을 그르다고 하면 허물이 없다. 옆[旁]은 삼효를 말한다.

○ 廬陵龍氏曰, 彭, 干云彭亨, 退之詩豕腹脹彭亨, 是也, 盈滿而不能容之義. 四陽盛大, 當大有之時而居近君之位, 盈滿可知. 譬之腹焉, 滿盈而至彭, 則病矣. 唯有識之賢, 退然謙虛, 廓然大受, 雖盈也, 何彭之有. 匪其彭, 猶言未嘗彭也, 故爲无咎.
여릉용씨가 말하였다: '팽(彭)'에 대해 간보는 "배가 부르거나 팽창하다"라고 하였고, 한유의 시에서는 "돼지의 배가 불러서 팽창하다"102)라고 하였는데 여기서 말한 '팽(彭)'이 이것이니, 가득 차서 수용할 수 없다는 뜻이다. 네 양이 성대하고 대유의 때를 맞이하여 임금과 가까운 자리에 있으므로 가득 참을 알 수가 있다. 배에다 비유하면 가득 차서 팽창하는 데에 이른다면 병이 나는 것과 같다. 오직 깨달음이 있는 어진 사람만이 온화한 모습으로 겸허하고 확 트이고 텅 비어있어 크게 수용할 수 있으니, 비록 가득하더라도 어찌 팽창할 만큼 풍성함이 있겠는가? "성함을 지극히 하지 않다"란 아직 풍성하지 않다는 말과 같기 때문에 허물이 없다.

김상악(金相岳)『산천역설(山天易說)』

彭盛多貌. 居乾之外, 與五相比, 以剛承柔, 不極其盛, 故得无咎也.
'팽(彭)'은 성하고 많은 모양이다. 건괘의 바깥에 있으면서 오효와 서로 비(比)의 관계에 있고, 굳센 양으로 유순한 음을 받들고 있어서 풍성함을 지극히 하지 않기 때문에 "허물이 없다"고 할 수 있다.

---

102)『芥隱筆記』: 退之石鼎聯句, 豕腹脹彭亨, 乃用詩蕩炰烋于中國, 注炰烋彭亨也.

○ 乾三陽, 陽之盛, 而九四異體居陰, 比五以節其過, 故曰, 匪其彭.
건괘의 세 양은 양의 풍성함이며, 구사는 이와 다른 몸체에서 음의 자리에 있고 또 오효와 비의 관계에 있으므로 지나침을 절제하기 때문에 "성함을 지극히 하지 않다"고 하였다.

或曰, 彭車盛貌, 二取車象, 故四言彭. 柔君在上而四能損抑其盛, 故以无咎爲善. 萃則九五有位而四有陵逼之勢, 故以大吉无咎爲戒.
어떤 이가 말하였다: '팽(彭)'은 수레가 성대한 모양으로, 이효가 수레의 상을 취하였기 때문에 사효에서 '팽(彭)'을 말하였다. 유순한 임금이 위에 있고 구사는 풍성함을 눌러 억제할 수 있기 때문에 허물이 없음으로써 선이 된다. 취괘(萃卦☱)인 경우에는 구오가 제자리에 있고 구사는 억누르는 형세가 있기 때문에 "크게 길하여 허물이 없다"[103]로 경계를 삼은 것이다.

서유신(徐有臣) 『역의의언(易義擬言)』

富有至於四, 故有彭大之象. 下卦異體, 非四之屬, 故有匪其彭之象. 比五而不與下, 善處彭矣, 故无咎也. 四亦有而不自有者也.
부유함이 사효에 이르렀기 때문에 풍성하고 큰 상이 있다. 아래 괘는 다른 몸체이므로 사효에게 속하는 것이 아니기 때문에 성함을 지극히 하지 않은 상이 있다. 오효와 비(比)의 관계에 있고 아래에 있는 효들과 함께하지 않아 풍성함에 잘 대처하기 때문에 허물이 없다. 사효는 또한 가지고 있으면서도 스스로 가지지 않는 자이다.

박문건(朴文健) 『주역연의(周易衍義)』

疑而退遠, 故有匪其彭之象. 匪其彭, 言匪初九之傍近也.
의심하여서 멀리 물러나기 때문에 성함을 지극히 하지 않은 상이 있다. "성함을 지극히 하지 않다"는 초구가 옆에서 친하지 않음을 말한다.

103) 『周易 · 萃卦』: 九四, 象曰, 大吉无咎, 位不當也.

김기례(金箕澧) 「역요선의강목(易要選義綱目)」

離爲大腹, 故曰彭, 如醫經彭脹之義.
리괘는 큰 배가 되기 때문에 '팽(彭)'이라고 하였으니, 의경에 나오는 '팽복(彭脹)'의 뜻과 같다.

○ 近君而統四陽, 則易涉自大, 居多懼之地, 當大有之時, 若有彭大之像, 豈其明辨之智.
임금에게서 가깝고 네 양들을 통솔하니 스스로를 크게 여기는 데에 이르기가 쉽지만, 두려움이 많은 곳에 있으므로 대유의 때를 맞아 만약 성대한 상을 가지고 있다면, 어떻게 밝게 분별하는 지혜일 수 있겠는가?

심대윤(沈大允) 『주역상의점법(周易象義占法)』

大有之大畜☶. 九四, 以剛居柔, 復禮揚善之功已盛, 而所畜者甚大也. 下畜三陽而竝己爲六五之畜, 文王之三分天下有其二, 以服事殷, 是也. 忠恕行而物與同得, 不獨有也, 故曰匪其彭. 彭盛多也, 大畜之對萃, 俱有彭之義, 言能施澤于天下, 而不專亨也.
대유괘가 대축괘(大畜卦☶)로 바뀌었다. 구사는 굳센 양이 유순한 음의 자리에 있으면서 예(禮)를 회복하고 선을 드날리는 공이 이미 성대하므로 쌓은 바가 매우 크다. 아래로는 세 양을 저지하고 아울러 자신은 육오에게 저지당하니, 문왕이 천하를 삼등분하여 그 둘을 차지하면서도 은나라를 섬겼던 것이 바로 이것이다. 충서로 행하고 물(物)을 함께 얻어서 홀로 소유하지 않기 때문에 "성함을 지극히 하지 않다"고 하였다. '팽(彭)'은 성하고 많다는 것이며, 대축괘가 음양이 바뀐 괘인 취괘(萃卦☷)도 '팽(彭)'의 뜻을 가지고 있는데, 은택을 천하에 베풀 수 있어서 혼자 향유하지 않는다는 말이다.

오치기(吳致箕) 「주역경전증해(周易經傳增解)」

九四, 剛健而乘三陽之上, 切近於六五之君, 宜若有過盛之咎, 然以其性明而居柔能知滿盈之危, 深有抑損之志, 故言所有雖大, 亦匪其太盛, 而能无咎也.
구사는 강건하면서 세 양의 위에 올라타고 있으며 육오인 임금과 무척 가까워서 마땅히 지나치게 풍성한 허물이 있을 듯하지만, 본성이 밝고 유순한 음의 자리에 있어서 가득 찰 때의 위험을 알기 때문에 교만한 마음을 억누르고 겸손하려는 뜻을 깊이 가지고 있으므로, 가지고 있는 바가 비록 크더라도 또한 지극히 풍성하지 않아서 허물이 없을 수 있다고 말한 것이다.

○ 彭盛壯貌.
'팽(彭)'은 풍성하고 장대한 모양이다.

이진상(李震相) 『역학관규(易學管窺)』

彭, 猶彭亨之彭. 離爲大腹, 有盛滿之象, 而九四初涉離體 未爲盛滿, 故曰, 匪其彭.
'팽(彭)'은 "배가 부르거나 팽창하다"[104]에서의 '팽'과 같다. 리괘는 큰 배가 되어 풍성하고 가득 찬 상이 있으나 구사는 리괘의 몸체를 처음 지나는 자리여서 아직 풍성하고 가득 차지 않았다. 그러므로 "성함을 지극히 하지 않다"고 하였다.

이병헌(李炳憲) 『역경금문고통론(易經今文考通論)』

彭, 虞作尫.
'팽(彭)'을 우번은 왕(尫)으로 기록했다.

---

104) 『太平御覽 · 養生』: 尋常飮食, 每令得所, 多飡令人彭亨短氣, 或致暴疾.

象曰, 匪其彭无咎, 明辨晳也.

정전 「상전」에서 말하였다: "지나친 풍성함에 처하지 않도록 하면 허물이 없음"은 분별하는 지혜가 밝기 때문이다.

본의 「상전」에서 말하였다: "성함을 지극히 하지 않으므로 허물이 없음"은 밝게 분별함이 분명한 것이다.

中國大全

傳

能不處其盛而得无咎者, 蓋有明辨之智也. 晳明智也. 賢智之人明辨物理, 當其方盛, 則知咎之將至. 故能損抑, 不敢至於滿極也.

풍성함에 처하지 않을 수 있어서 허물이 없을 수 있는 것은 밝게 분별할 수 있는 지혜가 있기 때문이다. '석(晳)'은 밝은 지혜이다. 어질고 지혜로운 사람은 물리(物理)를 밝게 분별하여 풍성한 때를 맞이하면 허물이 장차 이를 것을 안다. 그러므로 덜어내고 억제하여 감히 가득하고 지극한 상태에 이르지 않도록 한다.

本義

晳, 明貌.

'석(晳)'은 밝은 모양이다.

小註

雲峯胡氏曰, 當大有之時而不有其大, 非明者, 不能也. 明辨晳, 皆以離言.

운봉호씨가 말하였다: 대유의 때를 맞아 큰 것을 소유하지 않는 것이니, 지혜가 밝은 자가 아니라면 할 수가 없다. "밝게 분별함이 분명하다"란 모두 상괘인 리괘를 가지고서 말하였다.

韓國大全

송시열(宋時烈) 『역설(易說)』

明辨哲者, 離爲明, 又互卦有澤天夬之象. 夬有明辨之義.
"밝게 분별함이 분명하다"라고 말한 것은 리괘가 밝음이 되고, 또 호괘에는 태괘가 의미하는 못이 위에 있고 건괘가 의미하는 하늘이 아래에 있는 쾌괘(夬卦☱)의 상이 있는데, 쾌괘에는 밝게 분별하는 뜻이 있기 때문이다.

유정원(柳正源) 『역해참고(易解參攷)』

明辨晳.
분별하는 지혜가 밝기 때문이다.

正義, 明猶才也. 九四所以能去其旁之九三者, 由九四才性, 辨而晳能知, 斟酌事宜, 故云明辨晳也.
『주역정의』에서 말하였다: '명(明)'은 자질[才]과 같다. 구사는 이러한 자질로 곁에 있는 구삼을 버릴 수 있는 자이니, 구사의 자질과 성을 말미암아 변별하고 밝게 알 수가 있으므로 일의 마땅함을 짐작하기 때문에 "분별하는 지혜가 밝기 때문이다"라고 하였다.

○ 丹陽都氏曰, 辨者察治之謂, 晳者別白之謂.
단양도씨가 말하였다: '변(辨)'이란 다스림을 살피는 것을 말하고, '절(晳)'이란 명백하게 분별하는 것을 말한다.

김상악(金相岳) 『산천역설(山天易說)』

晳, 明貌.
'절(晳)'은 밝은 모양이다.

서유신(徐有臣) 『역의의언(易義擬言)』

離爲明而居兩體之際, 有明於辨別之象也. 辨晳明, 則見下卦之異體而不屬於已也.
리괘는 밝음이 되며, 구사는 두 몸체의 사이에 있으므로 변별하는 데에 밝은 상이 있다. 변별하는 지혜가 밝으면, 하괘가 다른 몸체이면서 자기에게 속하지 않음을 안다.

박문건(朴文健) 『주역연의(周易衍義)』

〈問, 明辨晳. 曰, 九四處遠而无咎, 故謂之明辨晳也. 曰明而又曰晳者, 贊九四之善避禍也.
물었다: '명변절(明辨晳)'은 무슨 뜻입니까?
답하였다: 구사는 멀리 있어서 허물이 없기 때문에 '명변절(明辨晳)'이라고 하였습니다. "밝다[明]"고 하고서 또 "밝다[晳]"고 한 것은 사효가 화를 잘 피할 수 있음을 칭찬한 것입니다.〉

심대윤(沈大允) 『주역상의점법(周易象義占法)』

義欲之分旣明而利害判矣. 离兌爲明辨, 巽爲晳.
의(義)와 사욕의 구분은 이미 명백하여 이익과 해로움이 판별된다. 리괘와 태괘는 밝게 변별한다는 뜻이 되고, 손괘은 밝다는 뜻이 된다.

오치기(吳致箕) 「주역경전증해(周易經傳增解)」

能知抑損, 不至過盛, 乃明辨物理之故也. 晳明貌, 取離象.
교만한 마음을 억누르고 겸손할 줄 알아 지나친 풍성함에 이르지 않으니, 물(物)의 이치가 그러한 까닭을 밝게 분별하기 때문이다. '절(晳)'은 밝은 모양으로 리괘의 상에서 취하였다.

이진상(李震相) 『역학관규(易學管窺)』

象言明晳火象, 言其才性明慧, 能辨別事, 宜不以盛滿自居.
「상전」에서 '명절(明晳)'을 말한 것은 불의 상 때문이니, 자질과 성(性)이 총명하고 지혜로워 사물을 변별할 수 있으므로 마땅히 풍성하고 가득 찬 곳에 스스로 있지 않음을 말한다.

이병헌(李炳憲) 『역경금문고통론(易經今文考通論)』

兩剛相對不相應, 故初對四爲彭也.
두 굳센 양이 상대하고 상응하지 않기 때문에 초효가 사효에 대해서 교만하고 성대함이 된다.

干曰, 彭驕盛貌.
간보가 말하였다: '팽(彭)'은 교만하고 성대한 모양이다.

六五, 厥孚交如, 威如, 吉.

육오는 믿음으로 사귀니, 위엄 있게 하면 길하다.

中國大全

傳

六五當大有之時, 居君位虛中, 爲孚信之象. 人君執柔守中而以孚信接於下, 則下亦盡其信誠, 以事於上, 上下孚信相交也. 以柔居尊位, 當大有之時, 人心安易, 若專尚柔順, 則陵慢生矣. 故必威如, 則吉. 威如, 有威嚴之謂也. 旣以柔和孚信, 接於下, 衆志說從, 又有威嚴, 使之有畏, 善處有者也, 吉可知矣.

육오가 대유의 때를 맞이하여 군주의 자리에 있으면서 마음을 비우니, 믿음의 상이 된다. 임금이 유순함을 잡으면서 알맞음을 지켜 믿음으로써 아랫사람들을 접하면, 아랫사람들도 또한 믿음과 정성을 다하여 윗사람을 섬길 것이니, 윗사람과 아랫사람이 믿음을 가지고 서로 사귄다. 유순함을 가지고 존귀한 자리에 있으면서 대유의 때를 맞으면 사람들의 마음이 안이해지니, 만약 오로지 유순함만을 숭상한다면 능욕과 태만함이 생길 것이다. 그러므로 반드시 위엄 있게 하면 길하다. '위여(威如)'는 위엄이 있음을 말한다. 이미 유순함과 화합함과 믿음을 가지고서 아랫사람들을 접하므로 여러 사람들의 마음은 기뻐서 따르고, 또 군주가 위엄이 있어서 그들에게 두려움을 갖도록 하여 대유의 때를 맞아 잘 대처하는 사람이니, 길함을 알 수가 있다.

本義

大有之世, 柔順而中, 以處尊位, 虛己以應九二之賢而上下歸之, 是其孚信之交也. 然君道貴剛, 太柔則廢, 當以威濟之, 則吉. 故其象占如此, 亦戒辭也.

대유의 시대에 유순하면서 알맞음을 얻어 존귀한 자리에 처하여 있고, 자신을 비워서 구이의 어짊에 호응하며 아래와 위가 모두 그에게 돌아가니, 이것이 믿음을 가지고서 교유한 것이다. 그러나 군주의 도는 강함을 귀하게 여기므로 너무 유순하면 폐하게 되니, 마땅히 위엄으로써 다스리면 길하다. 그러므로 그 상과 점이 이와 같으니, 또한 경계한 말이다.

小註

潛室陳氏曰, 大有之六五, 但言厥孚交如威如吉者, 蓋一卦以一陰爲主, 所有已極其大. 但當交之以孚, 濟之以威, 則能保有其大矣. 孚者其本有, 威者其不足也.
잠실진씨가 말하였다: 대유의 육오에 대해서 단지 "믿음으로써 사귀니, 위엄 있게 다스리면 길하다"고만 말한 것은 하나의 괘에서 하나의 음이 주인이 되어 소유한 바가 이미 지극히 크기 때문이다. 단지 교유를 할 때 믿음으로써 하고 다스릴 때 위엄을 가지고 한다면, 그 크게 소유한 바를 보존할 수 있다. 믿음이란 그가 본래 가지고 있는 바이며, 위엄이란 원래 부족했던 바이다.

○ 中溪張氏曰, 六五爲大有之主, 離體中虛, 有厥孚之象. 柔得尊位而上下應之, 故曰交如. 以我之誠心而發彼之誠心, 此其所以交孚也. 然當大有海內富庶之時, 人心易至玩弛, 寬裕溫柔, 雖足以有容, 非發强剛毅, 則不足以有執. 故交如之後繼之以威如, 則可以保其吉也. 苟徒有以孚之而无以威之, 則人將慢, 易之心生而无畏備之者矣, 豈能常保其有乎. 此威如之吉, 聖人之深戒也.
중계장씨가 말하였다: 육오는 대유의 주인이 되는데, 육오가 있는 리괘는 가운데가 비어 있어서 믿음을 가지고 있는 상이다. 유순하면서도 존귀한 자리에 있고 위와 아래가 그에 호응하므로 사귄다고 하였다. 나의 진실한 마음을 가지고서 저들의 진실한 마음을 일으키니, 이것이 믿음으로써 사귀는 까닭이다. 그러나 대유가 되는 천하에 재물이 풍부하고 인구가 많은 때를 맞이하여서 인심은 느슨해지고 게을러지게 되어, 너그럽고 여유로우며 온유하여 넉넉하게 받아들일 만하지만, 강하고 굳세지 않으면 잡아 지켜내기에는 부족하다. 그러므로 위엄을 있게 함으로써 사귄 후에 계속해서 위엄 있게 한다면 길함을 보존할 수 있다. 만약 믿음만 가지고서 위엄 있게 하지 않는다면, 사람은 장차 태만해져서 안이해지는 마음이 생겨나 두려워하고 대비하는 자가 없을 것이니, 어찌 가지고 있는 바를 항상 보존할 수 있겠는가? 이것이 위엄 있게 하면 길하다고 한 것이니, 성인이 깊이 경계한 것이다.

韓國大全

송시열(宋時烈) 『역설(易說)』

離有錯坎爲孚象. 交如者, 五之於二, 二之於五, 如相交然. 然陰爻揔群陽, 而專用柔順, 則易而无備, 故必用威猛之道然後, 吉也. 柔故戒威.
리괘에는 음양이 바뀐 감괘가 있으니, 믿음의 상이 된다. "사귄다"란 오효가 이효에 대하여, 또 이효가 오효에 대하여 서로 사귄다는 것과 같다. 그러나 음효가 여러 양을 거느리면서 오로지 유순함만을 쓴다면 안이해져서 대비함이 없게 되기 때문에, 반드시 위엄과 용맹의 도를 쓴 후에 길하게 된다. 유순하기 때문에 위엄 있게 해야 한다고 경계하였다.

석지형(石之珩) 『오위귀감(五位龜鑑)』

臣謹按, 大有之六五, 以一陰主五陽, 爲弱主伏强臣之象. 偏於孚信, 則慢生, 一於威嚴, 則害成, 故旣曰, 厥孚交如, 又曰, 威如吉, 蓋欲其威信相濟也. 今世非大有之時, 而殿下之剛健, 足以擊强, 則先信後威, 以服民志, 斯爲美矣. 噫. 交如之如, 有孚信甚盛之意, 威如之如, 有暫示威武之意, 兩箇如字, 其義微別, 不可形言之中, 自有隱然著見者. 伏願殿下潛心焉.
신이 삼가 살펴보았습니다: 대유의 육오는 하나의 음이 다섯 양의 주인이 됨으로써 약한 임금이 강한 신하를 굴복시키는 상이 됩니다. 믿는 데에만 치우친다면 태만함이 생겨나고 위엄 있는 데에만 한결같이 하면 해로움이 형성되기 때문에, 이미 "믿음으로써 사귄다"고 하고, 또 "위엄 있게 하면 길하다"고 하였으니, 위엄과 믿음을 통해 서로 구제하고자 했기 때문입니다. 오늘날은 대유의 시대가 아니지만, 전하께서 강건하여 충분히 강한 자를 칠 수가 있다면, 먼저 믿고 나중에는 위엄 있게 하여 백성들의 뜻을 복종시킬 수 있으므로 이에 아름답게 됩니다. 아! '교여(交如)'에서의 '여(如)'에는 믿음이 매우 강하다는 뜻이 있고, '위여(威如)'에서의 '여(如)'에는 잠시 위엄을 보이는 뜻이 있으니, 두 '여(如)'자는 그 뜻이 미세하게 구별되어 말로는 형용할 수 없는 가운데 스스로 은연중에 드러나는 것이 있습니다. 신은 엎드려 바라옵건대 전하께서는 마음을 가라앉히고 생각해주시길 바랍니다.

심조(沈潮) 「역상차론(易象箚論)」

六五, 交如, 威如.
육오는 사귀니, 위엄 있게 한다.
爻雖柔, 位則剛, 故戒以威如, 此亦通例. 口字多者兌也.
효는 비록 유순한 음이지만, 자리는 굳센 양의 자리이기 때문에 위엄 있게 함으로써 경계하였으니, 이것 또한 통용되는 예(例)이다. '구(口)'자 많은 것이 태괘이다.

유정원(柳正源) 『역해참고(易解參攷)』

左閔二年, 成季之生也, 筮遇大有之乾, 曰同復于父, 〈乾爲君父, 大有乾宮歸魂卦, 變而爲乾, 故曰同復于父.〉 敬如君所. 〈乾爲君, 人之敬季友與君同, 故曰敬如君所.〉
『춘추좌씨전 · 민공』 2년에서는 성계가 태어나려고 할 때에 복초구(卜楚丘)에게 시초점을 치게 하니, 대유가 건괘(乾卦☰)로 변하는 괘를 얻어, 복초구가 "이 아이의 존귀함이 아버지와 같아서 〈건은 임금과 아버지가 되며, 대유는 건궁(乾宮)의 귀혼괘(歸魂卦)이므로 변하여 건이 되기 때문에 "이 아이의 존귀함이 아버지와 같다"고 하였다.〉 임금처럼 존경을 받게 될 것입니다."라고 했다. 〈건괘는 임금이 되고 사람들이 계우를 공경하기가 임금을 공경하는 것과 같기 때문에 "임금처럼 존경을 받게 될 것입니다"라고 하였다.〉

○ 王氏曰, 居尊以柔, 處大以中, 无私於物, 上下應之, 信以發志, 故其孚交如也.
왕필이 말하였다: 유순한 음으로서 존귀한 자리에 있고, 알맞은 덕으로써 큰 자리에 있으며, 물(物)에 대해서 사사로움이 없고, 위와 아래가 호응하며, 믿음으로써 뜻을 일으키기 때문에 "믿음으로써 사귄다"라고 했다.

○ 涑水司馬氏曰, 六五, 厥孚交如, 謂孚發於中而應之者, 交至也. 威如者, 警戒其優游不斷, 柔而不立者也. 爲君之道必剛而不暴, 柔而不可犯.
속수사마씨가 말하였다: "육오는 믿음으로써 사귄다"는 믿음이 마음에서 일어나 호응하는 것을 말하니, 사귐이 지극한 것이다. "위엄 있게 한다"란 우유부단(優柔不斷)할 만큼 유순하여 서지 못하는 것을 경계한 것이다. 임금이 되는 도는 반드시 굳세지만 난폭하지 않고, 유순하지만 범할 수 없다.

○ 漢上朱氏曰, 異體之合曰交如, 大有二五是也. 同體之合曰攣如, 小畜四五, 中孚四五是也.
한상주씨가 말하였다: 다른 몸체가 합침을 "사귄다"라고 하니, 대유의 이효와 오효가 이것이다. 같은 몸체가 합침을 "이끈다"라고 하니, 소축괘(小畜卦☴)의 사효와 오효 및 중부괘(中孚卦☴)의 사효와 오효가 이것이다.

○ 雙湖胡氏曰, 六五位剛, 故有威如之象.
쌍봉호씨가 말하였다: 육오는 굳센 자리에 있기 때문에 "위엄 있게 한다"는 상이 있다.

김상악(金相岳) 『산천역설(山天易說)』

六五, 中順居尊, 體離而用乾. 比四應二, 皆與之交. 上雖不交, 比而從之. 三亦用亨, 是其孚信之交也. 所以上下應之. 然君道貴剛, 太柔則廢, 能威如則吉也. 反於身忠信以進德, 威儀以定命, 故曰, 君子不重則不威, 學則不固, 主忠信.
육오는 알맞고 유순한 덕을 가지고 있으면서 존귀한 자리에 있으며, 리괘를 몸체로 하면서 건괘을 사용한다. 사효와 비(比)의 관계에 있고 이효와 호응하니, 모두 그와 사귄다. 상구는 비록 사귀지는 않지만 육오와 비의 관계에 있기 때문에 그를 따른다. 삼효도 또한 천자에게 형통하도록 하니, 이것도 믿음으로써 사귀는 것이다. 이러한 것들이 위와 아래에 있는 자들이 서로 호응하는 까닭이다. 그러나 임금의 도는 굳셈을 귀하게 여기므로, 크게 유순하면 폐하게 되고 위엄 있게 할 수 있다면 길하다. 자신에게 돌이켜 보아 충실하고 믿음 있게 하여 덕에 나아가고, 위엄 있게 하여 명령을 안정되게 하기 때문에 "군자가 두텁고 무겁게 하지 않는다면 위엄이 없으므로 배움도 견고하지 않다. 충실하고 믿음 있게 하기를 주로 해야 한다"[105]고 하였다.

○ 孚者, 信之在中者, 離體之中虛也. 陰上陽下交如之象. 屯曰, 剛柔始交, 是也. 小畜則與二同德爲應, 故曰有孚[106]攣如. 威者, 離明乾剛二象, 剛則可畏, 所以不惡而嚴, 明則有威, 與家人上九相似, 此之威如, 施之於人也, 彼之威如, 反之於身也. 蓋大象不言明而言火者, 遏惡揚善, 取火烈之象. 故晏子曰, 惟有德者, 能以寬服人, 其次莫如猛. 夫火烈, 民望而畏之, 故鮮死焉.
'부(孚)'란 믿음이 마음에 있는 것이니,[107] 리괘의 몸체는 가운데가 비어 있다. 음이 위에 있고 양이 아래에 있으면서 사귀는 상이다. 준괘(屯卦☳)의 「단전」에서 "굳센 양과 유순한 음이 처음 사귄다"[108]라고 한 말이 이것이다. 소축괘(小畜卦☰)인 경우에 구오가 이효와 덕을 같이 하면서 호응이 되기 때문에 구오의 효사에서 "믿음이 있어서 이끈다"[109]라고 하였다. '위엄[威]'이란 리괘의 밝음과 건괘의 굳셈이라는 두 상이니 굳세면 두려워할 만하므로 나쁜 말로 대하지 않고 위엄 있게 하는 까닭이 되며,[110] 밝으면 위엄이 있으므로 가인괘(家人卦☲)의 상구[111]와 서로 유사하지만, 여기서의 "위엄 있게 하다"란 다른 사람들에게 널리

105) 『논어 · 학이』.
106) 孚: 학자료집성DB와 영인본에 모두 글자가 비워져 있으나, 『주역 · 소축괘』 구오의 효사를 살펴 '孚'로 바로잡았다.
107) 『周易 · 需卦』: 孚, 信之在中者也.
108) 『周易 · 屯卦』: 象曰, 屯, 剛柔始交而難生.
109) 『周易 · 小畜卦』: 九五, 有孚, 攣如, 富以其隣.
110) 『周易 · 遯卦』: 象曰, 天下有山, 遯, 君子以, 遠小人, 不惡而嚴.

실시하는 것이며, 저기서의 "위엄 있게 하다"란 자신에게 돌이키는 것이다. 「대상」에서 "밝다"라고 말하지 않고 '불'이라고 말한 것은 악을 막고 선을 드날린다는 의미에서 불의 거센 상을 취하였다. 그러므로 안자는 "오직 덕이 있는 사람만이 관대함으로 사람들을 복종시킬 수 있으며, 그 다음으로는 엄격하게 하는 것만 한 것이 없다. 불은 맹렬하므로 사람들이 이것을 바라보고 두려워하기 때문에 이러한 불로 인해서 죽는 자가 드물다"112)라고 하였다.

서유신(徐有臣) 『역의의언(易義擬言)』

六五, 有有孚象, 又有交如象, 又有威如象. 交如威如, 皆厥孚之所致也. 居大有之尊位, 柔順虛中, 而無滿盈驕傲之意, 所以誠信孚於群剛而上下之志交矣. 此其交之孚也. 盛明中天, 萬國咸仰, 天下雖有强梗, 曷敢越厥志哉. 此其威之孚也.

육오는 믿음이 있는 상이 있고, 또 사귀는 상이 있으며, 또 위엄 있는 상이 있다. "사귄다"와 "위엄 있게 한다"는 모두 믿음이 초래한 바이다. 대유에서의 존귀한 자리에 있으면서 유순하고 마음을 비워, 가득 채우면서 교만하고 방자한 뜻이 없으니, 여러 굳센 양들에 대해 진실로 믿음이 있어서 위와 아래의 뜻이 교류한다. 이것이 사귐에서의 믿음이다. 아주 환한 밝음이 하늘 가운데에 떠서 모든 나라가 함께 우러러보니, 천하에 비록 강한 자가 있다고 하더라도 강한 자가 어떻게 감히 그 뜻을 어길 수 있겠는가? 이것이 위엄 있는 속에서의 믿음이다.

박문건(朴文健) 『주역연의(周易衍義)』

反身修則, 故有威如吉之象. 威, 威儀也.

자신을 돌이켜 반성하고 규칙을 닦기 때문에 위엄 있게 하면 길한 상이 있다. '위(威)'란 예의에 맞는 행동과 몸가짐이다.

〈問, 厥孚, 交如, 威如, 吉. 曰, 六五用孚而交二, 則雖善, 然若不謹威儀, 則无以示可畏, 故修威儀, 則致吉.

물었다: "믿음으로써 사귀니, 위엄 있게 하면 길하다"는 무슨 뜻입니까?

답하였다: 육오는 믿음을 써서 이효와 사귀면 비록 선하다고 하더라도 만약 위의로 삼가지 않는다면 두려움을 보일 수가 없기 때문에 위의를 닦으면 길하게 됩니다.〉

---

111) 『周易·家人卦』: 上九, 有孚, 威如, 終吉.

112) 『춘추좌씨전·소공』 20년.

이지연(李止淵) 『주역차의(周易箚疑)』

離三畫, 亦小中孚之象. 虛者, 信之本也, 中實者, 信之質也, 交如, 陰之象, 威如, 陽之位故也. 此所謂富而好禮者也, 義與禮自有可畏之威.

리괘(離卦☲)의 세 획은 또한 작은 중부괘(中孚卦䷼)의 상이다. 비어 있다는 것은 믿음의 근본이며, 가운데가 꽉 차 있다는 것은 믿음의 실질이니, "사귄다"는 음의 상이고 "위엄 있게 한다"는 양의 자리이기 때문이다. 이것이 이른바 "부유하면서도 예(禮)를 좋아한다"[113]는 것이니, 의(義)와 예(禮)는 본래 두려워할 만한 위엄이 있다.

김기례(金箕澧) 「역요선의강목(易要選義綱目)」

中虛爲信之本, 故曰孚. 居尊虛心, 上下應之, 則孚交如之像.

마음이 비우는 것은 믿음의 근본이 되기 때문에 "믿는다"고 하였다. 존귀한 자리에 있으면서 마음을 비워 위와 아래가 서로 호응하니, 믿음으로써 사귀는 상이다.

○ 唯辟作威, 所以戒剛克.

오직 임금이 위엄을 세우는 것은 굳센 양들이 이기는 것을 경계하고자 하기 때문이다.

심대윤(沈大允) 『주역상의점법(周易象義占法)』

大有之乾䷀. 以柔道居剛而得中, 道成德立而處衆陽之上, 天下翕然順之, 故曰厥孚, 交如. 离爲孚, 巽爲交, 乾之對坤, 坤入乾則爲巽也. 自强而不惰, 以絶邪欲之萌, 故曰威如. 凡言如者, 非的有此事也. 震爲威, 乾入坤則爲震. 以言上下彼此之交合, 故乾坤相入而取象也.

대유괘가 건괘(乾卦䷀)로 바뀌었다. 유순한 도로써 굳센 양의 자리에 있고 가운데 자리를 얻어 도가 이루어지고 덕이 세워져 여러 양들의 위에 있으니, 천하가 화합하여 그를 따르기 때문에 "믿음으로써 사귄다"고 하였다. 리괘는 믿음이 되고, 손괘는 사귐이 되니, 건괘의 음양이 바뀐 괘는 곤괘이고 곤괘가 건괘로 들어가므로 손괘가 된다. 스스로 힘써 태만하지 않아 사욕의 싹을 끊어내기 때문에 "위엄 있게 한다"고 하였다. '여(如)'라고 말한 것은 실제로 이러한 일이 있는 것은 아니기 때문이다. 진괘는 위엄이 되니, 건괘가 곤괘로 들어가므로 진괘가 된다. 위에 있는 사람과 아래에 있는 사람, 그리고 저 사람과 이 사람이 사귀어 화합하기 때문에 건괘와 곤괘가 서로 들어가서 상을 취하였다.

---

113) 『論語・學而』: 子貢曰, 貧而無諂, 富而無驕, 何如? 子曰, 可也. 未若貧而樂, 富而好禮者也.

오치기(吳致箕) 「주역경전증해(周易經傳增解)」

六五, 以柔中文明之德爲大有之君, 而君臣上下誠信相交, 以治富有之世. 然在上之人柔有餘, 而剛不足, 則在下者, 慢易而无畏備之心. 故戒言旣交其誠信矣, 兼以嚴威, 則尤得其吉也. 傳義已備矣.
육오는 유순하고 알맞으며 문명한 덕을 가지고서 대유의 임금이 되어 임금과 신하 및 상하 계층이 진심으로 믿으며 서로 사귀므로 부유한 시대를 다스린다. 그러나 다른 사람의 위에 있는 사람이 유순함은 넉넉하지만 굳셈이 부족하다면, 아래에 있는 자는 게으르고 안이해져서 두려워하여 대비하는 마음이 없다. 그러므로 이미 진심으로 믿으며 사귀면서도 위엄 있게 하기를 겸한다면, 더욱 그 길함을 얻을 수 있음을 경계하였다. 『정전』과 『본의』는 이러한 뜻을 이미 갖추었다.

○ 孚取於離, 已見小畜六四. 交謂上下相交, 而取於剛柔之應比也.
'믿음[孚]'은 리괘에서 취하였고, 소축괘(小畜卦☴)의 육사에 이미 보인다. '사귐[交]'이란 위와 아래에 있는 자들이 서로 사귐을 말하니, 이러한 뜻을 굳센 양과 유순한 음이 서로 호응하고 비(比)의 관계에 있는 데에서 취하였다.

이진상(李震相) 『역학관규(易學管窺)』

威如吉.
위엄 있게 하면 길하다.

六五, 虛中, 故曰孚. 上下應之, 故曰交. 以柔居剛, 動而之乾, 故又有威如之吉.
육오는 마음을 비우기 때문에 "믿는다"고 하였다. 위와 아래가 호응하기 때문에 "사귄다"고 하였다. 유순한 음이 굳센 양의 자리에 있으며, 움직여 건괘로 바뀌기 때문에 또한 위엄 있게 하면 길함이 있다.

이병헌(李炳憲) 『역경금문고통론(易經今文考通論)』

虞曰, 孚信也. 發而孚二, 故交如. 乾稱威, 發得位, 故威如, 吉.
우번(虞翻)이 말하였다: '부(孚)'는 믿음이다. 뜻을 일으키고 이효를 믿기 때문에 믿음으로써 사귄다. 건괘는 위엄과 걸맞고 뜻을 일으킴에 지위를 얻었기 때문에 위엄 있게 하면 길하다.

象曰, 厥孚交如, 信以發志也,

「상전」에서 말하였다: "믿음으로 사귐"은 믿음으로써 뜻을 일으키는 것이고,

中國大全

本義

一人之信, 足以發上下之志也.

한 사람의 믿음은 위와 아래 사람의 뜻을 일으키기에 충분하다.

威如之吉, 易而无備也.

"위엄 있게 하는 길함"은 마음이 안이해져서 대비함이 없기 때문이다.

中國大全

傳

下之志, 從乎上者也, 上以孚信接於下, 則下亦以誠信事其上, 故厥孚交如. 由上有孚信, 以發其下孚信之志, 下之從上, 猶響之應聲也. 威如之所以吉者, 謂若无威嚴, 則下易慢而无戒備也, 謂无恭畏備上之道. 備謂備上之求責也.

아랫사람의 뜻은 윗사람을 따라가는 것이니, 윗사람이 믿음을 가지고서 아랫사람을 접하면, 아랫사람도 또한 진실한 믿음을 가지고서 윗사람을 섬길 것이므로, "믿음을 가지고서 사귄다"고 한 것이다. 윗사람이 믿음을 가지고 있음으로 인해서 아랫사람이 믿으려고 하는 뜻을 일으키니, 아랫사람이 윗사람을 따르는 것은 메아리가 소리에 응하는 것과 같다. 위엄 있게 함이 길한 까닭이 되는 것은 만약 위엄이 없다면 아랫사람이 안이해지고 태만해져서 경계하고 대비함이 없게 된다는 말이니, 윗사람을 공경하고 두려워하여 대비하는 도가 없다는 말이다. 대비한다는 것은 윗사람이 요구하고 꾸짖음을 대비한다는 말이다.

本義

太柔, 則人將易之而无畏備之心.

크게 유순하면 다른 사람들이 장차 쉽게 여겨 두려워하고 대비하는 마음이 없게 된다.

小註

西溪李氏曰, 太平之世, 禍亂皆起於无虞, 故必威如而後吉. 才上下玩易則无畏備也. 故詰爾戎兵, 董正治官, 皆守成之世, 所當講者也.

서계이씨가 말하였다: 태평한 시대에 화란(禍亂)은 모두 염려하고 경계함이 없는 데에서 일어나므로, 반드시 위엄으로써 다스린 후에 길하게 된다. 단지 윗사람과 아랫사람이 가볍게 생각하여 쉽게 여긴다면, 두려워하고 대비함이 없게 된다. 그러므로 "그대의 갑옷과 병기를 잘 다스려라"[114]라고 하며, "다스리는 관리를 감독하여 바로잡으셨다"[115]고 한 것은 모두 선조가 이룩해 놓은 업적을 잘 지키는 때에 마땅히 도모해야 할 바이다.

韓國大全

조호익(曺好益) 『역상설(易象說)』

上下有一定之位, 所以相交者, 志也. 易, 諸陽所易.

위와 아래에 일정한 자리가 있으면서 서로 사귀는 바가 뜻이다. "안이하다"란 여러 양들이 안이하게 여기는 바이다.

유정원(柳正源) 『역해참고(易解參攷)』

正義, 由己誠信, 發起其志, 故上下應之, 與之交接也. 威如得吉者, 以己不私於物, 唯行簡易, 无所防備, 故云易而无備也.

『주역정의』에서 말하였다: 자신의 진실한 믿음으로 말미암아 그 뜻을 일으키기 때문에 위에 있는 사람과 아래에 있는 사람이 호응하고 서로 더불어 사귀어 만난다. "위엄 있게 하면 길하다"란 자신은 물(物)에 대하여 사사롭게 하지 않지만 오직 행위가 간단하고 안이하여 대비하는 바가 없기 때문에 "안이해져서 대비함이 없다"고 하였다.

김상악(金相岳) 『산천역설(山天易說)』

上有孚信, 則可以發下之志意. 然必威如, 則吉者, 自恃其大有之勢, 而徒以其孚, 則人

114) 『書經 · 立政』: 其克詰爾戎兵, 以陟禹之迹, 方行天下, 至于海表, 罔有不服, 以覲文王之耿光, 以揚武王之大烈.

115) 『書經 · 周官』: 惟周王, 撫萬邦, 巡侯甸, 四征弗庭, 綏厥兆民, 六服群辟, 罔不承德, 歸于宗周, 董正治官.

將易之而无戒備之心也. 外貌斯須不莊不敬, 而易慢之心入之者, 是也.
위에 있는 사람에게 믿음이 있으면 아래에 있는 사람의 의지를 일으킬 만하다. 그러나 반드시 "위엄 있게 하면 길하다"라는 것은 스스로 대유의 형세를 믿어 다만 그 믿음만으로 한다면, 다른 사람들이 장차 쉽게 여겨 두려워하고 대비하는 마음이 없게 된다. "외모가 이에 반드시 장엄하지도 공경스럽지도 않게 되어 안이하고 태만한 마음이 들어오게 된다"[116]는 것이 이것이다.

서유신(徐有臣) 『역의의언(易義擬言)』

九二應也, 九四上九比也. 至若初九九三之遠者, 苟非誠信發志 則何以得其說服也. 又不可以疏遠而便加疑防也.
구이와 호응하고 구사와 상구와는 비의 관계에 있다. 초구나 구삼과 같이 먼 곳에 있는 것들에 대해서 만약 진심으로 믿어서 뜻을 일으키지 않는다면 어떻게 그들을 기뻐하면서 복종하도록 할 수 있겠는가? 또 그들을 소원하게 하여 의심하거나 막아 교류하지 못하게 해서도 안 된다.

김귀주(金龜柱) 『주역차록(周易箚錄)』

威如之吉, 易而, 云云.
"위엄 있게 하면 길하다"란 마음이 안이해져서, 운운.

○ 按, 無備謂國中之無備. 蓋大有之世, 上太柔, 則下慢易, 如此則國中無畏戒慮患之備也. 本義之意, 蓋恐如此, 而小註西溪李氏所謂詰戎兵, 亦畏備中一事也.
내가 살펴보았다: "대비함이 없다"란 나라 안에 대비함이 없음을 말한다. 대유의 시대에 위에 있는 사람이 크게 유순하면 아래에 있는 사람은 태만하고 안이해지니, 이와 같다면 나라 안에는 두려워하고 경계하며 근심하는 대비가 없을 것이다. 『본의』의 뜻은 아마도 이와 같은 듯하고, 소주에서 서계이씨가 이른바 "그대의 갑옷과 병기를 잘 다스려라"라고 한 것도 또한 두려워하여 대비하는 일 가운데 하나이다.

박문건(朴文健) 『주역연의(周易衍義)』

信以發志, 言發明其志之无疑也, 易而无備, 言簡易而无禮儀之備也.
"믿음으로써 뜻을 일으키다"란 뜻을 일으켜 밝히는 데에 의심할 바가 없음을 말하고, "위엄

116) 『예기 · 악기』.

있게 하면 길하다"는 간단하고 쉬워서 예의를 갖추는 대비가 없음을 말한다.

김기례(金箕澧) 「역요선의강목(易要選義綱目)」

以發志.
뜻을 일으키다.
王者有信, 足以發上下之志也.
왕이란 믿음을 가지고 있어서 위와 아래의 뜻을 일으키기에 충분하다.

易而无備.
마음이 안이해져서 대비함이 없기 때문이다.
大有之時, 王者太柔, 則上下易而无畏備, 恐致禍亂.
대유의 시대에 왕이 크게 유순하면, 위와 아래에 있는 자들이 안이해지므로 두려워하여 대비하는 바가 없게 되니, 아마도 화(禍)나 난리를 초래할 것이다.

심대윤(沈大允) 『주역상의점법(周易象義占法)』

發, 感發也, 言天下之志, 感發交合, 非如同人之通之而已也. 備, 防備也, 易, 治也, 言自治而无防備之心也, 以明威如之爲莊敬而自疆也, 非有嚴厲疑慮而防備也. 家人之旣濟曰, 有孚, 威如, 終吉, 家道之成也. 大有之乾曰, 厥孚, 交如, 威如, 吉, 天下之平也. 家道宗嚴君, 故其位在上, 君道尙賢, 故其位居五. 家道尙嚴而貴和順, 故以剛居柔, 君道尙寬而貴肅敬, 故以柔居剛. 家道親, 故不曰交如, 君道尊, 故曰交如. 親焉而至於威如, 尊焉而至於交如然後, 成道也. 家道可保其終吉, 君道不可保其終吉也. 威如者非以嚴厲而立威也, 以莊敬自治而侮慢不萌也, 反身之謂是也. 易而无備是也. 大學曰, 壹是皆以修身爲本. 〈吾心旣明且公, 物之好否, 自不能逃. 子曰, 不逆詐億不信, 而先覺者是已. 猜疑防備, 吾心自蔽而私矣, 何能照物. 此威與侮之所自生也.〉
"일으킨다"란 감화하여 일으킨다는 것으로, 천하 사람들의 뜻이 감화하여 일어나 서로 사귀어 화합함을 말하니, 동인괘(同人卦☰)에서 통한다고 하는 것과는 같지 않을 뿐이다. '대비함'이란 미리 막음이고 '이(易)'란 다스림으로, 스스로 다스려 방비하는 마음이 없음을 말하니, 위엄이 있게 함은 엄숙하고 삼가서 스스로에 힘쓰는 것이지, 엄격하게 하고 의심하여 염려함이 있기 때문에 방비하는 것이 아님을 밝힌 것이다. 가인괘(家人卦☴)에서 기제괘(旣濟卦☵)로 바뀌게 하는 효인 상구에서 "믿음이 있고 위엄이 있으면 끝내 길하다"[117]고 하였으니, 집안의 도가 이루어진 것이다. 대유괘에서 건괘(乾卦☰)로 바뀌게 하는 효인 육오에서

"믿음으로써 사귀니, 위엄 있게 하면 길하다"고 하였으니, 천하가 태평해지는 것이다. 집안의 도는 엄한 임금을 종주로 삼기 때문에 그 자리가 상효에 있으며, 임금의 도는 어진 이를 숭상하기 때문에 그 자리가 오효에 있다. 집안의 도는 엄함을 숭상하지만 조화롭고 순함을 귀하게 여기기 때문에 굳센 양으로 유순한 음의 자리에 있으며, 임금의 도는 너그러움을 숭상하지만 삼가하고 존경함을 귀하게 여기기 때문에 유순한 음으로 굳센 양의 자리에 있다. 집안의 도는 친함이기 때문에 "사귄다"라고 말하지 않았고, 임금의 도는 존귀함이기 때문에 "사귄다"고 말하였다. 친하면서도 위엄이 있는 데에 이르고, 존귀하면서도 사귀는 데에 이른 후에 도를 이루게 된다. 집안의 도는 끝내 길함을 보존할 만하지만, 임금의 도는 끝내 길함을 보존할 수가 없다. "위엄이 있다"란 엄하게 하여 위엄을 세우는 것이 아니라, 엄숙하고 삼가서 스스로를 다스려 업신여기고 방자한 마음이 싹트지 않게 하는 것이니, 스스로 돌이켜 봄이 이것이며, "안이해져서 대비함이 없음"이 이것이다. 『대학』에서는 "일체가 모두 수신으로써 근본으로 삼는다"[118]고 하였다. 〈내 마음이 이미 밝고 또 공정하여 물(物)의 좋거나 그렇지 않음을 내 스스로 숨길 수가 없다. 공자가 말한 "다른 사람이 나를 속일까를 미리 짐작하지 않고, 다른 사람이 나를 믿어주지 않을까 억측하지 않으나 먼저 깨닫는 자"[119]가 이러한 자일 뿐이다. 대비함을 의심하면, 내 마음은 스스로를 가려 사사롭게 되니, 어떻게 물(物)을 비추어 알 수 있겠는가? 이것이 위엄과 업신여김이 말미암아서 생겨난 바이다.〉

오치기(吳致箕) 「주역경전증해(周易經傳增解)」

上以孚信接於下而發其志, 則下亦以誠信事上, 故厥孚相交矣. 上若无威嚴臨下, 則下不能畏戢, 而慢易无備, 故威如爲吉也.

위에 있는 사람이 믿음으로써 아래에 있는 사람을 대하여 그 뜻을 일으키면, 아래에 있는 사람도 진정한 믿음으로 위에 있는 사람을 섬기기 때문에 믿음으로써 서로 사귄다. 위에 있는 사람이 만약 위엄을 가지면서 아래 사람에게 임함이 없다면, 아래에 있는 사람은 꺼리는 것이 없어서 게으르고 안이해져 대비함이 없게 되므로 위엄 있게 하면 길하게 된다.

박문호(朴文鎬) 「경설(經說) · 주역(周易)」

備上之求責, 如事親者之聽於無聲, 事長者之視長者所視, 亦其一事也.

『정전』에서 말하는 "윗사람이 요구하고 꾸짖음을 대비한다"는 예를 들어 부모를 섬기는 자

117) 『周易 · 家人卦』: 上九, 有孚, 威如, 終吉.

118) 『大學』: 自天子, 以至於庶人, 壹是皆以脩身爲本.

119) 『論語 · 憲文』: 子曰, 不逆詐, 不億不信, 抑亦先覺者, 是賢乎.

가 소리가 없는 데에서도 듣고[120] 어른을 섬기는 자가 어른이 보는 곳을 보는 것과 또한 동일한 일이다.

이병헌(李炳憲) 『역경금문고통론(易經今文考通論)』

正義曰, 唯行簡易, 无所防備, 而物自畏之, 故云易而无備也.
『주역정의』에서 말하였다: 오직 행위가 간단하고 안이하여 대비하는 바가 없고, 물(物)은 스스로 두려워하기 때문에 "안이해져서 대비함이 없다"고 하였다.

120) 『禮記 · 曲禮』: 爲人子者, 居不主奧, 坐不中席, 行不中道, 立不中門, 食饗不爲槪, 祭祀不爲尸, 聽於無聲, 視於無形, 不登高, 不臨深, 不苟訾, 不苟笑. 孝子不服闇, 不登危, 懼辱親也.

上九, 自天祐之, 吉无不利.

상구는 하늘로부터 도움을 받아 길하여 이롭지 않음이 없다.

中國大全

傳

上九在卦之終, 居无位之地, 是大有之極而不居其有者也, 處離之上, 明之極也. 唯至明, 所以不居其有, 不至於過極也. 有極而不處, 則无盈滿之災, 能順乎理者也. 五之孚信而履其上, 爲蹈履誠信之義, 五有文明之德, 上能降志以應之, 爲尚賢崇善之義. 其處如此, 吉道之至也, 自當享其福慶, 自天祐之. 行順乎天而獲天祐, 故所往皆吉, 无所不利也.

상구는 괘의 끝에 있어서 지위가 없는 곳에 있으니, 이것은 대유가 지극할 때여서 그 소유하는 데에 있지 않는 것이고, 리괘의 위에 처해 있어서 지극히 밝은 것이다. 오직 지극히 밝아 소유함에 있지 않으므로 지나치게 극한 곳에 이르지 않는다. 소유함이 지극한데도 자처하지 않으면, 가득차서 넘치는 재앙이 없게 되니, 이치에 순응할 수 있는 자이다. 오효가 믿음을 가지고 있는데 그 위를 밟으니 진실과 믿음을 행하는 뜻이 되고, 오효가 문명(文明)의 덕을 가지고 있는데 그 위에서 뜻을 낮추어 오효에 호응하니 어진 사람을 높이고 선함을 숭상하는 뜻이 된다. 처해 있음이 이와 같으면 길한 도의 지극함이 되고, 스스로 마땅히 복과 경사를 누려서 하늘로부터 도움을 받는 것이다. 행동이 하늘에 순응하여 하늘의 도움을 얻기 때문에, 가는 곳마다 모두 길하여 이롭지 않은 바가 없다.

本義

大有之世, 以剛居上而能下從六五. 是能履信思順而尚賢也, 滿而不溢. 故其占如此.

대유의 시대에 강건함을 가지고 위에 있으면서도 아래로 육오를 따른다. 이것이 믿음을 행하고 순응함을 생각하여 어진 사람을 높일 수 있는 것이니, 가득 차도 넘치지 않으므로 그 점사가 이와 같다.

小註

或問, 上九自天祐之, 吉无不利. 朱子曰, 上九以陽剛居上而能下從六五者, 蓋陽從陰也. 大有唯六五一陰而上下五陽應之. 上九能下從六五, 則爲履信思順而尙賢. 蓋五之交孚, 信也, 而上能履之, 謙退不居, 思順也, 志從於五, 尙賢也. 天之所助者順, 人之所助者信, 所以有自天祐之吉无不利之象. 若无繫辭此數句, 此爻遂无收殺. 以此見聖人讀易, 見爻辭有不分明處, 則於繫辭傳說破, 如此類是也.
어떤 이가 물었다: "상구는 하늘로부터 도움을 받아 길하여 이롭지 않음이 없다"는 무슨 뜻입니까?
주자가 말하였다: 상구는 양의 강건함을 가지고서 위에 있으면서도 아래로 육오를 따르는 자이니, 양이 음을 따르는 것입니다. 대유는 오직 육오만이 하나의 음이고 위아래의 다섯 양이 육오에 호응합니다. 상구가 아래로 육오를 따를 수 있다면, 믿음을 행하고 순응함을 생각하여 어진 사람을 높이는 것입니다. 오효가 사귈 때의 믿음이 '신(信)'이며, 상구가 위에서 오효를 밟을 수 있는데도 겸손하게 물러나 그러한 자리에 있지 않음이 "순응함을 생각한다"는 것이며, 뜻으로 육오를 따름이 어진 사람을 높이는 것입니다. 하늘이 돕는 바는 순응하기 때문이며, 사람이 돕는 바는 믿기 때문이니, 이러한 이유로 상구는 하늘로부터 도움을 받아 길하여 이롭지 않음이 없는 상을 가지게 됩니다. 만약 「계사전」에 이러한 몇 구[121]가 없었다면, 이 효에는 마침내 거두어 줄임이 없었을 것입니다. 이러한 점을 가지고 성인이 『주역』을 읽는 방법을 본다면, 성인은 효사에 불분명한 곳이 있을 때에는 「계사전」을 통해서 설파(說破)하였으니, 이와 같은 류가 여기에 속합니다.

韓國大全

조호익(曺好益) 『역상설(易象說)』

上九, 自天祐之,
상구는 하늘로부터 도움을 받는다.

121) 『周易·繫辭傳』: 子曰, 祐者, 助也, 天之所助者順也, 人之所助者信也, 履信思乎順, 又以尙賢也. 是以自天祐之吉无不利也.

五上天位, 故曰天. 上履五信也, 居上順也, 從五, 尙賢也. 三者, 天之所祐, 故曰自天祐之. 又上以全體言在事之外, 以一卦言在離之極, 以位言則柔而虛, 明足以燭理, 剛足以決義, 虛而不有, 德之至也. 故有天祐之象. 或曰, 五以柔承上, 有祐象.
오효의 위는 하늘의 자리이기 때문에 '하늘'이라고 하였다. 상효는 오효의 믿음을 밟고 있으며, 가장 위의 자리에 있으면서 순응하고, 오효를 따라 어진 사람을 숭상한다. 이러한 세 가지는 하늘이 돕는 바이기 때문에 "하늘로부터 도움을 받는다"고 하였다. 또 상효는 괘 전체로 말한다면 일의 밖에 있고 하나의 소성괘로 말한다면 리괘의 지극한 곳에 있으며 자리로 말한다면 유순하고 비어 있으니, 밝음은 이치를 밝히기에 충분하고 굳셈은 의롭게 하기를 결행할 수 있으며 비어 있는 데도 소유하지 않으니, 덕의 지극함이다. 그러므로 하늘이 돕는 상이 있다. 어떤 이는 오효는 유순함으로써 상효를 받드니, 돕는 상이 있다고 했다.

송시열(宋時烈) 『역설(易說)』

上九, 爻居最上而吉, 故其輔佑之道, 若自天而降也. 見本義, 太柔, 則人將易之无畏備之心.
상구는 효가 가장 높은 곳에 있으면서 길하기 때문에 도와주는 도가 하늘로부터 내려오는 것 같다. 『본의』를 보면, "크게 유순하면 다른 사람들이 장차 쉽게 여겨 두려워하고 대비하는 마음이 없게 된다"고 하였다.[122]

강석경(姜碩慶) 『역의문답(易疑問答)』

問, 大有上九曰, 自天祐之, 吉无不利, 象曰, 大有上吉, 自天佑也. 夫易中卦爻, 皆有象有占, 使人由其象而解其占也. 今大有上九有占而無象者, 何也. 曰, 誠如所云, 故孔子特於繫辭提出而解釋之, 是知聖人於衆人, 亦有一般意思矣. 雖然象只在卦爻, 卦爻奇偶相錯, 便是象也. 文王以前觀此而已, 只緣人不如古, 漸有不知, 故文王周公繫之辭, 若言象之本體, 何往而無之乎.
물었다: 대유 상구의 효사에서는 "하늘로부터 도움을 받아 길하여 이롭지 않음이 없다"고 하였고, 소상에서는 "대유의 상구가 길한 것은 하늘로부터 도움을 받기 때문이다"라고 하였습니다. 『주역』 가운데에는 괘나 효가 모두 상과 점이 있어서 사람들에게 그 상으로 말미암아 그 점을 풀이하도록 합니다. 대유의 상구에는 점은 있으나, 상이 없는 것은 어째서입니까?
답하였다: 진실로 그대가 말한 바와 같기 때문에 공자는 특별히 「계사전」에서 의견을 내어 이것을 해석하였으니, 이것은 성인이 일반 대중에 대하여 또한 같은 생각을 가지고 있음을

---

122) 육오 「상전」의 『본의』에 나오는 내용이다.

알 수 있는 것입니다. 비록 그러하지만 상은 단지 괘나 효에 있으니, 괘·효와 음·양이 서로 섞이는 것이 상입니다. 문왕 이전에는 이것을 보았을 뿐인데, 단지 사람들이 옛 사람들만 못하여 점차 알지 못하는 바가 있게 되었기 때문에, 문왕과 주공이 거기에 말씀을 붙여 마치 상의 본체를 말한 듯하니, 어디를 간들 없겠습니까?

이익(李瀷) 『역경질서(易經疾書)』

大有比同人, 所包尤人, 故上九, 吉无不利. 子曰, 智者觀其彖辭, 思過半矣, 然天豈有不擇賢愚而祐之之理. 上九有尙賢之象, 賢者自賢, 而尙之者五也. 順與信爲賢之實, 而天方祐之, 君方尙之也. 祐與尙, 帖在助字. 苟非孔子之言, 人或錯看, 謂安坐而受祐也. 易文蓋多此類.

대유는 동인괘(同人卦䷌)에 비하여 포함하는 바가 더욱 크기 때문에 상구는 길하여 이롭지 않음이 없다. 공자가 "지혜로운 자가 괘사를 살펴보면, 이해하면서 생각함이 반을 넘을 것이다"123)라고 하였으나, 하늘이 어찌 어진 자와 어리석은 자를 가리지 않고 도와주는 이치가 있겠는가? 상구에는 어진 사람을 높이는 상이 있으니, 어진 사람이란 스스로 어질고 그를 높이는 자는 오효이다. 순응함과 믿음이 어짊의 실질이 되어야 하늘은 그를 돕고[天方祐之], 임금은 그를 숭상한다[君方尙之]. '우(祐)'와 상(尙)은 조자(助字)에 붙여 두었다. 만약 공자의 말이 아니었다면 사람들은 혹 잘못 이해하여 편안하게 가만히 앉아 있어도 도움을 받을 수 있다고 말했을 것이다. 『주역』의 글 속에는 이러한 종류가 많다.

심조(沈潮) 「역상차론(易象箚論)」

上九, 自天.
상구는 하늘로부터 도움을 받는다.

上爲天位, 故稱天.
상구는 하늘의 자리가 되기 때문에 하늘을 칭하였다.

유정원(柳正源) 『역해참고(易解參攷)』

王氏曰, 處大有之上, 而不累於位, 志尙乎賢者也. 餘爻皆乘剛, 而己獨乘柔順也. 五爲

---

123) 『周易·繫辭傳』: 噫. 亦要存亡吉凶, 則居可知矣, 知者觀其彖辭, 則思過半矣.

信德, 而已履焉, 履信之謂也.
왕필이 말하였다: 대유의 맨 위에 있으면서 자리에 얽매이지 않아 뜻이 어진 사람을 숭상한다. 다른 효들은 모두 굳센 양을 타고 있지만, 자신만이 홀로 유순한 음을 타고 있다. 오효는 신뢰할 수 있도록 하는 덕을 쌓아 이미 이러한 덕을 실천하니, 『정전』과 『본의』에서 말한 "믿음을 이행한다"를 일컫는다.

○ 雙湖胡氏曰, 五上爲天, 有天象.
쌍호호씨가 말하였다: 삼획괘로 본다면 오효와 상효는 하늘이 되므로, 하늘의 상이 있다.

○ 案, 大有之卦離上乾下, 而大有之所以爲大有者, 以乾主之也. 是故乾三爻各有設立, 以成大有於下, 而離三爻別无施爲, 以守大有於上. 如九四只在傍, 觀美而已, 六五善交於九二而已, 上九穩享淸福而已, 以示下乾之爲主, 故必曰自天佑之. 如曰五上爲有天象, 則六十四卦同是一體, 何必於大有言之.
내가 살펴보았다: 대유괘는 리괘가 위에 있고 건괘가 아래에 있는데, 대유괘가 대유괘일 수 있는 까닭은 건이 주인이 되기 때문이다. 이러한 까닭에 건괘의 세 효는 각각 세움이 있어서 아래에서 크게 소유함을 이루고, 리괘의 세 효는 별도로 베풀어 하는 것이 없어 위에서 크게 소유함을 지킨다. 예를 들어 구사는 단지 가장자리에 있어서 아름다움을 바라볼 뿐이며, 육오는 구이와 잘 사귈 뿐이고, 상구는 맑고 한가하게 사는 복을 평온하게 누릴 뿐이어서, 아래에 있는 건이 주인이 됨을 보이기 때문에 반드시 "하늘로부터 도움을 받는다"고 하였다. 만일 오효와 상효가 하늘이 있는 상이 된다면 육십사 괘가 모두 똑같은 몸체이니, 어찌 반드시 대유에서만 이렇게 말하겠는가?

傳, 吉道.〈案, 吉一作合.〉
『정전』에서 말하였다: 길한 도.
〈살펴보았다: '길(吉)'은 다른 판본에는 '합(合)'으로 되어 있다.〉

김상악(金相岳) 『산천역설(山天易說)』

五爲文明之主, 應乎天而時行, 上九比而從之, 故獲天之祐, 吉无不利. 卦辭專主六五之德, 而爻辭特美上九者, 元亨之盛, 著於上九也.
오효는 문명한 주인이 되어 하늘과 호응하여 때에 맞게 행하고, 상구는 오효와 비(比)의 관계에 있으면서 그를 따르기 때문에 하늘의 도움을 얻어 길하여 이롭지 않음이 없다. 괘사에서는 오로지 육오의 덕을 위주로 하였지만, 효사에서 다만 상구를 찬미한 것은 '크게 착하고 형통함'을 상구에서 드러낸 것이다.

○ 上居天位, 與乾爲應, 自天之象, 與姤五曰有隕自天相似. 又變爻爲大壯, 四德之合, 乃自天之祐也. 无妄, 大壯之交也. 其彖傳曰天命不祐, 乃匪貞之戒也. 繫辭傳天之所助者, 順也. 人之所助者, 信也, 履信思乎順, 又以尙賢也. 順者, 大象之順命也, 信者, 五之交孚也, 賢者, 五之文德也. 所以思順, 天之所助也, 履信尙賢, 人之所助也. 故吉屬乎天, 无不利屬乎人也.
상효는 하늘의 자리에 있고 건괘와 호응이 되므로 '하늘로부터'의 상이니, 구괘(姤卦☰)의 오효에서 "하늘로부터 떨어진다"[124]고 한 것과 서로 유사한다. 또 효가 변하면 대장괘(大壯卦☳)가 되니, 대유괘와 함께 보면 사덕(四德)이 합하게 되므로[125] 이러한 사덕의 합함이 곧 하늘로부터 비롯된 도움이다. 무망괘(无妄卦☰)는 대장괘의 위에 있는 진괘와 아래에 있는 건괘가 서로 바뀐 괘이다. 무망의 「단전」에서 "하늘의 명이 도와주지 않는다"[126]라고 하였으니, 바르지 못함에 대한 경계이다. 「계사전」에서는 "하늘이 도와주는 것은 순응하기 때문이고, 사람들이 도와주는 것은 미덥기 때문이니, 믿음을 이행하여 순응함을 생각하고 또 어진 이를 숭상한다"[127]고 하였다. '순응함'이란 「대상」에서 말하는 "명을 따른다"는 것이며, '믿음'이란 오효에서의 "믿음으로써 사귄다"는 것이고, '어진 사람'이란 오효의 문채가 나는 덕이다. 순응함을 생각하는 바가 하늘이 돕는 바이며, 믿음을 이행하고 어진 이를 숭상하는 것이 사람이 돕는 바이다. 그러므로 길함은 하늘에 속하고, 이롭지 않음이 없음은 사람에 속한다.

김규오(金奎五) 「독역기의(讀易記疑)」

上九, 自天祐之天, 指內卦乾體也. 大畜上九天衢同.
"상구는 하늘로부터 도움을 받는다"에서의 '하늘'은 내괘인 건괘의 몸체를 가리킨다. 대축괘(大畜卦☶)의 상구에서 '하늘의 길'이라고 한 것과 같다.

서유신(徐有臣) 『역의의언(易義擬言)』

大有之盛而以陽剛終焉, 是善其終也, 故獲受天祐之吉而无所不利也.
대유괘는 성대하면서 굳센 양으로 끝마쳤으니, 이것은 끝마침을 잘한 것이기 때문에 하늘의 도움을 받는 길함을 얻어 이롭지 않은 바가 없다.

---

124) 『周易 · 姤卦』: 九五, 以杞包瓜, 含章, 有隕自天.
125) 대유의 괘사를 보면 "大有, 元亨."이고 대장의 괘사를 보면 "大壯, 利貞."이다. 그러므로 여기서 말하는 '원형'과 '리정'을 합하면 '원형리정', 즉 '사덕'의 합함이 된다.
126) 『周易 · 无妄卦』: 其匪正有眚不利有攸往, 无妄之往, 何之矣. 天命不祐, 行矣哉.
127) 『周易 · 繫辭傳』: 易曰, 自天祐之. 吉无不利, 子曰, 祐者, 助也, 天之所助者順也, 人之所助者信也, 履信思乎順, 又以尙賢也. 是以自天祐之吉无不利也.

김귀주(金龜柱) 『주역차록(周易箚錄)』

傳, 大有之上, 云云.
『정전』에서 말하였다: 대유의 상효는, 운운.

小註, 節齊蔡氏曰, 大有, 云云.
소주에서 절재채씨가 말하였다: 대유는, 운운.

○ 按, 初以遠五而有艱, 恐非卒旨.
내가 살펴보았다: 초효는 오효와 멀어서 어려움이 있으니, 아마도 궁극적인 뜻은 아닌 듯하다.

此卦六爻, 皆無欠, 諸卦中之最完備者也. 蓋嘗以爻義, 擬之人事, 則初九卽士庶之富有者也, 而匹夫一贏金不以艱守之, 則猶不能保, 故爲之戒. 九二卽大臣受重任而治富有之世者也, 如伊尹周公可以當之. 九三卽公侯之富有者也, 如文王之三分有二, 以服事殷, 便是公用享于天子也. 九四卽權臣之富有者也, 如魯之三家有僭逼之嫌, 而季文子獨無衣帛之妾食粟之馬 亦可謂匪其彭, 無咎也. 六五卽人君之富有者也, 然太柔則易而無備, 如漢文景之世, 貫朽紅腐, 雖極其富, 而寬仁太過, 禁網疏濶, 至其末年有豪富兼竝公卿奢僭之弊, 蓋由於不知威如之戎也. 上九卽位尊而不居其富有者也, 如堯舜之有天下日久, 讓于賢德, 是爲履信思順尙賢而終享其福慶也. 小註諸儒說, 皆以上九作耆舊賓師, 然居君位之上, 恐未可以人臣當之也.
이 괘의 여섯 효는 모두 부족함이 없으니, 여러 괘 중에서 가장 완비되어 있는 것이다. 시험삼아 여섯 효의 뜻을 사람의 일과 비교하여 본다면, 초구는 곧 선비나 서민들 중에서 부유한 자이니, 평범한 사람이 지나치게 돈을 벌었다고 하더라도 어렵게 여겨 이것을 지키지 않는다면, 오히려 보존할 수 없기 때문에 초구에서 이를 위해서 경계한 것이다. 구이는 곧 대신으로 막중한 임무를 받아 부유한 시대를 다스리는 자이니, 예를 들면 이윤과 주공이 여기에 해당할 수 있다. 구삼은 곧 부유한 공후(公侯)로 예를 들면 문왕이 천하를 삼등분하여 그 둘을 가지고서도 은나라에 복종하면서 섬겼던 것과 같으니, 곧 "공이 천자에게 형통하도록 한다"는 것이다. 구사는 곧 부유하며 권세가 있는 신하로 예를 들면 노나라의 세 가문은 참람하고 핍박하는 혐의가 있었지만, 계문자만이 홀로 비단 옷을 입은 첩과 곡식을 먹는 말이 없었던[128] 것과 같으니, 또한 "지나친 풍성함에 처하지 않도록 하면 허물이 없다"고 말할 수 있다. 육오는 곧 부유한 임금이지만 크게 유순하다면 안이해져서 대비함이 없으니,

128) 『國語 · 魯語』: 季文子相宣成, 無衣帛之妾, 無食粟之馬.

예를 들면 한(漢)나라 문제와 경제의 시대에 돈 꾸러미와 곡식이 썩을 만큼 충분하여 비록 부유함이 지극하더라도 너그럽게 하고 인(仁)하기가 너무 지나쳐서 백성들의 자유로운 활동을 막는 법망을 느슨하고 엉성하게 하여, 말년에 권세가 있는 부자가 공과 경을 아울러 겸하여 사치스럽고 분수에 넘도록 방자하였던 폐단이 있는 데에 이르렀던 것은 아마도 "위엄 있게 한다"는 경계를 알지 못하였기 때문인 듯하다. 상구는 곧 자리가 존귀한데도 부유한 데에 있지 않는 자로, 예를 들면 요와 순이 천하를 소유한 날이 오래 되었는데도 어질고 덕이 있는 사람에게 선양했던 것과 같으니, 이것은 믿음을 이행하여 순응함을 생각하고 어진 이를 숭상하여 끝내 복과 경사를 누리는 것이 된다. 소주에 있는 여러 학자들의 설은 모두 상구를 제후에게 빈객의 대우를 받던 나이가 많은 학자라고 하였지만, 임금의 자리 위에 있으니, 아마도 신하에 해당된다고 할 수는 없을 듯하다.

박문건(朴文健)『주역연의(周易衍義)』

履信尙賢, 故有自天祐之象. 吉, 莫大於天祐也.〈問, 履信思乎順尙賢. 曰, 踐履孚信而思乎順理, 又從而尙中正之賢也. 履信,信五也, 思順, 歸五也, 尙賢樂五之道也.〉
믿음을 이행하고 어진 이를 숭상하기 때문에 하늘로부터 도움을 받는 상이 있다. 길한 것에는 하늘의 도움보다 큰 것이 없다.
〈물었다: "믿음을 이행하여 순응함을 생각하고 어진 이를 숭상한다"[129]는 무슨 뜻입니까? 답하였다: 믿음을 몸소 이행하고 이치에 순응함을 생각하고 또한 그리하여 중정한 어진 사람을 숭상한다는 것입니다. "믿음을 이행한다"는 오효를 믿음이며, "순응함을 생각한다"는 오효에게로 돌아감이고, "어진 이를 숭상한다"는 오효의 도를 즐거워함입니다.〉

이지연(李止淵)『주역차의(周易箚疑)』

爻在天上, 而下從乎五, 可謂自天祐之者也.
효가 하늘 위에 있고 아래로 오효를 따르니, 하늘로부터 도움을 받는 것이라고 말할 만하다.

乾坤之後, 繼之以六險卦, 艱得畜以生聚, 履以辨治而致泰. 泰雖通泰之會而不无驕泰之慮, 故旋卽爲否. 於是乎, 上下相同, 同心以濟, 示天下以大公至正之道然後, 始爲大有之世. 天下之升平, 若是其難也, 此之謂千萬載一遇者也.

---

129)『周易·繫辭傳』: 易曰, 自天祐之. 吉无不利, 子曰, 祐者, 助也, 天之所助者順也, 人之所助者信也, 履信思乎順, 又以尙賢也. 是以自天祐之吉无不利也.

건괘(乾卦☰)와 곤괘(坤卦☷)의 뒤에 여섯 개의 험한 괘로 잇다가 어렵게 축괘(畜卦☴)[130]를 얻어 백성을 길러서 나라를 부강하게 하였고, 리괘(履卦☰)를 얻어 사리에 맞게 잘 변별하여 정치를 잘 하다가 태괘(泰卦☷)에 이르게 된다. 태괘가 비록 통하고 태평한 시기이지만, 교만하고 방자함에 대한 염려가 없지 않기 때문에 되돌아가서 비색하게[否]가 된다. 이에 위에 있는 사람과 아래에 있는 사람들이 서로 함께하고 마음을 함께하여 비색한 세상을 구제하여 크게 공적을 이루고 지극히 올바른 도를 천하에 보인 후에 비로소 대유의 시대가 되었다. 천하가 태평하게 되기란 그 어려움이 이와 같았으니, 이것을 일러 천 년이나 만 년에 한 번 만날 수 있는 것이라고 한다.

김기례(金箕澧) 「역요선의강목(易要選義綱目)」

上九, 自天祐之,
상구는 하늘로부터 도움을 받아,

居无位之地, 以剛[131]從陰, 所謂功成予退之耆舊也. 滿且不溢, 天豈不佑.
지위가 없는 곳에 있고, 강한 양으로서 음을 따르니, 이른바 공이 이루어졌지만 자기 스스로 물러나는 나이가 많은 사람이다. 가득 차 있지만 넘치지 않으니, 하늘이 어찌 도와주지 않겠는가?

○ 卦中六五爲主. 初无交害之逸民. 上爲賓師之耆舊. 二爲倚任大臣. 三以明哲公侯不中, 故戒[132]小人. 四[133]近君, 故戒寵極. 五中而信, 故欲其克警. 六爻大亨.
괘 중에서 육오가 주인이 된다. 초효는 해로운 데에 교섭하지 않고 숨어 지내는 사람이다. 상효는 제후에게 빈객의 대우를 받는 나이가 많은 학자이다. 이효는 의지하고 맡길 수 있는 대신이다. 삼효는 명석한 공후(公侯)로 가운데 자리에 있지 않기 때문에 소인에 대하여 경계하였다. 사효는 임금과 가깝기 때문에 총애가 지극한 것에 대하여 경계하였다. 오효는 가운데 자리에 있으면서 믿음이 있기 때문에 그가 경계할 수 있기를 원하였다. 여섯 효가 크게 형통하다.

贊曰, 明良相遇, 上下相承. 健若不明, 燭理不能, 明若不健, 爲法不繩. 剛健文明,

130) 괘의 순서로 보면 여기서 말하는 축(畜)이란 소축괘를 말한다.
131) 剛: 경학자료집성DB에는 비어 있으나, 경학자료집성 영인본을 참조하여 '剛'으로 바로잡았다.
132) 戒: 경학자료집성DB에 '求'로 되어 있으나, 경학자료집성 영인본을 참조하여 '戒'로 바로잡았다.
133) 四: 경학자료집성DB에는 '因'으로 되어 있으나, 경학자료집성 영인본과 문맥을 살펴 '四'로 바로잡았다.

順天是應.
찬미하여 말하였다: 밝은 임금과 좋은 신하가 서로 만나 위에 있는 사람과 아래에 있는 사람이 서로 받든다. 강건한데도 만약 밝지 못하면 이치를 밝힐 수가 없고, 밝은데도 강건하지 못하면 법은 바를 수 없다. 강건하면서 문명하고 하늘에 순응하여 이에 응한다.

심대윤(沈大允)『주역상의점법(周易象義占法)』

大有之大壯☳. 以陽德居柔而處陰爻之上, 有尙賢之義. 又居无位之地, 而人主下之師傅之以道得民者也. 大壯有不實之義, 是也. 人心旣滅, 道心獨存, 盡性至命, 與天同德, 所謂天下至誠者也. 故曰自天祐之, 吉无不利. 乾爲天, 言爲天人所助也. 凡言自天謂天下至誠也. 姤之九五, 亦言自天也. 大壯全爲兌, 兌爲施予, 對觀全爲艮, 艮爲福, 有祐之義. 祐人祐之福也, 言天與人歸利集福萃而吉, 又无不利也. 忠恕之道, 先難而後得, 故自初至四, 言无咎而不言吉利也, 至五而始吉, 至上而始利也. 〈神化之極, 有道至於无道, 有德至於无德, 致爲一矣. 此大壯不實之義也, 亦有謙卦之義也. ○ 道始於地而終於天. 地有形而天无形, 盡力於有形, 則自然至於无形. 人道惟盡力於有形也.〉
대유가 대장괘(大壯卦☳)로 바뀌었다. 양의 덕으로써 유순한 음의 자리에 있고 음효의 위에 있으므로, 어진 사람을 숭상하는 뜻이 있다. 또 지위가 없는 곳에 있으면서 임금이 스승에게 자신을 낮추어 도로써 백성을 얻는 자이다. 대장괘에 꽉 채우지 않는 뜻을 가지고 있다는 것이 이것이다. 인심은 이미 없어지고 도심은 홀로 보존되어 성(性)을 다하고 천명(天命)을 지극히 하여 하늘과 덕을 함께하니, 이른바 천하에 지극히 참된[134] 자이다. 그러므로 "하늘로부터 도움을 받아 길하여 이롭지 않음이 없다"고 하였다. 건괘는 하늘이 되니, 하늘과 다른 사람에 의하여 도움을 받음을 말한다. '하늘로부터'라고 말한 것은 천하에 지극히 성실함을 말한다. 구괘(姤卦☴)의 구오에서도 또한 '하늘로부터'를 말하였다.[135] 대장괘는 전체 괘로 보면 팔괘 중에서 태괘가 되며 태괘는 베푼다는 뜻이 된다. 대장괘의 음과 양이 바뀐 괘인 관괘(觀卦☷)는 전체 괘로 보면 팔괘 중에서 간괘(艮卦☶)가 되며, 간괘는 복이 되고 돕는다는 뜻이 있다. "돕는다"란 다른 사람이 돕는 복이니, 하늘과 사람이 이익과 복이 모이는 곳으로 돌아가 길하여 이롭지 않음이 없다는 말이다. 충서(忠恕)의 도는 어려움을 먼저하고 이득은 나중에 하기[136] 때문에 초효로부터 사효에 이르기까지 "허물이 없다"고 말하고 길하다거나 이롭다고 말하지 않았으나, 오효에 이르러 비로소 길하고, 상효에 이르

134)『中庸』: 惟天下至誠, 爲能盡其性, 能盡其性, 則能盡人之性, 能盡人之性, 則能盡物之性, 能盡物之性, 則可以贊天地之化育, 可以贊天地之化育, 則可以與天地參矣.
135)『周易 · 姤卦』: 九五, 以杞包瓜, 含章, 有隕自天.
136)『論語 · 雍也』: 問仁. 曰, 仁者, 先難而後獲, 可謂仁矣.

러 비로소 이롭게 된다. 〈신묘한 변화의 지극함이란 도가 있음은 도가 없는 데에 이르고 덕이 있음은 덕이 없는 데에 이르는 것이니, 지극한 데에서는 한 가지이다. 이것이 대장괘에는 꽉 채우지 않다는 뜻이 있다는 것이며, 또한 겸괘(謙卦䷎)괘의 뜻이 있다. ○ 도는 땅에서 시작하여 하늘에서 끝난다. 땅은 형체가 있고 하늘은 형체가 없으니, 형체가 있는 것에 대하여 힘을 다하면, 자연스럽게 형체가 없는 데에 이르게 된다. 인도(人道)는 오직 형체가 있는 것에 대하여 힘을 다할 뿐이다.〉

오치기(吳致箕) 「주역경전증해(周易經傳增解)」

上九, 以陽剛之才无位而在上, 見孚於六五之君爲其所尊尙, 卽賢人之富有德業者也. 居柔而履順, 處高而識明, 有虛心謙損之美. 无過極滿盈之志, 故天降福慶之祐, 旣得其吉, 又无攸不利也. 已備於繫辭傳矣.

상구는 굳센 양의 재질로 지위가 없이 가장 위의 자리에 있으면서 그가 존중하고 숭상하는 육오인 임금에 대하여 믿음을 얻으니, 곧 어진 사람 중에서 덕업을 충분하게 가진 자이다. 유순한 자리에 있으면서 실행함이 순조롭고 높은 곳에 있으면서 밝게 깨달으니, 마음을 비우고 겸손한 아름다움이 있다. 매우 지나치게 채우려고 하는 뜻이 없기 때문에 하늘이 복과 경사라는 도움을 내려 이미 그 길함을 얻었으니, 또한 이롭지 않은 바가 없다. 이미 「계사전」에 이러한 뜻이 갖추어져 있다.

○ 祐者, 助也

'우(祐)'는 돕는다는 뜻이다.

이진상(李震相) 『역학관규(易學管窺)』

自天祐之,

하늘로부터 도움을 받아,

大有, 乾在下而天道上行, 上九其極也. 所以有自天祐之象, 非以上爲天位而然也. 小註誠齋說, 棐德之棐, 與匪通用.

대유괘는 건괘가 아래에 있으나 천도는 위에서 운행하는데 상구는 지극한 것이다. 하늘로부터 도움을 받는 상을 가지고 있는 까닭은 상구를 하늘의 자리로 여겨서 그러한 것이 아니다. 소주에서 성재양씨는 "'비덕(棐德)'에서의 '비(棐)'는 '비(匪)'와 통용된다"고 하였다.

象曰, 大有上吉, 自天祐也.

「상전」에서 말하였다: 대유의 상구가 길한 것은 "하늘로부터 도움을 받기 때문이다".

中國大全

傳

大有之上有極當變, 由其所爲順天合道. 故天祐助之, 所以吉也. 君子滿而不溢, 乃天祐也. 繫辭復申之云, 天之所助者順也, 人之所助者信也, 履信思乎順, 又以尙賢也, 是以自天祐之吉无不利也. 履信謂履五, 五虛中, 信也, 思順, 爲謙退不居, 尙賢, 謂志從於五. 大有之世不可以盈, 豊而復處盈焉, 非所宜也. 六爻之中, 皆樂據權位, 唯初上不處其位. 故初九无咎, 上九无不利. 上九在上, 履信思順. 故在上而得吉, 蓋自天祐也.

대유의 상효는 소유함이 지극할 때에 마땅히 변할 것이니, 하는 바가 하늘에 순응하고 도에 부합하기 때문에 하늘이 도와서 길한 것이다. 군자는 가득 차더라도 넘치지 않으니, 하늘이 돕는다. 「계사전」에서 재차 "하늘이 돕는 것은 순응함에 있고, 사람들이 돕는 것은 믿음에 있으니, 믿음을 이행하고 순응함을 생각하여 또 어진 사람을 숭상하므로 이 때문에 하늘로부터 도움을 받아 길하여 이롭지 않음이 없다"[137]고 말하였다. "믿음을 이행한다"는 것은 오효를 밟는다는 것을 말하니, 오효가 가운데가 빈 것은 믿음이고 "순응함을 생각한다"는 것은 겸손하고 물러나 그 자리에 있지 않는다는 것이며, "어진 사람을 높인다"는 것은 뜻이 오효에 따름을 말한다. 대유의 시대에서는 넘칠 수 없으니, 풍성한데도 넘치는 곳에 처해 있다면 마땅한 바가 아니다. 여섯 효 가운데에 모두들 권세가 있는 자리에 거처하기를 즐거워하지만, 오직 초효와 상효는 그 자리에 처해 있지 않는다. 그러므로 초구는 허물이 없고 상구는 이롭지 않음이 없다. 상구는 위에 있으면서 믿음을 이행하고 순응함을 생각한다. 그러므로 위에 있으면서도 길함을 얻으니, 하늘로부터 도움을 받는다.

137) 『周易·繫辭傳』: 易曰, 自天祐之, 吉无不利, 子曰, 祐者, 助也, 天之所助者, 順也, 人之所助者, 信也, 履信思乎順, 又以尙賢也. 是以自天祐之吉无不利也.

小註

節齋蔡氏曰, 大有一柔五剛, 故以柔爲一卦之主而衆爻皆于五取義. 初以遠五而有艱. 二以應五而无咎. 三以公位而用享于天子. 四以能謙承五而无咎. 上以近五而獲自天之祐也.
절재채씨가 말하였다: 대유괘는 하나의 유순한 음과 다섯 개의 굳센 양으로 되어 있으므로 유순한 음으로써 한 괘의 주인으로 삼고 여러 효가 모두 오효에게서 뜻을 취한다. 초효는 오효와 멀어서 어려움이 있다. 이효는 오효와 호응하기 때문에 허물이 없다. 삼효는 공의 자리에 있어서 천자에게 조공을 드린다. 사효는 겸손하게 오효를 받들어 허물이 없다. 상효는 오효와 가까워서 하늘로부터 도움을 받을 수 있다.

○ 平庵項氏曰, 大有之卦以六五爲主. 初之无交害, 逸民也. 上九在上, 賓師也. 中爻三位爲臣. 二大臣也, 受大有之任, 故爲載. 三外臣也, 奉大有之物, 以朝貢, 故爲享. 二中, 故无咎, 三不中, 故戒君子用享, 則爲桓文, 小人弗克, 則爲曹馬矣. 四近臣也, 以柔自抑, 不怙大有之寵, 故爲匪其彭. 五離中虛, 中孚爲信而上下應之, 則其孚交矣. 所慮者, 居易无備, 故必威如乃吉, 欲其克自警畏也.
평암항씨가 말하였다: 대유괘는 육오를 주인으로 삼는다. 초효는 해로운 데에 교섭하지 않고 숨어 지내는 사람이다. 상구는 맨 위에 있으니 빈사(賓師)이다. 가운데 있는 효들의 세 자리는 신하가 된다. 이효는 대신이며 대유의 시대에서 임무를 맡았으므로 큰 수레로 실음이 된다. 삼효는 외신(外臣)이며 대유의 물(物)을 받들어 조공을 바치므로 드림이 된다. 이효는 가운데 자리를 얻었으므로 허물이 없고, 삼효는 가운데 자리를 얻지 못하였으므로 군자가 천자에게 조공을 드림으로써 처신하면 제환공이나 진문공이 되지만, 소인이 능하지 못하면 조조와 사마염이 된다고 경계하였다. 사효는 가까운 신하이며 유순함으로 스스로를 억제하여 대유의 총애를 의지하지 않기 때문에 풍성함을 지극히 하지 않게 된다. 오효는 리괘의 가운데로 비어 있고 중부는 믿음이 되어[138] 위와 아래가 그에 응하니, 그 믿음으로써 사귄다. 생각하는 바가 안이해지고 대비함이 없기 때문에 반드시 위엄 있게 하면 길하니, 스스로 경계하고 두려워 할 수 있고자 하는 것이다.

○ 誠齋楊氏曰, 八卦乾爲尊. 六十四卦泰爲盛. 然乾之上九悔於亢, 泰之上六吝於亂. 盛治備福, 孰若大有者, 六爻亨一, 吉二, 无咎三. 明主在上, 群賢畢集, 无一敗亂之小人, 无一害治之桀德. 士生斯世也, 縕袍華於珮玉, 飮水甘於列鼎, 而況九二之大臣, 九

138) 『周易·雜卦傳』: 大有, 衆也, 同人, 親也. 革, 去故也, 鼎, 取新也. 小過, 過也, 中孚, 信也. 豊, 多故, 親寡, 旅也.

三之諸侯, 上九功成身退之耆舊乎. 嗚呼, 盛哉.
성재양씨가 말하였다: 팔괘에서는 건괘가 존귀하다. 육십사괘에서는 태괘가 성(盛)하다. 그러나 건괘의 상구는 지나치게 올라간 데에서 후회가 있고, 태괘의 상육은 난리 속에서 인색하다. 정치를 훌륭하게 하고 복을 갖추는 데에서 그 무엇이 대유괘 여섯 효 중에서 형통함이 하나이고, 길함이 둘이고, 허물이 없는 것이 셋인 것과 같겠는가? 밝은 군주가 위에 있어서 여러 어진 사람들이 모여들어 실패와 난리를 일으키는 소인은 하나도 없고, 정치를 해치는 변변치 못한 덕을 가진 사람이 하나도 없다. 선비가 이 시대에 태어나서 평범한 옷을 입더라도 패옥보다도 화려하고, 냉수를 마심이 진수성찬보다 단데, 하물며 구이인 대신과 구삼인 제후와 상구인 공이 이루어져서 자신은 물러나는 나이 많은 신하에 있어서랴! 오호라, 성대하도다!

‖韓國大全‖

유정원(柳正源) 『역해참고(易解參攷)』

小註, 誠齋說, 棐德. 〈案, 朱子李存誠更名序, 棐與匪通用.〉
소주에 있는 성재양씨가 말하였다: 변변치 못한 덕을 가진 사람. 〈내가 살펴보았다: 주자가 「이존성경명서(李存誠更名序)」에서 "'비(棐)'는 '비(匪)'와 통용된다"고 하였다.〉

김상악(金相岳) 『산천역설(山天易說)』

大有, 卽富有之時, 而初與上居于无位, 不處其盛, 故初得无咎, 上无不利. 夫子所以但擧爻辭而爲象者, 爲其无所敎戒者歟. 後之君子之處大有者, 尤宜翫究而勿失也.
대유는 부유한 때이니, 초효와 상효는 지위가 없는 데에 있어서 풍성함에 있지 않기 때문에 초효는 허물이 없을 수 있고, 상효는 이롭지 않음이 없다. 공자가 효사만을 들어서 상을 삼은 것은 가르쳐 경계시킬 바가 없기 때문이겠는가? 뒤에 나올 군자 가운데에 대유의 시대에 있게 되는 자는 더욱 마땅히 깊이 완미하여 연구하고 잃어서는 안 된다.

김규오(金奎五) 「독역기의(讀易記疑)」

傳思順, 謂謙退不居, 蓋申上文无位之地, 不居其有之意. 然履信思順尙賢, 實此爻全德, 而履與尙, 皆指六五, 則中間一句, 豈獨不然乎. 義兼言三者於下從之中, 其意可見.

『정전』에서 "「계사전」에서 말한 '순응함을 생각하다'란 겸손하게 물러나 그 자리에 있지 않는다는 것이다"라고 한 것은 아마도 위의 단락에 나오는 "지위가 없는 곳에 있어, 소유를 자처하지 않는다"는 뜻이 됨을 거듭 밝힌 듯하다. 그러나 『본의』에 나오는 "믿음을 이행한다"와 "순응함을 생각한다"와 "어진 사람을 숭상한다"는 실제로 이 효의 온전한 덕이며, 행하고 숭상하는 대상은 모두 육오를 가리키니, 중간에 있는 한 구절[思順]만이 어찌 유독 그렇지 않겠는가? 『본의』에서는 '아래로 따르는' 것에서 이 세 가지를 겸하여 말하였으니, 그 뜻을 알 수가 있다.

서유신(徐有臣) 『역의의언(易義擬言)』

大有之盛矣, 而上九得吉者, 以其善於終而獲天祐也.

대유가 성대함이니, 상구가 길함을 얻은 것은 그 끝에서 착하여 하늘의 도움을 얻었기 때문이다.

심대윤(沈大允) 『주역상의점법(周易象義占法)』

大有之時, 以言乎一人, 則初遏惡得善而未施也, 二有得而施也, 三善惡始分矣, 四害去而利來也, 五至善也, 上至誠也. 以言乎天下, 則去亂爲治有序, 自卑達尊有位也.

대유의 때에 한 사람을 두고 말한다면, 초효에서는 악을 막고 선을 얻었으나 아직 선을 베풀지 못하며, 이효에서는 선을 베풀 수 있고, 삼효에서는 선과 악이 비로소 나누어지며, 사효에서는 해로움이 떠나가고 이로움이 오고, 오효에서는 지극히 선하며, 상효에서는 지극히 성실하다. 천하를 두고서 말한다면, 난리를 제거하고 잘 다스리는 데에는 차례가 있고, 낮은 곳에 있는 사람으로부터 높은 곳에 있는 사람에 이르기까지 각각 마땅한 자리가 있다.

오치기(吳致箕) 「주역경전증해(周易經傳增解)」

有德, 必有報, 故自天降福而祐之也.

유덕한 사람은 반드시 보상이 있기 때문에 하늘이 복을 내려 그를 돕는다.

15

겸괘

謙卦䷎

中國大全

傳

謙, 序卦, 有大者, 不可以盈. 故受之以謙, 其有旣大, 不可至於盈滿, 必在謙損. 故大有之後, 受之以謙也. 爲卦坤上艮下, 地中有山也. 地體卑下, 山高大之物而居地之下, 謙之象也, 以崇高之德而處卑之下, 謙之義也.

겸괘(謙卦䷎)는 「서괘전」에서 "크게 소유한 자는 가득 차게 해서는 안 되므로 겸괘로써 받는다"고 하였으니, 그 소유함이 이미 큰 것은 가득 차는 데까지 이르러서는 안 되고 반드시 겸손하고 덜어냄이 있어야 한다. 그러므로 대유괘(大有卦䷍) 다음에 겸괘로 받은 것이다. 괘의 형태는 곤(坤☷)이 위에 있고 간(艮☶)이 아래에 있으니, 땅속에 산이 있는 것이다. 땅의 몸체가 낮아서 아래에 있는데, 산이 높고 큰 물건이면서 땅의 아래에 있으니 겸손함의 상이며, 숭고한 덕으로 낮은 것의 아래에 있으니 겸손함의 뜻이다.

小註

隆山李氏曰, 設卦命名, 多以畫之反對取象. 謙豫二卦, 反履小畜之對也. 履謙取畫在三, 豫小畜取畵在四, 特陰陽之畫不同耳, 皆五陰一陽, 五陽一陰之卦也. 一陰, 在下卦三陽之上, 其位不順, 故名之小畜, 一陽, 在下卦三陰之上, 其位則順, 故名之豫, 一陰, 在上卦三陽之下, 其位則宜, 故名之履, 一陽, 在上卦三陰之下, 其位非宜, 故名之謙.

융산이씨가 말하였다: 괘를 펼쳐서 이름을 붙임에 음양의 획(畫)이 서로 반대되는 것으로 상을 취함이 많으니, 겸괘(謙卦䷎)와 예괘(豫卦䷏)는 리괘(履卦䷉)와 소축괘(小畜卦䷈)의 음양이 바뀐 괘이다. 리괘와 겸괘는 삼효에서 획을 취하고 예괘와 소축괘는 사효에서 획을 취하지만, 단지 음양의 효가 같지 않을 뿐이며, 모두 음이 다섯이고 양이 하나이거나 양이 다섯이고 음이 하나인 괘이다. 하나의 음(陰)이 하괘(下卦)인 세 양(陽)의 위에 있어서 그 자리가 순하지 않으므로 이름을 소축(小畜)이라 하였고, 하나의 양이 하괘인 세 음의 위에 있어서 그 자리가 순하므로 이름를 예(豫)라고 하였으며, 하나의 음이 상괘(上卦)인 세 양의 아래에 있어서 그 자리가 마땅하므로 이름을 리(履)라고 하였고, 하나의 양이 상괘인 세 음의 아래에 있어서 그 자리가 마땅하지 않으므로 이름을 겸(謙)이라 하였다.

○ 厚齋馮氏曰, 一陽五陰之卦, 其立象也, 一陽在上下者, 爲剝復, 象陽氣之消長也. 在中者, 爲師比, 象衆之所歸也. 至於三四, 在二體之際, 當六畫之中, 故以其自上而退處於下者, 爲謙, 自下而奮出乎上者, 爲豫, 此觀畫立象之本旨也.

후재풍씨가 말하였다: 양이 하나이고 음이 다섯인 괘를 가지고 상을 세운다면, 하나의 양이 맨 위와 아래에 있는 것은 박괘(剝卦䷖)와 복괘(復卦䷗)가 되니, 양기(陽氣)의 줄어들고 자라남을 형상한다. 상괘나 하괘의 가운데 있는 것은 사괘(師卦䷆)와 비괘(比卦䷇)가 되니, 무리가 돌아가는 것을 형상한다. 삼효와 사효에 이르면 하괘와 상괘의 사이에 있는 것이니, 여섯 효[畫]의 가운데에 해당된다. 그러므로 위로부터 아래로 물러나 있는 것은 겸괘가 되고, 아래로부터 위로 떨쳐 나가는 것은 예괘(豫卦)가 되니, 이것이 획을 관찰하여 상을 세우는 본래의 취시이다.

謙, 亨, 君子有終.

겸은 형통하니, 군자가 끝마침이 있다.

中國大全

傳

謙有亨之道也. 有其德而不居, 謂之謙, 人以謙巽自處, 何往而不亨乎. 君子有終, 君子志存乎謙巽, 達理, 故樂天而不競, 內充, 故退讓而不矜. 安履乎謙, 終身不易, 自卑而人益尊之, 自晦而德益光顯, 此所謂君子有終也. 在小人, 則有欲必競, 有德必伐, 雖使勉慕於謙, 亦不能安行而固守, 不能有終也.

겸괘에는 형통하는 도가 있다. 그 덕이 있으면서도 차지하지 않음을 겸손함이라 하니, 사람이 겸손함으로 스스로 처신하면 어느 곳을 가더라도 형통하지 않겠는가? "군자가 끝마침이 있다"는 것은, 군자는 뜻이 겸손함에 있으면서 이치에 통달하기 때문에 천명을 즐기면서 다투지 않고, 안이 충실하기 때문에 물러나 사양하면서 자랑하지 않는다는 것이다. 겸손함을 편안하게 이행하여 종신토록 바꾸지 않기에, 스스로 낮춰도 사람들이 더욱 존중하고 스스로 숨겨도 덕이 더욱 빛나 드러나니, 이것이 이른바 "군자가 끝마침이 있다"는 것이다. 소인은 욕심이 있으면 반드시 다투고 덕이 있으면 반드시 자랑하여, 비록 힘써 겸손하고자 하여도 또한 편안히 행하며 굳게 지킬 수 없으니, 끝마침이 있을 수 없다.

小註

程子曰, 他卦皆有悔凶咎, 唯謙卦未嘗有, 他卦有待而亨, 唯謙則便亨.
정자가 말하였다: 다른 괘는 모두 후회나 흉함이나 허물이 있지만 오직 겸괘는 애초부터 없었으며, 다른 괘들은 기다린 뒤에 형통하지만 오직 겸괘는 곧바로 형통하다.

○ 涑水司馬氏曰, 君子之德誠盛矣, 業誠大矣, 不謙以持之, 无以保其終也.
속수사마씨가 말하였다: 군자의 덕은 참으로 성대하고 사업은 참으로 거대하니, 겸손으로 유지하지 않는다면 그 끝마침을 보전할 수 없을 것이다.

○ 隆山李氏曰, 此易中最吉之卦, 而天下最難行之事. 非謙之難, 謙而能終者之難也, 非君子, 豈能有終乎?
융산이씨가 말하였다: 이것은 『주역』에서 가장 길한 괘이지만, 천하에 가장 행하기 어려운 일이다. 겸손하기가 어려운 것이 아니라 겸손하면서 끝마치는 것이 어려운 것이니, 군자가 아니라면 어찌 끝마침이 있을 수 있겠는가?

本義

謙者, 有而不居之義, 止乎內而順乎外, 謙之意也. 山至高而地至卑, 乃屈而止於其下, 謙之象也. 占者如是, 則亨通而有終矣, 有終謂先屈而後伸也.

'겸(謙)'이란 지니고도 차지하지 않는다는 뜻이니, 안으로는 그쳐 있고 밖으로는 순응함이 겸손함의 뜻이다. 산이 지극히 높고 땅이 지극히 낮은데도 굽혀서 땅의 아래에 머무름이 겸손함의 상이다. 점을 치는 자가 이와 같이 한다면 형통하여 끝마침이 있을 것이니, '끝마침이 있음'은 먼저 굽혔다가 뒤에 폄을 말한다.

小註

朱子曰, 謙便能亨, 又爲君子有終之象.
주자가 말하였다: 겸손하면 곧 형통할 수 있으니, 또한 군자가 끝마침이 있는 상이 된다.

○ 節齋蔡氏曰, 剛屈乎柔之下, 謙之義也. 剛下乎柔, 交通之道, 故亨. 君子三也. 君子有是德, 則始雖卑而終益尊, 始雖晦而終益光. 故有終.
절재채씨가 말하였다: 굳센 양이 부드러운 음의 아래로 굽힘이 겸손함의 뜻이고, 굳센 양이 부드러운 음보다 아래 있음은 사귀어 통하는 도(道)이므로 형통한 것이다. 군자는 삼효이다. 군자는 이러한 덕이 있기에 처음에는 낮더라도 끝내는 더욱 존귀하고, 처음에는 어두워도 끝내는 더욱 빛날 수 있다. 그러므로 끝마침이 있는 것이다.

○ 雲峯胡氏曰, 乾爲易第一卦, 本義謂筮得乾卦者, 其事雖大亨, 猶未易以保其終. 蓋天下之事, 始而亨者十九, 亨而有終者十一, 唯謙則於德爲君子, 於事爲亨而有終.
운봉호씨가 말하였다: 건괘(乾卦)는 『주역』의 첫 번째 괘이지만, 『본의』에서 "점쳐서 건괘를 얻으면 그 일이 비록 크게 형통하여도 여전히 끝마침을 보존하기는 쉽지 않다"고 하였다. 천하의 일은, 시작하여 형통한 것은 열의 아홉이나 형통하여 끝마침이 있는 것은 열의 하나이니, 오직 겸괘만이 덕에 있어서는 군자가 되고 일에 있어서는 형통함이 되어 끝마침이 있는 것이다.

‖韓國大全‖

심조(沈潮) 「역상차론(易象箚論)」[1]

象, 君子有終.
「단사」에서 말하였다: 군자가 끝마침이 있다.

互震, 帝而長子, 故稱君子. 有之從月, 終之從冬, 皆坎也.
호괘가 진괘(震卦☳)이니, 임금이면서 큰 아들이다. 그러므로 군자라고 하였다. '유(有)'자는 '월(月)'을 따르고, '종(終)'자는 '동(冬)'을 따르니, 모두 감(坎)이다.

유정원(柳正源) 『역해참고(易解參攷)』

正義, 謙不言元與利貞者, 元是物首也, 利貞是幹正也. 於人旣爲謙退, 何爲之首也, 以謙下人, 何以幹正於物.
『주역정의』에서 말하였다: 겸괘에서 '원(元)'과 '리(利)'와 '정(貞)'을 말하지 않은 것은 원은 사물의 머리이고, 리와 정은 주관하고 바르게 하는 것이기 때문이다. 사람에 대해서 이미 겸손하게 물러나니 어찌 머리가 되겠으며, 겸손함으로 남들에게 낮추니 무엇으로 사물을 주관하고 바르게 하겠는가?

○ 雙湖胡氏曰, 三公侯之尊貴也, 乃自卑而處上卦三陰之下, 所以爲謙也.
쌍호호씨가 말하였다: 삼효는 공후의 존귀함인데, 스스로를 낮추어 상괘인 세 음(陰)의 아래에 있으니, 그래서 겸손함이 된 것이다.

○ 退溪先生疾革, 門人李德弘, 筮得謙卦君子有終之辭. 翼日, 先生易簀.
퇴계선생이 병이 위중하자, 문인인 이덕홍이 시초점을 쳐서 겸괘의 "군자가 끝마침이 있다"는 점사를 얻었다. 다음날에 선생이 임종하였다.

○ 案, 坤以成之, 艮以止之, 皆有終之象.

---

1) 경학자료집성DB에서는 겸괘(謙卦) 「단전」에 해당하는 것으로 분류했으나, 내용에 따라 이 자리로 옮겨 바로 잡는다.

내가 살펴보았다: 곤괘(坤卦☷)로 이루고 간괘(艮卦☶)로 그치니, 모두 끝마침이 있는 상이다.

김상악(金相岳) 『산천역설(山天易說)』

謙之爲卦, 艮陽下濟, 坤陰上行, 謙所以亨. 君子, 指九三也, 三主謙於上下, 以剛得正, 故能有終也.

겸괘(謙卦)는 간괘(艮卦☶)의 양이 내려와 교제하고, 곤괘(坤卦☷)의 음이 올라가 유행하니, 겸이 형통한 까닭이다. 군자는 구삼(九三)을 가리키는데, 삼효는 위아래로 겸손함을 주장하고 굳센 양으로 바른 자리를 얻었으므로 끝마침이 있을 수 있다.

○ 有終, 謂善始而善終也. 終始萬物, 莫盛於艮, 故初三皆吉.

"끝마침이 있다"는 것은 시작을 잘하고 끝마침을 잘함을 말한다. 만물을 마치고 시작함이 간괘(艮卦)보다 성대한 것이 없으므로[2] 처음의 세 효가 모두 길하다.

서유신(徐有臣) 『역의의언(易義擬言)』

謙亨, 謙必亨也. 君子有終, 君子乃有終也.

"겸은 형통하다"는 겸손하면 반드시 형통하다는 것이고, "군자가 끝마침이 있다"는 군자라야 이내 끝마침이 있다는 것이다.

김귀주(金龜柱) 『주역차록(周易箚錄)』

按, 謙亨是公共說, 蓋謙自有亨道也. 君子有終, 以內體艮而言, 艮爲止, 止乃有終之象也. 又就艮體看, 則實指九三而言, 三是內卦之終, 亦有終之象也. 蓋地山雖是兩體, 而其下之者, 乃山也. 故艮爲謙之主. 艮體雖有三爻, 而一陽止於二陰之上三陰之下 爲众所歸, 故九三又爲成卦之主. 此文王彖辭, 以有終言之, 而周公爻辭, 亦與之合矣.

내가 살펴보았다: "겸은 형통하다"는 괘 전체의 설이니, 겸괘에는 본래부터 형통한 도가 있다. "군자가 끝마침이 있다"는 내괘의 몸체인 간괘(艮卦☶)로 말한 것이니, 간은 그침이 되고 그침은 끝마침이 있는 상이다. 또 간괘의 몸체를 놓고 본다면, 실제로는 구삼을 가리켜 말한 것이니, 삼효는 내괘의 끝이 되고 또한 끝마침의 상이 있기 때문이다. 대체로 땅과 산이 비록 두 몸체이지만 아래에 있는 것은 바로 산이다. 그러므로 간괘(☶)가 겸괘(謙卦)

2) 『周易·說卦傳』: 終萬物始萬物者, 莫盛乎艮.

의 주인이 된다. 간괘의 몸체에 비록 세 효(爻)가 있지만 하나의 양이 두 음의 위와 세 음의 아래에서 그쳐 있으면서 여러 것[陰]들의 귀소처가 된다. 그러므로 구삼은 다시 전체 괘의 주인이 된다. 이에 문왕의 단사(彖辭)에서 "끝마침이 있다"고 하였고, 주공의 효사도 또 이에 부합시켰던 것이다.

윤행임(尹行恁) 『신호수필(薪湖隨筆) · 역(易)』

順坤在上, 止艮在下, 故爲謙. 順而止者, 有終之吉也, 有終然後, 始可以亨. 大學曰, 物有終始. 始固不難愼, 愼終尤難, 故先言終. 曾子啓手足, 從臨履做得, 是謂謙謙.
곤(坤)의 유순함이 위에 있고 간(艮)의 그침이 아래에 있으므로 겸괘가 되었다. 유순하면서 그친다는 것은 끝마침이 있는 길함이니, 끝마침이 있은 후에야 비로소 형통할 수 있다. 『대학』에서 "사물에 마침과 시작이 있다"[3]고 하였는데, 시작도 참으로 삼가기 어렵지만 마침을 삼감은 더욱 어렵다. 그러므로 마침을 먼저 말하였다. 증자가 "손과 발을 보이고 연못에 임하고 얼음을 밟는 듯이 지냈다"[4]는 것이니, 이것을 '겸손하고 겸손함'이라 한다.

강엄(康儼) 『주역(周易)』

本義, 止乎內, [止] 謙之象也.
『본의』에서 말하였다: 안으로는 그쳐 있고 … 겸손함의 상이다.

按, 本義釋卦名卦辭, 例取彖傳釋之, 而此不然者, 蓋此卦彖傳, 雖言謙之必亨, 及君子有終之義, 而只以天地鬼神之道, 極言謙德之盛而已, 不以卦德卦體端的釋之, 故本義不取彖傳釋之. 其曰止乎內云云者, 所謂卦德也, 其曰山至高云云者, 所謂卦象也. 然卦德乃本義所自取, 卦象卽取大象而言者也.
내가 살펴보았다: 『본의』에서는 괘명과 괘사를 풀이할 때에 범례를 「단전」에서 취하여 풀이하는데, 여기에서 그렇게 하지 않은 것은, 대체로 이 괘의 「단전」에서 비록 겸손하면 반드시 형통하고 군자가 끝마침이 있다는 뜻을 말하였더라도, 단지 천지와 귀신의 도를 가지고 겸손한 덕의 성대함을 지극히 말하였을 뿐이지, 괘의 덕과 괘의 몸체를 가지고 분명하게 풀이하지 않아서이다. 그러므로 『본의』에서 「단전」을 취하여 풀이하지 않은 것이다. 『본의』에서 "안으로는 그쳐 있고" 운운한 것이 이른바 괘의 덕이며, "산은 지극히 높고" 운운한 것이

3) 『大學』: 物有本末, 事有終始, 知所先後, 則近道矣.
4) 『論語 · 泰伯』: 曾子有疾, 召門弟子曰, 啓予足, 啓予手. 詩云 戰戰兢兢, 如臨深淵, 如履薄氷, 而今而後, 吾知免夫. 小子.

이른바 괘의 상이다. 그러나 괘의 덕은 『본의』에서 스스로 취한 것이지만, 괘의 상은 바로 「대상전」에서 취하여 말한 것이다.

박문건(朴文健) 『주역연의(周易衍義)』

退而能進, 德之亨也, 以陽下陰, 故有終.
물러나지만 나아갈 수 있음이 덕의 형통함이고, 양으로 음의 아래에 있으므로 끝마침이 있는 것이다.

이지연(李止淵) 『주역차의(周易劄疑)』

非君子, 則乃王莽之謙恭下士, 其能有終乎. 惟君子然後, 有終也.
군자가 아니라면, 바로 왕망[5]이 겸손함과 공손함으로 선비에게 낮췄던 것[6]이니, 끝마침이 있을 수 있겠는가? 오직 군자인 뒤라야 끝마침이 있다.

김기례(金箕澧) 「역요선의강목(易要選義綱目)」

謙, 〈滿則損矣, 謙代大有. 山居地下, 自卑而謙〉 亨, 君子有終. 〈剛屈柔下, 止而順, 故先屈後伸, 亨而有終. ○ 謙道難行, 非謙之難, 謙難有終. 非君子, 豈能有終乎.〉
겸은〈가득 차면 덜어내니, 겸괘가 대유괘(大有卦)를 대신한다. 산이 땅의 아래에 있으니, 스스로 낮추어 겸손함이다.〉 형통하니, 군자가 끝마침이 있다. 〈강건함이 유순한의 아래로 굽혀서 그치고 순종한다. 그러므로 먼저 굽히고 뒤에 폄이니, 형통하여 끝마침이 있다. ○ 겸의 도리는 행하기가 어려우니, 겸손하기가 어려운 것이 아니라 겸손함으로 끝마치기가 어려운 것이다. 군자가 아니라면 어찌 끝마칠 수 있겠는가?〉

---

5) 왕망(王莽, BC.45~AD23): 산동[山東] 출생이고, 자는 거군(巨君)이다. 한(漢)나라 원제(元帝)의 왕후인 왕(王)씨 서모의 동생인 왕만(王曼)의 둘째 아들이다. 갖가지 권모술수를 써서 사실(史實)상 최초로 선양혁명(禪讓革命)에 의하여 전한의 황제권력을 빼앗았다. AD 5년에는 자신의 미수에 이어 평제를 독살한 뒤 2세의 유영(劉嬰: 宣帝의 현손)을 세워, 당시 유행하던 오행참위설(五行讖緯說)을 교묘히 이용하며 인심을 모았다. AD 8년 유영을 몰아내어 한나라를 멸망시키고 국호를 '신(新)'이라 하여 황제가 됨으로써 선양혁명에 성공하였다. 그러나 왕망은 건국한지 15년이 지나 장안(長安)의 미앙궁(未央宮)에서 부하에게 찔려 죽음으로써 한왕조의 혈통을 이은 유수(광무제)에 의해 후한이 건국되었다.

6) "王莽之謙恭下士"에 관한 내용은 명(明)나라 호거인(胡居仁)이 지은 『거업록(居業錄)·제왕(帝王)』에 나오는 "王介甫詩言, 周公恐懼流言日, 王莽謙恭下士時. 脱使當年身便死, 至今眞僞有誰知."에 보인다.

심대윤(沈大允) 『주역상의점법(周易象義占法)』

忠恕, 先難而後獲, 先施而後得, 謙, 先卑而後尊, 先困而後達, 天之理, 物之常也. 故不能下人, 不能上人, 不能與人, 不能取人, 中庸曰, 君子之道, 闇然而日章, 莊周曰, 以衆小不勝爲大勝.

충서(忠恕)가 어려움을 먼저 하고 획득을 뒤에 하며 베풂을 먼저 하고 얻음을 나중에 함과 겸손함이 낮춤을 먼저 하고 높임을 뒤에 하며 곤란함을 먼저 하고 통달함을 나중에 하는 것은 하늘의 이치이며 만물의 상도(常道)이다. 그러므로 사람보다 아래 할 수 없으면 사람보다 위에 할 수도 없으며, 사람에게 줄 수 없다면 사람에게 취할 수도 없으니, 『중용』에서 "군자의 도는 은은하지만 날로 드러난다"[7]고 하였고, 장주는 "여러 작은 것들에게 승리하지 않음이 큰 승리가 된다"[8]고 하였다.

오치기(吳致箕) 「주역경전증해(周易經傳增解)」

謙者, 有而不居也. 山以極高, 退居于地之下, 爲謙之象, 艮剛而止乎內, 坤柔而順乎外, 亦爲謙之義也. 卦體, 則主爻剛而下柔, 卦義, 則自卑而益尊, 故亨. 謙爲德之柄, 君子所執而成德者, 故言君子有終.

'겸(謙)'은 지니고도 차지하지 않음이니, 산이 지극히 높으면서 땅의 아래로 물러나 있음이 겸손함의 상이 되고, 간괘(☶)가 강건하나 안으로 그쳐 있고 곤괘(☷)가 유순하나 밖으로 순응함이 또한 겸손함의 뜻이 된다. 괘의 몸체는 주인이 되는 효가 굳세면서 유순한 것에 낮추고, 괘의 뜻은 스스로 낮춰도 더욱 높아지므로 형통하다. 겸손함은 덕의 자루가 되니, 군자가 잡아 덕을 이루는 것이다. 그러므로 "군자가 끝마침이 있다"고 하였다.

○ 艮有成終之象, 故言終也, 坤體在上而失正位, 故不言貞, 二五无應, 故不言大亨.
간괘에는 마침을 이루는 상이 있으므로 '끝마침'을 말하였고, 곤괘의 몸체가 위에 있어 제자리를 잃었으므로 '곧음[貞]'을 말하지 않았으며, 이효와 오효는 호응함이 없으므로 '크게 형통함[大亨]'을 말하지 않았다.

---

7) 『中庸』: 詩曰, 衣錦尙絅, 惡其文之著也. 故, 君子之道, 闇然而日章, 小人之道, 的然而日亡, 君子之道, 淡而不厭, 簡而文, 溫而理, 知遠之近, 知風之自, 知微之顯, 可與入德矣.

8) 『莊子·秋水』: 風曰, 然. 予蓬蓬然起於北海而入於南海也. 然而指我, 則勝我, 鰌我, 亦勝我, 雖然, 夫折大木, 蜚大屋者, 唯我能也. 故, 以衆小不勝, 爲大勝也, 爲大勝者, 唯聖人, 能之.

이진상(李震相) 『역학관규(易學管窺)』

卦體.
괘의 몸체.

同人大有, 旣以五陽一陰, 而次乎泰否. 故更以五陰一陽之卦, 次之, 陽旣得中於師比矣. 陽以上進爲功, 謙者, 陽在內卦之上者也, 與履相反易, 而與豫爲反對, 禮樂之際, 獨守謙退之質也. 此以少男承坤母, 而互坎互震, 三男皆在.
동인괘(䷌)와 대유괘(大有卦䷍)가 이미 양이 다섯이고 음이 하나인 괘로 태괘(泰卦䷊)와 비괘(否卦䷋)의 다음이다. 그러므로 다시 음이 다섯이고 양이 하나인 괘가 다음인데, 양은 이미 사괘(師卦䷆)와 비괘(比卦䷇)에서 가운데 자리를 얻었다. 양은 위로 나아가는 것을 공으로 삼는데, 겸괘는 양이 내괘의 맨 위에 있는 것으로, 리괘(履卦䷉)와는 서로 음양이 바뀌어 있고 예괘(豫卦䷏)와는 거꾸로 되어 있으니, 예악(禮樂)을 행하는 즈음에 홀로 지키고 겸손하게 물러나는 형체이다. 이것은 막내아들로서 곤괘(坤卦☷)인 어머니를 받드는 것이며, 호괘(互卦)는 감괘(坎卦☵)이고 진괘(震卦☳)이니, 세 아들이 모두 여기에 있다.

박문호(朴文鎬) 「경설(經說) · 주역(周易)」

有終.
끝마침이 있다.

程傳, 以恒而不變釋之, 視本義先屈後伸之義, 恐凡長矣.
『정전』에서 '한결같이 변하지 않음'으로 풀이한 것[9]을, 『본의』의 "먼저 굽히고 뒤에 편다"는 뜻과 견주어 보면, 모두 장점이 있는 듯하다.

9) 이 구절은 「단전」에 대한 『정전』에 "君子至誠於謙, 恒而不變, 有終也. 故尊光."와 같이 나온다.

彖曰, 謙亨, 天道下濟而光明, 地道卑而上行.

「단전」에서 말하였다: "겸이 형통함"은 하늘의 도가 내려와 교제하여 빛나고 밝으며, 땅의 도가 낮아도 올라가 유행함이다.

中國大全

傳

濟當爲際, 此明謙而能亨之義. 天之道, 以其氣下際. 故能化育萬物, 其道光明, 下際, 謂下交也. 地之道, 以其處卑, 所以其氣上行, 交於天, 皆以卑降而亨也.

'제(濟)'는 마땅히 '제(際)'가 되어야 하니, 이것은 겸손하여 형통할 수 있다는 뜻을 밝힌 것이다. 하늘의 도는 그 기(氣)가 내려와 교제하기 때문에 만물을 화육(化育)할 수 있어서 그 도가 빛나고 밝으니, '내려와 교제함[下際]'은 내려와 사귐을 말한다. 땅의 도는 그 거처가 낮기에 기(氣)가 올라가 유행하여 하늘과 사귀는 것이니, 모두 낮게 내려와 형통한 것이다.

本義

言謙之必亨.

겸손이 반드시 형통함을 말한 것이다.

小註

童溪王氏曰, 夫天氣下降, 以濟萬物, 天之謙也, 化育之功, 光明著見, 則謙之亨也. 地勢卑順, 處物之下, 地之謙也, 其氣上行, 以交於天, 則謙之亨也. 莫大乎天地, 而天地, 猶不敢以自滿, 況於人與鬼神乎.

동계왕씨가 말하였다: 천기(天氣)가 아래로 내려와서 만물과 교제함은 하늘의 겸손함이고,

화육의 공(功)이 빛나고 밝아서 밝게 드러남은 겸손함의 형통함이다. 지세(地勢)가 낮고 순응하여 물건의 아래에 있음은 땅의 겸손함이고, 그 기(氣)가 올라가 유행하여 하늘과 사귐은 겸손함의 형통함이다. 천지보다 큰 것은 없고 천지도 감히 스스로 가득 채우려 하지 않거늘, 하물며 사람과 귀신에 있어서랴!

○ 節齋蔡氏曰, 下濟而光明, 艮也, 艮有光明之象, 故艮之彖曰, 其道光明, 謂艮陽止乎上, 陰不得而掩之. 故光明. 卑而上行, 坤也.
절재채씨가 말하였다: 내려와 교제하여 빛나고 밝음은 간괘(艮卦)이니, 간괘에는 빛나고 밝은 상이 있다. 그러므로 간괘의 「단전」에서 "그 도가 빛나고 밝다"고 하였으니, 간괘의 양효가 위에 그쳐서 음이 가릴 수 없음을 말한다. 그러므로 빛나고 밝은 것이다. 낮아도 올라가 유행하는 것은 곤괘(坤卦)이다.

○ 雲峯胡氏曰, 下濟爲謙, 光明爲亨, 卑爲謙, 上行爲亨. 彖傳但言謙之必亨, 而不言卦體, 蓋下濟光明, 自含艮坤二體於其間也.
운봉호씨가 말하였다: 내려와 교제함이 겸손함이 되고, 빛나고 밝음이 형통함이 되며, 낮음이 겸손함이 되고 올라가 유행함이 형통함이 된다. 「단전」에서 다만 겸손함이 반드시 형통하다는 것만 말하고 괘의 몸체에 대해서는 말하지 않았으니, 아마도 '내려와 교제하여 빛나고 밝음'이 그 사이에 간괘와 곤괘의 두 몸체를 저절로 포함하기 때문일 것이다.

‖韓國大全‖

조호익(曺好益) 『역상설(易象說)』

彖曰, 天道下濟而光明,
「단전」에서 말하였다: 하늘의 도가 내려와 교제하여 빛나고 밝으며,

註, 蔡氏, 云云.
소주에서 절재채씨가, 운운.

愚謂, 天道下濟指艮, 艮得乾之上爻, 而處坤之下, 與姤同詳之.

내가 살펴보았다: '하늘의 도가 내려와 교제함'은 간괘(艮卦☶)을 가리키는데, 간괘는 건(乾☰)의 상효를 얻어 곤(坤☷)의 아래에 있으니, 구괘(䷎)와 함께 살펴보아야 한다.

이익(李瀷) 『역경질서(易經疾書)』[10]

卦有陰陽, 震坎艮, 皆有乾道, 所謂乾三索, 是也. 艮彖傳云其道光明, 謂陽在上而陰不能揜也, 天道下濟而光明者, 謂艮得乾之上爻, 居下而其道光明也.

괘에는 음과 양이 있는데, 진괘(震卦☳)·감괘(坎卦☵)·간괘(艮卦☶)는 모두 건(乾)의 도가 있으니, 이른바 "건(乾)에서 세 번 구한다"[11]는 것이다. 간괘(䷳)의 「단전」에서 "그 도가 빛나고 밝다"[12]고 한 것은 양이 위에 있어서 음이 가릴 수 없음을 말하니, 겸괘 「단전」의 "하늘의 도가 내려와 교제하여 빛나고 밝다"는 간괘가 건괘(乾卦)의 상효를 얻어서 아래에 있어도 그 도가 빛나고 밝음을 말한다.

김상악(金相岳) 『산천역설(山天易說)』

以卦體言, 謙之必亨, 天道下濟, 地道上行, 二氣之相交也. 以卦變言, 九三自四而下, 六四自三而上也, 〈與泰相似.〉 天尊而下濟, 謙也, 而光明, 則亨矣. 地卑, 謙也, 而上行, 則亨矣.

괘의 몸체로 말한다면, 겸괘가 반드시 형통한 것은 천도가 내려와 교제하고 지도(地道)가 올라가 유행하여 두 기운이 서로 사귀기 때문이다. 괘의 변화로 말한다면, 구삼(九三)은 사효(四爻)로부터 내려오고, 육사(六四)는 삼효로부터 올라간 것이니, 〈태괘(泰卦䷊)와 서로 유사하다.〉 하늘이 높으면서 내려와 교제함이 겸손함이고 '빛나고 밝음'은 형통함이며, 땅의 낮음이 겸손함이고 '올라가 유행함'은 형통함이다.

○ 光明艮之本象. 三互坎體, 故曰下濟, 四互震體, 故曰上行.

---

10) 경학자료집성DB에서는 겸괘(謙卦) '괘사'에 해당하는 것으로 분류했으나, 내용에 따라 이 자리로 옮겼다.

11) 곤괘(坤卦)가 건괘(乾卦)에게 구하여 세 아들을 얻는 것을 말한다. 『주역·설괘전』과 주자에 의하면, 곤괘가 건괘에게서 첫 번째로 구하여 맏아들로 얻은 것이 진괘(震卦)가 되고, 두 번째로 구하여 둘째 아들로 얻은 것이 감괘(坎卦)가 되며, 세 번째로 구하여 막내아들로 얻은 것이 간괘(艮卦)가 되는데, 진괘와 감괘와 간괘는 모두 건도(乾道)를 갖추고 있는 양괘(陽卦)가 된다. 朱子曰, 坤求於乾, 得其初九而爲震. 故曰一索而得男, 乾求於坤, 得其初六而爲巽. 故曰一索而得女, 坤再求而得乾之九二, 以爲坎. 故曰再索而得男, 乾再求而得坤之六二, 以爲離. 故曰再索而得女, 坤三求而得乾之九三, 以爲艮. 故曰三索而得男, 乾三求而得坤之六三, 以爲兌. 故曰三索而得女.(『周易·文王八卦次序之圖·附錄』.)

12) 『周易·艮卦』: 彖曰, 艮, 止也, 時止則止, 時行則行, 動靜不失其時, 其道光明.

빛나고 밝음은 간괘(艮卦☶)의 본래 상이다. 삼효는 호괘인 감괘(坎卦☵)의 몸체이므로 "내려와 교제한다"고 하였고, 사효는 호괘인 진괘(震卦☳)의 몸체이므로 "올라가 유행한다"고 하였다.

김규오(金奎五) 「독역기의(讀易記疑)」

彖, 地道卑而上行, 蓋言卦體, 而傳義不言者, 天道下濟之爲艮, 不甚分明, 故只以天下濟地道卑釋謙, 以光明上行釋亨, 所以異於他卦之彖也. 但節齋以光明字證其爲艮, 而雲峯又爲自含二體於其間, 其說亦不可廢也.

「단전」의 "땅의 도가 낮아도 올라가 유행한다"는 괘의 몸체를 말한 것인데 『정전』과 『본의』에서 언급하지 않은 것은, '하늘의 도가 내려와 교제함'이 간괘(艮卦)인지가 매우 분명하지 않아서이다. 그러므로 다만 하늘이 내려와 교제함과 지도(地道)의 낮음으로 겸손함을 풀이하였고, 빛나고 밝음과 올라가 유행함으로 형통함을 풀이하였으니, 다른 괘의 「단전」과는 다른 것이다. 다만 절재채씨만이 '빛나고 밝음'으로 간괘가 됨을 증명하였고, 운봉호씨도 내려와 교제하여 빛나고 밝는 그 사이에 간괘와 곤괘의 두 몸체를 저절로 포함한다고 하였으니, 그 설도 또한 폐기할 수 없다.

서유신(徐有臣) 『역의의언(易義擬言)』

謙亨, 天道下濟而光明, 地道卑而上行.

"겸이 형통하다"는 하늘의 도가 내려와 교제하여 빛나고 밝으며, 땅의 도가 낮아도 올라가 유행함이다.

釋謙也. 剝變爲謙, 九三自天位而下來, 故曰天道下濟也. 坤自下卦而上往, 故曰地道上行也. 尊而濟乎下, 天之謙也, 卑而行乎上, 地之謙也.

겸손함을 풀이하였다. 박괘(剝卦䷖)가 변하여 겸괘가 되었으니, 구삼이 하늘의 자리에서 내려 왔으므로 "하늘의 도가 내려와 교제한다"고 하였고, 곤이 하괘(下卦)로부터 올라갔으므로 "땅의 도가 낮아도 올라가 유행한다"고 하였다. 높으면서 아래에서 교제함이 하늘의 겸손함이고, 낮아도 위에서 유행함이 땅의 겸손함이다.

김귀주(金龜柱) 『주역차록(周易箚錄)』

彖曰, 謙亨, 天道, 云云.

「단전」에서 말하였다: "겸은 형통함"은 하늘의 도가, 운운.
○ 按, 下濟也, 卑也, 是謙之道, 光明也, 上行也, 是謙之效, 乃所謂亨也. 此引天地之道, 以明謙亨之義, 然細看之, 則實亦兼說卦體. 蓋艮爲陽, 陽是天道, 則艮體之在下者, 便是天道下濟而光明也, 坤體之在下者, 便是地道卑而上行也. 小註諸儒說, 已具此意.
내가 살펴보았다: '내려와 교제함'과 '낮음'은 겸손함의 도이며, '빛나고 밝음'과 '올라가 유행함'은 겸손함의 효험이니, 이른바 형통하다는 것이다. 이것은 천지의 도를 끌어다가 "겸은 형통하다"는 뜻을 밝혔으나, 자세히 본다면 실제로는 괘의 몸체를 겸하여 설명하고 있다. 간괘(艮卦☶)는 양(陽)이고 양은 천도(天道)이니, 간괘의 몸체가 아래에 있는 것은 곧 '하늘의 도가 내려와 교제하여 빛나고 밝음'이며, 곤괘(坤卦☷)의 몸체가 아래에[13] 있는 것은 곧 '땅의 도가 낮아도 올라가 유행함'인 것이다. 소주의 여러 유자들의 설이 이미 이 뜻을 갖추고 있다.

本義, 言謙之, 云云.
『본의』에서 말하였다: 겸손이 … 함을 말한 것이다, 운운.
小註, 童溪王氏曰, 夫人[14]天氣, 云云.
소주에서 동계왕씨가 말하였다: 하늘의 기가, 운운.
○ 按, 末端與鬼神三字, 語無着落, 當刪之.
내가 살펴보았다: 끝부분의 '여귀신(與鬼神)' 세 글자는 말이 해당하는 것이 없으니, 마땅히 빼야 한다.

雲峰胡氏曰, 下濟, 云云.
운봉호씨가 말하였다: 내려와 교제하여, 운운.
○ 按, 下濟光明下, 當添入卑而上行四字.
내가 살펴보았다: "내려와 교제하여 빛나고 밝다[下濟光明]"[15]의 다음에는 마땅히 "낮아도 올라가 유행한다[卑而上行]"는 말이 첨가되어야 한다.

김기례(金箕澧) 「역요선의강목(易要選義綱目)」

天道, 下濟而光明.

---

13) 영인본에는 '下'자로 되어 있지만, 내용상 '上'자가 맞는 듯하다. 다만 번역은 영인본을 준수하였다.
14) 소주의 동계왕씨의 글에는 '人'자가 없다.
15) 『周易傳義大全 · 謙卦』 小註: 彖傳但言謙之必亨而不言卦體, 蓋下濟光明, 自含艮坤二體於其間也.

하늘의 도가 내려와 교제하여 빛나고 밝다.
艮象曰, 其道光明.
간괘(艮卦☶)의 「단전」에서 말하였다: 그 도가 빛나고 밝다.[16)]
○ 艮陽, 故曰天道, 陽在下而交於陰, 故曰下際.
간괘는 양이므로 '천도(天道)'라 하였고, 양이 아래에서 음과 사귀므로 "내려와 교제한다[下際]"고 하였다.
○ 下濟, 謙也, 光明, 亨也, 指艮在下.
'내려와 교제함'은 '겸손함[謙]'이고, '빛나고 밝음'은 '형통함[亨]'이니, 간괘가 아래에 있음을 가리킨다.

地道, 卑而上行.
땅의 도가 낮아도 올라가 유행함이다.
地本在下, 而其氣上交.
땅은 본래 아래에 있고 그 기(氣)가 올라가 교제하는 것이다.
○ 指坤在上.
곤괘가 위에 있음을 가리킨다.

이항로(李恒老) 「주역전의동이석의(周易傳義同異釋義)」

傳, 濟, 當爲際.
『정전』에서 말하였다: '제(濟)'는 마땅히 제(際)가 되어야 한다.
本義, 无從語.
『본의』는 따르는 말이 없다.
按, 先儒多從濟.
내가 살펴보았다: 이전의 유학자들은 대체로 '구제함[濟]'을 따랐다.

심대윤(沈大允) 『주역상의점법(周易象義占法)』

以高遜下, 濟其不足, 而益尊以光也. 艮之一陽, 乾之物, 故曰天, 震爲道.
높음으로 겸손하게 내려 부족한 것을 구제하여 더욱 높아져서 빛이 난다. 간괘의 한 양은 건(☰)의 물건이므로 '하늘[天]'이라고 하였고, 호괘인 진괘(☳)는 도가 된다.

---

16) 『周易·艮卦』: 象曰, 艮, 止也, 時止則止, 時行則行, 動靜不失其時, 其道光明.

최세학(崔世鶴) 「주역단전괘변설(周易彖傳卦變說)」

謙, 坤之一體變也. 三一爻爲主, 故彖以天道下濟言之. 乾三以陽剛來居於下體之上, 而爲艮, 故光明也.

겸괘는 곤괘(坤卦☷)에서 하나의 몸체가 변한 것인데, 삼효 하나가 괘의 주인이 되므로 「단전」에서 "하늘의 도가 내려와 교제한다"고 말하였다. 건괘의 삼효가 굳센 양으로 하괘 몸체의 맨 위에 와서 간괘(艮卦☶)가 되므로 "빛나고 밝다"고 하였다.

박문호(朴文鎬) 「경설(經說) · 주역(周易)」

山之爲物, 屬乎地, 而其道, 則近於天道. 此不云山道下濟, 而云天道下濟者, 蓋爲山道不足以盡下濟之義故也.

산이라는 사물은 땅에 속하지만 그 도(道)는 천도에 가깝다. 여기서 "산의 도(道)가 내려와 교제한다"고 하지 않고, "천도가 내려와 교제한다"고 한 것은 대체로 산의 도는 "내려와 교제한다"는 의미를 다하기에 부족하기 때문이다.

이병헌(李炳憲) 『역경금문고통론(易經今文考通論)』

鄭曰, 山體高, 今在地下. 其於人道, 高能下, 下謙之象. 亨者, 嘉會之禮, 以謙爲主.

정현이 말하였다: 산의 몸체는 높은데 지금 땅의 아래에 있다. 인도(人道)에서 높으면서 내릴 수 있으니, 내려와 겸손한 상이다. '형통함'은 아름다움이 모이는 예(禮)로 겸손함을 위주로 한다.[17]

17) 이 글은 송(宋)나라 왕응린(王應麟)이 편찬한 『주역정강성주(周易鄭康成注)』에 보인다.

天道, 虧盈而益謙,

하늘의 도는 가득 찬 것을 이지러지게 하고 겸손한 것을 더해 주며,

中國大全

傳

以天行而言. 盈者則虧, 謙者則益, 日月陰陽, 是也.

하늘의 운행으로 말한 것이니, 가득 찬 것이 이지러지고 겸손한 것이 더해지는 것은 해와 달, 음과 양이 이것이다.

小註

程子曰, 虧盈益謙, 此通上下言, 理亦如此, 天道之運, 亦如此.

정자가 말하였다: 가득 찬 것을 이지러지게 하고 겸손한 것을 더해 주는 이것은 위아래에 통용되는 말이니, 이치도 또한 이와 같으며 천도의 운행도 또한 이와 같다.

○ 朱子曰, 虧盈益謙, 是自然之理.

주자가 말하였다: 가득 찬 것을 이지러지게 하고 겸손한 것을 더해 줌은 자연의 이치이다.

韓國大全

김기례(金箕澧) 「역요선의강목(易要選義綱目)」

日月盈則虧, 虧則盈, 寒暑來而往, 往而來.

해와 달은 가득 차면 이지러지고 이지러지면 가득 차며, 추위와 더위는 왔다가 가고, 갔다가 온다.

地道, 變盈而流謙,

땅의 도는 가득 찬 것을 변하게 하고 겸손한 것으로 흐르며,

中國大全

傳

以地勢而言, 盈滿者, 傾變而反陷, 卑下者, 流注而益增也.

땅의 형세로 말한 것이니, 가득 찬 것은 기울어 변화되어 도리어 가라앉고, 낮고 아래인 것은 흘러 들어와 더욱 보태진다.

小註

朱子曰, 變盈流謙, 揚子雲言, 山殺瘦, 澤增高, 此是說山上之土, 爲水漂流下來, 山更瘦, 澤便高.

주자가 말하였다: '가득 찬 것을 변하게 하며 겸손한 것으로 흐름'을 양자운이 '산이 깎여 여위고 못이 불어 높아짐'이라고 하였는데, 이는 산 위의 흙이 물을 따라 흘러 내려가 산이 야위고 못이 높아짐을 설명한 것이다.

韓國大全

김귀주(金龜柱) 『주역차록(周易箚錄)』

地道, 變盈, 云云.

땅의 도는 가득 찬 것을 변하게 하고, 운운.

○ 按, 流者, 趨下之謂, 非獨水爲然. 凡窩凹之塡實, 亦沙土之趨下而成者 本義所謂聚而歸之者, 然也.

내가 살펴보았다: '흐름[流]'은 빠르게 내려감을 말하니, 오직 물[水]만이 그러한 것은 아니다. 오목한 구덩이를 채워서 메우는 것은 또한 모래가 빠르게 흘러내려 이룬 것이니, 『본의』의 이른바 "모여 돌아간다"는 것이 그러하다.

김기례(金箕澧) 「역요선의강목(易要選義綱目)」

山土漂下, 山瘦澤高.

산의 흙이 떠내려가서 산은 여위고 못은 높아진다.

鬼神, 害盈而福謙,

귀신은 가득 찬 것을 해롭게 하고 겸손한 것을 복되게 하며,

中國大全

傳

鬼神, 謂造化之跡. 盈滿者, 禍害之, 謙損者, 福祐之, 凡過而損, 不足而益者, 皆是也.

귀신은 조화의 자취를 말한다. 가득 찬 것에는 재해로 해롭게 하고, 겸손한 것에는 복으로 도와주니, 지나치면 덜고 부족하면 더한다는 것이 모두 이것이다.

小註

朱子曰, 天道, 是就寒暑往來上說, 地道, 是就地形高下上說, 鬼神, 言害福, 是有些造化之柄, 各自主一事而言耳.

주자가 말하였다: 하늘의 도는 추위와 더위가 가고 옴의 측면에서 말한 것이고, 땅의 도는 지형의 높음과 낮음의 측면에서 말한 것이다. 귀신에게 재해와 복을 말한 것은 여기에 이러한 조화의 자루가 있어서니, 각각 하나의 일을 위주로 말했을 뿐이다.

韓國大全

김기례(金箕澧) 「역요선의강목(易要選義綱目)」

造化之理, 循環相代.

조화의 이치는 순환하며 서로 바뀐다.

人道, 惡盈而好謙,

사람의 도는 가득 찬 것을 미워하고 겸손한 것을 좋아하니,

中國大全

傳

人情, 疾惡於盈滿, 而好與於謙巽也. 謙者, 人之至德. 故聖人詳言, 所以戒盈而勸謙也.

사람의 정(情)은 가득 찬 것을 미워하고 겸손한 것을 좋아하여 함께한다. 겸손함은 사람의 지극한 덕이다. 그러므로 성인이 상세히 말하였으니, 가득 참을 경계하고 겸손함을 권한 것이다.

小註

或問 謙之爲義, 不知天地人鬼, 何以皆好尙之. 朱子曰, 太極中本无物. 若事業功勞, 於我何有. 觀天地生萬物而不言所利, 可見矣.

어떤 이가 물었다: 겸의 뜻을 천지와 사람과 귀신이 어째서 모두 좋아하여 높이는지 알지 못하겠습니다.

주자가 말하였다: 태극 가운데에는 본래 물건이 없으니, 사업이나 공로 같은 것이 어찌 나에게 있겠습니까? 천지가 만물을 낳지만 이로운 바를 말하지 않는 것에서 관찰한다면 알 수 있을 것입니다.

○ 節齋蔡氏曰, 虧盈益謙, 以氣言, 日月陰陽是也. 變盈流謙, 以形言, 山谷川澤是也. 害盈福謙, 以理言, 災祥禍福是也. 惡盈好謙, 以情言, 予奪進退是也.

절재채씨가 말하였다: 가득 찬 것을 이지러지게 하고 겸손한 것을 더해 줌은 기운으로 말하였으니, 해와 달, 음과 양이 이것이다. 가득 찬 것을 변하게 하고 겸손한 것으로 흐름은 형태로 말하였으니, 산과 골짜기, 하천과 연못이 이것이다. 가득 찬 것을 해롭게 하고 겸손한 것을 복되게 함은 이치로 말하였으니, 재앙과 상서, 화와 복이 이것이다. 가득 찬 것을

미워하고 겸손한 것을 좋아함은 인정으로 말하였으니, 줌과 빼앗음, 나아감과 물러남이 이것이다.

○ 白雲郭氏曰, 四者, 非有心於如是, 其道自然, 故皆曰道.
백운곽씨가 말하였다: 네 가지는 이와 같은 것에 마음을 두어서가 아니라, 그 도리가 절로 그러하다. 그러므로 모두 '도(道)'라고 하였다.

○ 厚齋程氏曰, 復擧天地, 因及鬼神與人, 以推廣謙所以亨之意.
후재정씨가 말하였다: 천지를 거듭 거론하고는 귀신과 사람까지 언급하여 겸이 형통하다는 뜻을 미루어 확장하였다.

韓國大全

이익(李瀷) 『역경질서(易經疾書)』[18]

天道以理言, 虧於前則益於後, 地道以形言, 變於上則流於下. 鬼神凡神祇禱祀之類, 皆是人力所不及, 鬼神或爲之降福降災. 故害於奢則福於儉. 人道以情言, 惡於驕則好於謙. 其義均也, 鬼神與豊象互考.[19]
천도는 이치로 말한 것이니 앞에서 이지러지자 곧 뒤에서 보태지고, 지도(地道)는 형체로 말한 것이니 위에서 변하게 되자 곧 아래로 흘러간다. 귀신은 천신(天神)과 지기(地祇)의 기도하고 제사 지내는 부류로 모두 사람의 힘이 미치지 못할 바이지만, 귀신이 혹 사람에게 복을 내리거나 재해를 내린다. 그러므로 사치함을 해롭게 하면서 곧 검소함을 복되게 한다. 인도는 인정으로 말한 것이니, 교만함을 미워하면서 곧 겸손함을 좋아한다. 그 뜻은 같으니, 귀신장[20]과 풍괘(豊卦䷶)의 「단전」[21]을 서로 참고하라.

---

18) 경학자료집성DB에서는 겸괘(謙卦) '괘사'에 해당하는 것으로 분류했으나, 내용에 따라 이 자리로 옮겼다.
19) *互考*: 경학자료집성DB와 영인본에 모두 '*互考*'가 소주로 되어 있으나, 문맥을 살펴 '*互考*'를 원문 속에 편입시켜 바로잡았다.
20) 『중용』.
21) 『周易 · 豊卦』: 彖曰, 日中則昃, 月盈則食, 天地盈虛, 與時消息, 而況於人乎, 況於鬼神乎.

유정원(柳正源) 『역해참고(易解參攷)』[22]

天道 [至] 好謙,
하늘의 도는 … 겸손한 것은 좋아하니,

正義, 下濟者, 謂降下濟生萬物也, 而光明者, 謂三光垂耀而顯明也. 減損盈滿, 而增益謙退, 若日中則昃, 月盈則食. 變盈而流謙者, 丘陵川澤之屬, 高者漸下, 下者益高. 害盈而福謙者, 驕盈者被害, 謙退者受福. 惡盈而好謙者, 盈溢驕慢, 皆惡之, 謙退恭巽, 皆好之.

『주역정의』에서 말하였다: '내려와 구제함[下濟]'은 아래로 내려와 만물을 구제하고 낳음을 말하고, '빛나고 밝음'은 삼효의 빛이 빛을 드리워 밝게 드러남을 말한다. 가득 찬 것을 덜어내어 겸손한 것에게 더해 주니, 해가 솟았으면 이내 기울고 달이 차면 이내 줄어드는 것과 같다. '가득 찬 것을 변하게 하며 겸손한 것으로 흐름'은 구릉과 하천 같은 것이니, 높은 것이 점차 내려옴에 낮은 것은 더욱 높아진다. '가득 찬 것을 해롭게 하며 겸손한 것은 복되게 함'은 교만한 자에게 해를 입히고 겸손한 자에게 복을 주는 것이다. '가득 찬 것을 싫어하고 겸손한 것은 좋아함'은 가득 차고 교만하면 모두 미워하고, 겸손하고 공손하면 모두 좋아한다는 것이다.

程傳. 〈案, 傳末, 本有惡烏路反, 好呼報反八字.〉
『정전』. 〈내가 살펴보았다: 『정전』의 끝에는 본래 "'오(惡)'는 오(烏)와 로(路)의 반절음이고, '호(好)'는 호(呼)와 보(報)의 반절음이다[惡烏路反, 好呼報反]"라는 여덟 글자가 있었다.〉

小註, 朱子說, 太極. 〈案, 猶言太虛.〉
소주에서 주자가 말하였다: 태극은. 〈내가 살펴보았다: 태허라고 말한 것과 같다.〉

서유신(徐有臣) 『역의의언(易義擬言)』

釋亨也. 天益之, 地流之, 神福之, 人好之, 故謙必亨也. 道者, 當然之理也, 盈者, 謙之反也. 乾太陽, 盈矣, 虧其一而來艮, 益諸謙也, 坤六陰, 盈矣, 變其一而互坎, 流諸謙也. 鬼神陰陽變化之跡也. 皆指九三爲成卦之由也. 人亦九三也.

형통함을 풀이하였다. 하늘이 더해 주고 땅이 흐르게 하며 귀신이 복되게 하고 사람들이 좋아하므로 겸손하면 반드시 형통하다. '도(道)'는 마땅히 그러한 이치이고, '가득 참[盈]'은 겸손함의

---

22) 경학자료집성DB에서는 겸괘 괘사에 해당하는 것으로 분류했으나, 내용에 따라 이 자리로 옮겨 바로잡는다.

반대이다. 건괘는 태양(太陽)의 가득 참인데, 태양 하나를 이지러지게 하여 오게 된 간괘(艮卦)가 겸손한 자에게 더해 주는 것이고, 곤괘는 여섯 개의 음이 가득 차 있는데, 하나를 변하게 한 것의 호괘인 감괘(坎卦)가 겸손한 자에게 흐르는 것이다. 귀신은 음양이 변화하는 자취이다. 모두 구삼(九三)이 괘를 이루는 연유가 됨을 가리키니, 사람도 또한 구삼이다.

김귀주(金龜柱) 『주역차록(周易箚錄)』

傳, 人情疾惡, 云云.
『정전』에서 말하였다: 사람의 정(情)은 가득 찬 것을 미워하고, 운운.

小註, 或問謙之, 云云.
소주에서 어떤 이가 물었다: 겸의 뜻을, 운운.

○ 按, 乾之不言所利, 蓋謂作易者, 不言其所利也. 故朱子嘗曰, 不言所利, 是說得不似坤利牝馬之貞. 意自曉然, 而今以此註觀之, 似以爲天不自言其所利者. 然或是誤錄, 當更商.
내가 살펴보았다: 건괘(乾卦)의 "이로운 바를 말하지 않는다"[23]는 아마도 『주역』을 지은 자가 그 이롭게 하는 바를 말하지 않았음을 이른다. 그러므로 주자가 일찍이 "건괘에서 '이롭게 하는 바를 말하지 않는다'고 한 것은 곤괘(坤卦)의 '암말의 바름이 이롭다'와 유사하지 않음을 말한 것이다"[24]라고 하였다. 의미가 저절로 분명하지만 지금 이 주석으로 본다면, 하늘이 스스로 그 이로운 바를 말하지 않은 것으로 여겨야 할 듯하다. 그러나 혹 잘못 기록되었는지 마땅히 다시 헤아려야 할 것이다.

박문건(朴文健) 『주역연의(周易衍義)』

下濟, 陽降於下也, 上行, 陰升於上也. 盈滿, 謙虛也. 此以卦變釋亨之義, 而贊謙道之至善也.
"내려와 교제한다"는 양이 아래로 내려옴이며, "올라가 유행한다"는 음이 위로 상승함이다. '영(盈)'은 가득 참이며, '겸(謙)'은 비어 있음이다. 이것은 괘의 변화로 형통함의 뜻을 풀이하고 겸손함의 도가 지극히 선함을 찬미한 것이다.

---

23) 『周易 · 乾卦 · 文言傳』: 乾始能以美利利天下, 不言所利, 大矣哉.
24) 『주역 · 문언전』 주자의 소주: 朱子曰, 不言所利, 是說得不似坤時利牝馬之貞, 但說利貞而已.

〈問, 天道, 地道. 曰, 天道謂九三也, 地道謂坤陰也. 天道尊而降於下, 地道卑而升於上者, 剛柔之相感也, 所以亨.
물었다: '하늘의 도(道)'와 '땅의 도'는 무엇을 말합니까?
답하였다: 하늘의 도는 구삼(九三)을 말하며, 땅의 도는 곤괘(坤卦)의 음효들을 말합니다. 하늘의 도는 높으면서 아래로 내려오고 땅의 도는 낮아도 위로 올라가는 것이니, 굳셈과 부드러움이 서로 감응하기에 형통한 것입니다.〉

〈○ 問, 虧盈益謙以下, 皆把作兩件事耶.
물었다: "가득 찬 것을 이지러지게 하며 겸손한 것은 더해준다"의 이하는 모두 두 개의 일로 보아야 합니까?
曰, 然.
답하였다: 그렇습니다.〉

〈○ 問, 天道虧益, 地道變流, 鬼神害福, 人道惡好. 曰, 天道之虧其盈益其謙, 以氣而言也, 地道之變其盈流於謙, 以質而言也, 鬼神之害其盈福其謙, 以屈伸而言也, 人道之惡其盈好其謙, 以性情而言也. 惡好不徒人上說, 亦身上說也.
물었다: 하늘의 도는 이지러지게 하며 더해 주고, 땅의 도는 변하게 하며 흐르게 하고, 귀신은 해롭게 하며 복되게 하고, 사람의 도는 미워하며 좋아한다는 것은 무슨 뜻입니까?
답하였다: 하늘의 도가 가득 찬 것을 이지러지게 하고 겸손한 것을 더해 준다는 것은 기운으로 말한 것이고, 땅의 도가 가득 찬 것을 변하게 하며 겸손한 것으로 흐른다는 것은 형질로 말한 것이며, 귀신이 가득 찬 것을 해롭게 하고 겸손한 것을 복되게 한다는 것은 굽힘과 폄으로 말한 것이고, 사람의 도가 가득 찬 것을 미워하고 겸손한 것을 좋아한다는 것은 성정(性情)으로 말한 것입니다. 미워하고 좋아하는 것은 다만 사람에 대해서 말했을 뿐만이 아니라, 또한 자신에게도 말한 것입니다.〉

김기례(金箕澧) 「역요선의강목(易要選義綱目)」

太公兵法曰, 弱者, 人之所助, 强者, 人之所攻.
『태공병법』에서 말하였다: 약한 사람은 사람들이 도와주는 바이고, 강한 사람은 사람들이 공격하는 바이다.[25)]

---

25) 이러한 내용은 『삼략직해(三略直解)』에 보인다.

謙, 尊而光, 卑而不可踰, 君子之終也.

정전 겸은 높고 빛나며, 낮아도 넘을 수 없으니, 군자의 끝마침이다.
본의 겸은 높은 사람은 빛나고, 낮은 사람도 넘볼 수 없으니, 군자의 끝마침이다.

中國大全

傳

謙爲卑巽也, 而其道尊大而光顯, 自處雖卑屈, 而其德實高, 不可加尙, 是不可踰也. 君子至誠於謙, 恒而不變, 有終也, 故尊光.

겸손함은 낮추고 공손히 하는 것이지만 그 도가 높고 크며 빛나 드러나고, 스스로의 처신을 낮추고 굽혔지만 그 덕이 실제로 높아서 더할 나위 없으니, 넘을 수 없는 것이다. 군자는 겸손함을 지극히 참되게 하여 한결같이 변하지 않아 끝마침이 있으므로 높으며 빛난다.

本義

變謂傾壞, 流謂聚而歸之. 人能謙, 則其居尊者, 其德愈光, 其居卑者, 人亦莫能過, 此君子所以有終也.

'변함[變]'은 기울어 무너짐을 말하고, '흐름[流]'은 모여 돌아감을 말한다. 사람이 겸손할 수 있으면, 높은 곳에 있는 자는 그 덕이 더욱 빛나고, 낮은 곳에 있는 자도 사람들이 또한 넘볼 수 없으니, 이것이 군자가 끝마침이 있게 되는 까닭이다.

小註

或問, 謙尊而光, 卑而不可踰. 朱子曰, 尊字是對卑字說, 言能謙, 則位處尊而德愈光, 位雖卑而莫能踰. 如古之聖賢之君, 以謙下人, 則愈尊而愈光, 若驕奢自大, 則雖尊而不光. 蓋以尊而行謙, 則其道光, 以卑而行謙, 則其德不可踰也. 伊川以謙對卑說, 非是.

어떤 이가 물었다: "겸은 높은 사람은 빛나고, 낮은 사람도 넘볼 수가 없다"는 무슨 뜻입니까? 주자가 말하였다: '존(尊)'자는 '비(卑)'자와 상대하여 말했으니, 겸손할 수 있다면 지위가 높은 사람은 덕이 더욱 빛나고, 지위가 비록 낮더라도 넘볼 수 없음을 말합니다. 옛날의 어진 임금과 같으면 겸손함으로 사람들보다 낮추었으니 높을수록 더욱 빛나겠지만, 만약 교만하여 스스로 크다고 여긴다면 비록 높더라도 빛나지 않습니다. 대체로 높으면서 겸손함을 행하면 그 도가 빛나고, 낮더라도 겸손함을 행하면 그 덕을 넘볼 수 없습니다. 이천이 '겸손함[謙]'을 '낮음[卑]'과 상대하여 설명한 것은 옳지 않습니다.

○ 童溪王氏曰, 尊者, 三居下卦之上也, 光, 艮體也. 卑者, 三居上卦之下也, 不可踰, 謂位雖居下而德剛, 莫有過之者. 蓋以謙居尊而道光, 以謙居卑而德不可踰, 此專以九三爻, 言君子有終之義也.
동계왕씨가 말하였다: '높음[尊]'은 삼효가 하괘(下卦)의 맨 위에 있다는 것이고, '빛남[光]'은 간괘(艮卦)의 몸체이다. '낮음[卑]'은 삼효가 상괘(上卦)의 밑에 있다는 것이고, '넘볼 수 없음[不可踰]'은 지위가 비록 아래에 있더라도 덕이 강건하여 넘볼 자가 없음을 말한다. 대체로 겸손하면서 높이 있으면 도가 빛나고, 겸손하면 낮게 있더라도 덕을 넘볼 수 없다는 것이니, 이는 오로지 구삼(九三)의 효를 가지고 군자가 끝마침이 있다는 뜻을 말한 것이다.

○ 臨川吳氏曰, 六十四卦, 惟謙之占辭最美, 夫子傳彖, 亦惟謙之贊辭最盛. 內三爻俱吉, 外三爻俱利, 卦辭則云亨且有終, 他卦之占, 未有若是其全美者也. 天之所益, 地之所流, 人之所好, 鬼神之所福, 悉萃於能謙者之身, 他卦之贊, 未有若是其盛者. 此謙之所以爲至德也.
임천오씨가 말하였다: 육십사괘에서 오직 겸괘의 점사(占辭)가 가장 좋고, 공자가 단사(彖辭)를 주석함에도 오직 겸괘에 대한 찬사가 가장 많다. 내괘의 세 효가 모두 길하고 외괘의 세 효가 모두 이로우며, 괘사에서는 "형통하고 또 끝마침이 있다"고 하였으니, 다른 괘의 점사(占辭)는 이와 같이 아주 아름다운 것이 없다. 하늘이 더해 주는 것과 땅이 흐르게 하는 것과 사람들이 좋아하는 것과 귀신이 복되게 하는 것이 모두 겸손할 수 있는 자의 몸에 모아지니, 다른 괘의 찬사가 이와 같이 성대한 것은 없다. 이것이 겸손함이 지극한 덕이 되는 까닭이다.

‖韓國大全‖

조호익(曺好益)『역상설(易象說)』

六畫成而三才之道備. 上二爻爲天, 立天之道曰, 陰與陽. 分言之, 則五陽而上陰, 陰陽指日月寒暑之類. 虧盈益謙, 如日往則月來, 寒往則暑來, 是也. 中二爻爲人, 立人之道曰, 仁與義. 分言之, 則三仁而四義, 惡盈者, 仁之推, 好謙者, 義之用. 下二爻爲地, 立地之道曰, 柔與剛. 分言之, 則初剛而二柔, 剛柔指山川流峙之類. 變盈流謙, 如高岸爲谷, 深谷爲陵, 是也. 鬼神者, 天之功用, 分言之, 則五神而上鬼, 神陽而鬼陰. 害盈福謙, 如降祥降灾, 福善禍淫之類, 是也.

여섯 획이 이루어지면 삼재(三才)의 도가 갖추어진다. 위의 두 효가 하늘이 되는데, 하늘의 도를 세우는 것은 음과 양이라 한다.[26] 나누어 말하면 오효는 양이고 상효는 음으로, 음과 양은 해와 달, 추위와 더위 같은 부류를 가리킨다. "가득 찬 것을 이지러지게 하며 겸손한 것은 더해 준다"는 해가 가면 달이 오고, 추위가 가면 더위가 오는 것[27]과 같은 것이다. 가운데 두 효는 사람이 되는데, 사람의 도를 세우는 것은 인(仁)과 의(義)라 한다. 나누어 말하면 삼효는 인(仁)이고 사효는 의(義)이니, '가득 찬 것을 미워함'은 인을 미룸이고, '겸손한 것은 좋아함'은 의(義)를 씀이다. 아래의 두 효는 땅이 되는데, 땅의 도를 세우는 것은 부드러움[柔]과 굳셈[剛]이다. 나누어 말하면 초효는 굳셈이고 이효는 부드러움으로, 굳셈과 부드러움은 산과 내, 흐름과 솟음 같은 부류를 가리킨다. '가득 찬 것을 변하게 하며 겸손한 것으로 흐름'은 "높은 언덕이 골짝이 되고, 깊은 골짝이 구릉이 된다"[28]는 것과 같은 것이다. 귀신은 하늘의 공용(功用)으로, 나누어 말하면 오효는 신(神)이고 상효는 귀(鬼)이니, 신은 양이고 귀는 음이다. '가득 찬 것을 해롭게 하며 겸손한 것은 복되게 함'은 상서롭게 하고 재앙을 내려 착함을 복되게 하고 악함을 해롭게 하는 것과 같은 것이다.

○ 註, 童溪王氏, 云云.

소주에서 동계왕씨가, 운운.

愚謂, 不可踰 取艮山象, 如高山仰止, 是也.

---

26) 『周易 · 說卦傳』: 昔者聖人之作易也, 將以順性命之理, 是以立天之道曰陰與陽, 立地之道曰柔與剛, 立人之道曰仁與義, 兼三才而兩之. 故易六畫而成卦, 分陰分陽, 迭用柔剛, 故易六位而成章.

27) 『周易 · 繫辭傳』: 日往則月來, 月往則日來, 日月相推而明生焉, 寒往則暑來, 暑往則寒來, 寒暑相推而歲成焉, 往者, 屈也, 來者, 信也, 屈信相感而利生焉.

28) 『詩經 · 十月之交』: 爗爗震電, 不寧不令. 百川沸騰, 山冢崒崩, 高岸爲谷, 深谷爲陵, 哀今之人, 胡憯莫懲.

내가 살펴보았다: '넘볼 수 없음'은 간괘(艮卦)의 상을 취한 것이니, "높은 산을 우러러본다"[29]는 것과 같은 것이다.

홍여하(洪汝河) 「책제(策題): 문역(問易) · 독서차기(讀書箚記)-주역(周易)」

彖傳, 卑而不可踰.
「단전」에서 말하였다: 낮아도 넘을 수 없다.

卦象卑而德尊, 所以不可踰也.
괘의 상이 낮아도 덕이 높기에 넘을 수 없는 것이다.

이익(李瀷) 『역경질서(易經疾書)』[30]

地道上行, 其道光明, 故謙尊而光也. 山雖高而有限, 故可踰, 地無限, 雖卑不可踰, 山在地中故也.
땅의 도가 올라가 유행하고 천도(天道)가 아래에서 빛나고 밝다. 그러므로 겸괘가 높으며 빛난다. 산은 비록 높지만 한계가 있으므로 넘을 수 있고, 땅은 한계가 없어서 비록 낮더라도 넘을 수 없으니, 산이 땅 속에 있기 때문이다.

유정원(柳正源) 『역해참고(易解參攷)』

謙, 尊 [至] 終也.
겸은 높으며 … 끝마침이다.

正義, 君子能終謙之善事, 又獲謙之終福, 故云君子之終也.
『주역정의』에서 말하였다: 군자는 겸손함이라는 좋은 일을 끝마칠 수 있고, 또한 겸손함이 마침내 복됨을 이루어낸다. 그러므로 '군자의 끝마침'이라고 하였다.

○ 雙湖胡氏曰, 艮一陽居上卦之下, 天道下濟而光明也, 坤三[31]陰居下卦之上, 地道

---

29) 『詩經 · 車舝』: 高山仰止, 景行行止. 四牡騑騑, 六轡如琴. 覯爾新昏, 以慰我心.

30) 경학자료집성DB에서는 겸괘(謙卦) '괘사'에 해당하는 것으로 분류했으나, 내용에 따라 이 자리로 옮겼다.

31) 三: 경학자료집성DB와 영인본에 모두 '二'로 되어 있으나, 『역부록찬주(易附錄纂註)』와 『주역회통(周易會通)』 등을 참조하여 '三'으로 바로잡았다.

卑而上行也, 下濟與卑, 謙義, 光明上行, 亨義. 虧盈以日月言, 坎與伏離象. 變流以山川言, 艮坎象. 鬼神坎, 幽陰之氣也, 人道三, 人位也. 謙尊而光, 卽天道下濟光明義, 卑而不可踰, 卽地道卑而上行義, 坤在上, 故不可踰. 此皆君子有終之道也.
쌍호호씨가 말하였다: 간괘(艮卦☶)의 한 양이 상괘(上卦)의 아래에 있음이 "하늘의 도가 내려와 교제하여 빛나고 밝다"는 것이고, 곤괘(坤卦☷)의 세 음이 하괘(下卦)의 위에 있음이 "땅의 도가 낮아도 올라가 유행한다"는 것이니, '내려와 교제함'과 '낮음'은 겸손의 뜻이며, '빛나고 밝음'과 '올라가 유행함'은 형통의 뜻이다. '가득 찬 것을 이지러지게 함'은 해와 달로 말한 것이니, 감(☵)과 잠복해 있는 리(☲)의 상이다. '변하게 함'과 '흐름'은 산과 내[川]로 말한 것이니, 간(☶)과 감(☵)의 상이다. 귀신은 감(☵)이니 그윽한 음의 기운이고, 인도(人道)는 삼효(三爻)이니 사람의 자리이다. '겸은 높으며 빛남'은 "하늘의 도가 내려와 교제하여 빛나고 밝다"는 뜻이고, '낮아도 넘을 수 없음'은 "땅의 도가 낮아도 올라가 유행한다"는 뜻이다. 곤이 위에 있으므로 넘을 수 없는 것이니, 이것은 모두 군자가 끝마침이 있게 되는 도이다.

○ 案, 謙之爲德, 九三實爲之主. 備以天地人鬼之道言之, 得益流福好之盛者, 皆是有九三之德也. 又廣以尊位卑位言之, 得愈光不可踰之美者, 皆是有九三之德也. 然恐不可求天地人鬼之象於上下諸爻, 如胡氏此條說, 亦不可求尊位卑位之象於九三一爻. 如小註王氏說然後, 方見聖人贊易之旨, 通透活絡而旡穿鑿膠泥之病矣. 後離恒諸卦, 言天地萬物草木之象者, 皆不收.
내가 살펴보았다: 겸괘의 덕은 구삼(九三)이 실질적인 주인이 된다. 갖추어서 하늘과 땅과 사람과 귀신의 도(道)로 말하면, 더해 주고 흐르게 하며 복되게 하고 좋아하는 성대함을 이루는 것은 모두 구삼에 있는 덕이며, 또 넓혀서 높은 자리와 낮은 자리로 말하면, 더욱 빛나고 넘을 수 없는 아름다움을 이루는 것도 모두 구삼에 있는 덕인 것이다. 그렇다면 하늘과 땅과 사람과 귀신의 상을 위아래의 여러 효에서 구하는 것은 불가할 듯한데, 호씨의 이 조목에 대한 설명과 같다면 또한 높은 자리와 낮은 자리의 상을 구삼(九三) 한 효에서 구하는 것은 불가하게 된다. 소주의 왕씨의 설과 같은 뒤에야 비로소 성인이 『주역』을 찬술한 뜻을 보아서 꿰뚫고 원활하여 천착하고 빠져드는 잘못이 없을 것이다. 뒤에 리괘(離卦)와 항괘(恒卦) 등의 여러 괘는 천지와 만물과 초목의 상을 말한 것이니, 모두 받아들이지는 않는다.

김상악(金相岳) 『산천역설(山天易說)』

天道之虧益, 以氣言, 地道之變流, 以形言, 鬼神之害福, 以理言, 人道之惡好, 以情言.

惟君子, 志存乎謙, 則居尊而德益光顯, 處卑而人莫能過, 所以有終也.
천도가 이지러지게 하고 더해 줌은 기운으로 말한 것이고, 지도가 변하게 하고 흐르게 함은 형태로 말한 것이며, 귀신이 해롭게 하고 복되게 함은 이치로 말한 것이고, 인도가 미워하고 좋아함은 인정으로 말한 것이다. 오직 군자만이 겸손함에 뜻을 두니, 높은 곳에 있으면 덕은 더욱 빛나 드러나고, 낮은 곳에 있어도 사람들이 넘볼 수 없기에 끝마침이 있는 것이다.

○ 盈者, 五陰象, 謙者, 一陽象. 故虧變害惡, 屬乎盈, 益流福好, 屬乎謙. 此四句, 統言天地鬼神與人道, 推廣謙所以亨之意也. 尊者, 三居下卦之上也, 卑者, 三居上卦之下也, 不可踰, 艮之崇也.
'가득 찬 것'은 다섯 음효(陰爻)의 상이고, '겸손한 것'은 한 양효(陽爻)의 상이다. 그러므로 '이지러지게 함'과 '변하게 함'과 '해롭게 함'과 '미워함'은 가득 찬 것에 속하고, '더해 줌'과 '흐르게 함'과 '복되게 함'과 '좋아함'은 겸손한 것에 속한다. 여기의 네 구절은 하늘과 땅과 귀신과 인도를 통괄하여 말하여 겸이 형통한 뜻을 미루어 넓힌 것이다. '높음'은 삼효가 아래괘의 맨 위에 있어서이고, '낮음'은 삼효가 상괘(上卦)의 아래에 있어서이며, '넘볼 수 없음'은 간괘의 높음이다.

김규오(金奎五) 「독역기의(讀易記疑)」

尊光卑不可踰, 童溪以九三當之, 光卽上文光明之光. 九三實成卦之主, 故彖之結辭如是, 傳義恐其涉於穿鑿, 竝作統說. 然王氏說, 亦覺可喜.
'높으며 빛남'과 '낮아도 넘을 수 없음'을 동계왕씨는 구삼이 이에 해당된다고 여겼는데, '빛남[光]'은 앞 문장의 '빛나고 밝음[光明]'의 '빛남'이다. 구삼은 실제로 괘를 성립하는 주인이므로 「단전」에서 맺는말이 이와 같았으나, 『정전』과 『본의』에서는 천착함에 이를까 염려하여 모두 통괄하여 말하였다. 그러나 동계왕씨의 설도 또한 좋다고 느껴진다.

서유신(徐有臣) 『역의의언(易義擬言)』

釋君子有終也. 謙之道, 尊者愈尊而愈有光, 卑者愈卑而愈不可慢也. 君子而後能謙, 能謙而後君子, 謙者, 君子之德而所終身也. 一朝襲而取之者, 能有終乎. 至若足恭也, 守雌也, 非謙也, 豈有尊光不踰之美也. 尊而光, 艮山象, 不可踰, 艮限象, 皆指九三也.
"군자가 끝마침이 있다"를 풀이하였다. 겸손함의 도는 '높은 것[尊]'은 높을수록 더욱 빛남이 있고, '낮은 것[卑]'은 낮을수록 더욱 업신여길 수 없다. 군자인 뒤에 겸손할 수 있으며 겸손할 수 있은 뒤에 군자가 되니, 겸손함은 군자의 덕으로 자신을 끝마치는 바이다. 하루아침에 엄습하여 취하는 것이라면 끝마침이 있을 수 있겠는가? 지나치게 공손하거나 소극적인 것과 같은 것은 겸손함이 아니니, 어찌 '높으며 빛남'과 '넘을 수 없음'의 아름다움이 있겠는가? '높으며 빛남'은 간괘(艮卦)인 산의 상이고, '넘을 수 없음'은 간괘의 제한하는 상이니 모두 구삼(九三)을 가리킨다.

김귀주(金龜柱) 『주역차록(周易箚錄)』

本義, 變謂傾壞, 云云.

『본의』에서 말하였다: '변(變)'은 기울어 무너짐을 말하고, 운운.

○ 按, 謙尊而光, 是言謙之道, 自然尊大而光顯, 蓋公共說也. 故繫辭亦言之. 卑而不可踰一句, 又申言尊光之意, 固不必以謙對卑看, 而恐亦未可以居尊居卑對言. 本義及小註朱子說, 當更商.

내가 살펴보았다: "겸은 높으며 빛난다"는 겸손함의 도리가 자연히 높고 커서 빛나 드러남을 말한 것이니, 전체적인 설명이다. 그러므로 「계사전」에서도 말하였다.[32] "낮아도 넘을 수 없다[卑而不可踰]"는 한 구절은 다시 "높으며 빛난다"는 뜻을 펼친 것이니, 참으로 '겸손함[謙]'을 '낮음[卑]'과 상대하여 볼 필요는 없지만, 또한 '높은 곳에 있음'과 '낮은 곳에 있음'으로 상대하여 말할 수도 없을 듯하다. 『본의』와 소주에 있는 주자의 설명은 마땅히 다시 헤아려야 할 것이다.

小註, 童溪王氏曰, 尊者, 云云.

소주에서 동계왕씨가 말하였다: '높음'은, 운운.

○ 按, 有終之義, 固貼九三一爻, 然象傳尊而光卑不可踰數句, 蓋亦平說謙道之如此. 王氏此說, 太涉分折, 恐不活.

내가 살펴보았다: "끝마침이 있다"의 의미는 참으로 구삼(九三) 하나의 효에 해당하지만, 「단전」의 "높으며 빛나고, 낮아도 넘을 수 없다"는 몇 구절은 아마도 또한 겸손함의 도가 이와 같음을 평이하게 말한 듯하다. 동계왕씨의 이 설은 지나치게 분석한 것이니, 의미를 잘 살리지는 못한 듯하다.

---

32) 『周易·繫辭傳』: 履, 和而至, 謙, 尊而光, 復, 小而辨於物, 恒, 雜而不厭, 損, 先難而後易, 益, 長裕而不設, 困, 窮而通, 井, 居其所而遷, 巽, 稱而隱.

박제가(朴齊家) 『주역(周易)』

彖傳, 謙, 尊而光, 卑而不可踰.
「단전」에서 말하였다: 겸은 높으며 빛나고, 낮아도 넘을 수 없으니.

本義, 以尊卑爲居, 謙者之地位. 語意自完, 然以尊卑狀謙之爲德, 亦不可廢. 如繫辭九卦單取尊光, 卻非處患之義, 若作狀德, 則截去下一半, 亦不妨. 程傳末段, 再以尊光二字結之者, 豈有見於此乎. 聖人於此象, 不言卦體, 直以天地之道發揮, 然此尊而光, 卻有山象, 卑不可踰, 卻是坤象. 又上一句, 卻似演出天道下濟而光明, 下一句演出地道卑而上行. 蓋尊而下濟, 故曰光, 非旣尊而又光也. 如童溪王氏所謂尊者, 三居下卦之上, 卑者, 三居上卦之下, 此專以九三言, 則又以卦體爲說矣. 古人文義, 亦有不可一定者.
『본의』에서 '높음[尊]'과 '낮음[卑]'을 자리로 여겼으니, 겸손한 사람의 지위이다. 말의 뜻이 본래 완전하지만, '높음'과 '낮음'을 겸손함의 덕으로 나타내려는 입장도 또한 없앨 수 없다. 예를 들어 「계사」에서 구괘(九卦)를 설명함에 단지 '높으며 빛남[尊光]'만을 취했는데,[33] 우환에 대처한다는 의미는 아니다. 만약 덕을 나타낸 것으로 간주한다면 아래의 낮아도 넘을 수 없다[卑而不可踰]는 구절을 잘라 버려도 또한 무방하니, 『정전』의 끝부분에 다시 "높으며 빛난다"로 끝맺은 것이 어찌 여기에서 봄이 있었겠는가? 성인은 여기 「단전」에서 괘체를 말하지 않고 곧바로 천지의 도로 발휘하였으나, 여기의 '높으며 빛남'에는 도리어 산의 상이 있고 '낮아도 넘을 수 없음'은 바로 곤괘의 상이다. 또 위의 구절[尊而光]은 도리어 "하늘의 도가 내려와 교제하여 빛나고 밝다"를 부연하여 나타낸 듯하며, 아래 구절[卑而不可踰]은 "땅의 도가 낮아도 올라가 유행한다"를 부연하여 나타낸 듯하다. 대체로 높으면서 내려와 교제하므로 "빛난다"고 한 것이니, 이미 높으면서 또 빛난다는 것은 아니다. 동계왕씨의 이른바 "높음은 삼효가 하괘(下卦)의 맨 위에 있다는 것이고, 낮음은 삼효가 상괘의 아래에 있다는 것이다"와 같은 것은 구삼(九三)으로만 말한 것이니, 또한 괘체로 설명한 것이다. 옛 사람들의 글의 뜻은 또한 하나로 정할 수 없는 것이 있다.

윤행임(尹行恁) 『신호수필(薪湖隨筆)·역(易)』

自大有爲謙, 而謙則受福. 大有上九, 將自大有至謙, 故能不處其位, 而自天祐之.
대유괘로부터 겸괘가 되었는데, 겸손하면 복을 받는다. 대유의 상구(上九)는 장차 대유로부터 겸에 이르기 때문에 그 마땅한 자리에 있지 않은데도 하늘로부터 도움 받을 수 있는 것이다.

---

33) 『周易·繫辭傳』: 履, 和而至, 謙, 尊而光, 復, 小而辨於物, 恒, 雜而不厭, 損, 先難而後易, 益, 長裕而不設, 困, 窮而通, 井, 居其所而遷, 巽, 稱而隱.

강필효(姜必孝)『겸괘도(謙卦圖)』[34)]

必孝按, 易他卦, 皆有悔吝凶咎, 而獨謙卦內三爻, 皆吉而無凶, 外三爻, 有利而無害者, 以內卦艮體, 蘊崇高之德, 而居坤之下, 卑而不可踰者也, 外卦坤體, 持卑謙之道, 而居艮之上, 尊而光者也. 是以, 初之象曰, 卑而自牧, 二之象曰, 中心自得, 三之勞謙有終, 四之撝謙不違, 五之不富而得人親, 六之鳴謙而發於聲音, 皆人之實德而聖人之所貴也. 故其爲卦序於天火之下[35)], 雷地之上, 其時與義, 豈不大矣乎. 禹謨曰, 汝惟不矜, 天下莫與汝, 爭能, 汝惟不伐, 天下莫與汝, 爭功, 周廟銘曰, 君子知天下之不可上也, 故下之, 知衆人之不可先也, 故後之, 此聖人體謙之道也. 楊雄曰, 自後者, 人先之, 自下者, 人高之, 陸贄曰, 自損者人益, 此先儒廣謙之義也. 世之讀易者, 苟能玩謙象而體義焉, 則其於進德修業, 居功名處官位, 皆當知所以自勉, 而彼其驕矜自滿, 樂高喜勝, 以終至於喪名隕身覆家而亡國者, 抑獨何心哉. 玆爲圖以自警, 兼以示世之與余同志者.

필효가 살펴보았다: 『주역』의 다른 괘에는 모두 '후회'나 '부끄러움'이나 '흉함'이나 '허물'이 있지만, 유독 겸괘의 내괘 세 효가 모두 길하고 흉함은 없으며 외괘 세 효가 이로움은 있고 해로움이 없는 것은, 내괘인 간괘(☶)의 몸체가 숭고한 덕을 쌓아 곤괘(☷)의 아래에 있어서 낮아도 넘을 수 없는 것이기 때문이며, 외괘인 곤괘의 몸체가 낮고 겸손한 도를 지키면서 간괘의 위에 있어서 높으며 빛나는 것이기 때문이다. 이 때문에 초효의 소상에서 "낮춤으로써 스스로 기른다"[36)]고 한 것과 이효의 소상에서는 "마음에 스스로 얻는다"[37)]고 한 것과 삼효의 공로가 있으며 겸손하여 끝마침이 있음과 사효의 겸손을 베풀고 어긋나지 않음과 오효의 부유하지 않아도 사람들의 친함을 얻음과 육효의 겸손함이 울려 음성으로 펼쳐짐이 모두 인간의 진실된 덕으로 성인이 귀하게 여긴 것이다. 그러므로 그 괘의 차례가 화천대유(䷍)의 아래이고 뇌지예(䷏)의 앞인 것이니, 그 시기와 의미가 어찌 크지 않겠는가?「대우모」에서 "네가 자랑하지 않지만 천하에 너와 더불어 능력을 다툴 자가 없으며, 네가 과시하지 않지만 천하에 너와 더불어 공을 다툴 자가 없다"[38)]고 하였고, 주묘(周廟)의 명(銘)에 "군자는 천하를 올라탈 수 없음을 알기 때문에 내려오고, 중인을 앞설 수 없음을 알기 때문에 뒤로 한다"고 하니, 이것은 성인이 겸손함을 체득한 도이다. 양웅은 "스스로 뒤로 하는 자는

---

34) 경학자료집성DB에서는 겸괘(謙卦) '괘사'에 해당하는 것으로 분류했으나, 내용에 따라 이 자리로 옮겼다.

35) 겸괘는 화천(火天) 대유 다음에 온다. 그러므로 여기서의 '천화(天火)'는 마땅히 '화천'으로 바뀌어야 하며, 번역도 이에 따랐다.

36)『周易 · 謙卦』: 象曰, 謙謙君子, 卑以自牧也.

37)『周易 · 謙卦』: 象曰, 鳴謙貞吉, 中心得也. ※ 경문을 인용하면서 '自'자를 첨가하였음.

38)『書經 · 大禹謨』: 汝惟不矜, 天下莫與汝, 爭能, 汝惟不伐, 天下莫與汝, 爭功, 予懋乃德, 嘉乃丕績, 天之曆數 在汝躬, 汝終陟元后.

사람들이 앞세우고, 스스로 낮추는 자는 사람들이 높여 준다"[39]고 하였고, 육지(陸贄)는 "스스로 덜어내는 자는 사람들이 보태 준다"[40]고 하였으니, 이는 선유들이 겸손의 뜻을 넓힌 것이다. 세상에 『주역』을 읽는 자가 진실로 겸괘의 상을 완미하여 뜻을 체득할 수 있다면, 덕을 진작하고 업을 닦으며 공명을 얻고 관직에 있음이 모두 스스로 힘쓴 것임을 마땅히 알 것이거늘, 저 교만하고 자만하며 높음을 즐기고 이김을 기뻐하여 끝내 이름을 잃고 몸을 손상시키며 집안을 무너뜨리고 나라를 망침에 이르는 자는 도대체 무슨 마음이란 말인가? 이에 도표를 만들어 스스로를 경계하고 아울러 세상에 나와 뜻을 같이 하는 자에게 보이고자 한다.

강엄(康儼) 『주역(周易)』

彖曰, 天道 [止] 君子之終也.
「단전」에서 말하였다: 하늘의 도는 … 군자의 끝마침이다.

按, 尊而光二句, 王氏以九三一爻當之, 其說亦旡可疑者. 但尊而光之上, 不露出九三, 只以謙之一字加之, 則是乃統言謙[41]道之如此, 而未見其專爲九三而發也. 夫易之道, 屢遷, 隨人所見, 旡所不通, 然正義固有不可易者. 王說蓋因九三爻辭而爲此說, 然文王[42]繫彖之意, 本非取九三爻義而作卦辭. 若文王之意, 果如王說, 則朱子於本義, 何不言之耶.
내가 살펴보았다: '높으며 빛나고[尊而光]'의 두 구절을 동계왕씨가 구삼(九三) 한 효에 해당시켰는데, 이 설도 또한 의심할 만한 것이 없다. 다만 "높으며 빛난다"의 위에 구삼(九三)을 직접 노출시키지 않고 단지 '겸(謙)'이라는 한 글자를 덧붙였을 뿐이니, 이것은 겸손함의 도가 이와 같다고 통괄하여 말한 것이지, 오로지 구삼을 위하여 펼쳤다고 볼 수는 없다. 대저 역(易)의 도는 누차 옮겨가서[43] 사람이 보는 바에 따라 통하지 않음이 없지만, 바른 뜻에는 참으로 바뀔 수 없는 것이 있다. 동계왕씨의 설은 구삼의 효사로 인하여 이러한 설을 주장했겠지만, 문왕이 단사(彖辭)를 매단 뜻은 본래 구삼의 효사를 취하여 괘사를 지은 것

39) 『揚子雲集 · 寡見篇』: 惠以厚下, 民忘其死. 忠以衛上, 君念其賞. 自後者, 人先之, 自下者, 人高之, 誠哉! 是言也.
40) 『翰苑集 · 奉天論前所答奏未施行狀』: 自損者人益, 自益者人損, 情之得失, 豈容易哉? 故喩君爲舟, 喩人爲水, 水能載舟, 亦能覆舟.
41) 謙: 경학자료집성DB에 '誰'로 되어 있으나, 경학자료집성 영인본을 참조하여 '謙'으로 바로잡았다.
42) 王: 경학자료집성DB에 '主'로 되어 있으나, 경학자료집성 영인본을 참조하여 '王'으로 바로잡았다.
43) 『周易 · 繫辭傳』: 易之爲書也 不可遠 爲道也 屢遷 變動不居 周流六虛 上下无常 剛柔相易 不可爲典要 唯變所適

이 아니다. 만약 문왕의 뜻이 과연 동계왕씨의 설과 같다면, 주자가 『본의』에서 어째서 말하지 않았겠는가?

박문건(朴文健) 『주역연의(周易衍義)』

德能光明而禮不踰越, 君子之終也. 此以卦體釋卦辭.
덕이 빛나고 밝을 수 있으며 예(禮)는 분수를 넘지 않으니, 군자의 끝마침이다. 이것은 괘의 몸체를 가지고서 괘사를 풀이하였다.
〈問, 尊而光, 卑而不可踰. 曰, 以陽之尊而能下來, 故人尊己而光明也, 陰之所以不掩也. 以位之卑而不上行, 故己卑而人不踰也, 陽之所以致恭也.
물었다: "높으며 빛나고, 낮아도 넘을 수 없다"는 무슨 뜻입니까?
답하였다: 양(陽)이 높으면서 아래로 내려 올 수 있으므로 사람들이 높여서 빛나고 밝은 것이니, 이는 음(陰)이 가릴 수 없는 까닭입니다. 지위가 낮아서 올라가 행하지 않으므로 자기가 낮아도 사람들이 넘지 못하는 것이니, 이는 양(陽)이 공경을 다하는 까닭입니다.〉

김기례(金箕澧) 「역요선의강목(易要選義綱目)」

尊而光,
높으며 빛나고,
指三居下體之上. 位尊而謙, 則愈光.
삼효가 하괘 몸체의 맨 위에 있음을 가리킨다. 지위가 높은데도 겸손하니 더욱 빛난다.

卑而不可踰,
낮아도 넘을 수 없으니,
指三居上卦之下.
삼효가 상괘(上卦)의 아래에 있음을 가리킨다.
○ 自卑而謙, 則人莫能踰.
스스로 낮추어 겸손하니, 사람들이 넘을 수 없다.

윤종섭(尹鍾燮) 『경(經)·역(易)』

謙, 輕也, 卑也, 象曰, 天地益謙, 神人福謙. 豊, 多也, 大也, 象曰, 天地盈虛, 日月昃食, 又曰, 況於人, 況於鬼神, 用易之道, 隨其消息而通變.

겸손함은 가벼움이고[44] 낮음이니, 「단전」에서 "하늘과 땅이 겸손한 것은 더해 주고, 귀신과 사람이 겸손한 것은 복되게 한다"고 하였다. 풍(豊)은 많음이고[45] 큼이니,[46] 「단전」에서 "하늘과 땅이 차고 비며, 해와 달이 기울고 이지러진다"고 하고, 또 "하물며 사람에 있어서며, 하물며 귀신에 있어서랴!"[47]라고 하였으니, 역(易)을 쓰는 도는 사라짐과 자라남을 따라서 변화에 통하는 것이다.

이항로(李恒老) 「주역전의동이석의(周易傳義同異釋義)」

傳, 謙爲卑巽也, 而其道尊大而光顯.

『정전』에서 말하였다: 겸손함은 낮추고 공손히 하는 것이지만 그 도는 높고 크며 빛나 드러난다.

本義, 能謙, 則其居尊者, 其德愈光, 其居卑者, 人亦莫能過.

『본의』에서 말하였다: 겸손할 수 있으면, 높은 곳에 있는 자는 그 덕이 더욱 빛나고, 낮은 곳에 있는 자도 사람들이 또한 넘볼 수 없다.

按, 朱子曰, 伊川以謙對卑說, 非是.

내가 살펴보았다: 주자는 "이천이 겸손함을 낮음과 상대하여 설명한 것은 옳지 않다"고 하였다.

심대윤(沈大允) 『주역상의점법(周易象義占法)』

夫中庸者, 利之至, 善之大也, 人物之所必歸也, 天地鬼神所必福也, 名譽之所必至也, 祿利之所必萃也.

중용(中庸)이란 이로움의 지극함이고 선의 큰 것이니, 사람과 사물이 반드시 돌아갈 바이며, 천지와 귀신이 반드시 복되게 하는 바이며, 명예가 반드시 지극한 바이며, 녹봉의 이로움이 반드시 모이는 바이다.

오치기(吳致箕) 「주역경전증해(周易經傳增解)」

彖曰, 謙亨, 天道, 下濟而光明, 地道, 卑而上行.(卦體.) 天道, 虧盈而益謙, 地道, 變盈

44) 『周易·雜卦傳』: 萃, 聚而升, 不來也. 謙, 輕而豫, 怠也.

45) 『周易·雜卦傳』: 豊, 多故, 親寡, 旅也.

46) 『周易·序卦傳』: 得其所歸者必大, 故受之以豊, 豊者, 大也.

47) 『周易·豊卦』: 日中則昃, 月盈則食, 天地盈虛, 與時消息, 而況於人乎, 況於鬼神乎.

而流謙, 鬼神, 害盈而福謙, 人道, 惡盈而好謙, 謙, 尊而光, 卑而不可踰, 君子之終也.
「단전」에서 말하였다: “겸이 형통하다”는 하늘의 도가 내려와 교제하여 빛나고 밝으며, 땅의 도가 낮아도 올라가 유행함이다. 〈괘의 몸체이다.〉 하늘의 도는 가득 찬 것을 이지러지게 하며 겸손한 것은 더해주고, 땅의 도는 가득 찬 것을 변하게 하며 겸손한 것으로 흐르고, 귀신은 가득 찬 것을 해롭게 하며 겸손한 것은 복되게 하고, 사람의 도는 가득 찬 것을 미워하고 겸손한 것은 좋아하니, 겸은 높으며 빛나고, 낮아도 넘을 수 없으니, 군자의 끝마침이다.

此以卦體, 釋卦名義及亨之辭, 又以卦義, 釋君子有終之辭也.
이는 괘의 몸체로 괘의 이름과 의미 및 ‘형통함’이라는 말을 풀이하고, 또 괘의 의미로 “군자가 끝마침이 있다”라는 말을 풀이한 것이다.

艮一陽, 本是乾剛而在下體, 故曰, 天道下濟而光明. 坤三陰, 乃地之象而在上體, 故曰, 地道卑而上行. 此所以自卑而益尊, 必亨之道也. 以天行言, 則盈者虧而謙者益, 日月陰陽 是也. 以地勢言, 則盈滿者, 變而傾壞, 卑下者, 受其流注, 山陵川澤, 是也. 以鬼神之迹言, 則盈溢者, 禍害之, 謙損者, 福祐之. 以人情之常言, 則疾惡其盈滿者, 而好與其謙巽者. 故人能行謙, 則居尊者, 其德愈爲光顯, 居卑者, 人莫能踰而陵, 此乃君子之德, 所以有終也.
간괘(艮卦)의 한 양은 본래 건괘(乾卦)의 굳셈으로 하괘의 몸체에 있는 것이다. 그러므로 “하늘의 도가 내려와 교제하여 빛나고 밝다”고 하였다. 곤괘(坤卦)의 세 음은 바로 땅의 상으로 상괘의 몸체에 있다. 그러므로 “땅의 도가 낮아도 올라가 유행한다”고 하였다. 이것이 스스로 낮춰서 더욱 높아지는 까닭이니, 반드시 형통하는 도이다. 하늘의 운행으로 말하면, 가득 찬 것은 이지러지고 겸손한 것은 더해주니, 해와 달, 음과 양이 이것이다. 땅의 형세로 말하면, 가득 찬 것은 변해서 기울어 무너지고, 낮고 아래인 자는 흘러 들어옴을 받아들이니, 산과 내, 언덕과 연못이 이것이다. 귀신의 자취로 말하면, 가득 찬 것은 재해로 해롭게 하고 겸손한 것은 복으로 도와준다. 인정(人情)의 한결같음으로 말하면, 가득 찬 것을 미워하고 겸손한 것은 좋아하여 함께한다. 그러므로 사람이 겸손함을 행할 수 있다면, 높은 곳에 있는 자는 그 덕이 더욱 빛나 드러나며, 낮은 곳에 있는 자도 사람들이 넘보거나 업신여길 수 없으니, 이것이 바로 군자의 덕이 끝마침이 있게 되는 까닭이다.

程傳云, 濟當爲際, 下際謂下交也.
『정전』에서 말하였다: ‘제(濟)’는 마땅히 ‘제(際)’가 되어야 하니, … ‘내려와 교제함[下際]’은 내려와 사귐을 말한다.

이진상(李震相) 『역학관규(易學管窺)』

象.

「단전」.

三山柳公曰, 坤以成之, 艮以止之, 有終之象.

삼산(三山) 유정원이 말하였다: 곤괘(坤卦)로 이루고 간괘(艮卦)로 그치니, 끝마침이 있는 상이다.

○ 傳.

『정전』.

一陽天道, 三陰地道, 而下含坎體, 故下濟, 上互震體, 故上行. 以卦變言, 則反卦豫九四, 下來居三, 六三上往居四.

하나의 양은 하늘의 도이고, 세 개의 음은 땅의 도인데, 아래로는 감괘(坎卦☵)의 몸체를 머금었으므로 "내려와 교제한다"고 하였고, 위로는 진괘(震卦)의 몸체와 엇걸리므로 "올라가 유행한다"고 하였다. 괘의 변화로 말하면, 뒤집힌 괘인 예괘(豫卦䷏)의 구사가 내려와서 삼효에 있고, 육삼이 올라가서 사효에 있는 것이다.

〈王氏曰, 尊者, 三居下卦之上也, 光艮象. 卑者, 三居上卦之下也, 不可踰, 謂位雖居下而剛, 莫有過.

동계왕씨가 말하였다: '높음[尊]'은 삼효가 하괘(下卦)의 맨 위에 있다는 것이고, '빛남[光]'은 간괘(艮卦)의 몸체[48]이다. '낮음[卑]'은 삼효가 상괘의 밑에 있다는 것이고, '넘볼 수 없음[不可踰]'은 지위가 비록 아래에 있더라도 강건하여 넘을 것이 없음을 말한다.〉

채종식(蔡鍾植) 「주역전의동귀해(周易傳義同歸解)」

謙, 尊而光, 卑而不可踰.

겸은 높으며 빛나고, 낮아도 넘을 수 없다.

傳謂, 謙道尊大而光顯, 自處雖卑屈, 其德實高, 不可加尙.

『정전』에서 말하였다: 겸의 도가 높고 크며 빛나 드러나고, 스스로의 처신을 낮추고 굽혀지만 그 덕은 실제로 높아서 더할 나위 없다.

48) 『주역전의대전 · 겸괘』 「단전」에 있는 소주를 보면, '상(象)'은 '체(體)'로 되어 있어서, 여기서도 이에 의해 '몸체'로 번역하였다.

本義謂, 人能謙, 則其居尊者, 其德愈光, 其居卑者, 人亦莫能過.
『본의』에서 말하였다: 사람이 겸손할 수 있으면, 높은 곳에 있는 자는 그 덕이 더욱 빛나고, 낮은 곳에 있는 자도 사람들이 또한 넘볼 수 없다.

蓋程易以謙對卑, 本義以尊對卑, 本義尤精. 然謙之爲德, 外雖自晦而內實光顯, 志雖自卑而道實尊大, 故尊者能謙, 則其德愈光, 卑者能謙, 則人莫能踰之也. 兩說備而旨益明.
대체로 정자의 『정전』에서는 '겸손함[謙]'을 '낮음[卑]'과 상대하였고, 『본의』에서는 '높음[尊]'을 '낮음[卑]'과 상대하였다. 『본의』가 더욱 정밀하나, 겸손의 덕은 밖을 비록 스스로 숨겨도 안은 실제로 빛나 드러나고, 뜻을 비록 스스로 낮춰도 도는 실제로 높고 크다. 그러므로 높은 자가 겸손할 수 있다면 그 덕이 더욱 빛나고, 낮은 자가 겸손할 수 있다면 사람들이 넘볼 수 없는 것이니, 두 설을 겸비하면 뜻이 더욱 분명할 것이다.

이병헌(李炳憲) 『역경금문고통론(易經今文考通論)』

本義曰, 流謂聚而歸之.
『본의』에서 말하였다: '흐름[流]'는 모여 돌아감을 말한다.

按, 乾之九三入坤, 故終日乾乾之君子, 謙而乃有終也. 謙道自卑, 自卑者, 人必尊之, 故尊而光也. 謙道, 可以通天地神人.
내가 살펴보았다: 건괘(乾卦)의 구삼(九三)이 곤(坤)에 들어갔으므로 종일토록 힘쓰고 힘쓰는 군자가[49] 겸손하여 이에 끝마침이 있게 된다. 겸손의 도는 스스로 낮춤인데, 스스로 낮추는 자는 사람들이 반드시 높이므로 높으며 빛난다. 겸손의 도는 하늘과 땅과 귀신과 사람에 통할 수 있다.

---

49) 『周易·乾卦』: 九三, 君子終日乾乾, 夕惕若, 厲, 无咎.

象曰, 地中有山, 謙, 君子以, 裒多益寡, 稱物平施.

「대상전」에서 말하였다: 땅 속에 산이 있는 것이 겸(謙)이니, 군자가 그것을 본받아 많은 것을 덜어내 적은 데에 더해 주어, 물건을 저울질하여 베풂을 고르게 한다.

中國大全

傳

地體卑下, 山之高大而在地中, 外卑下而內蘊高大之象, 故爲謙也. 不云山在地中, 而曰地中有山, 言卑下之中, 蘊其崇高也, 若言崇高蘊於卑下之中, 則文理不順. 諸象皆然, 觀文可見. 君子以裒多益寡稱物平施, 君子觀謙之象, 山而在地下, 是高者下之, 卑者上之, 見抑高擧下損過益不及之義, 以施於事, 則裒取多者, 增益寡者, 稱物之多寡, 以均其施與, 使得其平也.

땅의 몸체가 낮아서 아래에 있는데 산이 높고 크면서 땅 속에 있으니, 밖으로는 낮고 아래에 있어도 안으로는 높고 큼을 간직하는 상이기 때문에 겸괘가 된다. "산이 땅속에 있다"고 하지 않고 "땅 속에 산이 있다"고 말함은, 낮고 아래에 있는 것 속에 숭고함이 간직되었음을 말한 것이니, 만약 숭고함이 낮고 아래에 있는 것 속에 간직되어 있다고 한다면, 글이 이치에 맞지 않는다. 여러 상들도 모두 마찬가지이니, 글을 보면 알 수가 있다. "군자가 본받아서 많은 것을 덜어내 적은 데에 더해 주어, 물건을 저울질하여 베풂을 고르게 한다"는 것은 군자가 겸괘의 상은 산이 땅의 아래에 있는 것임을 보고 높은 것을 낮추고 낮은 것을 높이는 것이니, 높은 것을 억제하고 낮은 것은 들어 올리며 지나친 것을 덜어내고 모자란 것은 보태 주는 뜻을 알아서 일에다 시행한다면, 많은 것을 덜어내어 적은 데에 더해주고 물건의 많고 적음을 저울질해서 베풀어 줌을 균등하게 하여 가지런함을 얻게 할 것이다.

小註

程子曰, 謙者, 治盈之道, 故曰裒多益寡, 稱物平施.

정자가 말하였다: 겸손함은 가득 참을 다스리는 도이므로 "많은 것을 덜어내 적은 데에 더해 주어, 물건을 저울질하여 베풂을 고르게 한다"고 하였다.

本義

以卑蘊高, 謙之象也, 裒多益寡, 所以稱物之宜而平其施, 損高增卑, 以趣於平, 亦謙之意也.

낮으면서 높은 것을 간직함이 겸괘의 상이며, '많은 것을 덜어내 적은 데에 더해 줌'은 물건의 마땅함을 저울질하여 베풂을 고르게 하는 것이니, 높은 것을 덜어내어 낮은 데에 더해 주어 가지런함으로 나아가는 것이 또한 겸괘의 뜻이다.

小註

朱子曰, 裒多益寡, 便是謙, 稱物平施, 便是裒多益寡.
주자가 말하였다: '많은 것을 덜어내 적은 데에 더해 줌'이 곧 겸(謙)이며, '물건을 저울질하여 베풂을 고르게 함'이 곧 '많은 것을 덜어내 적은 데에 더해 줌'이다.

○ 問, 裒多益寡, 是損高就低, 使教恰好, 不是一向低去. 曰, 大抵人多見得在己者高, 在人者卑. 謙則抑己之高而卑以下人, 便是平也.
물었다: '많은 것을 덜어내 적은 데에 더해 줌'은 높은 것을 덜어내어 낮은 데로 더해 주어 알맞도록 하는 것이지, 무조건 낮추어 가는 것은 아닌 듯합니다.
답하였다: 대체로 사람들은 자기에게 있는 것은 높다고 보고, 사람들에게 있는 것은 낮다고 봄이 많습니다. 겸손함은 자기의 높음을 억눌러 낮추어서 남보다 아래가 되는 것이니, 이것이 바로 고르게 함[平]입니다.

○ 臨川吳氏曰, 山在地中, 則高者, 降而下, 卑者, 升而上, 一升一降, 而高卑適平矣. 物之多者裒取而使之寡, 猶降山之高而使之卑也, 物之寡者增益而使之多, 猶升地之卑而使之高也, 一裒一益而多寡適平矣. 稱物平施, 謂稱量物之多寡而損益之, 然後所施均平, 而多者不偏多, 寡者亦不偏寡也.
임천오씨가 말하였다: 산이 땅 속에 있음은 높은 것이 내려와 아래에 있고 낮은 것이 올라가 위에 있음이니, 하나는 올라가고 하나는 내려와서 높고 낮음이 가지런하게 된다. 물건이 많은 것을 덜어 내어 적게 함은 산의 높은 곳을 깎아 낮게 함과 같고, 물건이 적은 것은 더해 주어 많게 함은 땅의 낮은 곳을 올려 높게 하는 것과 같으니, 하나는 덜어 내고 하나는 더해 주어 많고 적음이 가지런하게 된다. '물건을 저울질하여 베풂을 고르게 함'은 물건의 많고 적음을 저울질하여 덜어 내고 더해 준 뒤에야 베푸는 바가 균등하여 많은 것이 많음에 치우치지 않고 적은 것도 또한 적음에 치우치지 않게 됨을 말한다.

○ 厚齋馮氏曰, 凡大象皆別立一意, 使人知用易之理. 裒多益寡, 稱物平施, 俾小大長短, 各得其平, 非君子謙德之象, 乃君子治一世, 使謙之象也. 彖與六爻, 全无此意.
후재풍씨가 말하였다: 「대상전」에서는 모두 별도로 하나의 뜻을 세워 사람들이 『주역』을 쓰는 이치를 알도록 하였다. '많은 것을 덜어내 적은 데에 더해 주어, 물건을 저울질하여 베풂을 고르게 함'은 작고 큼, 길고 짧음이 각각 가지런함을 얻게 하는 것이니, 군자의 겸손한 덕을 나타내는 것이 아니라 곧 군자가 한 시대를 다스려서 겸손하게 하려는 상이다. 「단전」과 여섯 효에는 모두 이러한 뜻이 없다.

韓國大全

권근(權近) 주역천견록(周易淺見錄)』

愚嘗與釋徒論此象. 釋者曰, 此卽平等無差之法. 予曰, 非也. 稱者, 稱錘之稱, 所謂稱物平施者, 如持衡以稱物, 隨其物之輕重, 而爲其權之進退, 以其衡之平也. 吾道, 理一而分殊, 異端, 兼愛而無分. 以倫理之大者言之, 資於事父, 以事母, 而愛同. 父母之爲親[50]一也, 而父爲重, 故其愛之道爲多, 母猶輕, 故其愛之道爲少. 裒多於父, 以益於母, 則其愛同也, 然有輕重之差, 故爲父斬衰, 爲母齊衰, 此於愛同之中, 稱其輕重而平施也.
내가 일찍이 불가의 무리와 이 상에 대하여 논의 하였는데, 불가의 사람이 "이것은 즉 평등하여 차별이 없는 법입니다"라고 말하였다.
내가 말하였다: 아닙니다. '저울질[稱]'은 저울추로 저울질함이니, 이른바 '물건을 저울질하여 베풂을 고르게 함'은 마치 저울을 가지고 물건을 저울질하여 물건의 가볍고 무거움에 따라 저울추를 이리저리 옮겨서 저울을 평평하게 하는 것과 같습니다. 유가의 도는 이치가 하나이지만 나뉘어 달라지고, 이단은 두루 사랑하여 구분이 없습니다. 윤리의 큰 것으로 말하자면, "아버지 섬김을 의지하여 어머니를 섬기지만 사랑함은 같습니다."[51] 아버지나 어머니가 친함이 됨은 동일하지만 아버지는 무겁기 때문에 사랑하는 도(道)가 많고 어머니는 오히려 가볍기 때문에 사랑하는 도가 적게 됩니다. 아버지에게 많은 것을 덜어 내어 어머니에게

---

50) 親: 경학자료집성DB와 영인본에 모두 '規'로 되어 있으나, 문맥을 살펴 '親'으로 바로잡았다.
51) 『孝經 · 士章』: 資於事父以事母, 而愛同, 資於事父以事君, 而敬同.

더해 준다면 그 사랑함은 같아지겠지만, 가볍고 무거운 차이가 있으므로 아버지를 위해서는 참최복을 입고 어머니를 위해서는 자최복을 입으니, 이것이 사랑함이 같은 가운데 가볍고 무거움을 저울질하여 베풂을 고르게 하는 것입니다.

資於事父, 以事君, 而敬同. 君父之所事一也, 而父常親, 故其敬之時常多, 君難近, 故其敬之時爲少. 裒多於父, 以益於君, 則其敬同也, 然有恩義之異, 故事父無方, 事君有方, 此於敬同之中, 稱其恩義而平施也. 以此而推親親之殺尊賢之等, 以至於仁民愛物, 莫不各有當然之序, 而不可乱也. 異端無分, 故愛路人, 无異於至親, 仁禽獸, 无異於同類, 則於親爲薄, 而於疏爲厚, 於人爲輕, 而於物爲重. 失其當然之序而不平, 豈稱物平施者乎.
아버지 섬김을 의지하여 임금을 섬기지만 공경함은 같습니다. 임금이나 아버지나 섬겨야 함은 동일하지만 아버지는 항상 친하기 때문에 공경할 때가 항상 많고 임금은 가까이하기 어렵기 때문에 공경할 때가 적습니다. 아버지에게 많은 것을 덜어내 임금에게 더해 준다면 그 공경함은 같아지겠지만, 은혜와 의리의 다름이 있기 때문에 아버지를 섬김에는 일정한 방법이 없고 임금을 섬김에는 일정한 방법이 있으니, 이것이 공경함이 같은 가운데 은혜와 의리를 저울질하여 베풂을 고르게 하는 것입니다. 이것을 '친한 이를 친히 하는 차등[親親之殺]과 어진 이를 높이는 등급[尊賢之等]'[52]에 미루어서 '백성을 인애하고 만물을 사랑함'[53]에 이르기까지 각각 당연한 순서가 있지 않음이 없으니 어지럽힐 수 없습니다. 이단은 구분이 없으므로 길거리 사람을 사랑함이 아주 친한 이와 다름이 없고, 금수를 인애함이 같은 부류와 다름이 없으니, 친한 것에 얇게 하고 소원한 것에 두텁게 하며 사람에게 가볍게 하고 사물에게 무겁게 하는 것입니다. 당연한 순서를 잃어서 가지런하지 못하니, 어찌 '물건을 저울질하여 베풂을 고르게 하는 것'이겠습니까?

分殊之道, 似不均一, 而所以爲平施也, 無分之弊, 雖曰平等, 而反所以爲不平也. 夫平者, 彼此各得其宜, 而无有餘不足之謂也. 以物喩之, 器有大小, 其量不同, 隨其小大, 而施有多寡, 故各適其量而皆平. 在大施多, 而非有餘, 在小施小, 而非不足, 豈非天下之至平乎. 無分則無多寡之之別. 從大以注小, 則大[54]者僅滿, 而小者已溢, 有溢有不溢, 是不平也. 從小以注大, 則小者旣盈, 而大者不足, 有盈有不盈, 是亦不平也. 故兼愛而无差別之分者, 雖曰平等, 反以爲不平也.

---

52) 『中庸』: 仁者, 人也, 親親爲大, 義者, 宜也, 尊賢爲大, 親親之殺, 尊賢之等, 禮所生也.
53) 『孟子·盡心』: 孟子曰, 君子之於物也, 愛之而弗仁, 於民也, 仁之而弗親, 親親而仁民, 仁民而愛物.
54) 大: 경학자료집성DB와 영인본에 모두 '小'로 되어 있으나, 문맥을 살펴 '大'로 바로잡았다.

나뉘어 달라지는 도는 균일하지 않은 듯이 보이지만 베풂을 공평하게 하는 것이고, 구분 없음의 폐단은 비록 "평등하다"고 하더라도 도리어 가지런하지 못하게 하는 것입니다. 고르게 함[平]은 피차가 각각 그 마땅함을 얻어서 남음이나 부족함이 없음을 말합니다. 물건으로 비유하면, 그릇에는 크고 작음이 있어서 그 용량이 같지 않지만, 그 작고 큼에 따라 담기를 많고 적게 하므로 각각 그 용량에 알맞아 모두 가지런하게 됩니다. 큰 그릇에 많이 담는다고 남음이 있는 것이 아니고 작은 그릇에 적게 담는다고 부족한 것이 아니니, 어찌 천하의 지극히 가지런한 것이 아니겠습니까? 구분이 없다면 많게 하거나 적게 하는 구별도 없습니다. 큰 것을 작은 것에 붓는다면 큰 것에서는 겨우 가득 찼었으나 작은 것에서는 이미 넘쳐서 넘침도 있고 넘치지 않음이 있으니, 가지런하지 못한 것입니다. 작은 것을 큰 것에 붓는다면 작은 것에서는 이미 가득 찼지만 큰 것에서는 부족하여 가득 참도 있고 가득 차지 않음도 있으니, 또한 가지런하지 못한 것입니다. 그러므로 두루 사랑하여 차별의 구분이 없는 것을 비록 '평등'이라고 할 수는 있지만, 도리어 가지런하지 못하게 됩니다.

吁, 物之不齊, 物之情也, 親疏遠邇, 小大輕重之有差, 物理之自然也. 聖人因其理之自然而施之, 故其分雖殊, 而各適其宜, 終无有過不及之差. 蓋聖人之心, 如鑑之空, 如衡之平, 姸媸俯仰, 因物賦形. 聖人无容心於其間, 而自无差繆也, 異端都无親疏遠邇小大輕重之差, 欲以吾心之平等而一施之, 是猶欲鑑無姸媸之異照, 衡無輕重之異形也. 雖其心都无差別, 而於理甚多差繆, 亦未免着意而强爲, 未若聖人之心, 循理而無私也.

아, '사물이 똑같지 않음이 사물의 실정'[55]이니, 친함과 소원함, 멂과 가까움, 작음과 큼, 가벼움과 무거움의 차이가 있는 것이 사물의 자연한 이치입니다. 성인(聖人)은 그 자연의 이치에 의거하여 시행하므로 그 나뉨이 비록 다르지만 각각 그 마땅함에 맞아 끝내 지나치거나 미치지 못하는 어긋남이 없습니다. 성인의 마음은 거울의 텅 빔과 같고 저울의 공평함과 같아서 예쁘거나 추하거나 굽어보거나 우러러 보거나 사물에 따라서 모습을 펼칩니다. 성인은 그 사이에 마음[私心]을 용납함이 없어서 자연히 어긋남이 없지만, 이단은 친함과 소원함, 멂과 가까움, 작음과 큼, 가벼움과 무거움의 차이를 모두 없애고 내 마음의 평등으로 똑같이 베풀고자 하니, 이것은 오히려 거울에 예쁘거나 추함이 달리 비춰짐을 없애고, 저울에 가볍거나 무거움이 달리 나타남을 없애려고 하는 것입니다. 비록 그 마음에는 전혀 차별이 없더라도 이치에는 어긋남이 매우 많고, 또한 뜻에 집착하여 억지로 함을 면하지 못할 것이니, 성인의 마음이 이치에 순응하여 사심이 없는 것과는 같지 않습니다.

55)『孟子·滕文公』: 曰, 夫物之不齊, 物之情也, 或相倍蓰, 或相什伯, 或相千萬. 子比而同之, 是亂天下也. 巨屨小屨同賈, 人豈爲之哉. 從許子之道, 相率而爲僞者也, 惡能治國家.

조호익(曺好益) 『역상설(易象說)』

裒掊, 同聚也.
'부(裒)'는 '부(掊)'로 모두 취합함이다.

註, 吳氏, 云云.
소주에서 임천오씨가, 운운.
愚謂, 地中有山, 則以山之高下於地之卑, 高卑適平, 謙之象也. 君子法艮之下於坤, 而裒多使之寡, 法坤之上於艮, 而益寡使之多, 多寡適平, 而謙之道行矣. 稱物在裒益之先, 平施在裒益之後. 傳本義蘊高之說, 恐與裒益之義, 不相蒙矣, 學者詳之.
내가 살펴보았다: 땅 속에 산이 있음은 산의 높음이 땅의 낮음보다 아래에 있어 높음과 낮음이 가지런하게 된 것이니, 겸손함의 상이다. 군자가 간괘(艮卦☶)가 곤괘(坤卦☷) 아래에 있음을 본받아 많은 것을 덜어내 적게 하고, 곤괘가 간괘의 위에 있음을 본받아 적은 것에 더해 주어 많게 하니, 많고 적음이 가지런하게 되어 겸손함의 도가 행해지는 것이다. '물건을 저울질 함'은 덜어 내고 더해 주는 것의 앞에 있고, '베풂을 고르게 함'은 덜어 내고 더해 주는 것의 뒤에 있다. 『정전』과 『본의』에서 "높음을 간직했다"는 설명은 아마도 덜어 내고 더해 준다는 뜻과는 서로 부합하지 못하는 듯하니, 배우는 사람들은 상세히 살펴야 한다.

김도(金濤) 「주역천설(周易淺說)」

愚按, 程傳下程子所釋, 惟一條, 本義下朱子所釋, 凡二條, 吳氏馮氏所釋, 又凡二条, 而皆合於大象之旨矣. 蓋謙者, 君子之美德, 而裒多益寡稱物平施者, 乃君子治盈之道也. 盈滿者不治, 則多者益多, 寡者益寡, 而政不得其平矣. 是以君子待己則卑下, 而處物則平均, 謙之德, 其可謂至德也已. 後世則不然, 昧於謙德, 而民不見平, 亂日之常多, 無足恠也.
내가 살펴보았다: 『정전』 아래에 정자의 풀이는 오직 한 조목이고, 『본의』 아래에 주자의 풀이는 모두 두 조목이며, 임천오씨와 후재풍씨의 풀이도 모두 두 조목인데 모두 「대상전」의 뜻에 부합한다. 겸손함이란 군자의 아름다운 덕이며, "많은 것을 덜어내 적은 데에 더해 주어, 물건을 저울질하여 베풂을 고르게 한다"는 곧 군자가 가득 찬 것을 다스리는 도이다. 가득 찬 것을 다스리지 않는다면, 많은 것은 더욱 많아지고 적은 것은 더욱 적어져서 정사가 가지런해질 수 없다. 이 때문에 군자가 자신을 대함에는 낮추어 내리고 사물을 처리함에는 고르게 균등하니, 겸손함의 덕은 지극한 덕이라고 할 수 있을 것이다. 후세에는 그렇지 않아 겸손함의 덕에 어두워서 백성들이 가지런하지 못하고 어지러운 날이 항상 많으니, 괴이하게 여길 것도 없다.

이만부(李萬敷) 「역통(易統)·역대상편람(易大象便覽)·잡서변(雜書辨)」

臣謹按, 朱子曰, 大抵人多見得在己者高, 在人者卑, 謙則抑己之高而卑以下人, 便是平也. 況人君處崇高之位, 臨衆卑之上, 尤宜抑其高而卑下人. 此謙所以爲德之柄也. 又以此義處事, 則物之多者, 可以裒取而寡之, 物之寡者, 可以增益而多之, 而其所施自不患於不均平矣.

신이 삼가 살펴보았습니다: 주자가 말하기를 "대체로 사람들은 자기에게 있는 것은 높다고 보고 다른 사람들에게 있는 것은 낮다고 봄이 많습니다. 겸손함은 자기 높임을 억제하고 낮추어서 다른 사람보다 아래 있는 것이니, 이것이 바로 고르게 함[平]입니다"[56]라고 하였습니다. 하물며 임금은 숭고한 지위에 있으면서 여러 낮은 것의 위에 군림하니, 더욱 자신의 높음을 억제하고 낮추어서 다른 사람들보다 아래 있어야 합니다. 이것이 겸손함이 덕의 자루가 되는 까닭입니다. 또 이러한 뜻으로 일을 처리하신다면, 물건이 많은 것은 덜어내어 적게 할 수 있고, 물건이 적은 것은 더해 주어 많게 할 수 있으니, 베푸는 것이 공평하지 못할까 걱정하지 않을 것입니다.

이익(李瀷) 『역경질서(易經疾書)』[57]

山頹而附下, 厚積其根, 則爲剝, 平地之下, 岡巒藏在, 則爲謙. 今掘地深入, 巖石連脉, 可以驗矣. 山本高峻之物, 揜藏於地中, 不露圭角, 歷千萬年誰得以測度. 君子之謙德似之也. 山有高低而地則平, 是山之寡缺, 猶不及地之多厚也. 裒地之多, 益山之寡, 不復高低之別, 故曰, 稱物平施. 在人則取善以補德, 同仁而均施也.

산이 무너져서 아래로 보태져 뿌리 위에 두텁게 쌓이면 박괘(剝卦䷖)가 되고, 평지 아래로 이어진 산등성이가 숨겨져 있으면 겸괘가 된다. 지금 땅을 파고 깊이 들어가면 암석의 이어진 맥이 있는 것으로 증험할 수 있다. 산은 본래 높고 큰 것인데 땅 속에서 가려지고 숨겨져서 뾰족한 끝부분이 드러내지 않으니, 천 년 만 년이 지나도 누가 헤아려 알 수 있겠는가? 군자의 겸손한 덕이 이와 유사하다. 산에는 높고 낮음이 있지만 땅은 곧 평평하니, 이것은 산의 약간의 부족함이 오히려 땅의 전체적으로 두터운 것에는 미치지 못함이다. 땅의 많음을 덜어 산의 부족함에 더하여 높고 낮음의 구별을 회복하지 않는다. 그러므로 "물건을 저울질하여 베풂을 고르게 한다"고 하였으니, 사람에게서는 선(善)을 취하여 덕을 보충하고 인(仁)을 함께하여 베풂을 고르게 하는 것이다.

---

56) 이러한 구절은 『주자어류(朱子語類)·역(易)·겸』에 보인다.

57) 경학자료집성DB에서는 겸괘(謙卦) '괘사'에 해당하는 것으로 분류했으나, 내용에 따라 이 자리로 옮겼다.

유정원(柳正源)『역해참고(易解參攷)』[58]

裒多 [至] 平施
많은 것을 덜어내 … 베풂을 고르게 한다.

雙湖胡氏曰, 地雖卑而多, 山雖高而寡. 今地中有山, 有裒多益寡象, 一陽在中, 有衡平之象, 五陰有物與施之象.
쌍호호씨가 말하였다: 땅은 비록 낮아도 많고, 산은 비록 높아도 적다. 지금 땅 속에 산이 있으니 많은 것을 덜어내 적은 것에 더해 주는 상이 있고, 하나의 양이 가운데에 있으니 균형을 잡는 상이 있고, 다섯 음에는 사물에게 주고 베푸는 상이 있다.

○ 案, 裒多益寡, 卽損有餘, 益不足之意, 以裒爲聚, 恐非稱物之意. 當從廣韻減字之說.
내가 살펴보았다: '많은 것을 덜어내 적은 데에 더해 줌'은 여유 있는 것에서 덜어 부족한 곳에 더하여 준다는 뜻으로 '부(裒)'는 취합함이 되니, 아마도 물건을 저울질한다는 뜻은 아닌 듯하다. 마땅히『광운』에서 '감(減)'이라고 하였던 설을 따라야 한다.

김상악(金相岳)『산천역설(山天易說)』

裒多益寡者, 山也, 稱物平施者, 地也. 坤三陰, 艮二陰, 互坎體分居上下, 如物之在衡. 爾雅坎律銓也, 註曰, 坎卦主法, 法律, 皆所以銓量輕重者也.
많은 것을 덜어내 적은 데에 더해 주는 것은 산이며, 물건을 저울질하여 베풂을 고르게 하는 것은 땅이다. 곤괘(坤卦)는 음이 셋이고 간괘(艮卦)는 음이 둘이며, 호괘인 감괘(坎卦☵)의 몸체가 위와 아래를 나누고 있으니, 물건이 저울에 있는 것과 같다.『이아(爾雅)』에서 "감괘는 저울[律銓]이다"라고 하였는데, 곽박(郭璞)의 주(注)에 "『주역』의 감괘는 법(法)을 주로 하고 법은 율(律)이니, 모두 가볍고 무거움을 저울질하여 헤아리는 것이다"라고 하였다.[59]

서유신(徐有臣)『역의의언(易義擬言)』

外卑下而內崇高. 地中有山, 爲謙之象也. 山之頂亦地, 是爲地中有山也. 裒多益寡, 如山之積, 稱物平施, 如地之均也. 謙有抑尊禮卑之義, 推以觀之, 裒多益寡, 折長補短, 是類也. 過謙則足恭, 稱物平施, 亦謙之推也.
밖으로는 낮고 아래에 있어도 안으로는 숭고함이 '땅 속에 산이 있음'이니, 겸손한 상이 된

58) 경학자료집성DB에서는 겸괘 괘사에 해당하는 것으로 분류했으나, 내용에 따라 이 자리로 옮겨 바로잡는다.
59) 이러한 구절은 진(晉)나라 곽박(郭璞)이 주(注)를 단『이아주소(爾雅注疏)』에 보인다.

다. 산의 정상도 또한 땅이니, '땅 속에 산이 있음'이 된다. '많은 것을 덜어내 적은 데에 더해 줌'은 산의 쌓임과 같고, '물건을 저울질하여 베풂을 고르게 함'은 땅의 평평함과 같다. 겸괘에는 높은 자를 억누르고 낮은 자를 예우(禮遇)하는 뜻이 있으니, 이를 미루어 본다면 '많은 것을 덜어내 적은 데에 더해 줌'은 긴 것을 잘라 짧은 것에 보태어 줌이 이런 부류이다. 겸손함이 지나치면 지나치게 공손함이며,[60] '물건을 저울질하여 베풂을 고르게 함'은 또한 겸손함을 미룬 것이다.

김귀주(金龜柱) 『주역차록(周易箚錄)』

象曰, 地中有山, 云云.

「상전」에서 말하였다: 땅 속에 산이 있음이, 운운.

○ 按, 裒多益寡, 稱物平施, 以絜矩之義推之, 亦無不合. 蓋所惡於上而以使下, 所惡於下而以事上, 則是我多而彼寡, 物不得其平矣. 是知絜矩之道, 亦謙者能之.

내가 살펴보았다: '많은 것을 덜어내 적은 데에 더해 주어, 물건을 저울질하여 베풂을 고르게 함'을 혈구(絜矩)[61]의 뜻으로 미루어 본다면 또한 부합하지 않음이 없다. 윗사람에게서 싫었던 것으로 아랫사람을 부리고 아랫사람에게서 싫었던 것으로 윗사람을 섬긴다면, 나는 많아지고 저는 적어져서 만물이 가지런할 수 없을 것이다. 혈구의 도를 아는 그것은 또한 겸손한 자라야 할 수 있다.

本義, 以卑蘊高, 云云.

『본의』에서 말하였다: 낮으면서 높은 것을 간직함이, 운운.

○ 按, 損高增卑, 以趣於平, 非但損高爲謙, 一平字卽謙之意也. 若一高一卑, 而兩不能平, 則非所謂謙也. 本義之意, 恐如此.

내가 살펴보았다: "높은 것을 덜어내어 낮은 데에 더해 주어 가지런함으로 나아간다"에서 높은 것을 덜어냄만이 겸손함이 되는 것은 아니다. 하나의 '평(平)'자도 곧 겸손함의 뜻이니, 만약 하나는 높고 하나는 낮아서 둘이 가지런할 수 없다면, 이른바 겸손함이 아니다. 『본의』의 뜻은 아마도 이와 같은 듯하다.

小註, 厚齋馮氏曰, 凡大象, 云云.

---

60) 주공(足恭): 『논어 · 공야장(公冶長)』에 다음과 같이 나온다. "子曰, 巧言令色足恭, 左丘明恥之, 丘亦恥之." 여기서의 '주(足)'에 대하여 주자는 『논어집주 · 공야장』에서 "'주(足)'는 지나침이다[足過也]"라고 하였다.

61) 『大學』: 所惡於上, 毋以使下, 所惡於下, 毋以事上, 所惡於前, 毋以先後, 所惡於後, 毋以從前, 所惡於右, 毋以交於左, 所惡於左, 毋以交於右, 此之謂絜矩之道也.

소주에서 후재풍씨가 말하였다: 「대상전」에서는, 운운.
○ 按, 抑己[62]之高而卑以下人, 亦裒多益寡, 稱物平施之道. 上註朱子說, 已盡之, 何謂非君子謙德之象耶. 但象傳所言, 其義甚廣, 不可專作治己[63]之事耳.
내가 살펴보았다: 자기의 높음을 억제하고 낮추어서 다른 사람보다 아래에 있는 것이 또한 많은 것을 덜어내 적은 데에 더해 주어, 물건을 저울질하여 베풂을 고르게 하는 도(道)임은 위에 소주의 주자의 설명에 이미 다 밝혔거늘, 어찌 "군자의 겸손한 덕을 나타내는 상이 아니다"라고 할 수 있겠는가? 다만 「상전」에서 말한 것은 그 뜻이 매우 넓으니, 오로지 자기를 다스리는 일로만 간주할 수는 없다.

박제가(朴齊家) 『주역(周易)』

本義, 以卑蘊高, 謙之象也.
『본의』에서 말하였다: 낮으면서 높은 것을 간직함이 겸괘의 상이다.

案, 此爲見謙之象, 若自爲謙, 則當曰, 以高處下. 程傳早已說之矣.
내가 살펴보았다: 이것은 겸손함이 드러나는 상이니, 만약 스스로 겸손하다고 여긴다면 마땅히 "높으면서 아래에 있다"고 해야 한다. 『정전』에서 일찍이 이미 설명하였다.

박문건(朴文健) 『주역연의(周易衍義)』

〈問, 地中有山, 謙. 曰, 平地之中有高山, 則內體雖實, 外面皆虛, 故有謙之象也. 先儒皆謂山在地下, 於理似不通也.
물었다: "땅 속에 산이 있음이 겸(謙)이다"는 무슨 뜻입니까?
답하였다: 평평한 땅 속에 높은 산이 있다면, 안의 몸체가 꽉 찼더라도 밖의 모습은 모두 비었습니다. 그러므로 겸손한 상이 있는 것입니다. 선유들이 모두 "산이 땅의 아래에 있다면 이치상 통하지 않을 것 같다"고 하였습니다.〉

問, 稱物平施. 曰, 稱物之長短大小輕重美惡而後, 能平其施予也, 稱物而平施, 裒多益寡者之事也.
물었다: "물건을 저울질하여 베풂을 고르게 한다"는 무슨 뜻입니까?
답하였다: 물건의 길고 짧음, 크고 작음, 가볍고 무거움, 아름답고 추함을 저울질한 뒤에

---

62) 己: 경학자료집성DB에 '已'로 되어 있으나, 경학자료집성 영인본을 참조하여 '己'로 바로잡았다.
63) 己: 경학자료집성DB에 '已'로 되어 있으나, 경학자료집성 영인본을 참조하여 '己'로 바로잡았다.

베풀어 줌을 고르게 할 수 있으니, "물건을 저울질하여 베풂을 고르게 한다"는 것이 "많은 것을 덜어내 적은 데에 더해 준다"는 일입니다.〉

이지연(李止淵) 『주역차의(周易箚疑)』

多者, 我之多也, 寡者, 人之寡也.
'많은 것[多]'은 나에게 많은 것이며, '적은 데[寡]'는 다른 사람에게 적은 것이다.

김기례(金箕澧) 「역요선의강목(易要選義綱目)」

君子以, 裒多益寡, 稱物平施.
군자가 본받아서 많은 것을 덜어내 적은 데에 더해 주어, 물건을 저울질하여 베풂을 고르게 한다.

損高增卑, 大小長短, 各得其平, 以及均施.
'높은 것을 덜어내어 낮은 데에 더해 줌'[64]은 크고 작음, 길고 짧음이 각각 가지런함을 얻어서 균등하게 베풂에 미친 것이다.

○ 六爻无此意.
여섯 효에는 이러한 뜻이 없다.

심대윤(沈大允) 『주역상의점법(周易象義占法)』

山在地中, 以高遜卑之象, 言地中有山者, 明卑順之中有高峻也. 故卑而不可踰也. 若卑順而中无高峻, 不成爲謙矣. 君子卑順者, 言行也, 高峻者, 事業也, 言行卑順, 故能和合于衆, 事業高峻, 故能爲衆所服也. 言行莊嚴勑厲, 行人之所不能行, 言笑整束, 而未有濟物利己之功, 峭乎其爲衆所憚, 邈乎其與衆相絶. 夫子所謂色莊色厲色仁者也, 无實德而有虛名, 終以自賊其性而喪其利, 此與謙相反也.
산이 땅 속에 있음은 높으면서 겸손하게 낮추는 상이고, "땅 속에 산이 있다"고 한 것은 낮추어 온순한 가운데에 높고 큼이 있음을 밝힌 것이다. 그러므로 낮아도 넘을 수가 없다. 만약 낮추어 온순해도 속에 높고 큼이 없다면, 겸손함은 성립되지 않는다. 군자가 낮추어 온순한 것은 말과 행동이며, 높고 큼은 사업이니, 말과 행동이 낮추어 온순히 하기 때문에

---

64) 『本義 · 謙卦』: 以卑蘊高, 謙之象也, 裒多益寡, 所以稱物之宜而平其施, 損高增卑, 以趣於平, 亦謙之意也.

무리와 화합할 수 있고, 사업이 높고 크기 때문에 무리들이 승복할 수 있게 된다. 말과 행동이 엄숙하고 엄정하면서 사람들이 할 수 없는 행동을 하거나, 말과 웃음은 단정하고 삼가면서 아직 사람들을 구제하고 자기를 이롭게 하는 공이 없으면, 준엄하게 무리가 꺼리는 바가 되고 아득하게 무리와 서로 단절될 것이다. 공자의 이른바 얼굴이 엄숙한 자[65]와 얼굴에 위엄이 있는 자[66]와 얼굴로 인(仁)을 취하는 자[67]는 갈무리된 덕은 없고 헛된 이름만 있어서 끝내 스스로 본성을 해치고 이로움을 상실할 것이니, 이것은 겸손함과 서로 반대된다.

夫自高而陵人之卑, 自多而蔑人之寡, 自潔而明人之汚, 自賢而暴人之不肖, 非謙德也. 不自貴其貴, 而悶人之賤, 不自富其富, 而恤人之貧, 不自賢其賢, 而哀人之愚, 謙德也. 裒多益寡, 言裒吾之多, 而益人之寡也. 裒者, 斂而翕之, 不爲張大也. 益卽下濟也. 若自賤其貴而貴人之賤, 自貧其富而富人之貧, 自愚其賢而賢人之愚, 矯而僞也, 非謙德也. 斂之而不至於貶損, 益之而不至於矯僞, 謙德也. 稱物平施, 中庸也, 庸, 謙也, 中則庸矣. 對乾裒, 巽多, 兌益, 坎寡, 震稱, 離物, 坤平, 兌施.
스스로 높다고 하여 다른 사람들의 낮음을 능멸하고, 스스로 많다고 하여 다른 사람들의 적음을 멸시하며, 스스로 깨끗하다고 하여 다른 사람들의 더러움을 밝혀내고, 스스로 어질다고 하여 다른 사람들의 불초함을 드러내는 것은 겸손한 덕이 아니다. 자신의 귀함을 귀하게 여기지 않고 다른 사람들의 빈천함을 걱정하며, 자신의 부유함을 부유하게 여기지 않고 다른 사람들의 가난함을 구휼하며, 자신의 어짊을 어질다고 여기지 않고 다른 사람들의 우둔함을 애석해 하는 것이 겸손한 덕이다. '많은 것을 덜어내 적은 데에 더해 줌'은 나의 많음을 덜어내 다른 사람들의 부족함에 더해 주는 것이다. '덜어냄[裒]'은 거두어 모으는 것이니 확대되지는 않으며, '더해 줌[益]'은 내려와 구제함이다. 만약 자신의 귀함을 빈천하다고 여기고 다른 사람들의 빈천함을 귀하게 여기며, 자신의 부유함을 가난하다고 여기고 다른 사람들의 가난함을 부유하게 여기며, 자신의 어짊을 우둔하다고 여기고 다른 사람들의 우둔함을 어질다고 여긴다면, 교만하고 거짓된 것이니, 겸손한 덕이 아니다. 거둬들여도 비난 받음에 이르지 않고, 더해 줘도 교만하고 거짓됨에 이르지 않는 것이 겸손한 덕이다. '물건을 저울질하여 베풂을 고르게 함'은 중용(中庸)이니, 용(庸)은 겸손함이며, 알맞음이 용(庸)이다. 음양을 반대로 한 리괘(履卦䷉)의 상괘인 건괘(乾卦☰)가 '덜어냄[裒]'이 되고, 리괘(履卦䷉)의 호괘인 손괘(巽卦☴)가 '많음[多]'이 되며, 리괘(履卦䷉)의 하괘인 태괘(兌卦☱)는 '더해 줌[益]'이 되고, 겸괘의 호괘인 감괘(坎卦☵)는 '적은 것[寡]'이 되며, 겸괘의 호괘인

65) 『論語 · 先進』: 子曰, 論篤, 是與, 君子者乎, 色莊者乎.
66) 『論語 · 陽貨』: 子曰, 色厲而內荏, 譬諸小人, 其猶穿窬之盜也與.
67) 『論語 · 顔淵』: 夫聞也者, 色取仁而行違, 居之不疑, 在邦必聞, 在家必聞.

진괘(震卦☳)는 '저울질함[稱]'이 되고, 음양을 반대로 한 리괘(履卦䷉)의 호괘인 리괘(離卦☲)는 '물건[物]'이 되며, 겸괘의 상괘인 곤괘(坤卦☷)는 '고르게 함[平]'이 되고, 음양을 반대로 한 리괘(履卦䷉)의 하괘인 태괘(兌卦☱)는 '베풂[施]'이 된다.

〈讓, 謙之一事也. 善而歸人,[68] 惡而自受, 利以屬人, 害以自居, 然亦不過其中而夫其則也. 國語曰, 言讓必及敵, 是已. 君子有推功於下者, 乃一時也. 郤叔虎之不言翟柤[69], 不掩上也. 田文之讓巴寧爨襄, 推功於下也. 善而不讓於敵以上, 則忻怒猜忌至, 利而不推於下, 則怨望來. 王孫雄曰, 危事不齒[70], 言不讓於長上也, 亦一時也.
사양함은 겸손함의 한 가지 일이다. 좋은 것은 다른 사람들에게 돌리고 나쁜 것은 스스로 받으며, 이로움은 다른 사람들에게 귀속시키고 해로움은 스스로에게 두지만 또한 중도를 지나치지 말고 법칙을 잡아야 하니, 『국어』에서 "사양을 말하면 반드시 상대에 미쳐야 한다"[71]는 것이 이것이다. 군자가 공(功)을 아랫사람에게 미룸이 있는 것도 한 때이니, 극숙호(郤叔虎)가 적사(翟柤) 나라를 말하지 않은 것은[72] 윗사람을 가리지 않은 것이고, 맹상군(孟嘗君)이 파양(巴寧)과 찬양(爨襄)에게 사양한 것은[73] 공을 아랫사람에게 미룬 것이다. 좋은 것을 윗사람에게 사양하지 않는다면 분노와 질투가 이르게 되며, 이로운 것을 아랫사람에게 미루지 않는다면 원망이 오게 된다. 왕손웅(王孫雄)이 "위급한 일에는 나이대로 하지 않는다"[74]라고 한 것은 윗사람에게 사양하지 않음을 말함이니, 또한 한 때의 일인 것이다.〉

오치기(吳致箕) 「주역경전증해(周易經傳增解)」

以山高而退處地之卑, 以地卑而中蘊山之高, 卽謙之象, 故君子以之, 裒其多, 益其寡, 稱物之宜而平其施也. 裒者, 减也, 傳義已備矣.
산이 높으면서도 물러나 땅의 낮은데 있으며 땅이 낮으면서도 속에 산의 높음을 간직함이 곧 겸손함의 상이다. 그러므로 군자가 이를 본받아 많은 것을 덜어내어 적은 데에 더해 주

68) 人: 경학자료집성 영인본에서는 여기에 해당하는 글자가 무슨 글자인지 알 수가 없고, 경학자료집성DB에는 '人'으로 되어 있으나, 문맥을 살펴 '人'으로 바로잡았다.
69) 柤: 경학자료집성 영인본에서는 여기에 해당하는 글자가 무슨 글자인지 알 수가 없고, 경학자료집성DB에는 '梲'로 되어 있으나, 문맥을 살펴 '柤'으로 바로잡았다.
70) 알 수 없는 글자라는 '□'를 이 글이 실려 있는 『국어(國語)·오어(吳語)』에 근거하여 '치(齒)'로 고쳤다.
71) 이러한 글은 『국어(國語)』에 보인다.
72) 극숙호(郤叔虎)와 적사(翟柤) 나라와 관련된 기사는 『국어(國語)·진어(晉語)』에 보인다.
73) 『전국책(戰國策)·위(魏)』를 살펴보면, 파양(巴寧)과 찬양(爨襄)에게 사양하였던 사람은 맹상군이 아니라 위(魏)나라 공숙좌(公叔痤)로 되어 있다.
74) 이러한 글은 『국어·오어(吳語)』에 나온다.

어, 물건의 마땅함을 저울질하여 베풂을 고르게 한다. '부(裒)'는 덜어냄이니, 『정전』과 『본의』에 이미 갖추어져 있다.

이진상(李震相) 『역학관규(易學管窺)』

裒多, 內艮象, 益寡, 外坤象. 高者下之, 裒其多也, 卑者上之, 益其寡也. 艮之一陽橫中, 稱之象, 坤爲均, 是平施也.
'많은 것을 덜어냄'은 내괘(內卦)인 간괘(艮卦☶)의 상이고, '적은 데에 더해 줌'은 외괘(外卦)인 곤괘(坤卦☷)의 상이다. '높은 것을 낮춤'이 많은 것을 덜어냄이고, '낮은 것을 높임'[75]이 부족한 것에 더해 줌이다. 간괘의 한 양(陽)이 중앙을 가로지름은 저울[稱]의 상이고, 곤괘가 균등하게 됨이 '베풂을 고르게 함'이다.

박문호(朴文鎬) 「경설(經說)·주역(周易)」

大象與彖傳, 其義相類, 此亦易之一例也. 但彖傳以在物之理言也, 大象以處物之義言也.
「대상전」과 「단전」은 그 뜻이 서로 비슷하니, 이것도 또한 『주역』의 한 사례이다. 다만 「단전」은 사물에 있는 이치로만 말하였고, 「대상전」은 사물을 처리하는 의리로 말하였다.

이병헌(李炳憲) 『역경금문고통론(易經今文考通論)』

虞曰, 捊取也. 坤爲多, 艮爲寡.
우번(虞翻)[76]이 말하였다: '부(捊)'는 취함이며, 곤괘는 많음이 되고, 간괘는 적음이 된다.

程傳曰, 外卑下而內蘊高大.
『정전』에서 말하였다: 밖으로는 낮고 아래에 있어도, 안으로는 높고 큼을 간직한다.

---

75) 『程傳·謙卦』: 君子以裒多益寡稱物平施, 君子觀謙之象, 山而在地下, 是高者下之, 卑者上之, 見抑高舉下損過益不及之義, 以施於事, 則裒取多者, 增益寡者, 稱物之多寡, 以均其施與, 使得其平也.

76) 우번(虞翻, 170~240): 삼국시대 오나라의 경학자이다. 한대 역술의 대성자이기도 하다. 자는 중상(仲翔)이다. 동오(東吳)의 손권에게 발탁되어 기도위(騎都尉)에 임명되었다. 그의 고조부 우광(虞光)은 전한의 금문역학인 맹씨역을 연구하였고, 증조부 우성(虞成), 조부 우봉(虞鳳), 아버지 우흠(虞歆) 등이 모두 대를 이어 가학을 이루었다. 그는 조상들의 유업을 이어 맹씨의 역경연구에 전력하였다. 그의 역학은 단지 맹씨 일가를 전한 것에만 그치는 것이 아니고 실제로는 상수역 이래 여러 학자들의 학설을 종합한 것이었다. 그가 지었다는 『역주(易注)』는 전해지지 않으나, 당의 이정조의 『주역집해』에 상당부분이 채록되어 있고, 장혜언(張惠言)은 『주역우씨의(周易虞氏義)』, 『주역우씨소식(周易虞氏消息)』, 『우씨역례(虞氏易例)』 등을 지어 우번의 역설을 천명하였다.

初六, 謙謙君子, 用涉大川, 吉.

정전 초육은 겸손하고 겸손한 군자이니, 큰 내를 건너더라도 길하다.
본의 초육은 겸손하고 겸손한 군자이니, 큰 내를 건너는 것이 길하다.

中國大全

傳

初六, 以柔順, 處謙, 又居一卦之下, 爲自處卑下之至, 謙而又謙也. 故曰謙謙, 能如是者, 君子也. 自處至謙, 衆所共與也, 雖用涉險難, 亦无患害, 況居平易乎, 何所不吉也. 初處謙而以柔居下, 得无過於謙乎. 曰柔居下, 乃其常也, 但見其謙之至. 故爲謙謙, 未見其失也.

초육은 유순함으로 겸괘에 있으면서 또 한 괘의 아래에 있으니, 스스로 낮추고 아래에 두는 지극한 데에 있기 때문에 겸손하고 또 겸손하다. 그러므로 "겸손하고 겸손하다"고 하였으니, 이와 같이 할 수 있는 자는 군자이다. 스스로 지극히 겸손한 데에 있으면, 여럿이 함께 더불어 하게 되므로 비록 험난한 곳을 건널지라도 또한 걱정과 해로움이 없으니, 하물며 평범한 곳에 있어서 어찌 길하지 않겠는가? 묻기를 "초효가 겸괘에 있으면서 유순함으로써 아래에 있으니, 겸손함이 너무 지나치다고 할 수 있지 않겠습니까?"라고 하였다. 대답하기를 "유순함이 아래에 있음은 곧 일상적이지만, 단지 그 겸손함의 지극함을 보였을 뿐입니다. 그러므로 '겸손하고 겸손하다'라고 하였으니, 그 잘못됨을 볼 수가 없습니다"라고 하였다.

本義

以柔處下, 謙之至也, 君子之行也. 以此涉難, 何往不濟. 故占者如是, 則利以涉川也.

부드러움으로 아래에 있음은 겸손함의 지극함이니, 군자의 행실이다. 이로써 어려움을 건넌다면, 어디를 간들 건너지 못하겠는가? 그러므로 점을 치는 자가 이와 같이 하면 내를 건넘이 이롭다.

小註

童溪王氏曰, 六謙德也, 初卑位也. 以謙德而處卑位, 謙而又謙者也, 故曰謙謙.
동계왕씨가 말하였다: 음[六]은 겸손한 덕이고, 초(初)는 낮은 자리이다. 겸손한 덕을 가지고서 낮은 자리에 있으니 겸손하고 또 겸손한 자이므로, "겸손하고 겸손하다"고 하였다.

○ 蘭氏廷瑞曰, 用涉與利涉不同, 用涉自我用之, 不若利之无往不濟也.
난정서가 말하였다: '이로써 건넘[用涉]'과 '건넘이 이로움'은 같지 않으니,77) '이로써 건넘[用涉]'은 자기부터 이를 쓴다는 것이니, 가는 곳마다 모든 사람들을 건너게 하지 못함이 없는 이로움만 못하다.

○ 臨川王氏曰, 利涉者, 其才其時利於涉耳. 用涉者, 用此以涉, 然後吉也.
임천왕씨가 말하였다: '건넘이 이로움'은 그 재주와 그 시기가 건넘에 이롭다는 것이고, '이로써 건넘[用涉]'은 이것을 써서 건넌 후에 길하다는 것이다.

○ 雙湖胡氏曰, 涉川, 貴於遲重, 不貴於急速. 用謙謙之道以涉川, 只是謙退居後而不爭先, 自然萬无失一, 故吉. 後登舟亦有先登岸之利, 謙固自多利也.
쌍호호씨가 말하였다: 내를 건넘은 느리고 무거움을 귀하게 여기지, 급하고 빠름을 귀하게 여기지 않는다. 겸손하고 겸손한 도를 써서 내를 건넘은 단지 겸손하게 물러나 뒤에 있으면서 앞서기를 다투지 않으니 자연히 만 가지 일 중에서 하나라도 실수하지 않는다. 그러므로 길하다. 배에 오름을 뒤로 함에는 또한 언덕에 오름을 먼저 하는 이로움이 있으니, 겸손함은 참으로 스스로에게 이로움이 많다.

○ 雲峯胡氏曰, 謙主九三, 故三爻辭與卦辭, 皆稱君子有終. 初亦曰君子, 何也. 三在下卦之上, 勞而能謙, 在上之君子也, 初在下卦之下, 謙而又謙, 在下之君子也. 在上者, 尊而光, 在下者, 卑而不可踰, 皆所以爲君子之終也. 用涉大川吉, 雖用以濟患可也, 况平居乎.
운봉호씨가 말하였다: 겸괘의 주인은 구삼이므로 삼효의 효사와 괘사가 모두 "군자가 끝마침이 있다"고 하였다. 그런데 초효에서도 또한 '군자'라고 한 것은 어째서인가? 삼효는 아래 괘의 맨 위에 있으면서 수고로우며 겸손할 수 있으니 위에 있는 군자이고, 초효는 아래 괘의 가장 아래 자리에 있으면서 겸손하고 또 겸손하니 아래에 있는 군자다. 위에 있는 자는 '높

77) 여기서 말하는 '용섭(用涉)'은 자신에게 국한 된 일이라고 볼 수 있으며, '이섭(利涉)'은 모든 사람에게 이롭게 하는 일이라고 볼 수 있다.

으며 빛남'이고, 아래에 있는 자는 '낮아도 넘을 수 없음'이니, 모두 군자의 끝마침이 되는 것이다. "큰 내를 건너는 것이 길하다"는 것은 이로써 환난을 구제하더라도 가능하다는 것이니, 하물며 평상시에 있어서랴!

韓國大全

송시열(宋時烈) 『역설(易說)』

以柔爻居下位, 謙以又謙之象. 故曰謙謙. 互有坎. 故云, 用涉其道, 吉也.
유순한 효가 가장 아래 자리에 있으니, 겸손하면서 또 겸손한 상이다. 그러므로 "겸손하고 겸손하다"고 하였다. 호괘에는 감괘(坎卦☵)가 있다. 그러므로 "그 도를 써서 건너는 것이 길하다"고 하였다.

이익(李瀷) 『역경질서(易經疾書)』[78)]

謙者, 內光明而外柔順, 與明夷相似. 明夷之彖傳云, 內文明而外柔順, 以蒙大難, 文王, 以之, 此謙之初爻, 可以當之. 謙雖自晦, 君子有終之卦, 此則與明夷不同. 其六爻無貶辭而自謙, 謙自修至行師伐國, 其惟文王之德乎. 大傳云, 易之興, 當文王與紂之事, 處末世危懼之際, 惟謙, 可以免矣. 故於謙備述之. 謙之反曰盈, 盈必替, 謙必興, 大傳所謂殷之末世, 周之盛德, 是也. 驗之天道, 驗之地道, 驗之鬼神, 驗之人道, 莫不舍彼而就此, 此文王所以遹駿厥聲能有其終也. 又考之爻辭, 則初六謙謙, 是文王之禮下賢者, 日中不暇食之時. 故曰卑以自牧也. 六二鳴謙, 是聲聞旣遠, 伯夷太公歸焉. 故曰中心得也. 九三勞謙, 是積善累德, 諸侯嚮之. 故曰萬民服也. 六四撝謙, 是率商叛國, 以事紂. 故曰不違則也. 六五侵伐, 是伐密須敗耆國之類. 故曰征不服也. 上六行師, 是伐崇侯虎而作豊邑. 故曰征邑國也. 此乃王業之肇基, 本末具備. 三陳九卦, 亦恐以此意看.
'겸(謙)'은 안으로 빛나고 밝으며 밖으로 유순하니, 명이괘(明夷卦䷣)와 서로 유사하다. 명이괘 「단전」에서 "안은 문채가 나고 밝으며 밖은 유순하여 큰 어려움을 무릅썼으니, 문왕이

---

78) 경학자료집성DB에서는 겸괘(謙卦) '괘사'에 해당하는 것으로 분류했으나, 내용에 따라 이 자리로 옮겼다.

그것을 사용하였다"[79]고 하였으니, 이는 겸괘의 초효에 해당된다고 할 수 있다. 겸괘는 비록 스스로 숨겨도 군자가 끝마침이 있는 괘이니, 이 점에서는 명이괘와 같지 않다. 그 여섯 효를 폄하하는 말이 없고 스스로 겸손하니, 겸손함으로 스스로를 닦아 군사를 행하고 나라를 정벌함에 이른 것은 오직 문왕의 덕일 것이다. 「계사전」에서 "역(易)의 일어남이 문왕(文王)과 주(紂)의 일에 해당될 것이다"[80]라고 하니, 말세의 위험하고 두려운 때에 처하여 오직 겸손해야만 모면할 수 있을 것이다. 그러므로 겸괘에서 갖추어 기술하였다. 겸손함의 반대는 '가득 참[盈]'으로, 가득 차면 반드시 쇠퇴하고, 겸손하면 반드시 흥성하니, 「계사전」의 이른바 '은나라의 말세와 주나라의 덕이 성할 때'가 이것이다. 천도(天道)에 증험해 보고 지도(地道)에 증험해 보고 귀신에 증험해 보고 인도에 증험해 보아도, 저것을 버리지 않고 이것을 취함은 없으니, 이것이 문왕이 큰 명성[81]으로 끝마침이 있을 수 있었던 까닭이다. 또 효사를 살펴보면, 초육의 '겸손하고 겸손함[謙謙]'은 문왕이 어진 이에게 예로 낮춘 것이니, 한낮에도 밥을 먹을 겨를이 없었던 때이다.[82] 그러므로 "낮춤으로써 스스로 기르는 것이다"라고 하였다. 육이의 '겸손함으로 울림[鳴謙]'은 명성이 이미 멀리까지 들려 백이와 태공이 그에게 돌아간 것이다. 그러므로 "마음에 얻은 것이다"라고 하였다. 구삼의 '공로가 있으며 겸손함[勞謙]'은 선을 쌓고 덕을 쌓아 제후들이 그를 향하게 한 것이다. 그러므로 "만백성이 승복한다"고 하였다. 육사의 '겸손함을 펼침[撝謙]'은 상(商)나라의 배반자들을 이끌고 주왕을 섬긴 것이다. 그러므로 "법칙에 어긋나지 않았다"고 하였다. 육오의 '침벌(侵伐)'은 밀수(密須)를 정벌하고 기(耆)나라를 패배시킨[83] 부류이다. 그러므로 "승복하지 않는 자를 정벌한다"고 하였다. 상육의 '군사를 행함[行師]'은 숭후호를 정벌하여 풍읍을 만든 것이다. 그러므로 "읍국을 정벌한다"고 하였다. 이는 바로 왕업의 토대를 쌓는 것으로 본말이 모두 갖추어져 있으니, 세 번 아홉 괘를 열거한 것[84]도 또한 이러한 의미로 보아야 할 듯하다.

유정원(柳正源) 『역해참고(易解參攷)』

初六 [至] 川, 吉.

초육은 … 내를 건너는 것이 길하다.

---

79) 『周易·明夷卦』: 象曰, 內文明而外柔順, 以蒙大難, 文王, 以之.

80) 『周易·繫辭傳』: 易之興也, 其當殷之末世, 周之盛德耶, 當文王與紂之事邪.

81) 『詩經·文王有聲』: 文王有聲, 遹駿有聲. 遹求厥寧, 遹觀厥成, 文王烝哉.

82) 『史記·周本紀』: 西伯曰, 文王, 遵后稷·公劉之業, 則古公·公季之法, 篤仁, 敬老, 慈少.禮下賢者, 日中不暇食以待士, 士以此多歸之.

83) 이러한 내용은 『사기·주본기』에 보인다.

84) 「계사하전」 7장에서는 세 번에 걸쳐 아홉 괘를 열거하여 우환을 벗어나기 위한 도리를 밝히고 있다.

節齋蔡氏曰, 大川, 前互坎象.
절재채씨가 말하였다: '큰 내[大川]'는 앞의 호괘인 감괘(坎卦☵)의 상이다.

김상악(金相岳) 『산천역설(山天易說)』

六, 謙德也, 初, 卑位也. 以謙德處卑位, 謙而又謙也. 謙順之道, 无往不濟, 而三互坎體, 故用涉大川, 則吉也.
음[六]은 겸손한 덕이고, 초효는 낮은 자리이다. 겸손한 덕으로 낮은 자리에 있으니 겸손하고 또 겸손함이다. 겸손하고 유순한 도는 가는 곳마다 구제하지 않음이 없고 삼효는 호괘(互卦)인 감괘(坎卦☵)의 몸체이기 때문에 큰 내를 건너면 길한 것이다.

○ 卦言君子有終, 謂三, 而初又言君子者, 初之居陽, 爲能有始也. 坎水在前, 而謙退居後, 故能用涉而吉, 後登舟, 亦有先登岸之利也. 蓋涉川者, 將涉二從三, 而猶未涉, 故但言用涉. 初變則與訟爲對, 天與水違行, 與天道下濟地道上行, 不同, 且爭訟與謙巽, 異義. 故訟彖曰不利涉, 謙爻曰用涉吉.
괘사에서 "군자가 끝마침이 있다"고 한 것은 삼효를 말하는데, 초효에서 또 '군자'라고 한 것은 초효인 양의 자리에 있어서 시작이 있을 수 있기 때문이다. 감괘(坎卦)의 물이 앞에 있어서 겸손하게 물러나 뒤에 있기 때문에 이로써 건너서 길할 수 있는 것이니, 배에 오름을 뒤로 함에는 또한 언덕에 오름을 먼저 하는 이로움이 있는 것이다. 내를 건너는 것은 초육이 장차 이효를 건너서 삼효를 따르려 하는 것이지만 여전히 아직 건너지 못했으므로 다만 "이로써 건넌다"고 하였다. 초효가 변하면 명이괘(明夷卦䷣)가 되는데 송괘(訟卦䷅)와 반대가 되니, 송괘 「대상」의 "하늘과 물이 어긋나게 간다"[85]는 겸괘 「대상전」의 "하늘의 도가 내려와 교제하고, 땅의 도가 올라가 유행한다"와 같지 않고, 또한 다투어 송사함과 겸손함은 뜻이 다르다. 그러므로 송괘의 「단전」에서는 "건너는 것이 이롭지 않다"[86]고 하였고, 겸괘의 효사에서는 "건너는 것이 길하다"고 하였다.

김규오(金奎五) 「독역기의(讀易記疑)」

初六, 用涉大川, 自二至四互坎, 而四爲初之應, 蓋四乃川之彼岸, 而涉之者初也.
초효의 "큰 내를 건넌다"는 이효부터 사효까지의 호괘가 감괘(坎卦☵)이고, 사효는 초효와 호응하기 때문이니, 사효는 곧 내의 저편 언덕이고 건너는 자는 초효이다.

---

85) 『周易·訟卦』: 象曰, 天與水違行, 訟, 君子以, 作事謀始.
86) 『周易·訟卦』: 不利涉大川, 入于淵也.

서유신(徐有臣) 『역의의언(易義擬言)』

居上而柔順, 坤之謙也, 屈尊而自卑, 艮之謙也, 上下卦皆謙. 故初六爲謙謙之象, 謙之至也. 謙雖美德, 苟其才力器量, 不足以擔大事濟大難, 而徒爾謙謙, 則殆乎巽懦退託, 而非君子之謙也. 故曰君子用涉大川吉, 謙之用於斯爲大也. 有互坎, 故以涉川言也.
높이 있으면서 유순함이 곤괘(坤卦)의 겸손함이고, 높음을 굽혀서 스스로 낮춤이 간괘의 겸손함이니, 위아래의 괘가 모두 겸손하다. 그러므로 초육이 '겸손하고 겸손한' 상이 되니, 겸손함의 지극함이다. 겸손함이 비록 아름다운 덕이지만, 만약 재력(才力)과 국량이 큰일을 떠맡고 큰 어려움을 구제하기에 부족하면서 한갓 겸손하고 겸손하기만 하다면, 거의 부드러워 나약하고 물러나 핑계 대는 것이니, 군자의 겸손함이 아니다. 그러므로 "겸손하고 겸손한 군자이니, 큰 내를 건너는 것이 길하다"고 하였으니, 겸손함의 쓰임이 여기에서 크게 된다. 호괘인 감괘(坎卦☵)가 있으므로 내를 건넘으로 말하였다.

김귀주(金龜柱) 『주역차록(周易箚錄)』

初六, 謙謙君子, 云云.
초육(初六)은 겸손하고 겸손한 군자이니, 운운.
○ 按, 二三四爻, 以互體言, 則爲坎, 坎是大川, 而初遇之, 故曰, 用涉大川歟.
내가 살펴보았다: 이효와 삼효와 사효를 호체(互體)로 말하면 감괘(坎卦☵)가 되는데, 감괘는 큰 내이면서 초효가 만난 것이므로 "큰 내를 건넌다"라고 하였을 것이다.

本義, 以柔處下, 云云.
『본의』에서 말하였다: 부드러움으로 아래에 있으니, 운운.
小註, 蘭氏廷瑞曰, 用涉, 云云.
소주에서 난정서가 말하였다: 건너는 것이, 운운.
○ 按, 旣云吉, 則利在其中. 故本義亦言利以涉川, 蘭說恐無當. 下臨川王氏說, 亦準此.
내가 살펴보았다: 이미 길하다고 하였으니, 이로움이 그 안에 있다. 그러므로 『본의』에서도 "내를 건너는 것이 이롭다"고 하였으니, 난정서의 설은 타당함이 없는 듯하다. 아래의 임천왕씨의 설이 또한 이 설을 준거로 하였다.

雙湖胡氏曰, 涉川, 云云.
쌍호호씨가 말하였다: 내를 건너는 것이, 운운.

○ 按, 涉川貴遲重云云, 恐於文義無所當. 後登舟先登岸, 亦頗傷巧.
내가 살펴보았다: "내를 건넘은 느리고 무거움을 귀하게 여긴다"고 운운한 것은 아마도 글의 뜻에 타당함이 없는 듯하다. 배에 오름을 뒤로 함과 언덕 오름을 먼저 함의 비유도 또한 지나치게 교묘하여 잘못되었다.

雲峰胡氏曰, 謙主, 云云.
쌍봉호씨가 말하였다: 겸괘의 주인은, 운운.
○ 按, 此引君子有終之義者, 恐反乱本旨.
내가 살펴보았다: 여기서 "군자가 끝마침이 있다"의 뜻을 끌어들인 것은 도리어 본래의 뜻을 어지럽힌 듯하다.

강엄(康儼) 『주역(周易)』

初六 [止] 大川, 吉.
초육은 … 큰 내를 건너는 것이 길하다.

按, 此卦自二至四, 於互體爲坎. 初六有前臨大川之象, 故曰, 用涉大川.
내가 살펴보았다: 이 괘는 이효부터 사효까지의 호체가 감괘(坎卦☵)가 되고, 초육은 앞에 큰 내를 마주한 상이 있으므로 "큰 내를 건넌다"고 하였다.

○ 又按, 繫辭若夫雜物小註, 洪氏論此爻, 用涉大川, 已以互坎言之, 鄙說, 恐不至大誤. 然嘗觀大畜卦辭, 胡雲峯曰, 卦有乾體者, 多曰利涉大川, 健故也. 然則卦爻之言涉川者, 有乾處, 以乾象看, 有坎處, 以坎象看, 无乾坎處, 或以互體, 或以本象而推之, 可也.
내가 또 살펴보았다: 「계사전」의 '사물을 섞음'[87]이라는 구절의 소주에서 용재홍씨가 이 효를 논하면서 "큰 내를 건넌다"를 이미 호괘인 감괘(坎卦☵)로 말하였으니, 나의 설명도 크게 잘못되지는 않는 듯하다. 그러나 일찍이 대축괘 괘사에서 호운봉이 "괘에 건(乾)의 몸체가 있는 것은 '큰 내를 건넘이 이롭다'고 말한 것이 많으니, 굳건하기 때문이다"[88]라고 한 것도 보았다. 이렇다면 괘효에서 "내를 건넌다"고 말한 것은 건괘가 있는 곳에서는 건괘의 상으로 보고, 감괘가 있는 곳에서는 감괘의 상으로 보며, 건괘나 감괘가 없는 곳에서는 혹은 호괘(互卦)의 몸체나 혹은 본괘의 상으로 추론하는 것이 좋다.

---

87) 『周易 · 繫辭傳』: 若夫雜物, 撰德, 辨是與非, 則非其中爻, 不備.
88) 이 글은 『주역본의통해(周易本義通釋) · 단상(彖上)』에 나온다.

박문건(朴文健) 『주역연의(周易衍義)』

疑而盡己, 故有謙謙之象. 謙謙, 言謙而又謙也.
의심하여서 자기를 다하기 때문에 '겸손하고 겸손한' 상이 있으니, '겸겸[謙謙]'은 겸손하고 또 겸손함을 말한다.

〈問, 謙謙君子, 用涉大川, 吉. 曰, 初六有疑於六四, 故謙而又謙. 君子, 若用謙道, 而進涉危難, 則不見害而致吉, 言必進遇於其上也.
물었다: "겸손하고 겸손한 군자이니, 큰 내를 건너는 것이 길하다"는 무슨 뜻입니까?
답하였다: 초육(初六)에 육사(六四)에 대한 의심이 있기 때문에 겸손하고 또 겸손합니다. 군자가 만약 겸손한 도를 사용하여 위험과 어려움을 건널 수 있다면 해로움을 당하지 않고 길함에 이를 것이니, 반드시 나아가 위의 것과 만나게 됨을 말한 것입니다.〉

이지연(李止淵) 『주역차의(周易箚疑)』[89)]

自六二至六四, 爲互坎, 水在前之象也.
육이(六二)부터 육사(六四)까지는 호괘인 감괘(坎卦☵)가 되니, 물이 앞에 있는 상이다.

김기례(金箕澧) 「역요선의강목(易要選義綱目)」

初六, 謙謙君子, 用涉大川.
초육은 겸손하고 겸손한 군자이니, 이로써 큰 내를 건너는 것이.

以柔居下, 謙之尤謙, 非常人事. 故曰君子.
부드러움으로 아래에 있어 겸손하고 또 겸손하니, 일반적인 사람들의 일이 아니다. 그러므로 '군자'라고 하였다.

○ 大川, 指二至四互坎象. 蓋利涉在時, 用涉在我, 前修有云, 後登舟有先登岸之利, 蓋得用涉之義.
'큰 내'는 이효에서 사효까지의 호괘인 감괘(坎卦☵)를 가리킨다. '건넘을 이롭게 여김'은 때에 달려 있고 '건너는 것'은 나에게 달려 있으니, 이전의 현인이 있어서 "배에 오름을 뒤로 함에는 언덕 오름을 먼저 하는 이로움이 있다"고 하였는데, 대체로 "건넌다"는 뜻을 터득한 것이다.

---

89) 경학자료집성DB에서는 겸괘 '이효'에 해당하는 것으로 분류했으나, 내용에 따라 이 자리로 옮겨 바로잡는다.

이항로(李恒老) 「주역전의동이석의(周易傳義同異釋義)」

傳, 雖用涉險難, 亦无患害, 況居平易乎.

『정전』에서 말하였다: 비록 험난한 곳을 건널지라도 또한 걱정과 해로움이 없으니, 하물며 평범한 곳에 있어서랴!

本義, 以此涉難, 何往不濟. 故占者如是, 則利以涉川也.

『본의』에서 말하였다: 이로써 어려움을 건넌다면, 어디를 간들 건너지 못하겠는가? 그러므로 점을 치는 자가 이와 같이 하면 내를 건넘이 이롭다.

按, 謙卦一陽, 居五陰之間, 有涉險之象, 故本義以此爲利涉之占. 蓋坤有邑國之象, 有師衆之象, 艮有畜止篤實之象, 故以涉大川, 萬民服, 利, 侵伐, 征邑國等言之也.

내가 살펴보았다: 겸괘의 하나의 양이 다섯 음의 사이에 있으니, 험난함을 건너는 상이 있다. 그러므로 『본의』에서 이것으로 건넘이 이롭다는 점(占)을 삼았다. 대체로 곤괘에는 읍국(邑國)의 상이 있고 군사라는 무리의 상이 있으며, 간괘에는 쌓음을 그치고 독실하게 하는 상이 있으므로 "큰 내를 건넌다[涉大川]"거나 "만백성이 승복한다[萬民服]"라거나 "이롭다[利]"라거나 "침벌하다[侵伐]"라거나 "읍국을 정벌하다[征邑國]"는 등으로 말하였다.

박종영(朴宗永) 「경지몽해(經旨蒙解)・주역(周易)」

程傳曰, 雖用涉險難, 亦無患害, 況居平易乎.

『정전』에서 말하였다: 비록 험난한 곳을 건널지라도 또한 걱정과 해로움이 없으니 하물며 평범한 곳에 있어서랴!

심대윤(沈大允) 『주역상의점법(周易象義占法)』

夫有高大而後爲謙, 故謙之爻位, 居剛有功德而能謙者也, 居柔有爵位而能謙者也.

높고 큼이 있은 뒤에 겸손할 수 있기 때문에 겸괘의 효 자리가 굳센 양의 자리에 있으면 공덕이 있으면서도 겸손할 수 있는 자이고, 유순한 음의 자리에 있으면 작위가 있으면서도 겸손할 수 있는 자이다.

謙之明夷䷣, 晦其明也. 初六, 居剛有功德而謙者也, 居謙之初, 人莫知其賢而能謙爲尤難, 故曰謙謙君子. 矜則多猜, 謙則多親, 可以濟難也. 君子居卑而謙, 則人无知之者, 及其作爲, 過人[90]然後, 乃服也, 故曰用涉大川, 坎坤爲大川. 不言利而言用者, 謙

90) 人: 경학자료집성DB에 '入'으로 되어 있으나, 경학자료집성 영인본을 참조하여 '人'으로 바로잡았다.

之初, 未可言利也.
겸괘가 명이괘(明夷卦䷣)로 바뀌었으니, 그 밝음이 어두워진다. 초육(初六)은 굳센 양의 자리에 있으니, 공덕이 있으면서도 겸손할 수 있는 자이다. 겸괘의 처음에 있기에 사람들이 그의 어짊을 알지 못하여 겸손하기가 더욱 어렵기 때문에 '겸손하고 겸손한 군자'라고 하였다. 자랑을 하면 시샘이 많고 겸손하면 친함이 많아져 환란을 구제할 수 있다. 군자가 낮은 곳에 있으면서 겸손하니, 그를 알지 못하는 사람들은 그의 작업이 사람들 보다 뛰어난 데에 이르러야 이내 승복한다. 그러므로 "큰 내를 건넌다"고 하였으니, 감괘와 곤괘는 큰 내가 된다. "이롭다"고 말하지 않고 '이로써[用]'라고 말한 것은 겸괘의 처음이여서 아직 이로움을 말할 수 없는 것이다.

오치기(吳致箕) 「주역경전증해(周易經傳增解)」

初六在謙之初, 質旣柔順, 居又卑下, 卽君子之謙謙, 不已者也. 恭己而盡禮, 自卑而尊人, 用此道而往, 當无險不濟, 故言用涉大川而得其吉也.
초육은 겸괘의 처음에서 기질이 이미 유순하고 머무름 또한 낮고 아래에 있으니, 곧 군자의 겸손하고 겸손함이 그치지 않는 것이다. 자신을 공손히 하고 예(禮)를 다하며 자신을 낮추고 다른 사람을 높이니, 이러한 도를 사용하여 간다면, 마땅히 험난함이 구제되지 않음이 없기 때문에 "큰 내를 건너가서 그 길함을 얻는다"고 말하였다.

○ 取應體之互坎, 對體之互巽, 而言涉川. 在下无位, 故言用涉而不言利涉也.
감응하는 몸체의 호괘인 감괘(坎卦☵)와 음양이 반대되는 몸체의 호괘인 손괘(巽卦☴)를 취하여 '내를 건넘'을 말하였다. 아래에 있으면서 지위가 없기 때문에 "건넌다"고 하고, "건너는 것이 이롭다"고 하지 않았다.

이진상(李震相) 『역학관규(易學管窺)』

初六, 謙謙 [至] 大川, 吉.
초효는 겸손하고 겸손한 … 큰 내를 건너는 것이 길하다.

爻之最下, 故曰謙謙, 中互坎體, 故曰用涉大川. 爻變成離, 有虛舟象.
효 중에서 가장 아래에 있기 때문에 "겸손하고 겸손하다"고 하였고, 가운데 호괘가 감괘(坎卦☵)의 몸체이기 때문에 "큰 내를 건넌다"고 하였다. 초효가 변하면 리괘(離卦☲)가 되니, 비어 있는 배[舟]의 상이다.

박문호(朴文鎬) 「경설(經說)・주역(周易)」

過謙之失, 亦猶過恭. 故程子特明謙謙之非過謙. 至於五六, 則謙已極矣, 故成之爲過謙, 但以侵伐行師之戒而可防其過, 故其過不遂成也.
지나친 겸손의 잘못은 또한 지나친 공손의 잘못과 같다. 그러므로 정자가 특별히 '겸손하고 겸손함'이 지나친 겸손이 아님을 밝혔다. 오효와 상효에 이르면 겸손함이 이미 지극할 것이다. 그러므로 지나친 겸손을 이루게 되는데, 단지 침벌하고 군사를 행하는 경계로만 그 지나침을 막을 수 있다. 그러므로 그 지나침이 마침내 이루어지지 않는다.

이병헌(李炳憲) 『역경금문고통론(易經今文考通論)』

程傳曰, 初六, 以柔順, 處謙, 卑下之至, 謙之又謙. 故曰謙謙, 能如是者, 君子也.
『정전』에서 말하였다: 초육(初六)은 유순함으로 겸괘에 있어서 스스로 낮추고 아래에 두는 지극함이기에 겸손하고 또 겸손하다. 그러므로 "겸손하고 겸손하다"고 하였으니, 이와 같이 할 수 있는 자는 군자이다.

本義曰, 以此涉難, 何往不濟.
『본의』에서 말하였다: 이로써 어려움을 건넌다면, 어디를 간들 건너지 못하겠는가?

象曰, 謙謙君子, 卑以自牧也.

「상전」에서 말하였다: 겸손하고 겸손한 군자는 낮춤으로써 스스로 기른다.

中國大全

傳

謙謙, 謙之至也, 謂君子以謙卑之道, 自牧也. 自牧, 自處也, 詩云自牧歸荑.

겸손하고 겸손함은 겸손함의 지극함이니, 군자가 겸손하고 낮추는 도(道)로 스스로 기름을 말한다. '스스로 기름[自牧]'은 스스로 처함이니, 『시경』에서 "들에 있는 띠풀 싹을 선사하니"[91]라고 하였다.

小註

南軒張氏曰, 謙謙君子, 卑以自牧, 如牧牛羊然, 使之馴服, 方可以言謙. 今人往往反以驕矜爲養氣, 此特客氣, 非浩然之氣也.

남헌장씨가 말하였다: 겸손하고 겸손한 군자가 낮추어서 스스로 기름은 마치 소와 양을 기르는 것과 같으니, 순종하도록 해야만 겸손함을 말할 수 있을 것이다. 지금 사람들이 왕왕 도리어 교만과 긍지를 양기로 간주하지만, 이것은 다만 객기일 뿐이며 호연지기(浩然之氣)[92]가 아니다.

○ 建安丘氏曰, 牧養也. 養德之地, 未有不基於至卑. 所養者至, 則愈卑而愈不卑矣.

건안구씨가 말하였다: '목(牧)'은 기르는 것이다. 덕을 기르는 터전은 지극히 낮춤에 기초하지 않음이 없다. 기르는 바가 지극하면 더욱 낮출수록 더욱 낮아지지 않는다.

---

91) 『詩經·靜女』: 自牧歸荑, 洵美且異, 匪女之爲美, 美人之貽.

92) 호연지기(浩然之氣): 이에 대해서는 『맹자(孟子)·공손추(公孫丑)』에 자세하게 나온다.

‖韓國大全‖

송시열(宋時烈) 『역설(易說)』

小象, 自牧者, 非自處也, 似是自養也.
「소상전」의 '자목(自牧)'은 스스로 처한다는 것이 아니라 스스로 기른다는 것인 듯하다.

유정원(柳正源) 『역해참고(易解參攷)』

卑以自牧.
낮춤으로써 스스로 기르는 것이다.
正義, 以卑謙, 自養其德也.
『주역정의』에서 말하였다: 낮추어 겸손함으로 스스로 덕을 기른다.

傳, 自牧歸荑.
『정전』에서 말하였다: 들에 있는 띠싹을 선사하니[93]
案, 二程全書曰, 自牧歸荑, 卑以自牧之意. 荑, 柔順之意, 自牧歸順, 信美且異. 程子之意如此, 故引之於此.
내가 살펴보았다: 『이정전서(二程全書)』에서 "들에 있는 띠풀 싹을 선사함은 낮추어서 스스로 기른다는 뜻이다. '띠 싹[荑]'은 유순하다는 뜻이니, 스스로 길러서 유순함을 선사하니 진실로 아름답고 또 이채롭다"[94]고 하였는데, 정자의 뜻이 이와 같기 때문에 여기에서 이것을 인용하였다.

김상악(金相岳) 『산천역설(山天易說)』

牧, 養也, 卽牧牛羊之牧也, 與畜牝牛之畜字, 其義相似. 坤爲牛, 故以牧言之, 如坤取牝馬之象, 而言馴也.
'목(牧)'은 기르는 것이니, 곧 소와 양을 기른대[牧牛羊]는 기름이며, 소를 목축(牧畜)한다고 할 때의 '축(畜)'자와 그 뜻이 서로 비슷하다. 곤괘(坤卦)가 소가 되므로 '기름[牧]'으로

93) 『詩經 · 靜女』: 自牧歸荑, 洵美且異, 匪女之爲美, 美人之貽.
94) 이 구절은 실제로는 『이정외서(二程外書)』에 실려 있다.
95) 『周易 · 離卦』: 柔麗乎中正, 故亨, 是以畜牝牛吉也.

말한 것이니, 만약 곤괘에서 암말[牝馬]의 상을 취했다면 '길들임[馴]'을 말해야 한다.

서유신(徐有臣) 『역의의언(易義擬言)』

尊而有德之謂君子, 有而不居之謂謙. 君子而冲挹, 方可謂之謙, 非君子, 則不足以稱謙. 故象必曰謙謙君子, 曰勞謙君子, 謂謙乃君子之謙也, 非由於爻辭之謙謙連君子爲一句也. 持己[96]接物, 貴乎謙挹, 而至若辦事功濟民國, 則君子不厭其崇大. 故曰卑以自牧也, 言謙卑者, 自牧其身之道也.

높으면서 덕이 있으면 군자라 하고, 있으면서 차지하지 않으면 겸손함이라고 한다.[97] 군자이면서 겸허하고 겸양해야만 바야흐로 겸손하다고 할 수 있으니, 군자가 아니라면 겸손하다고 칭할 수 없다. 그러므로 「소상전」에서 반드시 '겸손하고 겸손한 군자'라 하고 '공로가 있으며 겸손한 군자'라고 하였으니, 겸손함은 곧 군자의 겸손함을 말한 것이지 효사에서 '겸손하고 겸손한[謙謙]'에 '군자(君子)'가 이어져 하나의 구절이 되었기 때문에 그런 것은 아니다. 자신을 지키고 사물을 응접함에는 겸손하고 겸양함을 귀하게 여기지만, 사공(事功)에 힘쓰고 민국을 구제함과 같은 것에서는 군자는 높고 큼을 싫어하지 않는다. 그러므로 "낮춤으로써 스스로 기른다"고 하였으니, 겸손하고 낮춤이 자신을 스스로 기르는 도임을 말한 것이다.

김귀주(金龜柱) 『주역차록(周易箚錄)』

傳, 謙謙, 謙之至, 云云.

『정전』에서 말하였다: 겸손하고 겸손함은 겸손함의 지극함이니, 운운.

○ 按, 自牧歸荑, 牧字之訓, 與詩註不同.

내가 살펴보았다: '들에 있는 띠풀 싹을 선사하니[自牧歸荑]'에서 '목(牧)'자의 뜻은 『시경』의 주석과 같지 않다.[98]

박문건(朴文健) 『주역연의(周易衍義)』

初六之爲謙謙君子者, 用卑道而自養也.

초육이 겸손하고 겸손한 군자가 되는 것은 낮추는 도를 사용하여 스스로 길러서이다.

---

96) 己: 경학자료집성DB에 '已'로 되어 있으나, 경학자료집성 영인본을 참조하여 '己'로 바로잡았다.

97) 『本義·謙卦』: 謙者, 有而不居之義.

98) 『시경』에서는 '목(牧)'을 '야외[外野]'로 주석하고 있다.

〈問, 象辭之謙謙君子, 勞謙君子. 曰, 君子二字, 當屬下句而屬於上者, 夫子之旨, 而又勞字, 當作苦勞之義, 而又作功勞之義. 此二易所以不同者, 然各有深意, 分看, 則義備矣.
물었다: 「상전」의 말인 '겸손하고 겸손한 군자'와 '공로가 있으며 겸손한 군자'는 무슨 뜻입니까?
답하였다: '군자(君子)'라는 두 글자는 마땅히 아래 구절에 붙여야 하는데 위로 붙인 것은 공자의 뜻이며, 또 '노(勞)'자는 마땅히 노고(勞苦)의 뜻이 되어야 하지만 또 공로(功勞)의 뜻으로 되있습니나. 이 두 가지는 『주역』에서 같지 않은 것이지만, 각각 깊은 뜻이 있으니, 나누어 본다면 뜻이 갖춰질 것입니다.〉

김기례(金箕澧) 「역요선의강목(易要選義綱目)」

卑而自牧.
낮춤으로써 스스로 기르다.

位卑而自養, 其居卑之道.
지위가 낮으면서 스스로 기름은 낮음에 처하는 도이다.

박종영(朴宗永) 「경지몽해(經旨蒙解) · 주역(周易)」

自牧, 自處也.
'자목(自牧)'은 스스로 처함이다.

심대윤(沈大允) 『주역상의점법(周易象義占法)』

牧, 養也. 夫矜伐驕恃, 陵蔑人, 以自高大, 而求人之服我, 則終不可得, 而猜忌者至, 未有不亡者也. 君子之謙, 所以自牧也.
'목(牧)'은 기르는 것이다. 자랑하고 자부하며 사람들을 깔보아서 스스로 높고 크다고 하면서 사람들이 나에게 복종할 것을 구한다면 끝내 이룰 수 없고, 시기 받음이 지극하여 망하지 않는 것은 없다. 군자의 겸손함은 스스로를 기르는 바이다.

오치기(吳致箕) 「주역경전증해(周易經傳增解)」

卑躬而謙謙, 卽自養其德者也.

몸을 낮추어 겸손하고 겸손하니, 곧 스스로 덕을 기르는 자이다.

이진상(李震相) 『역학관규(易學管窺)』

象言自牧, 艮養象

소상에서 "스스로 기른다"고 한 것은 간괘가 기르는 상이기 때문이다.

박문호(朴文鎬) 「경설(經說)·주역(周易)」

自牧, 與詩之自牧, 文同義異. 程子引而證之, 未詳.

'자목(自牧)'은 『시경』에 나오는 '자목'과 글자는 같지만 뜻은 다르다. 정자가 끌어다가 논증하였으나,[99] 자세하지는 않다.

이병헌(李炳憲) 『역경금문고통론(易經今文考通論)』

鄭曰, 牧, 養也.

정강성(鄭康成)이 말하였다: '목(牧)'은 기르는 것이다.[100]

---

99) 『程傳·謙卦』: 自處也, 詩云, 自牧歸荑.

100) 이 글은 송(宋)나라 왕응린(王應麟)이 편찬한 『주역정강성주(周易鄭康成注)』에 나온다.

六二, 鳴謙, 貞吉.

정전 육이는 겸손함을 드러내니, 바르고 길하다.
본의 육이는 겸손함으로 알려지니, 바르고 길하다.

中國大全

傳

二以柔順居中, 是爲謙德積於中. 謙德充積於中, 故發於外, 見於聲音顔色, 故曰鳴謙. 居中得正, 有中正之德也, 故云貞吉. 凡貞吉有爲貞且吉者, 有爲得貞則吉者, 六二之貞吉, 所自有也

육이는 유순함으로 가운데 있으니, 이는 겸손한 덕이 마음에 쌓인 것이다. 겸손한 덕이 마음에 가득 쌓여 있기 때문에 밖으로 발현되고, 소리와 안색에 드러나기 때문에 "겸손함을 드러낸다[鳴謙]"고 하였다. 가운데 있고 바름을 얻어서 중정한 덕이 있기 때문에 "바르고 길하다[貞吉]"고 하였다. '정길(貞吉)'은 "바르고 또한 길하다"의 의미도 있고, "바름을 얻으면 길하다"의 의미도 있는데, 육이의 '정길(貞吉)'은 스스로 갖고 있는 것이다.

小註

童溪王氏曰, 六二以謙德而居下之正位, 則得其所欲矣. 故發於聲音也, 无非中心之誠然者. 故曰 鳴謙貞吉, 而象以中心得也釋之.

동계왕씨가 말하였다: 육이는 겸손한 덕으로 하괘의 바른 위치에 있으니, 하고자 함을 이룬 것이다. 그러므로 소리에 발현되었지만 마음속에는 진실로 그렇지 않음이 없다. 그러므로 "겸손함을 드러내니, 바르고 길하다"고 함에 「상전」에서 "마음에 얻은 것이다"로 해석하였다.

本義

柔順中正, 以謙有聞, 正而且吉者也. 故其占如此.

유순하고 중정하여 겸손함으로 알려짐이 있으니, 바르고 또한 길한 자이다. 그러므로 그 점이 이와 같다.

小註

朱子曰, 鳴謙在六二, 又言貞者, 言謙而有聞, 須得其正則吉. 蓋六二以陰處陰, 所以戒他要貞, 謙而不貞, 則近於邪佞. 上六之鳴, 卻不同, 處謙之極而有聞, 則失謙之意. 蓋謙本不要人知, 況在人之上而有聞乎? 此所以志未得.

주자가 말하였다: 겸손함으로 알려짐은 육이(六二)에게 있는데, 또 바름[貞]을 말한 것은 겸손해서 알려짐이 있더라도 반드시 바름을 얻어야만 길하다고 말한 것이다. 육이는 음으로서 음의 자리에 있기 때문에 바르게 해야만 한다고 경계하였으니, 겸손하면서도 바르지 않으면 간사한 아첨에 가깝다. 상육(上六)의 알려짐은 도리어 같지 않으니, 겸괘의 끝에 있으면서 알려짐이 있다면 겸손함의 뜻을 잃을 것이다. 겸손이란 본래 남이 알아주기를 바라지 않는 것인데, 하물며 남의 윗자리에 있으면서 알려짐이 있는 것이겠는가? 이것이 뜻을 얻지 못하는 까닭이다.

○ 雲峯胡氏曰, 諸家釋鳴謙, 多謂自鳴其謙, 謙而以自鳴, 非謙矣. 或以爲六二謙德, 積於中, 發見於聲音者如此, 本義以爲六二柔順中正, 以謙有聞. 蓋謂發於聲音, 不若謙而有聲, 有非可勉强爲之者. 要之初六謙謙在下, 而謙未必人皆聞之, 至六二, 則宜聞之矣.

운봉호씨가 말하였다: 여러 학자들이 '명겸(鳴謙)'을 해석함에 '스스로 겸손함을 울리는 것'으로 여김이 많은데, 겸손하여도 스스로 울린다면 겸손함이 아니다. 어떤 사람은 "육이의 겸손한 덕이 마음에 쌓여 소리에 발현된 것이 이와 같다"고 여겼고, 『본의』에서는 "육이가 유순하고 중정하여 겸손함으로 알려짐이 있다"고 여겼는데, "소리에 발현된다"는 것은 "겸손하여 소문이 난다"는 것만 못하니, 겸손함은 힘써 억지로 할 수 있는 것이 아니기 때문이다. 요컨대 초육의 겸손하고 겸손함은 아래에 있어서 겸손함을 반드시 모든 사람들이 듣는 것은 아니지만, 육이에 이르면 알려지는 것이 당연한 것이다.

韓國大全

조호익(曺好益) 『역상설(易象說)』

六二, 鳴謙,
육이는 겸손함으로 알려지니,

鳴者, 有聞之謂, 非自鳴也. 取二多譽象, 或曰, 二變則互體兌, 取兌口象, 又曰, 艮之伏兌取象.
'명(鳴)'은 알려짐이 있음을 말하니, 스스로 울리는 것이 아니다. 이효의 명예가 많은 상을 취하였는데, 어떤 이는 "이효가 변하면 호괘의 몸체가 태괘(兌卦☱)이니 태괘의 입[口]의 상을 취하였다"고 하고, 또 "간괘(艮卦☶)가 태괘에 숨은 것에서 상을 취하였다"고도 하였다.

송시열(宋時烈) 『역설(易說)』

艮綜則爲震, 震爲善鳴. 豫謙相綜, 此二爻, 卽豫之初六, 皆云鳴. 來云, 卦有小過象, 有飛鳥象, 故曰鳴, 未知是否. 此雖陰爻, 得中正之位, 故其心喜而鳴, 上六之鳴, 過高, 故畏而鳴, 鳴亦不同.
간괘(艮卦☶)가 거꾸로 되면 진괘(震卦☳)가 되는데, 진괘는 잘 우는 것이다. 예괘(豫卦䷏)와 겸괘는 서로 거꾸로 된 괘인데, 여기의 이효가 곧 예괘의 초육이니, 모두 '운다[鳴]'고 하였다. 래지덕은 "괘에 조금 지나침의 상이 있고 날아가는 새의 상이 있기 때문에 '운다[鳴]'고 하였다"고 하는데, 맞는지는 알지 못하겠다. 이것은 비록 음효이지만 중정의 자리를 얻었기 때문에 마음이 기뻐서 우는 것이고, 상육의 '운다[鳴]'는 지나치게 높기 때문에 두려워서 우는 것이니, 우는 것도 또한 같지 않다.

유정원(柳正源) 『역해참고(易解參攷)』

六二, 鳴謙,
육이는 겸손함으로 알려지니,

王氏曰, 鳴者, 聲名聞之謂也. 得位居中, 謙而正焉.
왕필이 말하였다: '명(鳴)'은 명성이 알려짐을 말한다. 제자리를 얻고 가운데에 있어서 겸손하고 바르다.

○ 雙湖胡氏曰, 互震善鳴, 故二上, 皆取鳴象.
쌍호호씨가 말하였다: 호괘인 진괘(震卦☳)가 잘 우는 것[鳴]이기 때문에 이효와 상효에서 모두 우는 상을 취하였다.

○ 案, 謙在中, 則聲聞發外, 謙之極, 則令名无窮. 中爻震, 鳴於下而爲六二之謙, 鳴於上而爲上六之謙.
내가 살펴보았다: 겸손함이 마음에 있다면 좋은 소문이 밖으로 펼쳐지고, 겸손함이 지극하면 명예로운 이름이 무궁할 것이다. 중간의 효인 진괘(☳)가 아래로 울어 육이의 겸손함이 되고, 위로 울어 상육의 겸손함이 되었다.

김상악(金相岳) 『산천역설(山天易說)』

六二, 居艮之中, 比三而謙, 故有鳴謙之象. 陰巽于陽, 以謙而鳴, 貞而吉之道也.
육이는 간괘의 가운데에 있으면서 삼효를 가까이 하며 겸손하기 때문에 겸손함으로 알려지는 상이 있다. 음으로 양에게 공손하여 겸손함으로 알려지니, 바르고 길한 도이다.

○ 艮黔喙, 震善鳴, 皆鳴之象. 謙豫二卦, 互體爲小過, 有飛鳥遺音之象, 故皆言鳴也. 謙與巽, 其義相似, 故六二及上六, 曰鳴謙, 如巽之二上, 取巽在牀下之象, 而下二爻之吉, 皆得其中也. 上二爻之一利一凶, 正與不正也.
간괘는 부리가 검은 짐승이고[101] 진괘는 잘 우는 것이므로 모두 우는 상이 있다. 겸괘와 예괘(豫卦䷏) 두 괘의 엇걸린 몸체는 소과괘(小過卦䷽)가 되고, 나는 새가 소리를 내는 상이 있기 때문에 모두 '운다[鳴]'고 하였다. 겸괘와 손괘(巽卦䷸)는 그 뜻이 서로 비슷하다. 그러므로 겸괘의 육이와 상육에서 '명겸(鳴謙)'이라 한 것은 손괘의 이효와 상효가 모두 공손함이 평상[牀] 아래에 있는 상을 취한 것과 같지만, 겸괘와 손괘의 아래의 두 효가 길함은[102] 모두 가운데 자리를 얻어서이고, 위의 두 효가 하나는 이롭고 하나는 흉함[103]은 바르거나 바르지 않기 때문이다.

---

101) 『周易 · 說卦傳』: 艮, 爲山, 爲徑路, 爲小石, 爲門闕, 爲果蓏, 爲閽寺, 爲指, 爲狗, 爲鼠, 爲黔喙之屬, 其於木也, 爲堅多節.
102) 『周易 · 巽卦』: 九二, 巽在牀下, 用史巫紛若, 吉, 无咎. 『周易 · 巽卦』: 上九, 巽在牀下, 喪其資斧, 貞, 凶.
103) 『周易 · 巽卦』: 上九, 巽在牀下, 喪其資斧, 貞, 凶.

김규오(金奎五) 「독역기의(讀易記疑)」

六二, 貞吉, 朱子以爲謙而不貞, 則近於邪佞. 初之謙謙, 宜若過於六二, 而爻不言貞者, 位剛也. 六四, 亦有重陰之嫌, 故象言不違則, 違則邪佞故也.
육이의 바르고 길함을 주자는 "겸손하면서 바르지 않으면 간사한 아첨에 가깝다"고 여겼다.[104] 초효의 '겸손하고 겸손함'은 마땅히 육이보다 지나친 것 같은데 효사에서 '바르다[貞]'고 하지 않은 것은 자리가 굳세기 때문이며, 육사도 또한 음이 중복되는 혐의가 있기 때문에 「소상전」에서 "법칙에 어긋나지 않는다"[105]고 하였으니, 법칙을 어기면 간사한 아첨이 되기 때문이다.

서유신(徐有臣) 『역의의언(易義擬言)』

柔順中正, 比於三而鳴謙, 是爲貞吉也. 鳴謙, 鳴豫, 猶鳴鼓, 譬則三鼓而二鳴之, 好其謙而鳴之也.
유순하고 중정하며 삼효를 가까이 하여 겸손함으로 울리니, 이것이 바르고 길함이 된다. '겸손함으로 알려짐'과 예괘 초효의 '감격해 우는 즐거움[鳴豫]'은 북을 울림과 같다. 비유하면 삼효는 북이고 이효는 북을 울리는 것이니, 그 겸손함을 좋아하여 울리는 것이다.

김귀주(金龜柱) 『주역차록(周易箚錄)』[106]

傳, 二以柔順中正,[107] 云云.
『정전』에서 말하였다: 육이는 유순함으로 중정하니, 운운.
○ 按, 鳴, 貞且吉, 鳴字, 恐旣之誤.
내가 살펴보았다: '명(鳴)은 바르고 길하다'에서 '명(鳴)'자는 아마도 '기(旣)'자의 잘못인 듯하다.

本義, 柔順中正, 云云.
『본의』에서 말하였다: 유순하고 중정하여, 운운.
小註, 朱子曰, 鳴謙, 云云.
소주에서 주자가 말하였다: 겸손함으로 알려짐은, 운운.

---

104) 『程傳 · 謙卦』 小註: 蓋六二以陰處陰, 所以戒他要貞, 謙而不貞, 則近於邪佞.
105) 『周易 · 謙卦』: 六四, 象曰, 无不利撝謙, 不違則也.
106) 경학자료집성DB에서는 겸괘 초효에 해당하는 것으로 분류했으나, 내용에 따라 이 자리로 옮겨 바로잡는다.
107) 『정전 · 겸괘』 육이를 보면, '중정(中正)'은 '거중(居中)'이 되어야 한다.

○ 按, 此云戒他要貞, 與本義正而且吉, 不同. 蓋以陰處陰, 在他卦, 則或失於太柔, 而在謙, 則非過也, 而只爲得正之象. 恐未當以本義爲正.
내가 살펴보았다: 여기서 “육이는 바르게 해야만 한다고 경계하였다”[108]고 한 것은 『본의』의 “바르고 또한 길한 자이다”[109]와 같지 않다. 다른 괘에서는 음으로 음의 자리에 있으면 혹은 지나친 유순함으로 잘못되지만, 겸괘의 경우에는 허물이 아니고 단지 바름을 얻은 상이 될 뿐이니, 『본의』를 옳게 여기는 것은 타당치 않은 듯하다.

박제가(朴齊家) 『주역(周易)』

鳴, 言也, 人之言, 如鳥之鳴也. 占辭隱, 故以言代鳴也. 初則謙而又謙, 二則言矣, 言之謙者, 不異於中, 則吉矣.
‘명(鳴)’은 말[言]이니, 사람의 말은 새의 울음과 같다. 점사는 은미하므로 말을 ‘울음[鳴]’으로 대신한 것이다. 초효는 겸손하고 또 겸손함이며 이효는 말이니, 말이 겸손한 자가 마음과 다르지 않으면 길할 것이다.

윤행임(尹行恁) 『신호수필(新湖隨筆)·역(易)』

月之弦望而河海以之消息, 時之寒暑而草木以之榮悴, 何莫非盈謙之所使. 然而人道之盛衰, 尤如龜卜, 故聖人因卦設象, 以爲持盈者之鑑, 魏公子, 戰國俠流也, 見矦生, 執轡愈恭, 故名聞山東, 漢昭烈, 起於由間, 訪武矦, 三顧草廬, 故義播天下.
초승달과 보름달에 의해 강과 바다가 줄고 늘며, 더위와 추위에 의해 초목은 피어나고 시드니, 어느 것인들 가득 참과 겸손함이 시키는 것이 아니겠는가? 그러나 인도(人道)의 성쇠는 더욱 거북점과 같기 때문에 성인은 괘로 인하여 상(象)을 펼쳐서 가득 참을 지키고자 하는 자의 거울로 삼았다. 위(魏)나라 공자인 무기(無忌)는 전국 시대의 협객인데, 후생을 보고는 말고삐를 잡고 더욱 공손하였기 때문에 명성이 산동(山東)에 자자하였고,[110] 한(漢)나라 소열제(昭烈帝)가 유한(由間)에서 일어나 무후(武矦) 제갈량(諸葛亮)을 방문함에 삼고초려(三顧草廬)하였기 때문에 의(義)를 천하에 퍼뜨렸다.

---

108) 『程傳·謙卦』 小註: 蓋六二以陰處陰, 所以戒他要貞, 謙而不貞, 則近於邪佞.
109) 『本義·謙卦』: 柔順中正, 以謙有聞, 正而且吉者也, 故其占如此.
110) 여기서 말하는 고사(古事)는 위나라 공자 무기가 선비를 대할 때에 선비의 지위가 비록 미천할지라도 자신을 낮추어 겸손하게 하였음을 보여준다. 이러한 고사는 『사기(史記)·신릉군열전(信陵君列傳)』에 나온다.

박문건(朴文健) 『주역연의(周易衍義)』

上下隔絶, 故有鳴謙之象. 鳴謙, 言鳴其謙於其上也.
위아래가 끊어졌기 때문에 겸손함을 드러내는 상이 있다. '겸손함을 드러냄'은 겸손함을 위 사람에게 드러냄을 말한다.
〈問, 鳴謙貞吉. 曰, 六二, 雖志未得而鳴謙, 然用柔貞, 則能順於上而致吉也. 鳴謙者, 使上知己之謙也.
물었다: "겸손함을 드러내니, 바르고 길하다"는 무슨 뜻입니까?
답하였다: 육이(六二)가 비록 뜻을 이루지 못하여 겸손함을 드러내지만, 유순하고 바름을 사용하니 윗사람에게 유순할 수 있어서 길하게 되는 것입니다. '겸손함을 드러냄'은 윗사람이 자신의 겸손함을 알도록 하는 것입니다.〉

김기례(金箕澧) 「역요선의강목(易要選義綱目)」

柔順中正, 謙德彰聞, 謙於中心, 則不求聞而自聞. 故曰貞吉.
유순하고 중정하여 겸손한 덕이 드러나 알려졌으나, 마음에 겸손하니 알려짐을 구하지 않고 자연히 알려진 것이다. 그러므로 "바르고 길하다"고 하였다.

심대윤(沈大允) 『주역상의점법(周易象義占法)』

謙之升䷭. 六二, 居柔有位, 以謙者也. 比於三陽而從之, 能效之而下于賢, 故曰鳴謙, 鳴, 和應也. 震爲鳴, 言效九三也. 下賢而得中, 故曰貞吉.
겸괘가 승괘(升卦䷭)로 바뀌었다. 육이는 부드러움의 자리에 있으면서 겸손한 자이다. 삼효인 양을 가까이 하면서 따르니, 본받아서 어진 이에게 낮출 수 있다. 그러므로 "겸손함으로 울린다"고 하였으니, '울림[鳴]'은 화답하여 응한다는 것이다. 호괘인 진괘(震卦☳)가 '울림[鳴]'이 되니, 구삼을 본받음을 말한다. 어진 이에게 낮춰서 알맞음을 얻었기 때문에 "바르고 길하다"고 하였다.

오치기(吳致箕) 「주역경전증해(周易經傳增解)」

六二, 柔得中正, 而上比於九三謙之主, 相與唱和而爲謙, 故爲鳴謙之象, 而得中則不爲過恭, 居正則不爲令色, 比剛則不爲便佞. 其所以爲謙者, 莫不出於中正, 故占言正而吉.
육이는 유순하고 중정하며 위로 겸괘의 주인인 구삼을 가까이 하여 서로 함께 부르고 답하며 겸손하기 때문에 겸손으로 우는 상이 되는데, 알맞음을 얻었기에 지나치게 공손하지 않고, 제자리에 있기에 표정을 꾸미지 않고, 굳센 양과 가깝기에 둘러대며 아첨하지 않는다. 겸손하게 된 것이 알맞고 바름에서 나오지 않음이 없기 때문에 점사에서 바르고 길하다고 하였다.

○ 陰陽之唱和曰鳴, 而卦有飛鳥之象, 故以鳥鳴言也. 九三爲成卦之主, 而六二比於三, 上六應於三, 故俱言鳴謙也.
음과 양이 부르고 답함을 '울음[鳴]'이라 하였는데, 괘에 나는 새의 상이 있기 때문에 새의 울음으로 말하였다. 구삼은 괘를 이루는 주인이 되는데, 육이는 구삼을 가까이 하고 상육은 구삼과 호응하기 때문에 모두 "겸손함으로 운다[鳴謙]"고 하였다.

이진상(李震相) 『역학관규(易學管窺)』

互震善鳴, 故有鳴象.
호괘인 진괘(震卦☳)가 잘 우는 것이기 때문에 우는 상이 있는 것이다.

박문호(朴文鎬) 「경설(經說) · 주역(周易)」

所自有, 指貞且吉者而言, 是其所自有也. 若得貞則吉, 非所自有也, 乃勸戒之辭也.
'스스로 갖고 있는 것[所自有]'[111]은 바르고 또 길한 자를 가리켜 말함이니 스스로 소유한 바이고, "바름을 얻으면 길하다"는 것은 스스로 소유한 바가 아니니, 곧 권면하여 주의시키는 말이다.

이병헌(李炳憲) 『역경금문고통론(易經今文考通論)』

王曰, 鳴者, 聲名聞之謂也.
왕필이 말하였다: '명(鳴)'은 명성이 알려짐을 말한다.[112]
程傳曰, 居中得正, 故云貞吉.
『정전』에서 말하였다: 가운데 있고 바름을 얻었기 때문에 "바르고 길하다"고 하였다.

111) 『程傳 · 謙卦』: 凡貞吉有爲貞且吉者, 有爲得貞則吉者, 六二之貞吉所自有也.
112) 이 글은 『주역주소(周易注疏) · 상경(上經)』에 보인다.

象曰, 鳴謙貞吉, 中心得也.

정전 「상전(象傳)」에서 말하였다: "겸손함을 드러내니, 바르고 길함"은 마음에 얻은 것이다.
본의 「상전(象傳)」에서 말하였다: "겸손함으로 알려지니, 바르고 길함"은 마음에 얻은 것이다.

中國大全

傳

二之謙德, 由至誠積於中, 所以發於聲音, 中心所自得也, 非勉爲之也.

육이의 겸손한 덕은 지극한 정성이 마음에 쌓임을 말미암아 소리에 발현된 것이니, 마음속에 스스로 얻은 것이지 억지로 하는 것이 아니다.

韓國大全

유정원(柳正源) 『역해참고(易解參攷)』

鳴謙, [至] 得也.

겸손함으로 알려지니, … 마음에 얻은 것이다.

正義, 以中和爲心, 而得其所鳴謙, 得中, 吉也.

『주역정의』에서 말하였다: 중화(中和)로 마음을 삼아 알려지는 겸손함을 얻었으니, 알맞음을 얻어 길하다.

김상악(金相岳) 『산천역설(山天易說)』

鳴者, 心之聲也, 鳴謙之吉, 乃中心所得, 非勉强於外也. 中孚之二, 亦取鶴鳴子和之象, 故曰中心願也.

'울림[鳴]'은 마음의 소리이니, 겸손함으로 울림이 길함은 마음에서 얻었기 때문이니 밖으로 힘써서 억지로 하는 것이 아니다. 중부괘(中孚卦䷼)의 이효도[113] 또한 학이 울 때에 새끼가 화답하는 상[114]을 취했기 때문에 "마음에서 원한다"고 하였다.

서유신(徐有臣) 『역의의언(易義擬言)』

中心者, 三也, 得於三, 中心得之象也.
'마음[中心]'은 삼효이니, 삼효를 얻는 것이 마음에 얻는 상이다.

김귀주(金龜柱) 『주역차록(周易箚錄)』

象曰, 鳴謙貞吉, 云云.
「상전」에서 말하였다: 겸손함으로 알려지니 바르고 길함, 운운.

○ 按, 中心得, 則其有聞者, 非過實之譽也. 以本義意推之, 蓋恐如此.
내가 살펴보았다: 마음에서 얻어서 알려짐이 있는 것은 실제를 넘어서는 명예가 아니다. 『본의』의 뜻으로 미뤄보면 아마도 이와 같을 것이다.

박제가(朴齊家) 『주역(周易)』

象傳曰中心得者, 謂心口相得也. 上六之言謙則同, 而志在行師, 故曰志未得. 如下卦豫初六鳴豫, 卽此上六之變言之, 豫則夸矜矣, 豫初而已矜則凶, 可知也, 故象傳曰志窮. 諸家多以鳴爲自鳴, 如韓子之送孟東野序, 說出許多鳴字, 程傳謂發於聲音, 本義謂以謙有聞者, 嫌於謙之自鳴也, 乃於豫初, 則曰自鳴. 易之爲道, 雖不可綳綳定, 此之字義語法, 則皆同.
「소상」에서 "마음에 얻은 것이다"라고 한 것은 마음과 입이 서로 맞음을 말한다. 상효에서도 '겸손함'을 말함은 같지만, 뜻이 군사를 행함에 있기 때문에 "뜻을 얻지 못한 것이다"라고 하였다. 다음 괘인 예괘(豫卦) 초육의 '즐거움을 소리냄[鳴豫]'과 같은 것은 겸괘 상육의 변화에서 말한 것이니, 예괘(豫卦)는 자랑하는 것으로 예괘의 처음에 이미 자랑하여 흉한 것에서 알 수 있다. 그러므로 「소상」에서 "제 뜻대로 함이 극에 달한다"[115]라고 하였다. 여러

113) 『周易·中孚卦』: 九二, 鳴鶴, 在陰, 其子和之. 我有好爵, 吾與爾靡之.
114) 『本義·中孚卦』: 故有鶴鳴子和, 我爵爾靡之象.
115) 『周易·豫卦』: 初六, 象曰, 初六鳴豫, 志窮, 凶也.

학자들이 '울음[鳴]'을 '스스로 우는 것[自鳴]'으로 여김이 많았다. 한유(韓愈)가 「송맹동야서(送孟東野序)」에서 수없이 '명(鳴)'자를 말한 것과, 『정전』의 "음성에서 발현된다"[116]는 것과 『본의』의 "겸손으로 알려짐이 있다"[117]는 것 같은 것은 겸괘를[겸괘의 명(鳴)을] '스스로 우는 것'으로 본 혐의가 있는데, 예괘의 초효에서야 곧 "스스로 운다"고 할 수 있다. 『주역』의 도는 비록 묶어서 고정할 수는 없지만 이것의 글자 뜻과 어법은 모두 같다.

박문건(朴文健) 『주역연의(周易衍義)』

二雖鳴謙, 用貞而吉, 中心之所願得也.

이효가 비록 겸손함을 드러내더라도 바름을 써서 길하게 되니, 마음에 원하는 바를 얻는 것이다.

심대윤(沈大允) 『주역상의점법(周易象義占法)』

以位下入者, 巽于賢也.

지위를 내리고 들어가는 것이 어진 사람에게 겸손한 것이다.

오치기(吳致箕) 「주역경전증해(周易經傳增解)」

剛柔相比, 中心自得, 而其所唱和爲謙者, 非有勉强也.

굳셈과 부드러움이 서로 가까워 마음에서 스스로 얻었으니, 부르고 답함이 겸손한 것은 힘써서 억지로 하는 것이 아니다.

이진상(李震相) 『역학관규(易學管窺)』

象言中心, 互坎象, 近三, 故得.

「상전」에서 '마음[中心]'이라 한 것은 호괘인 감괘(坎卦☵)의 상이며, 이효가 삼효와 가깝기 때문에 "얻는다[得]"는 것이다.

---

116) 『傳義 · 謙卦』: 二之謙德, 由至誠積於中, 所以發於聲音, 中心所自得也, 非勉爲之也.

117) 『傳義 · 謙卦』: 柔順中正, 以謙有聞, 正而且吉者也, 故其占如此.

九三, 勞謙, 君子有終, 吉.

정전 구삼은 공로가 있으며 겸손하니, 군자가 끝마침이 있으면 길하다.

九三, 勞謙, 君子有終吉.

본의 구삼은 공로가 있으며 겸손하니, 군자가 끝마침이 있어서 길하다.

中國大全

傳

三, 以陽剛之德而居下體, 爲衆陰所宗, 履得其位, 爲下之上, 是上爲君所任, 下爲衆所從. 有功勞而持謙德者也, 故曰, 勞謙. 古之人有當之者, 周公是也. 身當天下之大任, 上奉幼弱之主, 謙恭自牧, 夔夔如畏然, 可謂有勞而能謙矣. 旣能勞謙, 又須君子行之, 有終則吉. 夫樂高喜勝, 人之常情, 平時能謙, 固已鮮矣, 況有功勞可尊乎? 雖使知謙之善, 勉而爲之, 若矜負之心不忘, 則不能常久, 欲其有終, 不可得也. 唯君子安履謙順, 乃其常行. 故久而不變, 乃所謂有終, 有終則吉也. 九三以剛居正, 能終者也. 此爻之德最盛, 故象辭特重.

구삼은 양의 굳센 덕으로 하괘에 있어 여러 음들이 높이는 바가 되고, 터전이 제자리를 얻어 하괘의 맨 위가 되었으니, 이는 위로는 임금이 신임하는 바이고 아래로는 무리가 따르는 바이다. 공로가 있으면서도 겸손한 덕을 지닌 자이므로 "공로가 있으며 겸손하다"고 하였다. 옛 사람이 이에 해당되는 이가 있으니, 주공이 이런 분이다. 몸소 천하의 큰 임무를 담당하여 위로는 유약한 임금을 받들고, 겸손함과 공손함으로 스스로 길러 조심조심 두려운 듯이 하였으니, 공로가 있으면서 겸손하였다고 할 만하다. 이미 공로가 있으며 겸손할 수 있어도, 또 반드시 군자가 행하여 끝마침이 있어야만 길하다. 높음을 좋아하고 이김을 기뻐하는 것은 사람의 일상의 감정이며 평소에 겸손한 것도 참으로 이미 드문 일인데, 하물며 높일 만한 공로가 있음에랴? 비록 겸손함의 좋음을 알고 힘써 행하더라도, 자랑하고 자부하는 마음을 잊지 못하면 변함없이 오래할 수 없으니, 끝마치고자 하여도 이룰 수가 없다. 오직 군자는 편안히 이행하고 겸허히 순종함이 바로 그의 변함없는 행실이므로 오래 되어도 변하지 않는다. 바로 "끝마침이 있다"고 한 것이니, 끝마침이 있으면 길하다. 구삼은 굳셈으로 바른 자리에 있어서 끝마칠 수 있는 자이며, 이 효의 덕이 가장 성대하기 때문에 「상전」의 말을 특별히 거듭하였다.

本義

卦唯一陽, 居下之上, 剛而得正, 上下所歸. 有功勞而能謙, 尤人所難, 故有終而吉. 占者如是, 則如其應矣.

괘에 오직 하나의 양이 하괘의 위에 있는데, 굳세면서 바른 자리를 얻었으니, 위아래가 돌아가는 곳이다. 공로가 있으면서 겸손할 수 있음은 더욱 사람들이 하기 어려운 것이기 때문에 끝마침이 있어서 길하다는 것이다. 점치는 자가 이와 같으면 이와 같이 응할 것이다.

小註

雙湖胡氏曰, 謙, 以九三一陽爻, 爲成卦之主, 文王彖辭, 唯主九三一爻而言, 不及其他. 故周公爻辭不復易, 但推原其勞, 而要其吉耳.
쌍호호씨가 말했다: 겸괘는 구삼의 한 양효가 괘를 이루는 주인이 되니, 문왕의 괘사는 오직 구삼 한 효를 위주로 말했고, 다른 것은 언급하지 않았다. 그러므로 주공의 효사에서 다시 바꾸지 않고 다만 그 공로를 미루어 캐내고 길함으로 요약했을 뿐이다.

○ 雲峯胡氏曰, 文王卦辭曰, 謙亨, 君子有終, 周公於三之爻辭, 以吉代亨字, 謙之上加一勞字. 蓋謙非難, 勞而能謙爲難. 九三之勞, 當在上位, 而位止於下, 所謂勞而能謙者也. 乾之三, 以君子稱, 坤之三, 以有終言, 謙之三, 兼乾坤之占辭. 蓋所謂勞者, 卽乾之終日乾乾者, 是也, 而謙則又坤之含章也.
운봉호씨가 말했다: 문왕이 괘사에서 "겸은 형통하니, 군자가 끝마침이 있다"고 하였는데, 주공은 구삼의 효사에서 '길(吉)'로 '형(亨)'자를 대신하고, '겸(謙)'의 위에 '노(勞)'자를 더하였다. 겸손이 어려운 것이 아니라, 공로가 있으면서 겸손할 수 있는 것이 어려운 것이다. 구삼의 공로는 윗자리에 있어야 하는데 지위가 아래에 그친 것이니, 이른바 공로가 있으면서 겸손할 수 있는 자이다. 건괘의 삼효는 군자로 칭하였고, 곤괘의 삼효는 끝마침이 있음으로 말하였으며, 겸괘의 삼효는 건괘와 곤괘의 점사를 겸하였다. 이른바 '공로'는 곧 건괘의 '종일토록 굳세고 굳셈[終日乾乾]'이 이것이고, 겸손은 또한 곤괘의 '빛남을 머금음[含章]'이다.

○ 楊氏曰, 夫六謙德也, 而三則以九居之, 何耶. 曰, 所以成天下之功者, 非剛明之才, 不可也. 今三以剛明之才, 上爲君所任, 下爲衆所倚信, 勞而有功矣. 然勞而不伐, 有功而不德. 此君子恭以存其位之道也. 故獲有終之吉.
양씨가 말하였다: 음[六]이 겸손한 덕인데, 삼효에 양[九]으로서 자리함은 어째서인가? 천하의 일을 이루는 것은 굳세고 밝은 재주가 아니라면 불가하다. 지금 구삼(九三)이 굳세고

밝은 재주로 위로는 임금이 신임하는 바가 되고 아래로는 무리가 의지하여 믿는 바가 되니, 애를 써서 공이 있을 것이다. 그러나 애를 써도 자랑하지 않고, 공이 있어도 덕으로 여기지 않으니, 이것이 군자가 공손함으로 그 자리를 보존하는 도이다. 그러므로 끝마침이 있는 길함을 얻는 것이다.

韓國大全

곽설(郭說) 『역전요의(易傳要義)』

釋謙九三爻, 勞謙, 君子有終, 吉. 子曰, 勞而不伐, 有功而不德, 厚之至也, 語以其功下人者也. 德言盛, 禮言恭, 謙也者, 致恭而存其位者也.

겸괘 구삼(九三) 효의 "공로가 있으며 겸손하니, 군자가 끝마침이 있어서 길하다"를 풀이하여, 공자가 말하였다: 애를 써도 자랑하지 않으며 공이 있어도 덕으로 여기지 않음이 두터움의 지극함이니, 그 공로가 있으면서 남들보다 낮춤을 말한다. 덕은 성대함을 말하고 예(禮)는 공손함을 말하니, 겸손함은 공손함을 이루어 그 자리를 보존하는 것이다.[118]

송시열(宋時烈) 『역설(易說)』

坎爲勞, 故曰勞謙. 彖辭之君子有以終者, 九三言, 此爻, 亦言君子有終.

감괘(坎卦)는 '공로를 위로함[勞]'이 되기 때문에 "공로가 있으며 겸손하다"고 하였다. 괘사의 "군자가 끝마침이 있다"는 구삼을 두고 말하였으니, 이 효에서도 또한 "군자가 끝마침이 있다"고 하였다.

심조(沈潮) 「역상차론(易象箚論)」

九三, 勞謙,

---

118) 이 구절은 『주역 · 계사전』에 "勞謙, 君子有終. 吉, 子曰, 勞而不伐, 有功而不德, 厚之至也, 語以其功下人者也. 德言盛, 禮言恭, 謙也者, 致恭, 以存其位者也."와 같이 나온다. 여기서 '致恭, 以存其位者也'라고 하여 곽설이 '致恭而存其位者也'라고 한 것과는 '이(以)'와 '이(而)'가 다르다.

구삼은 공로가 있으며 겸손하니,

大傳曰, 勞于坎, 此在坎體, 故稱勞.
「설괘전」에서 "감(坎)에서 공로를 위로한다[勞]"[119]고 하였는데, 여기에 감괘의 몸체가 있기 때문에 '공로[勞]'를 일컬었다.

유정원(柳正源) 『역해참고(易解參攷)』

九三 [至] 終吉.
구삼은 … 잘 마쳐서 길하다.

王氏曰, 處下體之極, 履得其位, 衆陰所宗, 尊莫甚焉. 上承下接, 勞謙匪懈, 是以吉也.
왕필[120]이 말하였다: 아래 몸체의 끝에 있으면서 터전이 제자리를 얻어 여러 음들이 높이는 바이니, 높임이 가장 심하다. 위로 받들고 아래로 이어져 공로가 있으며 겸손하고 게으르지 않으니, 이 때문에 길한 것이다.[121]

○ 進齋徐氏曰, 九三, 下卦之終, 故曰有終. 諸卦三爻, 多言終.
진재서씨가 말하였다: 구삼은 아래 괘의 끝이기 때문에 "끝마침이 있다"고 하였다. 여러 괘의 삼효에서 '끝마침'을 말한 것이 많다.[122]

○ 案, 諺解以有終而吉釋之, 恐與傳有終則吉者, 不同.
내가 살펴보았다: 『주역언해』에서는 "끝마침이 있어서 길하다"로 풀이하였는데,[123] 아마도 『정전』에서 "끝마침이 있으면 길하다"고 한 것과는 같지 않은 듯하다.

---

119) 이 구절은 『주역·설괘전』에 나오는 "帝出乎震, 齊乎巽, 相見乎離, 致役乎坤, 說言乎兌, 戰乎乾, 勞乎坎, 成言乎艮."에서 볼 수 있다. 다만, 심조는 '勞于坎'라 하고, 「설괘전」에서는 '勞乎坎'이라고 하여 '우(于)'와 '호(乎)'가 다르다.

120) 왕필(王弼, 226~249): 산양(山陽) 고평(高平: 현 산동성 금향현(金鄕縣)) 사람으로 자는 보사(輔嗣)이다. 중국 삼국시대 위(魏)나라의 학자로 상서랑(尙書郞)을 지냈다. 그는 24세의 나이로 숙었음에도 이미 『도덕경(道德經)』과 『주역(周易)』의 주석을 낼 정도로 탁월한 학자였다. 저서로 『주역주(周易注)』, 『주역약례(周易略例)』, 『노자주(老子注)』·『노자지략(老子指略)』, 『논어석의(論語釋疑)』가 있다.

121) 이 구절은 위(魏) 나라 왕필(王弼)이 주(注)를 단 『周易注疏·上經』에 다음과 같이 나온다: 處下體之極, 履得其位, 上下无陽以分其民, 衆陰所宗, 尊莫先焉. 居謙之世, 何可安尊. 上承下綏, 勞謙匪解, 是以吉也.

122) 이 구절은 『주역회통(周易會通)·겸(謙)』에 있는 소주에 나온다.

123) 『周易諺解·謙卦』 九三은 勞하고 謙홈이니 君子ㅣ 終을 두미니 吉ᄒᆞ니라

김상악(金相岳)『산천역설(山天易說)』

九三, 以剛得正, 比二四. 互爲震坎, 以應乎上, 故有勞謙之象. 有勞而謙, 惟君子能之, 有終而吉也.
구삼은 굳센 양으로 제자리를 얻었으며, 이효와 사효를 가까이 한다. 호괘는 진괘(震卦☳)와 감괘(坎卦☵)가 되며 상효와 호응하기 때문에 공로가 있으며 겸손한 상이 있다. 공로가 있으면서 겸손함은 오직 군자라야 할 수 있으며, 끝마침이 있어서 길한 것이다.

○ 勞者, 功勞也. 坎爲勞卦, 勞則有功. 處險而動, 勞之至, 體正而順, 謙之至也. 繫辭所謂德言盛, 禮言恭, 是也. 本卦坤而三得乾爻, 勞者, 乾之乾乾也, 故皆言君子. 謙者, 坤之含章也, 故皆言有終. 又互體爲師, 凡立功而效勞者, 莫過於師, 而本爻在師, 爲長子帥師者也, 所以五之侵伐, 上之征邑, 皆由於三之勞謙也. 故見於君位及應爻, 而皆享其利. 繫辭三多凶 而惟謙之吉, 所以君子有終也.
'로(勞)'란 공로이다. 감괘는 수고를 위로하는 괘이고, 수고하면 공이 있다. 험난한 곳에서 움직이니 수고함의 지극함이며, 몸체가 바르면서 유순하니 겸손함의 지극함이다. 「계사전」의 이른바 "덕은 성대함을 말하고, 예(禮)는 공손함을 말한다"[124]는 것이 이것이다. 본래 괘는 곤괘(坤卦)이면서 삼효가 건(乾)의 양효를 얻었으니, '수고함[勞]'은 건괘(乾卦)의 '굳세고 굳셈[乾乾]'[125]이다. 그러므로 모두 '군자'를 말하였다. 겸손함은 곤괘의 '빛남을 머금음'[126]이다. 그러므로 모두 "끝마침이 있다"고 하였다. 또 본괘의 상괘와 호괘인 감괘가 엇걸린 몸체는 사괘(師卦䷆)가 되고, 공을 세우고 애씀을 드러냄은 군사보다 나은 것이 없으며, 본 효는 사괘에서 '맏아들이 군사를 거느림'[127]이 되니, 오효에서 침벌(侵伐)하고 상효에서 읍국(邑國)을 정벌하는 것이 모두 삼효의 '공로가 있으며 겸손함'을 말미암는다. 그러므로 임금의 자리와 호응하는 효에 나타나서 모두가 그 이로움을 향유한다. 「계사전」에서 "삼효는 흉(凶)이 많다"[128]고 하였지만, 오직 겸괘만이 길하니, 군자가 끝마침이 있는 까닭이다.

서유신(徐有臣)『역의의언(易義擬言)』

天道下濟而明光之象, 勞謙是也. 自伐則不光, 自矜則不明, 夏禹之不伐不矜, 周公之

124) 이 구절은『주역 · 계사상전』에 "勞謙, 君子有終. 吉, 子曰, 勞而不伐, 有功而不德, 厚之至也, 語以其功下人者也. 德言盛, 禮言恭, 謙也者, 致恭, 以存其位者也."와 같이 나온다.
125)『周易 · 乾卦』: 九三, 君子終日乾乾, 夕惕若, 厲, 无咎.
126)『周易 · 坤卦』: 六三, 含章可貞, 或從王事, 无成有終.
127)『周易 · 師卦』: 六五, 田有禽, 利執言, 无咎. 長子帥師, 弟子輿尸, 貞, 凶.
128)『周易 · 繫辭傳』: 三與五 同功而異位, 三多凶, 五多功, 貴賤之等也, 其柔, 危, 其剛, 勝耶.

三吐三握, 有九三之象也. 互坎, 故曰勞也. 下卦之終, 又應上六, 故曰有終也.
하늘의 도가 내려와 교제하여 밝고 빛나는[129] 상(象)은 '공로가 있으며 겸손함'이 이것이다. 스스로 자랑하면 빛나지 않고 스스로 뽐내면 밝지 않으니, 하나라 우임금은 자랑하지도 않고 뽐내지도 않았으며, 주공은 세 번 토해내고 세 번 거머쥐었으니[三吐三握],[130] 구삼의 상이 있다. 호괘가 감괘(坎卦☵)이기 때문에 '공로[勞]'를 말하였고, 하괘의 가장 끝에 있으면서 다시 상육과 호응하기 때문에 "끝마침이 있다"고 하였다.

김귀주(金龜柱) 『주역차록(周易箚錄)』

九三, 勞謙, 云云.
구삼은 공로가 있으며 겸손하니, 운운.
○ 按, 謙道尙柔, 故他爻皆取六, 陰爲謙. 今以九居三而亦爲謙, 何也. 蓋陽剛而且實, 而乃居于三, 是以剛正之德而有實功者也. 然而在三陰之下, 又爲不伐不德, 卑而下人之象, 此謙德之最盛, 而非他爻之所能及也.
내가 살펴보았다: 겸손함의 도는 부드러움을 숭상하기 때문에 다른 효들은 모두 음[六]을 취하였으니, 음은 겸손함이 된다. 지금 양이 세 번째 자리에 있으면서 또 겸손함이 된다고 하는 것은 어째서인가? 양이 굳세면서 속이 차고 세 번째 자리에 있으니, 이것은 굳세고 바른 덕으로 갈무리된 공적이 있는 것이다. 그러나 세 음의 아래에 있어 또 자랑하지도 않고 덕으로 여기지도 않으며 낮추어서 사람보다 아래에 있는 상이 되니, 이것은 겸손한 덕의 가장 성대함이며 다른 효들이 미칠 수 있는 바가 아니다.

本義, 卦唯一陽, 云云.
『본의』에서 말하였다: 괘에 오직 하나의 양이, 운운.
小註, 雲峰胡氏曰, 文王, 云云.
소주에서 운봉호씨가 말하였다: 문왕이, 운운.
○ 按, 卦辭之言謙亨, 是公共說, 君子有終, 方貼九三一爻. 然以彖傳尊光卑不可喩之語觀之, 亦可以活看, 至於爻辭則曰有終, 曰吉, 只當着九三一爻, 更不及乎他也. 此卦辭爻辭, 有大小之別, 諸儒之一例混說 旣皆未安, 而胡說則又以亨字與吉字比看, 可謂

---

129) 『주역·겸괘』의 「단전」에서는 "彖曰, 謙亨, 天道下濟而光明, 地道卑而上行."라고 하였으므로, 여기서의 '明光'과는 글자의 순서가 다르다.

130) 삼토삼악(三吐三握): 주공은 어진 사람을 잃지 않기 위해서 선비를 대우하여 만날 때에 한 번 식사를 할 동안 세 번이나 입 안에 있는 음식을 토해내고 나오며, 한 번 목욕을 할 동안 세 번이나 머리를 거머쥐고 나왔다고 하는 이야기를 말 한다. 이러한 내용은 『사기(史記)·노주공세가(魯周公世家)』에 나온다.

鑿矣. 其下兼乾坤之占云云, 亦恐附會, 蓋終日乾乾, 乃恐懼進修之象, 與勞謙, 意自別.
내가 살펴보았다: 괘사에서 "겸은 형통하다"고 한 것은 전체적인 설명이고, "군자가 끝마침이 있다"는 바로 구삼(九三) 한 효에 연결된다. 그러나 「단전」의 "높으며 빛나고 낮아도 넘을 수가 없다"는 말로 본다면 또한 활발하게 볼 수 있지만, 효사에 이르면 "끝마침이 있다"고 하고 "길하다"고 한 것은 단지 구삼 한 효에만 붙여야 하며 다른 효에는 미치지 않는다. 여기의 괘사와 효사에는 다소 차이가 있으니, 여러 유학자들이 한 가지 예(例)로 뒤섞어 설명한 것은 이미 모두 편안치 못하고, 운봉호씨가 또 '형(亨)'자와 '길(吉)'자를 비교하여 본 것도 천착하였다고 할 만하며, 아래에서 "건괘와 곤괘의 점사를 겸하였다"고 운운한 것도 견강부회한 듯하다. 대체로 군자가 '종일토록 굳세고 굳셈[終日乾乾]'은 두려워하고 삼가며 진작하고 닦는 상이니, '공로가 있으며 겸손함'과는 뜻이 절로 차이난다.

윤행임(尹行恁) 『신호수필(新湖隨筆)·역(易)』

九三, 勞謙, 程子比之周公, 王景孟比之大禹. 竊以孔門諸子比之, 顔子可以有之.
구삼의 "공로가 있으며 겸손하다"를 정자는 주공에 견주었고, 왕경맹(王景孟; 동계왕씨)은 우임금[大禹]에 견주었다. 가만히 생각하니, 공자의 제자 중에 견줄만한 사람은 안회가 그럴 만 하다.

강엄(康儼) 『주역(周易)』

九三, 勞謙, [止] 終, 吉.
구삼은 공로가 있으며 겸손하니, … 끝마침이 있어서 길하다.

按, 九三, 互體爲坎, 坎勞卦也, 萬物之所歸也, 故曰勞謙, 而象亦曰萬民服也. 又居下卦之上, 有成終之象, 故曰有終.
내가 살펴보았다: 구삼은, 호괘의 몸체가 감괘(坎卦☵)가 되고, 감괘는 공로를 위로하는 괘이며 만물이 돌아가는 것이기 때문에 "공로가 있으며 겸손하다"고 하였고 「상전」에서도 "만백성이 승복한다"고 하였다. 또 하괘의 맨 위에 있어서 끝마침을 이루는 상이 있기 때문에 "끝마침이 있다"고 하였다.

○ 卦辭曰, 君子有終, 而此爻亦曰, 君子有終, 先儒以此, 謂卦辭專主九三而言, 如雲峯之篤信本義者, 亦云周公於卦辭, 只改一亨字, 加一勞字, 今不敢妄爲論.
괘사에서 "군자가 끝마침이 있다"고 하고, 이 효에서도 또한 "군자가 끝마침이 있다"고 하였다. 이전의 유학자들이 이 때문에 괘사는 오로지 구삼을 주로 하여 말했다고 하였으니, 『본의』를 독실히 믿었던 운봉과 같은 자도 또한 "주공이 괘사에서 다만 하나의 '형(亨)'자를 고쳤고, 하나의 '노(勞)'자를 더하였다"고 하였으나, 지금 감히 함부로 논의하지 못하겠다.

박문건(朴文健) 『주역연의(周易衍義)』

處於衆陰, 故有勞謙之象. 勞謙, 言勞其謙於上下也.
여러 음들 사이에 있기 때문에 겸손함에 힘쓰는 상이 있다. '겸손함에 힘씀[勞謙]'은 위아래에 겸손하기를 힘씀을 말한다.
〈問, 勞謙, 君子有終, 吉. 曰, 九三爲一卦之主, 故有勞其謙之象也. 是以, 能享其所歸, 而終保其位, 所以吉也.
물었다: "공로가 있으며 겸손하니, 군자가 끝마침이 있어서 길하다"는 무슨 뜻입니까?
답하였다: 구삼은 한 괘의 주인이 되기 때문에 그 겸손함에 힘쓰는 상이 있습니다. 이 때문에 돌아오는 바를 누릴 수 있고 끝내 그 자리를 보존할 수 있으니, 그래서 길합니다.〉

이지연(李止淵) 『주역차의(周易劄疑)』

勞乎坎, 亦爲有重體之坎象.
감괘(坎卦☵)에서 수고로움은 또한 중괘인 감괘(坎卦䷜)의 상이 있기 때문이다.

謙之時, 貴居下, 九三之吉, 以居乎上卦之下. 君子之謙, 當以是爲終, 六四以上, 終是居上.
겸의 시대에는 귀함이 아래에 있으니, 구삼이 길함은 상괘의 아래에 있어서이다. 군자의 겸손함은 마땅히 이로써 끝마침을 삼아야만 하니, 육사 이상은 끝내 위에 있는 것이다.

김기례(金箕澧) 「역요선의강목(易要選義綱目)」

重剛在他卦, 則多言不吉, 而在謙則處上下五陰之間, 上爲君任, 下爲衆屬, 功勞而不伐, 謙恭而克終, 非剛明過中之德, 其孰能之. 故文王彖辭, 主言九三一爻, 而不及他.
거듭된 굳센 양[重剛][131]이 다른 괘에 있으면 불길하다고 말함이 많지만, 겸괘에서는 위와 아래의 다섯 음들 사이에 있으면서 위로는 임금의 맡김이 되고 아래로는 무리의 귀속이 되어 공로가 있어도 자랑하지 않고 겸손하고 공손하여 끝마칠 수 있으니, 굳세고 밝음이 뛰어

131) 重剛: 양강이란 양의 자리에 있는 양을 말한다. 이에 대하여 주자는 『주역전의대전 · 건 · 본의』에서 "九, 陽爻, 三, 陽位, 重剛不中."라고 하였다.

난 덕이 아니라면, 누가 이럴 수 있겠는가? 그러므로 문왕이 괘사에서 구삼 한 효를 위주로 말하고 다른 것은 언급하지 않았다.

○ 三爲下體之終, 故曰有終. 萬民服, 言五陰歸宗.
삼효는 하괘의 맨 끝이 되기 때문에 "끝마침이 있다"고 하였다. '만 백성이 승복함'은 다섯 음들이 종주에게로 돌아옴을 말한다.

○ 勞而謙, 則民誰不服.
공로가 있으며 겸손하니, 백성들이 누가 승복하지 않겠는가?

심대윤(沈大允) 『주역상의점법(周易象義占法)』

謙之坤☷. 獨有剛陽之才而居剛, 勞而不施, 善而不伐, 力行而功德茂焉, 故曰勞謙. 坎爲勞. 上三爻, 爲天下所尊仰, 易以爲謙, 下三爻, 未有推服, 爲謙實難. 三以剛才, 有實績而居下卦之終, 故曰君子有終, 謙之主也. 下三爻言吉, 不言利, 有其寶而未得價也. 上三爻言利, 不言吉, 得價多於寶也.
겸괘가 곤괘(坤卦☷)로 바뀌었다. 홀로 굳센 양의 자질을 지니고 굳셈의 자리에 있으며, 애쓰고도 뽐내지 않고 어질어도 자랑하지 않으며 힘써 행하여 공덕이 풍성하기 때문에 "공로가 있으며 겸손하다"고 하였으니, 본괘의 호괘인 감괘(坎卦)가 '공로[勞]'가 된다. 위의 세 효는 천하가 존중하는 바가 되므로 쉽게 겸손해지며, 아래의 세 효는 아직 따라서 복종할 것이 없기에 겸손해지기가 실로 어렵다. 삼효는 굳센 자질로써 실제적인 공적이 있으면서 하괘의 맨 끝에 있기 때문에 "군자가 끝마침이 있다"고 하였으니, 겸괘의 주인이다. 아래의 세 효에서 "길하다"고 하고 "이롭다"고 하지 않은 것은 그 보배를 가지고 있지만 아직 가치를 얻지 못해서며, 위의 세 효에서 "이롭다"고 하고 "길하다"고 하지 않은 것은 보배보다 큰 가치를 얻어서이다.

오치기(吳致箕) 「주역경전증해(周易經傳增解)」

九三, 陽剛得正, 而居下之上, 爲衆陰所宗, 而退居自卑, 不誇其功, 不伐其勞, 卽用謙之最善, 而萬民之所悅服者也. 以此道而行天下之事, 无不有成終之美, 故言君子有終而吉也, 繫辭傳已備矣.
구삼은 굳센 양이 제자리를 얻어 하괘의 맨 위에 있으므로 여러 음들이 높이는 바가 되고, 물러나 스스로 낮추어 공적을 과시하지 않고 공로를 자랑하지 않으니, 곧 겸손함 쓰기를 아주 잘하여 만백성이 기뻐 승복하는 자이다. 이러한 도로 천하의 일에 행한다면, 끝마침을 이루는 아름다움이 없을 수 없기 때문에 "군자가 끝마침이 있어서 길하다"고 하였으니, 「계사전」에 이미 갖추어져 있다.[132)]

○ 此爲主爻, 故君子有終之辭, 與彖同. 坎爲勞卦, 故取於互坎而言勞也.
이는 괘의 주인이 되는 효이기 때문에 "군자가 끝마침이 있다"는 말이 괘사와 같으며, 감괘(坎卦☵)는 수고하는 괘가 되기 때문에 호괘인 감괘에서 취하여 '공로[勞]'를 말하였다.

이진상(李震相) 『역학관규(易學管窺)』

九三, 勞謙 [至] 終吉.
구삼은 공로가 있으며 겸손하니, … 끝마침이 있어서 길하다.

互坎, 故以勞爲象. 下卦之終而坤體將至, 故有終象.
호괘가 감괘(坎卦☵)이기 때문에 공로[勞]를 상으로 삼았다. 하괘의 끝이면서 곤괘의 몸체에 장차 이르기 때문에 끝마침의 상이 있다.

박문호(朴文鎬) 「경설(經說)·주역(周易)」

九三, 爲卦之主, 故取彖之君子有終, 爲爻辭, 易中往往有此例. 傳所云, 德最盛, 辭特重, 爲是故也.
구삼은 괘의 주인이 되기 때문에 괘사의 "군자가 끝마침이 있다"를 취하여 효사로 삼았다. 『주역』에는 이러한 사례가 흔히 있으니, 『정전』에서 "덕이 가장 성대하여 말을 특별히 거듭하였다"라고 한 것은 이 때문이다.

이용구(李容九) 「역주해선(易註解選)」

王氏曰, 禹成允成功, 不矜不伐, 此服其勞而能謙. 六五利用侵伐, 禹征有苗, 伯益發之.
동계왕씨가 말하였다: "우임금이 믿음을 이루고 공을 이루어도 뽐내지 않고 자랑하지 않았다"는 이것은 우임금이 공로가 있어도 겸손할 수 있음에 순임금이 승복한 것이다. 육오의 '침벌을 씀이 이로움'은 우임금이 유묘(有苗)를 정벌할 때에 백익(伯益)이 우임금에게 이를

132) 『周易·繫辭傳』: 勞謙, 君子有終, 吉, 子曰, 勞而不伐, 有功而不德, 厚之至也, 語以其功下人者也. 德言盛, 禮言恭, 謙也者, 致恭, 以存其位者也.

펼쳤다.[133)]

이병헌(李炳憲) 『역경금문고통론(易經今文考通論)』

正義曰, 勞謙君子者, 居下體之極, 上下无陽, 承接勞倦, 唯君子能終而得吉也.

『주역정의』에서 말하였다: '공로가 있으며 겸손한 군자'는 하괘의 끝에 있으며 위아래에 양이 없어서 위와 아래를 받들고 이어줌에 수고롭고 피곤한 자이니, 오직 군자만이 끝마칠 수 있어서 길할 수 있다.

133) 이와 관련된 내용은 『서경(書經)·대우모(大禹謨)』에 보인다.

象曰, 勞謙君子, 萬民服也.

「상전(象傳)」에 말하였다. "공로가 있으며 겸손한 군자"는 만백성이 승복한다.

中國大全

傳

能勞謙之君子, 萬民所尊服也. 繫辭云, 勞而不伐, 有功而不德, 厚之至也, 語以其功下人者也. 德言盛, 禮言恭, 謙也者, 致恭以存其位者也. 有勞而不自矜伐, 有功而不自以爲德, 是其德弘厚之至也, 言以其功勞而自謙以下於人也. 德言盛, 禮言恭, 以其德言之, 則至盛, 以其自處之禮言之, 則至恭, 此所謂謙也. 夫謙也者, 謂致恭以存其位者也. 存守也, 致其恭巽以守其位. 故高而不危, 滿而不溢, 是以能終吉也. 夫君子履謙, 乃其常行, 非爲保其位而爲之也, 而言存其位者, 蓋能致恭, 所以能存其位, 言謙之道如此. 如言爲善有令名, 君子豈爲令名而爲善也哉. 亦言其令名者, 爲善之效也.

공로가 있으며 겸손할 수 있는 군자는 만백성이 높이고 승복하는 바이다. 「계사전」에서 "수고하여도 자랑하지 않으며 공(功)이 있어도 덕(德)으로 여기지 않음은 후함의 지극함이니, 공이 있으면서도 남에게 낮춤을 말한 것이다. 덕으로 말하면 성대하고 예로 말하면 공손하니, 겸(謙)은 공손함을 지극히 하여 그 지위를 보존하는 것이다"라고 하였다. 수고하여도 스스로 자랑하지 않고 공로가 있어도 스스로 덕으로 여기지 않는 것은 그 덕의 넓고 두터움이 지극한 것이니, 공로가 있으면서 스스로 겸손하여 남에게 낮추는 것을 말함이다. "덕으로 말하면 성대하고 예로 말하면 공손하다"는 것은 덕으로 말하면 지극히 성대하고 자처하는 예로 말하면 지극히 공손하다는 것이니, 이것이 이른바 겸손이다. 겸손이란 공손함을 지극히 하여 자리를 보존하는 것을 말한다. 보존한다는 것은 지킴이니, 공손함을 지극히 하여 자리를 지킨다는 것이다. 그러므로 높아도 위태롭지 않고 가득 차도 넘치지 않으니, 이 때문에 끝내 길할 수 있다. 군자가 겸손을 실천하는 것은 변함없는 행실이지 자리를 보존하기 위해서 하는 것이 아니다. 그런데도 자리를 보존한다고 말한 것은 공손함을 다할 수 있으면 자리를 보존할 수 있기 때문이니, 겸손의 도가 이와 같음을 말한 것이다. 만약 선을 행하면 좋은 이름이 있다고 말하더라도, 군자가 어찌 좋은 이름을 위하여 선을 행하겠는가? 또한 좋은 이름이 선을 행한 효험임을 말하는 것이다.

小註

臨川王氏曰, 萬民服, 謂有終而吉也. 萬民以卦之五陰言.
임천오씨가 말하였다: 만백성이 승복한다는 것은 끝마침이 있어서 길함을 말한다. 만백성은 괘의 다섯 음으로 말한 것이다.

○ 誠齋楊氏曰, 萬民服者, 非服其勞也, 服(其勞而能謙), 謙而有終也.
성재양씨가 말하였다: 만백성이 승복하는 것은 그 공로에 승복하는 것이 아니라, 그가 공로가 있으면서도 겸손할 수 있음에 승복하는 것이니, 겸손하면 마침이 있다.

○ 童溪王氏曰, 舜之賢禹也而曰, 洚水儆予, 成允成功, 惟汝賢, 此服其勞也. 又曰汝惟不矜, 天下莫與爭能, 汝惟不伐, 天下莫與爭功, 此服其勞而能謙也. 夫功吾功也, 能吾能也, 天下何與焉. 矜伐之心, 一不克去, 則天下群起而與之爭功, 何以致萬民之服哉.
동계왕씨가 말하였다: 순임금은 우(禹)를 어질다고 여겨 "홍수가 나를 경계하니, 믿음을 이루고 공을 이룸은 너의 현명함이다"라고 했으니, 이것은 공로에 승복한 것이다. 또 "네가 자랑하지 않으나 천하에 너와 더불어 능력을 다툴 자가 없고, 네가 과시하지 않으나 천하에 너와 더불어 공을 다툴 자가 없다"고 했으니, 이것은 공로가 있으며 겸손할 수 있음에 승복한 것이다. 공은 나의 공이고 능력은 나의 능력이니, 천하와 무슨 관계가 있겠는가? 자랑하고 과시하려는 마음을 조금이라도 제거하지 못한다면, 천하 사람들이 무리로 일어나 그와 공을 다툴 것이니, 어떻게 만백성이 승복함을 이루겠는가?

韓國大全

송시열(宋時烈) 『역설(易說)』

萬民服者, 揔畜衆陰之意也.
"만백성이 승복한다"는 여러 음들을 모두 붙든다는 뜻이다.

유정원(柳正源) 『역해참고(易解參攷)』

服, 尊服也.

'복(服)'은 존경하여 승복함이다.

○ 勞而能謙, 民之所服也. 井之大象曰, 勞民勸相, 兌之彖傳曰, 說而先民, 民忘其勞, 可見勞字義也. 爻言君子, 象言民服, 與剝上九曰, 君子得輿, 民所載也, 相似.
공로가 있으면서 겸손할 수 있으므로 백성들이 승복하는 것이다. 정괘(井卦䷯)의 「대상전」에서 말하기를 "백성들을 위로하며 돕기를 권면한다"[134]고 하였고, 태괘(兌卦䷹)의 「단전」에서 "기뻐함으로써 백성들보다 수고로운 일을 먼저 하면 백성들은 수고로움을 잊는다"[135]고 하였으니, '로(勞)'자의 뜻을 볼 수가 있다. 효사에서 '군자'를 말하고 소상에서 '백성이 승복함'을 말했는데, 박괘(剝卦䷖) 상구(上九)의 소상에서 "군자가 수레를 얻음은 백성들이 추대하는 것이다"라고 한 것과 서로 유사하다.

서유신(徐有臣) 『역의의언(易義擬言)』

一陽之卦, 故有群陰服從之象也.
양이 하나인 괘이므로 여러 음들이 복종하는 상이 있다.

김귀주(金龜柱) 『주역차록(周易箚錄)』

傳, 能勞謙之, 云云.
『정전』에서 말하였다: 공로가 있으며 겸손할 수 있는, 운운.

小註, 童溪王氏曰, 舜之, 云云.
소주에서 동계왕씨가 말하였다: 순임금이, 운운.

○ 按, 功吾功能吾能之云, 極有病痛. 蓋纔說吾功吾能, 則是乃矜伐之心也, 烏乎可也. 朱子嘗曰, 太極中本無物, 事業功勞, 於我何有. 以是而觀王說, 則用心廣狹之分, 懸矣.
내가 살펴보았다: '공은 나의 공이며, 능력은 나의 능력이니'라는 말은 매우 큰 병통이 있다. 조금이라도 나의 공이나 나의 능력이라고 말한다면 이는 뽐내고 자랑하려는 마음인 것이니, 어찌 그럴 수 있겠는가? 주자가 일찍이 "태극 가운데에는 본래 물건이 없으니, 사업과 공로

134) 『周易·井卦』: 象曰, 木上有水井, 君子以, 勞民勸相.
135) 『周易·兌卦』: 剛中而柔外, 說以利貞, 是以順乎天而應乎人, 說以先民, 民忘其勞, 說以犯難, 民忘其死, 說之大, 民勸矣哉.

가 어찌 나에게 있겠습니까?"[136]라고 하였으니, 이를 가지고 동계왕씨의 설을 본다면, 마음씀에 넓고 좁음의 차이가 현격하다.

박문건(朴文健) 『주역연의(周易衍義)』

九三之爲勞謙君子者, 統陰而處下, 有勞而能謙者也. 故民服而保位也.

구삼이 공로가 있으며 겸손한 군자가 되는 것은 음들을 거느리면서 아래에 있고 공로가 있으면서 겸손할 수 있는 것이기 때문이다. 그러므로 백성들이 승복하고 자리를 보존하는 것이다.

오치기(吳致箕) 「주역경전증해(周易經傳增解)」

有功勞而能謙, 尤人所難, 故萬民心悅而歸服也. 取於五柔從一剛之象也.

공로가 있으면서도 겸손할 수 있음은 뛰어난 사람도 어려워하는 바이므로 만백성이 마음으로 기뻐하며 돌아와 승복하니, 유순한 다섯이 굳센 하나를 따르는 상에서 취한 것이다.

136) 이 구절은 『주자어류(朱子語類)·역(易)·겸(謙)』에 나오는 "謙之爲義, 不知天地人鬼何以皆好尙之. 蓋太極中本無物, 若事業功勞, 又於我何有? 觀天地生萬物而不言所利, 可見矣."에서 볼 수 있다.

六四, 无不利撝謙.

정전 육사는 겸손함을 펼침에 이롭지 않음이 없다.

六四, 无不利, 撝謙.

본의 육사는 이롭지 않음이 없으나 겸손함을 펼쳐야 한다.

中國大全

傳

四居上體, 切近君位, 六五之君, 又以謙柔自處. 九三又有大功德, 爲上所任, 衆所宗. 而已居其上, 當恭畏以奉謙德之君, 卑巽以讓勞謙之臣, 動作施爲, 无所不利於撝謙也. 撝, 施布之象, 如人手之撝也. 動息進退, 必施其謙, 蓋居多懼之地, 又在賢臣之上故也.

육사는 상괘[上體]에 있어서 임금의 자리와 매우 가까운데 육오의 임금이 또 겸손과 부드러움으로 자처하고 있으며, 구삼은 또 큰 공덕을 지니고 윗사람이 신임하고 무리가 높이는 것인데 자신이 그 위에 있으니, 마땅히 공손하고 두려워하여 겸손한 덕을 가진 임금을 받들며, 낮추고 사양하여 공로가 있으며 겸손한 신하에게 양보하여야 한다. 움직이고 시행함이 겸손함을 펼침에 이롭지 않음이 없다. '휘(撝)'는 펼치는 상이니, 사람이 손을 휘두름과 같다. 움직이고 쉬며 나아가고 물러남에 반드시 겸손함을 베풀어야 하니, 두려움이 많은 자리에 거처하고 또 현명한 신하의 위에 있기 때문이다.

本義

柔而得正, 上而能下, 其占无不利矣. 然居九三之上, 故戒以更當發揮其謙, 以示不敢自安之意也.

부드러우며 바름을 얻고, 위에 있으며 낮출 수 있으니, 그 점이 이롭지 않음이 없다. 그러나 구삼의 위에 있으므로 더욱 겸손함을 발휘해야 한다고 경계시켜, 감히 스스로 편안해해서는 안 된다는 뜻을 보였다.

小註

朱子曰, 撝謙, 言發揚其謙. 蓋四是陰位, 又在上卦之下, 九三之上, 所以更當發揮其謙.
주자가 말하였다: '휘겸(撝謙)'은 겸손함을 발양함을 말한다. 구사는 음의 자리이며, 또한 상괘의 아래이고 구삼의 위에 있기에, 더욱 겸손함을 발휘해야만 하는 것이다.

○ 雲峯胡氏曰, 四多懼之地. 下乘功臣, 非利也, 上近於君, 非利也, 今而上下皆謙, 四又柔而得正, 上而能下, 此四之所以无不利也. 无不利之時, 人每易以自安, 況四以柔乘剛, 无功而在功臣之上, 危地也. 愈當撝布其謙, 以示其不自安之意, 可也. 故先言无不利, 而後言撝謙者, 以其所處之地, 雖无不利, 而尤貴於散布其謙也. 六五言利用侵伐, 而後言无不利者, 言侵伐, 五之柄, 於五爲利, 而其他, 亦无所不利也.
운봉호씨가 말하였다: 사효는 두려움이 많은 자리이다. 아래로 공이 있는 신하를 타고 있는 것도 이로운 것이 아니고, 위로 임금에게 가까운 것도 이로운 것이 아니지만, 지금은 위아래가 모두 겸손하고 사효 또한 부드러우며 바름을 얻었고 위에 있으며 낮출 수 있으니, 이것이 사효가 이롭지 않음이 없는 까닭이다. 이롭지 않음이 없을 때에 사람들은 매번 쉽게 스스로 편안해 하지만, 하물며 사효의 부드러움으로 강함을 타고 있고 공이 없으면서도 공신의 위에 있는 위험한 처지에랴? 더욱 겸손함을 펼쳐서 스스로 편안해하지 않으려는 뜻을 보여야 하는 것이 좋다. 그러므로 이롭지 않음이 없음을 먼저 말하고 겸손함 펼침을 뒤에 말한 것은 처한 자리가 비록 이롭지 않음이 없지만 겸손을 베푸는 것이 더욱 귀하기 때문이고, 육오에서 침벌(侵伐)을 씀이 이로움을 말하고 뒤에 이롭지 않음이 없음을 말한 것은 침벌은 오효의 권한[柄]으로 오효에게 이로울 뿐만 아니라 다른 효에도 이롭지 않음이 없음을 말한 것이다.

韓國大全

조호익(曺好益)『역상설(易象說)』

六四, 撝謙.
육사는, … 겸손함을 펼쳐야 한다.

撝, 震象. 或曰, 震艮之反, 取艮手象, 又曰, 坤艮合體, 艮手在下, 故取象.

'펼침[撝]'은 진괘(震卦)의 상이다. 어떤 이는 "진괘(震卦☳)는 간괘(艮卦☶)가 뒤집힌 괘이므로 간괘의 손[手]의 상을 취하였다"고 하였고, 또 "겸괘는 곤괘와 간괘가 합쳐진 몸체로 간괘의 손이 아래에 있기 때문에 상을 취하였다"고 하였다.

송시열(宋時烈) 『역설(易說)』

撝者, 施布之意, 乾施坤布. 上下交際, 如人以手而指揮, 艮手在下故也. 來易云, 撝者, 裂也, 兩開之意也, 未信必然.
'휘(撝)'는 베풀어 편다는 뜻이니, 건괘는 베풂이고 곤괘(坤卦)는 폄이다. 위와 아래가 교제할 때에 사람이 손으로 지휘하는 것과 같으니, 간괘(艮卦)인 손[手]이 아래에 있기 때문이다. 래지덕의 『주역집주』에서 "휘(撝)는 찢음[裂]이니, 양쪽으로 연다는 뜻이다"라고 하였는데, 반드시 그러한지는 믿지 못하겠다.

심조(沈潮) 「역상차론(易象箚論)」

六四, 撝謙.
육사는, 겸손함을 펼쳐야 한다.

此在艮上, 故撝. 字從手.
이 효가 간괘의 위에 있기 때문에 '펼침[撝]'이니, 글자는 '수(手)'자로부터 왔다.

유정원(柳正源) 『역해참고(易解參攷)』

六四 [至] 撝謙.
육사는 … 겸손함을 펼쳐야 한다.

王氏曰, 處三之上而用謙焉, 則是自上下下之義也. 承五而用謙順, 則是上行之道也. 奉上下下, 指揮皆謙, 不違則也.
왕필이 말하였다: 삼효의 위에 있으면서 겸손함을 쓰니 위로부터 아래로 내려온다는 뜻이고, 오효를 받들면서 겸손하게 순응함을 쓰니 위로 행하는 도이다. 위를 받들고 아래로 낮춤에 펼침[指揮]이 모두 겸손하여 법칙에 어긋나지 않는다.[137]

---

137) 『주역주소(周易注疏) · 겸(謙)』 육사에는 "處三之上而用謙焉, 則是自上下下之義也. 承五而用謙順, 則是上行之道也. 盡乎奉上下下之道, 故无不利. 指撝皆謙, 不違則也."라고 되어 있다. 유정원이 인용

○ 丹陽都氏曰, 撝去三之承己而辭遜, 以爲謙者也. 蓋德視己爲慭, 才視己爲高, 功視己爲多, 而位猶在己下, 能辭遜以爲謙, 而不敢當其承己之禮也.
도성여(都聖與)가 말하였다: 삼효가 자신을 받들지 않도록 만류하여 사양하는 것을 겸손함으로 삼는 것이다. 덕은 자신에 비하여 삼가고, 재능은 자신에 비하여 높고, 공은 자신에 비하여 많은데도 지위는 오히려 자신의 아래에 있으며 사양하여 겸손할 수 있으니, 감히 자신을 받드는 예(禮)를 감당할 수가 없는 것이다.

김상악(金相岳) 『산천역설(山天易說)』

六四, 自內而外, 承五謙德之君, 比三勞謙之賢. 故无不利於撝謙, 謂發揮其謙, 以示不自安之意也.
육사는 내괘(內卦)로부터 벗어나 오효인 겸손한 덕을 지닌 임금을 받들고 삼효인 공로가 있으며 겸손한 어진 이과 가깝다. 그러므로 겸손함을 펼침에 이롭지 않음이 없으니, 겸손함을 발휘하여 스스로 편안해하지 않는다는 뜻을 보임을 말한다.

○ 撝, 如人手之撝, 艮象也. 三之勞謙, 主卦於上下, 故二之鳴, 得之於心, 四之撝, 見之於事, 皆陰之得正也. 撝字, 與坤六四括囊之括字, 相反. 在坤之時, 則四居重陰之中, 故曰括囊无咎, 謙之一陽, 自坤而變, 六四與之相比, 故曰撝謙而无不利也. 坤之三則以陰居陽, 故雖含章可貞, 能以時而發也. 无不利與五同, 而四則秖利於布散其謙, 五則旣利於侵伐, 又无所不利也. 蓋六四自下而上, 柔得其正, 故先言无不利, 然在功臣之上, 所以更當發揮其謙也.
'펼침[撝]'은 사람이 손을 휘두름과 같으니, 간괘의 상이다. 삼효의 '공로가 있으며 겸손함'은 위와 아래에서 괘의 주인이 되므로 이효의 '알려짐[鳴]'은 마음에 얻은 것이고 사효의 '펼침[撝]'은 일에 드러난 것이니, 모두 음이 제자리를 얻은 것이다. '휘(撝)'자는 곤괘(坤卦) 육사의 '주머니를 묶음[括囊]'[138]에서의 '괄(括)'자와 서로 반대 된다. 곤괘의 때에 육사는 거듭된 음[139]의 가운데에 있기 때문에[140] "주머니를 묶으면 허물이 없다"고 하였고, 겸괘의 한 양은

한 이 글과는 다소 다르다.

138) 『周易·坤卦』: 六四, 括囊, 无咎, 无譽.

139) 거듭된 음[重陰]: 거듭된 음이란, '중양(重陽)'이 양의 자리에 있는 양을 말하는 것을 미루어 보면, 음의 자리에 있는 음임을 알 수가 있다.

140) 『본의·곤괘(坤卦)』 육사를 보면, 주자는 곤괘의 육사에 대해 "육사는 거듭된 음이고 중(中)하지 못하다[六四, 重陰不中]"고 하였다. 이러한 점에서 본다면, 여기서 "육사는 거듭된 음이면서 가운데가 되는 자리에 있다[四居重陰之中]"고 말한 것은 잘못된 듯하다.

곤괘로부터 변하였고 육사가 이것[겸괘로부터 변해 온 삼효]과 서로 가깝기 때문에 "겸손함을 펼침에 이롭지 않음이 없다"고 하였다. 곤괘의 삼효는 음으로 양의 자리에 있기 때문에 비록 빛남을 머금어 바를 수 있더라도 때에 따라 발할 수 있다. '이롭지 않음이 없음'은 오효와 같지만, 사효는 다만 그 겸손함을 펼쳐 퍼뜨림에 이로운 것이고, 오효는 이미 침벌함에 이롭고 또 이롭지 않음이 없는 것이다. 육사는 아래로부터 올라와 유순함이 바른 자리를 얻었기 때문에 먼저 '이롭지 않음이 없음'을 말하였으나 공신(功臣)의 위에 있으니, 마땅히 그 겸손함을 발휘해야만 하는 것이다.

김규오(金奎五) 「독역기의(讀易記疑)」

六四, 義上而能下.

육사(六四)의 뜻은 위에 있으며 낮출 수 있다는 것이다.

下, 謂居上卦之下耶, 抑以陰降而言耶. 以盱豫, 小註, 坤靜而下之說見之 此所謂能下, 亦當以其意看之.

'하(下)'는 상괘의 아래쪽에 있음을 말하는가? 아니면 음이 내려옴을 말하는가? 예괘 육삼의 '올려다 보며 즐거워함'[141]에 대한 후재풍씨 소주의 곤괘가 "움직이지 않은 채 아래에 있다"[142]는 설명을 보면, 여기서 말하는 '능하(能下)'도 또한 이 뜻으로 보아야 할 것이다.

○ 以示不敢自安之意.

감히 스스로 편안해해서는 안 된다는 뜻을 보이다.[143]

以其多懼之地, 功臣之上, 故謙遜之意, 隨處布施耳. 然若欲人知吾之不安 而爲此而示之, 則不幾於太有意耶.

두려움이 많은 곳이며 공신의 위에 있기 때문에 겸손의 뜻을 가는 곳마다 펼쳐내지만, 만약 사람들에게 나의 불안함을 알리고자 이렇게 행동하여 보여준다면, 아주 의도적인 것에 가깝지 않겠는가?

서유신(徐有臣) 『역의의언(易義擬言)』

初六曰, 用涉大川, 而至此則已涉矣, 故曰无不利也, 下卦艮之謙, 上卦坤之謙, 故曰撝謙也, 撝謙者, 謙而又謙也. 謙至於四, 謙已多矣, 无所不利, 施亦博矣, 猶且撝謙而不

---

141) 『周易 · 豫卦』: 六三, 盱豫, 悔遲, 有悔.

142) 『程傳 · 豫卦』小註: 厚齋馮氏曰, 三四本近而相得. 然震動而上, 坤靜而下, 上下異趣, 故有此象.

143) 이 구절은 『본의 · 겸괘』 육사에 보인다.

已也, 是爲謙之六四之象也.
초육에서 "큰 내를 건넌다"고 하였는데, 이 효에 이르러 이미 건넜기 때문에 "이롭지 않음이 없다"고 하였고, 하괘는 간괘의 겸손함이고 상괘는 곤괘의 겸손함이기 때문에 "겸손함을 펼친다[撝謙]"고 하였는데, '겸손함을 펼침'은 겸손하고 또 겸손함이다. 겸손함이 사효에 이르러 겸손함이 이미 많아졌고, 이롭지 않음이 없어 베풂이 또한 넓어졌지만, 여전히 겸손함을 펼쳐 그치지 않으니, 이것이 겸괘 육사의 상이 된다.

박문건(朴文健) 『주역연의(周易衍義)』

明其旡疑, 故有撝謙之象. 撝謙, 言撝其謙於其下也.
의심함이 없음을 밝히기 때문에 겸손함을 펼치는 상이 있게 된다. '겸손함을 펼침[撝謙]'은 아래 사람에게 겸손함을 펼치는 것을 말한다.
〈問, 无不利, 撝謙. 曰, 六四用柔順之道, 而以交其下, 无所不利. 然或恐初六之疑己, 故撝示其謙, 而明其志也.
물었다: "이롭지 않음이 없으나 겸손함을 펼쳐야 한다"는 무슨 뜻입니까?
답하였다: 육사는 유순한 도를 써서 아래 사람과 사귀니 이롭지 않는 바가 없습니다. 그러나 혹 초육이 자신을 의심할까 염려되기 때문에 겸손함을 펼쳐 보여 자신의 뜻을 밝힌 것입니다.〉

이지연(李止淵) 『주역차의(周易箚疑)』

撝謙, 不如勞謙, 勞謙, 不如鳴謙, 鳴謙, 不如謙謙.
'겸손함을 펼침[撝謙]'은 '공로가 있으며 겸손한 것[勞謙]'만 못하고, '공로가 있으며 겸손한 것'은 '겸손함으로 울림[鳴謙]'만 못하며, '겸손함으로 울림'은 '겸손하고 겸손함[謙謙]'만 못하다.

김기례(金箕澧) 「역요선의강목(易要選義綱目)」

乘剛而近君, 多懼而不利, 況勞臣在下, 服衆統群. 力不可制, 勢不可比, 當以畏恭之道奉謙君, 巽順之禮讓功臣, 布施謙德. 故先言旡不利者, 戒其不敢自有而發揮其謙, 則不利之地, 反爲旡不利之地.
굳셈을 올라타고 임금과 가까우면 두려움이 많고 이롭지 않은데, 하물며 공신이 아래에 있으면서 무리를 승복시키고 무리를 통솔함에 있어서랴! 힘은 제재할 수 없고 형세는 견줄 수 없으니, 마땅히 두려워하고 공경하는 도로 겸손한 군주를 받들고, 공손하고 유순한 예

(禮)로 공신에게 양보하여 겸손한 덕을 펼쳐야만 한다. 그러므로 이롭지 않음이 없음을 먼저 말한 것은 감히 스스로 지키면서 겸손함을 펼치지 않음을 경계시킨 것이니, 이롭지 못한 처지가 도리어 이롭지 않음이 없는 처지로 바뀐 것이다.

박종영(朴宗永) 「경지몽해(經旨蒙解) · 주역(周易)」

又六四曰, 无不利撝謙.
또 육사에서 말하였다: 겸손함을 펼침에 이롭지 않음이 없다.

撝, 施布之象. 動作施爲, 无所不利於撝謙也. 雖以學問上工夫言之 顔淵, 以能, 問於不能, 以多, 問於寡, 有若無, 實若虛, 亦謙之謂也. 大凡人謙卑自牧, 不自滿假, 則人皆愛慕而尊禮之, 愈謙而愈尊且光矣. 此乃貴賤上下之所同然, 凡人之處世者, 於發言行事之際, 常勉勉於此, 顧不宜哉.
'휘(撝)'는 펼치는 상이다. 움직이고 시행함이 겸손함을 펼침에 이롭지 않음이 없으니,[144] 비록 학문상의 공부로 말하더라도, 안연은 능하면서 능하지 못한 이에게 물으며, 많으면서 적은 이에게 물으며, 있어도 없는 것처럼 하고, 가득해도 빈 것처럼 하였으니, 또한 겸손함을 말함이다. 대체로 사람이 겸손하고 낮추어서 스스로 기르면서 스스로 잘난 체하지 않는다면, 사람들이 모두 사모하고 높게 예우할 것이니, 겸손할수록 더욱 높고 또 빛날 것이다. 이것은 곧 귀하거나 천하거나 높거나 낮거나 똑같이 그러한 것이니, 사람들의 처세는 말하고 일하는 즈음에 항상 이를 힘쓰고 힘써야 하니, 생각하건대 마땅하지 않겠는가?

심대윤(沈大允) 『주역상의점법(周易象義占法)』

謙之小過䷈, 過而无形也, 言行之過恭也. 六四居柔, 以位下人者也. 位益高而心愈謙, 天下之所尊尙, 故曰无不利, 撝謙者挹損也, 言旣不无利而又益挹損也. 六四以柔居三剛之上位, 居賢者之右, 故有撝謙之象, 艮取互巽, 坎爲撝挹. 挹水者, 俯而取之, 奉而升之, 有巽恭之象. 撝挹也, 言巽而俯取於三也.
겸괘가 소축괘(小畜卦, ䷈)로 바뀌었으니, 지나치나 아직 형성됨이 없음이며, 언행을 지나치게 공손히 하는 것이다. 육사는 부드러운 자리에 있으면서 지위를 사람들보다 낮추는 자이다. 지위가 높을수록 마음은 더욱 겸손하여 천하가 존숭하는 바이므로 "이롭지 않음이 없다"고 하였고, '겸손함을 펼침'은 자신을 억제하여 낮춤이니, 이미 이롭지 않음이 없으면서

---

144) 이 구절은 『정전(程傳) · 겸괘(謙卦)』 육사에 나온다.

또 다시 억제하고 낮춤을 말한다. 육사는 부드러우며 굳센 삼효의 윗자리에 있으니, 현자의 위에 있음이다. 그러므로 겸손함을 펼치는 상이 있으니, 간괘(艮卦☶)가 호괘인 손괘(巽卦☴)를 취하고, 감괘(坎卦☵)는 겸양하여 낮춤이 되기 때문이다. 물을 뜨는 자가 구부려 취하고 받들어 올려 공손한 상이 있는 것이 겸양하여 낮춤[撝挹]이니, 겸손하면서 삼효에게 굽혀 취함을 말한다.

오치기(吳致箕) 「주역경전증해(周易經傳增解)」

六四, 以柔居柔, 雖得其正, 而居三之上, 柔乘於剛, 宜若失謙巽之義. 然體順而得正, 故言无攸不利, 而以其下比於謙之主, 上承于謙之君, 故言益當發撝其謙道也. 此乃先勉其德而後 示戒意者也.

육사는 부드러움으로 부드러운 자리에 있어 비록 제 자리를 얻었지만, 삼효의 위에 있어 부드러움이 굳셈을 타고 있으니, 마땅히 겸손함의 뜻을 잃은 듯하다. 그러나 몸체가 유순하고 바름을 얻었기 때문에 "이롭지 않음이 없다"고 말했고, 아래로는 겸괘의 주인과 가깝고 위로는 겸괘의 군주를 받들기 때문에 "더욱 마땅히 겸손한 도를 발휘해야 한다"고 말했다. 이것은 곧 먼저 그 덕을 권면한 뒤에 경계의 뜻을 보인 것이다.

○ 撝猶揮也.

'휘(撝)'는 휘(揮)와 같다.

이진상(李震相) 『역학관규(易學管窺)』

艮爲手撝象. 親比九三, 順道固讓, 故有撝謙象.

간괘는 손으로 휘두르는 상이 된다. 구삼과 친하여 가까이 하고, 도(道)에 순응하며 진실로 겸양하기 때문에 겸손함을 펼치는 상이 있는 것이다.

박문호(朴文鎬) 「경설(經說) · 주역(周易)」

无不利撝謙, 以朱子釋經之例推之, 象與占似倒, 而本義姑依本文釋之, 故以撝謙爲戒之之辭.

"이롭지 않음이 없으나, 겸손함을 펼쳐야 한다"를 주자가 경을 풀이하는 예로 미루어 보면 상(象)과 점(占)이 전도된 듯한데, 『본의』에서는 잠시 본문에 의거하여 풀이하였기 때문에 "겸손함을 펼쳐야 한다"를 경계시키는 말로 간주하였다.

이정규(李正奎) 『독역기(讀易記)』

謙六四撝謙, 本義以爲更當發揮其謙, 以示不敢自安之意也. 竊惟發揮者, 非欲發揮我謙德, 而要人知也. 其於言論行事之際, 尤當謙遜, 中心之謙, 自然發於外, 使人旡生猜忌之心. 然戒愼撝謙者 或有過恭而違於理, 故象曰不違則也.

겸괘 육사의 "겸손함을 발휘해야 한다"를 『본의』에서는 "더욱 겸손함을 발휘해서 감히 스스로 편안해 해서는 안 된다는 뜻을 보였다"고 간주하였다.

내가 살펴보았다: '발휘(發揮)'는 나의 겸손한 덕을 발휘하여 사람들에게 알리고자 하는 것이 아니다. 말하고 일하는 사이에 더욱 마땅히 겸손하여 마음의 겸손함이 자연스럽게 밖으로 드러나, 사람들에게 시기하고 의심하는 마음이 생기지 않도록 하는 것이다. 그러나 경계하고 삼가면서 겸손함을 펼치는 자는 혹 지나치게 공손하여 이치에 어긋남이 있기 때문에 「상전」에서 '법칙에 어긋나지 않는 것'이라고 하였다.

이병헌(李炳憲) 『역경금문고통론(易經今文考通論)』

揮, 古文作撝, 義通.

'휘(揮)'는 고문에는 '휘(撝)'로 되어 있으니, 뜻이 통한다.

象曰, 无不利撝謙, 不違則也.

정전 「상전」에서 말하였다: "겸손함을 펼침에 이롭지 않음이 없음"은 법칙에 어긋나지 않는 것이다.

象曰, 无不利, 撝謙, 不違則也.

본의 「상전」에서 말하였다: "이롭지 않음이 없으나 겸손함을 펼쳐야 함"은 법칙에 어긋나지 않는 것이다.

中國大全

傳

凡人之謙, 有所宜施, 不可過其宜也. 如六五或用侵伐是也. 唯四以處近君之地, 據勞臣之上. 故凡所動作, 靡不利於施謙, 如是然後, 中於法則. 故曰不違則也, 謂得其宜也.

사람의 겸손은 마땅히 베풀 곳이 있으니, 그 마땅함을 지나쳐서는 안 된다. 예를 들어 육오에서 혹 침벌을 쓴다는 것과 같은 것이다. 오직 사효는 임금과 가까운 자리에 있고, 공로가 있는 신하의 윗자리를 점거하였다. 그러므로 모든 동작이 겸손함을 베풂에 이롭지 않음이 없으니, 이와 같은 뒤에야 법칙에 맞는다. 그러므로 "법칙에 어긋나지 않는 것이다"라고 하였으니, 그 마땅함을 얻었음을 말한 것이다.

本義

言不爲過

지나치지 않았음을 말한 것이다.

小註

朱子曰, 不違則, 言不違法則. 撝謙是合如此, 不是過分事.
주자가 말하였다: '불위칙(不違則)'은 법칙에 어긋나지 않음을 말한 것이니, 겸손함을 펼치는 것은 모두 이와 같은 것이지, 분수를 넘는 일이 아니다.

○ 雲峯胡氏曰, 以六居四而撝布其謙, 似失之過. 而象斷之曰, 不違則, 以見四之撝謙, 乃天理之當然, 非過也.
운봉호씨가 말하였다: 음[六]으로서 사효의 자리에 있으면서 겸손함을 발휘하니 지나치는 잘못이 있을 듯하지만, 「상전」에서 "법칙에 어긋나지 않는 것이다"라고 단언하여 사효에서 겸손함을 펼침이 천리의 당연한 것이지 지나친 것이 아님을 보여주었다.

韓國大全

조호익(曺好益) 『역상설(易象說)』

則, 坎爲法象
'법칙[則]'은 감괘(坎卦)가 법칙의 상이 된다.

송시열(宋時烈) 『역설(易說)』

小象, 不違則者, 地道不違於天則也. 人之撝謙, 亦不違, 故無不利云也. 胡氏說得未盡.
「소상전」의 "법칙에 어긋나지 않는 것이다"는 것은 땅의 도가 하늘의 법칙에 어긋나지 않는다는 것이다. 사람이 겸손함을 펼침도 또한 어긋나지 않기 때문에 "이롭지 않음이 없다"고 하였으니, 운봉호씨의 설명이 미진한 듯하다.

김상악(金相岳) 『산천역설(山天易說)』

四之撝謙, 不違於柔正之則也.
사효에서 겸손함을 펼침은 유순하고 바른 법칙에 어긋나지 않는 것이다.

서유신(徐有臣)『역의의언(易義擬言)』

謙之施, 旣至於无不利, 而又復撝謙不已, 是雖近於過謙, 而實不違於當然之則也. 是爲謙之六四之義也.

겸손함을 베풂이 이미 이롭지 않음이 없음에 이르렀지만 또 다시 겸손함을 펼쳐 그치지 않는 것, 이것은 비록 지나치게 겸손함에 가깝지만 실제로는 당연한 법칙에 어긋나지 않으니, 이것이 겸괘 육사의 뜻이 된다.

박문건(朴文健)『주역연의(周易衍義)』

〈問, 不違則. 曰, 六四, 用柔順而且撝謙, 不違相交之則也.

물었다: "법칙에 어긋나지 않는 것이다"는 무슨 뜻입니까?

답하였다: 육사는 유순함을 사용하고 또 겸손함을 펼치니, 서로 사귀는 법칙에 어긋나지 않는 것입니다.〉

오치기(吳致箕)「주역경전증해(周易經傳增解)」

不以乘剛而自高, 不以近君而自滿, 則不違謙順之則也.

굳셈을 탔다고 스스로 높이지도 않고 임금과 가깝다고 스스로 자만하지도 않으니, 겸손하고 유순한 법칙에서 어긋나지 않는다.

이병헌(李炳憲)『역경금문고통론(易經今文考通論)』

京曰, 上下皆通, 曰揮謙.

경방이 말하였다: 위와 아래가 모두 통하는 것을 '겸손함을 펼침[揮謙]'이라 한다.[145)]

---

145) 이 구절은『경씨역전(京氏易傳)』에 "上下皆通, 易曰撝謙, 無不順也."라고 되어 있다.

六五, 不富, 以其鄰, 利用侵伐, 无不利.

육오는 부유하지 않고도 이웃하니, 침벌을 씀이 이롭고, 이롭지 않음이 없으리라.

中國大全

傳

富者, 衆之所歸, 唯財爲能聚人. 五以君位之尊而執謙順以接於下, 衆所歸也. 故不富而能有其鄰也. 鄰近也, 不富而得人之親也. 爲人君而持謙順, 天下所歸心也, 然君道不可專尙謙柔, 必須威武相濟然後, 能懷服天下. 故利用行侵伐也. 威德竝著然後, 盡君道之宜而无所不利也. 蓋五之謙柔, 當防於過, 故發此義.

부유함은 사람들이 따르는 것이니, 오직 재물만이 사람을 모을 수 있다. 육오는 높은 임금의 자리로서 겸손함을 잡아 아래 사람을 대하니 무리가 따르는 것이다. 그러므로 부유하지 않아도 이웃할 수 있는 것이다. 이웃은 가까운 것이니, 부유하지 않아도 사람들의 친함을 얻은 것이다. 임금이 되어 겸손함을 유지함은 천하가 마음을 돌리는 바이지만, 임금의 도리는 오로지 겸손함과 유순함만을 숭상해서는 안 되고, 반드시 위엄과 무력으로 서로 도운 뒤에야 천하를 회유하여 승복시킬 수 있다. 그러므로 침벌을 행함이 이로운 것이니, 위엄과 덕이 함께 드러난 뒤에야 마땅한 임금의 도리를 다하여 이롭지 않음이 없을 것이다. 육오의 겸손함과 유순함은 마땅히 지나침을 막아야 하므로 이러한 뜻을 펼친 것이다.

本義

以柔居尊, 在上而能謙者也. 故爲不富而能以其鄰之象. 蓋從之者衆矣, 猶有未服者, 則利以征之, 而於他事亦无不利. 人有是德, 則如其占也

부드러움으로 높이 있고, 위에 있으면서 겸손할 수 있는 자이다. 그러므로 부유하지 않아도 이웃할 수 있는 상이 된다. 따르는 사람이 많아도, 여전히 승복하지 않는 자가 있다면 정벌함이 이롭고, 다른 일에도 또한 이롭지 않음이 없다. 사람이 이러한 덕을 갖고 있으면, 이 점괘와 같을 것이다.

小註

雲峯胡氏曰, 謙之一字, 自禹征有苗, 而伯益發之, 六五一爻, 不言謙, 而曰利用侵伐, 何也. 蓋不富者, 六五虛中而能謙也, 以其鄰者, 衆莫不服. 五之謙也, 如此而猶有不服者, 則征之固宜. 抑亦以戒夫謙柔之過, 或不能自立者也. 故六五獨不言謙. 无不利者. 又言謙非特利於侵伐, 而他事亦无不利, 又以示夫後世之主, 或不能謙者也. 聖人之言, 詳密如此.
운봉호씨가 말하였다: '겸(謙)'이라는 한 글자는 우임금이 유묘를 정벌할 때부터 백익이 썼거늘, 육오 한 효에서 겸손함을 말하지 않고 "침벌을 씀이 이롭다"고 한 것은 어째서인가? 부유하지 않은 것은 육오가 마음을 비우고 겸손할 수 있어서이고, 이웃한다는 것은 무리가 승복하지 않음이 없다는 것이다. 육오의 겸손함이 이와 같은데도 여전히 승복하지 않는 자가 있다면 정벌하는 것이 참으로 마땅하고, 또한 겸손함과 유순함이 지나쳐서 혹 자립할 수 없는 자를 경계시키려 하였기 때문에 육오에서는 유독 '겸손함'을 말하지 않았다. 이롭지 않음이 없다는 것은 겸손함이 특별히 침벌에만 이로운 것이 아니라, 다른 일에도 또한 이롭지 않음이 없다고 다시 말한 것이니, 또한 후세의 임금으로 혹 겸손할 수 없는 자에게 보여준 것이다. 성인의 말은 이와 같이 상세하고 엄밀하다.

○ 中溪張氏曰, 六五, 謙柔之主, 而利用侵伐, 毋乃內謙而外好勝乎. 豈知惟辟作福作威, 而威武乃文德之輔助也. 其有梗化而不服者, 如之何而勿征? 倘君道專用謙柔, 則流於姑息, 失之驕縱, 乃謙之過也, 非謙之益也.
중계장씨가 말하였다: 육오는 겸손하고 부드러운 임금인데 침벌을 씀이 이롭다고 한다면, 아마도 안으로는 겸손하면서 밖으로는 이기기를 좋아하는 것이 아니겠는가? 어찌 임금만이 복을 짓고 위엄은 짓는데,[146] 위엄과 무력이 바로 문덕(文德)의 보조 수단임을 알겠는가? 버티면서 승복하지 않는 자를 어떻게 정벌하지 않을 수 있겠는가? 만일 임금의 도리가 오로지 겸손함과 유순함만을 쓴다면 방편으로 흘러가서 교만하고 방종할 것이니, 바로 지나친 겸손이지 유익한 겸손은 아니다.

146) 『書經』「洪範」.

韓國大全

조호익(曺好益)『역상설(易象說)』

人君執謙順以接下, 則人歸之, 人歸之然後, 利用行侵伐. 如東征西怨 何所往而不利 鄰指上下五爻 猶所謂五家爲鄰也.
임금이 겸손함을 잡아 아래 사람을 대하면 사람들이 따르고, 사람들이 따른 뒤에야 침벌을 씀이 이로우니, 마치 동쪽을 정벌하면 서쪽이 원망하는 것과 같으니,[147] 어느 곳을 간들 이롭지 않겠는가? '이웃[鄰]'은 위와 아래에 있는 다섯 효를 가리키니, 이른바 "다섯 가구가 이웃[鄰]이 된다"[148]는 것과 같다.

愚謂, 侵伐, 五變, 則離體, 離有戈兵象.
내가 살펴보았다: '침벌(侵伐)'은 오효가 변하면 호괘인 리괘(離卦☲)가 몸체가 되고, 리괘에는 무기의 상이 있어서이다.

송시열(宋時烈)『역설(易說)』

富鄰, 見小畜五爻, 泰之四爻, 言互爲震而猶未變爲巽故也. 或曰, 陽爻稱富, 富隣者指三爻也. 五以陰柔居君位, 下有坎寇, 不爲未服之象. 然以君征下, 無有不克, 故曰利用伐也.
부유하여 이웃함은 소축괘의 오효[149]와 태괘의 사효[150]에 보이는데, 호괘는 진괘(震卦☳)가 되지만 아직 음양이 바뀌어 손괘(巽卦☴)로 변하지 않은 연고를 말한 것이다. 어떤 이가 말하기를 "양효는 부유함을 일컬으니, 부유하여 이웃하는 것은 삼효를 가리킨다"고 하였다. 오효는 부드러운 음으로 임금의 자리에 있고, 아래에는 도적인 감괘가 있으나 아직 승복하지 않는 상이 되지는 않았다. 그러나 임금이 아래 사람을 정벌하여 이기지 못함이 없기 때문에 "정벌을 씀이 이롭다"고 하였다.

---

147) 이러한 내용은『맹자·등문공』에 나오는 "東面而征, 西夷怨, 南面而征, 北狄怨."에 보인다.

148) 이러한 내용은『周禮注疏·地官·遂人』에 나오는 "掌邦之野. 以土地之圖經田野, 造縣鄙形體之灋. 五家爲鄰, 五鄰爲里, 四里爲酇, 五酇爲鄙, 五鄙爲縣, 五縣爲遂, 皆有地域, 溝樹之."에 보인다.

149)『周易·小畜卦』: 九五, 有孚. 攣如, 富以其隣.

150)『周易·泰卦』: 六四, 翩翩, 不富以其隣, 不戒以孚.

석지형(石之珩) 「오위귀감(五位龜鑑)」

臣謹按, 謙之六五, 不言謙而言侵伐, 與益之贊禹以謙受益, 不同, 何歟. 禹旣征伐而苗不格, 故利在於謙, 五旣能謙而有不服, 故利在征伐, 此其所以不同也. 若言其卦體, 則坤爲師衆, 互震爲動, 有動衆之象, 艮爲止, 互坎爲險難, 有止難之象. 然則卦中自有侵伐之義, 而其要又在於附衆, 衆不附而妄行侵伐, 則鮮不敗矣. 噫. 所謂侵伐者, 非必血刃之謂也, 凡平日作威, 无非侵伐之道. 伏願殿下, 推諸行事, 適可而用焉.

신이 삼가 살펴보았습니다: 겸괘의 육오에서 '겸손함'을 말하지 않고 '침벌'을 말한 것은 백익이 우임금를 도우면서 겸손함으로 이익을 받는다[151]고 한 것과는 같지 않으니, 어째서이겠습니까? 우임금이 이미 정벌을 하였지만 묘(苗)가 항복하지 않았기[152] 때문에 이로움이 겸손함에 있었고, 오효는 이미 겸손하지만 승복하지 않기 때문에 이로움이 정벌함에 있으니, 이것이 같지 않은 까닭입니다. 만약 괘의 몸체로 말한다면, 곤괘(坤卦☷)는 군사의 무리가 되고 호괘인 진괘(震卦☳)는 움직임이 되기에 무리를 움직이는 상이 있으며, 간괘(艮卦☶)는 그침이 되고 호괘인 감괘(坎卦☵)는 험난함이 되기에 험난함을 그치게 하는 상이 있습니다. 그렇다면 괘에는 본래 침벌의 뜻이 있고 요점은 또한 따르는 무리에 있으니, 무리가 따르지 않는데도 함부로 침벌을 행한다면 패하지 않음이 드물 것입니다. 아! 이른바 '침벌'은 반드시 칼에 피를 묻히는 것을 말하는 것이 아니니, 평일에 위엄을 세움이 침벌의 도가 아님이 없을 것입니다. 엎드려 바라오니, 일을 행함에 이러한 점을 미루시어 적당하게 쓰십시오.

유정원(柳正源) 『역해참고(易解參攷)』

六五 [至] 不利.

육오는 … 이롭지 않음이 없다.

林氏〈栗〉曰, 承乘皆陰, 不富之象. 不富而能以其鄰者, 其志謙也.

임률이 말하였다: 받들거나 올라탄 것이 모두 음이니 부유하지 않는 상이다. 부유하지 않으면서 이웃할 수 있는 것은 그 뜻이 겸손하기 때문이다.[153]

---

151) 이와 관련된 내용은 『서경·대우모(大禹謨)』에 있는 "三旬, 苗民, 逆命, 益, 贊于禹曰, 惟德, 動天. 無遠弗屆, 滿招損, 謙受益, 時乃天道."에 보인다.

152) 이와 관련된 내용은 『서경·대우모』에 보인다.

153) 이러한 구절은 송(宋)나라 임률(林栗)이 지은 『주역경전집해(周易經傳集解)·겸예(謙豫)』에 나오는 "五以柔居尊, 而承乘皆陰, 故有不富之象, 與泰之六五同也. 鄰, 謂四也. 以其在五左右, 故以鄰言之以用也. 傳曰能左右之, 曰以四之稱撝是也. 不富而能以其鄰者, 其志同也."에 보인다.

○ 厚齋馮氏曰, 无不利云者, 侵利也, 伐亦利也, 柔服亦利也. 然五以君討臣, 伐之可也, 焉用侵. 曰彼據艮山之阻而得民, 未易克也. 坤, 衆也, 陰, 弱也, 以用衆, 則利伐, 以陰弱, 則利侵, 要在必克而已.
후재풍씨가 말하였다: "이롭지 않음이 없다"는 것은 '침공[侵]'하여도 이롭고, '정벌[伐]'하여도 또한 이로우며, 부드러움으로 승복시켜도 또한 이롭다는 것이다. 그러나 오효는 임금으로서 신하를 성토하여 정벌하는 것이 가능하니, 어찌 침공함을 쓰겠는가? 저들이 간괘인 산의 험준함을 의거하여 백성들을 얻었기 때문에 쉽게 이기지 못함을 말한다. 곤괘는 무리이고 음은 유약하니, 무리를 써서 한다면 정벌함이 이롭고, 유약한 음으로 한다면 침공함이 이로우니, 요체는 반드시 이김에 있을 뿐이다.

김상악(金相岳) 『산천역설(山天易說)』

不富, 陰之在上也, 隣, 指下艮體也. 六五居坤之中, 謙順之德, 衆所歸也, 雖不富, 能以其隣, 得勞謙之賢, 故利用侵伐而无不利也.
'부유하지 않음'은 음이 위에 있어서이고, '이웃'은 하괘인 간괘의 몸체를 가리킨다. 육오는 곤괘의 가운데에 있으면서 겸손하고 유순한 덕은 무리가 따르는 바이니, 비록 부유하지는 않으나 이웃할 수 있어서 공로가 있고 겸손한 어진 이를 얻었기 때문이므로 침벌을 씀이 이롭고, 이롭지 않음이 없는 것이다.

○ 不富以隣, 見泰六四, 陰不獨成, 必得陽剛之隣然後, 可以有爲, 故取象亦同. 小畜九五曰, 富以其隣, 以五之富, 助四之隣也. 利用侵伐者, 以其隣而行征伐也. 諸爻皆主謙順, 故不見被伐之爻. 或曰, 六四互坎體, 以陷陽則五之侵伐在四, 非也. 四之撝謙, 非不服者也. 此爻之義, 與大有六五相類, 大有得五陽之應, 而不能威如, 則人將易而无備, 謙則爲五陰之長, 不用侵伐, 則必有不服者矣.
"부유하지 않고도 이웃 한다"는 것은 태괘의 육사[154]에도 보이는데, 음은 홀로 이루지 못하고 반드시 굳센 양이 이웃함을 얻은 뒤에야 일함이 있을 수 있다. 그러므로 두 괘가 상을 취함도 또한 같다. 소축괘의 구오에서 "부유함으로 이웃 한다"고 하였으니, 오효의 부유함으로 사효인 이웃을 돕는 것이다. "침벌을 씀이 이롭다"는 이웃과 함께 정벌을 행함이다. 모든 효가 다 겸손하고 유순함을 주로 하기 때문에 정벌을 당하는 효가 보이지 않는다. 어떤 이는 "육사는 호괘인 감괘의 몸체로 양에 빠지니, 오효가 침벌함아 사효에 있다"고 하는데, 잘못된 견해이다. 사효의 '겸손함을 펼침'은 승복하지 않는 것이 아니다. 이 효의 뜻은 대유괘의

---

154) 『周易 · 泰卦』: 六四, 翩翩, 不富以其隣, 不戒以孚.

육오와 서로 비슷하니, 대유괘는 다섯 양의 호응을 얻었으니, 위엄 있는 듯이 할 수 없다면 사람들이 안이해져 대비가 없게 되고, 겸괘는 다섯 음의 우두머리가 되었으니, 침벌함을 쓰지 않는다면 반드시 승복하지 않는 자가 있게 될 것이다.

김규오(金奎五) 「독역기의(讀易記疑)」

六五, 以其鄰, 義解當作鄰을 以호미니.
육오의 "이웃 한다[以其鄰]"는 뜻을 마땅히 '이웃하기를 이로써 함이니'로 풀이해야 한다.

○ 不言謙, 而不富字, 亦含謙意. 蓋其正義, 固爲不富而得人之親, 然謂之不敢有其富, 而衆皆從之, 亦可也.
겸손함을 말하지 않았어도 "부유하지 않다[不富]"에는 또한 겸손하다는 뜻이 포함되어 있다. 대체로 바른 의미는 참으로 "부유하지 않아도 사람의 친함을 얻는다"가 되지만, "감히 부유하다고 하지 않더라도 무리가 모두 그를 따른다"고 하여도 또한 괜찮다.

서유신(徐有臣) 『역의의언(易義擬言)』

比應皆陰, 以不富, 鄰不富也. 居剛而互師, 故曰, 利用侵伐也. 不富以其鄰, 言其過於柔也, 利用侵伐, 言其用剛濟柔也. 人君雖當謙恭, 而不宜過柔, 所貴乎剛柔相濟也.
가까이 하거나 호응하는 것이 모두 음이니, 부유하지 않음으로 부유하지 않음을 이웃한 것이다. 굳센 양의 자리에 있고 호괘인 감괘(坎卦☵)와 본괘의 상괘인 곤괘(坤卦☷)가 사괘(師卦䷆)로 엇걸리기 때문에 "침벌을 씀이 이롭다"고 하였다. '부유하지 않고도 이웃함'은 그것이 유순함에 지나쳤음을 말하고, '침벌을 씀이 이로움'은 굳셈을 써서 유순함을 구제함을 말한다. 임금이 비록 겸손하고 공손해야만 하지만 지나친 유순함은 마땅치 않으니, 굳셈과 부드러움이 서로 도움을 귀하게 여기는 것이다.

김귀주(金龜柱) 『주역차록(周易箚錄)』

六五, 不富以其隣, 云云.
육오는 부유하지 않고도 이웃하니, 운운.
○ 按, 鄰謂四與上也. 坤體三陰, 而五在其中而左右之也. 五是君位, 宜乎無所不服, 奚但其隣而已哉, 而九三以剛居下, 初二兩陰, 亦爲其所據, 不得上從, 然則三便是不服者, 而五處剛位, 則又有侵伐之象耳.

내가 살펴보았다: ‘이웃’은 사효와 상효를 말한다. 곤괘의 몸체는 음이 셋이며, 오효는 가운데에 있으면서 좌지우지한다. 오효는 임금의 자리이니 승복하지 않는 바가 없음이 당연하나 어찌 다만 그 이웃뿐이겠는가? 그런데 구삼이 굳셈으로 아래에 있고, 초효와 이효의 두 음도 또한 구삼에게 돌아가는 바가 되어 위를 따를 수 없으니, 그렇다면 삼효가 바로 승복하지 않는 자이고, 오효가 굳셈의 자리에 있기에 또한 침벌의 상이 있는 것이다.

或曰, 九三乃勞謙君子, 則何以謂不服也.
曰, 自九三言, 則爲勞謙君子, 而自六五觀之, 則一陽在下之上而爲众所帰, 是似乎强臣之分權, 而不肯服事者. 此易之隨時取義, 不復計當爻之德如何也.
어떤 이가 물었다: 구삼은 바로 공로가 있으며 겸손한 군자인데 어째서 승복하지 않는다고 합니까?
답하였다: 구삼으로부터 말한다면 공로가 있으며 겸손한 군자가 되지만, 육오로부터 본다면 하나의 양이 하괘의 맨 위에 있고 여럿이 따르는 것이 되니, 이것은 강력한 신하가 권력을 나누고는 기꺼이 승복하여 섬기려 하지 않는 것과 같습니다. 이것이 『주역』의 때에 따라 뜻을 취함이니, 다시 해당하는 효의 덕이 어떤지를 헤아리지 않습니다.

傳, 富者众之所帰, 云云.155)
『정전』에서 말하였다: 부유함은 사람들이 따르는 것이니, 운운.
○ 按, 六五, 以柔處剛, 似無過柔之戒
내가 살펴보았다: 육오는 부드러움으로 굳셈의 자리에 있으니, 지나친 부드러움을 경계시킴은 없을 듯하다.

강엄(康儼) 『주역(周易)』

六五, [止] 利用侵伐, 无不利.
육오는 … 침벌을 씀이 이롭고, 이롭지 않음이 없으리라.

按, 此爻之言利用侵伐, 何也. 妄謂九三勞而能謙, 大得民心, 而六五以柔順之德, 居於尊位, 若 於謙虛, 而无156)以制之, 則九三之勞謙君子, 安知其不有恃157)功驕溢之患乎.

155) 경학자료집성DB에서는 겸괘 ‘상육’에 해당하는 것으로 분류했으나, 내용에 따라 이 자리로 옮겨 바로잡는다.
156) 无: 경학자료집성 영인본에서는 여기에 해당하는 글자가 무슨 글자인지 알 수가 없고, 경학자료집성DB에는 ‘先’으로 되어 있으나, 문맥을 살펴 ‘无’로 바로잡았다.
157) 恃: 경학자료집성 영인본에서는 여기에 해당하는 글자가 무슨 글자인지 알 수가 없고, 경학자료집성DB에는

此在人君, 當有威制之道, 亦所以保全功臣也. 故此爻特言侵伐, 而象亦曰征弗服也. 或疑九三之勞謙君子, 不可以不[158]服目之, 殊不知易之取象例多如此. 如豫九四, 自无所失, 而自六五視之, 有專權逼上之象, 故六五爲貞疾, 他卦亦多類此者, 覽者詳之.
내가 살펴보았다: 이 효에서 "침벌을 씀이 이롭다"고 한 것은 무슨 뜻인가? 내가 생각하건대, 구삼은 공로가 있으며 겸손할 수 있어서 크게 백성의 마음을 얻었지만, 육오가 유순한 덕으로 존귀한 자리에 있으면서 겸허함만 한결같이 하고 제재함이 없다면, 구삼의 공로가 있으며 겸손한 군자가 공로를 믿고 교만이 넘치는 우환이 있지 않음을 어찌 알 수 있겠는가? 이것이 임금의 지위에 있으면 마땅히 위엄으로 제재하는 도가 있어야 하는 것이니, 또한 공신을 보전하는 방법이다. 그러므로 이 효에서 특별히 '침벌'을 말하였고, 「상전」에서도 "승복하지 않는 자를 침벌하는 것이다"라고 하였다. 어떤 사람은 "구삼의 공로가 있으며 겸손한 군자를 복종하지 않는 자로 지목할 수 없다"고 의심하는데, 『주역』에서 상을 취하는 사례가 이와 같이 다양함을 절대로 알지 못하는 것이다. 예괘(豫卦) 구사와 같으면 본래 잘못하는 바가 없는데, 육오로부터 보면 권력을 휘둘러 윗사람을 핍박하는 상이 있기 때문에 육오가 바르지만 병들게[159] 된다. 다른 괘도 이와 비슷함이 많으니, 읽는 사람이 살펴야 한다.

박문건(朴文健) 『주역연의(周易衍義)』

爲下所逼, 故有不富之象. 隣, 謂六二也.
아래가 핍박하는 것이 되므로 부유하지 않는 상이 있는 것이며, '이웃'은 육이를 말한다.
〈問, 利用侵伐, 无不利. 曰, 六五利其用侵伐, 則无所不利也. 曰利用而又曰无不利者, 言侵伐之必利也. 蓋見逼而不富, 故有此象也.
물었다: "침벌을 씀이 이로우니, 이롭지 않음이 없다"는 무슨 뜻입니까?
답하였다: 육오는 침벌을 씀이 이로운 것이니, 이롭지 않음이 없다는 것입니다. "씀이 이롭다[利用]"고 하고 다시 "이롭지 않음이 없다"고 한 것은 침벌이 반드시 이로움을 말한 것인데, 핍박을 당하여 부유하지 않으므로 이러한 상이 있는 것입니다.〉

김기례(金箕澧) 「역요선의강목(易要選義綱目)」

五以兼君謙柔順之德, 則不言謙而自[160]謙. 謙卽尊, 則雖非財力, 鄰自歸矣. 但人君謙

'時'로 되어 있으나, 문맥을 살펴 '恃'로 바로잡았다.
158) 不: 경학자료집성 영인본에서는 여기에 해당하는 글자가 무슨 글자인지 알 수가 없고, 경학자료집성DB에는 '下'로 되어 있으나, 문맥을 살펴 '不'로 바로잡았다.
159) 『周易·豫卦』: 六五, 貞, 疾, 恒不死.

而不能彊克, 則傷於太柔, 故當伐其不服謙之冥頑者正, 則自无不利.
오효는 임금의 겸손함과 유순한 덕을 겸했으니, 겸손함을 말하지 않아도 본래 겸손하다. 겸손하면 높아지니, 비록 재력이 아니더라도 이웃이 자연히 따른다. 다만 임금이 겸손하면서 강하게 이겨낼 수 없다면 큰 유순함에게 손상되기 때문에, 마땅히 겸손함에 승복하지 않는 우매하고 완고한 자를 침벌하여 바로 잡아야 하니, 그러면 자연스럽게 이롭지 않음이 없을 것이다.

심대윤(沈大允) 『주역상의점법(周易象義占法)』

謙之蹇䷦, 流行而朋合也. 六五居剛而才柔, 非有堯舜之功德, 而以其能謙. 故天下靡然推服. 利多於實德, 故曰不富以其鄰, 震爲鄰. 言過實之名, 自近而遠也, 以有作爲, 誠易而順, 當益懋作爲而立功德, 以服其未服者, 故曰利用侵伐. 侵伐, 作爲之大者也, 爲天下所推服, 因之以服未服, 故重言利也. 侵伐, 离象.
겸괘가 건괘(蹇卦䷦)로 바뀌었으니, 흘러 다니며 벗들이 모임이다. 육오는 굳셈의 자리에 있으면서도 자질이 부드러우니, 요순의 공덕이 있지 않더라도 겸손할 수 있다. 그러므로 천하가 쓰러지듯이 추종하고 승복한다. 실제의 덕보다 이로움이 많기 때문에 "부유하지 않고도 이웃 한다"고 하였으니, 호괘인 진괘(震卦☳)가 이웃이 된다. 실제보다 높아진 이름이 근처로부터 멀어짐을 말하니, 행함이 있으면 진실로 쉽게 순응한다. 마땅히 더욱 행함에 힘써 공덕을 세워서 아직 승복하지 않는 자들을 승복시켜야 하므로 "침벌을 씀이 이롭다"고 하였으니, '침벌'은 행위 중에서 큰 것이다. 천하가 추종하여 승복하는 바가 되고, 이로 인해서 승복하지 않는 자를 승복시키므로 거듭 이로움을 말하였다. '침벌'은 리괘(離卦)의 상이다.

오치기(吳致箕) 「주역경전증해(周易經傳增解)」

六五, 柔順得中, 爲用謙之君, 其德居尊而愈光, 故四海之內, 无不歸順. 雖不以富相及, 而爭率其類以來, 如趨富利. 然柔謙之過, 威武不足. 故天下或有梗化不服者, 則用此順從之衆, 征伐彼頑, 而无攸不利. 必得其懷服, 故其辭如此.
육오는 유순함이 가운데 자리를 얻어 겸손함을 쓰는 임금이 되니, 그 덕이 높아서 더욱 빛난다. 그러므로 사해(四海)의 안에 따라서 순응하지 않는 자가 없으니, 비록 부유함으로 서로에게 미치지는 않지만, 비슷한 부류를 이끌고 앞다투어 오는 것이 마치 부유함과 이로움으

---

160) 自: 경학자료집성 영인본에서는 여기에 해당하는 글자가 무슨 글자인지 알 수가 없고, 경학자료집성DB에는 '目'으로 되어 있으나, 문맥을 살펴 '自'로 바로잡았다.

로 달려가는 듯하다. 그러나 유순한 겸손함이 지나치면 위엄과 무력이 부족하게 된다. 그러므로 천하에 혹 교화가 막히고 승복하지 않는 자가 있다면 이 순종하는 무리들을 써서 저 완악한 자들을 정벌하여도 이롭지 않음이 없을 것이다. 반드시 마음으로 승복함을 얻었기 때문에 그 말이 이와 같다.

○ 富, 取於對體互巽, 鄰, 指陰, 類已見泰四. 入人之地曰侵, 而取於坤. 用以戈兵曰征, 而取於爻變互離也.
'부유함[富]'은 음양이 반대되는 몸체의 호괘인 손괘(巽卦☴)에서 취하였고, '이웃[鄰]'은 음(陰)들을 가리키니, 사례가 이미 태괘(泰卦䷊)의 사효에 보인다. 다른 사람의 땅으로 들어가는 것을 '침공[侵]'이라고 하니 곤괘에서 취하였고, 군대를 사용하는 것을 '정벌[征]'이라 하니 효가 변한 것의 호괘인 리괘(離卦)에서 취하였다.

이진상(李震相) 『역학관규(易學管窺)』

六五, 不富 [至] 无不利.
육오는 부유하지 않고도 … 이롭지 않음이 없다.

坤體虛, 故不富. 卦位坤艮相鄰, 則五陰皆鄰, 能率五鄰, 以征不服, 謙之德爲不孤矣. 上體坤而互坎, 有地水行師之象. 且三居坎體之內, 不中不正, 有爲寇盜之象. 艮山阻前, 據險自固, 故或侵或伐, 以盡柔克之道.
곤괘(坤卦☷)는 몸체가 비었으므로 부유하지 않다. 괘의 위치가 곤괘와 간괘가 서로 이웃하였으니 다섯 음이 모두 이웃이 되고, 다섯 이웃을 이끌어 승복하지 않는 자를 정벌할 수 있으니 겸손함의 덕이 외롭지 않은 것이다. 상체는 곤괘이고 호괘가 감괘(坎卦☵)이니, 땅과 물이며 군사를 행하는 상이 있다. 또 삼효가 감괘의 몸체 안에 있으면서 알맞지도 않고 바르지도 않으니, 도둑이 되는 상이 있다. 간괘인 산이 앞을 막아 험준함에 의거하여 절로 견고하므로 혹 침공도 하고 혹 토벌도 하여 부드럽게 다스리는 도를 다하는 것이다.

이정규(李正奎) 『독역기(讀易記)』

謙, 六五, 不富以其隣者, 非惟陰爻, 故曰不富, 似是在上而謙, 故曰不富. 利用侵伐者, 君以謙德化天下, 而猶有梗化不服者, 則天下共憤而與之征矣.
겸괘 육오의 "부유하지 않고도 이웃 한다"는 오효가 단지 음효이기 때문에 "부유하지 않다"고 했을 뿐만이 아니라, 높은 자리에 있으면서 겸손하기 때문에 "부유하지 않다"고 한 것 같다. "침벌을 씀이 이롭다"는 임금이 겸손한 덕으로 천하를 교화하지만 여전히 교화가 막히고 승복하지 않는 자가 있다면, 천하가 함께 분노하여 함께 정벌하는 것이다.

若不征, 則是過於謙. 然則征伐之事, 惟謙者利用也.
정벌하지 않는다면 이는 겸손함에 지나친 것이다. 그렇다면 정벌의 일은 오직 겸손한 자만이 써서 이로울 것이다.

象曰, 利用侵伐, 征不服也.

「상전」에 말하였다: "침벌을 씀이 이로움"은 승복하지 않는 자를 정벌하기 때문이다.

中國大全

傳

征其文德謙巽所不能服者也. 文德所不能服, 而不用威武, 何以平治天下? 非人君之中道, 謙之過也.

문덕과 겸손으로 승복시킬 수 없는 자를 정벌하는 것이다. 문덕으로 승복시킬 수 없는데도 위엄과 무력을 쓰지 않는다면, 무엇으로 천하를 태평하게 할 수 있겠는가? 임금의 중도가 아니라, 겸손함이 지나친 것이다.

小註

誠齋楊氏曰, 征不服者, 不服而征, 不得已爾. 舜征苗, 不得已也, 武征匈奴, 豈不得已乎.

성재양씨가 말하였다: 승복하지 않는 자를 정벌함은 승복하지 않아서 정벌함이니, 그만둘 수 없는 것이다. 순임금이 유묘를 정벌한 것은 그만둘 수 없는 것이지만, 한 무제가 흉노를 정벌한 것이 어찌 그만둘 수 없는 것이었겠는가?

○ 漢上朱氏曰, 征者, 上伐下也, 以正而行, 司馬法曰, 負固不服則侵之. 聖人慮後世觀此爻, 有干戈妄動者, 故發之曰, 征不服也.

한상주씨가 말하였다: 정벌은 윗사람이 아랫사람을 정벌하는 것이니, 올바르게 실행해야 한다. 사마법에서는 "견고함을 믿고 승복하지 않으면 침공한다"고 했다. 성인이 후세에 이 효를 보고 무기를 들어 함부로 행동하는 자가 있을까 염려하였기 때문에 "승복하지 않는 자를 정벌한다"고 밝힌 것이다.

‖ 韓國大全 ‖

유정원(柳正源) 『역해참고(易解參攷)』

利用 [至] 服也.

침벌을 씀이 이로움은 … 정벌하기 때문이다.

問, 謙是不與人爭, 如何六五上六二爻, 皆言侵伐行師[161], 征不服也. 朱子曰, 孫子曰, 始如處子, 敵人開戶, 後如脫兎, 敵不及拒. 大抵謙自是用兵之道, 只退處一步耳, 所以利用侵伐也. 蓋自初六積到六五上六, 謙亦極矣, 自宜人人服之. 尙更不服, 則非人矣, 故利用侵伐也. 如必也臨事而懼, 皆是此意.

물었다: 겸손함은 사람들과 다투지 않는 것인데, 어째서 육오와 상육 두 효에서 모두 '침벌'과 '군사를 행함'과 '승복하지 않는 자를 정벌함'을 말했습니까?

주자가 답하였다: 손자는 "처음에는 처녀처럼 조용히 움직여 적들이 성문을 열게 하고, 뒤에는 달아나는 토끼처럼 민첩하게 움직여 적들이 항거할 수 없게 한다"[162]고 하였습니다. 대체로 겸손함이란 본래 병사를 쓰는 방법이니, 단지 한 걸음 물러나 있기에 침벌을 씀이 이로운 것입니다. 초육으로부터 쌓여 육오와 상육에 이르면, 겸손함도 또한 지극하니, 자연스럽게 사람들이 승복하는 것이 당연합니다. 오히려 승복하지 않으면 사람이 아니기 때문에 침벌을 씀이 이로운 것입니다. "반드시 일에 임하여 두려워한다"[163]와 같은 것이 모두 이러한 뜻입니다.

김상악(金相岳) 『산천역설(山天易說)』

司馬法, 負固不服則侵.

『주례(周禮) · 하관(夏官) · 대사마(大司馬)』에서 말하였다: 견고함을 믿고 승복하지 않으면 침공[侵]한다.[164]

---

161) "侵伐行師"은 여기서 인용한 『주자어류(朱子語類) · 역(易) · 겸』을 살펴보면, 『주역 · 겸괘』 상육에 나오는 "上六, 鳴謙, 利用行師征邑國."에서 "利用行師"를 인용하고 있다. 따라서 본 문장도 이에 의해 번역하였다.

162) 이 구절은 『손자(孫子) · 구지(九地)』에 나온다.

163) 『論語 · 述而』: 子曰, 暴虎馮河, 死而無悔者, 吾不與也, 必也臨事而懼, 好謀而成者也.

164) 이 구절은 『주례(周禮) · 하관(夏官) · 대사마(大司馬)』에 나오는 "以九伐之法正邦國. 馮弱犯寡則眚之. 賊賢害民則伐之. 暴內陵外則壇之. 野荒民散則削之. 負固不服則侵之. 賊殺其親則正之. 放弒其君

서유신(徐有臣)『역의의언(易義擬言)』

謙於柔, 則有不服者, 是不可不征也. 群陰服于三, 自五視之, 有不服于己之象也. 不服者多, 所以不富也.

부드러움에 대하여 겸손하면 승복하지 않는 자가 있으니, 정벌하지 않을 수 없는 것이다. 여러 음이 구삼에 승복하니, 오효로부터 본다면 자신에게 승복하지 않는 상이 있다. 승복하지 않는 자가 많기에 부유하지 않은 것이다.

박문건(朴文健)『주역연의(周易衍義)』

不服, 言不服而逼郊甸也.

'승복하지 않음'은 승복하지 않으면서 교전(郊甸)[165]을 핍박함을 말한다.

오치기(吳致箕)「주역경전증해(周易經傳增解)」

上有持謙之德, 天下歸服, 而若有梗化不服者, 則利於用師征討也.

위에 겸손함을 지키는 덕이 있어서 천하가 따르며 승복하지만, 만약 교화가 막히어 승복하지 않는 자가 있다면 군사를 써서 정벌함이 이롭다.

이병헌(李炳憲)『역경금문고통론(易經今文考通論)』

荀曰, 鄰, 四與上也. 乘陽失實, 故皆不富, 五居中有體, 故總言之. 陽〈謂三也, 當利用〉利侵伐來上, 无敢不利之者.

순상(荀爽)[166]이 말하였다: '이웃'은 사효와 상효이다. 양을 올라탔어도 실질을 잃었기 때문

則殘之. 犯令陵政則杜之. 外內亂鳥獸行則滅之."에 보인다.

165) 교전(郊甸): 임금이 직접 다스리는 성곽, 즉 읍(邑) 밖을 교(郊)라고 하고, 교 밖을 전(甸)이라고 한다.

166) 순상(荀爽,128~190): 후한 영천(潁川) 영음(潁陰, 하남성 허창(許昌)) 사람이다. 자는 자명(慈明)이고, 이름이 서(諝)이고, 순숙(荀淑)의 여섯째 아들이다. 12살 때『춘추』와『논어』에 통하여 경서를 깊이 연구하고 관직에 나오려는 부름을 받았으나, 응하지 않았다. 환제(桓帝) 연희(延熹) 9년(166) 지극한 효성으로 천거되어 낭중(郎中)에 임명되어 대책을 올려 시폐(時弊)에 대해 통렬하게 지적했지만, 곧 벼슬을 버리고 떠났다. 당고(黨錮)의 화(禍)가 일어나자 바닷가에 숨어 10여 년을 지냈다. 헌제(獻帝) 때 다시 등용되어 사공(司空)을 지냈으며, 사도(司徒) 왕윤(王允)과 동탁(董卓)을 제거하려 하다가 뜻을 이루지 못하고 죽었다. 저서에『역전(易傳)』과『시전(詩傳)』,『예전(禮傳)』,『상서정경(尙書正經)』,『춘추조례(春秋條例)』,『공양문(公羊問)』등이 있었지만 모두 없어졌고, 비직(費直)의 고문역학(古文易學)을 연구한『주역순씨주(周易荀氏注)』의 일부가『옥함산방집일서』및『한위이십일가역주(漢魏二十一家易注)』에 전할 뿐이다.(『중국역대인명사전』, 임종욱 편저, 김해명 감수, 2010.1.20, 이회문화사.)

에 세 효가 모두 부유하지 않지만, 오효가 가운데 있으면서 몸체가 있기 때문에 여기에서 총괄하여 말하였다. 양〈삼효를 말하니, '씀이 이롭다'에 해당한다〉은 침벌해 와서 올라감을 이롭게 여기니, 감히 이롭게 여기지 않는 자가 없는 것이다.[167]

167) 이러한 구절은 당(唐)나라 이정조(李鼎祚)가 지은 『주역집해(周易集解)』에 나오는 "荀爽曰, 鄰謂四與上也. 自四以上乘陽, 乘陽失實, 故皆不富. 五居中有體, 故總言之… 荀爽曰, 謂陽利侵伐來上, 无敢不利之者."에 보인다.

上六, 鳴謙, 利用行師征邑國.

정전 상육은 겸손함을 드러내니, 군사를 행하여 읍국(邑國)을 정벌함이 이롭다.

上六, 鳴謙, 利用行師, 征邑國.

본의 상육은 겸손함으로 알려지니, 군사를 행하나 읍국을 정벌함이 이롭다.

中國大全

傳

六以柔處柔, 順之極. 又處謙之極, 極乎謙者也. 以極謙而反居高, 未得遂其謙之志, 故至發於聲音. 又柔處謙之極, 亦必見於聲色, 故曰鳴謙. 雖居无位之地, 非任天下之事, 然人之行己, 必須剛柔相濟, 上謙之極也, 至於太盛, 則反爲過矣. 故利在以剛武自治. 邑國, 己之私有, 行師, 謂用剛武, 征邑國, 謂自治其私.

상육은 부드러움으로 부드러운 자리에 있으니 순응함이 지극하고, 또 겸괘의 끝에 있으니 겸손함이 지극한 자이다. 지극한 겸손함으로 도리어 높이 있어서 겸손함의 뜻을 이룰 수 없기 때문에 음성으로 펼쳐짐에 이른 것이다. 또한 부드러움이 겸괘의 끝에 있어서 반드시 소리와 얼굴에 드러나기 때문에 "겸손함을 드러낸다"고 하였다. 비록 지위 없는 자리에 있어서 천하의 일을 맡은 것은 아니지만, 사람이 행하고 그침에는 반드시 굳셈과 부드러움이 서로 도와야 하는데, 상육은 겸손함이 지극하여 너무 성대함에 이르렀으니, 도리어 지나친 것이다. 그러므로 이로움이 굳센 무력으로 스스로를 다스림에 있으니, '읍국(邑國)'은 자기의 사사로운 소유이다. '군사를 행함[行師]'은 굳센 무력을 쓰는 것을 말하며, '읍국을 정벌함[征邑國]'은 자기의 사사로움을 다스리는 것을 말한다.

本義

謙極有聞, 人之所與, 故可用行師. 然以其質柔而无位, 故可以征己之邑國而已.

겸손함이 지극하여 알려짐이 있으니, 사람들이 함께하는 바이다. 그러므로 군사를 행할 수 있다. 그러나 바탕이 부드럽고 지위가 없기 때문에 자기의 읍국을 정벌할 수 있을 뿐이다.

小註

或問, 謙之五上, 專說征伐, 何意. 朱子曰, 坤爲地爲衆, 凡說國邑征伐處, 多是因坤. 聖人元不曾著意, 只是因有此象, 方說此事. 又問, 程易說利用侵伐, 蓋以六五柔順謙卑, 然君道又當有剛武意, 故有利用侵伐之象. 然上九亦言利用行師, 如何. 曰, 便是此等有不通處.

어떤 이가 물었다 : 겸괘의 오효와 상효가 오로지 정벌을 말한 것은 무슨 뜻입니까?

주자가 말하였다 : 곤괘는 땅이 되고 무리가 되니, 나라와 고을의 정벌을 말하는 곳은 대부분 곤괘에서 입니다. 성인은 원래 뜻을 덧붙이지 않고, 다만 이러한 상이 있는 것을 따라 이 일을 말하였습니다.

또 물었다 : 정자는 『역전』에서 '침벌을 씀이 이로움'은 대체로 육오는 부드럽게 따르고 겸손하게 낮추지만, 군주의 도는 또한 마땅히 굳셈과 무력의 뜻이 있어야 하기 때문에 침벌을 씀이 이로운 상이 있다고 합니다. 그러나 상구에서도 또한 "군사를 행함이 이롭다"고 한 것은 어째서입니까?

답하였다 : 바로 이러한 것들이 통하지 않는 곳입니다.

○ 雲峯胡氏曰, 二與上, 皆曰鳴謙, 何也. 有諸中, 自然聞諸外, 故於下卦之中爻, 言之. 凡善惡不能掩人之聞, 況至於極乎. 故又於上卦之極, 言之. 本義於六二之鳴謙曰, 柔順中正以謙有聞, 於上則曰, 謙極有聞, 蓋謂此也. 初曰, 用涉大川吉, 五曰, 利用侵伐, 上曰, 利用行師. 歷言夫謙之功用, 非特可以處常用之, 亦可以濟變, 非特可以致萬民之服用之, 亦可以征不服. 故初无位, 其謙也用之, 可以濟人, 五居君位, 其謙也用之, 可以治人, 上无位用之, 唯可以治己之私而已. 夫初上皆无位, 而上之征邑, 不如初之涉大川, 何也. 初居卦之始, 有出而用之之時, 上則居卦之極故也.

운봉호씨가 말했다: 이효와 상효에서 모두 '명겸(鳴謙)'이라고 한 것은 어째서인가? 마음에 있는 것은 저절로 밖으로 알려지기 때문에 하괘(下卦)의 가운데 효에서 말하였다. 선악은 사람에게 알려짐을 막을 수 없는데, 하물며 지극함에 이른 것이랴? 그러므로 다시 상괘의 끝에서 말하였다. 『본의』에서 육이의 '명겸'에 대해서 '유순하고 중정하여 겸손함으로 알려짐이 있음'이라 하고, 상육에 대해서는 '겸손함이 지극하여 알려짐이 있음'이라 하였으니, 대체로 이것들을 말함이다. 초효에서는 "큰 내를 건너는 것이 길하다"고 하고, 오효에서는 "침벌을 씀이 이롭다"고 하고, 상효에서는 "군사를 행함이 이롭다"고 하여 겸손함의 공용을

낱낱이 말하였으니, 일상에서 쓸 수 있을 뿐만이 아니라 변화에 적용할 수도 있고, 만백성을 승복시킴에 쓸 수 있을 뿐만이 아니라 승복하지 않는 사람을 정벌하는데도 쓸 수 있다. 그러므로 초효의 지위가 없음에는 그 겸손함을 써서 사람을 구제할 수 있고, 오효의 임금의 자리에 있음에는 겸손함을 써서 사람을 다스릴 수 있으며, 상효의 지위가 없음에는 겸손함을 써서 자기의 사사로움을 다스릴 수 있다. 초효와 상효는 모두 지위가 없는데, 상효에서 읍국을 정벌함이 초효에서 큰 내를 건너는 것만 못한 것은 어째서인가? 초효는 괘의 처음에 있으니 나와서 쓰일 때이고, 상효는 괘의 끝이 있기 때문이다.

▌韓國大全▐

권근(權近) 주역천견록(周易淺見錄)』

上六, 鳴謙,
상육은 겸손함을 드러내니,

象曰, 志未得也,
「상전」에 말하였다: '겸손함을 드러냄'은 뜻을 얻지 못함이니,

二爻皆有鳴謙之象, 而其心志有得有未得, 何也. 謙者恭巽欲下之道. 六二居下卦之中, 是得遂其爲謙之心, 其喜發於聲色也, 故正而吉. 上六爲謙之極, 處卦之上, 以謙極而反居高 未得遂其爲謙之志, 其情現於辭色也. 然居上之道, 不可過於卑順謙下, 故利用行師, 以居坤體, 故爲卑順, 應剛, 故可用行師. 然其剛正, 故但可征其邑國.
두 효에 모두 겸손함을 드러내는 상이 있는데 마음과 뜻에 얻음이 있고 얻지 못함이 있는 것은 어째서인가? 겸손함은 공손하게 낮추고자 하는 도이다. 육이는 하괘의 가운데에 있으니 겸손하려는 마음을 이루어 그 기쁨이 음성과 얼굴에 펼쳐진 것이다. 그러므로 바르고 길하다. 상육은 겸손함의 지극함이 되어 겸괘의 맨 위에 있으니, 지극한 겸손함으로 도리어 높이 있어서 겸손하려는 뜻을 이룰 수가 없으며 그 감정이 말과 얼굴에 나타난 것이다. 그러나 높이 있는 도는 낮추고 유순하고 겸손하게 내림에 지나치면 안 되기 때문에 군사를 행함이 이로운 것이다. 곤괘의 몸체에 있기 때문에 낮추고 유순하며, 굳셈과 호응하기 때문에 군사를 행할 수 있지만, 그 굳셈의 바름이기 때문에 다만 읍국을 정벌할 수 있다.

조호익(曺好益) 『역상설(易象說)』

鳴, 上六變, 則頤口象.

'명(鳴)'은 상육이 변한 것이니, 턱과 입의 상이다.

愚謂, 自三至五震, 自四至上坤, 以坤衆而震動故, 曰行師.

내가 살펴보았다: 삼효부터 오효까지는 호괘인 진괘(震卦☳)이며, 사효부터 상효까지는 상괘인 곤괘인데, 곤(坤)으로 무리 짓고 진(震)으로 움직이기 때문에 "군사를 행하다"고 하였다.

○ 以丘氏說推之, 三隔乎二, 故涉大川, 五隔乎四, 故用侵伐, 上隔乎五四, 故行師征邑國. 四五坤體, 有邑國象. 九三以一陽爲卦之主, 陰求陽者也, 故諸爻以去三遠近, 取象.

건안구씨의 설로 미루어 보면, 삼효는[168] 이효에 막혔기 때문에 큰 내를 건너고, 오효는 사효에 막혔기 때문에 침벌을 쓰며, 상효는 오효와 사효에 막혔기 때문에 군사를 행하여 읍국을 정벌하니, 사효와 오효는 곤괘의 몸체이므로 읍국(邑國)의 상이 있다. 구삼 한 양이 괘의 주인이 되고, 음은 양을 구하는 것이기 때문에 여러 효는 삼효에서 떨어짐이 멀고 가까움에 따라 상을 취하게 된다.[169]

송시열(宋時烈) 『역설(易說)』

鳴, 已見六二. 師與邑國, 皆坤象也. 志未得其平, 而鳴不得其平, 故有行師征伐之意也.

'명(鳴)'은 이미 육이에 보이고,[170] 군사와 읍국은 모두 곤괘(坤卦)의 상이다. 뜻이 아직 가지런함을 얻지 못하여 명(鳴)도 아직 가지런함을 얻지 못하였다. 그러므로 군사를 행하여 정벌하려는 뜻[意]이 있는 것이다.

이익(李瀷) 『역경질서(易經疾書)』[171]

撝謙, 撝斥不受之謙也, 與鳴謙勞謙文執相勘. 不富以其隣, 與泰六四相照, 皆坤體在上. 不富者, 乃不貪有其實也, 以其隣者, 與六四同德也. 利用侵伐, 以其不服故也, 而非有欲富之意, 此又發明文王之本意. 二與上同辭, 二之鳴聞於一方, 上之鳴聞於天下. 志者, 心之所之, 二之心, 專於一國, 上之志, 包乎天下. 當時紂之同惡相濟, 蒼生

---

168) 원전에 의거하여 삼효로 번역하였지만, 내용상으로는 초효가 되어야 함.

169) 여기서 건안구씨의 설을 추론한 내용은 건안구씨의 설과는 약간 다르다. 이에 건안구씨의 설에 입각하여 내용을 보충하고 수정하여 번역하였다.

170) 『周易 · 謙卦』: 六二, 鳴謙, 貞吉.

171) 경학자료집성DB에서는 겸괘(謙卦) '초육'에 해당하는 것으로 분류했으나, 내용에 따라 이 자리로 옮겼다.

塗炭, 故文王有戢寧之志, 而猶未得伸也. 行師征邑, 豈本意哉. 蓋不得已而然也. 故曰志未得也.

'겸손을 펼침[撝謙]'[172]은 배척하며 받아들이지 않는 겸손을 베푼 것이니, '겸손함으로 알려짐[鳴謙]'[173]이나 '공로가 있으며 겸손함[勞謙]'[174]의 글과 더불어 신중히 서로를 참고해 보아야 한다. '부유하지 않고도 이웃과 같이 함'[175]은 태괘(泰卦)의 육사와[176] 서로 뜻을 참조할 수 있으니, 모두 곤괘(坤卦☷)의 몸체가 위에 있다. '부유하지 않음'은 재물을 지니고자 탐내지 않음이며, '이웃과 같이 함'은 겸괘의 육사와 덕이 같다. '침벌을 씀이 이로움'은 승복하지 않기 때문이지 부유하고자 하는 뜻이 있어서가 아니니, 이것은 문왕의 진심을 분명하게 밝힌 것이다. 이효와 상효는 점사가 같은데, 이효의 '알려짐[鳴]'은 한 방향으로 알려지는 것이고, 상효의 '알려짐'은 천하에 알려지는 것이다. '뜻[志]'은 마음이 가는 바인데, 이효의 마음은 오로지 한 나라에 있고, 상효의 뜻은 천하를 포함하고 있다. 당시에 주(紂)가 나쁜 짓을 함께하면서 서로 도와 백성들이 도탄에 빠졌으므로 문왕이 편안하게 하려는 뜻이 있었으나 여전히 펼칠 수 없었다. '군사를 행하여 읍국(邑國)을 정벌함'이 어찌 본래의 뜻이겠는가? 아마도 부득이하여 그랬을 것이다. 그러므로 상육의 「상전」에서 "뜻을 얻지 못하였다"[177]고 하였다.

유정원(柳正源) 『역해참고(易解參攷)』

上六 [至] 邑國.

상육, … 읍국을 정벌함이 이롭다..

開封耿氏曰, 鳴矣而不應, 其罪可征, 三得民, 非衆, 无以勝之, 故曰利用行師.

개봉(開封)의 경남중(耿南仲)이 말하였다: 울어도 구삼이 응하지 않으니 그 죄가 정벌할 만 하고, 삼효는 백성을 얻었으니 무리가 아니라면 이길 수 없다. 그러므로 "군사를 행함이 이롭다"고 하였다.[178]

---

172) 『周易 · 謙卦』: 六四, 无不利撝謙.

173) 『周易 · 謙卦』: 六二, 鳴謙, 貞吉. 『周易 · 謙卦』: 上六, 鳴謙, 利用行師征邑國.

174) 『周易 · 謙卦』: 九三, 勞謙, 君子有終, 吉.

175) 『周易 · 謙卦』: 六五, 不富, 以其鄰, 利用侵伐, 无不利.

176) 『周易 · 泰卦』: 六四, 翩翩, 不富以其隣, 不戒以孚.

177) 『周易 · 謙卦』: 上六, 象曰, 鳴謙, 志未得也, 可用行師征邑國也.

178) 이 구절은 송(宋)나라 개봉(開封)의 경남중(耿南仲)이 지은 『주역신강의(周易新講義)』에 나오는 "上六感九三, 而求其應者也, 故曰鳴謙. 大抵感人心而求其應者, 求近則其勢易應, 遠則其勢難. 六二之感九五, 則其勢易感之, 无不應矣, 故中心得上六之感. 九三, 則三上而不應, 故志未得也. 九三之不應, 其

○ 案, 興師伐人, 不讓大矣, 謙之五上, 取象於此, 何也. 夫持謙之道, 莫難於師征之時, 用謙之利, 亦莫善於師征之時, 如彘子之獨濟, 趙括之易言, 皆不識謙謙之義故也. 上六鳴謙, 傳義皆以自治爲言, 而恐亦有一說, 上六一卦之將老也. 或非年高大將, 退處无位, 不與內政, 或不得已, 强起省事, 則慮必難危, 策必完全, 如王翦之伐楚, 廉頗之堅壁, 趙充國之屯田, 皆是鳴謙之象也. 小可以征人之邑, 大可以征人之國, 何用而不利也.

내가 살펴보았다: 군사를 일으켜 사람을 정벌함은 겸양하지 않음이 큰 것인데, 겸괘의 오효와 상효가 여기에서 상을 취하였으니, 어째서인가? 겸손함을 지키는 도는 군사로 정벌할 때보다 어려운 것이 없고, 겸손함을 사용하는 이익은 또한 군사로 정벌할 때보다 좋은 것이 없으니, 체자가 홀로 황하를 건넘[179]과 조괄이 쉽게 말함[180] 같은 것은 모두 겸손하고 겸손함의 뜻을 알지 못하기 때문이다. 상육의 '명겸(鳴謙)'을 『정전』과 『본의』는 모두 스스로를 다스리는 것으로 말하였지만 아마도 또한 하나의 설이 있을 듯하니, 상육은 한 괘의 늙은 장수이다. 혹 나이가 많은 대장(大將)은 아니더라도 물러나 지위가 없어 내정에 참여하지 않다가 어쩔 수 없이 억지로 기용되어 일을 살피게 된다면 반드시 어렵고 위험한 것을 염려하고 반드시 완전한 것을 계획할 것이니, 왕전(王翦)이 초나라를 정벌한 것[181]과 염파(廉頗)가 성벽을 굳게 지키고 출전하지 않은 것[182]과 조충국(趙充國)[183]이 둔전제(屯田制)를

罪可征也. 然九三得民有邑國之象, 非以衆勝之, 則不可征. 故利用行師征邑國也."에 보인다.

179) 『춘추좌씨전 · 선공(宣公)』 12년조에 의하면, 초나라가 정나라를 정벌할 때에, 진(晉)나라가 정나라를 구원하기 위해 출병하였다. 그러나 진나라 군대가 미처 정나라에 도착하기 전에 정나라가 더 이상 버티지 못하고 초나라에게 항복하고 화평을 맺었다. 이 때에 진나라 군대의 중군대장인 환자(桓子)가 회군하고자 하였으나, 중군부장(中軍副將)인 체자가 진나라가 패자의 역할을 해야 한다고 하면서 홀로 자신의 군대를 이끌고 황하를 건너가서 비로소 초나라와 전쟁을 시작하게 되었고, 결국 진나라 군대는 초나라 군대에게 패배하게 되었다.

180) 『사기 · 염파인상여열전(廉頗藺相如列傳)』을 보면, 조(趙)나라의 명장인 조사(趙奢)의 아들인 조괄은 어릴 적부터 병법을 배워 이에 대해서는 자신을 당할 자가 없다고 자만하였고, 일찍이 아버지인 조사와 군대의 일로 토론할 때에 조사조차도 당해내기가 어려웠으나 아들인 조괄에 대해 칭찬하지 않았다. 그러자 어머니가 그 이유를 조사에게 묻자, 조사는 "전쟁은 죽음과 관계되는 곳인데 조괄이 전쟁에 대하여 쉽게 말하니, 조나라에서 조괄을 장군으로 삼지 않는다면 그만이지만, 만약 그를 장군으로 삼는다면 조나라 군대를 패망시키는 자는 조괄일 것이오.[奢曰, 兵死地也, 而括易言之, 使趙不將括, 卽已, 若必將之, 破趙軍者, 必括也.]"라고 하였다. 그 후 조나라와 진(秦)나라가 전쟁을 하게 되었을 때, 조나라 왕은 인상여와 조괄의 어머니의 만류에도 불구하고 진나라의 이간에 속아 조괄을 장군으로 삼았고, 조괄의 군대는 진나라 군대에게 대패하였다.

181) 『사기 · 백기왕전열전(白起王翦列傳)』에 의하면, 왕전(王翦)은 진(秦)나라 장군으로, 시황제(始皇帝)가 초나라를 정벌할 계획을 세울 때, 젊은 장수인 이신(李信)은 20만 병력을 주장하고 왕전은 60만 병력을 주장하였다. 이 때에 시황제는 이신의 주장을 받아들여 20만 병력으로 초나라를 정벌하고자 공격하였으나, 결국 초나라 군대에게 크게 패하여 시황제는 다시 왕전을 장군으로 삼아 60만 병력으로 초나라를 공격하여 결국 큰 승리를 거두었고, 초나라를 멸망시켰다.

182) 『사기 · 백기왕전열전(白起王翦列傳)』을 보면, 조나라 장군인 염파(廉頗)는 진(秦)나라가 조나라를 정벌

주장한 것[184] 같은 것이 모두 겸손함으로 알려진 상이다. 작게는 마을을 정벌할 수 있고, 크게는 나라를 정벌할 수 있으니, 어디에 쓴들 이롭지 않겠는가?

김상악(金相岳) 『산천역설(山天易說)』

上六, 質柔无位, 謙極而鳴. 志雖未得, 有勞謙之應, 而坤互震體, 故利在用剛自治. 行師, 所以用剛, 征邑國, 所以自治也. 與晉上九相似.

상육은 기질이 유순하며 지위가 없고 겸손함이 지극하여 울리는 것이다. 뜻을 비록 얻지 못하였지만, 공로가 있으며 겸손한 것이 호응함이 있고 곤괘와 호괘인 진괘(震卦☳)가 몸체이기 때문에 이로움이 굳셈을 써서 자신을 다스림에 있다. '군사를 행함'이 굳셈을 쓰는 것이고, '읍국을 정벌함'이 스스로 다스리느 것이니, 진괘(晉卦)의 상구[185]와 서로 유사하다.

○ 坤之衆, 得震而動, 行師之象. 師之爲卦, 以陽爲主. 故謙之行師, 應在勞謙, 豫之行師, 主於由豫. 邑坤象, 泰曰勿用師, 自邑告命者, 泰將否也, 謙曰利用行師, 征邑國者, 謙受益也. 復上六, 則居坤之極, 與震无應. 故曰用行師大敗, 以國, 君凶. 蓋五上二爻之辭, 與巽初曰, 利武人之貞, 當叅看, 皆柔之用剛也. 巽之上曰, 喪其資斧, 貞凶, 自失其剛也. 六十四卦, 惟謙之爻辭最美, 而謙爲卑巽之意, 且卦體有小過宜下不宜上之象, 故下三爻吉, 上三爻利, 利不如吉也. 蓋天道下濟, 地道上行, 陰陽交泰, 故六爻无凶.

곤괘의 무리가 호괘인 진괘를 얻어 움직이니, 군사를 행하는 상이다. 사괘(師卦)는 양을 주인으로 삼는다. 그러므로 겸괘의 '군사를 행함'이 '공로가 있으면 겸손함'에 호응하고 있다면, 예괘(豫卦)의 '군사를 행함'[186]은 구사의 '자신으로 말미암아 즐거움'[187]을 위주로 한다.

할 때에, 성벽을 굳게 지키고 출전하지 않았다. 조나라 왕은 이러한 염파를 보고 겁을 내서 싸우지 않는다고 화를 내고, 진나라의 이간하는 계략에 말려 결국 염파를 파직시키고 조괄을 장군으로 임명하였으나, 진나라 군대에게 조나라 군대가 대패하였다.

183) 조충국(趙充國, B.C.137~B.C.52): 전한(前漢) 선제(宣帝:BC 74~49) 때, 서북 변방의 강족(羌族)과의 싸움에서 한나라 군대는 크게 패하였다. 이때 후장군(後將軍) 조충국(趙充國)은 칠십이 넘은 고령임에도, 스스로 지휘를 자원하고, 실정을 파악하기 위해 직접 현지로 가서 실정을 살펴본 후 둔전병(屯田兵)을 파견할 것을 건의하여 강족의 침입을 억제하였다. 조충국은 젊은 시절 무제(武帝:BC 141~87) 때 이사장군(貳師將軍) 이광리(李廣利)의 휘하 장수로 흉노 토벌에 출전했다가 포위되자 불과 100여 명의 군사로 혈전(血戰) 끝에 포위망을 뚫고 전군을 구출한 인물이다.

184) 『전한서(前漢書)·조충국신경기전(趙充國辛慶忌傳)』을 보면, 조충국(趙充國)은 전투를 하여 이기는 것보다는 싸우지 않고 이기는 것이 중요하다고 하면서, 12가지 조목을 들어 변방에 군사들을 농사를 짓게 하면서 주둔시키는 둔전제를 주장하였다.

185) 『周易·晉卦』: 上九, 晉其角, 維用伐邑, 厲, 吉, 无咎, 貞, 吝.

186) 『周易·豫卦』: 豫, 利建侯行師.

'읍(邑)'은 곤괘(坤卦☷)의 상이니, 태괘(泰卦, 상육)에서 "군대를 쓰지 말고, 읍으로부터 명을 고(告)한다"[188]고 한 것은 태평함[泰]이 장차 비색하게[否] 된다는 것이며, 겸괘에서 "군사를 행하여 읍국(邑國)을 정벌하는 것이 이롭다"고 한 것은 겸손하여 이익을 얻는다는 것이다. 복괘(復卦) 상육은 곤괘의 끝에 있어서 호괘인 진괘(震卦☳)와 호응함이 없다. 그러므로 "군사를 동원하는 데에 쓰면 마침내 크게 패할 것이고, 나라를 다스리면 임금이 흉하다"[189]고 하였다. 오효와 상효의 효사는 손괘 초효에서 "나아가고 물러나니 무인(武人)의 곧음이 이롭다"[190]고 한 것과 마땅히 참고하여 보아야 하니, 모두 부드러움이 굳셈을 쓴 것이다. 손괘의 상구에서 "물자와 도끼를 잃으니, 곧음에 흉하다"[191]고 한 것은 스스로 그 굳셈을 잃은 것이다. 64괘에서 오직 겸괘의 효사가 가장 아름다운데, 겸손함은 낮추어 공손하다는 뜻이 되고, 또 괘의 몸체에는 소과괘(小過卦)의 "내려옴이 마땅하고 올라감은 마땅하지 않다"[192]는 상이 있다. 그러므로 아래의 세 효는 길하고 위의 세 효는 이롭지만, 이로움은 길함만 못하다. 하늘의 도가 내려와 교제하고, 땅의 도가 올라가 유행하며[193], 음과 양이 사귀어 통한다. 그러므로 여섯 효에는 흉함이 없다.

서유신(徐有臣)『역의의언(易義擬言)』

應於九三, 鳴謙之象也. 用行師, 剛勇也, 征邑國, 卑約也. 上六, 亢高難乎謙矣, 唯其奮剛勇而行卑約, 所以爲鳴謙也. 上六, 曷爲剛勇歟. 用九三之剛也.

구삼과 호응하니 겸손으로 알려지는 상이다. '군사를 행함'은 굳센 용기이고, '읍국을 정벌함'은 낮추어 단속함이다. 상육은 아주 높아서 겸손하기가 어려우니, 오직 굳센 용기를 떨쳐서 낮추어 단속함을 행해야 하니, 겸손함으로 알려지게 되는 까닭이다. 상육이 어찌 굳센 용기가 되겠는가? 구삼의 굳셈을 쓰는 것이다.

김귀주(金龜柱)『주역차록(周易箚錄)』

上六, 鳴謙, 云云.

상육은 겸손으로 알려지니, 운운.

---

187)『周易 · 豫卦』: 九四, 由豫, 大有得, 勿疑, 朋, 盍簪.
188)『周易 · 泰卦』: 上六, 城復于隍, 勿用師, 自邑告命, 貞, 吝.
189)『周易 · 復卦』: 上六, 迷復, 凶, 有災眚, 用行師, 終有大敗, 以其國, 君, 凶, 至于十年, 不克征.
190)『周易 · 巽卦』: 初六, 進退, 利武人之貞.
191)『周易 · 巽卦』: 上九, 巽在牀下, 喪其資斧, 貞, 凶.
192)『周易 · 小過卦』: 可小事, 不可大事, 飛鳥遺之音, 不宜上, 宜下, 大吉.
193) 이러한 내용은『주역 · 겸괘』에 나오는 "彖曰, 謙亨, 天道下濟而光明, 地道卑而上行."에서 볼 수 있다.

○ 按, 上六, 以柔處柔, 固不足以行師, 而與九三爲正應, 有因人所與而得以用武之象. 然終是過柔無位, 故只得征邑國耳.
내가 살펴보았다: 상육은 부드러움으로 부드러운 자리에 있으니 참으로 군사를 행하지 못할 것 같지만, 구삼과 정응(正應)이 되어서 사람들과 함께 무력을 쓸 수 있는 상이 있다. 그러나 끝내 지나치게 유순하고 지위가 없기 때문에 단지 읍국을 정벌할 수 있을 뿐이다.

本義, 謙極有聞, 云云.
『본의』에서 말하였다: 겸손함이 지극하여 알려짐이 있으니, 운운.
小註, 雲峰胡氏曰, 二與, 云云.
소주에서 운봉호씨가 말하였다: 이효와 상효에서, 운운.
○ 按, 初之用涉大川, 乃自濟也, 未見有濟人之意.
내가 살펴보았다: 초효의 "큰 내를 건너다"는 스스로 건넘이지, 사람들을 건네준다는 뜻은 보이지 않는다.

此卦, 卦辭, 公共說謙亨, 則謙自有亨道也, 故六爻, 亦皆吉利. 然竊味爻意, 則九三勞謙, 乃得位得地, 有才有德而能謙者也, 在謙爲最盛. 其外則初猶有涉川之事, 五上皆侵伐行師, 四處三上而亦有些不安, 如二之柔順中正有聞而吉者, 抑可爲其次歟.
이 괘의 괘사에서 전체적으로 "겸(謙)은 형통하다"고 하였으니, 겸손함에는 본래 형통한 도가 있다. 그러므로 여섯 효가 또한 모두 길하거나 이롭다. 그러나 가만히 효의 뜻을 음미하면, 구삼의 '공로가 있으며 겸손함'이 바로 자리도 얻고 지위도 얻었으며 재능도 있고 덕도 있어서 겸손할 수 있는 것이니, 겸괘에서 가장 성대하다. 그 외에는, 초효는 여전히 내를 건널 일이 있고, 오효와 상효는 모두 침벌하고 군사를 행하며, 사효는 삼효의 위에 있어서 약간의 편안치 못함이 있으니, 유순하고 중정하여 알려짐이 있으며 길한 이효와 같은 것이 그 다음이 될 것이로다!

박문건(朴文健) 『주역연의(周易衍義)』

不得其志, 故有行師之象. 邑國, 謂九三之都也.
그 뜻을 얻지 못하였기 때문에 군사를 행하는 상이 있다. '읍국'은 구삼의 도읍을 말한다.
〈問, 鳴謙, 利用行師, 征邑國. 曰, 上六志未得於九三, 故所以鳴謙也. 鳴謙而下不知情, 故行師而征之, 以正其罪也. 邑國, 非大都也.
물었다: "겸손함을 드러내니, 군사를 행하여 읍국(邑國)을 정벌하는 것이 이롭다"는 무슨 뜻입니까?

답하였다: 상육은 뜻을 구삼에게서 아직 얻지 못했습니다. 그러므로 겸손함이 울리는 것입니다. 겸손함을 드러내지만 아래에서는 그 실정을 알지 못하므로 군사를 행하여 정벌하여 그 죄를 바로 잡는 것입니다. '읍국'은 대도시가 아닙니다.〉

이지연(李止淵) 『주역차의(周易箚疑)』

謙, 以居卑爲宜. 六二, 則居下而得中正, 心誠謙也, 人皆聞之, 其鳴也, 非自鳴也. 上六, 則位高居上而不中, 又謙之極, 則自鳴其謙者也. 六五居中, 猶有侵伐之象. 侵伐者, 以謙伐人. 曰我如是克謙而下於爾爾, 何不服於我乎, 云云, 則蓋不无自鳴之嫌, 況上六之過於陰柔者乎. 以其謙故, 僅正邑國, 所恃者, 勞謙之君子爲應援耳.
겸괘는 낮게 있어야 마땅하게 된다. 육이는 아래에 있으면서 중정함을 얻었으며, 마음이 참으로 겸손하여 사람들이 모두 그 드러냄을 소문으로 듣지만, 그 드러냄은 스스로 드러낸 것이 아니다. 상육은 지위가 높고 위에 있으나 가운데 자리도 아니고 또 겸손함의 지극함이니, 스스로 그 겸손함을 드러내는 것이다. 육오는 가운데 있으면서 여전히 침벌하는 상이 있으니, '침벌'은 겸손함으로 사람을 정벌하는 것이다. "내가 이와 같이 겸손할 수 있어서 너희들에게 아래 하거늘 어찌 나에게 승복하지 않는 것인가?"라고 운운한다면 스스로 드러내는 혐의가 없지 않으니, 하물며 상육처럼 음의 부드러움에 지나친 것이겠는가? 그가 겸손하기 때문에 겨우 읍국을 바로 잡으니, 믿는 바는 공로가 있으며 겸손한 군자가 응원하는 것일 뿐이다.

김기례(金箕澧) 「역요선의강목(易要選義綱目)」

陰柔无位, 居謙之極, 與六二中心得之鳴謙, 不同. 二則貞而聞, 上則極而聞, 抑亦不平之鳴歟. 宜其剛武施威, 然自以无位, 不過正己之邑也.
유순한 음이 지위가 없으며 겸괘의 지극한 곳에 있으니, 육이가 마음에 얻어 겸손함으로 알려지는 것과는 같지 않다. 이효는 곧아서 알려지고 상효는 지극하여서 알려졌으니, 또한 가지런하지 않은 알려짐일 것이다. 마땅히 굳센 무력으로 위엄을 펴야 하지만, 스스로 지위가 없기에 자신의 읍을 바로 잡는 데에 지나지 않는다.

○ 坤爲衆, 故五與上, 曰伐曰師.
곤괘는 무리가 되므로 오효와 상효에서 '정벌[伐]'을 말하고 '군사[師]'를 말하였다.

○ 坤爲邑國.
곤괘가 '읍국'이 된다.

○ 坤道主利, 故外三爻, 皆曰利, 靜則吉, 故內艮三爻, 皆曰吉.
곤(坤)의 도는 이로움을 주로 하기 때문에 외괘의 세 효는 모두 "이롭다"고 하였고, 고요하면 길하기 때문에 내괘인 간괘의 세 효는 모두 "길하다"고 하였다.

○ 卦中, 九三爲主, 陰皆求陽, 故以三之遠近, 有吉凶之優劣.
괘 중에서 구삼이 주인이 되고 음들은 모두 양을 구하기 때문에 삼효와의 멀고 가까움에 따라 길함과 흉함의 우열이 있게 된다.

○ 易中, 六爻全吉, 无如謙.
『주역』 가운데에 여섯 효가 전부 길한 것은 겸괘와 같은 것이 없다.

贊曰, 天且好謙, 況於人乎. 地且好謙, 人可獨無. 福謙之道, 造化攸孚. 唯謙是圖, 君子有終.
찬미하여 말하였다: 하늘은 또한 겸손함을 좋아하니, 하물며 사람에 있어서랴! 땅도 또한 겸손함을 좋아하니, 사람만이 홀로 없을 수가 있겠는가? 겸손함을 복되게 하는 도는 조화(造化)가 믿는 바로다. 오직 겸손함을 이에 도모하니, 군자가 끝마침이 있음이로다.

심대윤(沈大允) 『주역상의점법(周易象義占法)』

謙之艮䷳. 和應於九三而爲謙, 故曰鳴謙, 言效震也. 居謙之極, 地位高天下, 而天下服, 其謙德, 謙而益尊, 卑而益高. 雖謙而不爲謙, 有艮止[194]高跋之義, 惟益懋功德, 以立事業, 以副天下之望也. 行師, 言其能動大衆也, 征邑國, 言自治而治人也. 离爲征, 對履巽行. 上六无爵位而有地位.
겸괘가 간괘(艮卦䷳)로 바뀌었다. 구삼과 화합하고 호응하며 겸손하기 때문에 "겸손함을 드러낸다"고 하였으니, 진괘(震卦☳)를 본받았음을 말한다. 겸손함의 지극한 곳에 있어서 지위가 천하보다 높고 천하가 승복하니, 그 겸손한 덕은 겸손할수록 더욱 존귀해지고 낮출수록 더욱 높아진다. 비록 겸손하려 해도 겸손해지지 않아서 간(艮)의 그침과 높음을 밟는다는 뜻이 있으니, 오직 공덕을 더욱 성대히 하여서 사업을 세우고 천하의 바램을 도울 뿐이다. '군사를 행함'은 대중을 움직일 수 있음을 말하고, '읍국을 정벌함'은 스스로 다스려서 사람들을 다스림을 말한다. 음양이 반대되는 리괘(履卦䷉)의 호괘인 리괘(離卦☲)는 정벌을 의미하고, 음양이 반대되는 리괘(履卦)의 호괘인 손괘(巽卦☴)는 움직임[行]이다. 상육

194) 止: 경학자료집성DB에 '正'로 되어 있으나, 경학자료집성 영인본을 참조하여 '止'로 바로잡았다.

은 작위는 없지만 지위는 있다.

오치기(吳致箕) 「주역경전증해(周易經傳增解)」

上六, 以柔在上, 而應九三謙之主, 相與唱和而爲謙. 故有鳴謙之象, 而用謙之極, 人衆順附, 亦宜用威武而行師. 然以其无位而處外, 質柔而志未剛. 故惟可行於其私邑, 而不能及于廣遠也, 此所以戒之.
상육은 부드러움이 위에 있으면서 겸괘의 주인인 구삼과 호응하여 서로 함께 부르고 답하며 겸손한 것이다. 그러므로 겸손함으로 알려지는 상이 있는데, 겸손함의 지극함을 써서 사람의 무리가 순종하며 따르더라도 또한 마땅히 위엄과 무력을 써서 군사를 행해야 한다. 그러나 상육은 지위가 없으면서 벗어나 있고 기질이 유순하고 뜻이 굳세지 못하다. 그러므로 오직 자신의 마을에서 행할 수 있을 뿐이고 넓고 먼 곳에 미칠 수가 없으니, 이것이 경계시키는 까닭이다.

○ 鳴謙之象, 已見六二, 師邑國取象, 皆見上諸卦. 此卦艮剛在下, 而爲謙主, 故下三爻, 皆言吉, 柔在上爲過謙, 故上三爻, 皆不言吉也.
겸손함으로 알려지는 상은 이미 육이에 보이고, '군사'와 '읍국'이 취하는 상은 모두 앞의 여러 괘에 보인다. 이 괘는 간괘의 굳셈이 아래에 있으면서 겸괘의 주인이 된다. 그러므로 아래의 세 효에서는 모두 길함을 말하였고, 부드러움이 위에 있으며 지나친 겸손함이 된다. 그러므로 위의 세 효에서는 모두 길함을 말하지 않았다.

이진상(李震相) 『역학관규(易學管窺)』

上六, 鳴謙 [至] 邑國
상육은 겸손함을 드러내니 … 읍국을 정벌하는 것이 이롭다.

上六應三, 三體入震, 故亦取鳴象. 我非自鳴人, 以謙名, 聲聞之至也. 行師互坎象. 邑國坤象. 蓋謙以九三爲卦主, 而德不中正, 故先比其近者, 二與四所以吉且利也. 初則隔二, 有涉川之阻, 五則隔四, 有侵伐之勞, 上六无位, 當應而不應, 故亦征之.
상육는 삼효와 호응하는데 삼효의 몸체는 진괘(震卦)로 들어간다. 그러므로 또한 '드러냄[鳴]'의 상을 취하였다. 내가 스스로 사람에게 드러낸 것이 아닌데 겸손함으로 이름이 났으니, 소문남의 지극함이다. '군사를 행함'은 호괘인 감괘(坎卦)의 상이고, '읍국'은 곤괘(坤卦)의 상이다. 겸괘는 구삼을 괘의 주인으로 삼지만 덕이 알맞고 바르지 않다. 그러므로 먼저 그 가까운 것을 가까이 하니, 이효와 사효가 길하고 또 이로운 까닭이다. 초효는 이효에 막혔기에 내를 건너는 험준함이 있고, 오효는 사효에 막혔기에 침벌하는 수고로움이 있고, 상육은 지위가 없어 응해야 하지만 응하지 않기 때문에 또한 정벌을 한다.

박문호(朴文鎬) 「경설(經說) · 주역(周易)」

柔處謙以下, 是合言其處柔居高, 故以又字間之. 然以下節志未得註, 觀之, 終歸於餘義矣.

『정전』의 '부드러움이 겸괘의 끝에 있어서' 아래는 상육이 부드러움의 자리에 있고 가장 높이 있음과 합쳐 말한 것이다. 그러므로 '우(又)'자를 끼워 넣었다. 그러나 아래 구절인 "뜻을 얻지 못한 것이다"의 주석으로 살펴보면, 끝내는 다른 의미로 돌아간 것이다.

이정규(李正奎) 『독역기(讀易記)』

程傳以爲謙至於太甚, 則反爲過矣, 故利在以剛武自治. 然則太甚反過之間, 語意似是含得悔吝底意也, 安得爲亨而利哉. 本義則以爲謙極有聞, 人之所與, 故可用行師. 然則謙極而人皆與之, 必然之勢也. 雖用行事, 必旡不利, 然質柔無位, 則只征其私邑而已.

『정전』에서는 겸손함이 너무 심함에 이르면, 도리어 지나치게 되기 때문에 이로움이 굳센 무력으로 스스로를 다스림에 있다고 여겼다. 그렇다면 너무 심함과 도리어 지나침의 사이에는 의미상 후회와 인색의 뜻을 포함하고 있는 듯한데, 어떻게 형통하여 이로울 수 있겠는가? 『본의』에서는 겸손함이 지극하여 알려짐이 있으니, 사람들이 함께하는 바이기 때문에 군사 행함을 쓸 수 있다고 여겼다. 그렇다면 겸손함이 지극하여 사람들이 모두 그와 함께하는 것은 필연의 형세이니, 비록 일을 행함에 쓰더라도 반드시 이롭지 않음이 없을 것이다. 그러나 자질이 유순하고 지위가 없으니 단지 자신의 읍국만을 정벌할 뿐이다.

이병헌(李炳憲) 『역경금문고통론(易經今文考通論)』

坤爲邑國. 泰之極, 則勿用師, 而謙之終, 則可用行師, 不如此, 不足以調養文明之大師〈同人九五〉也.

곤괘는 '읍국'이 된다. 태괘의 끝에서는 군사를 쓰지 말라[195]고 하고, 겸괘의 마지막에는 군사를 행할 수 있다고 하였으니, 이와 같지 않다면, 문명한 큰 군사〈동인괘 구오〉를 잘 길러내지 못할 것이다.

---

195) 『周易 · 泰卦』: 上六, 城復于隍, 勿用師, 自邑告命, 貞, 吝.

象曰, 鳴謙, 志未得也, 可用行師征邑國也.

정전 「상전」에서 말하였다: "겸손함을 드러냄"은 뜻을 얻지 못함이니, 군사를 행하여 읍국을 정벌할 수 있다.

象曰, 鳴謙, 志未得也, 可用行師, 征邑國也.

본의 「상전」에서 말하였다: "겸손함으로 알려짐"은 뜻을 얻지 못함이니, 군사를 행할 수 있으나, 읍국을 정벌하여야 한다.

中國大全

傳

謙極而居上, 欲謙之志未得. 故不勝其切, 至於鳴也. 雖不當位, 謙旣過極, 宜以剛武自治其私. 故云利用行師征邑國也.

겸손함이 지극하나 위에 있어서 겸손하고자 하는 뜻을 얻지 못하였다. 그러므로 간절함을 이기지 못하여 드러냄에 이른 것이다. 비록 자리가 마땅하지 않지만 겸손함이 이미 너무 지극하니, 마땅히 굳센 무력으로 자기의 사사로움을 다스려야 한다. 그러므로 "군사를 행하여 읍국을 정벌함이 이롭다"고 하였다.

本義

陰柔无位, 才力不足, 故其志未得 而至於行師. 然亦適足以治其私邑而已.

음의 부드러움으로 지위가 없고 재주와 힘이 부족하다. 그러므로 뜻을 얻지 못하여 군사를 행함에 이르렀으나, 또한 자기의 사사로운 읍을 다스릴 수 있을 뿐이다.

小註

或問, 上六志未得也, 如何. 朱子曰, 爲其志未得, 所以行師征邑國, 蓋以未盡信從故也.
어떤 사람이 물었다: 상육이 뜻을 얻지 못한 것은 어째서입니까?
주자가 말하였다: 뜻을 아직 얻지 못했기 때문에 군사를 행하여 읍국을 정벌하는 것이니, 대체로 아직 완전히 믿고 따르지 않기 때문입니다.

○ 雲峰胡氏曰, 上雖謙極有聞, 然陰柔无位, 志未得也, 視二之中心得者, 有間矣. 至於行師, 足以治其私邑而已, 視五之征不服者, 有間矣. 无位故也, 然而猶不至於悔且凶者, 謙故也.
운봉호씨가 말하였다: 상효는 비록 겸손이 지극하여 알려짐이 있지만, 음의 부드러움으로 지위가 없어서 뜻을 아직 얻지 못했으니, 이효의 마음에 얻은 것과 비교하면 차이가 있다. 군사를 행함에 이르면 자기의 사사로운 읍을 다스릴 수 있을 뿐이니, 오효의 승복하지 않는 자들을 정벌하는 것과 비교하면 차이가 있다. 이는 지위가 없기 때문이나, 그래도 후회와 흉함에 이르지 않는 것은 겸손하기 때문이다.

○ 建安丘氏曰, 謙卦六爻, 五陰一陽, 陽實陰虛, 陰皆有求於陽者. 故以九三一陽爲卦之主, 其諸陰爻, 則以去三遠近取義. 二四兩爻與三最近, 皆有得乎陽者. 故二鳴謙貞吉, 而四无不利撝謙也. 初在下欲進而求三, 則隔乎二, 五上在上欲下而求三, 則隔乎四, 皆无得乎陽者. 故初用涉, 而五侵伐, 上行師也.
건안구씨가 말하였다: 겸괘의 여섯 효는 음이 다섯이고 양이 하나인데, 양효는 꽉 차고 음효는 텅 비었으니, 음효는 모두 양효에게 구하는 것이 있다. 그러므로 구삼의 하나의 양을 괘의 주인으로 삼고, 여러 음효는 삼효에서 떨어짐이 멀고 가까움에 따라 뜻을 취했으니, 이효와 사효는 삼효와 가장 가까워 모두 양에게 얻음이 있는 것이다. 그러므로 이효에서는 "겸손함으로 알려지니, 바르고 길하다"고 하였고, 사효에서는 "겸손함을 펼침에 이롭지 않음이 없다"고 하였다. 초효가 아래에서 삼효에게 나아가 구하려 하는 것은 이효에 막히고, 오효와 상효가 위에서 삼효에게 내려와 구하려 하는 것은 사효에 막히니, 모두 양에게 얻음이 없는 것이다. 그러므로 초효는 건넘을 쓰고, 오효는 침벌하고, 상효는 군사를 행하는 것이다.

○ 雙湖胡氏曰, 謙一卦下三爻, 皆吉而无凶, 上三爻, 皆利而无害. 易中吉利, 罕有若是純全者, 謙之效, 固如此, 然艮體稱吉, 而坤體稱利者, 靜則多吉, 順則多利故也.
쌍호호씨가 말하였다: 하나의 겸괘에서 하괘의 세 효는 모두 길하고 흉함은 없으며, 상괘의 세 효는 모두 이롭고 해로움은 없다. 『주역』 가운데 길하고 이로움이 이처럼 순전한 것은

드무니, 겸손함의 효험은 본래 이와 같다. 그러나 간괘의 몸체를 길하다고 하고, 곤괘의 몸체를 이롭다고 한 것은 고요하면 길함이 많고, 유순하면 이로움이 많기 때문이다.

‖韓國大全‖

유정원(柳正源) 『역해참고(易解參攷)』

鳴謙 [至] 國也.
겸손함으로 알려지니, … 읍국을 정벌하여야 한다.

建安丘氏曰, 二與上, 皆曰鳴謙, 有以感乎三也. 然柔近剛, 則先得乎剛, 二比三, 近也, 故中心得, 上應三, 遠也, 故志未得.
건안구씨가 말하였다: 이효와 상효에서 모두 '명겸(鳴謙)'을 말함은 모두 구삼에게 감응함이 있어서이다. 그러나 부드러움은 굳셈에 가까우면 먼저 굳셈에게서 얻으니, 육이가 구삼과 견줌은 가깝기 때문에 마음에 얻은 것이고, 상육이 구삼과 호응함은 멀기 때문에 뜻을 아직 얻지 못한 것이다.

○ 案, 兵家應變, 其策无窮, 慮敵量勝, 戰可得志, 則孫臏之直走, 鉅鹿之鏖戰, 固不待鳴謙, 而厥或地有遐狹, 兵有衆寡, 未必其得意, 則深溝高壘, 秣馬養士, 用附於鳴謙之義, 此所以象有志未得之辭, 而傳義俱以自治爲言歟.
내가 살펴보았다: 병가(兵家)의 임기응변은 그 책략이 무궁하여 적을 헤아려 승리를 생각해 내면 전투에서 뜻을 이룰 수 있으니, 손빈이 곧바로 위나라 수도로 진격함[196]과 거록에서의 죽기 살기의 격전[197]은 참으로 '겸손함을 드러냄[鳴謙]'을 기다리지 않지만, 혹 지리에 멀고

---

196) 『사기 · 손자오기열전(孫子吳起列傳)』과 『자치통감(資治通鑑) · 주기(周紀) · 현왕(顯王)』를 살펴보면, 위(魏)나라가 한(韓)나라를 공격하였을 때, 한나라가 제나라에 구원을 요청하니, 제나라 위(威)왕은 전기(田忌)를 장군으로 삼고 손빈(孫臏)을 군사로 삼아 군대를 일으켜 한나라를 구원하도록 하였다. 이 때에 손빈은 곧바로 위나라의 수도로 진격하니, 위나라의 방연이 한나라를 버리고 위나라로 돌아갔다. 손빈은 위나라로 들어갈 때 첫날에는 밥 짓는 아궁이를 십 만개를 만들게 하고 다음날부터는 차차 그 개수를 줄여 제나라 군사들이 도망간 것처럼 꾸며, 위나라 방연을 방심하게 하여 보병만 남겨두고 떠나게 하고는 방연이 가는 길목에 군사를 매복시켜 크게 무찔렀다. 이로부터 손빈은 이름을 천하에 알리게 되었고 그 병법을 전하게 되었다.

협소함이 있거나 병력에 많고 적음이 있어서 반드시 그 뜻을 얻은 것이 아니라면, 해자를 깊이 파고 성루를 높이며 말을 살찌우고 선비를 기르는 것을 겸손함을 드러낸다는 뜻에 보태 써야 한다. 이것이 「상전」에 "뜻을 얻지 못한 것이다"라는 말이 있고, 『정전』과 『본의』에서 모두 '스스로를 다스림'으로 말했던 까닭인 것이다.

김상악(金相岳) 『산천역설(山天易說)』

九三, 爲謙之主, 而六居上而爲應, 二居下而爲比. 然謙貴卑巽, 故相孚, 則曰中心得也, 不相孚, 則曰志未得也.

구삼은 겸괘의 주인이 되는데, 상육은 가장 위에 있으면서 구삼과 호응하고, 육이는 아래에 있으면서 구삼과 견주게 된다. 그러나 겸손함은 낮추어 공손함을 귀하게 여기기 때문에 서로가 믿으면 "마음에 얻은 것이다"[198]라고 하고, 서로가 믿지 못하면 "뜻을 얻지 못한 것이다"라고 한다.

김규오(金奎五) 「독역기의(讀易記疑)」

上六, 鳴謙, 本義解以謙極有聞, 則又何以謂之志未得乎. 志未得而行師, 則志未得, 當在行師之下, 而今以志未得, 釋了鳴謙, 无或倒說. 叶韻如坤象之君子攸行耶.

상육의 '명겸(鳴謙)'을 『본의』에서는 '겸손함이 지극하여 알려짐이 있음'으로 풀이하였는데, 또 어째서 '뜻을 얻지 못함'이라고 하는 것인가? 뜻을 얻지 못하여 군사를 행한다는 것이니, '뜻을 얻지 못함'은 마땅히 '군사를 행함'의 아래에 있어야 하는데, 지금 '뜻을 얻지 못함'으로 '명겸'을 풀이하였으니, 혹 설명이 전도됨은 없는 것인가? 협운(叶韻)[199]한 것이 곤괘 「단전」의 "군자가 행하는 바이다"[200]와 같구나.

---

197) 『사기 · 항우본기(項羽本紀)』를 살펴보면, 항우가 진(秦)나라 장한의 군대와 전투를 하기 전에, 황하를 건널 때 타고 온 배를 모조리 소각하고 밥 짓는 솥을 모두 부셔버려 3일치 군량만을 남겨 놓고는 군사들과 함께 결전의 각오를 다졌고, 항우의 군대는 치열한 격전을 벌인 끝에 결국 장한의 군대를 격파하였다. 이로써 항우는 진나라 말기에 이름을 날리게 되고, 전국쟁패의 상황에서 주도권을 잡을 수 있었다.

198) 『周易 · 謙卦』: 六二, 象曰, 鳴謙貞吉, 中心得也.

199) 협운(叶韻): 여기서는 운률을 맞추기 위하여 앞 뒤 문장을 바꾸어 쓴 것이다. "志未得也"를 구절 끝에 있는 "征邑國也"와 운률을 맞추기 위하여 "可用行師" 앞에 둔 것으로 보인다.

200) 『周易 · 坤卦』: 牝馬, 地類, 行地无疆, 柔順利貞, 君子攸行.

서유신(徐有臣) 『역의의언(易義擬言)』

亢高, 故應與之志未得也.
가장 높기 때문에 호응하여 함께하려는 뜻을 얻지 못한 것이다.

김귀주(金龜柱) 『주역차록(周易箚錄)』

本義, 陰柔無位, 云云.
『본의』에서 말하였다: 음의 부드러움으로 지위가 없고, 운운.
小註, 建安丘氏曰, 謙卦, 云云.
소주에서 건안구씨가 말하였다: 겸괘의, 운운.
○ 按, 上與三爲正應, 四安得以隔之而必至於行師乎. 丘說恐未道.
내가 살펴보았다: 상효와 삼효는 정응(正應)이 되는데, 사효가 어떻게 상효를 막아서 반드시 군사를 행함에 이르는 것인가? 건안구씨의 설은 말할 것이 못될 듯하다.

雙湖胡氏曰, 謙一卦, 云云.
소주에서 쌍호호씨가 말하였다: 하나의 겸괘에서, 운운.
○ 按, 稱吉稱利, 只是爻義如此, 不必靜然後言吉, 順然後言利, 而不可互說也.
내가 살펴보았다: 길하다고 하고 이롭다고 함은 단지 효의 뜻이 이와 같다는 것이지, 반드시 고요한 뒤에 길하다고 하고 유순한 뒤에 이롭다고[201] 한 것은 아니니, 섞어 말할 수 없다.

박문건(朴文健) 『주역연의(周易衍義)』

〈問, 可義. 曰, 可者, 可以征小邦, 不如六五之征大寇也.
물었다: '가(可)'의 의미는 무엇입니까?
답하였다: '가(可)'는 작은 나라를 정벌할 만하다는 것이니, 육오에서 큰 도적을 정벌함만 못합니다.

曰, 上六, 陰之盛彊者也, 不如六五, 何. 曰, 六五得位而彊, 故能征逼己之大寇, 上六處極而彊, 故能征疑己之大邦也.
물었다: 상육은 음이 왕성하고 강한 것인데도 육오만 못한 것은 어째서입니까?
답하였다: 육오는 지위를 얻고서 강하기 때문에 자신을 핍박하는 큰 도적을 정벌할 수 있고,

---

201) 이러한 내용은 『본의 · 겸괘』 상육 · 소주에 나오는 쌍호호씨의 말에 보인다.

상육은 지극한 자리에 있으면서 강하기 때문에 자신을 의심하는 큰 나라를 정벌할 수 있습니다.

曰, 二爲大寇而三爲小邦, 何. 曰, 二居下體之中, 故勢取而彊, 三居五陰之間, 故勢孤而弱也.
물었다: 이효는 큰 도적이 되고 삼효는 작은 나라가 됨은 어째서입니까?
답하였다: 이효는 하괘[下體]의 가운데 있기 때문에 취하는 형세가 되어 강하고, 삼효는 다섯 음의 사이에 있기 때문에 형세가 홀로 되어 약합니다.〉

심대윤(沈大允) 『주역상의점법(周易象義占法)』

謙, 實利也, 名, 亦隨之. 君子能謙, 故天下親悅焉, 尊服焉, 功大而人不忌, 位高而人不猜. 謙, 庸也. 言行平常, 不爲高峻, 是已所謂庸言庸德也. 若夫矜莊而自高, 詭論而爲奇, 以求上人者, 其於謙也難矣, 亦屢憎於人, 而怒於神而已矣. 是故, 君子中庸也.
겸괘는 이로움을 갈무리 함이니, 이름도 또한 이를 따랐다. 군자는 겸손할 수 있기 때문에 천하가 기꺼이 친애하며 존중하여 승복하니, 공이 커도 사람들이 꺼리지 않고 지위가 높아도 사람들이 시기하지 않는다. '겸손함[謙]'은 일상[庸]이니, 언행을 항상 높고 거칠게 하지 않는다면 이것이 이미 '평소의 말이고 평소의 덕'이라는 것이다. 만약 장엄함을 자랑하며 스스로 높이고 궤변을 늘어놓고 기이하게 행동하여 사람들보다 높아지기를 구하는 사람이라면, 겸손하기가 어려울 것이며 또한 사람들에게 자주 미움을 받고 신에게 노여움을 받을 것이다, 이 때문에 군자는 중용을 한다.

오치기(吳致箕) 「주역경전증해(周易經傳增解)」

旡位而處外, 故雖有正應, 而志未得也, 質柔而才弱, 故雖可行師, 而征邑國也.
지위가 없으면서 벗어나 있기 때문에 비록 바로 호응하는 것이 있어도 뜻을 얻지 못하는 것이며, 자질이 유순하고 재주가 약하기 때문에 비록 군사를 행하더라도 읍국을 정벌해야 한다.

이병헌(李炳憲) 『역경금문고통론(易經今文考通論)』

上二卦, 以一陰之火而理五陽, 謙次於後, 以一陽而統五陰, 又與履卦成反比例, 以著天地之節文, 謙豈苟言哉. 謙之爲卦, 最善人之處世, 唯當謙以自牧, 亦不可以謙柔永終焉, 故五上有利用侵伐, 可征邑國等語, 如柔善之人, 平生謙退, 無一事可辨, 則非君子之終也.

위의 동인괘와 대유괘 두 괘는 음이 하나인 불[離☲]로 다섯 양을 다스리고, 겸괘가 뒤를 이어 하나의 양으로 다섯 음을 통솔하는데, 또 리괘(履卦☰☱)와 음양을 반대로 견주는 사례를 이루어 천지의 절문을 나타내니 겸괘를 어찌 구차하게 말할 수 있겠는가? 겸괘는 인간의 처세에 가장 좋은 것이니, 마땅히 겸손함으로써 스스로를 길러야만 하지만, 또한 겸손함과 부드러움으로 길이 끝마칠 수는 없기 때문에 오효와 상효에 "침벌을 씀이 이롭다", "읍국을 정벌할 수 있다"는 등의 말이 있는 것이다. 만약 부드럽고 착한 사람이 평생을 겸손하게 물러서서 한 가지 일도 눈에 띄는 게 없다면, 군자의 끝마침이 아니다.

16

예괘

豫卦䷏

中國大全

傳

豫, 序卦, 有大而能謙, 必豫. 故受之以豫, 承二卦之義而爲次也. 有旣大而能謙, 則有豫樂也. 豫者, 安和悅樂之義. 爲卦震上坤下, 順動之象. 動而和順, 是以豫也. 九四, 爲動之主, 上下群陰, 所共應也, 坤又承之以順, 是以動而上下順應. 故爲和豫之義. 以二象言之, 雷出於地上. 陽始潛閉於地中, 及其動而出地, 奮發其聲, 通暢和豫, 故爲豫也.

예괘는 「서괘전」에 "큰 것을 가지고도 겸손할 수 있으면 반드시 기쁘다. 그러므로 예괘로 받았다"고 하였으니, 대유괘와 겸괘 두 괘의 의미를 이어받아 그 다음 차례가 되었다. 이미 큰 것을 가졌는데도 겸손할 수 있으면 기쁘고 즐거움이 있다. '예(豫)'란 편안하게 화합하며 즐겁게 기뻐한다는 의미이다. 괘는 진괘(☳)가 위에 있고 곤괘(☷)가 아래에 있으니, 순응하여 움직이는 형상이다. 움직이되 화합하여 따르니, 이 때문에 기쁘다. 구사는 움직임의 주인이 되니 위아래의 모든 음효가 함께 호응하고, 또 곤괘가 이를 받들어 따르니 이 때문에 움직이면서도 위아래가 순응한다. 그러므로 화합하며 기뻐한다는 의미가 된다. 내외괘의 형상으로 말하면, 우레가 땅 위로 솟아난다. 양이 처음에는 땅 속에 깊이 감추어져 있다가 움직여서 땅을 뚫고 나옴에 미쳐서는 그 소리를 떨쳐 내어 툭 트여 화합하고 기뻐한다. 그러므로 '예(豫)'가 된다.

小註

程子曰, 豫者, 備豫也, 逸豫也. 事豫, 故逸樂, 其義一也.
정자가 말하였다: 예(豫)란 미리 준비하는 것이고, 느긋이 즐거운 것이다. 일이 준비되어 있으므로 느긋이 즐거우니, 같은 의미이다.

○ 王氏大寶曰, 豫以和樂主義, 和而不備, 則乖戾隨之, 故有備豫之義. 和而不飭, 則驕怠生焉, 故又有豫怠之義. 卦辭云, 利建侯行師, 雖主人心和樂而言, 亦有豫備飭豫之意.
왕대보가 말하였다: 예괘(豫卦)는 화합하여 즐거운 것을 주된 의미로 삼는다. 화합하려 하여도 준비되지 않으면 서로 어그러짐이 뒤따르므로 예괘에는 미리 준비한다는 의미가 있다. 또한 화합하려 하여도 진지하지 않으면 교만함과 게으름이 생겨나게 되므로 예괘에는 태만함을 예방한다는 의미가 있다. 괘사에 "제후를 세워 군대를 움직이는 것이 이롭다"고 한 것은 비록 사람들의 마음이 화락하여야 함을 주로 말하였지만, 거기에는 예비하고 진지하게 준비하는 의미도 있다.

豫, 利建侯行師.

예괘는 제후를 세워 군대를 움직이는 것이 이롭다.

中國大全

傳

豫, 順而動也. 豫之義, 所利在於建侯行師. 夫建侯樹屛, 所以共安天下. 諸侯和順則萬民悅服. 兵師之興, 衆心和悅則順從而有功. 故悅豫之道, 利於建侯行師也. 又上動而下順, 諸侯從王, 師衆順令之象, 君萬邦聚大衆, 非和悅, 不能使之服從也.

예(豫)란 순응하여 움직이는 것이다. 예괘의 의미를 보면, 그 이로움이 제후를 세워 군대를 움직이는 데 있다. 제후를 세워 울타리를 치는 것은 함께 천하를 편안하게 하려는 까닭이다. 제후가 화순하면 모든 백성들이 기쁘게 복종한다. 군대를 일으킬 때에 여러 사람들의 마음이 화합하여 기쁘면 순종하여 공적이 있게 된다. 그러므로 화합하여 기뻐하는 도리는 제후를 세워 군대를 움직이는 것에 이롭다. 또한 위에서 움직이고 아래에서 순응하니, 제후가 임금을 따르고 군대의 무리들이 명령을 따르는 형상이다. 온 천하의 임금 노릇을 하고 대중을 모으려면, 화합하여 기뻐하는 것이 아니고서는 그들을 복종시킬 수 없다.

本義

豫, 和樂也, 人心和樂以應其上也. 九四一陽, 上下應之, 其志得行. 又以坤遇震, 爲順以動, 故其卦爲豫, 而其占, 利以立君用師也.

예(豫)는 화합하여 즐거운 것이니, 사람의 마음이 화락하게 그 윗사람에게 호응하는 것이다. 구사효 하나의 양에게 위아래에서 호응하니, 그 뜻을 행할 수 있다. 또 곤괘가 진괘를 만나 순응하여 움직이므로 그 괘가 예괘(豫卦)가 되고, 그 점(占)은 제후를 세워 군대를 움직이는 것이 이롭다는 것이 된다.

小註

朱子曰, 建侯行師, 順動之大者.
주자가 말하였다: 제후를 세워 군대를 움직이는 것은 순응하여 움직이는 일 가운데 큰 것이다.

○ 雲峰胡氏曰, 建萬國聚大衆, 非順理而動, 使人心皆和樂而從, 不可也.
운봉호씨가 말하였다: 온갖 나라를 세우고 큰 무리를 모을 때에는 순리로 움직여 사람들의 마음이 모두 화락하게 따르도록 하지 않고서는 끝내 이룰 수 없다.

○ 中溪張氏曰, 坤下震上爲豫, 地以靜鎭, 建侯也, 雷以威動, 行師也.
중계장씨가 말하였다: 곤괘(☷)가 아래에 있고 진괘(☳)가 위에 있는 것이 예괘(豫卦)가 되는데, 땅은 고요하게 자리 잡으니 제후를 세우는 상이고, 우레는 위엄 있게 움직이니 군대를 움직이는 상이다.

○ 建安丘氏曰, 屯有震无坤, 則言建侯而不言行師. 謙有坤无震, 則言行師而不言建侯. 豫卦合震坤成體, 故兼言之.
건안구씨가 말하였다: 준괘(屯卦䷂)에는 진괘는 있지만 곤괘가 없으므로 제후를 세운다고는 하였지만 군대를 움직인다고는 말하지 않았다. 겸괘(謙卦䷎)에는 곤괘는 있지만 진괘가 없으므로 군대를 움직인다고는 하였지만 제후를 세운다고는 하지 않았다. 예괘(豫卦)에서는 진괘와 곤괘가 합하여 몸체를 이루므로 둘을 겸하여 말하였다.

韓國大全

이현익(李顯益) 「주역설(周易說)」

中溪張氏, 以建侯屬坤, 行師屬震. 建安丘氏. 以建侯屬震. 行師屬坤. 皆非傳義之旨. 恒不死中未亡也, 謂恒不死者, 以中之未亡也, 而中溪張氏, 以正而不死, 中而未亡言, 非是. 和豫是豫之主義, 而逸豫又爲其義. 然逸豫亦非別事, 只是和豫之過者也. 故六爻中, 和豫而不過者, 如九四, 則爲和豫, 其過者, 則或鳴或盱或疾或冥爲逸豫耳.
중계장씨는 '제후를 세우는 일'은 곤괘에 속하고 '군대를 움직이는 일'은 진괘에 속한다고 보았고, 건안구씨는 '제후를 세우는 일'이 진괘에 속하며, '군대를 움직이는 일'은 곤괘에 속한다고 보았는데, 모두 『정전』과 『본의』의 뜻은 아니다. 육오 상사(象辭)에 "항불사(恒不死), 중미망야(中未亡也)"라 하였는데, 이는 '항상 죽지는 않는 것은 가운데 자리를 잃지 않았기 때문'이라는 말이다. 그런데, 중계장씨가 "바르게 자리하여 죽지 않고 가운데 있어서 죽지 않는다"라고 한 것은 옳지 않다. '화합하여 즐거워함'이 예괘의 주된 뜻인데, '안이하게 즐거워함'도 그 의미가 된다. 그러나 안이하게 즐거워하는 것 역시 별개의 일이 아니라, 단지 화합하여 즐거워함이 지나친 것이다. 그러므로 여섯 효 가운데 화합하여 즐겁지만 지나치지 않은 것은 구사의 경우로서 '화합하여 즐거움'이 되고, 지나친 경우는 소리 내어 즐거워하거나, 위로 바라보며 즐거워하거나, 병을 앓거나 어두우니, '안이한 즐거움'이 될 뿐이다.

進齋徐氏所謂大象所言和豫也, 六爻所言逸豫也. 豫備不虞, 卦爻無此義者, 正是也, 而王氏大寶爲和豫備豫飭豫之說, 雲峯胡氏以六二爲備豫, 東谷鄭氏以六三爲猶豫, 皆推之太過. 六二之不終日, 固是先事審幾之意, 而曰處豫之時當如此云耳, 則豫之爲和豫則何嘗異乎. 六三亦及其遲而有悔, 則爲猶豫, 而若盱豫, 則只是曰當豫之時盱之云耳. 此亦和豫之謂, 而但不能不終日且盱之之, 故不得爲和豫而爲逸豫矣. 卦爻只有此二義而已.〈徐氏之以六爻所言, 皆爲逸豫者, 亦不然. 六爻中, 若由豫, 則非直是逸豫矣〉
진재서씨가 "「대상」에서 말한 바는 '화합하여 즐거워 함'이고, 육효에서 말한 바는 '안일하게 즐거워 함'이다. 괘효사에는 '예비하여 근심하지 않는다'는 의미는 없다"고 한 것이 바로 이 말이다.[1] 그런데 왕대보는 예괘의 의미는 '화합하여 즐거워 함', '예비함', '진지하게 준비함'이 된다고 하였고, 운봉호씨는 육이가 예비함이 된다고 보았으며, 동곡정씨는 육삼이 유예함이 된다고 보았는데, 모두 너무 지나치게 미루어 나아갔다. 육이는 날이 저물기를 기다리지 않으니, 참으로 일에 앞서서 기미를 살피는 뜻이 있으므로, "즐거움[豫]의 때를 맞이하여 마땅히 이와 같이 하여야 한다"고 하였지만, 이 때의 즐거움이 '화합하여 즐거워하는 것'이라고 해서 달라질 것이 무엇이겠는가? 육삼 역시 그 더디게 하는데 이르러 후회함이라면 유예하는 것이 되고, 위로 쳐다보며 즐거워함이라면 단지 "즐거움의 때를 맞이하여 올려다본다"고 한 것일 뿐이다. 이 역시 화합하여 즐거워함을 말하는데, 다만 날이 저물기를 기다리지 않을 수 없었으며, 또한 위를 올려다보며 가기 때문에 '화합하여 즐거워하는 것'이 될 수 없고,

---

1) 예괘 상육 상사에 대해서 진재서씨가 말하였다: 예괘에는 세 가지 의미가 있으니, '화합하여 즐거워하는 것', '안일하게 즐기는 것', '예비하는 것'이다. 「대상전」에서 말한 것은 '화합하여 즐거워하는 것'이다. 여섯 효에서 말한 것은 '안일하게 즐기는 것이다' '예비하여 근심하지 않는 것'은 괘효에서는 이러한 뜻이 없다. 「계사전」에 "문을 중첩하고 딱따기를 두드려 사나운 나그네를 대비하니, 예괘(豫卦䷏)에서 취하였다"라고 한 것이 바로 '예비하는 것'의 의미이다[豫有三義, 曰和豫, 曰逸豫, 曰備豫. 大象所言, 和豫也. 六爻所言, 逸豫也. 豫備不虞, 卦爻无此義. 傳曰, 重門擊柝, 以待暴客, 蓋取諸豫, 此備豫也].

'안이하게 즐거워하는 것'이 된다. 괘효에서는 단지 이 두 가지 뜻이 있을 뿐이다. 〈서씨는 '육효에서 말한 것이 모두 안이하게 즐거워하는 것'이라고 하였는데, 역시 그렇지 않다. 육효 가운데 '그로 말미암아 즐거워하는' 사효라면, 바로 안이하게 즐거워하는 모습이 아니다.〉

유정원(柳正源) 『역해참고(易解參攷)』

豫利 [至] 行師.
예괘는 … 군대를 움직이는 것이 이롭다.

王氏曰, 動而衆說, 故可利建侯也. 以順而動, 不加无罪, 故可以行師也. 逸豫之事, 不可以常行, 故无元亨也. 逸豫非幹正之道, 故不云利貞也.
왕필이 말하였다: 움직여서 대중이 기뻐하므로 제후를 세우는 것이 이로울 수 있다. 순응하여 움직였다고 해서 무죄라 할 수는 없으므로 군대를 움직일 수 있다. 안일하게 즐거워하는 일은 늘 행해서는 안 되기 때문에 "크게 형통하다"고 하지 않았다. 안일하게 즐거워함은 바르게 주관하는 도리가 아니므로 "곧게 하여 이롭다"라고 하지 않았다.

○ 白雲郭氏曰, 周同姓五十, 天下不以爲私, 順故也, 謂利建侯也. 東西南北之征, 而天下不以爲怨, 順故也, 所謂利行師也.
백운곽씨가 말하였다: 주나라 시대에 오십 개 제후국에 같은 성을 부여하였는데, 천하 사람들이 이를 사사롭게 여기지 않은 것은 순하였기 때문이니, 그래서 "제후를 세움이 이롭다"라고 하였다. 동서남북으로 정벌을 하였는데, 천하 사람들이 원망스럽게 여기지 않은 것은 순하였기 때문이니, 이른바 "군대를 움직이는 것이 이롭다"라는 것이다.

○ 容齋洪氏曰, 卦一陽主五陰, 亦有比建侯互體.
용재홍씨가 말하였다: 괘에서 하나의 양효가 다섯 개의 음효를 주관하니, 역시 호체인 비괘(比卦)에서 제후를 세우는 뜻이 있는 것과 같다.

○ 案, 震坤各有建侯行師之象. 震爲長子, 建侯也, 雷以威動, 行師也. 地以厚載, 建侯也, 坤爲兵衆, 行師也. 小註張氏以兩卦分言, 恐未備.
내가 살펴보았다: 진괘(震卦☳)와 곤괘(坤卦☷)는 각기 제후를 세우고 군대를 움직이는 상이 있다. 진괘는 맏아들이니 제후를 세우는 것이고, 우뢰가 위엄 있게 행동함은 군대를 움직이는 것이다. 땅이 두텁게 만물을 실음은 제후를 세우는 것이고, 곤괘는 많은 병사가 되니 군대를 움직이는 상이다. 소주에서 장씨(張氏)는 두 괘를 나누어 말하였는데,[2] 좀 미비한 듯하다.

김상악(金相岳) 『산천역설(山天易說)』

豫之爲卦, 以坤遇震, 九四爲主, 一陽得五陰之應順而動, 故利於建侯行師.
예(豫)라는 괘는 곤괘가 진괘를 만나 구사가 주인이 되니, 하나의 양이 호응하여 따르는 다섯 음을 얻어 움직인다. 그러므로 제후를 세워 군대를 움직임에 이로운 것이다.

○ 建侯行師, 見屯師二卦. 屯有震无坤, 則言建侯, 師有坤无震, 則言行師, 豫則震坤同卦, 故兼言之. 蓋動乎險中, 是治亂之君也. 行險以順, 是征伐之師也. 順以動, 卽昇平之君, 備豫之師也. 復之上, 則居坤之極, 與震无應, 故用行師, 則以國君凶也.
제후를 세워 군대를 움직이는 것은 준괘(屯卦)와 사괘(師卦) 두 괘에서도 보인다. 준괘에는 진괘는 있지만 곤괘가 없으므로 제후를 세운다고 하였고, 사괘에는 곤괘는 있지만 진괘는 없으므로 군대를 움직인다고 하였으며, 예괘는 진괘와 곤괘가 함께 있는 괘이므로 겸하여 말하였다. 대체로 험한 가운데 움직이므로 혼란을 다스리는 임금이다. 순응하여 험한 일을 하니 정벌하는 군사이다. 순응하여 움직이니 태평을 이룰 임금이 미리 준비한 군대이다. 복괘(復卦) 상효의 경우는 곤괘의 끝에 있으면서 진괘와 호응함이 없기 때문에, 군대를 움직인다면 나라의 임금이 흉하다.[3)]

서유신(徐有臣) 『역의의언(易義擬言)』

豫, 早豫也. 早豫則暇豫也. 建侯行師, 宜豫之大者. 儲君育德, 國本之豫建也. 蒐乘講武, 戎政之豫行也. 卦中自有此象, 震爲長男, 四爲儲君之位也. 坤衆震動, 師旅象也.
예(豫)는 일찌감치 예비하는 것이다. 일찌감치 예비하면 느긋하게 즐길 수 있다. 제후를 세워 군대를 움직이는 것은 예비하는 일 가운데에서도 큰 것이다. 태자와 임금이 덕을 기르는 일은 나라의 근본을 미리 세우는 것이다. 전차를 정비하고 무예를 강론하는 것은 국방에 대비하는 것이다. 괘 가운데 자연히 이러한 상이 있으니, 진괘는 맏아들이 되고 사효는 태자와 임금의 지위가 된다. 곤괘는 무리이고 진괘는 움직이는 것이니 군대의 상이다.

김귀주(金龜柱) 『주역차록(周易箚錄)』

按, 以卦德言, 則建侯行師, 皆順動之事. 以卦體言, 則一陽在上而群陰應之, 有君統萬

2) 예괘(豫卦) 괘사 「본의」아래 소주에서 중계장씨가 말하였다: 곤괘가 아래 있고 진괘가 위에 있는 것이 예괘(豫卦)가 되는데, 땅은 고요하게 자리 잡으니 제후를 세우는 상이고, 우레는 위엄 있게 움직이니 군대를 움직이는 상이다.[坤下震上爲豫, 地以靜鎭, 建侯也, 雷以威動, 行師也.]

3) 『周易 · 復卦』: 上六, 迷復, 凶, 有災眚, 用行師, 終有大敗, 以其國, 君凶, 至于十年, 不克征.

民而萬民和豫, 將攣兵衆而兵衆樂從之象, 故曰利建侯行師.
내가 살펴보았다: 괘의 덕으로 말하자면 제후를 세워 군대를 움직이는 것은 모두 순응하여 움직이는 일이다. 괘의 몸체로 말하자면 하나의 양이 위에 있는데 여러 음이 호응하니, 임금이 만백성을 통치하는데 만민이 화합하고 즐거워하며, 군사무리를 거느리는데 군사무리가 기꺼이 따르는 상이다. 그러므로 "제후를 세워 군대를 움직이는 것이 이롭다"라고 하였다.

윤행임(尹行恁) 『신호수필(新湖隨筆)·역(易)』

豫之卦體, 以下卦第三爻上卦一二爻, 合而看之, 則爲坎. 故取水雷屯之象, 而曰建侯. 取地水師之象, 而曰行師, 而事貴前定, 豫則立矦之建也. 師之行也, 蓋取其豫立之義.
예괘(豫卦)의 몸체를 하괘 제 삼효부터 상괘의 첫 번째와 두 번째 효까지 합하여 보면 감괘(坎卦☵)가 된다. 그러므로 수뢰 준괘(屯卦)의 상을 취하여 "제후를 세운다"고 하였고, 지수 사괘(師卦)의 상을 취하여 "군대를 움직인다"고 하였다. 일은 먼저 정해놓는 것을 귀하게 여기므로 예괘에서는 먼저 제후를 세우고 군대를 움직였으니, 예비하여 세우는 뜻을 취한 것이다.

강엄(康儼) 『주역(周易)』

按, 以卦象言之, 則坤爲土爲衆, 震爲長男. 以坤遇震, 有長男立國長子帥師之象. 故特言建侯行師.
내가 살펴보았다: 괘의 상으로 말하자면 곤괘는 땅이 되고 무리가 되며, 진괘는 맏아들이 된다. 곤괘가 진괘를 만나니 맏아들이 나라를 세우고 군대를 통솔하는 상이다. 그러므로 특별히 "제후를 세워 군대를 움직인다"고 하였다.

박문건(朴文健) 『주역연의(周易衍義)』

進居坤上, 而統上下五陰, 故有建侯行師之象也.
곤괘의 위로 나아가 있으면서 위아래 다섯 음을 거느리므로 제후를 세워 군대를 움직이는 상이 있다.
〈問, 利建侯行師.[4] 曰, 利建侯, 利人之推已也. 利行師, 利己之統衆也.
물었다: "제후를 세워 군대를 움직임이 이롭다"는 무슨 뜻입니까?
답하였다: "제후를 세움이 이롭다"는 것은 남들이 나를 추대하는 것이 이롭다는 말이다. "군대를 움직임이 이롭다"는 것은 자신이 대중을 통솔함이 이롭다는 말이다.〉

---

4) 師: 경학자료집성DB와 영인본에는 모두 '節'로 되어 있으나, 문맥을 참조하여 '師'로 바로잡았다.

이지연(李止淵) 『주역차의(周易箚疑)』

三四五爲互坎, 下三畫則坤也, 有比之象. 反之則師也. 以互坎加於上卦震之上則爲屯. 以全卦反之爲謙, 一卦之中有四卦之象焉. 大抵建侯行師之道, 順而動三字盡之矣.
삼효 · 사효 · 오효는 감괘가 되고 아래의 삼획은 곤괘이니 비괘(比卦)의 상이 있다. 이를 거꾸로 하면 사괘(師卦)가 된다. 호괘인 감괘(坎卦)를 상괘인 진괘(震卦) 위에 더하면 준괘(屯卦䷂)가 된다. 예괘(䷏)를 거꾸로 하면 겸괘(䷎)가 되니, 한 괘 가운데 네 괘의 상이 있다. 제후를 세워 군대를 움직이는 도리는 "순응하여 움직인다[順而動]"는 이 말에서 다하였다.

김기례(金箕澧) 「역요선의강목(易要選義綱目)」

豫, 大有而能謙, 則有豫樂之義.
예괘는 크게 소유하였으면서도 겸손할 수 있으니, 기쁘고 즐거워하는 뜻이 있다.

○ 五陰應一陽, 志行順動, 則悅豫. 建侯行師, 震有侯像, 坤衆爲師.
다섯 음이 하나의 양과 호응하여 뜻이 행해지고 순종하여 움직이니 기쁘고 즐겁다. "제후를 세워 군대를 움직인다"고 하였는데, 진괘에는 제후의 상이 있고 곤괘의 무리는 군대가 된다.

○ 豫有三義, 曰備豫, 逸豫, 悅豫. 建侯樹屛, 所以備豫. 行師施威以戒逸豫. 雷出地上, 萬物通暢, 則和豫. 蓋順理而動, 人所悅服, 故卦辭取悅豫.
'예(豫)'에는 세 가지 뜻이 있으니, 미리 대비하는 것, 안일하게 즐기는 것, 기뻐 즐거워하는 것이다. 제후를 세워 울타리를 삼는 것은 미리 대비하는 것이다. 군대를 움직여 위엄을 베푸는 것은 안일하게 즐김을 경계한 것이다. 우레가 땅 위로 솟아나 만물이 번창하면 화락하고 기쁘다. 이치를 따라 움직이기에 남들이 기쁘게 복종하므로 괘사에서 "기쁘게 즐거워한다[悅豫]"는 뜻을 취하였다.

허전(許傳) 「역고(易考)」

震爲長子, 故有建侯行師之象. 屯之利建侯, 師之長子帥師, 以有震坎二子故也.
진괘는 맏아들이 되므로 제후를 세워 군대를 움직이는 상이 있다. 준괘(屯卦)에서는 "제후를 세우는 것이 이롭다"고 하였고, 사괘(師卦)에서는 "맏아들이 군대를 통솔한다"라고 하였는데, 진괘와 감괘라는 두 아들이 있기 때문이다.

심대윤(沈大允) 『주역상의점법(周易象義占法)』

一陽動於上而五陰順之, 故可以爲君爲帥也. 建侯行師, 尤宜順勢而動也. 逸豫之義,不可言元亨利貞也. 凡事豫則安, 故豫又爲豫防之義. 事治於幾微之端, 則順而安也. 若事迫而乃應, 則智愚之間, 不能遠矣.
하나의 양이 위에서 움직이고 다섯 음이 따르므로 임금이 되고 장수가 될 수 있다. '제후를 세워 군대를 움직임'은 더욱이 형세를 따라서 움직여야 한다. 안일하게 즐거워하는 의미가 있으므로 '원 · 형 · 이 · 정'이라고 말할 수는 없다. 일이 미리 준비되면 편안하므로 예괘에는 또한 예방하는 의미가 있다. 일은 기미가 드러나려 할 때에 다스려져야 순조롭고 편안한다. 만약 일이 급박하게 되어서야 대응하려고 하는 경우에는 지혜롭거나 어리석거나 별 차이가 없을 것이다.

오치기(吳致箕) 「주역경전증해(周易經傳增解)」

豫者, 和樂也. 潛雷奮出於厚地爲和豫之象. 五陰順從於一陽爲悅豫之象也. 建者立也, 侯者主也. 震一陽特立於衆陰之上, 爲建侯之象, 而震言建侯, 已見屯卦. 行者動也, 師者衆也. 震爲動, 坤爲衆而乃行師之象也. 和豫而下順從, 故爲利於建侯行師, 卽豫之義也.
예란 화합하여 즐거워하는 것이다. 잠겨 있던 우레가 두터운 땅에서 분출하니 화합하여 즐거워하는 상이 된다. 다섯 음이 하나의 양을 따르기에 즐거워하는 상이 된다. 건(建)이란 세우는 것이고, 후(侯)란 주인 노릇을 하는 것이다. 진괘인 하나의 양이 여러 음 위에 우뚝 서 있으므로 제후를 세우는 상이 되는데, 진괘를 가지고 제후를 세운다고 한 사례는 준괘에서 이미 보였다. 행(行)이란 움직이는 것이고, 사(師)는 많은 무리이다. 진괘는 움직임이 되고, 곤괘는 많은 무리가 되므로 군대를 움직이는 상이다. 화합하여 즐거워하고 아래에서 순종하므로 제후를 세워 군대를 움직이는 것이 이로우니, 이것이 곧 예괘의 의미이다.

○ 一陽溺於五陰之中, 有過豫之象, 故不言亨, 震失其位, 故不言貞.
하나의 양이 다섯 음 가운데 빠져 있으므로[☳], 지나치게 즐거워하는 상이 있어서 형통하다[亨]고 말하지 않았고, 진괘가 제자리를 잃었기 때문에 곧다[貞]라고 말하지 않았다.

이진상(李震相) 『역학관규(易學管窺)』

利建侯.
제후를 세움이 이롭다.

參攷曰, 震爲長子, 建侯也, 雷以威動, 行師也. 地以厚載, 建侯也, 坤爲兵衆, 行師也.
『역해참고』에서 말하였다: 진괘는 맏아들이니 제후를 세우는 것이고, 우뢰가 위엄 있게 행동함은 군대를 움직이는 것이다. 땅이 두텁게 만물을 실음은 제후를 세우는 것이고, 곤괘는 병사의 무리가 되니 군대를 움직이는 것이다.

彖曰, 豫, 剛應而志行, 順以動, 豫.

「단전」에서 말하였다: 예(豫)는 굳센 양이 호응하여 뜻이 행해지고, 순응하여 움직이니 즐겁다.

中國大全

傳

剛應謂四爲群陰所應, 剛得衆應也. 志行, 謂陽志上行, 動而上下順從, 其志得行也. 順以動豫, 震動而坤順, 爲動而順理, 順理而動, 又爲動而衆順, 所以豫也.

"굳센 양이 호응한다"는 것은 사효가 뭇 음들에게 호응 받는 바가 되어, 굳센 양이 여럿에게 호응을 얻는다는 말이다. "뜻이 행해진다"는 양의 뜻은 위로 가는데 움직이자 위아래가 순응하여 따라서 그 뜻이 행하여진다는 말이다. "순응하여 움직이니 즐겁다"는 진괘가 움직이자 곤괘가 순응하니 움직여서 이치를 따르게 되고, 이치를 따라 움직이니 또 움직여서 무리가 순응하게 되기에 즐겁다는 것이다.

本義

以卦體卦德, 釋卦名義.

괘의 몸체와 괘의 덕으로 괘의 이름과 뜻을 풀이하였다.

小註

嵩山晁氏曰, 剛應志行, 以爻言豫之才也. 順以動豫, 以卦言豫之德也.
숭산조씨 말하였다: "굳센 양이 호응하여 뜻이 행해진다"는 것은 효(爻)를 가지고 예괘의 재실을 말한 것이다. "순응하여 움직이니 즐겁다"는 것은 괘를 가지고 예괘의 덕을 말한 것이다.

○ 雲峰胡氏曰, 小畜與豫, 皆以四爲主. 小畜剛中而志行, 是釋卦義亨字. 此剛應而志行, 是釋卦名豫字. 小畜一陰畜五陽, 陽之志自行, 故亨. 豫則五陰皆應一陽, 陽之志得行, 故豫. 皆扶陽之意也.
운봉호씨가 말하였다: 소축괘와 예괘는 모두 사효를 주인으로 삼는다. 소축괘 「단전」에서 "굳건하고 공손하며 굳센 양이 가운데 있으니 뜻이 행해진다"라 하였는데, 이는 괘사에 있는 '형(亨)'자의 의미를 풀이한 것이다. 예괘에서 "굳센 양이 호응하여 뜻이 행해진다"라고 한 것은 괘의 이름인 '예(豫)'자를 풀이한 것이다. 소축괘는 한 개의 음이 다섯 개의 양을 제지할 뿐이어서, 양의 뜻이 저절로 행해지기 때문에 형통하다. 예괘에서는 다섯 개의 음이 모두 하나의 양에 호응하여 양의 뜻이 행해지기 때문에 즐겁다. 두 경우 모두 양을 높이는 뜻을 지닌다.

韓國大全

조호익(曺好益) 『역상설(易象說)』

一陽在上, 五陰從之. 悅己者衆則可樂, 故曰豫.
하나의 양이 위에 있는데 다섯 음이 그를 따른다. 자기를 좋아하는 사람이 많으면 즐거울 수가 있다. 그러므로 "즐겁다[豫]"라고 하였다.

강석경(姜碩慶) 『역의문답(易疑問答)』

問, 豫之彖曰, 順以動, 豫. 程子釋之曰, 動而順理, 順理而動, 又爲動而衆順, 無乃語意胡亂而無次序耶. 曰, 程子不知彖文之體, 只由畫卦之序, 故言無次序而意有胡亂耳. 夫畫卦之序, 自下而上, 故釋卦之文, 亦由內及外. 豫之爲卦, 坤在下震在上. 孔子曰順以動豫, 是乃從下至上而爲辭也, 若言動而順, 則是爲復矣, 何干豫事. 且震在下兌在上而爲隨, 則孔子釋之曰, 動而說隨, 是其立文亦從下而上也. 程子則卦下釋之曰, 說而動, 動而說, 皆隨之義. 蓋動而說, 固爲隨而說而動, 是歸妹, 豈可同謂之隨乎. 其顚倒看胡亂說, 若是之甚者. 蓋程子著易傳時, 不許門人看而元無叅證之事. 及其易簀之後, 始出而傳於人, 故多如此疏漏處也.
물었다: 예괘 「단전」의 "순응하여 움직이니 즐겁다"를, 정자는 "움직여서 이치를 따르고, 이치를 따라 움직이기에 또 움직여서 무리가 순응하게 된다"고 해석하였는데, 말의 뜻이 혼란스럽고 순서가 없지 않습니까?

답하였다: 정자는 「단전」의 문체를 알지 못하고, 단지 괘를 긋는 순서에 따랐기 때문에 말이 순서가 없고 의미가 혼란합니다. 괘를 긋는 순서는 아래에서 위로 그으므로 괘를 해석하는 문장도 역시 내괘에서 외괘로 나아갑니다. 예괘는 곤괘가 아래에 있고 진괘가 위에 있습니다. 공자가 "순응하여 움직이니 즐겁다"라고 한 것은 아래로부터 위로 나아가면서 말씀을 붙인 것인데, "움직여서 순응한다"고 한다면 이는 반복된 것이니, 예괘와 무슨 상관이 있겠습니까? 진괘가 아래에 있고 태괘가 위에 있으면 수괘(隨卦䷐)가 되는데, 공자는 "움직이자 기뻐함이 따른다"라고 풀이하였으니, 이는 역시 그 문장을 아래에서 위로 가면서 붙인 것입니다. 정자는 괘에 대하여 "기뻐하여 움직이고, 움직이자 기뻐함"이 모두 수괘의 뜻이라고 해석하였습니다. 움직이자 기뻐하는 것은 참으로 수괘(隨卦)가 되지만, 기뻐하여 움직이는 것은 귀매괘(歸妹卦䷵)가 되니, 어찌 똑같이 수괘라고 하겠습니까? 거꾸로 보고 말이 혼란스럽기가 이처럼 심합니다. 정자가 『역전』을 지었을 때 문인들이 보도록 허락하지 않아서 애초에 참고하거나 확인하는 작업이 없었습니다. 그가 세상을 떠난 후에야 비로소 나와서 남들에게 전해졌으므로 이처럼 구멍이 나서 새는 곳이 많습니다.

유정원(柳正源) 『역해참고(易解參攷)』[5]

豫剛 [至] 動豫.
예괘는 굳센 양이 … 순응하여 움직이니 기쁘다.

厚齋馮氏曰, 應謂應五, 所以志得行. 不言上下應之者, 嫌其近君而權迫也.
후재풍씨가 말하였다: 호응한다는 것은 오효에 호응함을 가리키니, 뜻이 행해질 수 있기 때문이다. 위아래에서 호응한다고 말하지 않은 것은 구사가 임금에게 너무 가까워지면 권세로 겁박당할까 꺼려서이다.

김상악(金相岳) 『산천역설(山天易說)』

以卦體卦德釋卦名義. 以爻則剛應而志行, 以卦則順而動, 所以爲豫. 小畜曰, 剛中而志行者, 釋卦辭之亨, 豫曰剛應而志行者, 釋卦名之豫.
괘의 몸체와 괘의 덕으로 괘의 이름과 뜻을 해석하였다. 효는 굳센 양으로 호응하여 뜻이 행해지고, 괘는 순응하여 움직이므로 예(豫)가 된다. 소축괘에서는 "굳세고 알맞아 뜻이 행해진다"는 것으로 괘사의 '형(亨)'을 풀이하였고, 예괘에서는 "굳센 양이 호응하여 뜻이 행해진다"는 것으로 괘 이름인 '예(豫)'를 풀이하였다.

5) 경학자료집성DB에서는 예괘 '괘사'에 해당하는 것으로 분류했으나, 내용에 따라 이 자리로 옮겼다.

박제가(朴齊家) 『주역(周易)』

彖傳, 剛應, 傳謂應剛, 經之下字, 恐不然.
「단전」에서 "굳센 양이 호응한다[剛應]"고 한 것을 『정전』에서는 "굳센 양에게 호응한다[應剛]"고 하였는데 경문에서 글자를 그런 식으로 쓰지는 않았을 것 같다.

박문건(朴文健) 『주역연의(周易衍義)』

剛九四也. 應者, 應內體之三陰也. 此以卦體卦德釋卦名.
'굳센 양[剛]'은 구사이다. '호응함'은 내괘의 몸체인 세 음에 호응하는 것이다. 괘의 몸체와 괘의 덕으로 괘 이름을 해석하였다.
〈問, 剛應而志行. 曰, 剛進上體下應坤陰而相與, 故其志得行也, 卽同人彖, 應乎乾之意也.
물었다: "굳센 양이 호응하여 뜻이 행해진다"는 무슨 뜻입니까?
답하였다: 굳센 양이 상괘의 몸체로 올라가서 아래로 곤괘의 음과 호응하여 어울리므로 그 뜻이 행해질 수 있습니다. 이는 곧 동인괘(同人卦) 「단전」에서 "건괘에 호응한다"고 한 뜻입니다.〉

이진상(李震相) 『역학관규(易學管窺)』

豫剛應.
예괘는 굳센 양이 호응한다.

傳言剛得衆應, 而厚齋謂應於五. 然彼感此應, 理之常也. 群陰率順乎一陽, 故九四以剛而應之.
『정전』에서는 굳센 양이 무리의 호응을 얻는다고 하였고, 후재(厚齋)는 오효에 호응한다고 하였다. 그러니 피차에 감응하는 것은 항상된 이치이다. 여러 음이 하나의 양을 순하게 따르므로 구사는 굳센 양으로 호응한다.

최세학(崔世鶴) 주역단전괘변설(周易彖傳卦變說)」

豫, 坤之一體變也, 四一爻爲主, 故彖以剛應志行言之. 乾四以剛往居於上體之下, 而五陰皆應, 其志得上行也.
예괘(豫卦)는 곤괘의 한 몸체가 바뀌어 구사 한 효가 주인이 되므로 「단전」에서 "굳센 양이 호응하여 뜻이 행해진다"고 말하였다. 건괘의 사효가 굳센 양으로서 예괘로 가서 상체의 맨 아래에 있으므로 다섯 음이 모두 호응하여 그 뜻이 위로 행해질 수 있다.

豫, 順以動, 故天地如之, 而況建侯行師乎.

예괘는 순응함으로써 움직이기 때문에 하늘과 땅도 그처럼 하는데, 하물며 제후를 세워 군대를 움직이는 일이랴!

中國大全

傳

以豫順而動, 則天地如之而弗違, 況建侯行師, 豈有不順乎. 天地之道, 萬物之理, 唯至順而已. 大人所以先天後天而不違者, 亦順乎理而已.

즐겁게 순응하여 움직이니 하늘과 땅도 그처럼 하여 어기지 않는데, 더군다나 제후를 세워 군대를 움직이는 일에 어찌 순응하지 않는 일이 있겠는가? 하늘과 땅의 도리와 만물의 이치는 오직 지극히 순응하는 것일 뿐이다. 대인이 하늘보다 먼저 하여도, 하늘보다 뒤에 하여도 어그러지지 않는 것은 역시 이치에 순응하여 그러할 따름이다.

本義

以卦德, 釋卦辭.

괘의 덕으로 괘사를 풀이하였다.

小註

西溪李氏曰, 建侯行師, 六爻无此意, 故彖以一卦之德言之.

서계이씨가 말하였다: "제후를 세워 군대를 움직인다"고 하였는데, 정작 여섯 효에서는 이 뜻이 없다. 그러므로 괘사에서는 한 괘의 덕으로써 언급하였다.

韓國大全

심조(沈潮) 「역상차론(易象箚論)」

象, 行師.

「단전」: 군대를 움직인다

互有坎艮, 旣有險阻, 其無行師乎.

호괘에 감괘와 간괘가 있어서 이미 험하고 막힘이 있으니, 군대를 움직이지 않을 수 있겠는가?

서유신(徐有臣) 『역의의언(易義擬言)』

九四一陽, 故曰剛也, 四之應初六也. 得外卦之初, 應內卦之初, 早豫之象也. 志行於初, 亦早豫象也. 順動卽應初之象也. 早豫之道無他, 順理而動也. 天地如之, 猶云先天而天弗違也. 事不豫則不立, 建侯行師, 事之大者, 可無豫乎.

구사가 양이므로 "굳세다[剛]"라고 하였고, 사효는 초육에 '호응'한다. 외괘의 첫 자리를 얻어 내괘의 첫 자리와 호응하니, 미리 예비하는[早豫] 상이다. 뜻이 처음에 행하여지니, 또한 이르게 즐거워하는 상[早豫]이기도 하다.[6] 순응하여 움직이는 것은 초효에 호응하는 상이다. 미리 예비하는 도리는 다른 것이 없으니, 이치에 순응하여 움직이는 것이다. 하늘과 땅이 그처럼 하므로 오히려 하늘보다 앞서도 하늘이 어기지 않는다고 한다. 일은 미리 예비하지 않으면 성립될 수 없고, 제후를 세우고 군대를 움직이는 것은 일 가운데 큰 것이니, 예비하지 않을 수 있겠는가?

박문건(朴文健) 『주역연의(周易衍義)』

此以卦德釋卦辭.

이는 괘의 덕으로 괘사를 해석하였다.

〈問, 順以動, 故天地如之, 而況建侯行師乎. 曰, 豫之德, 順以動, 故天地如之而弗違, 而況爲侯伯者行師旅, 而不以順動乎. 蓋天地如之者, 先天而天弗違之意也. 建侯行師

---

6) 초효는 구사의 지원을 얻어 처음부터 제 뜻대로 함이 극에 달하였기에 소리 내어 즐거워하는 상을 지니고 있다.

者, 文王作兩件事, 而夫子作一截說也.
물었다: "순응하여 움직이니, 하늘과 땅도 그처럼 하는데, 하물며 제후를 세워 군대를 움직이는 일이랴!"는 무슨 뜻입니까?
답하였다: 예괘의 덕은 순응하여 움직이므로 하늘과 땅도 그렇게 하여 어기지 않습니다. 하물며 제후가 된 이가 군대를 움직이는데 있어서 순응하여 움직이지 않겠습니까? 하늘과 땅이 그처럼 한다는 것은 하늘보다 앞서서 하여도 하늘이 어기지 않는다는 뜻입니다. 제후를 세워 군대를 움직이는 것을 문왕은 두 가지 일로 썼는데, 공자는 하나의 구절로 만들었습니다.〉

天地以順動, 故日月不過而四時不忒, 聖人以順動, 則刑罰淸而民服.

하늘과 땅은 순응하여 움직이므로 해와 달의 운행이 도에 지나치지 않아 네 계절이 어긋나지 않고, 성인은 순응하여 움직이기에 형벌이 투명하여 백성들이 복종한다.

中國大全

傳

復詳言順動之道. 天地之運, 以其順動, 所以日月之度, 不過差, 四時之行, 不愆忒. 聖人, 以順動. 故經正而民興於善, 刑罰淸簡, 而萬民服也.

다시 순응하여 움직이는 도리를 상세하게 설명하였다. 하늘과 땅의 운행은 순응하여 움직이기 때문에 해와 달의 도수가 어긋나지 않고, 네 계절의 운행이 어그러지지 않는다. 성인은 순응하여 움직이기 때문에 큰 강령이 바르게 되어 백성들이 착한 일을 일으키게 되고, 형벌이 투명하고 간략하여서 백성들이 복종한다.

小註

厚齋馮氏曰, 日月之行, 景長不過南陸, 短不過北陸. 故分至啓閉, 不差其序, 以順陰陽之氣而動也.

후재풍씨가 말하였다: 해와 달의 운행에 해가 길어도 남륙(南陸)을 지나치지 않으며, 짧아도 북륙(北陸)을 지나치지 않는다. 그러므로 춘분 · 추분 · 입춘 · 입하 · 입추 · 입동에 있어 그 질서가 어긋나지 않는 것은 음양의 기운에 순응하여 움직이기 때문이다.

○ 朱子曰, 刑罰不淸, 民不服, 只爲擧動不順了, 致得民不服. 便是徒配了他, 亦不服.

주자가 말하였다: 형벌이 투명하지 않으면 백성들이 복종하지 않으니, 이는 다만 윗사람의 거동이 이치에 순응하지 않아서 백성들이 복종하지 않는 결과를 초래하는 것이다. 그를 벌을 주고 유배를 보낸다고 하여도 역시 복종하지 않을 것이다.

韓國大全

조호익(曺好益) 『역상설(易象說)』[7]

天地, 卦有三才, 而建侯行師, 人也, 周流六虛, 四時之象. 天地象卦有三才, 日月象位有坎離, 聖人亦象三才, 刑罰亦象坎離. 此雖只言順動之理, 而亦不外乎象. 此易之妙也.
천지(天地)는 괘에 삼재(三才)가 있어서인데, 제후를 세우고 군대를 움직임은 인사이며, 육허에 두루 유행함은 네 계절의 형상이다. '천지'는 괘에 삼재가 있음을 형상하고, '일월(日月)'은 위(位)에 감괘와 리괘가 있음을 형상한다. '성인'은 역시 삼재를 형상하고, '형벌(刑罰)'은 역시 감괘와 리괘를 형상한다. 여기에서는 비록 순하게 움직이는 이치만을 말하였으나 또한 상에서도 벗어나지 않았다. 이것이 역의 오묘함이다.

○ 震男在坤地上, 建侯象. 坤衆而震動, 行師象. 或曰, 自初至五, 師之反體, 故取象.
진괘인 맏아들이 곤괘인 땅 위에 있으니, 제후를 세우는 상이다. 곤괘는 무리이고 진괘는 움직임이니 군대를 움직이는[行師] 상이다. 어떤 이는 "예괘(䷏)의 초효부터 오효까지가 사괘(師卦䷆)를 거꾸로 한 몸체이므로 그 상을 취하였다"고 하였다.

이익(李瀷) 『역경질서(易經疾書)』[8]

順動, 卽豫字之註脚, 不及於善惡也. 順理而動則善, 順氣而動則易流於惡. 天地無心而任運, 故日月四時不過不忒, 聖人從心不踰矩, 故刑罰淸而民服, 此皆順理而動也. 至於六爻之辭有高下善惡之不同等, 故吉凶間焉. 此或不能無順氣而動也, 順氣而動合理者蓋鮮, 故吉少凶多, 其執然也. 且以順動言, 則日往月來寒往暑來, 皆有定期非猝然有此, 故爲備豫之義, 重門擊柝之所取是也. 順時而靜, 順時而動, 有存身奮發之樂, 故爲悅豫之義. 順氣而動, 必至於侈大, 故爲豫大之意, 順動二字貫之矣. 趙鼎曰, 建侯行師, 乃所以致豫, 謂征伐寇亂, 方至悅樂.
"순응하여 움직인다"는 '예(豫)'자를 주석한 것이니, 선악까지는 말하지 않았다. 리(理)에 순응하여 움직이면 선하고, 기(氣)에 따라 움직이면 쉽게 악으로 흐른다. 하늘과 땅은 사심 없이 운행하므로 일월(日月)과 네 계절은 지나치지도 어긋나지도 않으며, 성인은 마음 가는

---

7) 경학자료집성DB에서는 예괘 '괘사'에 해당하는 것으로 분류했으나, 내용에 따라 이 자리로 옮겼다.
8) 경학자료집성DB에서는 예괘 '괘사'에 해당하는 것으로 분류했으나, 내용에 따라 이 자리로 옮겼다.

대로 하여도 법도에서 벗어나지 않아서 형벌이 투명하여 백성들이 복종하니, 이는 모두 리에 순응하여 움직이는 것이다. 여섯 효의 효사에서 높고 낮음, 선과 악이 동등하지 않으므로 길흉이 나뉘게 된다. 리(理)는 기를 따라서 움직이지 않을 수 없는데, 기를 따라서 움직일 때 리에 합하는 경우가 드물기 때문에 길함은 적고 흉함은 많은 것이니, 그 형세가 그러하다. '순응하여 움직임'에 대해 말하자면, 해와 달이 오가며 추위와 더위가 오고 감이 다 정해진 바가 있는 것이지 갑자기 그렇게 되는 것이 아니므로 예비하는 뜻이 된다. 「계사전」에 "문을 중첩하고 목탁을 친다"[9]라고 한 구절에서 이 뜻을 취하였다. 때에 순응하여 고요하게 있고 때에 순응하여 움직이기에 몸을 보존하고 분발하는 즐거움이 있으므로 기쁘고 즐거워하는 뜻이 된다. 기에 따라서 움직이면 자만하는데 이르기 마련이므로 즐거움이 크다는 뜻이 되니, "순응하여 움직인다[順動]"는 말로 전체를 관통할 수 있다. 조정은 "제후를 세워 군대를 움직임이 즐거움을 이루는 것이니, 도적의 난을 정벌하여야 기쁘고 즐거움에 이를 수 있음을 말한다"고 하였다.

유정원(柳正源) 『역해참고(易解參攷)』[10]

天地 [至] 民服.

하늘과 땅이 … 백성들이 복종한다.

鄭氏〈剛中〉曰, 李鼎祚謂震春兌秋離夏坎冬, 四時位正, 故不忒, 震正體, 坎互體, 艮伏兌, 坎伏離, 坎又爲法律, 有刑罰之象.

정강중이 말하였다: 이정조는 "진괘는 봄, 태괘는 가을, 리괘는 여름, 감괘는 겨울로서 네 계절의 자리가 바르므로 어긋나지 않는다"고 하였다. 진괘는 본래의 몸체이고 감괘는 호체이며, 간괘에는 태괘(兌卦)가 잠복하고 감괘에는 리괘(離卦)가 잠복한다. 감괘는 또한 법률이 되니, 형벌의 상이 있다.

○ 案, 彖言天地四時聖人刑罰, 亦如謙卦之備言天地人鬼, 恐不可求其象於互卦伏體之中. 後觀賁大過坎以下諸卦, 言天地四時之象者, 皆不收.

내가 살펴보았다: 「단전」에서 하늘 · 땅 · 네 계절 · 성인 · 형벌을 말한 것은 또한 겸괘(謙卦)에서 하늘 · 땅 · 사람 · 귀신을 갖추어 말한 것과 같은데, 그 상을 호괘와 잠복한 몸체[伏體]에서 구할 수 없는 것 같다. 뒤의 관괘(觀卦) · 비괘(賁卦) · 대과괘(大過卦) · 감괘(坎卦) 이하 여러 괘에서 하늘과 땅, 네 계절의 상을 말한 것은 호괘와 잠복한 몸체로서 구하는

---

9) 『周易 · 繫辭傳』: 重門擊柝, 以待暴客, 蓋取諸豫. 이 구절에 대하여 『본의』는 "미리 방비하는 뜻이다[豫備之意]"라고 풀이하였다.

10) 경학자료집성DB에서는 예괘 '괘사'에 해당하는 것으로 분류했으나, 내용에 따라 이 자리로 옮겼다.

법을 적용시킬 수 없을 듯하다.

小註, 馮氏說. 景長 [至] 北陸.
소주에서 후재풍씨가 말하였다. 해와 달의 운행은 길어도 … 북륙(北陸)을 지나치지 않는다.
〈左傳申豊曰, 日在北陸而藏氷. 林堯叟註, 陸道也. 夏十一月[11]日在虛危.
『좌전』에서 신풍(申豊)이 말하기를 "해가 북륙(北陸)의 위에 있을 때 얼음을 떠서 저장한다"[12]라고 하였다. 임요수(林堯叟)는 "육(陸)은 해가 다니는 길이다. 하(夏)나라 역법(曆法)으로 십이월에는 해가 허수(虛宿)과 위수(危宿)의 위치에 있다"고 주석하였다.
○ 前天文志, 日有黃道, 夏至至東井近極, 故晷短景一尺五寸八分. 冬至至牽牛遠極, 故晷長景三尺一寸四分.[13]
이전의 「천문지」에서 말하였다. 해가 다니는 길로 황도가 있는데, 하지에는 동정(東井)의 가까운 극점에 이른다. 그러므로 그림자가 짧아서 1척 5촌 8푼이다. 동지에는 견우(牛遠)의 먼 극점에 이른다. 그러므로 그림자가 길어서 4척 1촌 4푼이다.
○ 案, 冬至, 日在斗, 是北方玄武七宿, 故曰北陸. 夏至, 日在井, 是南方朱雀七宿. 故曰南陸.
내가 살펴보았다: 동지에는 해가 두(斗)에 있으니, 북방 현무칠수(玄武七宿)이다. 그러므로 북륙이라고 한다. 하지에는 해가 정(井)에 있으니, 남방 주작칠수(朱雀七宿)이다. 그러므로 남륙이라고 한다.〉

강엄(康儼) 『주역(周易)』

按, 上文旣言天地如之, 故此復言天地聖人之以順動以實之. 蓋天地以順動, 故凡人事之以順動, 天地亦與之沕合而旡間也.
내가 살펴보았다: 윗 문장에서 이미 "하늘과 땅이 그처럼 한다"고 하였으므로 여기에서는 다시 하늘과 땅과 성인이 순응하여 움직이는 것으로 실증하여 말하였다. 하늘과 땅이 순응하여 움직이므로 사람의 일도 순응하여 움직인다. 하늘과 땅 역시 그와 더불어 꼭 맞아서 틈이 없다.

---

11) 본문의 十一月은 十二月의 오류이므로 바로잡는다.
12) 『左傳·昭公』: 大雨雹. 季武子問於申豊曰, 雹可禦乎. 對曰, 聖人在上, 無雹. 雖有, 不爲災. 古者日在北陸而藏冰, 西陸朝覿而出之. 其藏冰也, 深山窮谷, 固陰沍寒, 於是乎取之.
13) 『玉海』 卷五: 夏至至東井北近極, 故晷短立八尺之表, 而景長尺五寸八分. 冬至至牽牛遠極, 故晷長景丈三尺一寸四分.

이지연(李止淵) 『주역차의(周易箚疑)』

春將至, 則陽氣豫動於臘月, 冬將至, 則陰氣豫動於七月, 此所謂天地之豫也. 欲民之不犯法, 則豫定五刑, 使民知所避, 此所謂聖人之豫也.

봄이 오려고 하면 양기가 섣달에 미리 움직이고, 겨울이 오려고 하면 음기가 칠월에 미리 움직이니, 이것이 이른바 천지가 예비하는 것이다. 백성들이 범법하지 않게 하려면 다섯 가지 형벌을 미리 정하여 백성들이 피해야 함을 알도록 해야 하니, 이것이 성인이 예비하는 것이다.

김기례(金箕澧) 「역요선의강목(易要選義綱目)」

剛應而志行. 〈指九四得衆陰之應. 陽志上動而行故豫.〉 天地而順動. 〈譬言, 卦義順而動之意. 蓋陰陽順時動, 故不忒.〉

굳센 양이 호응하여 뜻이 행해진다. 〈구사가 여러 음에게 호응을 얻는 것을 가리킨다. 양이 위로 움직여 가고자하므로 즐겁다.〉 하늘과 땅이 순응하여 움직인다. 〈예괘가 순응하여 움직인다는 의미임을 비유하여 말하였다. 음양이 때에 순응하여 움직이므로 어긋나지 않는다.〉

豫之時義, 大矣哉.

예괘의 때와 의미가 크도다!

中國大全

傳

既言豫順之道矣, 然其旨味淵永, 言盡而意有餘也. 故, 復贊之云, 豫之時義大矣哉, 欲人研味其理, 優柔涵泳而識之也. 時義, 謂豫之時義. 諸卦之時與義用, 大者皆贊其大矣哉, 豫以下十一卦是也. 豫遯姤旅, 言時義, 坎睽蹇, 言時用, 頤大過解革, 言時, 各以其大者也.

이미 즐겁게 순응하는 도리를 말하였으나, 그 의미가 깊고 길기에 말을 다 하였어도 아직 남는 뜻이 있다. 그러므로 다시 "예괘의 때와 뜻이 크도다!"라고 찬미하여, 사람들이 그 이치를 연구하여 음미할 때에 넉넉히 푹 잠겨 노닐면서 깨닫도록 하였다. '때와 뜻'이란 예괘의 때와 뜻을 말한다. 여러 괘에서 때와 의미의 쓰임이 큰 것은 모두 "위대하도다!"라고 찬탄하였는데, 예괘 아래 열 한 개의 괘가 이러하다. 예괘(豫卦)·돈괘(遯卦)·구괘(姤卦)·여괘(旅卦)는 때와 의미를 말하였고, 감괘(坎卦)·규괘(睽卦)·건괘(蹇卦)는 때와 쓰임을 말하였고, 이괘(頤卦)·대과괘(大過卦)·해괘(解卦)·혁괘(革卦)는 때를 말하였는데, 각기 그 위대한 것을 말하였다.

本義

極言之而贊其大也.

할 수 있는 말은 다 하여 그 위대함을 찬탄하였다.

小註

朱子曰, 豫之時義, 言豫之時底道理.

주자가 말하였다: 예괘의 '시의(時義)'란 예괘에 해당하는 때의 도리를 말한다.

○ 雲峰胡氏曰, 頤, 大過, 解, 革, 言時, 坎, 睽, 蹇, 言時用. 豫, 隨, 遯, 旅, 姤, 言時義. 凡十二卦, 釋彖之已言者, 又復推廣彖所未言者. 於是極言以贊其大, 欲人涵泳於言意之表, 卽如乾之文言, 是也.
운봉호씨가 말하였다: 이괘(頤卦)·대과괘(大過卦)·해괘(解卦)·혁괘(革卦)는 '때'를 말하였고, 감괘(坎卦)·규괘(睽卦)·건(蹇)괘는 '때의 쓰임'을 말하였다. 예괘(豫卦)·수괘(隨卦)·돈괘(遯卦)·려괘(旅卦)·구괘(姤卦)는 '때의 의미'를 말하였다. 이 열두 괘는 각기 단사에서 이미 말한 것을 풀이하고, 다시 단사에서 미처 말하지 않은 것을 미루어 확장하였다. 이에 지극히 말하여 그 위대함을 찬탄하여서 독자들이 말의 의미에 푹 잠겨 노닐 수 있게 하였으니, 바로 건괘 「문언전」에서 그렇게 한 것과 같다.

○ 隆山李氏曰, 自豫以下, 凡十二卦, 或言時義, 或言時用, 或只言時, 各隨卦體而贊之. 初无異義, 未有有時而无義, 有義而无用者也. 要之時義時用, 共歸於大哉者均, 所以爲推廣之意. 嘗觀彖辭, 因論天地聖人王公, 則多有是言, 所以廣言之也. 不如是, 拘隘而不通矣. 學易者, 從羲文以探其始, 從孔子以要其終, 其庶幾知易之道乎.
융산이씨가 말하였다: 예괘 이하 열두 괘는 '때의 의미'를 말하기도 하고, '때의 쓰임'을 말하기도 하고, 혹 '때'만을 말하기도 하였는데, 각기 괘의 몸체를 보고 그에 맞게 예찬하였다. 애초에 다른 뜻이 없으므로, 때만 있고 의미가 없거나, 의미만 있고 쓰임이 없는 경우는 없다. 요컨대 '때의 의미', '때의 쓰임'이 모두 '위대하다'는 데로 귀결되는 것은 균등하니, 미루어 확장하려는 뜻이 되기 때문이다. 일찍이 단사로 인하여 천지·성인·왕공을 논한 것을 살펴 보았더니 이러한 말이 있는 것이 많았는데, 모두 의미를 확장하여 말한 것이다. 이와 같이 보지 않는다면 글자에 구속되어 의미가 통하지 않게 된다. 역을 공부하는 사람이 복희씨와 문왕으로부터 공부를 시작해서 공자를 따라 마무리 짓는다면, 거의 역의 도리를 알 수 있을 것이다.

韓國大全

김상악(金相岳) 『산천역설(山天易說)』

以卦德釋卦辭而極言之. 豫順而動, 則天地如之而不違, 況人事之建侯行師乎. 天地以順動, 故日月行焉, 四時成焉, 以致萬物之豫. 聖人以順動, 則刑罰淸而民服焉, 以致衆庶之豫, 豫之時義豈不大哉.
괘의 덕으로 괘사를 풀이하였는데, 할 수 있는 말은 다 하였다. 예괘는 순응하여 움직이니 하늘과 땅도 그처럼 하여 어기지 않는데, 하물며 인사(人事)에서 제후를 세우고 군대를 움직이는 일에 있어서랴! 하늘과 땅이 순응하여 움직이므로 해와 달이 운행되고 네 계절이 성립되어 만물이 즐겁기에 이른다. 성인이 순응하여 움직이니 형벌이 투명해서 백성들이 복종하고, 이로써 많은 무리들의 즐거움을 이루니, 예괘의 때와 의미가 크지 않겠는가!

○ 凡卦之言時義者五, 豫隨遯姤旅是也. 言時用者三, 坎睽蹇是也. 言時者四, 頤大過解革是也. 蓋時者, 天道, 義與用則人事, 而時爲大, 故有言時而不言義用者. 然其義用在中矣, 可以類推.
'때와 의미[時義]'를 언급한 괘가 다섯이니, 예괘(豫卦)·수괘(隨卦)·돈괘(遯卦)·구괘(姤卦)·려괘(旅卦)가 이것이다. '때와 쓰임[時用]'을 언급한 괘가 셋이니, 감괘(坎卦)·규괘(睽卦)·건괘(蹇卦)가 이것이다. '때[時]'를 말한 괘가 넷이니, 이괘(頤卦)·대과괘(大過卦)·해괘(解卦)·혁괘(革卦)가 이것이다. '때[時]'란 천도이고 '의미와 쓰임[義用]'은 인사인데, 때가 큰 것이 되므로 '때'를 말하고 '의미와 쓰임'은 말하지 않았다. 그러나 '의미와 쓰임'이 그 가운데 있음을 유추할 수 있다.

서유신(徐有臣) 『역의의언(易義擬言)』

天地之動, 日月四時之行, 皆非臨時取辦也. 刑罰亦宜豫者也. 豫故淸簡也. 懸法不豫, 則民不知畏犯者多, 而刑日繁也. 豫之時義在於知幾, 故稱大矣哉.
하늘과 땅이 움직이고 해와 달, 네 계절이 운행하는 것은 그때에 닥쳐서 분별할 수 있는 것이 아니다. 형벌 역시 미리 예비해야하는 것이다. 예비하므로 투명하고 간단하다. 법을 미리 내걸어 예비하지 않으면, 백성들이 범법하기를 두려워할 줄 모르는 자가 많아져서 형벌이 날로 번잡해진다. 예괘의 때와 의미는 기미를 아는데 있으므로 "크다"고 칭송하였다.

김귀주(金龜柱) 『주역차록(周易箚錄)』

傳, 旣言豫順, 云云.
『정전』에서 말하였다: 이미 순응하여 즐거워하는 도리를 말하였으나, 운운.[14]

---

14) 경문 "예괘에서의 때와 의미가 크도다[豫之時義, 大矣哉]"에 대한 『정전』 설명 부분.

○ 按, 程傳每分說時用義之異. 蓋時用義, 名目固, 自有異. 然有時必有用, 有用必有義, 則擧一可盡其餘矣. 朱子嘗論乾卦曰, 伊川說時用義難分別, 看来時似用, 用似義. 據此則他卦亦當以此例之.
내가 살펴보았다: 『정전』에서는 매번 '때 · 쓰임 · 의미[時用義]'의 차이를 나누어 말하였다. 때와 쓰임과 의미는 각기 고유한 이름이 있으므로 자연히 다른 점이 있다. 그러나 때가 있으면 반드시 쓰임이 있고, 쓰임이 있으면 반드시 의미가 있어서, 하나를 들면 그 나머지도 다할 수 있다. 주자가 건괘를 논하면서 "이천이 말한 때 · 쓰임 · 의미는 분별하기 어려워 때[時]가 쓰임[用]같기도 하고, 쓰임[用]이 의미[義]같기도 하다"라고 하였는데, 이에 따르면 다른 괘도 역시 분명히 이런 식으로 되어 있을 것이다.

本義, 極言之, 云云.
『본의』에서 말하였다: 할 수 있는 말을 다하여서, 운운.
小註, 朱子曰, 豫之, 云云.
소주에서 주자가 말하였다: 예괘의 시의(時義)란, 운운.[15)]
○ 按, 此說恐爲至論. 以此推之, 則凡言時用, 亦是時底用耳.
내가 살펴보았다: 이 설명이 지극한 논의가 될 듯하다. 이로써 미루어 보면 보통 '시용(時用)'이라고 한 것도 역시 '때의 쓰임'이 되겠다.

박문건(朴文健) 『주역연의(周易衍義)』

不過不忒, 天地如之之謂也. 刑淸民服, 建侯行師之謂也. 此重言順動之義, 而贊其大也.
"지나치지 않고 어긋나지 않는다[不過不忒]"는 것은 하늘과 땅이 그처럼 한다는 말이다. "형벌이 투명하여 백성이 복종한다"는 것은 제후를 세워 군대를 움직인다는 말이다. 이는 "순응하여 움직인다[順動]"는 뜻을 거듭 말하여 그 위대함은 찬탄하였다.
〈問, 時義. 曰, 隨時而順動, 故謂之時義也.
물었다: '시의(時義)'는 무슨 뜻입니까?
답하였다: 때에 따라서 순응하여 움직이므로 '시의(時義)'라고 하였습니다.〉

심대윤(沈大允) 『주역상의점법(周易象義占法)』

---

15) 「본의」에서 말하였다: 할 수 있는 말은 다 하여서 그 위대함을 찬탄하였다[極言之而贊其大也]. 소주에서 주자가 말하였다: 예괘의 '시의(時義)'란 예괘에 해당하는 때의 도리를 말한다[朱子曰, 豫之時義, 言豫之時底道理].

天地運行以時, 而四時不忒, 聖人動民順勢, 而天下不逆. 凡贊時者, 皆不可常行也. 豫之順民以動者, 以其時不可以逆民也. 故姑順之以成吾之功, 而以上順下, 非常道也, 故贊其時也. 唯建侯行師之屬, 不可不順民者也, 豫之義大矣.
하늘과 땅이 때에 맞게 운행하니 네 계절이 어긋나지 않고, 성인이 백성을 움직임이 시세를 따르니 천하가 어기지 않는다. 때를 찬미한 것은 항상 행할 수는 없기 때문이다. 예괘에서 백성에게 순응하여 움직이는 것은 그 때를 가지고 백성에게 거슬러서는 안 되기 때문이다. 그러므로 짐짓 순응하여 나의 공을 이룬다. 윗사람으로서 아랫사람에게 순응하는 것은 항상 된 도리가 아니므로 그때가 크다고 찬미하였다. 오직 제후를 세워 군대를 움직이는 것 같은 일은 백성들에게 순응하지 않을 수 없으니, 예괘의 의미가 크다!

오치기(吳致箕) 「주역경전증해(周易經傳增解)」

此, 以卦體主爻卦德釋卦名義. 而九四一剛爲群柔所應, 剛得上下之順從, 其志大行, 卽順以動而爲豫之義也. 又以卦德釋卦辭, 而終復以卦德, 極言天地聖人之道, 而贊豫之時義也. 蓋和樂爲豫之義, 得正爲時, 而恐人之不能審思, 故特言時義之大, 欲其研究其理也. 豫以下十二卦皆然. 豫隨遯姤旅五卦, 則言時義. 坎睽蹇三卦, 則言時用. 頤大過解革四卦, 則言時者, 各取其最大而言也. 餘見彖解.
여기에서는 괘의 몸체와 주효, 그리고 괘의 덕으로 괘의 이름을 설명하였다. 구사는 하나의 굳센 양으로 여러 부드러운 음들이 호응한다. 굳센 양으로서 위아래에서 순응하여 따르므로 그 뜻이 크게 행해지니, 순응하여 움직이는 것이 '예(豫)'의 뜻이 된다. 또한 괘의 덕으로 괘사를 풀이하고 끝에서 다시 괘의 덕으로 천지와 성인의 도를 극진히 말하여 예괘의 때와 의미를 찬탄하였다. 화합하여 즐거운 것이 예괘의 뜻[義]이 되고 바름을 얻는 것이 예괘의 때[時]가 되는데, 사람들이 깊이 생각하지 못할까봐 특별히 '때와 의미[時義]'가 크다고 말하여 그 이치를 연구하도록 하였다. 예괘(豫卦) 이하 열 두 괘가 모두 그러하다. 예괘(豫卦) · 수괘(隨卦) · 돈괘(遯卦) · 구괘(姤卦) · 려괘(旅卦)의 다섯 괘는 '때와 의미[時義]'를 말하였고, 감괘(坎卦) · 규괘(睽卦) · 건괘(蹇卦)의 세 괘는 '때와 쓰임[時用]'을 말하였으며, 이괘(頤卦) · 대과괘(大過卦) · 해괘(解卦) · 혁괘(革卦)의 네 괘는 '때[時]'를 말하였는데, 각기 그 가장 큰 것을 취하여 말하였다. 나머지는 단사의 해설에 보인다.

박문호(朴文鎬) 「경설(經說) · 주역(周易)」

經正, 故刑罰清簡, 民興於善, 故服. 時義言時與義也. 小註朱子以時之義爲言, 恐備一義耳, 非其正義也.

강령이 바르기 때문에 형벌이 투명하고 간소해지며, 백성들이 선하게 교화되기 때문에 복종한다. '시의(時義)'는 때와 의미를 말한다. 소주에서 주자가 '때의 의미[時之義]'라고 말하였는데, 한 가지 의미는 되겠으나 온전한 의미는 아닐 듯하다.

이정규(李正奎) 『독역기(讀易記)』[16]

豫之時義之大, 天地如之而曰建侯行師. 然則天下大事, 莫過於建侯行師也. 然爻之時則吉凶相反何也. 觀於泰與豫, 則治極者亂易繼之, 樂極者凶易繼之. 處治極樂極者, 其可放心乎.
예괘의 때와 의미가 크기 때문에 하늘과 땅도 그처럼 하고 "제후를 세워 군대를 움직인다"고 하였다. 그러니 세상의 큰 일은 제후를 세워 군대를 움직이는 것 보다 더한 것이 없다. 그런데 각 효의 때는 길흉이 상반되니 왜 그런가? 태괘(泰卦)와 예괘(豫卦)를 살펴보면 잘 다스려져 극에 이르자 어지러움으로 바뀌어 이어지고, 즐거움이 극에 이르자 흉함으로 바뀌어 이어진다. 아주 잘 다스려지고 아주 즐거운 곳에 있는 사람이 방심할 수 있겠는가?

이병헌(李炳憲) 『역경금문고통론(易經今文考通論)』

鄭曰, 豫喜, 豫悅, 樂之貌. 震爲雷, 諸侯之象. 坤爲衆, 師旅之象.
정현이 말하였다: '예희(豫喜)', '예열(豫悅)'은 즐거워하는 모습이다. 진괘는 우레가 되니 제후의 상이다. 곤괘는 무리가 되니 군대의 상이다.

孟曰, 利建侯者, 王所親建純臣也.[17] 深玩天地以順動之義, 則始知天圓地方天動地靜之說尤非易之義. 讀者當求經文之正意也.
맹희가 말하였다: "제후를 세움이 이롭다"는 말은 천자가 친히 순정한 신하를 세우는 것이다. 하늘과 땅이 순응하여 움직인다는 의미를 깊이 완미해 보면, 하늘은 둥글고 땅은 네모져서 하늘은 움직이고 땅은 고요하다는 설이 결코 주역의 뜻이 아님을 알게 될 것이다. 읽는 이는 마땅히 경문의 바른 뜻을 구해야 한다.

按, 豫亦豫備之意.
내가 살펴보았다: 예(豫)는 또한 예비한다는 뜻이다.

---

16) 경학자료집성DB에서는 예괘 괘사에 해당하는 것으로 분류했으나, 내용에 따라 이 자리로 옮겼다.
17) 경학자료집성에 '王所親純臣也'로 되어 있으나, '王所親建純臣也'가 옳으므로 바로잡았다.

象曰, 雷出地奮豫. 先王以, 作樂崇德, 殷薦之上帝, 以配祖考.

상전에서 말하였다: 우레가 땅에서 나와 떨치는 것이 예괘이다. 선왕이 그것을 본받아 음악을 지어 덕을 높임으로써 상제께 크게 제사를 올려 조상까지도 함께 제사한다.

中國大全

傳

雷者, 陽氣奮發, 陰陽, 相薄而成聲也. 陽始潛閉地中, 及其動則出地奮震也. 始閉鬱及奮發則通暢和豫. 故爲豫也, 坤順震發, 和順積中而發於聲, 樂之象也. 先王, 觀雷出地而奮和暢發於聲之象, 作聲樂以褒崇功德, 其殷盛, 至於薦之上帝, 推配之以祖考. 殷, 盛也. 禮有殷奠, 謂盛也. 薦上帝配祖考, 盛之至也.

우레는 양의 기운이 떨쳐 일어나는 것이니, 음양이 서로 부딪쳐 소리를 이룬다. 양이 처음에 땅 속에 갇혀 있다가 움직일 때에 이르러 땅 속에서 솟구쳐 떨쳐 울린다. 답답하게 갇혀 있다가 떨쳐 일어나 확 뚫리고 화락하므로 예괘가 된다. 곤괘는 순응하고 진괘는 발동하니, 화순함이 속에 쌓여 있다가 소리로 피어나니 음악의 상이다. 선왕이 우레가 땅에서 나와 떨쳐 화창함이 소리로 피어나는 상을 보고는 음악을 지어 그 공덕을 높이 기리니, 그 성대함이 상제께 올리는 데에까지 이르고, 더 나아가 조상을 배향하는 데까지 이른다. '은(殷)'은 성대함이다. 『예기』에 '풍성한 제물[殷奠]'이라 하였으니 성대함을 말한다. 상제께 드리고 조상에게 배향하는 것은 지극히 성대하다.

本義

雷出地奮, 和之至也. 先王作樂, 旣象其聲, 又取其義. 殷, 盛也.

우레가 땅에서 떨쳐 나오는 것은 지극하게 화합하는 것이다. 선왕이 음악을 지을 때 이미 그 소리를 형상화하고, 또 그 의미를 취하였다. '은(殷)'은 성대함이다.

小註

朱子曰, 先王作樂, 无處不用, 然用樂之大者, 尤在於薦上帝配祖考也. 問, 崇德是自崇其德, 如大韶大武之類是否? 曰, 是.
주자가 말하였다: 선왕이 음악을 지어 쓰지 않는 데가 없지만, 음악의 중요한 쓰임은 상제께 제사 올리고 조상을 배향하는 데에 있다.
물었다: "덕을 높인다"는 것은 스스로 그 덕을 높인다는 것이니, 순임금의 음악과 무왕의 음악 같은 것을 말합니까?
답하였다: 그렇습니다.

○ 涑水司馬氏曰, 雷出地者, 春分候也. 春分之時, 雷迅出地, 以動萬物, 萬物莫不奮迅悅豫而從之也. 豫, 喜意也. 作樂所以飾喜也. 薦之上帝以配祖考, 用樂之盛者.
속수사마씨가 말하였다: 우레가 땅에서 솟는다는 것은 춘분 절기이다. 춘분에는 우레가 땅에서 쑥 솟아나 만물을 진동시키므로, 만물이 빠르게 떨쳐 올라 기쁘게 따르지 않음이 없다. 예(豫)는 기쁘다[喜]는 뜻이다. "음악을 짓는다"는 것은 아름답게 꾸며 기뻐하는[喜] 것이다. "상제께 제사를 크게 올려 조상까지도 함께 제사한다"는 것은 음악의 쓰임 가운데에서도 성대한 경우이다.

○ 瓜山潘氏曰, 樂之爲用, 朝覲聘享祭祀各有所主, 唯郊祀上帝, 則大合古今衆樂而奏之. 大司樂, 圜丘之奏樂, 極九變, 是也. 故曰, 殷薦之上帝以配祖考, 郊祀后稷以配天配以祖也. 宗祀文王於明堂以配上帝, 配以考也.
과산반씨가 말하였다: 음악의 쓰임은 임금이 조회할 때와 제사를 지낼 때에 각기 중심이 되는 것이 있다. 교외에서 상제께 제사할 때에는 고금의 여러 음악을 연주한다. 대사악이 환구[18]에서 음악을 연주할 때 온갖 변주[19]를 다하는 것이 바로 이것이다. 그러므로 상제께 올려드림으로써 조상을 함께 제사하고, 사직의 신에게 제사함으로써 하늘과 조상을 함께 제사한다. 그러므로 명당에서 문왕을 제사할 때에 상제를 배향하고 조상을 배향한다.

○ 雲峯胡氏曰, 本義云, 象其聲者, 樂之聲法雷之聲, 又取其義者, 豫以和爲義, 雷所以發揚化功而鼓天地之和, 樂所以發揚功德而召神人之和也.

---

18) 환구(圜丘): 고대 제왕이 동지 때 하늘에 제사를 지내던 곳이다.
19) 구변(九變): 여러 차례 연주하는 것을 말한다. 다음과 같은 용례들이 있다. 『周禮 · 大司樂』: "若樂九變, 則人鬼可得而禮矣." 鄭玄注: "變猶更也, 樂成則更奏也." 唐鮑防, 『元日早朝行』: "九韶九變五聲里, 四方四友一身中." 『宋史 · 樂志九』: "樂諧九變, 獻擧重觴." 參見"九成".

운봉호씨가 말하였다: 『본의』에서 "그 소리를 형상화하였다"고 한 것은 음악의 소리가 우레의 소리를 본떴다는 말이며, "또 그 의미를 취하였다"고 한 것은, 예괘는 화합함으로서 뜻을 삼는데, 우레는 만물이 자라나도록 소리를 떨쳐내어 천지의 화합을 고무시키며, 음악은 공덕을 떨쳐내어서 신과 인간이 화합하도록 한다는 말이다.

○ 東萊呂氏曰, 履爲易中之禮, 豫爲易中之樂.
동래여씨가 말하였다: 리괘(履卦)는 『주역』에서 예(禮)에 해당하고, 예괘(豫卦)는 『주역』에서 음악에 해당한다.

○ 進齋徐氏曰, 先王之一動一靜, 皆禮以奉天從事, 方雷在地中伏而未發, 則以之閉關商旅不行而后不省方, 法其靜也. 及出也奮而成聲, 則以之作樂崇德, 薦上帝而配祖考, 法其動也. 曰閉, 曰不行, 曰不省, 皆靜之意. 曰作, 曰崇, 曰薦配, 皆動之意也.
진재서씨가 말하였다: 선왕은 한 번 움직이고 한 번 고요함에 모두 예(禮)에 입각하여 하늘을 받들고 임무를 수행하였다. 우레가 아직 땅 속에 있어서 떨쳐 나오지 않았을 때에는 관문을 닫고 상인들과 여행자들이 다니지 않도록 하고 임금도 지방을 순찰하지 않으니, 이는 우레의 고요함을 본받은 것이다. 우레가 떨쳐나 소리를 내면 그를 기준으로 음악을 짓고 덕을 높여서 상제께 제사를 올리고 조상도 함께 제사하였으니, 이는 그 우레의 움직임을 본받은 것이다. 문을 닫고 다니지 않도록 하고 순찰하지 않는 것은 모두 고요함과 관련된 뜻이다. 음악을 짓고 높이고 올려드리고 배향하는 것은 모두 움직임과 관련된 뜻이다.

韓國大全

조호익(曺好益) 『역상설(易象說)』

雷出地而奮發, 則其聲有自下而上之象. 作樂者, 法雷之聲, 曰崇德曰薦上帝曰配祖考, 取自下而上之象. 又一陽在下卦之上, 有崇德之象. 震爲有聲而在天位, 有薦上帝之象. 一陽在天位之下有
配祖考之象.
우레가 땅에서 나와 떨쳐 일으키면 그 소리가 아래로부터 위로 올라가는 상이 있다. 음악을 짓는 자는 우레의 소리를 본받는다. "덕을 높인다[崇德]"고 하고, "상제께 제사를 올린다[薦上帝]"고 하고, "조상을 배향한다[配祖考]"고 한 것은 아래로부터 위로 올라가는 상을 취하였다. 또 한 양이 하괘(下卦)의 위에 있으니, 덕을 높이는 상이 있다. 진(震)에는 소리가 있어서 하늘의 자리에 있고, 상제께 제사를 올리는 상이 있다. 하나의 양이 하늘의 자리 아래에 있으니, 조상을 배향하는 상이 있게 된다.

김도(金濤) 「주역천설(周易淺說)」

愚按, 本義下朱子所釋惟一條, 司馬氏以下諸儒所釋凡五條, 而皆合於大象之旨矣. 蓋古之聖王, 莫不以禮樂治天下, 而禮之用和爲貴, 則和者樂之所由生也. 是以先王禮以制心, 和以作樂, 薦上帝配祖考, 而天下和平, 樂之用大矣哉. 昔者虞舜命夔典樂, 而百獸率舞, 神人以和者, 卽此也. 反是則亂亡隨至, 豈不痛哉.

내가 살펴보았다: 『본의』 아래에 주자가 해석한 것이 한 조목이며, 사마씨 이하 여러 유학자들의 해석은 다섯 조목으로 모두 「대상전」의 뜻에 부합한다. 옛 성왕이 예와 음악으로 천하를 다스리지 않는 이가 없었고, 예의 쓰임은 화락하게 하는 것을 귀하게 여겼는데, 화락함은 음악에서 생겨날 수 있다. 그러므로 선왕이 예로써 마음을 다스리고 화락함으로써 음악을 지어 상제께 제사를 올리고 조상을 배향하여 천하가 화평하니, 음악의 쓰임이 크지 않은가! 옛날에 순임금이 기(夔)에게 명하여 음악을 정비하자 뭇 짐승들이 춤을 추고 신과 인간이 화목하였다는 것이 바로 이것이다. 이와 반대로 하면 혼란과 패망이 따라 올 것이니, 어찌 통탄하지 않겠는가!

이만부(李萬敷) 「역통(易統)·역대상편람(易大象便覽)·잡서변(雜書辨)」

臣謹按, 自經秦火, 六籍蕩然. 漢興諸儒誦而傳之, 禮義頗存而樂尤殘缺, 至於後代, 雖各有制, 成周六樂不傳久矣. 況我東僻在海隅, 羅麗貿貿乎. 至我世宗朝. 始考正十二律, 作雅樂登歌, 東方禮樂, 未有盛於此時者也. 其後屢經兵燹, 綴拾存隷, 漸至訛舛, 識者歎之. 臣少時嘗觀樂院習樂, 工師陳器, 金石交作, 率多應文備數而已. 至其律呂旋宮五音相生之序, 未能保其無相奪倫. 而堂郎尸坐, 待畢起去, 無一何問, 何可望其是正哉.

신이 살펴보았습니다: 진나라 때 분서(焚書) 사건을 거치면서 육경의 문헌들이 흩어져 잃어버렸습니다. 한나라가 일어나자 여러 유학자들이 암송하여 전하여, 예(禮)의 뜻은 자못 보존되었으나 음악은 더욱 잔멸하여 후대에는 비록 각기 제도가 있다고는 하여도 주나라 때의 육악(六樂)은 전해지지 않은지 오래입니다. 더구나 우리 동방은 바다 모퉁이에 치우쳐 있으

면서 신라, 고려로 바뀌어 오지 않았습니까! 우리 세종조에 이르러 비로소 십이율을 고증하여 바로 잡고 아악·등가(登歌)[20]를 제작하니, 우리나라의 예악이 이때보다 더 성대한 때는 없었습니다. 그 후 누차 전란을 겪어 남은 것을 긁어모았으나 점차 와해되기에 이르니 식자들이 탄식하였습니다. 신이 어릴 적 악원(樂院)에서 음악을 익히는 것을 보았는데, 악공이 악기를 늘어놓고, 악기를 연주할 때 대다수 악보에 따라 수(數)를 맞추는데 그칠 뿐이었습니다. 율려의 궁을 맞추거나 오음이 상생하는 순서 등에 이르러서는 규칙에서 어긋나지 않도록 지켜내질 못하였습니다. 담당관은 시동처럼 앉아 있다가 끝나기를 기다려 일어나 가버리고 질문 하나 없으니, 어찌 바로잡기를 기대할 수 있겠습니까?

今欲釐正, 則必先埋管候氣得黃鍾一管, 然後可依以損益定十二律. 十二律旣定, 則傳之八器, 直次第事也. 此非但正樂之要, 凡度量權衡, 俱自黃鍾受法, 定爲畫一之器, 以作公私之用, 則姦民欺弄, 厚取薄出之弊, 可不勞而防. 大舜所以同律度量衡是也. 臣至此作樂之象, 略陳素所畜於中者, 伏願聖明少垂睿覽焉.
이제 바로잡고자 한다면, 반드시 율관을 묻어 기(氣)를 살펴서 황종관을 얻고, 그 후에 그에 의거하여 보태고 빼서 십이율을 정해야할 것입니다.[21] 십이율이 정해지면 팔기(八器)에 이를 적용시키는 것은 다만 그 다음의 일일 뿐입니다. 이는 비단 음악을 바로잡는 데 긴요한 것일 뿐이 아니니, 도·량·권·형이 모두 황종으로부터 기준이 정해져서 일정한 기물이 되는 것입니다. 이것으로 공적, 사적 용도의 기물을 만들어 쓴다면 간악한 백성이 농간을 부려 이윤은 두텁게 취하고 세금은 박하게 내는 폐단을 어렵지 않게 방지할 수 있을 것입니다. 순임금이 도량형을 일정하게 하였다는 것이 이것입니다. 신이 여기 음악을 짓는 상에 대해 평소에 마음속에 생각하던 바를 대략 진술하였으니, 바라옵건대 전하께서 한 번 살펴주십시오.

이익(李瀷) 『역경질서(易經疾書)』[22]

雷出地爲豫, 澤中有雷爲隨, 雷在地中爲復, 山下有雷爲頤, 雷何嘗深藏於地澤之下哉. 此云者, 皆指龍也. 雷與龍隨, 龍藏則雷隨而藏矣. 坎者水也, 或以雲言. 离者火也, 或以明言. 巽者風也, 或以木言. 言雲則水在其中, 言明則火在其中, 言木則風在其中,

---

20) 등가(登歌): 종묘(宗廟)·문묘(文廟) 등의 제향(祭享)에서 댓돌 위에서 연주하는 음악. 댓돌 아래서 연주하는 음악은 헌가(軒架)이다.

21) 『율려신서(律呂新書)』에서는 음의 기준이 되는 황종관을 얻는 방법의 하나로 기(氣)의 발산에 맞추어 계절마다 다르게 각각 12율관을 조율하도록 되어 있는 후기법(候氣法)을 제시하고 있다.

22) 경학자료집성DB에서는 예괘 '괘사'에 해당하는 것으로 분류했으나, 내용에 따라 이 자리로 옮겼다.

言雷則龍亦在其中矣. 龍順時而靜藏在地中, 順時而動奮出地上, 將登于天悅樂可知. 動物莫如雷, 厚德莫如地, 所以作樂崇德也. 殷薦盛祭也, 祖考文王也. 孝經所謂宗祀文王以配上帝是也. 龍奮則必登于天, 故先王以之制此禮.
우레가 땅에서 나오면 예괘가 되고 연못에서 나오면 수괘(隨卦)가 되고, 우레가 땅 속에 있으면 복괘(復卦)가 되며, 산 아래 우레가 있으면 이괘(頤卦)가 되는데, 우레는 어째서 땅과 연못 아래에 깊이 감춰져 있는가? 여기서 말하는 것은 모두 용을 가리킨다. 우레와 용은 따라다녀서 용이 감춰져 있으면 우레도 따라서 감춰진다. 감괘는 물인데 간혹 구름이라고도 한다. 리괘는 불인데 간혹 밝음[明]이라고도 한다. 손괘는 바람인데 간혹 나무라고도 한다. 구름이라고 하면 물은 그 가운데 있고, 밝음이라고 하면 불은 그 가운데 있으며, 나무라고 하면 바람은 그 가운데 있고, 우레라고 하면 용 역시 그 가운데 있다. 용이 때에 순응하여 고요히 땅 속에 감춰있고, 때에 순응하여 움직여 땅 위로 분출하니, 장차 하늘에 오르는 기쁨이 있을 것을 알 수 있다. 움직이는 물건으로 우레만한 것이 없고, 후덕하기로는 땅만한 것이 없으므로 음악을 짓고 덕을 높이는 근거가 된다. '은천(殷薦)'은 성대하게 제사하는 것이다. '조고(祖考)'는 문왕이다. 『효경』에서 "문왕을 제사하면서 상제까지 제사한다"고 한 말이 이것이다. 용은 떨쳐 일으키면 반드시 하늘에 이르므로 선왕이 그것으로 이 예(禮)를 제정한다.

심조(沈潮) 「역상차론(易象箚論)」

豫字, 從豕者, 互坎也, 崇字, 從山者, 互艮也. 震而在上, 上帝也. 艮爲門闕, 宗廟也.
예(豫)자는 시(豕)자를 부수로 하니 호괘인 감괘이고, 숭(崇)자는 산(山)자를 부수로 하니 호괘인 간괘이다. 진괘가 위에 있으니 상제가 되고, 간괘는 문이 되므로 종묘가 된다.

유정원(柳正源) 『역해참고(易解參攷)』23)

雷出 [至] 祖考.
우레가 땅에서 나와 … 조상까지 제사한다.

正義, 應云雷出地上, 乃云雷出地奮豫者, 雷是陽氣之聲, 奮是震動之狀. 雷旣出地, 震動萬物, 被陽氣而生, 各皆逸豫, 故曰雷出地奮豫也.
『정의』에서 말하였다: 응당 "우레가 땅 위로 나온다"라고 해야 할 것 같은데, "우레가 땅에서

23) 경학자료집성DB에서는 예괘 '괘사'에 해당하는 것으로 분류했으나, 내용에 따라 이 자리로 옮겼다.

나와 떨치는 것이 예괘이다"라고 한 것은 다음과 같은 이유에서이다. 우레는 양기의 소리이고, '떨침[奮]'은 진동하는 모양이다. 우레가 이미 땅에서 나와 만물을 진동시키니, 양기에 의하여 생겨나 각기 모두 편안하고 즐겁다. 그러므로 "우레가 땅에서 나와 떨치는 것이 예괘이다"라고 하였다.

○ 兼山郭氏曰, 周禮大司樂, 以圜鐘爲宮, 雷鼓雷鼗孤竹之管, 雲和之琴瑟, 雲門之舞, 於地上之圜丘奏之. 圜鐘, 夾鐘也. 此夏時二月律也, 則雷出地奮而作樂崇德, 其在斯時乎.
겸산곽씨가 말하였다: 『주례 · 대사악』에 "환종을 궁으로 하고, 뇌고 · 뇌도 · 고죽의 관, 운화의 금슬, 운문의 춤을 지상의 환구에서 연주한다"고 하였다. 환종은 협종이다. 이것은 하(夏)나라 때의 이월율이니, 우레가 땅에서 나와 떨치면 음악을 지어 덕을 높인다는 것은 아마도 이 때인가 보다.

○ 鄭氏〈剛中〉曰, 四至初有宗廟之象, 故曰以配祖考.
정강중이 말하였다: 사효에서 초효까지는 종묘의 상이 있으므로 "조상을 배향한다"고 하였다.

○ 雙湖胡氏曰, 說卦帝出震, 則震有帝象. 震者一陽之始生, 又有祖考象. 樂亦震象,
쌍호호씨가 말하였다: 「설괘전」에 "제(帝)가 진괘에서 나온다"라고 하였으므로 진괘에는 상제의 상이 있다. 진괘는 하나의 양이 처음 생겨나므로 또한 조상의 상이 있다. 음악에도 진괘의 상이 있다.

傳殷奠. 〈儀禮士喪記, 月半不殷奠. ○ 喪大記, 具殷奠之禮.〉
『정전』의 풍성한 제물[殷奠]. 〈『의례(儀禮) · 사상기(士喪記)』에 "보름제사에는 성대한 제물을 쓰지 않는다"라고 하였다. ○ 「상대기(喪大記)」에는 '풍성한 제물을 갖춘 예(禮)'라고 하였다.〉

김상악(金相岳) 『산천역설(山天易說)』

作樂者雷之奮, 崇德者坤之厚也. 薦上帝配祖考, 震長子爲祭主也.
'음악을 짓는 것'은 우레의 떨침을 본받고, '덕을 높이는 것'은 땅의 두터움을 본받는다. '상제께 제사 올리고, 조상을 배향함'에 있어서 진괘의 맏아들이 제주(祭主)가 된다.

○ 作樂, 一陽協五陰之象. 崇德, 五陰尊一陽之象. 殷者, 雷之殷也. 薦者, 以艮手薦坤之儀物也. 上帝取震, 故益六二亦言帝. 祖考取艮, 故小過六二言祖, 蠱初六言考, 艮一陽居上而尊也.
'음악을 지음'은 하나의 양이 다섯 음을 돕는 상이다. '덕을 높임'은 다섯 음이 하나의 양을 높이는 상이다. '큼[殷]'은 우레 소리가 크다는 말이다. '올림[薦]'은 간괘의 손으로 곤괘의 제사 물건들을 올리는 것이다. '상제'는 진괘에서 취하였으므로, 익괘(益卦) 육이효에서도 상제라고 하였다. '조상[祖考]'은 간괘에서 취하였으므로, 소과괘(小過卦) 육이효에서 '조(祖)'라고 하고, 고괘(蠱卦) 초육에서 '고(考)'라고 하였으니, 간괘(☶)에서는 하나의 양이 위에 있어서 높다.

서유신(徐有臣) 『역의의언(易義擬言)』

地底之雷, 潛藏待時, 遵養有素, 故能出地而奮發也. 雷出於地, 樂出於器, 聲氣之能使物動盪也同矣. 有是上帝之眷顧, 有是祖考之積德, 乃有是作樂也. 樂而不崇德, 則是爲淫靡之聲而非奮雷之象也. 薦之上帝者, 帝出乎震也. 以配祖考者, 灌地求神之義也. 震坤相配, 故以祖考配祀於上帝之象也.
땅 속의 우레는 잠겨 때를 기다리면서 평소에 잘 길러 놓았으므로 땅에서 나와서 떨쳐 일으킬 수 있다. 우레는 땅에서 나오고 음악은 악기에서 나오는데, 소리와 기운이 만물을 고무시켜 움직이게 하는 점은 같다. 상제가 돌봄이 있고 조상이 덕을 쌓음이 있으므로 이에 음악을 짓는다. 음악을 짓는데 덕을 숭상하지 않으면, 음란한 소리가 되어서 우레가 떨치는 상이 될 수가 없다. "상제께 올린다"고 한 것은 '제(帝)가 진괘에서 나오기'[24] 때문이다. '조상을 배향함'은 땅에 물을 부어 신령을 구하는 뜻이다. 진괘와 곤괘가 서로 짝이 되므로 조상께 제사지낼 때 상제를 배향하는 상이 된다.

김귀주(金龜柱) 『주역차록(周易箚錄)』

象曰, 雷出地奮, 云云.
「상전」: 우레가 땅에서 나와 떨치는 것, 운운.
○ 按, 加一奮字, 兼言聲氣, 所以見其和之至而正合作樂之意.
내가 살펴보았다: '분(奮)'자를 더하여 소리와 기운[氣]을 겸해서 말하였으니, 그 화락함이 지극하여 바로 음악을 짓는 뜻과 합함을 보였다.

24) 『周易·說卦傳』: 제(帝)가 진괘에서 나온다.[帝出乎震.]

本義, 雷出地, 云云.
『본의』: 우레가 땅에서 나와, 운운.
小註, 朱子曰, 先王, 云云.
소주에서 주자가 말하였다: 선왕이, 운운.
○ 按, 崇德, 恐非但自崇其德, 如雅頌之褒揚贊嘆, 莫非崇祖考之德也. 答說似是泛應化問.
내가 살펴보았다: "덕을 높인다[崇德]"는 것은 '스스로 그 덕을 높이는 것'은 아닐 듯하다. 예를 들어 「아(雅)」와 「송(頌)」에서 찬양하고 찬미하는 것은 조상의 덕을 높이지 않은 것이 없다. 주자가 답한 말은 질문에 응해서 일반적으로 말한 듯하다.

涑水司馬氏曰, 雷出, 云云.
속수사마씨가 말하였다: 우레가 땅에서 솟는다는 것은, 운운.
○ 按, 此以奮字, 兼屬萬物, 恐非本旨.
내가 살펴보았다: 이는 '분(奮)'자를 만물에 모두 해당하는 것으로 보았는데, 본래의 의미는 아닌 듯하다.

박문건(朴文健) 『주역연의(周易衍義)』

殷, 張樂之盛也. 配祖考, 如祖祀后稷於郊, 而以配天, 宗祀文王於明堂, 而以配上帝之類, 是也.
'은(殷)'은 성대하게 음악을 펼치는 것이다. "조상을 배향한다[配祖考]"는 것은 교외에서 후직(后稷)을 제사하면서 하늘을 배향하거나, 명당(明堂)에서 문왕을 제사하면서 상제를 배향하는 따위가 이것이다.

이지연(李止淵) 『주역차의(周易箚疑)』

雷者, 天地之解鬱者也. 樂者, 聖人之解樸者也.
우레는 천지가 꽉 막혀있는 상태를 해소하는 것이고, 음악은 성인이 사람들의 질박한 상태를 해소하는 것이다.

김기례(金箕澧) 「역요선의강목(易要選義綱目)」

雷出地奮, 春分, 雷始發萬物動而和悅之象. 先王, 以作樂崇德, 殷薦之上帝以配祖考. 非天子不制度, 不祭天, 故曰先王.

우레가 땅에서 나와 떨칠 때가 춘분이니, 우레가 처음 발하여 만물이 움직이고 화락하게 기뻐하는 상이다. 선왕이 이를 본받아 음악을 지어 덕을 높임으로써 상제께 크게 제사를 올려 조상도 함께 제사한다. 천자가 아니면 제도를 만들 수 없고 하늘에 제사할 수가 없으므로 '선왕(先王)'이라고 하였다.

○ 樂者, 无處不用, 唯祭天祭廟爲大.
음악은 쓰이지 않는 곳이 없으나, 오직 하늘을 제사하고 종묘에 제사하는 것이 큰 용도이다.

○ 復雷在地中, 故曰閉關不省方, 皆取靜豫. 雷出地奮, 故曰作樂殷薦, 皆取動.
복괘(復卦䷗)의 우레는 땅 속에 있으므로 "성문을 닫고 사방을 살피러 다니지 않는다"고 했으니, 모두 고요한 상을 취하였다. 우레가 땅에서 나와 떨치므로 "음악을 지어 크게 제사를 올린다"고 했으니, 모두 움직이는 상을 취하였다.

○ 呂東萊曰, 履爲易中之禮, 豫爲易中之樂.
여동래가 말하였다. 리괘(履卦䷉)는 『주역』에서 예(禮)에 해당하고, 예괘(豫卦)는 『주역』에서 음악에 해당한다.

윤종섭(尹鍾燮) 『경(經)·역(易)』

作樂崇德, 薦帝配祖, 互艮有立廟之象. 冬至祭始祖, 立春祭先祖. 雷出地奮, 陽氣漸長, 此誠之不可揜處也. 使人齊明以承祭祀, 惟此時爲然. 王者之致敬盡誠, 感格于神明, 天人之妙, 洋洋可測. 故以神道設教而天下服.
음악을 지어 덕을 높이고 상제께 제사를 올려 조상까지 배향한다고 하였는데, 호괘(互卦)인 간괘에는 사당을 세우는 상이 있다. 동지 때에는 시조를 제사하고, 입춘에는 선조를 제사한다. 우레가 땅에서 나와 떨치는 것은 양의 기운이 점차 자라나는 것으로, 이는 진실한 하늘의 작용이 숨길 수 없이 드러나는 지점이다. 사람들로 하여금 몸가짐을 바로 하여 제사를 받들게 하는 것은 오직 이 때가 그러해서이다. 임금이 공경을 다하고 정성을 다하여 신명을 감동시키니, 하늘과 사람 사이의 신묘한 감응이 가득 차 넘치리라는 것을 알 수 있다. 그러므로 신도(神道)로써 가르치자 천하가 감복한다.

取地中有山而制禮, 玩雷出地奮而作樂. 禮者天地之文也, 樂者天地之和也. 人受天地之中, 而非禮樂無以節其中, 孔子曰, 禮樂不可斯須去身. 樂著大始, 取象於善鳴之雷而作樂. 用豫之動, 天之道也. 禮居成物, 取象於地中之山而制禮. 用謙之靜, 地之事也.

땅 안에 산이 있는 상을 취하여 예(禮)를 제정하고, 우레가 땅에서 솟아나 떨치는 것을 완미하여 음악을 짓는다. 예(禮)란 하늘과 땅의 이치를 아름답게 꾸며내는 것이고, 음악은 하늘과 땅의 기운을 화락하게 하는 것이다. 사람이 하늘과 땅의 중(中)을 받았지만 예악이 아니면 그 중(中)을 알맞게 드러낼 수 없으니, 공자는 "예악은 잠시도 몸에서 떼어서는 안 된다"[25]라고 하였다. 음악으로 큰 시작을 알리니, 우레가 울리는 데에서 상을 취하여 음악을 짓는다. 이는 예괘(豫卦)가 지니는 움직임을 쓰는 것으로 하늘의 도이다. 이는 예(禮)를 두어 만물의 도리를 완성하는 것이니, 땅 안의 산에서 상을 취하여 예를 제정한다. 이는 겸괘(謙卦)가 지니는 고요함을 쓰는 것으로 땅의 일이다.

豫變爲小畜, 有君子之懿文德之象, 亦作樂崇德之象也. 謙變爲履, 有辨上下定民志, 亦制禮尊而光之象也. 六十四卦, 何莫非禮樂中事, 而必取於陰中之一陽, 陽中之一陰, 以天地動靜之端也. 萬物動盪於天之中, 使之發宣和暢者, 樂之所以始也, 萬物成形於地之中, 使之區別節文者, 禮之所以始也.
예괘(豫卦)의 음양이 바뀌면 소축괘(小畜卦)가 되는데, 군자가 아름다운 덕을 기리는 상이니, 역시 음악을 짓고 덕을 높이는 상이다. 겸괘의 음양이 바뀌면 리괘(履卦)가 되는데, 위아래를 분변하여 백성의 뜻을 정함이 있으니, 역시 예(禮)를 제정하여 높이고 빛내는 상이다. 64괘에서 무엇이 예악 가운데의 일이 아닌 것이 있겠는가마는 굳이 음(陰) 가운데 하나의 양에서 의미를 취하고, 양(陽) 가운데 하나의 음에서 의미를 취한 것은 하늘과 땅이 움직이고 고요해지는 시초이기 때문이다. 만물이 하늘 가운데에서 활발히 움직여 화창하게 소리를 펴내는 데에서 음악이 시작되는 것이고, 만물이 땅 가운데에서 형체를 이루어 서로 제 모습으로 구별되는 데에서 예(禮)가 시작되는 것이다.

이항로(李恒老) 「주역전의동이석의(周易傳義同異釋義)」

按, 以繫辭利用安身, 所以崇德之語, 觀之, 則自崇其德, 恐是.
내가 살펴보았다: 「계사전」에 "씀을 이롭게 하여 몸을 편안히 함은 이것으로 덕(德)을 높임이니"이라는 말로 보면, "스스로 그 덕을 높인다"는 말이 이것인 듯하다.

---

25) 『禮記 · 樂記』 第十九: 賓牟賈侍坐於孔子, 孔子與之言及樂 … 君子曰, "禮樂不可斯須去身. 致樂以治心, 則易直子諒之心油然生矣. 易直子諒之心生則樂, 樂則安, 安則久, 久則天, 天則神. 天則不言而信, 神則不怒而威, 致樂以治心者也."

심대윤(沈大允)『주역상의점법(周易象義占法)』

雷, 以天地交泰之時, 動出地上, 而萬物奮發, 先王以君民安順之時, 作樂而祭饗, 神人感諧. 殷, 聲之盛也. 作樂象震聲之動地也, 崇德象艮德之與衆也. 九四以坎鬼居震艮爲坤地人衆之主, 有上帝及祖考, 象樂能感動鬼神, 而致和氣, 動盪血脉而去滯志. 〈人情无事極, 則惰氣淫心生, 故聖人於豫之世, 作爲禮[26]儀樂律, 防其非僻之萌, 所謂禮[27]樂積德百年而後興者也. 非刑政, 无以治亂世, 非禮樂, 无以處安樂. 今人閑逸, 則多爲博奕淫談醉飽, 移其性情而入於荒淫, 惜哉.〉

우레가 하늘과 땅이 사귀어 화평한 시기에 땅위로 솟아 나오자 만물이 떨쳐 일어나니, 선왕이 이를 본받아 임금과 백성이 평온한 시기에 음악을 지어 제사를 지내니, 신과 인간이 감응하여 화목하다. '은(殷)'은 소리가 성대한 것이다. 음악을 짓는 것은 우레 소리가 땅을 울리는 모습을 본떴고, 덕을 높이는 것은 간괘의 덕이 대중들과 함께하는 모습을 본떴다. 구사는 감괘의 귀신이 진괘와 간괘에 있으면서 곤괘의 땅이 상징하는 사람들 무리의 주인이 되니 상제와 조상이 되어서, 음악이 귀신을 감동시켜 화목한 기운을 다하고 혈맥을 활발하게 움직이게 하여 막힌 마음을 없애 주는 모습을 본떴다. 〈너무 아무 일이 없으면 게으르고 어그러진 마음이 생기는 것이 인지상정이다. 그래서 성인은 즐거운 시절에 의례와 악률을 지어서 그릇되고 치우치는 싹이 자라지 못하도록 방지하니, 이것이 예악으로 백 년 동안 덕을 쌓은 후에 흥성한다는 것이다. 형벌이 아니고서는 난세를 다스리지 못하고, 예악이 아니고서는 안락한 세대에 대처하지 못한다. 요즘 사람들이 한가하고 안일하면 바둑 장기를 두고 음란한 이야기를 하며 배불리 먹고 취함이 많아서 성정이 황폐하고 음란한 데에로 옮겨 가니 애석하지 않은가!〉

오치기(吳致箕)「주역경전증해(周易經傳增解)」

潛雷奮發而出于地上, 陰陽相薄而成聲, 和之至也. 故先王觀豫之象以作樂, 而褒崇功德. 殷盛其禮, 薦于上帝而配以祖考也. 坤以和順, 震以皷發, 和順而皷發者, 莫如聲樂. 聲樂之用, 莫大乎薦上帝享祖考也.

잠겨있던 우레가 피어나 땅 위로 나오면서, 음양이 서로 부딪쳐 소리가 나게 되니 지극히 화락하다. 그러므로 선왕이 예괘의 상을 보고 음악을 짓고 그 공덕을 높인다. '은(殷)'은 그 예(禮)를 성대하게 치르는 것으로 상제께 제사를 올려 조상까지 배향하는 것이다. 곤괘는 화락하게 따르고 진괘는 두드려 발동하니, 화락하게 따르고 두드려 발동하는 것으로 음악

---

26) 禮: 경학자료집성DB에 '禮'로 되어 있으나, '禮'로 바로잡았다.
27) 禮: 경학자료집성DB에 '禮'으로 되어 있으나, '禮'로 바로잡았다.

소리만 한 것이 없다. 소리와 음악의 쓰임은 상제를 제사하고 조상을 배향하는 일보다 큰 것이 없다.

이진상(李震相) 『역학관규(易學管窺)』

殷薦之上帝.
상제께 크게 제사를 올린다.

萬物本乎天, 人本乎祖, 而震爲陽生萬物之所始. 故薦帝配祖, 降報本反始之禮, 而用盛樂焉, 和豫之至也. 作樂, 亦非常事, 故曰先王以. 觀之省方, 噬嗑之明罰, 復之閉關, 渙之立廟, 皆然.
만물은 하늘을 뿌리로 하고 사람은 조상을 뿌리로 한다. 우레는 양이 만물을 살리는 첫 시작이 된다. 그래서 상제께 제사를 올리고 조상을 배향하여 근본에 보답하고 시원을 돌이켜 보는 예를 거행하면서 성대한 음악을 쓰니 지극히 화락하고 즐겁다. 음악을 짓는 것은 역시 일상적인 일이 아니므로 '선왕이 본받아'라고 하였다. 관괘(觀卦)에서 "사방을 살핀다"고 하고, 서합괘(噬嗑卦)에서 "형벌을 밝힌다"고 하며, 복괘(復卦)에서 "성문을 닫는다"고 하고, 환괘(渙卦)에서 "사당을 세운다"고 한 것이 모두 그러하다.

박문호(朴文鎬) 「경설(經說)·주역(周易)」

象聲取義. 程傳雖已兼此兩義爲釋, 然猶不若本義特着又字之爲尤詳.
『본의』에서 "그 소리를 형상화하고, 또 그 의미를 취하였다"라고 하였다. 『정전』에서 비록 이미 이 두 가지 뜻을 겸하여 해석하였지만, 『본의』에서 특별히 '또[又]'라는 글자를 붙여서 더욱 상세히 말한 것만은 못하다.[28)]

이병헌(李炳憲) 『역경금문고통론(易經今文考通論)』

施曰, 三王之樂, 可得觀乎. 知王者所封二代而已.
시씨가 말하였다: 삼왕의 음악을 얻어 볼 수 있는가? 천자가 제후를 봉한 것이 이대(二代)뿐임을 알 수 있다.

---

28) 『본의』에서는 "우레가 땅에서 떨쳐 나오는 것은 지극하게 화합하는 것이다. 선왕이 음악을 지을 때 이미 그 소리를 형상화하고, 또 그 의미를 취하였다[雷出地奮, 和之至也. 先王作樂, 既象其聲, 又取其義]"라고 하였다.

孟曰, 作樂之盛稱殷.
맹희가 말하였다: 성대하게 지은 음악을 '은(殷)'이라고 한다.

鄭曰, 奮動也. 雷動於地上, 萬物乃豫. 以者取其喜佚動搖, 猶人至樂則手欲鼓之足欲舞之也. 薦進也. 王者, 功成作樂, 以文得之者作籥舞, 以武得之者作萬舞, 各充其德而爲制. 祀天帝以配祖考者, 使與天同饗其功也.故孝經云, 郊祀后稷以配天, 宗祀文王於明堂, 以配上帝是也.
정현이 말하였다: '분(奮)'은 움직이는 것이다. 우레가 땅 위로 움직이니 만물이 즐거워한다. "본받는다[以]"는 것은 그 기쁘고 편안하게 움직임을 취한 것으로, 사람이 아주 즐거우면 손과 발이 춤을 추는 것과 같다. '천(薦)'은 나아가는 것이다. 임금은 공이 이루어지면 음악을 짓는데, 문(文)으로 얻은 이는 약무(籥舞)를 짓고, 무(武)로 얻은 이는 만무(萬舞)를 지어 각기 그 덕을 충만하게 하여 제도를 만든다. 천제께 제사하면서 조상을 배향하는 것은 하늘과 더불어 그 공을 함께 즐기게 하려는 것이다. 그러므로 『효경』에서 "교사(郊祀)에서 후직을 제사하면서 하늘을 배향하며, 명당에서 문왕을 제사하면서 상제를 배향한다"라고 한 것이 이것이다.

初六, 鳴豫, 凶.

즐거움을 소리 내니 흉하다.

中國大全

傳

初六, 以陰柔居下, 四豫之主也而應之, 是不中正之小人, 處豫而爲上所寵, 其志意滿極, 不勝其豫, 至發於聲音. 輕淺如是, 必至於凶也. 鳴發於聲也.

초육은 유약한 음으로서 아래에 거하였는데, 예괘의 주인인 사효가 그에게 호응한다. 이는 중정하지 못한 소인이 예괘의 때를 맞이하여 윗사람에게 총애를 받자 득의양양하여 그 즐거움을 이기지 못해 소리 내어 떠드는 것이다. 이처럼 경박하면 흉함에 이를 수밖에 없다. '명(鳴)'은 소리로 드러내는 것이다.

本義

陰柔小人, 上有强援, 得時主事. 故不勝其豫而以自鳴, 凶之道也. 故其占, 如此. 卦之得名, 本爲和樂. 然卦辭, 爲衆樂之義, 爻辭除九四與卦同外, 皆爲自樂, 所以有吉凶之異.

음으로서 유약한 소인인데, 위에서 강력하게 원조하기에 때를 얻어 일을 주관한다. 그러므로 그 즐거움을 이기지 못하여 스스로 소리 내니 흉한 도리이다. 그러므로 그 점이 이와 같다. 괘 이름이 예(豫)인 것은 본래 화락하기 때문이다. 그러나 괘사는 여럿이 즐거워하는 뜻이 되지만, 효사의 경우는 구사가 괘사와 동일한 것을 제외하고는 모두 자기 혼자 즐거워하기 때문에 길흉에 다름이 있다.

小註

或問, 豫初六與九四爲應. 九四由豫, 大有得, 本亦自好. 但初六恃有强援, 不勝其豫, 至於自鳴, 所以凶否. 朱子曰, 九四自好自是, 初六不好.

어떤 이가 물었다: 예괘의 초육은 구사와 호응합니다. 구사의 효사에 "그로 말미암아 즐거워하여 크게 얻으리라"고 하였으니, 이 역시 본래 자기 혼자 좋아하는 것입니다. 다만 초육이 강력한 원조의 힘을 믿고 그 즐거움을 이기지 못하여 소리 내기에 이르렀기에 흉한 것입니까?
주자가 말하였다: 구사가 스스로 좋아하고 스스로 옳게 여기는 것을 초육은 기뻐하지 않습니다.

○ 雙湖胡氏曰, 豫初六, 卽謙上六, 向也鳴謙, 今也鳴豫. 然鳴謙猶有行師之利, 鳴豫直凶而已, 信矣豫之不可沉溺如此.
쌍봉호씨가 말하였다: 예괘 초육은 겸괘의 상육과 맞닿아 있다. 전에는 겸손함이 소리로 드러났었는데 이제는 즐거움이 소리로 드러나는 것이다. 그러나 겸손이 소리로 드러나면 오히려 군대를 움직일 수 있는 이로움이 있지만, 즐거움이 소리로 드러나면 영락없이 흉할 뿐이다. 이처럼 즐거움에 빠져들어서는 안 되는 것임을 알 수 있다.

○ 雲峰胡氏曰, 爻辭與卦辭不同者三. 卦辭取同樂之意, 爻辭除九四外, 皆爲獨樂. 卦辭只一豫字, 而爻之言豫者不同, 初六上六逸豫也, 六二幾先之豫也, 六三之遲猶豫也, 九四和豫也, 六五之疾弗豫也. 卦辭主九四, 曰剛應而志行, 是以德言, 至于爻辭, 則九四以勢位言. 六三以其有勢位之可慕, 故上視之以爲豫. 初六以其勢位可以爲强援, 故應之以爲豫, 且不勝其豫而以自鳴, 凶之道也.
운봉호씨가 말하였다: 효사 가운데 괘사와 다른 것이 세 가지이다. 괘사는 함께 즐긴다는 의미를 취하였는데, 효사에서는 구사 외에는 모두 혼자 즐긴다. 괘사에서는 단지 '예(豫)'자가 하나의 의미로만 쓰였는데, 효사에서 '예(豫)'를 말한 것은 같지 않다. 초육과 상육은 안일하게 즐거워하고, 육이는 기미를 먼저 보아 예비하고, 육삼은 늦추어 유예하며,[29] 구사는 화합하여 즐거워하고, 육오는 병을 앓아 즐겁지 못하다. 괘사는 구사를 중심으로 하였기에 「단전」에서 "굳센 양이 호응하여 뜻이 행해진다"라고 하였으니 이는 덕으로써 말한 것이지만, 효사에서 구사는 세력과 지위로써 말하였다. 육삼은 그 세력과 지위를 흠모하여 위로 그를 바라보는 것으로 즐거움을 삼는다. 초육은 구사의 세력과 지위로 강력하게 원조를 받으므로 그와 호응하여 즐거워하고, 그 즐거움을 이기지 못하여 스스로 떠드니 흉한 도리이다.

或曰, 豫與謙反對, 謙之上反而爲豫之初者也. 本義於上之鳴謙, 則曰謙極有聞. 於初之鳴豫, 不曰有聞而曰自鳴. 均之爲鳴也, 何其訓釋之異耶.
曰, 謙之極而有聞, 善不能不聞也. 豫之初而以豫自鳴, 志已極矣. 其惡有聞, 不言可知也.

29) 운봉호씨의 설명을 전체적으로 살피면, 육삼의 '예'는 늑우치기를 유예하면서 구사를 바라보는 것으로 즐거움을 삼는다는 의미로 해석된다.

어떤 이가 물었다: 예괘(☳☷)와 겸괘(☷☶)는 반대이니, 겸괘의 상효가 예괘의 초효가 됩니다. 『본의』에서는 겸괘 상효의 '겸손이 소리로 드러나는 것[鳴謙]'은 '지극히 겸손하여 좋은 소문이 나는 것'이라고 하였습니다. 그런데, 예괘 초효의 '즐거워 소리 내어 떠드는 것'에 대해서는 "소문이 난다"고 하지 않고 "스스로 소리 내어 떠든다"고 하였습니다. 똑같이 '소리 나는 것[鳴]'인데, 어째서 그 의미를 해석한 것이 다릅니까?
답하였다: 지극히 겸손하여 소문이 난다는 것은, 선함은 자기가 말하지 않더라도 소문이 나지 않을 수 없다는 말입니다. 예괘의 초효는 즐거워 스스로 떠드니, 이미 제 뜻대로 하는 것이 극에 달하였습니다. 나쁜 소문이 나게 될 것은 말하지 않아도 알 수 있습니다.

韓國大全

조호익(曺好益) 『역상설(易象說)』

初六, 鳴豫
초육은 즐거움을 소리 낸다.

初六變, 則似頤口象.
초육이 바뀌면 이괘(頤卦☶☳)의 입의 상과 비슷하다.

송시열(宋時烈) 『역설(易說)』

豫謙相綜, 豫之初, 卽謙之上六, 故皆爲鳴也. 且六與四應, 震爲鳴, 故見震而鳴也. 比亦如謙六不平而鳴, 其志窮極, 其凶可知.
예괘(豫卦☳☷)와 겸괘(謙卦☷☶)는 서로 거꾸로 된 괘여서 예괘의 초효가 바로 겸괘의 상육이 되므로 모두 "소리 낸다[鳴]"고 하였다. 또한 상육은 구사와 호응하고, 진괘(☳)는 소리를 냄이 되기 때문에 진괘를 보고 소리 내는 것이다. 견주어 보자면 또한 겸괘 상육처럼 만물을 고르게 하여 소리 내는 것이 아니라, 제 뜻대로 함이 극에 달하여 소리 내는 것이니, 그 흉함을 알 수 있다.

이익(李瀷) 『역경질서(易經疾書)』

鳴謙, 有聞之謙也. 鳴豫, 有聞之豫也. 善必待實, 惡必先著, 故鳴謙居二, 鳴豫居初.

'명겸(鳴謙)'은 겸손함으로 소문이 난 것이고, '명예(鳴豫)'는 즐거워하여서 소문이 난 것이다. 선함은 실질이 나타나기를 기다려야 하는 법이고, 악은 반드시 먼저 드러나는 법이다. 그러므로 '명겸(鳴謙)'이라는 말은 이효에 있고, '명예(鳴豫)'라는 말은 초효에 있다.

심조(沈潮) 「역상차론(易象箚論)」

此與震爻相應, 故稱鳴.
이 효가 진괘의 효[四爻]와 서로 호응하므로 "소리 낸다[鳴]"고 하였다.

유정원(柳正源) 『역해참고(易解參攷)』

勿軒熊氏曰, 謙九三爲卦主, 上與之應, 故鳴謙, 豫九四爲卦主, 初與之應, 故鳴豫, 皆陰感乎陽而鳴者也.
물헌웅씨가 말하였다: 겸괘(謙卦)는 구삼효가 괘의 주인이 되는데 상효가 그와 호응하므로 "겸손함으로 소리가 난다[鳴謙]"고 하였고, 예괘(豫卦)는 구사효가 괘의 주인이 되는데 초효가 그와 호응하므로 "즐거워하여 소리를 낸다[鳴豫]"고 하였으니, 모두 음이 양에 감응하여 소리를 내는 것이다.

○ 雙湖胡氏曰, 卦內有震, 善鳴象.
쌍호호씨가 말하였다: 괘 속에 진괘가 있으니, 잘 소리 내는 상이다.

김상악(金相岳) 『산천역설(山天易說)』

當豫之時, 初之不正, 與四爲應, 故有鳴豫之象. 志不上達而不勝其豫, 至發於聲音, 凶之道也. 與浚恒凶, 飛鳥凶相似.
즐거운 때를 맞이하여 초효가 바르지 못한 채 사효와 호응하므로 즐거움에 겨워 소리를 내는 상이다. 뜻이 위로 진달되지 못하였는데도 그 즐거움을 이기지 못해 소리를 내는데 이르니 흉한 도리이다. 깊이 항구(恒久)하기만을 고집하여 흉한 것,[30] 도를 넘음이 나는 새처럼 빨라서 흉한 것[31]과 비슷하다.
○ 初之鳴, 口之動也, 三之盱, 目之動也, 皆陰之不正也. 豫者謙之反也. 謙則志雖未得, 利於行師, 豫則志窮於下, 直凶而已. 所以鳴雖同象, 謙豫異義. 蓋豫雖主樂, 易以

30) 『周易・恒卦』: 初六浚恒, 貞凶, 无攸利.
31) 『周易・小過卦』: 初六飛鳥,以凶.

溺人, 故九四一陽由豫在上, 而諸爻之處豫者, 初應四而爲凶, 三與五, 比四而爲悔爲疾, 惟二與上, 非四之比應, 故爲貞吉爲无咎. 胡氏曰, 卦辭只一豫字, 而爻之言豫者不同, 初六上六逸豫也, 六二幾先之豫也, 六三之遲猶豫也, 九四和豫也, 六五之疾不豫也. 此言豫之不同而豫有備豫義也. 故程子曰, 事豫故逸樂, 擧首尾而言也. 故繫辭言介石之幾, 重門之備.

초육의 소리 냄은 입이 움직이는 것이고, 육삼의 올려다봄은 눈이 움직이는 것이니, 모두 음이 바르지 못한 것이다. 예괘(豫卦)는 겸괘(謙卦)를 거꾸로 한 것이다. 겸괘의 경우 비록 뜻을 얻지 못하더라도 군대를 움직이는 것이 이롭지만, 예괘의 경우는 아래에 있으면서 극도로 제 뜻대로 하므로 곧바로 흉할 뿐이다. 그래서 소리 내는 상이기는 마찬가지이지만, 겸괘와 예괘는 뜻이 다르다. 예괘는 비록 즐거움을 주된 뜻으로 삼지만 쉽게 남에게 유혹을 당한다. 그러므로 구사의 한 양이 '자기로 말미암아 즐거워하면서' 위에 있는데, 여러 효들이 즐거움에 처신하는 것을 보면 초효는 사효와 호응하여 흉하게 되고, 삼효와 오효는 사효에게 친하여 후회하게 되거나 병을 앓게 된다. 오직 이효와 상효만이 사효와 친하거나 호응하지 않으므로 곧게 처신하여 길하거나 허물이 없다. 호씨는 "괘사에서는 단지 '예(豫)'자가 하나의 의미로만 쓰였는데, 효사에서 '예(豫)'를 말한 것은 같지 않다. 초육과 상육은 안일하게 즐거워하고, 육이는 기미를 먼저 보아 예비하고, 육삼은 늦추어 유예하며,[32] 구사는 화합하여 즐거워하고, 육오는 병을 앓아 즐겁지 못하다"라고 하였다. 이는 '예(豫)'의 함의가 같지 않지만 '예(豫)'에는 예비하는 뜻이 있음을 말한 것이다. 그래서 정자(程子)가 "일이 미리 준비되었으므로 느긋이 즐겁다"라고 한 말은 전체를 다 들어서 말한 것이다. 그러므로 「계사전」에서 기미를 명쾌하게 분별하여야 하며 문을 중첩하여 대비하라고 말하였다.

서유신(徐有臣) 『역의의언(易義擬言)』

繫辭曰, 幾者動之微, 謂九四爲震動之初也. 然則豫之幾在於四, 故卦中豫字, 皆從四言之也. 夫事貴見幾, 而徑泄則招灾. 初六以與四爲應之, 故能先見於初, 可謂豫矣, 而亦以應四之動, 故不能愼密, 乃彰其先見, 是爲鳴豫, 而鳴之又豫也, 此致凶之道也.

「계사전」에서 "기미란 움직임이 아직 은미한 것"이라 하였는데, 이는 구사가 진괘로서 움직임의 처음이 됨을 말한 것이다. 그래서 즐거움의 기미는 사효에 있으므로 괘 가운데 쓰인 '예(豫)'자는 모두 사효로부터 말한 것이다. 일은 기미를 보는 것을 귀하게 여기지만, 지름길로 가로지르려다가는 화를 부른다. 초육은 사효와 호응하므로 처음에 그 즐거움의 기미를 볼 수 있어서 즐겁다고 할 수 있다. 그러나 또한 사효의 움직임에 호응하기 때문에 신중하고

32) 운봉호씨의 설명을 전체적으로 살피면, 육삼의 '예'는 뉘우치기를 유예하면서 구사를 바라보는 것으로 즐거움을 삼는다는 의미로 해석된다.

찬찬하지 못하고 그 미리 본 것을 드러내니, 이것이 소리 내어 즐거워함이다. 소리 내어 떠들고 또 즐거워하니, 이것이 흉하게 되는 도리이다.

김귀주(金龜柱) 『주역차록(周易箚錄)』

本義, 陰柔小人, 云云.

『본의』에서 말하였다: 음으로서 유약한 소인인데, 운운.

小註, 雙湖胡氏曰, 豫初六, 云云.

소주에서 쌍호호씨가 말하였다: 예괘 초육은, 운운.

○ 按, 謙之反固爲豫. 然直以豫初六爲謙上六, 則恐未安.

내가 살펴보았다: 겸괘를 거꾸로 하면 예괘가 된다. 그러나 곧바로 예괘의 초육을 겸괘의 상육으로 보는 것은 타당하지 않은 듯하다.

雲峰胡氏曰, 爻辭, 云云.

운봉호씨가 말하였다: 효사는, 운운.

○ 按, 爻辭之言豫, 其自樂象. 樂雖不同, 大抵皆以樂爲豫. 就其中, 略看得幾先之豫猶豫弗豫之意, 或無所不可, 而今胡氏分說, 太支離. 惟九四外, 皆全無樂底意思, 恐失本義之旨. 彖傳, 剛應而志行, 未必專以德言, 爻辭由豫大有得, 未必專以勢位言. 謙之上爲豫之初云云, 與上雙湖說同病.

내가 살펴보았다: 효사에서 '예(豫)'에 대해 말할 때 그 '즐거움의 상[樂象]'을 보고서 말하였다. 즐거움의 종류는 같지 않지만 대체로 모두 즐거움을 가지고 '예(豫)'의 의미를 삼은 것이다. 그 가운데 나아가 운봉호씨처럼 대략 '기미를 먼저 보는 예비함', '유예함', '즐겁지 못함'으로 나누어 본다고 해서 안 될 것은 없겠지만, 지금 운봉호씨가 나누어 말한 것은 지나치게 지리하다.[33] 구사 말고는 모두가 전혀 즐거워하는 의미가 없으니, 『본의』의 뜻을 잃은 것 같다. 「단전」에서 "굳센 양이 호응하여 뜻이 행해진다"라고 한 것은 완전히 덕만 가지고 말했다고 할 수는 없고, 구사효에서 "그 자신으로 말미암아 즐거워하므로 크게 얻음이 있다"라고 한 것은 완전히 세력과 위세만 가지고 말했다고 할 수는 없다. "겸괘의 상육이 예괘의 초효가 된다"운운한 것은 쌍호호씨의 설과 같은 문제가 있다.

---

33) 이 부분에 대한 운봉호씨의 해설은 다음과 같다: 괘사에서는 단지 '예(豫)'자가 하나의 의미로만 쓰였는데, 효사에서 '예(豫)'를 말한 것은 같지 않다. 초육과 상육은 안일하게 즐거워하고, 육이는 기미를 먼저 보아 예비하고, 육삼은 늦추어 유예하며, 구사는 화합하여 즐거워하고, 육오는 병을 앓아 즐겁지 못하다. 괘사는 구사를 중심으로 하였기에 「단전」에서 "굳센 양이 호응하여 뜻이 행해진다"라고 하였으니 이는 덕으로써 말한 것이지만, 효사에서 구사는 세력과 지위로써 말하였다. 육삼은 그 세력과 지위를 흠모하여 위로 그를 바라보는 것으로 즐거움을 삼는다.

박문건(朴文健) 『주역연의(周易衍義)』

不得其豫, 故有鳴豫之象. 鳴豫言鳴其豫於其上也.
그 즐거움을 얻지 못하므로 '즐거움을 얻고자 소리내는[鳴豫]' 상이 있다. '명예'는 그 윗사람에게 즐거움을 얻고자 소리 낸다는 말이다.
〈問, 鳴豫凶. 曰, 初六不得志於其上, 故鳴豫也. 鳴豫者, 欲得其豫也. 蓋見疑志窮而有凶者也.
물었다: "명예(鳴豫)하니 흉하다"는 무슨 뜻입니까?
답하였다: 초육이 그 윗사람에게 뜻을 얻지 못하므로 즐거움을 얻고자 소리 냅니다. '명예(鳴豫)'란 그 즐거움을 얻고자 하는 것입니다. 의심을 받아 뜻이 막혀서 흉합니다.

曰, 初非盛者而見疑, 何也. 曰, 四處五陰之間, 而初爲其應, 故未免見疑也.
물었다: 초효라서 아직 극성스러운 것도 아닌데 왜 의심을 받습니까?
답하였다: 사효가 다섯 음 사이에 있는 정황에서 초효가 그와 호응하므로 의심받기를 면할 수 없습니다.〉

이지연(李止淵) 『주역차의(周易箚疑)』

士當以後天下之樂而樂也. 鳴豫之凶, 人未及豫而已獨先豫之也.
선비라면 마땅히 천하 사람들이 다 즐거운 뒤에라야 즐겨야 할 것이다. '즐거움을 소리 내어 흉한 것'은 남들이 아직 즐겁지 못한데 자기만 홀로 먼저 즐거워하기 때문이다.

김기례(金箕澧) 「역요선의강목(易要選義綱目)」

四以陽爲卦主, 與初正應, 則陰柔不中正之小人, 怙寵悅極, 以之自鳴, 故凶.
사효는 양으로서 괘의 주인이 되어 초효와 바르게 호응하는데, 음으로서 유약하며 중정하지 못한 소인이 총애를 믿고 기쁨이 극에 달해 스스로 떠들므로 흉하다.

○ 與謙上鳴不同. 謙極則有聞, 雖善不宜極, 故戒以行師. 況豫初倡始逸豫而鳴, 豈不凶乎. 志窮位卑才弱, 寵極志滿.
겸괘 상육에서 '소리남[鳴]'과는 같지 않다. 지극히 겸손하여 소문이 난 것으로 비록 선(善)이라 하여도 극한에 이르러서는 안 되기 때문에 군대를 움직이는 일로써 경계하였다. 하물며 예괘의 처음부터 안일하게 즐거워하여 떠들어대니, 어찌 흉하지 않겠는가? 뜻이 막히고 지위는 낮으며 재질은 약한데 총애가 극에 이르고 제 뜻으로 가득 찼다.

심대윤(沈大允) 『주역상의점법(周易象義占法)』

豫之六爻, 以讌晏逸樂爲義也. 豫之爻位, 居剛耽豫者也, 居柔保豫者也. 求豫在解其紛, 保豫在防其微.
예괘의 육효는 잔치를 벌여 편안하게 즐기는 것을 의미로 삼는다. 예괘 효의 자리는 굳센 양의 자리에 있으면서 즐거움을 누리거나, 부드러운 음의 자리에 있으면서 즐거움을 보존하는 것이다. 즐거움을 구하는 일은 그 분란을 해소하는데 달려 있고, 즐거움을 보존하는 일은 그 기미를 막는데 달려 있다.

豫之震☳, 遷動也. 初六以柔居剛而求豫, 和應於九四, 效之以爲豫, 故曰鳴豫. 居豫之初, 其紛未盡解而遽效人爲豫, 暫豫而復勞. 或勞或逸, 有震遷動之義, 有威然後, 乃安也.
예괘가 진괘(震卦☳)로 바뀌었으니, 움직여 옮겨가는 것이다. 초육은 부드러운 음으로 굳센 양의 자리에 있으면서 즐겁기를 구하는데, 구사에 화락하게 호응하여 그를 본받는 일을 즐겁게 여기므로 "즐거움을 소리낸다[鳴豫]"라고 하였다. 예괘의 처음에 있으면서 그 분란이 아직 다 해소되지도 않았는데 갑자기 남을 본받는 것을 즐거움으로 삼으니, 잠시 즐겁다가 다시 수고롭게 된다. 수고로웠다가 편안하였다가 하는 것은 진괘에 움직여 옮아가는 뜻이 있기 때문이니, 위엄을 갖춘 다음에야 편안할 수 있다.

오치기(吳致箕) 「주역경전증해(周易經傳增解)」

初六, 陰柔不正, 上應九四豫之主, 而相與唱和爲豫, 故有鳴豫之象. 乃以旡位在下, 而倚勢自恣, 般樂旡節, 而窮行其志, 故占言凶也.
초육은 유약한 음으로 바르지 않은데, 위로 예괘의 주인인 구사와 호응하여 함께 즐거이 노래하며 기뻐하므로 '즐거워 소리 내는' 상이 있다. 지위도 없이 아래 있으면서 세력에 기대어 스스로 방자하고 즐기는 데 절도가 없어서 그 뜻을 다 행하므로 점(占)에서 흉하다고 하였다.

○ 鳴之取象, 已見謙卦而卦反, 故謙上之鳴爲豫初之鳴也.
'명(鳴)'에 대해 취한 상은 겸괘(☷)에서 이미 보였는데, 괘가 거꾸로 되었으므로 겸괘 상육의 '명(鳴)'은 예괘(☷) 초육의 '명(鳴)'이 되었다.

이진상(李震相) 『역학관규(易學管窺)』

鳴豫, 凶.
즐거움에 겨워 소리 내어 떠드니 흉하다.

鳴謙之言, 以謙有聞, 有謙德者, 未必自鳴也. 鳴豫之爲自鳴者, 逸豫之極, 自荒自德, 則以豫有聞, 亦其自鳴也. 其象則陰之感於陽而鳴也. 春雉求雄, 忽致掩捕之凶也.
'명겸(鳴謙)'이란 겸손하여 소문이 나는 것으로 덕이 있는 사람은 스스로 떠들 필요가 없다. '명예(鳴豫)'는 스스로 떠드는 것으로 안일한 즐거움이 극에 달하여 자기의 덕을 스스로 황폐하게 하니, 즐거워함으로 인해 소리가 들리는 것 역시 스스로 떠들어서이다. 그 상은 음이 양에 감응하여 소리 내는 것이다. 봄철에 까투리가 장끼를 찾다가 문득 사로잡히는 흉함에 이르게 된다.

박문호(朴文鎬) 「경설(經說)·주역(周易)」

鳴豫之鳴, 本義所釋, 與鳴謙之謙不同, 反從程傳, 易之隨時取義, 如此.
'명예(鳴豫)'의 '명(鳴)'에 대하여 『본의』에서 풀이한 바는 '명겸(鳴謙)'의 '겸(謙)'에 대한 풀이와 같지 않고 도리어 『정전』을 따랐으니, 『주역』에서 때에 따라 뜻을 취한 것이 이와 같다.

이정규(李正奎) 『독역기(讀易記)』

初六, 其才質則陰柔, 其處地則卑下, 而得豫之時, 遂溺豫而志滿. 又得九四主世務之應援, 故豫至於鳴, 而不知守分, 驕肆放縱, 必无所不至矣, 其凶可知也. 以此推之, 庸愚下賤, 常處安逸, 而或得權利, 則例多不守分, 而陷身亡家者, 以此故也. 天下之吉, 莫勝於中正, 無論某卦諸爻, 吉凶无常, 惟二位則例吉多而凶少者, 中正故也. 以豫六二觀之, 介於上盱豫下鳴豫之間, 似難貞吉, 而其位中而不動, 又以柔居柔, 得其正也. 得中正而不動, 則其介如石, 可知也.
초육은 그 재질이 부드러운 음으로서 그가 있는 자리가 낮은데, 즐거운 때를 얻자 마침내 즐거움에 빠져서 득의양양하다. 또 세상일을 주관하는 구사의 호응을 얻자 기뻐서 소리 내어 떠들며 분수를 지킬 줄 모르고 제멋대로 방종하여 결코 하지 못하는 바가 없으니, 흉할 것을 알 수 있다. 이로써 미루어 보면 평범하고 어리석어 낮은 이가 평상시에는 편안히 있다가 권세와 이익이라도 얻게 되면 대부분 분수를 지키지 못하고 패가망신하는 것이 이 때문이다. 이 세상의 길함은 중정함보다 더한 것이 없으니, 어느 괘 어느 효를 막론하고 길흉이 한결같지 않은데, 오직 이효의 자리는 길함이 많고 흉함이 적은 것은 중정하기 때문이다. 예괘 육이효의 경우를 보면, 위로는 '올려다보며 즐거워하는' 자와 아래로는 '즐거움을 소리 내는' 자 사이에 끼어 있어 '곧게 하여 길하기가[貞吉]' 어려운 것 같지만, 그 가운데 자리에 있으면서 움직이지 않고 또 부드러운 음으로 음의 자리에 있어서 제자리를 얻었다. 중정함을 얻고 움직이지 않으니 '그 절개가 돌 같음'을 알 수 있다.

象曰, 初六鳴豫, 志窮, 凶也.

「상전」에서 말하였다:"초육은 즐거움을 소리 냄"은 제 뜻대로 함이 극에 달하였으므로 흉하다.

中國大全

傳

云初六, 謂其以陰柔處下, 而志意窮極, 不勝其豫, 至於鳴也, 必驕肆而致凶矣.

초육이라고 한 것은 유약한 음으로서 아래에 있음을 말하는데, 제 뜻대로 함이 극에 달하자 그 즐거움을 이기지 못하여 소리를 내기에 이르렀으니, 교만하고 방자하여 흉하게 될 수밖에 없다.

本義

窮, 謂滿極.

"극에 달하였다[窮]"란 극도로 가득 찼다는 의미이다.

小註

雲峰胡氏曰, 志不可滿, 樂不可極. 初六, 位卑材弱. 當豫之初, 而志已滿極, 凶可知也.

운봉호씨가 말하였다: 한껏 제 맘대로 해서는 안 되며, 극한에 이르도록 즐겨서는 안 된다. 초육은 지위가 낮고 재주도 약하다. 예괘가 시작하는 때에 있으면서 이미 극도로 제 맘대로 하니, 흉하리라는 것을 알 수 있다.

‖ 韓國大全 ‖

유정원(柳正源) 『역해참고(易解參攷)』

鳴豫 [至] 凶也.
즐거움을 소리 낸다 … 흉하다.

案, 六居豫之初, 而遽謂滿極, 何也. 蓋驕則氣盈, 滿則招損. 雖位之高而才之美者, 未有不盈滿而致其災者. 況初六位卑矣才弱矣, 而恃其强援, 志滿意得, 則未到上六之冥豫, 而其敗也, 可立而待矣.
내가 살펴보았다: 음으로서 예괘의 처음에 있는데, 갑자기 극도로 가득찼다는 것은 무슨 뜻인가? 교만하면 기운이 가득 차는데, 꽉 차면 이지러지게 된다. 비록 지위가 높고 자질이 아름다운 이라도 가득 차오르고서 그 재앙이 이르지 않은 경우는 없다. 하물며 초육은 자리도 낮고 자질도 미약한데, 그 강력한 원조만 믿고 득의양양하니, 상육의 '즐기는 데 빠져 어두움[冥豫]'에 이르지는 않더라도 그가 잘못될 것은 시간문제이다.

김상악(金相岳) 『산천역설(山天易說)』

居初而志窮, 乃其凶也.
초효에 있으면서 뜻대로 하여 극에 달하니 흉하다.

서유신(徐有臣) 『역의의언(易義擬言)』

稱初六, 明其太早也. 在初而鳴豫, 不爲四之所與, 故相應之志, 見窮而致凶也.
초육이라고 하여 너무 이르다는 뜻을 밝혔다. 처음부터 기뻐 떠들면 사효가 함께하지 않게 된다. 그러므로 서로 호응하는 뜻이 궁해져서 흉하게 된다.

박문건(朴文健) 『주역연의(周易衍義)』

志窮, 言志未得也.
"뜻이 궁하다"는 것은 뜻을 얻지 못했다는 말이다.

오치기(吳致箕) 「주역경전증해(周易經傳增解)」

恃援而自豫, 窮其逸樂之志, 故爲凶也.
위에서 도와주는 것만 믿고 스스로 즐거워하는데, 그 안일하게 즐기려는 뜻이 궁해지므로 흉하게 된다.

이병헌(李炳憲) 『역경금문고통론(易經今文考通論)』

虞曰, 應震善鳴, 失位故豫鳴, 凶也.
우번이 말하였다: 진괘와 호응하여 소리 내기를 잘한다. 제자리를 잃어버렸으므로 즐거워하지만 흉하다.

六二, 介于石. 不終日, 貞吉.

육이는 절개가 돌이다. 날이 저물도록 기다리지 않으니, 바르게 하기에 길하다.

中國大全

傳

逸豫之道, 放則失正. 故豫之諸爻, 多不得正, 不[34]與時合也. 唯六二一爻, 處中正, 又无應, 爲自守之象. 當豫之時, 獨能以中正, 自守, 可謂特立之操, 是其節介如石之堅也. 介于石, 其介如石也. 人之於豫樂, 心悅之, 故遲遲, 遂致於耽戀, 不能已也. 二以中正, 自守, 其介如石, 其去之速, 不俟終日. 故貞正而吉也. 處豫, 不可安且久也, 久則溺矣. 如二, 可謂見幾而作者也. 夫子因二之見幾而極言知幾之道曰, 知幾其神乎. 君子上交不諂, 下交不瀆, 其知幾乎. 幾者動之微, 吉之先見者也, 君子見幾而作, 不俟終日, 易曰介于石. 不終日, 貞, 吉. 介如石焉, 寧用終日. 斷可識矣. 君子知微知彰知柔知剛, 萬夫之望. 夫見事之幾微者, 其神妙矣乎. 君子上交不至於諂, 下交不至於瀆者, 蓋知幾也, 不知幾則至於過而不已. 交於上, 以恭巽, 故過則爲諂, 交於下, 以和易, 故過則爲瀆, 君子, 見於幾微, 故不至於過也. 所謂幾者, 始動之微也, 吉凶之端, 可先見而未著者也. 獨言吉者, 見之於先, 豈復至有凶也. 君子明哲, 見事之幾微, 故能其介如石, 其守旣堅則不惑而明, 見幾而動, 豈俟終日也. 斷, 別也, 其判別, 可見矣. 微與彰柔與剛, 相對者也, 君子見微則知彰矣, 見柔則知剛矣. 知幾如是, 衆所仰也. 故贊之曰萬夫之望.

느긋하게 즐거워하는 도리는 방심하면 바름을 잃는다. 그러므로 예괘의 여러 효가 바름을 얻지 못한 것이 많으니, 때와 합하지 못하기 때문이다. 육이 한 효만이 중정하게 처신하고 또 사사롭게 호응하지 않아 스스로 지키는 상이 된다. 예괘의 때를 맞이하여 홀로 중정함으로써 자신을 지키므로, '특별히 확립된 지조'라고 할 만하니, 이는 그 절개가 돌과 같이 견고한 것이다. "절개가 돌이다[介于石]"

34) 不: '不'자가 여러 판본에서 '才'자로 되어 있으나, 이는 오류이며 '不'자가 옳다.

란 말은 그 절개가 돌과 같은 것이다. 사람이 좋아서 즐기고 있을 때에는 마음이 기쁘기 때문에 늦추고 늦춰서 마침내 푹 빠져 연연하게 되어서 그만두지 못하게 된다. 그러나 이효는 중정함으로써 자신을 지켜서 그 절개가 돌과 같기에 신속하게 버려서 날이 저물도록 기다리지 않는다. 그러므로 곧고 바르게 해서 길하다. 즐거운 일이 있어도 편안히 여겨 오래 즐겨서는 안 되니, 오래 즐기면 거기에 빠지게 된다. 이효와 같은 경우는 '기미를 보고 일어나 떠나가는 자'라고 할만하다. 공자는 이효가 기미를 본 것을 가지고, 기미(幾微)를 아는 도를 다음과 같이 극찬하였다. "기미를 아는 것이 신(神)과 같구나! 군자는 윗사람과 사귈 때 아첨하지 않고 아랫사람과 사귈 때 함부로 대하지 않으니, 이는 기미를 아는 것이다. '기(幾)'는 움직임이 미미한 것으로, 길함이 먼저 보이는 것이다. 군자는 기미를 보고 일어나서 날이 저물도록 기다리지 않는다. 『주역』에 이르기를 '절개가 돌이다. 날이 저물도록 기다리지 않으니, 바르게 하기에 길하다'라 하였다. 절개가 돌과 같으니, 어찌 날이 저물도록 기다리겠는가? 결단함을 알 수 있다. 군자는 미미한 것을 알고 드러난 것을 알며 부드러움를 알고 굳셈을 알기에 모든 사람이 우러러본다."[35]
일의 기미를 보는 자는 참으로 신묘하지 않은가! 군자가 윗사람과 사귈 때 아첨하는 데 이르지 않고, 아랫사람과 사귈 때 함부로 대하지 않게 되는 것은 기미를 알기 때문이다. 기미를 알지 못하면 너무 지나친 데 이르렀는데도 그치지 않는다. 윗사람을 사귈 때에는 공손하게 하기 때문에 지나치면 아첨이 되고, 아랫사람을 사귈 때에는 화락하고 편안하게 하기 때문에 지나치면 함부로 하게 되지만, 군자는 기미를 보기 때문에 지나친 데 이르지 않는다. 이른바 '기(幾)'라는 것은 처음 움직이는 기미이니, 길흉(吉凶)의 단서를 미리 볼 수 있으나, 아직 드러나지는 않은 것이다. 길(吉)한 것만 말한 것은 일이 드러나기 전에 미리 보았으니, 어찌 다시 흉한 데에까지 이르겠는가? 군자는 명철하여 일의 기미를 보기 때문에 그 절개가 돌과 같다. 견고하게 지키므로 의혹 없이 밝아서 기미를 보고 행동하니, 어찌 해가 지도록 기다리겠는가? "결단한다[斷]"는 것은 분별하는 것이니, 그 판별함을 볼 수 있다. 미미함과 드러남, 부드러움과 강함은 서로 상대가 되는 것이니, 군자는 미미함을 보면 드러날 것을 알고 부드러움을 보면 강할 것을 안다. 기미를 아는 것이 이와 같으면 사람들이 우러러보게 된다. 이 때문에 "모든 사람들이 바라본다"고 칭찬하였다.

本義

豫雖主樂, 然易以溺人, 溺則反而憂矣. 卦獨此爻中而得正. 是上下皆溺於豫, 而獨能以中正自守, 其介如石也. 其德, 安靜而堅確, 故其思慮明審, 不俟終日而見凡事之幾微也. 大學, 曰安而后, 能慮, 慮而后, 能得, 意正如此. 占者如是, 則正而吉矣.

예괘가 비록 즐거움을 주장하나 사람을 쉽게 빠뜨리니, 빠지면 반대로 근심하게 된다. 예괘에서는 이 이효(二爻)만이 중심에 서서 바른 자리를 얻었다. 이는 위아래가 다 즐거움에 빠졌으나 홀로 중

---

35)『周易 · 繫辭傳』.

정함으로써 스스로를 지키므로 그 절개가 돌과 같다. 그 덕이 편안하고 확고하기 때문에 분명하고 세밀하게 생각하여 날이 저물도록 기다리지 않고 모든 일의 기미를 본다. 『대학(大學)』에 이르기를 "편안한 뒤에 생각할 수 있고 생각한 뒤에 얻을 수 있다"고 하였는데 바로 이러한 뜻이다. 점치는 사람이 이처럼 하면 바르기에 길할 것이다.

小註

建安丘氏曰, 豫諸爻以无所係應者爲吉. 豫初應四而三五比四, 皆有係者也. 是以爲凶爲悔爲疾. 獨六二陰靜而中正, 與四无係, 特立於衆陰之中而无遲遲耽戀之意. 方其靜也, 則確然自守而介于石. 及其動也, 則見幾而作, 不俟終日. 蓋其所居得正, 故動靜之間, 不失其正, 吉可知矣.
건안구씨가 말하였다: 예괘의 여러 효 가운데, 얽매여 호응하지 않는 것이 길하다. 예괘의 초효는 사효와 호응하고, 삼효와 오효는 사효와 친하니[比] 모두 얽매이는 자들이다. 이 때문에 흉하게 되고, 후회하게 되고, 병이 들게 된다. 육이만이 음으로서 차분하면서 중정하여 사효와 얽매이지 않고 여러 음 가운데서 '특별히 지조를 확립'하므로 늦출 대로 늦추고 빠져들어 연연해하는 뜻이 없다. 반듯하게 그 고요함을 유지하면 확연하게 스스로 지킬 수 있어서 절개가 돌과 같게 된다. 그래서 움직일 때가 되었을 때 기미를 보고 일어나 날이 저물도록 기다리지 않을 수 있다. 그 처신이 바르므로 움직일 때나 조용히 있을 때나 그 올바름을 잃지 않으니 길할 것을 알 수 있다.

○ 雲峰胡氏曰, 諸爻皆溺於豫者, 惟二五不言豫. 六五貞疾, 不得豫也, 六二貞吉, 不爲豫也. 初應四, 三五比四, 故爲凶爲悔爲疾. 六二不係於四, 介乎初與三之間, 獨以中正自守, 其堅確如石. 故豫最易以溺人, 而六二則不俟終日而去之. 其德安靜而堅確, 故能見幾而作, 蓋不爲逸豫之豫, 而知有先事之豫者也.
운봉호씨가 말하였다. 여러 효들이 모두 즐거움에 빠져 있는데, 오직 이효와 오효에서만 즐거움을 이야기하지 않았다. 육오는 고질병이 있어서 즐거울 수가 없고, 육이는 바르게 하여 길하기 때문에 즐기지 않는다. 초효는 사효에 호응하고, 삼효와 오효는 사효와 친밀하기 때문에 흉하게 되고 후회하게 되고 병들게 된다. 육이는 사효에 연연하지 않아 초효와 삼효 사이에서 절개를 지켜 홀로 중정하게 자신을 지키는 것이 마치 돌처럼 확고하다. 그러므로 즐거움이 아주 쉽게 사람을 빠뜨리지만 육이는 날이 저물기를 기다리지 않고 가버린다. 그 덕이 편안하고 고요하며 확고하므로 기미를 보아서 일어나 떠날 수 있으니, 육이의 경우는 안일하게 즐긴다는 뜻의 '예(豫)'가 아니라 일에 앞서서 예견하는 것임을 알 수 있다.

韓國大全

조호익(曺好益) 『역상설(易象說)』

六二, 介于石.
돌에 끼어있다.

兩間謂之介, 介分限之意. 六二在初與三之間. 初鳴豫三盱豫, 二獨能居中守正, 有介于石之象.
둘 사이에 있는 것을 '끼인 것[介]'이라 하니, '끼인 것[介]'은 나누어 구별 짓는다는 뜻이 된다. 육이는 초효와 삼효 사이에 있다. 초효는 즐거움을 소리 내고 삼효는 올려다보며 즐거워하는데, 이효만이 가운데 있으면서 바름을 지키니 돌에 끼어 있는 상이 있다.

곽설(郭設) 『역전요의(易傳要義)』

豫六二爻, 子曰, 知幾其神乎. 君子上交不諂, 下交不瀆, 其知幾乎. 幾者動之微, 吉之先見者也. 君子見幾而作, 不俟終日. 易曰介于石, 不終日, 貞吉. 介如石焉, 寧用終日斷可識矣. 君子知微知彰知柔知剛, 萬夫之望.
예괘 구이효에 대해서 공자는 이렇게 말하였다. "기미를 아는 것이 신(神)과 같구나! 군자는 윗사람과 사귈 때 아첨하지 않고 아랫사람과 사귈 때 함부로 대하지 않으니, 이는 기미를 아는 것이다. '기(幾)'는 움직임이 미미한 것으로, 길함이 먼저 보이는 것이다. 군자는 기미를 보고 일어나서 날이 저물도록 기다리지 않는다. 『주역』에 이르기를 '절개가 돌이다. 날이 저물도록 기다리지 않으니, 바르게 하기에 길하다'라고 하였다. 절개가 돌과 같으니, 어찌 날이 저물도록 기다리겠는가. 결단함을 알 수 있다. 군자는 미미한 것을 알고 드러난 것을 알며 부드러움을 알고 굳셈을 알기에, 모든 사람이 우러러본다."[36]

송시열(宋時烈) 『역설(易說)』[37]

介者, 有分界兩間之意. 薛文清註釋繫辭存乎介之介曰, 周子所謂幾善惡之幾字, 亦此

36) 『周易·繫辭傳』: 子曰, 知幾其神乎. 君子上交不諂, 下交不瀆, 其知幾乎. 幾者, 動之微, 吉[凶]之先見者也, 君子見幾而作, 不俟終日, 易曰, 介于石, 不終日, 貞吉. 介如石焉, 寧用終日, 斷可識矣. 君子知微知彰知柔知剛, 萬夫之望.
37) 경학자료집성DB에서는 예괘 초효에 해당하는 것으로 분류했으나, 내용에 따라 이 자리로 옮겼다.

意也. 石者互艮爲石也. 艮錯則爲兌, 兌日終之方也, 言不以兌之終日, 而以艮之篤實也. 貞吉者, 二居[38]中正之位故也.
'개(介)'는 둘 사이를 나누어 경계 짓는 뜻이 있다. 설문청(薛文清)이 「계사전」의 "뉘우침과 인색함을 근심하는 것은 분별함[介]에 달려있다"[39]는 '개(介)'를 주석하여 "주렴계가 선악의 기미를 살핀다고 할 때의 기(幾)자 또한 이 뜻이다"라고 하였다. '석(石)'은 호괘인 간괘가 돌이 된다. 간괘(艮卦)가 음양이 바뀌면 태괘(兌卦)가 되는데, 태괘는 해가 저무는 서쪽 방위이므로 태괘가 지니고 있는 "해가 저문다"는 뜻으로 말하지 않고, 간괘가 지니고 있는 독실함의 뜻으로 말하였다. '정길(貞吉)'이라고 한 것은 이효가 중정한 자리에 있기 때문이다.

이익(李瀷) 『역경질서(易經疾書)』

二五得中, 故惟此兩爻不言豫. 二得正而五不正, 故二貞吉而五貞疾. 王宗傳曰, 當豫之時, 不爲豫者, 以正自守也, 六二是也. 當豫之時, 不得豫者, 六五是也. 孟子曰, 入則無法家拂士, 出則無敵國外患者, 國恒亡. 然後知生於憂患而死於安樂. 六五之得九四法家拂士也, 雖當豫之時, 不得以縱其所樂, 其恒不死宜矣. 介何以如石. 介有分界之義, 旣離則難合者, 莫有如石. 雖或見幾, 人情易以回互遲疑. 若物之旣離, 復合不能, 如介石, 故以爲喩貴其斷也.
이효와 오효는 적절함을 얻었으므로 이 두 효에서만 "기쁘다"고 하지 않았다. 이효는 제자리에 있으나 오효는 제자리에 있지 않으므로 이효는 "바르기에 길하다"라고 하였고 오효는 "바르지만 병을 앓는다"고 하였다. 왕종전(王宗傳)은 "즐거운 때를 맞이하여 즐거워하지 않는 것은 스스로를 올바르게 지키기 때문이니, 육이가 그러하다. 즐거운 때를 맞이하여 즐거움을 얻지 못하는 것은 육오가 그러하다. 맹자는 '들어와서는 본받을 만한 가문과 보필하는 선비가 없고, 나가서는 적국과 외환이 없는 자는 나라가 항상 망하는 것이다. 그런 후에 우환에 살고 안락에 죽는 것을 알 것이다'라고 하였다.[40] 육오는 구사로 상징되는 본받을 만한 가문과 보필하는 선비를 얻었다. 비록 즐거운 때를 맞이하였으나, 좋아하는 것을 마음대로 할 수가 없으니, 그가 항상 안락에 죽지 않는 것이 당연하다"[41]고 하였다. 절개[介]가

---

38) 居: 경학자료집성DB에 '君'으로 되어 있으나 경학자료집성 영인본을 참조하여 '居'로 바로잡았다.
39) 『周易·繫辭傳』: 憂悔吝者, 存乎介, 震无咎者, 存乎悔. 주자는 이에 대하여 "개(介)는 변별(辨別)의 단서를 말하니, 선(善)·악(惡)이 이미 동하였으나 아직 나타나지 않은 때이다. 이때에 근심하면 회(悔)·린(吝)에 이르지 않는다[介, 謂辨別之端. 蓋善惡已動而未形之時也, 於此憂之, 則不至於悔吝矣. 震, 動也, 知悔, 則有以動其補過之心而可以无咎矣]"라 풀이하였다.
40) 『孟子·萬章』: 入則無法家拂士, 出則無敵國外患者, 國恒亡. 然後知生於憂患而死於安樂也.

어째서 돌과 같은가? '개(介)'는 나누어 경계 짓는 뜻이 있는데, 한 번 분리되면 다시 합하기 어려운 것으로 돌만 한 것이 없다. 비록 기미를 보았다 하더라도 사람의 마음이란 쉽게 되돌아오고 머뭇거리게 된다. 한 번 분리되자 다시 합할 수 없는 것이 돌을 자른 것과 같으므로 그 결단함을 귀하게 여기는 비유로 삼았다.

심조(沈潮) 「역상차론(易象箚論)」

介之從人, 人位也. 石互艮也. 二而非三, 故曰不終日.
'개(介)'자는 인(人)자를 부수로 하고, 사람의 자리에 있다. '석(石)'은 호괘가 간괘이기 때문이다. 이효의 자리에 있고 삼효의 자리에 있지 않으므로 "날이 저물도록 기다리지 않는다"라고 하였다.

유정원(柳正源) 『역해참고(易解參攷)』

吉州張氏曰, 石互艮象.
길주장씨가 말하였다: 돌[石]은 호괘인 간괘의 상이다.

○ 朱子曰, 介于石, 言兩石相磨而出火之意. 言介然之頃, 不待終日而便見得此道理.
주자가 말하였다: '개우석(介于石)'은 두 돌멩이를 서로 비벼서 불을 낸다는 뜻이다. 돌멩이 사이에서 비벼지는 잠깐 사이에 날이 저물기를 기다릴 것 없이 문득 이 도리를 알 수 있게 되는 것이다.

○ 厚齋馮氏曰, 內卦爲貞, 故離之三言日昃, 乾之三言終日, 二之日, 故有不終日之象.
후재풍씨가 말하였다: 내괘가 정(貞)이 되므로 리괘(離卦)의 삼효에서 "해가 기울어진다"고 하였고, 건괘의 삼효에서 "해가 저물도록"이라고 하였다. 이효는 낮이 되므로 날이 저물도록 기다리지 않는 상이 있다.

---

41) 王宗傳, 『童溪易傳』 六五爻 註: 六二於貞, 則吉以中正故也. 六五於貞, 則疾以不正故也. 夫五之於貞, 旣疾矣, 則宜其當逸豫之時, 恣驕侈之欲, 而死於安樂有餘也. 然乘九四之剛, 恃四以拂弼於已而五也. 常惟貞疾之是救 故得恒不死也. 孟子曰, 入則無法家拂士, 出則無敵國外患者, 國恒亡, 然後, 知生於憂患而死於安樂也, 則六五之得九四所得法家拂士也, 故雖當豫之時, 不得以縱其所樂, 夫惟不得以縱其所樂, 則恒不死宜也. 夫六五貞, 雖疾矣, 而恒不死則中未亡也. 夫中以位言之, 則五之位, 以人言之則人之心也. 位號猶存人心猶在此, 所以恒不死也. 夫當豫之時而不爲豫者, 以正自守也, 六二是也. 當豫之時, 而不得豫者, 見正於人也, 六五是也. 此豫之六爻, 惟六二六五, 所以不言豫焉.

○ 平庵項氏曰, 說文介分畫也. 當豫之時, 五弱四强, 人莫能分, 六二辨去就之分, 如介于石間斷 然易識, 不待事成, 故吉.
평암항씨가 말하였다: 『설문』에 '개(介)'는 나누어 구분 짓는 것이라고 하였다. 즐거운 때를 맞이하여 오효는 약하고 사효는 강하니, 사람들이 분별할 줄을 모르는데 이효는 거취의 분별을 분명하게 판단하는 것이 마치 돌 틈을 가르는 것처럼 쉽게 알아서 일이 벌어지도록 기다리지 않으므로 길하다.

○ 案, 豫有留連終日之意, 而六二獨以中正先期知幾, 是爲不終日之象. 恐不必以離位求之, 必欲以卦象求之, 則雷之奮迅不能竟日, 是亦不終日之象.
내가 살펴보았다: '예(豫)'에는 날이 저물도록 지체하는 의미가 있는데, 육이는 홀로 중정하여 기미를 알아 미리 결심하니, 이것이 날이 저물기를 기다리지 않는 상이 된다. 이러한 상은 굳이 리괘(離卦)의 자리를 가지고 구하지 않아도 될 것 같다.[42] 꼭 괘상을 가지고 구하고자 한다면 우레가 빠르게 떨쳐서 날이 저물도록 기다리지 않으니, 이 또한 해가 저물도록 기다리지 않는 상이다.

傳, 才與. 〈案, 才一作不, 是.〉
『정전』의 재질[才]과 때. 〈내가 살펴보았다: 어떤 판본에는 '재(才)'자가 '불(不)'로 되어 있는데, 이것이 맞다.〉[43]

김상악(金相岳) 『산천역설(山天易說)』

豫之諸爻, 皆溺於豫, 而獨六二得中且正. 无比應於上下, 而互爲艮體, 有介于石之象. 能見幾自守, 不待終日, 貞正而吉也. 齊人歸女樂, 季桓子受之, 三日不朝, 孔子行, 此爻之義也.
예괘의 여러 효가 모두 즐거움에 빠지는데, 육이효만이 중정함을 얻는다. 위아래로 친밀하거나[比] 호응하는[應] 관계가 없고 호체가 간괘(艮卦)의 몸체가 되므로 '절개가 돌'인 상이

42) 육이가 동하여 양효(陽爻)로 변하면 이효에서 사효까지가 리괘(離卦)가 된다.
43) 예괘 육이효사 『정전』 첫머리 부분이다. 많은 판본에서 "逸豫之道, 放則失正. 故豫之諸爻多不得正, 才與時合也."라 하여, '才'자를 쓰고 있으나, 이는 '不'자의 오류이다. 만약 '才'자를 쓰면 문맥의 앞뒤가 맞지 않는다. 즉, "느긋하게 기뻐하는 도리이니, 방심하면 바름을 잃는다. 그러므로 예괘의 여러 효가 바름을 얻지 못한 것이 많으니, 재질이 때와 합하기 때문이다."라는 이상한 문장이 되어 버린다. '才'자가 아니라 '不'자를 쓴 판본도 있으며, 이 경우 번역이 "예괘의 여러 효가 바름을 얻지 못한 것이 많으니, 때와 합하지 못하기 때문이다"가 되어 문맥이 순조롭다.

있다. 기미를 보아서 스스로 지킬 수 있어서 날이 저물기를 기다리지 않으니, 곧고 바르므로 길하다. 제나라에서 여자와 음악을 보냈는데 계환자(季桓子)가 받아들여 삼일 동안이나 조회를 열지 않자 공자가 떠나간 것이 이 효의 뜻이다.

○ 介界限也. 一陽居中坤陰, 分於上下, 介之象也. 石艮象, 記云, 石聲磬磬以立辨, 非明辨於義而堅確如石者, 不能決也. 困之三, 則无所取象, 而蔽於二剛之間, 故曰困于石, 所處之不同也. 日者陽也, 一陽在上而二居下卦之中, 不終日之象. 乾之三, 則居乾之終, 故曰終日乾乾. 坤體不明陰性不斷, 而六二明而能斷, 得動直而方之義也. 復之七日來復, 來之遲也, 豫之不終日, 去之速也. 蓋震坤之際, 動靜之交, 故繫傳皆言幾, 明夷亦坤互震體, 故其初九曰, 君子于行, 三日不食, 亦見幾之事也.
'개(介)'는 한계 짓는 것이다. 하나의 양이 곤괘의 음 가운데 있으면서 위아래를 나누니, '개(介)'의 상이다. 석(石)은 간괘의 상이다. 『예기 · 악기』에서 "돌 소리가 경경히 맑게 울려 분별할 수 있는 마음을 일으킨다"[44]고 하였으니, 의리를 분명하게 분별하지 않은 채 돌처럼 확고하다면 문제를 해결할 수 없을 것이다. 곤괘(困卦䷮)의 삼효에서는 상을 취한 바는 없지만 두 굳센 양의 사이에 가려 묻혀 있으므로 "돌에 곤란을 겪는다[困于石]"고 하였으니 처한 정황이 같지 않다. 해는 양(陽)인데, 하나의 양이 위[九四]에 있고 이효(二爻)는 하괘의 가운데에 있으니, 날이 저물도록 기다리지 않는 상이다. 건괘의 삼효는 하괘의 끝에 있으므로 "날이 저물도록 애쓴다"라고 하였다. 곤괘의 몸체는 밝지 못하고 음(陰)의 성질은 결단하지 못하는 법인데, 육이는 밝아서 결단할 수 있으니 움직임이 곧고 바른 뜻을 얻었다.[45] 복괘(復卦)에서 "칠일 만에 다시 돌아온다"고 하였는데 이는 돌아옴이 늦은 것이고, 예괘에서 "날이 저물도록 기다리지 않는다"고 하였는데 이는 신속하게 떠나는 것이다. 진괘(震卦)와 곤괘(坤卦)의 사이에 움직임과 고요함이 교섭하므로, 「계사전」에서 모두 '기미'를 말하였다. 명이괘(䷣)에서도 호괘가 진괘(震卦)이므로 그 초구에 "군자가 떠나가는데 삼 일 동안 먹지 못한다"고 하였으니, 이 역시 기미를 본 일이다.

김규오(金奎五) 「독역기의(讀易記疑)」

六二與四互艮, 艮爲小石, 故曰介于石. 五與三互坎, 坎爲加憂心病, 故曰貞疾.
육이와 구사는 호괘인 간괘인데, 간괘는 작은 돌이 되므로 "절개가 돌이다[介于石]"라고 하

---

44) 『禮記 · 樂記』: 돌소리는 경경[磬磬:가볍고 맑은 소리]하니, 경한 소리는 분변(分辨)을 일으키고, 분변하여 목숨을 바치기까지 하니, 군자가 경(磬)소리를 들으면 봉강(封疆)에서 죽은 신하를 생각한다.[石聲磬磬以立辨, 辨以致死, 君子聽磬聲, 則思死封疆之臣.]
45) 곤괘 육이효 「문언전」에 "直方大, 不習无不利"라 하였다.

였다. 오효와 삼효는 호괘가 감괘인데, 감괘는 근심하는 마음의 병을 더하므로 “고질병을 앓는다[貞疾]”라고 하였다.

서유신(徐有臣) 『역의의언(易義擬言)』

中正自守, 不與四相涉, 是獨能知幾而早圖防微者也. 介于石, 辨别之精確也. 不終日, 斷決之敏果也. 四剛五柔, 其間必有幾微之可見, 故六二有所圖爲而防其漸也, 是爲貞吉也. 坤爲方, 艮爲石, 坤體互艮, 方石象也. 方石有廉隅, 爲分介明確也. 互艮之初, 有防微象, 防微亦豫也.

중정하게 스스로 지켜 사효와 서로 교섭하지 않으니, 이는 홀로 기미를 알아차려 일찌감치 미미할 때 도모하여 막는 자이다. ‘개우석(介于石)’은 정확하게 변별하는 것이다. ‘부종일(不終日)’은 민첩하고 과감하게 결단하는 것이다. 사효는 굳센 양이고 오효는 부드러운 음이니, 그 사이에 반드시 기미를 볼 수 있다. 그러므로 육이가 도모하는 바가 있어서 점차 진행하는 것을 막으니, 이것이 ‘바르게 하기에 길함’이 된다. 곤괘는 ‘반듯함[方]’이 되고 간괘는 돌이 되는데, 곤괘의 몸체에 호괘가 간괘이니, 반듯한 돌인 상이다. 반듯한 돌은 분명한 모서리가 있으니, 명확하게 구분지음이 된다. 육이는 호괘인 간괘(艮卦)의 첫 자리에 있으므로 미미할 때 막는 상이 있으니, 미미할 때 막는 것 역시 예(豫)이다.

김귀주(金龜柱) 『주역차록(周易箚錄)』

六二, 介于石, 云云

육이는 절개가 돌이다, 운운.

○ 按, 六二倂三四爻, 以互體觀之則爲艮. 艮爲石, 故以石爲喩歟.

내가 살펴보았다: 육이와 삼효·사효를 아울러 호체로 보면 간괘가 된다. 간괘는 돌이 되므로 돌로써 비유하였다.

本義, 豫雖主樂, 云云.

『본의』에서 말하였다: 예괘는 비록 즐거움을 주장하나, 운운[46]

小註, 建安丘氏曰, 豫諸爻, 云云.

소주에서 건안구씨가 말하였다: 여러 효 가운데에서, 운운.[47]

---

46) 『본의』의 내용은 다음과 같다: “예괘가 비록 즐거움을 주장하나 사람을 쉽게 빠뜨리니, 빠지면 반대로 근심하게 된다. 예괘에서는 이 이효(二爻)만이 중심에 서서 바른 자리를 얻었으니, 이는 위아래가 다 즐거움에 빠졌으나 홀로 중정함으로써 스스로를 지키니, 그 절개가 돌과 같다.”

○ 按, 此以介于石與不終日, 分動靜說, 恐非文義.
내가 살펴보았다: 이는 "절개가 돌이다[介于石]"와 "날이 저물도록 기다리지 않는다[不終日]"에 대하여 고요할 때와 움직일 때로 나누어 말한 것인데, 아마도 『본의』의 글 뜻이 아닌 듯 하다.

백경해(白慶楷) 『독역(讀易)』

豫之二爻, 程傳才與時合也. 蓋逸豫之時, 而才又不得正之謂也.
예괘의 이효에 대해서 『정전』에서는 "재질이 때와 합하였다[才與時合也]"[48]라고 하였다. 대체로 안일하게 즐기는 때에, 재주가 있다 하더라도 또한 올바르지 못함을 말한다.

박문건(朴文健) 『주역연의(周易衍義)』

間於二陰, 故有介石之象. 石陰之剛者也.
두 음 사이에 끼어 있으므로 '개석(介石)'의 상이 있다. 돌은 음(陰)가운데 단단한 것이다.
〈問, 介于石, 不終日, 貞吉. 曰, 六二介於兩石之間, 雖危, 禍不終日. 然用柔貞而能順上下則致吉也. 此與謙之六二鳴謙貞吉之義一例也.
물었다: "돌 사이에 끼어 있다[介于石]. 날이 저물 때까지 가지 않으니, 바르기에 길하다"는 무슨 뜻입니까?
답하였다: 육이가 두 돌 사이에 끼어있어서 비록 위험하지만 그 화가 날이 저물도록 가지 않습니다. 그러나 부드러운 곧음을 써서 위아래와 순응할 수 있다면 길하게 됩니다. 이는 겸괘(謙卦) 육이효에서 "겸손함으로 알려지니 곧고 길하다"라 한 것과 같은 사례입니다.

曰, 此義與繫辭所言不同何. 曰, 周公之志, 在於轉凶爲吉, 夫子之志, 在於知幾作善也. 若互[49]考二聖之旨, 則其義亦博矣.

---

47) 건안구씨가 말한 내용은 다음과 같다: "예괘의 여러 효 가운데, 얽매여 호응하지 않는 것이 길하다. 예괘의 초효는 사효와 호응하고, 삼효와 오효는 사효와 친하니[比], 모두 얽매이는 자들이다. 그러므로 흉하게 되고, 후회하게 되고, 병이 들게 된다. 육이만이 음으로서 차분하면서 중정하여 사효와 얽매이지 않고 여러 음 가운데서 '특별히 지조를 확립'하므로 늦출 대로 늦추고 빠져들어 연연해하는 뜻이 없다. 반듯하게 그 고요함을 유지하면 확연하게 스스로 지킬 수 있어서 절개가 돌과 같게 된다. 그래서 움직일 때가 되었을 때 기미를 보고 일어나 날이 저물도록 기다리지 않을 수 있는 것이다. 그 처신이 바르므로 움직일 때나 조용히 있을 때나 그 올바름을 잃지 않으므로 길할 것을 알 수 있다."

48) 예괘 육이효 『정전』 첫 머리 부분이다. '才'와 관련하여서는 유정원의 주석 참조. 유정원은 『정전』에서의 '才'자를 판본에 따라서는 잘못되었다고 지적하고 있음을 말한다. '才'자는 '不'자의 오류로 보는 것이 옳겠다.

물었다: 이 뜻이 「계사전」에서 말한 바와 같지 않다는 것은 어째서입니까?
답하였다: 주공(周公)의 뜻은 흉(凶)함을 바꾸어 길(吉)하게 하는데 있고, 공자의 뜻은 기미를 알아서 선(善)을 행하는데 있습니다. 두 성인의 뜻을 번갈아 살핀다면 그 뜻 역시 넓혀질 것입니다.〉

이지연(李止淵) 『주역차의(周易箚疑)』

六二, 上視九五, 則爲互艮, 艮爲石. 至于三爻則爲日夕, 而未及三, 故不終日之象也.
육이가 위로 구오를 바라보면 호괘가 간괘(艮卦)가 되는데, 간괘는 돌이다. 삼효에 이르면 날이 저물게 되는데, 아직 삼효에 이르지 않았기 때문에 날이 저물지 않은 상이다.

김기례(金箕澧) 「역요선의강목(易要選義綱目)」

六二, 介于石, 不終日. 二至四互艮, 故譬艮石.
육이는 "절개가 돌이니 해가 저물도록 기다리지 않는다"라고 하였다. 이효에서 사효까지는 호괘가 간괘(艮卦)이므로 간괘의 돌에 비유하였다.

○ 二與四非應, 則不待陽, 故曰終不日.
이효와 사효는 호응하지 않아서 양(陽)을 기다리지 않으므로 "날이 저물도록 기다리지 않는다"라고 하였다.

○ 中正柔順, 守介如石, 不溺於豫, 見幾而作. 不失正道, 故吉.
중정하고 유순하여 절개를 돌같이 지키니, 즐거움에 빠지지 않고 기미를 보아 행동한다. 바른 도를 잃지 않으므로 길하다.

윤종섭(尹鍾燮) 『경(經)·역(易)』

二之介于石, 互艮互坎, 俱有石象.
이효에서 "절개가 돌이다"라 하였는데 호괘가 간괘(艮卦)와 감괘(坎卦)로서 모두 돌의 상이 있다.

---

49) 互: 경학자료집성DB에 '五'로 되어 있으나 경학자료집성 영인본을 참조하여 '互'로 바로잡았다.

심대윤(沈大允) 『주역상의점법(周易象義占法)』

豫之解䷧, 其紛漸釋而免乎勞也. 六二, 居柔保豫而无應, 是其心不以逸豫爲樂, 而能防其事紛之微, 有蟋蟀太康之意, 可以終保其无事太平也. 介于石, 言其操心之堅, 不終日, 言其辨之枚早也. 坎爲大石, 离爲介, 介于石. 坤离爲終日.

예괘가 해괘(解卦䷧)로 바뀌었으니, 그 어지러움이 점차 풀려서 수고로움을 면하게 된다. 육이는 부드러운 음의 자리에 있으면서 즐거움을 보존하지만 호응하지 않는다. 이는 그 마음이 안일하게 즐기는 것을 즐겁게 여기 않아서 그 일에 있어서 어지러움의 기미를 막을 수 있는 것으로 「실솔(蟋蟀)」편에 나오는 크게 즐기는[太康] 뜻이 있어서[50] 끝까지 그 무사태평함을 보전할 수 있다. "절개가 돌이다"라는 것은 마음을 굳게 잡는 것을 말하고, "날이 저물도록 기다리지 않으니"라는 것은 일찍 변별하는 것을 말한다. 감괘가 큰 돌이 되고, 리괘가 절개가 되니, 절개가 돌과 같다. 곤괘와 리괘는 날이 저무는 것이다.

오치기(吳致箕) 「주역경전증해(周易經傳增解)」

六二, 柔順中正而處上下溺豫之時, 上不諂于由豫之九四, 下不瀆于鳴豫之初六, 而獨自介然, 固守堅志如石, 於其趨善避惡之際, 見幾之速, 不俟終日, 故言正而吉也. 繫辭傳已備矣.

육이는 유순하고 중정하여 위아래가 즐거움에 빠지는 때에 처하였지만, 위로 '그 자신으로 말미암아 즐거운' 구사와 어그러지지 않고 아래로 '즐거움을 소리 내는' 초육에 의해 타락하지도 않는다. 홀로 꼿꼿하게 굳은 뜻을 돌처럼 확고하게 지켜서 선(善)을 추구하고 악(惡)을 피하려는 때에 신속하게 기미를 보아 날이 저물도록 기다리지 않으므로 "바르고 길하다"고 하였다. 「계사전」에 이미 갖추어져 있다.

○ 介者, 介然自守之謂, 而六二介乎上下二陰之間, 而得中正, 故取其象而言介也. 互艮爲石, 而終亦取於艮, 日取於爻變互離也.

'개(介)'란 꼿꼿하게 스스로 지키는 것을 말하는데, 육이가 위 아래로 두 음 사이에 끼어 있으나 중정할 수 있으므로 그 상을 취하여 "꼿꼿하다[介]"고 하였다. 호괘인 간괘가 돌이 되고, "마친다[終]"는 의미도 역시 간괘(艮卦)에서 취하였으며, '낮[日]'은 효가 변한 호괘인 리괘(離卦)에서 취하였다.

---

50) 『詩經 · 蟋蟀』: 無已大康, 職思其憂. 好樂無荒, 良士休休.

이진상(李震相) 『역학관규(易學管窺)』

介于石.
절개가 돌이다.

語類, 以兩石相磨介然之頃, 釋此義, 蓋從馬訓扴, 鄭訓砎之意也.
『주자어류』에서는 돌멩이 두 개를 서로 비비는 잠깐 사이라는 의미로 이 뜻을 풀었는데, 마융이 "깎다[扴]"고 풀이하고, 정현이 "갈다[砎]"라고 풀이한 뜻을 따른 것이다.

竊意, 卦體互艮, 艮爲小石. 二爲四隔, 不能應乎五, 又被三間, 不能從乎四, 故取介石之象. 介者, 間隔也. 欲進則爲石所軋, 欲合則如石難入, 君子所以決然長往也.
내가 살펴보았다: 괘의 몸체가 호괘인 간괘인데, 간괘는 작은 돌이 된다. 이효는 사효에 막혀서 오효와 호응할 수가 없고, 또 삼효가 사이를 막고 있어서 사효를 따를 수도 없으므로 돌에 끼인 상이 된다. '개(介)'란 간격을 두는 것이다. 나아가고자 하지만 돌에 깔리게 되고, 합하고자 하지만 돌과 같아서 들어갈 수가 없으니, 군자가 결연하게 멀리 떠나는 까닭이다.

박문호(朴文鎬) 「경설(經說)·주역(周易)」

介于石之于訓, 如以亦其一例也. 若從其常例而讀作介勝石之義, 恐亦通.
'개우석(介于石)'의 '우(于)'에 대한 풀이는 '이(以)'자의 의미로 풀이하는 것이 또 하나의 사례인 듯하다. 그 통상적인 사례를 따른다면 "절개가 돌보다 굳다[介勝石]"는 뜻으로 읽어도 또한 통할 듯 하다.

知微, 知彰, 知柔, 知剛, 以程傳意觀之, 猶言知微而知彰, 知柔而知剛云爾. 處豫之道爲敎之意, 始言於象傳之下者, 蓋欲總象辭象傳之文耳.
"미미한 것을 알고 드러난 것을 알며 부드러움를 알고 굳셈을 안다"는 구절을 『정전』의 뜻에 입각하여 살펴보면, 미미한 것을 알아서 드러난 것을 알고, 부드러운 것을 알아서 강한 것을 안다는 말이라 하겠다. 즐거움에 처신하는 도리로 교훈을 삼는 의미를 「대상전」 이하에서부터 말하였는데, 「상사」와 「상전」의 글을 총괄하려 한 것이다.

이병헌(李炳憲) 『역경금문고통론(易經今文考通論)』

介古文加石作砎.
개(介)는 고문에서는 석(石)자를 더하여 개(砎)라고 썼다.

象曰, 不終日貞吉, 以中正也.

「상전」에서 말하였다: "날이 저물도록 기다리지 않으니, 바르게 하기에 길함"은 중정하기 때문이다.

中國大全

傳

能不終日而貞且吉者, 以有中正之德也, 中正故, 其守堅而能辨之早, 去之速. 爻言六二處豫之道, 爲敎之意深矣.

낮이 저물도록 기다리지 않고 바르게 하며 또 길한 것은 중정한 덕이 있기 때문이다. 중정하기 때문에 견고하게 지켜서, 일찌감치 판별하고 빨리 떠난다. 효사에서 육이가 '즐거움[豫]'에 대처하는 도를 말하였으니, 가르친 뜻이 깊다.

小註

雲峰胡氏曰, 九四一陽用事, 初應之而鳴豫, 三比之而盱豫, 不中不正也. 五乘之而貞疾, 中而不正也. 六爻之中, 不係應於四者, 惟六二中而且正也.

운봉호씨가 말하였다: 구사의 양(陽) 하나가 일을 하는데, 초효는 호응하여 기쁨에 겨워 떠들고 삼효는 그와 친하게 굴며 그를 바라보면서 즐거워하니, 처신이 적절하지 못하고 제자리를 찾지 못한 것이다. 오효는 사효를 올라탔기에 바르게 하지만 질병에 시달리니, 음효로서 가운데 있기는 하지만 제자리를 얻지 못한 탓이다. 여섯 효 가운데 사효에 연연하지 않는 자는 육이뿐으로, 처신이 적절하고 또 바르다.

‖ 韓國大全 ‖

김상악(金相岳) 『산천역설(山天易說)』

中而且正, 故能辨之早, 而去之速也.
덕성이 알맞고 또 바르므로 일찍 분별할 수 있어서 신속하게 떠난다.

서유신(徐有臣) 『역의의언(易義擬言)』

初早三遲, 二則得中也. 先君子曰, 艮六五小象本義, 正字羨文, 叶韻可見, 豫六二小象, 恐當作正中.
초효는 조급하고 삼효는 늦장을 부리는데 이효는 알맞음을 얻었다. 옛 군자가 "간괘 육오의 「소상전」『본의』에서 '정(正)자는 잘못 들어간 것이니, 운을 맞춰 보면 알 수 있다'고 하였는데, 예괘 육이의 「소상전」에서는 마땅히 '정중(正中)'이라고 하여야 할 것이다"[51]라고 하였다.

박문건(朴文健) 『주역연의(周易衍義)』

六二之志, 介如石, 故能見幾作善, 不俟終日. 又知柔而吉, 以其用中正也.
육이의 뜻은 절개가 돌과 같으므로 기미를 보고 선을 행할 수 있어서 날이 저물도록 기다리지 않는다. 또한 부드럽게 할 줄을 알아 길하니, 중정하게 하기 때문이다.
〈問, 介義. 曰, 介有所辨別之謂也. 故能知微知柔, 而不至於諂瀆也.
물었다: '개(介)'의 뜻이 무엇입니까?
답하였다: '개(介)'는 분별하는 바가 있음을 말합니다. 그러므로 은미할 때 미리 알고 부드럽게 행할 줄 알아서 어그러지고 더러운 데까지 이르지 않습니다.〉

이병헌(李炳憲) 『역경금문고통론(易經今文考通論)』

字典云, 堅確不拔, 曰介.
『자전』에서는 견고하고 확고하여 뽑을 수 없는 것을 '개(介)'라고 하였다.

---

51) 예괘(豫卦) 육이 「소상전」 "不終日貞吉, 以中正也"에서 중정(中正)이 아니라 정중(正中)이어야 한다는 말이다.

六三, 盱豫, 悔. 遲, 有悔.

정전 육삼은 올려다보며 즐거워하니 후회하게 될 것이다. 머뭇거려도 후회가 있을 것이다.

六三, 盱豫, 悔遲, 有悔.

본의 육삼은 올려다보며 아래로는 즐기니, 뉘우치기를 더디게 하면 후회가 있을 것이다.[52)]

中國大全

傳

六三, 陰而居陽, 不中不正之人也, 以不中正而處豫, 動皆有悔. 盱, 上視也. 上瞻望於四則以不中正, 不爲四所取. 故有悔也. 四豫之主, 與之切近, 苟遲遲而不前則見棄絶, 亦有悔也. 蓋處身, 不正, 進退, 皆有悔吝, 當如之何. 在正身而已. 君子處己 有道, 以禮制心, 雖處豫時, 不失中正. 故无悔也.

육삼은 음이면서 양의 자리에 있으니, 중정(中正)하지 못한 사람이다. 중정하지 못하면서 즐거움에 놓이면 하는 일마다 후회가 있을 것이다. '우(盱)'는 위로 올려다보는 것이다. 위로 사효를 바라보면 중정(中正)하지 못하기 때문에 사효에게 취해지지 않으므로 후회가 있다. 사효는 예괘(豫卦)의 주인인데 육삼이 그와 매우 가까이 있으면서도 머뭇거리고 앞으로 나가지 않으면 버려질 것이니, 이 또한 후회가 있다. 처신이 바르지 못하면 나아가고 물러나는 데 모두 후회와 인색함이 있으니, 어찌해야 하는가? 몸을 바르게 할 뿐이다. 군자가 처신하는 데에는 도리가 있으니, 예(禮)로써 마음을 제어하여 비록 즐거운 때를 만나더라도 중정(中正)을 잃지 않는다. 그러므로 후회가 없다.

小註

厚齋馮氏曰, 三四本近而相得. 然震動而上, 坤靜而下, 上下異趣, 故有此象.

후재풍씨가 말하였다: 삼효와 사효는 본래 가까이 있어서 서로를 얻는다. 그러나 진괘(震卦

52) 『본의』와 최립(崔岦) 『주역본의구결부설(周易本義口訣附說)』의 토를 참조하여 번역하였음.

☳)는 움직여 위로 가고, 곤괘(坤卦☷)는 움직이지 않은 채 아래에 있으니, 위아래가 취향이 다르다. 그러므로 이러한 상이 있다.

○ 東谷鄭氏曰, 此猶豫之豫, 故動則取悔.
동곡정씨가 말하였다: 여기에서는 유예한다는 의미의 '예(豫)'이니, 움직이면 후회하게 된다.

本義

盱, 上視也. 陰不中正而近於四. 四爲卦主, 故六三, 上視於四而下溺於豫, 宜有悔者也. 故其象如此, 而其占爲事當速悔. 若悔之遲則必有悔也.

'우(盱)'는 위로 올려다보는 것이다. 육삼은 음으로서 중정(中正)하지 못하고 사효와 가깝다. 사효는 예괘의 주인인데, 육삼이 위로는 사효를 쳐다보고 아래로는 즐기는 데 빠져있으니, 마땅히 뉘우쳐야 할 자이다. 그러므로 그 상이 이와 같고 그 점(占)은 일을 할 때 빨리 뉘우쳐야 하는 것이 된다. 만약 뉘우치기를 더디게 하면 반드시 후회할 일이 있게 된다.

小註

朱子曰, 盱豫悔, 言覰著九四[53]之豫, 便當速悔. 遲時便有悔. 盱豫是句. 問, 上視於四而下溺於豫, 下溺之義, 如何. 曰, 此如人趨時附勢, 以得富貴, 而自以爲樂者也.
주자가 말하였다: '우예회(盱豫悔)'는 구사를 엿보는 즐거움으로, 속히 뉘우쳐야 함을 말한다. 머뭇거려 더디게 하면 후회가 있게 된다. 경문(經文)에서 '우예(盱豫)'라고 한 데서 구두를 떼야 한다.
물었다: "위로 구사를 올려다보면서 아래로 즐기는 데 빠져 있다"고 했는데, 아래로 빠져 있다는 것이 무슨 뜻입니까?
답하였다: 이는 사람이 그때그때 세력에 붙좇아서 부귀를 얻고 스스로 그것을 즐거움으로 삼는 것과 같습니다.

○ 雲峰胡氏曰, 二中而得正, 三陰不中正. 故盱豫與介石相反, 遲與不終日相反, 中正與不中正故也. 六三雖柔, 其位則陽, 猶有能悔意. 然悔之速可也, 悔之遲則又必有悔矣. 此蓋溺於逸豫而悔之遲, 則又猶豫者也.

---

53) 九四: 여러 판본에 '六四'로 되어 있으나, '九四'의 오기이다. 김장생 『주역(周易)』에서도 이 부분을 지적하였다.

운봉호씨가 말하였다: 육이는 내괘의 가운데에 있으면서 제자리를 얻었고, 육삼은 가운데에 있지도 않고 제자리에 있지도 않다. 그러므로 "위로 올려다보면서 즐거워한다"와 "절개가 돌이다"로 효사가 상반되고, "머뭇거려 더디게 한다"와 "날이 저물기를 기다리지 않는다"로 상반되니, 그것은 중정한가 중정하지 못한가에 그 원인이 있다. 육삼은 비록 유약하지만 그 자리는 양의 자리이니 양과 관련이 있으므로 오히려 뉘우칠 수 있다는 의미가 있다. 그러나 빨리 뉘우친다면 괜찮지만 뉘우치기를 머뭇거려 더디게 하면 반드시 후회하게 된다. 이는 안일하게 즐기는 데 빠져 있어서 뉘우치기를 더디게 하는 것이니, 또한 머뭇거려 유예하는 자이다.

○ 中溪張氏曰, 聖人於六三一爻, 凡兩言悔, 始則示人以致悔之端, 終則勉人以改過之悔也.
중계장씨가 말하였다: 성인이 육삼 한 효에서 두 번 '후회'함을 말하였는데, 처음에는 사람들에게 무엇 때문에 후회하게 되는지 그 실마리를 보여주었고, 끝에는 사람들에게 허물을 고치도록 뉘우칠 것을 권면하였다.

韓國大全

김장생(金長生) 『주역(周易)』

豫, 六三, 本義, 小註, 六四.
예괘 육삼효 『본의』 소주의 '육사'

六字, 當作九.
'육(六)'자는 '구(九)'자로 고쳐야 한다.

송시열(宋時烈) 『역설(易說)』[54]

盱者, 睢盱也, 言上視也. 眼上視則多白, 巽爲多白眼, 震之錯也. 互坎錯離目而三居坎

54) 경학자료집성DB에서는 예괘 육이에 해당하는 것으로 분류했으나, 내용에 따라 이 자리로 옮겼다.

初, 是亦上視也. 若速有自悔之心, 則可以无咎, 不然而遲悔, 則必有悔也, 以其不當位故也.
'올려다봄[盱]'이란 '부릅뜨고 쳐다보는 것[睢盱]'으로 위를 바라보는 것이다. 눈을 위로 뜨면 흰자위가 많아지는데, 손괘(巽卦)는 진괘(震卦)가 음양이 바뀐 괘로서 백안시하는 상이 된다. 호괘인 감괘(坎卦)의 음양이 바뀐 괘가 리괘(離卦)로서 눈이 되는데 삼효는 감괘의 첫 자리가 되니, 이 역시 올려다보는 모습이다. 만약 속히 스스로 뉘우치는 마음이 있다면 허물이 없을 수 있지만 그렇지 않고 뉘우치기를 늦추면 반드시 후회할 일이 생길 것이니, 그것은 그가 있는 자리가 합당하지 않기 때문이다.

이익(李瀷) 『역경질서(易經疾書)』

盱, 希望也. 有希望, 則庶幾之心勝而悔悟之端微. 旣謂之悔, 則非事之正當可知. 如此而遲疑, 則畢竟又必悔. 其遲疑, 其不能改也定矣.
'올려다봄[盱]'은 무엇인가 바라는 것이다. 바라는 것이 있으면 달성하려는 마음이 강하고 뉘우칠 기미는 미미하다. 이미 "뉘우친다[悔]"고 하였으니 정당하지 못한 일임을 알 수 있다. 이러한데 뉘우치기를 늦추고 머뭇거리니, 마침내 반드시 후회하게 된다. 뉘우치기를 더디 하고 의심하니, 그가 고칠 수 없는 것은 정해진 일이다.

심조(沈潮) 「역상차론(易象箚論)」

互艮之手, 據上下卦之間, 此在下位不援上之象也. 故曰, 盱豫. 遲者, 山之遲重也. 悔之從母者, 坤爲母也.
호괘인 간괘(艮卦)의 손이 상괘와 하괘의 사이에 있으니, 이는 아래 자리에 있으면서 위를 돕지 못하는 상이다. 그러므로 "올려다보고 즐거워한다"고 하였다. '머뭇거림'은 산의 특성이 더디고 무거운 모습이다. 후회하면서 어미를 따르는 것은 곤괘가 어미가 되기 때문이다.

유정원(柳正源) 『역해참고(易解參攷)』

正義, 盱謂睢[55]盱喜悅之貌. 若睢[56]盱之求豫, 則悔吝也. 遲有悔者, 居豫之時, 若遲停不求於豫, 亦有悔也.
『정의』에서 말하였다: 우(盱)는 눈을 크게 뜨고 바라보며 기뻐하는 모습이다. 만약 눈을

---

55) 睢: 경학자료집성 영인본에 '睢'로 되어 있으나 '睢'의 오자이므로 바로 잡는다.
56) 睢: 경학자료집성 영인본에 '睢'로 되어 있으나 '睢'의 오자이므로 바로 잡는다.

크게 뜨고 바라보면서 즐기기를 구한다면 후회스럽고 부끄러울 것이다. "늦추면 후회가 있다"고 하였는데, 예괘의 때에 있으면서 만약 머뭇거리면서 즐겁기를 구하지 않는다면 또한 후회가 있을 것이다.

○ 案, 三近於四, 四豫之主也. 三之趨附盱視, 溺於豫者也. 猶其所處陽位, 故或有悔心之萌, 而以其不中不正也, 故貪溺係戀, 遲遲忘返, 是乃終於有悔而已.
내가 살펴보았다: 삼효가 사효에 가까이 있는데, 사효는 예괘의 주인이다. 삼효는 그를 좇아 올려다보며 즐거움에 빠진 자이다. 그러나 삼효는 양의 자리에 있으므로 간혹 뉘우치는 마음이 싹트기도 하지만 그 자신이 중정하지 못하므로 얽매여 탐닉하고 머뭇머뭇 돌이킬 것을 잊으니 끝내 후회가 있을 뿐이다.

김상악(金相岳) 『산천역설(山天易說)』

三之不中正, 視四而爲豫, 故有盱豫悔之象. 苟遲遲而不去, 則終難免於有悔也.
삼효는 중정하지 못하여 사효를 바라보고 즐거워하므로 '올려다보고 즐거워하여 후회하는' 상이 있다. 만약 꾸물꾸물 지체하여 떠나지 않는다면 끝내 후회를 면하기 어려울 것이다.

○ 盱者, 張目上視也. 盱豫與朶頤相似. 又豫對小畜, 盱與反目爲對. 遲者, 豫之怠也, 又盱豫, 介于石之反, 悔遲, 不終日之反. 得中與不正之辨也, 悔者, 溺豫之悔也. 上悔字, 心之悔也. 下悔字, 事之有悔也. 故曰位不當也. 困上六曰, 動悔, 有悔者, 掩剛之悔也. 上悔字, 事之可悔也, 下悔字, 心之悔也.
'우(盱)'란 눈을 크게 뜨고 위를 보는 것이다. 위로 보며 즐거워하는 것은 이괘(頤卦䷚) 초구에서 턱을 늘어뜨리고 침을 흘리는 것과 비슷하다.[57] 또한 예괘의 음양을 바꾸면 소축괘로 서로 짝이 되니, 예괘 삼효의 '올려다봄[盱]'와 소축괘 삼효의 '반목함[反目]'[58]이 서로 짝이 된다. '지체함[遲]'은 예비하는 데 태만한 것이다. 또한 올려다보는[盱] 상은 '절개가 돌 같음'과 반대이고 '뉘우치기를 지체함'은 '날이 저물기를 기다리지 않음'과 반대인데, 중(中)을 얻음과 바르지 못함을 구별한 것이다. '후회'는 즐거움에 빠지는 데서 오는 후회이다. 앞의 '회(悔)'자는 마음에서 뉘우침이고, 뒤의 '회'자는 일에 후회가 있는 것이다. 그러므로 "자리가 정당하지 않기 때문이다"라고 하였다. 곤괘 상육에서 "움직일 때마다 후회가 있을 것이다"[59]라고 하였는데, 후회가 있는 것은 굳센 강을 가린 데에서 오는 후회이다. 앞의 '회(悔)'

---

57) 『周易 · 頤卦』: 舍爾靈龜, 觀我, 朶頤, 凶.
58) 『周易 · 小畜卦』: 輿說(脫)輻, 夫妻反目.
59) 『周易 · 困卦』: 上六, 困于葛藟, 于臲卼, 曰動悔, 有悔, 征吉.

자는 일에 대해 후회스러운 것이고, 뒤의 '회(悔)'자는 마음에서 뉘우치는 것이다.

서유신(徐有臣) 『역의의언(易義擬言)』

六三, 始失之躁, 終失之緩者也. 盱, 瞠視也. 以其近於四, 故自以爲見幾而非眞知也. 見其似而驚疑躁動, 故致悔也, 乃復懲於羹而病乎緩, 故又悔也. 柔闇無主見者, 自來如此也.

육삼은 처음에는 잃을까봐 조급해 하다가 끝에 가서는 잃는 데 대해 느긋한 자이다. '우(盱)'는 눈을 크게 뜨고 보는 것이다. 사효와 가까이 있기 때문에 스스로 기미를 보았다고 여기지만 참으로 안 것이 아니다. 그 비슷한 것을 보고 놀라 의심하고 조급하게 행동하므로 후회함에 이르게 된다. 국을 조급하게 마시다 뜨거움에 놀라는 일을 반복하다가는 나중에는 너무 늦게 하다가 문제가 생겨서 또 후회하게 된다. 유약하고 식견이 어두워 주견이 없는 자는 본래 이와 같다.

김귀주(金龜柱) 『주역차록(周易箚錄)』

六三, 盱豫, 云云

육삼은, 올려다 보며 기뻐한다, 운운.

○ 按, 上悔字言盱豫, 自是有悔之象. 下悔字言遲而不改, 則終至於有悔. 此與過而不改是謂過矣之云同意. 蓋不以其有悔而遂棄絶之, 尙冀其及時速改而免於有悔, 此聖人之至意也.

내가 살펴보았다: 앞의 '회(悔)'자는 '올려다보며 즐거워함'을 말한 것으로 이로부터 후회하는 상이 있다. 아래의 '회(悔)'자는 머뭇거려 고치지 않으면 끝내 후회하는데 이르게 됨을 말하였다. 이는 "잘못하고도 고치지 않는 그것을 잘못이라고 한다"[60]라는 말과 같은 뜻이다. 그가 뉘우치지 않기 때문에 결국 버리고 끊는 것이니, 오히려 때에 맞추어 신속히 고쳐서 후회함에 이르는 상황을 모면하기 바라는 것이다. 이것이 성인의 지극한 뜻이다.

本義, 盱, 上視也, 云云.

『본의』에서 말하였다: 우(盱)는 위로 올려다보는 것이다, 운운.

○ 按, 速悔有悔, 兩悔字, 字同而意異. 蓋悔字本在吉凶之間, 速悔之悔, 反乎吉者也, 有悔之悔, 趋於凶者也.

---

60) 『論語 · 衛靈公』: 子曰, 過而不改, 是謂過矣.

내가 살펴보았다: "신속하게 후회한다[速悔]"와 "후회함이 있다[有悔]"고 할 때의 두 '회(悔)'자는 글자는 같지만 뜻은 다르다. '회(悔)'자는 본래 길함과 흉함의 사이에 있는 것인데, '신속하게 후회하는' 후회는 길함으로 돌아가고, '후회함이 있는' 후회는 흉한 데로 나아간다.

박제가(朴齊家) 『주역(周易)』

案, 睢盱者, 小人喜視也. 從于張目者, 从早音簡. 詩注, 朱子引張衡賦, 當更考. 傳, 上瞻望於四, 不爲四所取, 故有悔. 四豫之主, 與之切近, 苟遲遲而不前, 則見棄絶, 亦有悔也.

내가 살펴보았다: '눈을 크게 뜨고 바라보는 것[睢盱]'은 소인이 즐겁게 보는 것이다. '우(于)'자를 썼고 눈을 크게 뜬다는 뜻인데, 본래 '조(早)'자를 쓰고 음은 간이다. 『시경』을 주석하면서 주자가 장형(張衡)의 부(賦)를 인용하였는데, 다시 고찰해야 할 것이다. 『정전』에서는 위로 사효에게 기대를 가지고 바라보는데, 사효가 받아 주지 않으므로 후회가 있다고 하였다. 사효는 예괘의 주인인데, 그와 매우 가까이 있으면서도 오히려 머뭇머뭇 앞으로 나아가지 않아 버려지게 되었으니, 역시 후회가 있게 된다.

案, 如此則不爲四之所取者, 將汲汲求進, 而猶恐或遲耶. 故本義云, 其占爲事當速悔, 若悔之遲, 則必有悔也, 此急敎退去之義也. 然有悔爲戒辭, 悔遲當屬盱豫, 不應順說, 四字一句, 而曰悔遲則悔也. 言睢盱於四, 非但不能如二之介乃反悔, 其進之遲, 則趨附之甚者, 故有悔也必矣.

내가 살펴보았다: 이와 같다면 사효에게 받아들여지지 않는 자는 급급하게 나아가고자 할 텐데 오히려 머뭇거리며 지체하겠는가? 그러므로 『본의』에서는 "그 점(占)은 일을 하는데 신속하게 뉘우쳐야 한다는 것이 되니, 뉘우치기를 더디게 하면 반드시 후회하게 될 것이다"라 하였다. 이는 급하게 그로 하여금 물러나게 하려는 뜻이다. 그러나 "후회가 있다[有悔]"는 것은 경계하는 말이니, "뉘우치기를 더디게 한다[悔遲]"는 마땅히 "올려다보며 즐거워한다[盱豫]"에 붙여야 하는데[盱豫悔遲], 그렇게 하면 네 글자가 순조롭게 한 구가 되질 않아서 "뉘우치기를 늦추면 후회한다[悔遲有悔]"고 뒤로 붙였다.[61] 눈을 크게 뜨고 사효를 바라본다는 것은 단지 이효가 절개를 지닌 것처럼 할 수 없기에 도리어 후회하게 될 뿐만이 아니라, 나아가기를 늦추면 심하게 따라붙는 자가 되니, 후회하게 될 수밖에 없다는 말이다.

61) 유회(有悔)가 경계하는 말이므로 한 구절로 독립시켜 회지(悔遲)를 앞으로 붙이면 삼효의 효사는 "六三, 盱豫悔遲, 有悔"로 구두점을 찍게 된다. 그런데 이렇게 하면 네 글자씩 대구가 되지 않으므로 회지(悔遲)를 뒤로 붙여 "六三盱豫, 悔遲有悔"로 구두점을 찍었다는 말이다.

박문건(朴文健) 『주역연의(周易衍義)』

不知其豫, 故有盱豫之象, 盱驚視也.
그 즐거움의 도리를 모르므로 올려다보며 즐거워하는 상이 있다. '우(盱)'는 놀라서 보는 것이다.
〈問, 盱豫悔遲有悔. 曰, 六三, 所爲不當, 故見害於其上而不知悅豫之道者, 悔雖遲來, 終未免有悔也. 曰, 何以悔遲. 曰, 六三陰之剛者也, 得意在先也, 爲下者安能終亢其上乎, 所以失意在後也.
물었다: "올려다보며 즐거워하는데, 뉘우치기를 더디게 하면 후회함이 있다"는 무슨 뜻입니까?
답하였다: 육삼은 행하는 바가 정당하지 못하므로 그 윗사람에게 해를 입으니, 기뻐하고 즐거워하는 도리를 모르는 자입니다. 비록 늦게라도 뉘우치지만, 끝내 후회가 있음을 면하지 못합니다.
물었다: 어째서 뉘우치기를 지체합니까?
답하였다: 육삼은 음 가운데 굳센 자라서 우선은 뜻을 얻지만, 아랫사람 된 자가 어떻게 위로 꼭대기까지 갈 수가 있겠습니까? 그래서 나중에 가서는 뜻을 잃게 됩니다.〉

이지연(李止淵) 『주역차의(周易箚疑)』

如田蚡之曲旃, 國忠之春檻, 所盱者, 武帝明皇也.
전분(田蚡)[62]이 곡전(曲旃)[63]을 세우고 양국충(楊國忠)이 봄 정원을 만든 것과 같으니, 그들이 올려다본 것은 한무제와 당현종이었다.

김기례(金箕澧) 「역요선의강목(易要選義綱目)」

陰居陽位, 不能中正, 瞻望四而欲比. 震動而上, 坤順而下, 无可比之勢則悔, 悔當速而遲, 則有猶獨豫之像.
음이 양의 자리에 있어서 중정할 수가 없고, 구사를 바라보며 친하고자 한다. 진괘는 움직여서 올라가고 곤괘는 순응하여 내려가서 친할 수 있는 형세가 아니므로 후회한다. 뉘우치기

---

62) 전분(田蚡): 전한 무제 때 사람. 외척의 신분으로 무제(武帝)의 총애를 받아 태위(太尉)를 지냈고, 무안후(武安侯)에 봉해진 뒤 태위(太尉)를 거쳐 승상이 되었다. 주청하는 일마다 모두 들어 주어 권력이 막강해졌고, 화려한 저택과 희첩(姬妾)만 백여 명이 넘었다. 두영(竇嬰)을 섬겼는데, 출세하고 두영이 세력을 잃자 무고하여 두영을 살해했다. 무제의 유학 장려 정책에 크게 기여했다.

63) 곡전(曲旃): 깃대 끝이 비스듬하게 굽은 깃발을 말한다. 고대 황제나 왕이 스승을 모시기 위해 사용했던 의장용 깃발로, 전분이 이것을 장식으로 세워 둔 것은 제왕의 권위를 넘본 참람한 행위였다.

를 마땅히 빨리 해야 하는데, 더디게 한다면 도리어 홀로 유예하는 상이 있게 된다.

○ 兩悔字, 始勉當悔, 終戒遲悔.
두 개의 '회(悔)'자 가운데 처음 것은 마땅히 뉘우쳐야 한다고 권면한 것이고, 끝의 것은 지체하면 후회한다고 경계한 것이다.

허전(許傳) 「역고(易考)」

六三은 盱ᄒᆞᄂᆞᆫ 豫라 悔ᄒᆞ야도 遲ᄒᆞ면 悔이스리라
육삼은 위로 올려다보는 즐거움이다. 뉘우치더라도 더디게 하면 후회가 있으리라.

處下卦之上, 近於四, 此上視之豫者也. 故戒其速悔以至於無悔也. 若悔之遲, 則悔之莫及而必有其悔也. 戒其勿妄動而處之以順也.
하괘의 맨 위에 있으면서 사효에 가까우니, 이것이 위로 올려다보며 즐거워하는 것이다. 그러므로 그가 속히 뉘우쳐 후회가 없는데 이르러야 한다고 경계하였다. 만약 뉘우치기를 늦추면 뉘우쳐도 어쩔 수 없어서 반드시 후회가 있게 된다. 경거망동하지 말고 순리롭게 처신하여야 한다고 경계하였다.

심대윤(沈大允) 『주역상의점법(周易象義占法)』

豫之小過䷽, 過而无形也. 此時勞紛雖釋, 而猶未可遽爲安肆也. 六三, 以柔居剛而耽豫, 比近於九四, 見四之安樂而心慕之效, 故曰盱豫, 盱上視也. 巽爲白爲高, 對中孚全爲离, 白眼高視爲盱, 與謙之六二相同, 而不曰鳴而曰盱, 何也. 謙之六二, 近三而事不同, 此地近而事又同也. 鳴遠應也, 盱近視也. 六三之耽豫, 小過未而甚, 故曰悔遲有悔, 言改悔之遲, 則終有悔也. 巽爲改悔, 艮巽爲遲.
예괘가 소과괘(小過卦䷽)로 바뀌었으니, 허물은 있지만 드러나지 않은 것이다. 이때는 수고롭고 어지러움이 비록 풀렸지만, 오히려 갑자기 편안하게 맘대로 해서는 안 된다. 예괘의 육삼은 부드러운 음으로 굳센 양의 자리에 있으면서 즐기기를 탐하며 구사에게 친밀하게 구는데, 구사의 안락함을 보고는 마음으로 부러워한 결과이다. 그러므로 위로 올려다보며 즐거워한다고 하였으니, '우(盱)'는 위로 보는 것이다. 손괘는 흰색이 되고 높은 것이 되는데, 음양이 바뀐 중부괘(中孚卦䷼)는 전체로 보면 큰 리괘(離卦)가 되어 눈을 희게 위로 뜨고 올려다 보는 것[盱]이 된다. 겸괘 육이효와 서로 같은데, '명(鳴)'이라 하지 않고 '우(盱)'라고 한 것은 어째서인가? 겸괘의 육이는 삼효에 가깝지만 사안이 같지 않고, 여기에서는

있는 곳도 가깝고 사안도 또한 같다. '명(鳴)'은 멀리서 호응하는 것이고, '우(盱)'는 가까이서 보는 것이다. 육삼은 즐기기를 탐하지만 조금 지나쳐서 아직 심하지 않으므로 "뉘우치기를 더디게 하면 후회가 있다"고 하였으니, 고쳐야겠다는 뉘우침이 늦으면 끝내 후회가 있다는 말이다. 손괘는 뉘우쳐 고치는 것이 되고, 간괘와 손괘는 고치기를 더디게 하는 것이 된다.

오치기(吳致箕) 「주역경전증해(周易經傳增解)」

六三, 陰柔不中不正, 而上比九四豫之主. 盱視其得志而主權, 亦從以倚毗而怙勢, 悅樂過中, 漸至太荒. 故戒言宜卽知悔而改過. 若或遲久而不改, 則必有溺豫之悔也.
육삼은 부드러운 음으로 중정하지 못하면서 위로 예괘의 주인인 구사와 친하게 군다. 올려다보며 뜻을 얻어 권한을 주장하는데, 역시 구사를 따라 의지하여 세력을 믿고 지나치게 즐겨서 점차 크게 황폐하기에 이른다. 그러므로 마땅히 즉시 뉘우칠 줄을 알아 잘못을 고쳐야 한다고 경계하여 말하였다. 만약 오래 지체하여 고치지 않으면 반드시 즐기는 데 빠지는 후회가 있게 된다.

○ 胡雲峰曰, 二中而得正, 三不得中正. 故盱豫與介石相反, 遲與不終日相反. 盱上視也, 取於對體互離也. 三居互艮之中, 故勉其悔過而止. 又居互坎之體, 故戒其有悔於溺也.
호운봉이 말하였다: 이효는 가운데 자리에 있고 또 제자리를 얻었는데, 삼효는 가운데 자리도 제 자리도 얻지 못하였다. '위를 올려다보며 즐거워함'이 '절개가 돌 같음'과 상반되고, '늦추는 것[遲]'이 '저물도록 기다리지 않음'과 상반된다. '우(盱)'는 위로 보는 것인데, 음양이 바뀐 괘의 호체인 리괘(離卦)에서 취하였다. 삼효는 호체인 간괘의 가운데 자리에 있으므로 그 허물을 뉘우쳐 그칠 것을 권면하였다. 또 호괘인 감괘의 몸체에 있으므로 빠짐을 후회함이 있다고 경계하였다.

이진상(李震相) 『역학관규(易學管窺)』

盱豫, 悔.
올려다보며 즐거워하니 뉘우치기를.

悔之如何. 革其睢盱之態, 而改其逸豫之習, 則由悔而旡悔矣.
"뉘우친다"는 것은 어떠한 것인가? 그 눈을 둥그렇게 뜨고 올려다보는 태도를 혁신하여서 그 안일하게 즐기는 습관을 고친다면 뉘우침을 말미암아 후회가 없게 될 것이다.

채종식(蔡鍾植) 「주역전의동귀해(周易傳義同歸解)」

傳謂上視於四, 則以不中正, 不爲四所取, 故有悔, 苟遲遲而不前, 則見棄絶, 亦有悔也. 蓋進亦悔, 退亦悔之義也. 本義謂上視於四, 而下溺於豫, 宜有悔者也. 故其占爲事當速悔, 若悔之遲則必有悔也. 蓋盱四之豫, 便當速悔, 遲時便有悔之義也.
『정전』에서는 위로 구사를 바라보면 중정하지 못하기 때문에 구사에게 받아들여지지 않으므로 후회가 있고, 구구하게 머뭇거리며 앞으로 나아가지 못하면 버려지므로 역시 후회가 있다고 하였다. 대체로 나아가도 후회하고 물러나도 후회한다는 뜻이다. 『본의』에서는 위로는 구사를 바라보고 아래로는 즐기는 데 빠져 있으므로 마땅히 뉘우침이 있어야 하는 자라고 하였다. 그러므로 그 점(占)에 일을 할 때에는 신속하게 뉘우쳐야 하고, 뉘우치기를 늦게 하면 반드시 후회가 있다고 하였다. 대체로 구사를 올려다보며 즐거워하는 태도는 마땅히 신속하게 뉘우쳐야 하니, 때를 지체한다면 후회함이 있다는 뜻이다.

然程子之意, 深惜其六三之不中不正而進退皆悔也. 朱子之意, 深惜其盱豫之不速悔也. 蓋不中不正, 故不能速悔, 而見棄於四, 不能速悔, 故遲遲不前, 而又有悔也, 以此推之, 則兩釋雖殊而大義同歸也.
그러나 정자(程子)의 뜻은 육삼이 중정하지 못하여 나아가거나 물러나거나 모두 후회하게 됨을 깊이 안타까워 한 것이고, 주자의 뜻은 올려다보며 즐거워하는 태도를 신속하게 뉘우치지 못함을 깊이 안타까워 한 것이다. 중정하지 못하므로 신속하게 뉘우치지 못하여 구사에게 버려지고, 신속하게 뉘우치지 못하므로 머뭇머뭇 앞으로 나아가지 못하여 또한 후회가 있으니, 이로써 미루어 보면 두 해석이 비록 다르지만, 큰 뜻은 같은 데로 귀착된다.

象曰, 盱豫有悔, 位不當也.

「상전」에서 말하였다: "올려다보며 즐거워하여 후회가 있음"은 그 자리가 정당하지 않기 때문이다.

中國大全

傳

自處不當, 失中正也. 是以, 進退有悔.

처신이 정당하지 못하여 중정(中正)함을 잃었다. 이 때문에 나아가거나 물러나거나 후회가 있다.

小註

臨川吳氏曰, 六三與六二相反者, 六二中正而六三不中正也.

임천오씨가 말하였다: 육삼과 육이가 상반되는 까닭은 육이는 중정한데 육삼은 중정하지 못하기 때문이다.

韓國大全

김상악(金相岳) 『산천역설(山天易說)』

柔, 不當位, 故進退, 皆悔也.

부드러운 음으로서 정당한 자리가 아니므로 나아가거나 물러서거나 모두 후회한다.

서유신(徐有臣) 『역의의언(易義擬言)』

位不當, 則其才不能先見也. 不能先見而居於不當之位, 是以有悔而亦無及矣.
자리가 정당하지 않으면 그 자질을 미리 살필 수가 없다. 미리 살필 수 없으면서 정당하지 않은 자리에 있으므로 후회함이 있더라도 또한 어찌할 수가 없다.

김기례(金箕澧) 「역요선의강목(易要選義綱目)」

位不當, 居不中正.
"자리가 정당하지 않다"는 있는 자리가 중정하지 않은 것이다.

심대윤(沈大允) 『주역상의점법(周易象義占法)』

其所處, 本可逸樂也.
그 있는 자리가 본래 안일하게 즐길 만하다.

오치기(吳致箕) 「주역경전증해(周易經傳增解)」

言柔失中正而上交于不正之剛也
부드러운 음이 중정함을 잃고서 위로 바르지 못한 굳센 양과 사귄다는 말이다.

九四, 由豫, 大有得. 勿疑, 朋盍簪.

구사는 자신으로 말미암아 즐거워하므로 크게 얻음이 있다. 의심하지 않으면 벗들이 모여들리라.

中國大全

傳

豫之所以爲豫者, 由九四也. 爲動之主, 動而衆陰悅順, 爲豫之義. 四, 大臣之位, 六五之君, 順從之, 以陽剛而任上之事, 豫之所由也. 故云由豫. 大有得, 言得大行其志, 以致天下之豫也. 勿疑朋盍簪, 四居大臣之位, 承柔弱之君而當天下之任, 危疑之地也. 獨當上之倚任而下无同德之助, 所以疑也. 唯當盡其至誠, 勿有疑慮, 則朋類自當盍聚. 夫欲上下之信, 唯至誠而已, 苟盡其至誠, 則何患乎其无助也. 簪, 聚也, 簪之名簪, 取聚髮也. 或曰, 卦唯一陽, 安得同德之助. 曰居上位而至誠求助, 理必得之, 姤之九五曰, 有隕自天, 是也. 四以陽剛, 迫近君位而專主乎豫, 聖人宜爲之戒而不然者, 豫, 和順之道也. 由和順之道, 不失爲臣之正也. 如此而專主於豫, 乃是任天下之事而致時於豫者也. 故唯戒以至誠勿疑.

예괘가 즐거움[豫]이 된 까닭은 구사로 말미암은 것이다. 움직임의 주인이 되니, 그가 움직이자 여러 음들이 기뻐하고 순종하여 '즐거움[豫]'의 뜻이 된다. 사효는 대신의 자리이니, 육오의 제후에게 순종하여 굳센 양으로서 윗사람의 일을 맡으니, 즐거움이 이로 말미암아 생긴다. 이 때문에 "자신으로 말미암아 즐거워한다[由豫]"라 하였다. "크게 얻음이 있다[大有得]"는 것은 그 뜻을 크게 행하여 온 천하의 즐거움을 이루게 하는 것을 말한다. "의심하지 않으면 벗들이 모여든다[勿疑朋盍簪]"고 한 것은 구사가 대신의 지위에 거하여 유약한 임금을 받들고 천하의 임무를 담당하니, 위태롭고 의심받을 수 있는 자리이기 때문이다. 홀로 윗사람의 의지함과 신임을 받고 아래에 덕(德)이 같은 이의 도움이 없으니, 이 때문에 의심하는 것이다. 오직 지성(至誠)을 다하여 의심하는 생각을 두지 않으면 벗들이 스스로 모여들 것이다. 윗사람과 아랫사람에게 신임을 받고자 한다면 지극한 정성을 다해야 할 뿐이다. 참으로 지성(至誠)을 다한다면 어찌 돕는 이가 없을까 근심하겠는가. '잠(簪)'은 모으는 것이니, '잠(簪)'을 비녀라고 부르는 것은 머리털을 모은다는 데서 그 의미를 취한 것이다. 어떤 이가 "괘에 오직 양이 하나인데, 어떻게 덕이 같은 이의 도움을 얻을 수 있습니까?" 하기에 이렇게 대답하였다. "윗자리에 있으면서 지성으로 도움을 구한다면 이치상 반드시 얻을 수 있을 것이니, 구괘(姤卦) 구오효에 '하늘로부터 떨어진다'는 것이 이것이다. 구사는 강한 양으로서 제후의 자리에 매우 가까이 있으면서 오로지 즐거움을 주관하니, 성인(聖人)이 마땅히 경계를 할 터인데, 그렇게 하지 않은 것은 '예(豫)'는 화순(和順)하는 도리이니, 화순하게 하는 도리를 따라서 신하의 바른 도리를 잃지 않기 때문이다. 이렇게 하고서 오로지 즐거움을 주장한다면 이는 바로 천하의 일을 맡아 그때의 세상을 즐거움에 이르게 하는 자이다. 이 때문에 오직 지성으로 하고 의심하지 말라고만 경계하였다."

本義

九四, 卦之所由以爲豫者也. 故其象如此, 而其占, 爲大有得. 然又當至誠不疑, 則朋類合而從之矣. 故又因而戒之, 簪, 聚也, 又速也.

구사는 괘의 주제가 '즐거움[豫]'이 된 이유이다. 그러므로 그 상이 이와 같고, 그 점은 크게 얻음이 있는 것이다. 그렇지만 지극한 정성으로 하고 의심하지 않아야 하니, 그렇게 하면 벗들이 합하여 따를 것이다. 그러므로 또 그로 인하여 경계한 것이다. '잠(簪)'은 모으는 것이며, 또 빠르다는 뜻이다.

小註

朱子曰, 由豫, 猶言由頤.
주자가 말하였다: "자신으로 말미암아 즐겁다[由豫]"는 것은 '자신으로 말미암아 봉양한다[由頤]'는 말과 같다.

○ 梅巖袁氏曰, 莫不由之以致養, 謂之由頤. 莫不由之以和悅, 謂之由豫.
매암원씨가 말하였다: 자신으로 말미암아 길러지지 않는 이가 없는 것을 '자신으로 말미암아 봉양한다[由頤]'라 하고, 그로 말미암아 기쁘게 화합하지 않는 이가 없는 것을 '자신으로 말미암아 즐겁다[由豫]'라 한다.

○ 進齋徐氏曰, 大, 剛也. 由, 如觀其所由之由, 豫之所從來也. 一剛而得五柔, 故曰大有得, 居位非正, 故有疑. 朋, 謂衆柔.
진재서씨가 말하였다: "크다[大]"는 것은 굳세다[剛]는 말이다. "말미암는다[由]"는 것은 "그가 어떤 이유로 행동하는가를 눈여겨 본다[觀其所由]"[64]고 할 때의 '이유[由]'의 의미로서

64) 『論語·爲政』: 그 행동을 보며 그 동기를 눈여겨보며, 그 편안히 즐거워하는 것을 살핀다면 사람이 어찌

즐거움이 일어나는 근본적 원인이다. 하나의 강한 양이 다섯 개의 부드러운 음을 얻었으므로 "크게 얻음이 있다"고 하였고, 구사가 제자리[양의 자리]에 있지 않기 때문에 의심이 있다. 벗은 여러 음을 말한다.

○ 劉氏曰, 德雖陽而位則陰, 猶未離其類也, 故稱朋焉.
유씨가 말하였다: 덕은 비록 양이지만 자리는 음의 자리에 있으면서 여전히 그 무리를 떠나지 않았으므로 벗이라고 하였다.

○ 雲峰胡氏曰, 九四一陽, 而衆陰皆爲其所得. 故其象曰, 由豫, 其占曰, 大有得. 然四以陽居陰, 性易有疑. 乾九四或躍, 疑其所當疑, 故曰, 或之. 或之者, 疑之也, 許之之辭也. 豫九四, 不當疑而疑, 故曰勿疑, 戒之之辭也. 吾惟至誠不疑, 則一誠之感衆陰之朋, 自聚而從之. 簪又訓速也, 謂不疑則朋之從者自速也. 此和豫之豫也.
운봉호씨가 말하였다: 구사는 하나의 양이지만, 여러 음이 다 그에게 은혜를 입은 바 되었다. 그러므로 그 상에서 "자신으로 말미암아 즐겁다"고 하였고, 그 점에서는 "크게 얻음이 있다"고 하였다. 그러나 사효는 양으로서 음의 자리에 있으니, 그 성질이 쉽게 의심을 한다. 건괘의 구사가 '간혹 뛰어오르는' 것은 그 의심할 만한 것을 의심하기 때문에 간혹이라고 하였다. 간혹이라는 것은 의심하는 것으로, 여기에서는 긍정적으로 쓰인 말이다. 예괘 구사에서는 의심하지 말아야 할 것을 의심하므로 "의심하지 말라"고 하였으니, 경계하는 말이다. 내가 오직 지성으로 하여 의심하지 않으면, 그 한결같은 정성이 여러 음의 벗들을 감동시켜 스스로 모여서 따르게 된다. '비녀[簪]'[65]는 또한 빠름을 뜻하니, 의심하지 않으면 벗들이 스스로 신속하게 따라온다는 말이다. 이 경우는 화합하여 즐거워한다는 의미의 '예(豫)'이다.

韓國大全

권근(權近) 주역천견록(周易淺見綠)』

徐氏曰, 大, 剛也. 一剛得五柔, 故曰大有得.

그 속마음을 숨길 수 있겠는가, 사람이 어찌 그 속마음을 숨길 수 있겠는가?[視其所以, 觀其所由, 察其所安, 人焉廋哉, 人焉廋哉.]

65) '비녀[簪]'는 머리털을 효과적으로 하나로 끌어모으는 기능과 역할을 한다는 데서 의미를 취한 것이다.

서씨가 말하였다: '대(大)'는 굳센 양이다. 하나인 굳센 양이 부드러운 다섯 음을 얻었으므로 "크게 얻음이 있다[大有得]"고 하였다.

吳氏曰, 陰多疑, 居陰, 故戒以勿疑. 九四一剛貫五柔之中, 猶一簪貫衆髮之象也. 大有得, 言一剛之得衆柔也. 朋盍簪, 言衆柔之合一剛也. 九四固能得衆陰, 又勿疑則衆陰皆歸心矣.
오징이 말하였다: 음(陰)은 의심이 많은데, 음에 자리하고 있으므로 의심하지 말라고 경계하였다. 구사인 하나의 굳센 양이 부드러운 다섯 음을 꿰뚫고 있는 것이 마치 비녀 하나로 많은 머리카락을 꿰뚫고 있는 상과 같다. "크게 얻음이 있다[大有得]"는 것은 하나인 양이 여러 음을 얻는다는 의미이고, "벗들이 모여든다[朋盍簪]"는 것은 여러 음이 하나의 굳센 양에 합한다는 말이다. 구사가 참으로 여러 음을 얻을 수 있고 또 의심하지 않는다면 여러 음이 모두 마음을 돌릴 것이다.

愚按, 以此爻大有得之意推之, 大有卦大中而上下應之者, 主九二, 非主六五, 尤爲明矣. 吳氏以朋爲衆陰. 朋, 同類也. 九四陽剛, 衆陰非其同類. 而以衆陰爲朋者, 九雖陽剛, 而居陰故衆陰可指爲朋也. 謂得上下之信, 以成由豫之功, 使天下皆歸心也. 爻有此象, 不可謂卦無同德之陽, 必得之於外也. 有隕自天之說, 似是牽强.
내가 살펴보았다: 이 효의 "크게 얻음이 있다[大有得]"는 뜻을 가지고 미루어 보면, 대유괘(大有卦)에서 "크게 중(中)하며 위아래가 호응하므로"[66]라고 한 것은 구이를 위주로 한 것이지 육오를 위주로 한 것이 아님이 더욱 분명하다. 오징은 '벗'을 여러 음으로 보았다. 그런데 벗은 같은 부류이다. 구사가 굳센 양이므로 여러 음은 같은 부류가 아니다. 그런데도 여러 음을 벗으로 본 것은 구(九)가 비록 굳센 양이지만 음의 자리에 있으므로 여러 음을 벗으로 볼 수 있다. 이는 위아래의 신임을 얻어 '자신으로 말미암아 즐거운[由豫]' 공을 이루고, 천하 사람들의 마음을 돌리게 한다는 것이다. 효에 이러한 상이 있으니, 괘에 동일한 덕을 지닌 양이 없다고 하여 반드시 밖에서 얻어야 한다고 해서는 안 된다. 『정전』의 "하늘에서 떨어졌다"는 설은 견강부회인 듯하다.

송시열(宋時烈) 『역설(易說)』[67]

豫之所由生, 以此爻也, 故曰由豫. 大有得者, 摠衆陰也. 勿疑者, 卦雖互坎而不以坎疑

66) 『周易 · 大有卦』: 彖曰, 大有, 柔得尊位, 大中而上下應之, 曰大有.
67) 경학자료집성DB에서는 예괘 육삼에 해당하는 것으로 분류했으나, 내용에 따라 이 자리로 옮겼다.

也. 朋者坤象也. 合簪者, 婦人之首飾, 斂髮揷笄, 而不使亂散也, 言合萃如簪也. 必以婦簪言之者, 四爻之外, 俱是陰柔之爻故也. 上下之陰, 皆萃於爻也. 皇極書云, 此爻周公以之.
즐거움이 말미암아 생겨나는 것은 이 효로 인해서이므로 "자신으로 말미암아 즐겁다[由豫]"라고 하였다. "크게 얻음이 있다[大有得]"는 것은 여러 음들을 다 합친 것이다. "의심하지 않으면[勿疑]"이란 비록 괘의 호괘가 감괘(☵)이지만 빠진다고 의심하지 않는 것이다. '벗[朋]'은 곤괘의 상이다. "비녀를 합한다[合簪]"는 것은, '잠(簪)'은 부인들의 장신구인데 머리카락을 끌어 모아 비녀[笄]에 꽂아 어지럽게 흩어지지 않도록 하는 것으로, 무리들이 모여드는 것이 비녀에 머리칼이 모여드는 것과 같다는 말이다. 굳이 부인의 비녀를 가지고 말한 것은 사효 외에는 모두 부드러운 음효이기 때문이다. 위아래의 음이 모두 사효에게 모여드니, 『황극경세서』에서 "이 효는 주공이 그에 해당한다"라고 하였다.

이익(李瀷) 『역경질서(易經疾書)』

九四, 卦主也, 凡彖辭, 必與主同, 志行順動, 卽由豫之註脚, 而建侯行師, 乃推以至此, 孔子之傳, 可按也. 又與頤上九辭互參.
구사는 괘의 주인인데, 모든 단사(彖辭)는 반드시 괘의 주효와 같으며, 「단전」의 '뜻이 행해지고 순하게 움직임'은 곧 구사효의 '자신으로 말미암아 즐거워함[由豫]'의 각주이면서 단사의 '제후를 세워 군대를 움직임'을 여기에까지 미룰 수 있으니, 공자의 「단전」을 살펴 볼 수 있다. 또 이괘(頤卦)의 상구 효사와도 서로 참조할 만하다.

심조(沈潮) 「역상차론(易象箚論)」

大, 陽也. 陰位, 故戒以勿疑也. 朋字從月, 互坎也. 一箇剛物, 橫亘于上者, 非簪乎. 又震木也.
'대(大)'는 양이다. 음의 자리에 있으므로 "의심하지 말라"고 경계하였다. '붕(朋)'자는 부수가 월(月)로 호괘인 감괘이다. 굳센 양 하나가 위에 가로 걸쳐져 있으니, 비녀[簪]가 아니겠는가? 또한 진괘의 나무이다.

유정원(柳正源) 『역해참고(易解參攷)』

九四 [至] 盍簪.
구사는 …벗들이 모여들리라.

王氏曰, 處豫之時, 居動之始, 獨體陽爻, 衆陰所從, 莫不由之, 以得其豫, 故曰由豫, 大有得也. 夫不信於物, 物亦疑焉. 故勿疑則朋合疾也, 盍合也, 簪疾也.
왕필이 말하였다: 즐거운 때에 있고 움직이기 시작하는 자리에 있으면서 홀로 양효의 몸체이니, 여러 음이 따르는 것이 구사에 말미암아 그 즐거움을 얻지 않음이 없기 때문에 "자신으로 말미암아 즐거우니, 크게 얻음이 있다"라고 하였다. 내가 남을 믿지 못하면 남도 역시 의심한다. 그러므로 의심하지 않으면 벗들이 빠르게 합할 것이다. '합(盍)'은 합하는 것이고, '잠(簪)'은 빠른 것이다.

○ 建安丘氏曰, 簪笄屬, 所以聚髮也. 卦五柔爻皆斷, 一剛爻獨連, 故以簪爲象.
건안구씨가 말하였다: '잠(簪)'은 비녀[笄] 따위이니, 머리카락을 모으는 것이다. 예괘는 다섯 개의 음효가 모두 끊어져 있고 한 개의 양효만이 이어져 있으므로 비녀로 상을 삼았다.

○ 趙氏汝楳曰, 比豫皆以一陽爲卦主, 而比之諸爻, 以承應乎陽者吉, 豫之諸爻, 以承應乎陽者凶, 何也. 豫與比反, 比五乃剛君, 故欲群陰之比五而不比者凶. 豫四乃强臣, 故不取群陰之宗四, 而不宗者吉.
조여매가 말하였다: 비괘(比卦)와 예괘(豫卦)는 모두 하나의 양이 괘의 주인이 되는데, 비괘의 여러 효는 양을 받들어 호응하는 것이 길하고, 예괘의 여러 효는 양을 받들어 호응하는 것이 흉하니, 왜 그런가? 예괘와 비괘는 반대의 경우이니, 비괘는 오효가 굳센 임금이므로 여러 음들이 오효와 친하고자 하니, 친하지 않는 자는 흉하다. 예괘는 사효가 강한 신하이므로 여러 음들이 사효를 으뜸으로 섬기는 것을 취하지 않았으니, 그를 섬기지 않는 자가 길하다.

김상악(金相岳) 『산천역설(山天易說)』

九四, 履順而動, 上下之陰, 皆由四而豫, 故大有得也. 雖无同德之助, 與三五互爲坎, 艮能勿疑, 則朋類當盍聚. 復之朋來是也.
구사는 행함에 순리에 따라 움직이니, 위아래의 음이 모두 사효로 말미암아 즐겁게 되므로 크게 얻음이 있다. 비록 같은 양의 덕을 지닌 자의 도움이 없고 삼효·오효와 호괘인 감괘가 되지만, 간괘로 의심을 그칠 수 있으니 벗들이 당연히 합하여 모일 것이다. 복괘에서 벗이 온다는 것이 이것이다.

○ 由豫, 猶言由頤, 豫之震互艮, 頤之艮應震. 故皆言由, 萬物從震而出, 終始於艮也. 大有得, 以一陽之大, 得五陰之多也, 大有, 則以一陰之小, 得五陽之大也. 胡先生解乾九四作太子, 程子曰, 九四近君, 便作儲貳亦不妨. 以本爻言, 震之長子, 在屯爲初, 在豫爲四, 故皆言建侯. 疑者坎象而艮爲止, 故曰勿疑. 所以洪範之稽疑居于七, 七者, 艮之數也. 朋陽朋也, 四進則得尊位而爲比. 上下比之, 何患无朋. 故比之大象曰, 建萬國, 親諸侯. 又坤之卦詞曰, 西南得朋, 東北喪朋, 而六四變震爲豫, 豫所以得之者, 卽坤之所喪者, 而四兼三陽之卦. 故曰勿疑朋盍簪. 簪所以聚髮者, 一陽居三陰之首, 簪之象. 盍簪與坤之括囊爲對, 來註, 勿疑, 朋之盍于我者, 皆簪冠之婦人也. 此以陰爲朋, 恐未然.

"자신으로 말미암아 즐겁다[由豫]"는 "자신으로 말미암아 기른다[由頤]"는 말과 같으니, 예괘(豫卦䷏)의 진괘(☳)는 간괘(☶)에 엇걸리고, 이괘(頤卦䷚)의 간괘는 진괘와 호응한다. 그러므로 모두 '말미암음'을 말하였으니, 만물은 진괘로부터 나오고 간괘에서 마치고 시작한다. '크게 얻음이 있음'은 하나의 큰 양이 다섯의 많은 음을 얻었기 때문인데, 대유괘(大有卦)는 하나의 작은 음이 다섯의 큰 양을 얻었다. 호(胡)선생은 건괘의 구사를 태자라 하였고, 정자(程子)는 "구사가 임금과 가까우므로 태자라고 하여도 무방하다"고 하였다. 본효로 말하자면 진괘(☳)인 큰 아들은 준괘(屯卦)에서는 초효가 되고 예괘에서는 사효가 되므로 모두 "제후를 세운다"고 하였다. 의심하는 것은 감괘의 상인데, 간괘가 멈추는 것이 되므로 "의심하지 않으면"이라고 하였다. 그러므로 『서경 · 홍범』에서 계의(稽疑)가 일곱 번째에 있는 것이니, 칠(七)은 간괘의 숫자이다. '벗[朋]'이란 양(陽)의 벗들로서 사효가 나아가 존귀한 자리를 얻으니 그를 돕는 것이다. 위아래에서 도우니 어찌 친구가 없음을 걱정하겠는가? 그러므로 비괘(比卦)의 「대상전」에서 "여러 나라를 세우고 제후에게 친하게 한다"라고 하였다. 또 곤괘(坤卦)의 괘사에서는 "서남쪽에서는 벗을 얻고, 동북쪽에서는 벗을 잃는다"고 하였는데, 곤괘의 육사가 바뀌어 진괘가 되어 예괘(䷏)가 되었으니, 예괘가 얻은 것은 바로 곤괘가 잃어버린 것으로, 사효가 세 양의 괘를 겸한다. 그러므로 "의심하지 않으면 벗들이 모여들리라"라고 하였다. 비녀[簪]는 머리카락을 모아 수습하는 것인데, 하나의 양이 세 음의 머리에 있으므로 비녀[簪]의 상이 된다. 비녀는 곤괘의 '자루를 묶음[括囊]'과 상대된다. 래지덕의 주석에서 "의심하지 않으면 벗들이 내게 합한다는 것은 모두 비녀를 쓰는 부인들이다"라고 하였다. 이는 음을 벗으로 여긴 것인데 그렇지 않은 듯하다.

김규오(金奎五) 「독역기의(讀易記疑)」

九四之朋, 以盍簪見之, 蓋指五陰. 然以坤之得朋喪朋見之, 陽與陽爲朋, 陰與陰爲朋. 卦中戛无他陽, 故劉氏以爲德陽位陰, 胡氏以爲陽居陰性, 皆欲以九四把作陰看, 似合於五陰之朋, 而朋類之云, 當指其陰陽實體而言, 何可以位居之, 略帶氣味, 便換卻陰陽實體耶. 誠如是, 則初三五, 亦皆可以陽位而喚做陽朋矣, 未知竟如何也. 戛按, 復亦无他陽而云朋來, 蓋以朋類之將來而言耳.

구사 효사에서 말하는 벗은 "모여든다[盍簪]"는 말로 보자면 다섯 음을 가리킨다. 그러나 곤괘에서 벗을 얻고 잃는 것으로 보자면 양은 양과 벗이 되고, 음은 음과 벗이 된다. 그런데 예괘에서는 다시 다른 양이 없으므로 유씨(劉氏)는 구사에 대해 '덕은 양인데 자리가 음'이라고 하였고, 호씨(胡氏)는 "양으로서 음의 성질을 지닌 자리에 있다"라고 하였으니, 모두 구사를 음으로 간주하여 다섯 음의 벗이라고 맞추려 한 듯하나, 벗의 무리들이라고 하면 마땅히 음양의 실체를 가리켜서 말해야지, 어떻게 자리에 머물러서 대략 기미를 지녔다고 곧 바꾸어 음양의 실체로 삼을 수가 있겠는가? 참으로 이와 같다면 초효·삼효·오효도 모두 양의 자리에 있어서 양(陽)의 벗으로 간주할 수 있을 것인데, 끝내는 어떠한지 알지 못하겠다. 다시 생각해 보면, 복괘(復卦)에서 다른 양이 없는데 "벗이 온다"고 한 것은 벗들이 장차 올 것임을 말하였을 뿐이다.

서유신(徐有臣)『역의의언(易義擬言)』

爲動之主, 而應於初早豫之幾, 實由於四, 故曰由豫也. 凡事皆能先幾早圖, 故大有得也, 蓋豫由於己, 又由其豫而大得也. 勿疑者, 不以地逼爲嫌也. 疑則猶豫而失機矣. 朋群陰也. 盍合也. 簪總髮於頭者也. 四有畜止群陰之象, 故言合群陰而總結於六五也. 震爲蒼筤, 一陽橫於衆陰之間, 有盍簪象也. 在四取象如此, 而自二五視四, 則其象又有異焉, 易不可爲典要也.

움직이는 주체가 되니, 초효의 일찌감치 즐거워하는 기미에 호응하는 것은 실상 사효에서 말미암기에 "자신으로 말미암아 즐겁다[由豫]"라고 하였다. 일이란 모두 먼저 기미를 알아 일찌감치 도모하므로 크게 얻을 수 있으니, 즐거움은 자신으로부터 말미암고, 또 그 즐거움으로 말미암아 크게 얻는다. "의심하지 말라"는 것은 구오와 지척에 있다고 해서 미심쩍게 여기지 않는 것이다. 의심하면 머뭇거려 기회를 잃는다. 벗은 여러 음들이다. '합(盍)'은 합하는 것이다. '비녀[簪]'는 머리에서 머리카락을 모아 고정시키는 것이다. 사효는 여러 음을 저지하여 멈추게 하는 상이므로 음의 무리를 합하여 육오에게 묶어 둔다고 말하였다. 진괘는 푸른 대나무 지팡이가 되고, 하나의 양이 여러 음들 사이에 가로질러 있으니, 비녀로 머리카락을 모으는 상이 있다. 사효에서 상을 취한 것이 이와 같지만, 이효와 오효로부터 사효를 본다면 그 상이 또한 다른 점이 있으니, 주역에서는 어느 하나를 고정된 표준으로 삼을 수 없다.

김귀주(金龜柱)『주역차록(周易箚錄)』

九四, 由豫, 云云.

구사는 그 자신으로 말미암아 즐거워한다, 운운.

○ 按, 四本多懼, 懼則有疑. 九以陽居陰, 恐其非正, 此亦有疑之象也. 然有剛德而處豫之時, 則實無可疑, 故勸之勿疑.
내가 살펴보았다: 사효는 본래 두려움이 많은데 두려움이 많으면 의심을 하게 된다. 구사는 양으로서 음의 자리에 있어서 그가 제자리에 있지 않음을 두려워하니, 이것이 또한 의심이 있는 상이다. 그러나 굳센 양의 덕이 있으면서 즐거운 때에 있으니, 실로 의심할 만한 것이 없다. 그러므로 "의심하지 말라"고 권고하였다.

박제가(朴齊家) 『주역(周易)』

九四, 由豫.
구사의 유예(由豫).

由與猶通, 不決之稱. 四以獨陽得衆, 上承柔弱之五, 危疑之地, 故有不敢自專, 而猶豫未決之象. 然其地則衆陰歸之, 大有得矣, 故曰勿疑. 勿疑以下, 見其猶豫而告之之辭也. 後之, 以不斷爲猶豫者, 昉於此. 如以猶豫爲獸名者, 附會之說也, 建安丘氏曰, 六爻惟九四猶豫, 與卦辭同.
'유(由)'는 '유(猶)'와 통하니, 결단하지 못함을 말한다. 사효는 홀로 양으로서 무리를 얻고 위로 유약한 오효를 받들고 있으니, 위태롭고 의심스러운 자리이므로 감히 제멋대로 하지 못하고 머뭇거려 결단하지 못하는 상이다. 그러나 그 처지는 여러 음이 그에게 돌아와 크게 얻음이 있으므로 "의심하지 말라"고 하였다. "의심하지 말라"고 한 다음은 그 머뭇거림을 보고 경고하여준 말이다. 후세에 결단하지 못하는 것을 '유예(猶豫)'라고 한 것은 여기에서 비롯된다. '유예'를 짐승의 이름으로 여기는 것은 견강부회한 설명이니, 건안구씨[68]는 "여섯 효에서 오직 구사효만 '유예(猶豫)'의 뜻이니, 괘사와 같다"고 하였다.

案, 建侯行師, 只論卦體. 彖傳始發卦德由豫. 雖曰和豫逸豫, 亦非彖辭.
내가 살펴보았다: "제후를 세워 군대를 움직인다"는 것은 괘의 몸체만을 말한 것이다. 「단전」에서 처음으로 괘의 덕이 "자신으로 말미암아 즐거운 것"이라고 하였다. 비록 화락하게 즐거워하고, 안일하게 즐긴다고 하였지만 역시 괘사는 아니다.

---

68) 건안구씨(建安丘氏): 송말원초의 역학자 구부국(邱富國)이다. 건안(建安) 출신으로 주희의 문인이다. 저서로 『주역집해(周易輯解)』10권, 『역학설약(易學說約)』5편이 있으나 전하지 않는다.

박문건(朴文健) 『주역연의(周易衍義)』

恒用其豫, 故有由豫之象. 由言由之久遠而不失也. 朋謂上下五陰也.
늘 그 즐거움을 가지고 하므로 '자신으로 말미암아 즐거운' 상이 있다. '말미암아[由]'라고 한 것은 길이 말미암아 잃지 않는다는 말이다. '벗[朋]'은 위아래의 다섯 음을 말한다.
〈問, 由豫, 大有得, 勿疑, 朋盍簪. 曰, 九四爲一卦之主, 而上下皆應, 故恒由其豫也. 雖大有得志, 然勿相疑阻而後, 朋必合而聚之也.
물었다: "구사는 자신으로 말미암아 즐거워하므로 크게 얻음이 있다. 의심하지 않으면 벗들이 모여들리라"는 무슨 뜻입니까?
답하였다: 구사는 한 괘의 주인으로 위아래에서 모두 호응하므로 늘 그 즐거움으로 말미암습니다. 비록 크게 뜻을 얻음이 있지만, 서로 의심하여 저지하지 않은 후라야 벗들이 모여들어 합하게 됩니다.〉

이지연(李止淵) 『주역차의(周易箚疑)』

身繫國家輕重, 如諸葛武侯, 郭令公, 集衆思而廣忠益, 然後可當此四爻也.
몸이 국가에 매인 정도가 제갈양이나 곽자의[69]와 같아서 여러 생각을 집중하여 정성을 다한 다음에야 이 사효에 해당할 수 있을 것이다.

김기례(金箕澧) 「역요선의강목(易要選義綱目)」

賴此一陽而成豫道, 故曰由.
이 한 양에 의지하여 기쁨[豫]의 도리가 이루어지므로, "자신으로 말미암는다[由]"라고 하였다.

○ 大謂陽也
'대(大)'는 양을 말한다.

○ 四以陽居陰, 陰性多疑, 故戒勿疑而誠一, 則得君順任, 衆陰皆從, 大有得矣.
사효는 양으로서 음의 자리에 있는데, 음은 의심이 많은 성질이 있으므로 의심하지 말고 한결같이 진실되게 하라고 경계하였으니, 그렇게 하면 임금의 신임을 얻으며 여러 어려움이

---

69) 곽자의(郭子儀, 697~781): 당나라 때 인물. 곽령공(郭令公)으로도 불린다. 분양왕(汾陽王)에 봉해져서 곽분양(郭汾陽)이라고도 한다. 안록산의 난을 토벌하는데 큰 공을 세웠다. 후에 중서령(中書令)에 발탁되고, 나중에 분양군왕(汾陽郡王)에 봉해졌다.

극복되어 크게 얻음이 있다.

○ 陽居陰位, 故指衆陰曰朋.
양이 음의 자리에 있으므로 여러 음을 가리켜 '벗[朋]'이라고 하였다.

○ 盍合, 簪聚, 言統衆陰, 如簪髮也.
'합(盍)'은 합하는 것이고, '잠(簪)'은 모으는 것이니, 머리카락을 비녀에 모으듯이 여러 음을 통솔한다는 말이다.

심대윤(沈大允) 『주역상의점법(周易象義占法)』

豫之坤䷁. 九四之時, 太平无事, 可以逸樂也. 以剛才居柔而應下爲與民同樂之義, 非耽豫也. 唯其可豫而豫也, 豫之主也. 其才與時宜矣, 故曰由豫, 由四以成豫也. 艮爲專主, 有由之義, 上下順之, 故曰大有得, 坎大艮得. 九四, 上有柔君之委任, 下有天下之附, 應當求同德以自輔, 不可猜疑 而有專擅之心. 故曰勿疑朋盍簪. 坎爲疑, 坤爲盍, 艮爲積聚, 乾爲高上, 爲首, 爲金玉, 坎爲髮, 有簪在首而聚髮之象. 盍簪, 言順以聚群陽以上進之也.
예괘가 곤괘(坤卦䷁)로 바뀌었다. 구사의 시절은 태평무사하여 느긋하게 즐길만 하다. 굳센 양의 재질로 부드러운 음의 자리에 있고, 아래로 호응하여 백성들과 함께 즐기는 뜻이 있으니, 즐기는 데 빠진 것이 아니다. 다만 즐거울 만하여서 즐거워하니, 예괘의 주인이다. 그 재질이 때와 부합하므로 "자신으로 말미암아 즐겁다"고 하였으니, 사효로 말미암아 예괘가 이루어지게 된다. 간괘는 전적으로 주관함이 되고 자신으로 말미암는다는 뜻이 있으며, 위아래가 순조롭게 통하므로 "크게 얻음이 있다"고 하였는데, 호괘인 감괘가 '큼'이고 간괘가 '얻음'이다. 구사는 위로는 유약한 임금이 그에게 임무를 맡겼고, 아래로는 천하 사람들이 그를 의지한다. 응당 같은 덕을 지닌 이가 도와서 할 수 있기를 구하여야 하니, 의심하여 제 맘대로 전횡하려는 마음을 두어서는 안 된다. 그러므로 "의심하지 않으면 벗들이 모여든다"고 하였다. 감괘는 의심하는 것이 되고 곤괘는 합하는 것이 되며, 간괘는 쌓아 모이는 것이 된다. 건괘는 높고 위에 있음이 되고 머리가 되고 보석이 되며, 감괘는 머리카락이 되니, 비녀가 머리에 있어서 머리카락을 모으는 상이다. 비녀로 머리카락을 합한다는 것은 순조롭게 여러 양들을 모아서 위로 나아간다는 말이다.

오치기(吳致箕) 「주역경전증해(周易經傳增解)」

九四, 以陽剛而居五陰之間, 衆陰順從, 由是而爲悅豫, 故大得其志而主其權. 然陽剛失正而逼近柔君之位, 其勢宜有疑懼, 故言當盡其至誠, 使上下相信而旡疑, 則終見人衆聚類而順從, 有盍簪之象矣. 此勉戒之辭也.
구사는 굳센 양으로서 다섯 음의 사이에 있는데, 여러 음이 순응하여 따르니, 이로 말미암아 기쁘고 즐겁다. 그러므로 크게 그 뜻을 얻어 그 권세를 주장한다. 그러나 굳센 양으로 바름을 잃고 유약한 임금에게 너무 가까이하는 자리에 있으니, 그 권세가 의심스럽고 두려운 것이 당연하다. 그러므로 마땅히 그 지극한 정성을 다하여서 위아래에서 모두 믿어 의심하지 않도록 하면, 끝내 여러 사람들이 몰려와 순응하여 따르게 되니, 비녀에 머리카락이 모이는 상이 있다. 이 효사는 권면하고 경계하는 말이다.

○ 朱子曰, 由豫猶言由頤.
주자가 말하였다: "자신으로 말미암아 즐겁다"는 것은 "자신으로 말미암아 봉양한다"는 말과 같다.

梅巖袁氏曰, 莫不由之而致養, 謂之由頤, 莫不由之以[70]和悅, 謂之由[71]豫.
매암원씨가 말하였다: 자신으로 말미암아 길러지지 않는 이가 없는 것을 "자신으로 말미암아 봉양한다[由頤]"라 하고, 자신으로 말미암아 기쁘게 화합하지 않는 이가 없는 것을 "자신으로 말미암아 기쁘다[由豫]"라 한다.

進齋徐氏曰, 大, 剛也. 由, 豫之所從來也. 一剛而得五柔, 故曰大有得, 居位非正, 故自疑.
진재서씨가 말하였다: "크다[大]"는 것은 굳세다[剛]는 말이다. "말미암는다[由]"는 것은 기쁨이 일어나는 근본적 원인이다. 하나의 강한 양이 다섯 개의 부드러운 음을 얻었으므로 "크게 얻음이 있다"고 하였고, 구사가 제자리에 있지 않기 때문에 스스로 의심한다.

劉氏曰, 德雖陽而位則陰, 猶未離其類故稱朋. 由者從也. 朋謂類也. 盍者合也, 聚也. 簪笄也. 言衆聚而順從, 如首髮之聚合于笄, 而取象於上下五陰之從一陽也.
유씨가 말하였다: 덕은 비록 양이지만 자리는 음의 자리에 있으면서 여전히 그 무리를 떠나지 않았으므로 벗이라고 하였다. '유(由)'는 '~로부터'이다. '붕(朋)'은 무리를 말한다. '합(盍)'은 합하고 모이는 것이다. '잠(簪)'은 비녀이다. 무리가 모여들어 순응하여 따르는 것이 머리카락이 비녀에 모여 합하는 것과 같으니, 위아래 다섯 음이 하나의 양을 따르는 데에서 상을 취하였다.

70) 以: 경학자료집성DB와 영인본에 '胡'로 되어 있으나, 『주역전의대전』에 근거하여 '以'로 바로잡았다.
71) 由: 경학자료집성DB에 알 수 없는 글자로 처리되어 있으나 『주역전의대전』에 근거하여 '由'자로 교감한다.

이진상(李震相) 『역학관규(易學管窺)』

朋盍簪.
벗들이 모여든다.

復之一陽在下, 尙曰朋來旡咎, 則豫之一陽在中, 豈無朋盍之理乎. 雲峰以衆陰之朋從之爲言者, 誤矣. 簪乃笄屬, 一陽橫中五陰總貫有簪象. 簪訓束, 恐非訓速. 又是聚髮之物, 亦非只訓聚也. 簪訓速, 恐或連字之誤. 士喪禮, 簪裳于衣, 疏曰簪之爲言連也.
복괘에서는 하나의 양이 아래에 있는데도 오히려 "벗이 오니 허물이 없다"고 하였는데, 예괘에서는 하나의 양이 가운데 있으니, 어찌 벗이 합하는 이치가 없겠는가? 운봉호씨가 "여러 음의 벗이 따른다"고 한 것은 잘못이다. 잠(簪)은 비녀의 종류인데, 하나의 양이 가운데에서 다섯 음을 꿰어 묶으니, 잠(簪)의 상이 있다. 잠(簪)의 뜻은 묶는 것[束]이니, 빠름[速]으로 풀이한 것은 잘못된 것 같다. 또한 이것은 머리카락을 모으는 물건이므로 그 풀이가 모은다[聚]만도 아니겠다. 잠(簪)의 뜻을 빠름으로 풀이한 것은 아마도 연(連)자를 잘못 쓴 듯하다. 『의례 · 사상례』에 "치마를 웃옷에 이어붙인다"라고 하였고, 소(疏)에 "잠이란 끌어 연결한다는 말이다"라고 하였다.

박문호(朴文鎬) 「경설(經說) · 주역(周易)」

三與四在他卦, 則多爲不善, 而在謙豫則反爲最吉者, 以其一陽而爲卦之主也.
삼효와 사효는 다른 괘에서는 좋지 못한 경우가 많은데, 겸괘와 예괘에서는 도리어 가장 길하게 되는 것은 그 하나의 양으로써 괘의 주인이 되기 때문이다.

이정규(李正奎) 『독역기(讀易記)』

九四, 以陽德爲豫之主而居大臣之位, 任天下之事, 而致時於豫者也, 故曰大有得. 六五雖得如此大臣, 以陰柔處逸豫, 又逼近强臣, 則有威權下移之象, 故曰貞疾恒不死. 然則處大臣位者, 若非至誠, 可得免乎.
구사는 양의 덕으로 예괘의 주인이 되어 대신의 자리에 있으면서 천하의 일을 담당하여 그 시대를 즐거움에 이르게 하는 자이다. 그러므로 "크게 얻음이 있다"고 하였다. 육오는 비록 이와 같은 대신을 얻었으나, 유약한 음으로서 안일하게 즐기는 처신을 하고 또 강한 신하가 지척에 있으니, 위엄과 권세가 아래로 옮겨가는 상이 있다. 그러므로 "고질병을 늘 앓지만 죽지는 않는다"고 하였다. 그러니 대신의 지위에 있는 이가 지극한 정성이 아니라면, 화를 면할 수 있겠는가?

이병헌(李炳憲) 『역경금문고통론(易經今文考通論)』

王曰, 盍合也.
왕필이 말하였다: '합(盍)'은 합하는 것이다.

京曰, 簪連也.
경방이 말하였다: '잠(簪)'은 끌어 연결하는 것이다.

姚曰, 四以一陽爲卦主, 故由豫.
요신이 말하였다: 사효는 하나의 양으로서 괘의 주인이 되었으므로 "자신으로 말미암아 즐겁다[由豫]"라고 하였다.

象曰, 由豫大有得, 志大行也.

「상전」에 말하였다: "자신으로 말미암아 즐거워함으로 크게 얻음이 있음"은 뜻이 크게 행해지는 것이다.

中國大全

傳

由己而致天下於樂豫. 故爲大有得, 謂其志得大行也.

자기로 말미암아 천하가 즐거움을 누릴 수 있게 하였다. 그러므로 크게 얻음이 있는 것이니, 그 뜻이 크게 행해진다는 말이다.

小註

臨川吳氏曰, 卽彖傳所謂剛應而志行者.
임천오씨가 말하였다: 「단전」에서 "굳센 것이 호응하여 뜻이 행해진다"고 말한 것이다.

○ 誠齋楊氏曰, 神禹集治水之大勳, 伊尹任伐桀之大事, 周公決東征之大議, 此皆大有得之事. 故曰, 志大行也.
성재양씨가 말하였다: 우임금이 치수사업을 완수한 큰 공훈과 이윤이 걸임금을 내친 큰 일, 그리고 주공이 동방을 정벌한 큰 의리, 이러한 것들이 모두 크게 얻음이 있는 일이다. 그러므로 "뜻이 크게 행해진다"고 하였다.

▌韓國大全▐

김상악(金相岳) 『산천역설(山天易說)』

志大行, 卽象傳之志行也.

“뜻이 크게 행해진다”고 한 것은 바로 「단전」에서 말한 “뜻이 행해진다”는 의미이다.

서유신(徐有臣) 『역의의언(易義擬言)』

象所謂剛應而志行也

「단전」에서 “굳센 양이 호응하여 뜻이 행해진다”라고 한 것이다.

박문건(朴文健) 『주역연의(周易衍義)』

志大行, 言得志於五陰也.

“뜻이 크게 행해진다”는 것은 다섯 음에게 뜻을 얻는다는 말이다.

오치기(吳致箕) 「주역경전증해(周易經傳增解)」

主豫之權, 故其志大行也.

예괘의 권세를 주장하므로 그 뜻이 크게 행해진다.

六五, 貞, 疾, 恒不死.

정전 육오는 바르지만 늘 병을 앓고 죽지는 않는다.

六五, 貞疾, 恒不死.

본의 육오는 고질병으로 늘 앓지만 죽지는 않는다.

中國大全

傳

六五以陰柔居君位, 當豫之時, 沈溺於豫, 不能自立者也. 權之所主, 衆之所歸皆在於四, 四之陽剛得衆, 非耽惑柔弱之君, 所能制也. 乃柔弱不能自立之君, 受制於專權之臣也, 居得君位, 貞也, 受制於下, 有疾苦也. 六居尊位, 權雖失而位未亡也, 故云貞疾恒不死, 言貞而有疾, 常疾而不死, 如漢魏末世之君也. 人君致危亡之道非一, 而以豫爲多. 在四, 不言失正, 而於五, 乃見其强逼者, 四本無失, 故於四, 言大臣任天下之事之義, 於五則言柔弱居尊, 不能自立, 威權去己之義. 各據爻以取義, 故不同也. 若五不失君道, 而四主於豫, 乃是任得其人, 安享其功, 如太甲成王也, 蒙亦以陰居尊位, 二以陽爲蒙之主, 然彼吉而此疾者, 時不同也. 童蒙而資之於人, 宜也, 耽豫而失之於人, 危亡之道也, 故, 蒙, 相應則倚任者也, 豫, 相逼則失權者也, 又上下之心, 專歸於四也.

육오는 유약한 음으로 임금의 자리에 있으면서 즐거운 때를 만났으니, 즐거움에 빠져서 자립하지 못하는 자이다. 권세를 주장하고 사람들이 모여드는 것이 모두 사효에게 있으니, 굳센 양인 사효가 대중을 얻는 것을 유혹에 빠진 유약한 임금이 제재할 수 있는 바가 아니다. 이는 바로 유약하여 자립하지 못하는 임금이 전권(專權)을 행사하는 신하에게 견제를 받는 것이다. 임금의 자리에 있는 것이 바르더라도, 아랫사람에게 견제를 받으니, 괴로운 병을 앓는 것이다. 음[六]으로 존귀한 자리에 있어서 비록 권력은 잃었지만, 지위는 잃지 않았기 때문에 "바르지만 늘 병을 앓고 죽지는 않는다"라 하였다. '바르지만 질병이 있고, 늘 병을 앓고도 죽지 않음'을 말하니, 한(漢)나라와 위(魏)나라 말세의 임금과 같다. 임금이 위태롭게 되고 망하는 길은 한 가지가 아니지만 안일하게 즐기다가 그렇게 되는 경우가 많다. 사효에서는 바름을 잃었다고 하지 않았다가 이제 오효가 핍박당하는 형세를 드러내었는데, 이는 사효가 본래 잘못이 없기 때문에 사효에서는 대신(大臣)이 천하의 일을 맡는 뜻을 말한 것이고, 오효에서는 유약한 자가 존귀한 자리에 있고 자립하지 못하기 때문에 권세가 자기 몸에서 떠난 뜻을 말한 것이다. 각각 효에 의거하여 뜻을 취했기 때문에 똑같지 않다.
만약 오효가 임금의 도리를 잃지 않고 구사가 '예괘'를 주관한다면, 꼭 맞는 사람을 얻어 일을 맡긴 것이 되기에 그 공을 편안히 누릴 것이니, 예컨대 태갑(太甲)과 성왕(成王)의 경우이다. 몽괘(蒙卦) 또한 육오가 음으로서 존귀한 자리에 있어서, 구이가 양(陽)으로서 몽괘의 주인이 되었으나, 거기에서는 길하다고 하고 여기에서는 병들고 고통 받는다고 한 것은 때가 같지 않기 때문이다. 어린아이같이 어리석기 때문에 남에게 도움을 받는 것은 마땅하나, 즐기기에 빠져서 남에게 권세를 잃는 것은 위태롭고 망하는 길이다. 그러므로 몽괘는 서로 호응하여 의지해 일을 맡기는 것이 되는데, 예괘는 서로 핍박하여 권세를 잃는 것이 되고, 또 위아래의 마음이 오로지 구사에게로 돌아가게 된다.

本義

當豫之時, 以柔居尊, 沈溺於豫, 又乘九四之剛, 衆不附而處勢危. 故爲貞疾之象, 然以其得中, 故又爲恒不死之象, 卽象而觀, 占在其中矣.

즐거운 때를 만났는데 유약하면서 존귀한 자리에 있으니 즐거움에 빠지고, 또 강한 구사를 올라탔으니 무리가 따르지 않고 처한 형세가 위태롭다. 그러므로 고질병을 앓는[貞疾] 상이 되나, 가운데 자리에 있기 때문에 또한 늘 앓더라도 죽지는 않는 상이 되니, 상에 입각하여 관찰하면 점은 그 가운데 들어 있다.

小註

厚齋馮氏曰, 貞疾, 猶曰痼疾也. 痼猶固也, 疾自外入者也. 六五陰柔, 當豫之時, 上下耽於逸樂, 以天下之事, 天下之才, 盡付九四大臣而漫不省, 此貞疾之證也. 然四雖剛强, 猶在下也, 五雖陰柔, 猶在上也. 君臣之名位未亡, 此恒不死之證也. 春秋時, 不唯周存名號而已. 齊以諸田疾, 魯以三家疾, 政在大夫, 孔子周流列國, 欲起其疾而无能用者.
후재풍씨가 말하였다: '정질(貞疾)'이란 고질(痼疾)이라는 말과 같다. 고(痼)는 "굳어졌다[固]"는 말이고 질(疾)은 밖에서 들어오는 것이다. 육오는 유약한 음으로 즐거운 때를 맞아 위아래가 모두 안일하게 즐기는 데 빠져 있고, 세상의 일들과 세상의 인재들이 모두 사효 대신을 의지하는데 육오는 태만하게 반성하지 않으니, 이것이 고질병이라는 증거이다. 그러

나 사효는 굳센 양으로서 오히려 아래에 있고, 오효는 유약한 음이지만 윗자리에 있다. 임금과 신하라는 명칭과 지위는 아직 잃지 않았으니, 이것이 늘 앓지만 죽지는 않는다는 증거이다. 춘추시대에 주나라의 경우만 겨우 이름을 보존하고 있었던 것이 아니다. 제나라는 여러 전씨(田氏)들로[72] 병을 앓고, 노나라는 귀족 세 가문 때문에 고질을 앓고 있어, 정사가 대부에게 있었으므로 공자가 여러 나라를 두루 돌아다니면서 그 질병을 드러내려 하였으나 할 수가 없었다.

○ 童溪王氏曰, 六二貞吉, 以中且正也. 六五貞疾, 以雖中不正也. 當豫之時而不爲豫者, 六二是也, 當豫之時而不得豫者, 六五是也.
동계왕씨가 말하였다: 육이가 바르게 하여 길한 것은 가운데 있고 또 제자리에 있기 때문이다. 육오가 바르지만 병을 앓는 것은 비록 가운데 있지만 제자리가 아니기 때문이다. 즐거운 때를 만났으나 즐기지 않는 이는 바로 육이이고, 즐거운 때를 만났으나 즐길 수 없는 이는 바로 육오이다.

○ 雲峰胡氏曰, 頤之由在上九, 故六五不可涉大川. 豫之由在九四, 故六五貞疾. 易之言疾者四, 曰无妄之疾勿藥有喜, 曰損其疾使遄有喜, 曰介疾有喜, 皆言疾之愈而可喜. 此言貞疾, 僅得不死爾, 未可喜也. 豫最易以溺人, 六二柔中且正, 能不終日而去之. 六五陰柔不正, 未免溺於豫而有疾矣. 猶得不死者, 中未亡也. 人莫不生於憂患, 死於逸樂, 以六五之中僅得不死, 然則初之鳴, 三之盱, 上之冥, 其不中者, 皆非生道矣.
운봉호씨가 말하였다: 이괘(頤卦)에서는 상구로 말미암아 길러지므로 육오는 큰 시내를 건널 수 없다. 예괘에서는 구사로 말미암아 즐겁기 때문에 육오가 고질병을 앓는다. 『주역』에서 병을 앓는 것을 말하는 경우가 넷이 있는데, 무망괘(无妄卦)에서는 "무망의 병이니 약을 쓰지 않아도 기쁜 일이 있으리라"[73]라고 하였고, 손괘(損卦)에서는 "그 병을 덜되 빨리하게 하면 기쁨이 있다"[74]고 하였으며, 태괘(兌卦)에서는 "지조를 지켜 사악함을 미워하니 기쁨이 있다"[75]고 하였으니, 모두 병이 나아 기쁜 것을 말한다. 그러나 여기에서는 "바르지만 병을 앓는다"고 하였으니, 겨우 죽지 않는데 기쁠 수는 없다. 즐거움은 아주 쉽게 사람을 빠뜨리는데, 부드러운 육이는 가운데 자리를 얻고 또 제자리에 있어서 날이 저물기를 기다리지 않고 떠난다. 유약한 음인 육오는 제자리를 얻지 못하였기에 즐거움에 빠지는 것을

72) 제전(諸田): 제나라에서 실권을 잡고 있던 전씨 성(姓)을 지닌 귀족의 무리들.
73) 『周易 · 无妄卦』: 九五, 无妄之疾, 勿藥, 有喜.
74) 『周易 · 損卦』: 六四, 損其疾, 使遄, 有喜, 无咎.
75) 『周易 · 兌卦』: 九四, 商兌未寧, 介疾, 有喜.

면치 못하니 병이 있는 것이다. 여전히 죽지 않는 것은 제자리를 잃지 않았기 때문이다. 사람은 우환 속에서는 살기 마련이고 안일하게 즐기는 가운데서는 죽어 가는데,[76] 육오는 가운데 자리를 얻어서 그나마 죽지 않을 수 있으니, 그렇다면 초효의 '소리냄[鳴]'·삼효의 '올려다 봄[盱]'·상육의 '어두움[冥]'과 같이 가운데 자리가 아닌 것은 모두 살 수 있는 도리가 아니다.

韓國大全

송시열(宋時烈) 『역설(易說)』[77]

四爲豫之主, 居大臣之位, 摠群陰而攬權綱, 五以陰柔昏昧之君, 有貞疾不死, 迫逼受制不得措體之象. 坎爲疾, 恒不死者, 以其得中正也. 傳詳言之.

사효가 예괘의 주인이 되어 대신의 지위에 있으면서 여러 음을 총괄하여 권세를 쥐고 있는데, 오효는 유약한 음으로 어리석은 임금이기에 바르더라도 병을 앓고 죽지는 않으니, 사효와 너무 가까워 견제를 받아서 몸을 어디다 둘 수가 없는 상이다. 감괘는 질병이 되고 '늘 앓지만 죽지는 않는 것'은 그가 가운데 있고 제자리에 있기 때문이다. 『정전』에서 상세하게 말하였다.

석지형(石之珩) 「오위귀감(五位龜鑑)」

臣謹按, 豫之六五, 互艮爲止, 互坎爲心病, 故止於貞疾而不至於死. 此則取象之本旨, 而易之義理无窮, 要不可局於一說不集衆長. 故臣嘗竊取宋臣蘇軾所著易解而觀之, 其論此爻以爲五質陰而居陽. 質陰故力不勝九四之剛, 居陽故有不服之心. 夫力不勝而心不服, 則其貞足以爲疾而已. 雖爲疾而所守者未亡, 則恒止于不死. 此論頗有深味, 於今時事最爲切近. 昔朱熹斥軾嚴甚, 而於經傳集註, 猶取其說, 則惟此一言, 亦宜爲聖明之所擇也. 伏願殿下, 猛省厥義, 敦其不死之貞焉.

신이 삼가 살펴 보았습니다: 예괘의 육오는 호괘인 간괘가 멈추는 것이 되고, 호괘인 감괘는

---

76) 『孟子·告子』: 生於憂患, 而死於安樂也.

77) 경학자료집성DB에서는 예괘 구사에 해당하는 것으로 분류했으나, 내용에 따라 이 자리로 옮겼다.

마음의 병이 되므로 고질병을 앓는데 그치고 죽는데 이르지는 않습니다. 이것은 상의 본래 의미를 취한 것이지만, 역의 이치는 무궁하니 하나의 설에 국한되어 다른 장점을 모으지 않아서는 안 됩니다. 그러므로 신은 송나라 소식(蘇軾)이 지은『동파역전』을 가만히 살펴보았습니다. 그 논의에 "이 효는 오효가 바탕은 음인데 양의 자리에 있다. 바탕이 음이어서 힘으로는 굳센 구사를 이길 수 없고, 양의 자리에 있으므로 굴복하지 않으려는 마음이 있다. 힘으로는 이길 수 없으나 마음으로 굴복하지 않으니, 그 바른 것이 병이 될 만하다. 비록 병을 앓지만 지키는 바를 잃지 않았으므로 늘 죽지는 않는 데에서 그친다"고 하였는데, 이 논의는 자못 깊은 맛이 있어서 오늘날 매우 절실합니다. 예전에 주희가 소식을 엄히 배척하였지만 경전에 집주를 할 때에는 오히려 그 설을 취하였으니, 오직 이 한마디 말 역시 전하의 식견을 밝히기 위하여 채택하는 것이 마땅하겠습니다. 엎드려 바라옵건대, 전하께서는 그 뜻을 맹렬하게 돌이켜 보셔서 그 죽지 않는 올바름을 돈독하게 하십시오.

이현석(李玄錫)「역의규반(易義窺斑)」

先儒謂豫有三義, 曰和豫, 曰逸豫, 曰備豫, 是也. 重門擊柝, 以待暴客, 備豫之道也. 若使六五之君, 先軫備豫之義, 則必察防微, 杜漸之端, 而威權不下移矣. 又安有貞疾之患哉.

이전의 유학자들은 '예(豫)'에 세 가지 뜻이 있다고 하였는데, '화락하여 즐거워함', '느긋하게 즐거워함', '미리 예비함'이 이것이다. 문을 겹으로 하고 딱따기를 쳐서 난폭한 이를 대비하는 것은 미리 예비하는 도리이다. 만약 육오의 임금이 예비하는 뜻을 먼저 근심한다면, 기미를 잘 살펴 미연에 방지하고 점차 자라날 실마리를 봉쇄하여 권위가 아래로 옮겨가지 않을 것이다. 또한 어찌 고질병을 앓는 근심이 있을 것인가?

심조(沈潮)「역상차론(易象箚論)」

六五, 貞疾.

육오는, 고질병을 앓는다.

此爻過於豫中, 故有樂極生悲之意, 而又坎爲加憂, 故有貞疾之象.

이 효는 즐거움이 중도를 넘어섰으므로 즐거움이 극한에 이르러 슬픔이 생기는 뜻이 있고, 또 감괘(坎卦)가 근심을 더하는 것이 되므로 고질병을 앓는 상이 있다.

유정원(柳正源)『역해참고(易解參攷)』

六五 [至] 不死.
육오는 … 죽지는 않는다.

漢上朱氏曰, 五受制於四, 以柔弱不可動, 亦不復安豫矣. 故此爻獨不言豫.
한상주씨가 말하였다: 오효는 사효에게 견제를 받는데 유약하여서 움직이지 못하니, 또한 다시 편안하고 즐거울 수가 없다. 그러므로 이 효사에서만 "즐겁다"고 하지 않았다.

○ 雙湖胡氏曰, 六五不正而云貞疾者, 雖正如萃五, 尙有匪孚之悔, 況不正乎, 疾可知矣. 疾下偪於四象, 不死震反生象. 傳據文, 案文一作爻是.
쌍호호씨가 말하였다: 육오는 제자리에 있지 않은데 "바르지만 병을 앓는다"라고 한 것은 비록 바르게 함이 취괘(萃卦)의 구오와 같아도 오히려 '믿지 않는 후회'가 있는 것인데 하물며 바르지 않음에랴! 병을 앓을 것을 알 수 있다. 병을 앓는 것[病]은 아래로 사효에게 핍박받는 상이고, 죽지 않는 것[不死]은 진괘(震卦)의 돌아서 생겨나는 상이다. 『정전』에서 '문장에 따라[據文]'라고 하였는데, '문(文)'자를 어떤 판본에서는 '효(爻)'라고 썼으니, 이것이 옳다.[78]

김상악(金相岳)『산천역설(山天易說)』

以陰居互坎之上, 乘九四之剛, 故有貞疾之象, 得中而動, 又爲恒不死之象. 疾者, 豫之反. 書云王有疾弗豫是也.
음으로서 호괘인 감괘의 윗자리에 있으면서 굳센 구사를 타고 있으므로 바르게 하여도 병을 앓는 상이 있고, 가운데 자리를 얻어 움직이므로 또한 항상 앓지만 죽지는 않는 상이 된다. 병을 앓는 것은 즐거워하는 것과 반대이니, 『서경』에 "왕이 병을 앓아 즐겁지 않다"[79]라고 한 것이 이것이다.

○ 坎爲心病疾之象. 乘四之剛比上之柔, 猶居肓之上膏之下, 故曰貞疾. 復則主初九而言, 故曰出入无疾, 又无妄九五, 乾乘震爲无妄之疾, 故勿藥有喜. 豫則震乘坤爲貞固之疾, 故恒不死而已. 死者坎爲陰之魄也. 然震木在坤土之上, 得坎水於中, 相生相

---

78) 예괘 구오효『정전』에 "各據爻以取義, 故不同也"라 한 부분이다. '거문(據文)'이라고 쓴 판본도 있어서 이러한 주석을 한 것으로 보인다.
79)『書經 · 金縢』.

養, 故能恒久而得无死也. 生於憂患死於安樂, 初五兩爻之謂也.
감괘는 마음의 질병이 되는 상이다. 굳센 사효를 올라타고 유약한 상육과 친하니, 병이 횡경막 위과 심장사이에 있는 것처럼 손을 쓸 수가 없으므로[80] "고질병을 앓는다"라고 하였다. 복괘(復卦)에서는 초구를 위주로 말하였으므로 "나가고 들어감에 병이 없다"고 하였고, 또 무망괘(无妄卦䷘) 구오는 건괘가 진괘를 타고 있어서 무망(无妄)의 질병이 되므로 "약을 쓰지 않아도 기쁜 일이 있을 것이다"라고 하였다. 예괘(豫卦)는 진괘가 곤괘를 타고 있으므로 고질인 병이 되므로 항상 앓지만 죽지는 않을 뿐이라고 하였다. 죽는 것[死]은 감괘가 음의 백(魄)이 되기 때문이다. 그러나 진괘의 나무가 곤괘 흙의 위에 있고 그 가운데서 감괘의 물을 얻어 서로 살리고 기르므로 늘 오래도록 앓지만 죽지는 않을 수 있다. 우환 속에서 살 수 있고 안락함으로 인해 죽는 것은 초효와 오효 두 효를 말한 것이다.

서유신(徐有臣)『역의의언(易義擬言)』

已過於九四, 是不能早豫者也. 五能以柔中居尊於九四之上, 是爲正也. 互坎之險, 而權歸於四, 是爲病也. 不能豫治疾已痼矣, 而其位則存, 故曰恒不死, 久疾而久不死也. 得疾於外卦之初, 是亦早得疾也.
이미 구사를 지나쳤으니, 미리 예비할 수 있는 자가 아니다. 오효는 부드럽고 알맞은 음으로서 구사의 위 임금의 자리에 있으니, 이것이 바른 것이 된다. 호괘인 감괘가 험난하여 권세가 사효에게 돌아가니, 이것이 병이 된다. 미리 병을 다스릴 수 없어 이미 고질병을 앓지만 그 자리는 보존하고 있으므로 늘 앓고 죽지는 않는다고 하였으니, 오래 앓되 오래 되어도 죽지는 않는다. 외괘가 처음 시작할 때 병을 얻었으니, 이 역시 일찍 병을 얻은 것이다.

김귀주(金龜柱)『주역차록(周易箚錄)』

六五, 貞疾, 云云
육오는 고질병을 앓는다, 운운.

---

80)『春秋左氏傳 · 成公』: 진나라 경공이 질병이 들어 진나라에서 의사를 구하였다. 진백이 의원 완에게 그것을 다스리게 하였다. 의원이 아직 도착하지 않았는데, 공의 꿈에 병이 나서 한 두 아이 귀신 중 둘째 아이가 말하였다. "그는 훌륭한 의사이다. 우리를 상하게 할 것을 두려워한다면 어찌 도망치지 않겠느냐?" 그 하나가 말하였다. "횡격막[肓] 위와 심장[膏]아래에 머무르면 우리를 어찌하겠나?" 의사가 이르러 말하였다. "병은 고칠 수가 없습니다. 횡경막과 심장 사이에 있어, 다스리려 해도 할 수 없고, 이르려 해도 미칠 수가 없으며, 약도 듣지 않으니, 할 수가 없습니다." 공이 말하였다. "훌륭한 의사이다. 후하게 예를 갖추어 그를 돌아가게 하라."[晉景公疾病, 求醫于秦. 秦伯使醫緩爲之. 未至, 公夢疾爲二豎子曰, 彼 良醫也. 懼傷我 焉逃之, 其一曰, 居肓之上膏之下, 若我何. 醫至曰, 疾不可爲也. 在肓之上膏之下, 攻之不可, 達之不及, 藥不至焉, 不可爲也. 良醫也. 厚爲之禮而歸之.]

○ 按, 曰貞曰恒, 固以乘剛中未亡而言, 亦兼指其以柔居剛也. 六五在他卦, 則以柔居剛, 爲其德貞恒之象, 而在豫之時, 則只得爲疾之貞, 不死之恒耳.
내가 살펴보았다: 정(貞)이라 하고, 항(恒)이라 하는 것은 참으로 굳센 양을 탔지만 가운데 자리를 잃지 않았기 때문에 그렇게 말하였고, 또한 그 부드러운 음으로 굳센 양의 자리에 있음을 겸하여 가리켰다. 육오는 다른 괘의 경우라면 부드러운 음으로 굳센 양의 자리에 있어서 그 덕이 바르고 항상된 상이 되지만, 예괘의 때에 있어서는 단지 병을 앓는 것이 굳고, 죽지 않는 것이 늘 그러하다는 뜻이 될 뿐이다.

傳, 貞而疾, 云云.
『정전』에서 말하였다: 바르지만, 앓는다, 운운.
小註, 中溪張氏曰, 正而, 云云.
소주에서 중계장씨가 말하였다: 바른자리에 있어, 운운.
○ 按, 正而不死, 語未安.
내가 살펴보았다: "바른 자리에 있어 죽지 않는다"라고 한 것은 말이 온당하지 않다.

박문건(朴文健) 『주역연의(周易衍義)』

柔而見害, 故有貞疾之象. 貞疾, 言用貞而致疾也.
부드러운 음으로 해를 입으니, '바르게 하여도 병을 앓는' 상이 있다. "바르게 하여도 병을 앓는다[貞疾]"는 것은 바르게 하기 때문에 병이 나게 된다는 말이다.
〈問, 貞疾恒不死. 曰, 六五乘剛, 故懼而居貞, 反得傷害之疾. 然處得中道, 故恒未至於死亡也.
물었다: "바르게 하더라도 병을 앓지만 늘 앓고 죽지는 않는다"는 무슨 뜻입니까?
답하였다: 육오는 굳센 양을 올라탔으므로 두려워서 바르게 처신하지만 도리어 상해를 입는 병을 얻습니다. 그러나 중도에 맞게 처신하므로 늘 죽는 데에 이르지는 않습니다.〉

이지연(李止淵) 『주역차의(周易箚疑)』

吾夫子, 二百四十年春秋筆法, 其出於此六五乎. 故曰天王狩于河陽, 曰公在乾侯.
우리 공자 이백 사십년 춘추필법이 이 육오에서 나왔구나! 그러므로 "천왕이 하양(河陽)에서 사냥하였다"[81]라 하고, "소공(昭公)이 건후(乾侯)에 있었다"[82]라 한 것이다.

81) 『春秋左氏傳 · 喜公』28년 9월: 이번 회합에 진(晉)나라 제후가 왕을 불러 제후를 거느리고 뵙고, 또 왕에게

김기례(金箕澧) 「역요선의강목(易要選義綱目)」

六五, 貞疾恆不死. 以陰居尊, 溺豫而不能自立, 權歸大臣, 可謂受制寝弱之君.
육오는 고질병을 항상 앓지만 죽지는 않는다. 음으로서 임금의 자리에 있으면서 즐기는 데 빠져 자립할 수 없으므로 권세가 대신에게로 돌아가니, 견제를 받는 유약한 임금이라고 할 수 있다.

○ 五爲正位, 曰貞, 不能自起, 曰疾.
오효는 바른 자리가 되므로 "바르다[貞]"고 하였고, 스스로 일어날 수 없으므로 "병을 앓는다[病]"고 하였다.

○ 四雖剛爲臣, 五雖弱爲君, 君臣之名位未亡, 故曰不死. 五曰疾而四无咎者, 四以一陽主卦, 本无所失, 故四不言咎. 貞疾猶痼疾.
사효는 비록 굳센 양이지만 신하가 되고 오효는 유약한 음이지만 임금이 되는데, 임금과 신하라는 명분과 지위를 잃지 않았으므로 "죽지는 않는다"라고 하였다. 오효는 병을 앓는데 사효는 허물이 없다고 한 것은 사효가 하나의 양으로 괘의 주인이 되어서 본래 잘못하는 것이 없기 때문에 사효에 대해서는 '허물'을 말하지 않았다. '정질(貞疾)'은 고질병을 앓는다는 것과 같다.

허전(許傳) 「역고(易考)」

六五는 貞疾이라 恆不死ᄒᆞᄂᆞ다
육오는 고질을 앓는다. 항구하여 죽지 않는다.

貞固也, 固猶痼也, 固疾也. 五以柔弱耽惑於逸豫而致此, 痼疾所謂燕安鴆毒者也. 然所處之位則得中, 故有恆久而不死之象.

사냥하게 하였다. 이에 대해 중니는 "신하로서 임금을 부른 것은 교훈이 될 수 없다"고 하였다. 그러므로 경(經)에 "천왕이 하양(河陽)에서 사냥하였다"고 기록하였으니, 이는 왕이 사냥할 땅이 아님을 말한 것이고, 또 진문공의 덕을 밝힌 것이다.[是會也, 晉侯召王, 以諸侯見, 且使王狩. 仲尼曰, "以臣召君, 不可以訓. 故書曰, 天王狩于河陽, 言非其地也, 且明德也.]

82) 『春秋左氏傳 · 昭公』30년 정월: 소공(昭公)이 건후(乾侯)에 있었다. 경(經)에 소공이 앞서 운(鄆)과 건후(乾侯)에 있었던 것을 기록하지 않은 것은 소공을 비난한 것이고 또 허물을 밝힌 것이다.[公在乾侯, 不先書鄆與乾侯, 非公, 且徵過也.] *소공이 외국에 나가 있어 종묘에 조정(朝正)하는 예(禮)를 거행하지 않았음을 지적한 것이다.

정(貞)은 고(固)인데, 고(固)는 고(痼)와 같으니, 고질병이다. 오효는 유약한 음으로 편안하게 즐기는 데 빠져서 이러한 지경에 이르니, 고질병이란 편안히 거처하는 것이 독이 됨을 말한다. 그러나 있는 자리가 알맞으므로 항구하여 죽지 않는 상이 있다.

심대윤(沈大允) 『주역상의점법(周易象義占法)』

豫之萃䷬. 當昇平日久之時, 有九四之賢臣, 以專委任焉. 六五才柔, 不足以有爲, 而居剛耽豫, 漫不省事, 而萃於宴安. 寥寥然, 不能爲之, 有无而但尸位焉, 有貞疾之象, 以其中, 故不至於死也. 六五之時與才, 不得不然也. 疾氣滯以生, 爲四所隔而不通也. 坎爲疾, 坤貞, 巽恒, 兌死.

예괘가 취괘(萃卦䷬)로 바뀌었다. 태평한 날이 오래 이어지는 시절을 맞이하여 구사와 같은 어진 신하가 있으니, 그에게 전적으로 위임한다. 육오는 재질이 유약하여 일을 도모하기에는 부족하며, 굳센 양의 자리에 있으면서 즐기는 데 빠져서 일을 돌봄에 태만하고 안락함에 빠져 있다. 하릴없이 할 수 있는 것도 없이, 있는 듯 없는 듯 단지 자리만 지키고 있을 뿐이므로 고질병을 앓는 상이 있으나, 가운데 자리에 있기 때문에 죽음에 이르지는 않는다. 육오의 때와 재질로 그렇게 되지 않을 수가 없다. 질병은 기가 막혀서 생기는데, 사효에 의해 가로막혀 통하지 못한다. 감괘는 질병이 되고 곤괘는 굳은 것[貞]이 되며, 손괘는 항상됨[恒]이고 태괘는 죽는 것[死]이다.

오치기(吳致箕) 「주역경전증해(周易經傳增解)」

六五, 以柔中而居君位, 下有九四之强臣得時專權, 而柔懦不能制, 獨自耽豫沈溺, 謾不省事. 以柔弱而乘于剛, 不能自立, 故有貞疾之象. 然得中而居剛, 故能動恐懼之心, 不至過溺, 而終能恒久不死也. 觀於象而占可知矣.

육오는 부드러운 음으로 가운데 자리에 있어 임금의 지위에 있고, 아래로 구사의 굳건한 신하가 때를 얻어 전권을 행사하는데, 유약하여 제재를 할 수가 없어 홀로 즐기는 데 빠져 태만하게 일을 돌아보지 않는다. 유약한 음으로 굳센 양을 타서 자립할 수 없으므로 고질병을 앓는 상이 있다. 그러나 가운데 자리를 얻고 굳센 양의 자리에 있으므로 두려워하는 마음을 낼 수 있어서 지나치게 빠지는데 이르지는 않으니, 끝내 오래도록 죽지 않을 수 있다. 상(象)을 살펴보면 그 점(占)이 어떨지를 알 수 있다.

○ 童溪王氏曰, 當豫之時, 六二不爲豫, 六五不得豫者也. 自註曰, 是以兩爻不言豫. 剛位故言貞, 而貞疾, 猶言痼疾也. 亦以互坎爲心病也. 震爲動, 故言不死也. 此爻旡正應, 而以柔乘剛, 故其象如此.
동계왕씨가 말하였다: 즐거운 때를 만나 육이는 즐기지 않는 자이고, 육오는 즐길 수 없는 자이다.
스스로 주석하여 말하였다: 그러므로 두 효에서 '즐거움[豫]'을 말하지 않았다. 육오는 굳센 양의 자리에 있으므로 '정(貞)'이라고 하였는데 '정질(貞疾)'이란 고질병을 말하는 것과 같다. 또한 호괘인 감괘가 마음의 병이 된다. 진괘는 움직이므로 "죽지 않는다"고 하였다. 이 효는 정응(正應)이 없는데다 부드러운 음으로 굳센 양을 타고 있으므로 그 상이 이와 같다.

이진상(李震相) 『역학관규(易學管窺)』

六五, 貞疾.
육오는 고질병을 앓는다.

卦互坎, 坎爲心病, 震體又爲反生, 所以貞疾而不死也. 此之不言豫, 以其有疾而不豫也. 若六二之不言豫, 以其不敢逸豫也.
호괘가 감괘로, 감괘는 마음의 병이 되는데, 진의 몸체가 또한 돌이켜 생하는 것이므로 고질병을 앓지만 죽지 않는 것이다. 여기서 즐거움[豫]을 말하지 않는 것은 그가 병이 있어서 즐거울 수가 없기 때문이다. 육이에서 즐거움을 말하지 않는 것은 그가 감히 안일하게 즐기지 않기 때문이다.

박문호(朴文鎬) 「경설(經說) · 주역(周易)」

本義中貞疾指痼疾也. 雖不直以痼疾釋之, 而旣不分言, 則其指痼疾明矣.
『본의』가운데 '정질(貞疾)'은 고질병을 가리킨다. 비록 곧바로 고질병이라고 해석하지는 않았지만, 이미 나누어 말하지 않았으니, 그것이 고질병을 가리키는 것은 분명하다.

象曰, 六五貞疾, 乘剛也. 恒不死, 中未亡也.

정전 「상전」에서 말하였다: "육오는 바르지만 병을 앓음"은 굳센 양을 올라탔기 때문이고, "늘 죽지는 않음"은 가운데 자리를 잃지 않았기 때문이다.

본의 「상전」에서 말하였다: "육오는 고질병을 앓음"은 굳센 양을 올라탔기 때문이고, "늘 죽지는 않음"은 가운데 자리를 잃지 않았기 때문이다.

中國大全

傳

貞而疾, 由乘剛, 爲剛所逼也. 恒不死, 中之尊位未亡也.

바르지만 병을 앓는 것은 굳센 양을 올라타서 굳센 것에게 핍박을 받기 때문이다. 늘 앓지만 죽지 않는 것은 존귀한 가운데 자리를 잃지 않았기 때문이다.

小註

臨川吳氏曰, 乘剛而有衰弱之疾, 則无以御其下矣. 處上卦之中, 則位與號猶未亡也. 周衰之時, 權歸霸國, 周雖微弱, 亦以久存, 此爻近之.

임천오씨가 말하였다: 굳센 양을 올라 타 쇠약해지는 곤경에 놓이면 아랫사람들을 거느릴 수가 없다. 상괘(上卦)의 가운데 자리에 있어서 지위와 호칭은 아직 잃지 않았다. 주나라가 쇠퇴할 즈음 권세가 힘이 센 제후국들에게 돌아갔는데, 주나라가 비록 미약하지만 또한 오래도록 존속한 것이 이 효의 정황에 가깝다.

○ 中溪張氏曰, 正而不死, 中而未亡者, 君臣之分, 不可泯滅故也.

중계장씨가 말하였다: 바르면서 죽지 않고 가운데 있으면서 잃지 않는 것은 임금과 신하의 분별을 허물어뜨릴 수 없기 때문이다.

韓國大全

김상악(金相岳) 『산천역설(山天易說)』

五之乘剛, 雖爲貞疾, 恒得不死者, 其中德未亡也. 凡言乘剛, 剛柔相交而生, 故无終凶者也.
오효가 굳센 양을 탔으니, 비록 고질병을 앓지만 늘 앓고 죽지는 않는 것은 그 알맞은 덕을 잃지 않았기 때문이다. 굳센 양을 탔다는 것은 음과 양이 서로 사귀어서 생기는 것이므로 끝내 흉하지는 않다.

서유신(徐有臣) 『역의의언(易義擬言)』

乘據剛動之上, 亦非懦弱者, 尙能貞而居尊, 疾而不死者也. 中其位也, 以疾則不死, 以位則不亡. 喩疾, 故不曰位而曰中也.
움직이는 굳센 양 위에 올라탔으니 또한 나약한 자가 아니고, 오히려 바르면서 높은 자리에 있고 병을 앓아도 죽지 않는 자이다. '중(中)'은 그 지위인데, 질병으로 말하면 죽지 않는 것이고, 지위로 말하면 잃지 않는 것이다. 병으로 비유하였으므로 '지위[位]'라고 하지 않고, '중(中)'이라고 하였다.

오치기(吳致箕) 「주역경전증해(周易經傳增解)」

乘剛而不能自立, 故爲貞痼之疾苦矣. 得中而尙有位德, 故能久存而不死也.
굳센 양을 타고 있어 자립할 수 없으므로 고질병을 앓는 괴로움이 있다. 가운데 자리를 얻어 여전히 지위와 덕을 가지고 있으므로 오래도록 보전할 수 있어서 죽지 않는다.

이병헌(李炳憲) 『역경금문고통론(易經今文考通論)』

虞曰, 恒常也.
우번이 말하였다: 항(恒)은 항상[常]이다.

姚曰, 中未亡, 謂五伏陽.
요신이 말하였다: "가운데 자리를 잃지 않았다[中未亡]"는 것은 오효에 양이 잠복함을 말한다.

上六, 冥豫, 成, 有渝无咎.

정전 상육은 즐거움에 빠져 어두우니, 그렇게 이루어졌더라도 변함이 있으면 허물이 없을 것이다.
본의 상육은 즐거움에 빠져 어두워졌는데, 이루어졌으나 변함이 있을 것이니, 허물이 없을 것이다.

中國大全

傳

上六, 陰柔, 非有中正之德, 以陰居上, 不正也而當豫極之時, 以君子居斯時, 亦當戒懼, 況陰柔乎. 乃耽肆於豫, 昏迷不知反者也. 在豫之終, 故爲昏冥已成也, 若能有渝變, 則可以无咎矣. 在豫之終, 有變之義. 人之失, 苟能自變, 皆可以无咎. 故冥豫雖已成, 能變則善也. 聖人發此義, 所以勸遷善也, 故更不言冥之凶, 專言渝之无咎.

상육은 유약한 음으로 중정한 덕이 있지 않고, 음으로서 꼭대기에 있으면서 바르지 못한데다가 극도로 즐거운 때를 만났으니, 군자라도 이러한 때를 만나면 마땅히 경계하고 두려워하여야 하는데, 하물며 유약한 음이겠는가! 마침내 즐거움을 탐하고 방자하며 혼미하여 돌이킬 줄 모르는 자이다. 예괘의 끝자락에 있기 때문에 이미 어두워져 버렸으나, 만약 변할 수 있다면 허물이 없을 수 있다. '즐거움[豫]'의 끝자락에 있기에 변하는 뜻이 있다. 사람이 잘못을 하더라도 참으로 스스로 변할 수 있으면 다 허물이 없을 수 있다. 그러므로 비록 이미 즐거움에 빠져 어둡게 되었지만 변할 수 있으면 좋은 것이다. 성인이 이 뜻을 말하였으니, 착한 데로 옮겨갈 것을 권면한 것이다. 그러므로 어두워서 흉하다는 것을 다시 말하지 않고, 오직 변하면 허물이 없다고 하였다.

本義

以陰柔, 居豫極, 爲昏冥於豫之象. 以其動體, 故又爲其事雖成, 而能有渝之象, 戒占者如是, 則能補過而无咎, 所以廣遷善之門也.

유약한 음으로서 즐거움의 극한에 있기에 즐거움에 빠져 어두운 상이 된다. 그러나 움직이는 동체(動體)이기 때문에, 그 일이 비록 이루어졌을지라도 변화할 수 있는 상이 있다. 점치는 이가 이와 같이

하면 잘못을 보충하여 허물이 없을 수 있으니, 착한 데로 옮아갈 수 있는[遷善] 문을 넓힌 것이다.

小註

雲峰胡氏曰, 冥豫, 與冥升迷復同義. 聖人不言冥豫之凶, 而言成有渝之无咎, 廣遷善之門也. 事已成而能變, 猶可无咎, 則未成而變, 可知矣. 初鳴豫卽斷之以凶, 甚於初者, 所以遏其惡也. 上冥豫則開之以无咎, 恕於終者, 所以開其善也. 或曰, 豫上六變則爲晉, 晉明出地上, 非冥矣.

운봉호씨가 말하였다: 즐기는 데 빠져 어두운 것과 올라가는 데 어두워[83] 돌아올 줄을 모른다는 것은 같은 뜻이다. 성인이 "즐기는 데 빠져 어두워서 흉하다"고 하지 않고, "이루더라도 변화하면 허물이 없다"고 한 것은 착한 데로 옮겨가는 문을 넓혀준 것이다. 일이 이미 이루어졌는데도 변하면 오히려 허물이 없으니, 아직 일이 이루어지지 않았을 때 변하면 어떨지는 말하지 않아도 알 수 있다. 초효의 '즐거워 떠듦'에 대해서는 흉하다고 단정하였는데, 처음에 심하게 말한 것은 그 악을 막으려는 까닭이다. 상효의 '즐거움에 빠져 어두움[冥豫]'에 대해서는 허물이 없다고 열어주었는데, 마지막에 너그럽게 한 것은 그에게 선한 데로 나아가는 길을 열어준 것이다. 어떤 이는 "예괘의 상육이 바뀌면 진괘(晉卦䷢)가 되는데, 진괘는 광명이 땅 위로 솟아나므로 어둡지 않다"고 하였다.

韓國大全

송시열(宋時烈) 『역설(易說)』[84]

六爻當變, 變則爲離. 冥者, 陰爻柔暗也. 渝者, 變也. 此爻變則爲離, 離則可以光明也, 故吉. 此爻渝變則旡咎, 占者得此, 變其所事, 則亦旡咎之道也.

육효는 변하는 것이 마땅하니, 변하면 리괘(離卦)가 된다. '명(冥)'이란 음효가 유약하고 어두운 것이다. '투(渝)'는 변하는 것이다. 이 효가 변하면 리괘(離卦)가 되는데, 리괘는 밝게 빛날 수 있으므로 길하다. 이 효가 변하면 허물이 없으니, 점치는 사람이 이 효를 얻고서

83) 『周易 · 升卦』: 上六, 冥升, 利于不息之貞.

84) 경학자료집성DB에서는 예괘 '오효'에 해당하는 것으로 분류했으나, 내용에 따라 이 자리로 옮겼다.

하는 일을 변화시키면 역시 허물이 없게 하는 도가 된다.

이익(李瀷) 『역경질서(易經疾書)』85)

冥豫如冥行, 不知而作者也, 成則其過已成. 上六在豫之極, 有將變之象, 雖成而變, 則无咎. 六三有悔者, 悔而不變也, 渝則悔在其中. 況冥豫, 非怙終之比, 故无咎, 本義所謂廣遷善之門, 是也.
"즐거움에 빠져 어둡다[冥豫]"는 어둠 속에 다니는 것과 같으니 잘 알지 못하면서 하는 것이고, '이루어짐[成]'은 잘못이 이미 이루어진 것이다. 상육은 즐거움의 끝에 있어서 장차 변하려는 상이 있기에, 비록 잘못이 이루어졌어도 변하기 마련이니, 허물이 없게 된다. 육삼이 후회가 있는 것은 후회하고도 변하지 않기 때문인데, 변한다면 뉘우침이 그 가운데 있게 된다. 더군다나 상육의 '즐기는 데 빠져 어두움[冥豫]'은 마지막에 의지하는 비괘(比卦)가 아니므로 허물이 없으니, 『본의』에서 "선한 데로 옮아가는 문을 넓혔다"고 한 것이 이것이다.

심조(沈潮) 「역상차론(易象箚論)」

上六, 冥豫.
상육은 즐거움에 빠져 어두우면서.

陰在極處, 故稱冥.
음이 극한에 있으므로 어둡다고 하였다.

유정원(柳正源) 『역해참고(易解參攷)』

上六 [至] 无咎.
상육은 … 허물이 없을 것이다.

王氏曰, 處豫之極, 極豫盡樂, 故至於冥豫. 成過樂不已, 何可長乎. 渝變然後无咎.
왕필이 말하였다: 예괘의 극한에 있으면서 극도로 즐거워하여 즐기기를 다 하므로 즐기는 데 빠져 어두운데 이른다. 과도하게 즐겨서 그치지 않으니, 어찌 오래갈 수 있겠는가? 변화한 후에야 허물이 없을 것이다.

---

85) 경학자료집성DB와 원전에는 예괘 '사효'에 해당하는 것으로 분류했으나, 내용에 따라 이 자리로 옮겼다.

○ 平庵項氏曰, 凡言渝者, 皆當以變卦觀之.
평암항씨가 말하였다: '변하면[渝]'이라고 한 것은 모두 괘의 변화로 살펴야 할 것이다.

○ 雙湖胡氏曰, 豫冥, 謂上六陰爻, 取陰暗之義也.
쌍호호씨가 말하였다: 즐기는 데 빠져 어두운 것은 상육인 음효를 말하는 것으로 음의 어두운 뜻을 취하였다.

○ 晦齋先生曰, 人君處豫樂之時, 不樂其一己之樂而與天下同其樂, 則百姓聞鐘鼓管籥之音, 莫不欣欣然有喜色矣, 何咎之有. 聖人不貴旡過而貴改過, 上六冥豫, 已成而能變, 猶可以旡咎. 若能處豫而以禮制心, 不至於冥而能改, 其吉可知. 太甲欲敗度, 縱敗禮, 聞伊尹之訓, 乃能悔悟, 而克終允德, 是則冥豫而能變者也. 太康桀紂昏冥於逸豫, 終不能變, 此所以有凶咎也. 象復申之以冥豫在上不可久長之義, 聖人之戒深矣.
회재선생이 말하였다: 임금이 기쁘고 즐거운 때에 있으면서 자기 한 몸의 즐거움을 즐겁게 여기지 않고, 천하 사람들과 그 즐거움을 함께 한다면, 백성들이 북소리 피리소리를 듣고서 흐뭇하여 기뻐하는 기색을 지니지 않음이 없을 것이니, 무슨 허물이 있겠는가?[86] 성인은 허물이 없는 것을 귀하게 여기는 것이 아니라, 허물을 고치는 것을 귀하게 여긴다. 상육의 즐거움에 빠져 어두움이 이미 이루어졌지만 변화시킬 수 있으면 오히려 허물이 없을 수 있다. 만약 즐거움에 있으면서 예(禮)로써 마음을 다스려 어두운 데 빠지는 지경에 이르지 않고 고칠 수 있다면, 그 길할 것을 알 수 있다. 태갑의 욕심이 법도를 어그러뜨리고, 방종함이 제멋대로 예를 어그러뜨렸으나[87] 이윤(伊尹)의 훈계를 듣고 뉘우쳐서 마침내 미덥고 덕스러워졌으니, 이는 즐기는 데 빠져 있었지만 변할 수 있었던 자이다. 태강과 걸·주는 안일하게 즐기는 데 빠져 어두워 끝내 변할 수 없었으니, 이것이 흉하여 허물이 있는 까닭이다. 상(象)에서 다시 맨 위에서 즐기기에 빠져 어두워서 오래갈 수 없다는 뜻을 펼쳤으니, 성인이 깊이 경계한 것이다.

김상악(金相岳) 『산천역설(山天易說)』

上六, 以陰居極, 无陽剛之應, 故有昏冥於豫之象. 雖卒成之終, 震體得正, 能有渝, 則无咎也. 復則處坤之極, 與震相遠, 故終於迷復而凶也.

86) 『孟子·梁惠王』: 今王鼓樂於此, 百姓聞王鐘鼓之聲, 管籥之音, 擧欣欣然有喜色而相告曰, 吾王庶幾無疾病與, 何以能鼓樂也.
87) 『書經·太甲』: 予小子不明于德, 自底不類, 欲敗度, 縱敗禮, 以速戾于厥躬.

상육은 음으로서 극한에 있으면서 굳센 양과 호응하지도 않으므로 즐기는 데 빠져 어두운 상이 있다. 비록 졸지에 그렇게 이루어져 끝이 날 것이지만, 진괘의 몸체가 바름을 얻어서 변할 수 있으니, 허물이 없다. 복괘(復卦) 상육의 경우는 돌아오려 하여도 곤괘의 끝에 있어서 진괘와는 거리가 멀기 때문에, 끝내 돌아오는 데 혼란을 느끼므로 흉하다.

○ 冥者, 坤之暗也, 與冥升同象. 冥豫雖已成, 樂極哀生, 不免有悔心之萌動, 而之晉則明出地上, 前之冥冥, 今反昭昭, 故曰有渝无咎. 隨之初, 則變而爲震, 以剛得正, 故直曰官有渝, 貞吉, 无咎者, 善補過之辭也. 渝而後得无咎, 聖人所以廣遷善之門也.
'명(冥)'이란 곤괘의 어두움으로 '올라가는 데 어두움[冥升]'[88]과 같은 상이다. '즐기는 데 빠져 어두움'이 이미 이루어졌지만, 즐거움이 극에 달하며 슬픔이 생기는 법이어서 후회하는 마음이 싹트는 것을 면할 수 없다. 그러나 진괘(晉卦䷢)로 바뀌면 광명이 땅 위로 솟아나 예전에 어둡고 어둡던 것이 이제는 도리어 밝고 밝은 것이 되므로 "변하면 허물이 없다"고 하였다. 예괘의 다음 괘인 수괘(隨卦䷐)의 초효로 가면 변하여 진괘(☳)가 되는데 굳센 양으로 바름을 얻었으므로 곧바로 "관(官)이 변함이 있으니 바르게 하면 길하다"라고 하였다. "허물이 없다"는 것은 선(善)으로 잘못을 보완하려는 말이다. 변한 후에야 허물이 없을 수 있으니, 성인이 선(善)으로 옮아갈 수 있는 문을 넓힌 것이다.

김규오(金奎五) 「독역기의(讀易記疑)」

小註, 豫.
소주, 예(豫)는.
備, 卦爻无此義, 按六二之知幾而能去, 亦有備豫之意. 特比待暴爲甚微耳.
괘효사에서는 예(豫)자가 예비한다[備]는 의미로 쓰이지 않았으나 육이효에서 기미를 알아 떠나갈 수 있는 것에 비추어 보면 또한 예비하는 뜻이 있다. 다만 「계사전」에서 언급한 '난폭한 이를 대비함'에 비해 매우 미미할 뿐이다.[89]

○ 三上之速悔速渝, 語意相符, 蓋以內外同位而然.
삼효와 상효에서 말한 '신속하게 뉘우침'과 '신속하게 변화함'은 말뜻이 서로 부합하니, 각각 내괘와 외괘의 끝자리에 있다는 점이 같아서 그러한 것이다.

---

88) 『周易 · 升卦』: 上六, 冥升, 利于不息之貞.
89) 『周易 · 繫辭傳』: 重門擊柝, 以待暴客, 蓋取諸豫. 이에 대해 『본의』에서는 "미리 방비하는 뜻이다[豫備之意]"라고 해설하였다.

서유신(徐有臣) 『역의의언(易義擬言)』

以陰居終, 豫終而不覺昏於事幾, 故曰冥豫也. 豫終矣, 其事已遂, 故曰成. 旣成而方覺也. 震爲動, 動則[90]變, 故曰渝无咎. 震无咎, 存乎悔也. 成事已矣, 其冥可變, 庶乎其不再誤也. 不言凶者, 在其事之得失如何耳.

음으로서 끝머리에 있는데, 즐거움이 끝나는데도 일의 기미를 깨닫지 못하고 어두우므로 "즐기는 데 빠져 어둡다[冥豫]"라고 하였다. 즐거움이 끝나 그 일이 이미 완수되었으므로 "이루어졌다[成]"고 하였다. 이미 이루어지자 그제서야 깨닫는다. 진괘(震卦)는 움직임이 되고 움직이기에 바뀌므로 "바뀌면 허물이 없다"고 하였다. 움직여서 허물이 없는 것은 뉘우치기 때문이다. 일이 이미 이루어졌으나 그 어두움을 변할 수 있으면 거의 다시 잘못을 저지르지는 않을 것이다. 흉하다고 하지 않은 것은 그 일의 득실이 어떠한가에 달려 있기 때문이다.

윤행임(尹行恁) 『신호수필(新湖隨筆)·역(易)』

人孰無過改之爲貴, 故聖人立敎, 俾開自新之路. 雖冥豫之人, 若有知變之意, 亦許以无咎.

허물고치기를 귀하게 여기지 않는 사람이 누가 있겠는가? 그러므로 성인이 가르침을 세워서 스스로 새롭게 하는 길을 열은 것이다. 비록 즐기는 데 빠져 어두운 사람이라도 잘못을 알아 바꾸려는 뜻이 있다면 역시 허물이 없을 수 있다고 인정하였다.

강엄(康儼) 『주역(周易)』

本義, 以其動體故云云.

『본의』에서 말하였다: 움직이는 동체(動體)이기 때문에, 운운.

按, 以[91]本義推之, 隨初九官有渝, 亦以震體故也. 訟九四雖非震體, 而乃是乾體能動, 且以剛居柔, 自有能動之象, 故曰亦渝.

내가 살펴보았다: 『본의』의 내용을 가지고 미루어 보면 수괘(隨卦䷐) 초구에서 "주장하여 지키던 것이 변하였다"고 하였는데 역시 진괘의 몸체이기 때문이다. 송괘(訟卦) 구사는 비록 진괘의 몸체는 아니지만 건괘의 몸체로서 움직일 수 있고 또 굳센 양으로서 부드러운 음의 자리에 있어서 스스로 움직일 수 있는 상이 있으므로 또한 "바뀐다[渝]"고 하였다.

---

90) 則: 경학자료집성DB에 '財'로 되어 있으나, 경학자료집성 영인본을 참조하여 '則'으로 바로잡았다.

91) 경학자료집성DB에 '以'자 다음에 '號'자가 있으나, 잘못 들어간 것이다. 경학자료집성 영인본을 참조하여 바로잡았다.

박문건(朴文健) 『주역연의(周易衍義)』

妄用其豫, 故有冥豫之象. 冥, 昏冥也.

함부로 그 즐거움을 누리므로 즐기는 데 빠져 어두운 상이 있다. '명(冥)'은 어둡고 아득한 것이다.

〈問, 冥豫成有渝无咎. 曰, 上六不知六三之害己, 而妄用悅豫也. 豫道之成, 終必有變. 然釋疑, 用順以信其下, 故所以无咎也.

물었다: "상육은 즐거움에 빠져 어두우니, 그렇게 이루어졌더라도 변함이 있으면 허물이 없을 것이다"는 무슨 뜻입니까?

답하였다: 상육은 육삼이 자기를 해칠 것을 알지 못하고 함부로 기쁨과 즐거움을 누립니다. 예괘의 도가 이루어지면 마침내 변화가 있기 마련입니다. 그러나 『석의(釋疑)』에서는 유순하게 그 아랫사람을 믿으므로 허물이 없는 것이라고 하였습니다.〉

김기례(金箕澧) 「역요선의강목(易要選義綱目)」

陰居豫極, 眈豫昏冥已成. 然居震體則能知動, 故變則咎.[92]

음으로서 즐거움의 극한에 있으니, 즐기는 데 빠져서 어두운 것이 이미 이루어졌다. 그러나 진괘의 몸체에 있기에 움직일 줄을 앎으로 바뀌면 허물이 없다.

○ 豫上六變, 則爲晉而明出地上, 故无咎.

예괘는 상육이 바뀌면 진괘(晉卦䷢)가 되어서 광명이 땅 위로 나오므로 허물이 없다.

○ 卦中初上逸豫, 故曰凶, 曰冥. 二見幾而先, 故曰吉, 三遲故有猶豫之豫. 四雖由豫, 致君無理, 故不言吉凶, 而只言其志之大行. 五乘剛而溺豫, 故曰貞疾. 皆所以備豫而戒逸豫, 其爲時義大矣哉.

예괘에서 초효와 상효는 안일하게 즐거워하므로 "흉하다"고 하고 "어둡다"고 하였다. 이효는 기미를 보고 먼저 행하므로 "길하다"고 하였고, 삼효는 머뭇거리므로 유예한다는 의미의 예(豫)가 있다. 사효는 비록 그 자신으로 말미암아 기쁘지만 임금에게 무리하게 나아가므로 길흉을 말하지 않고 단지 "그 뜻이 크게 행한다"고만 하였다. 오효는 굳센 양을 올라탄 채 즐기는 데 빠져 있으므로 "고질병을 앓는다[貞疾]"고 하였다. 모두 미리 대비하여서 안일하게 즐기는 것을 경계한 바이니, 그 때와 의미가 크지 않은가!

---

92) 无咎: 경학자료집성DB와 영인본에 모두 '咎'로 되어 있으나, '无咎'가 옳다고 판단되어 바로잡았다.

贊曰, 悅豫之道, 動而順貞. 樂不可極, 自愼自誠. 介石之操, 獨得其行. 无溺於豫, 變則向明.
찬미하여 말하였다: 기쁘고 즐거운 도리는, 움직이되 천리에 순응하고 곧아야 한다네. 극한에 이르도록 즐겨서는 아니되니 스스로 신중하고 정성스럽게 하라. 돌과 같은 지조로 홀로 그 할 바를 행하네. 즐기는 데 빠지지 말고 변화한다면 밝은 곳으로 향할 수 있네.

심대윤(沈大允) 『주역상의점법(周易象義占法)』

豫之晉䷢, 進也. 坎离爲冥, 冥豫, 言居豫之上, 安逸之極也. 坎离爲成, 震爲渝, 成有渝, 言其成者自然有變也. 成自成也, 明非上六之好生事也. 安逸旣久, 事端還生, 自然之理也. 上六居柔而无應, 爲能治其事端之萌生者焉. 故終不至於紛紜叢挫而勞遽也, 所以保豫也, 故曰无咎. 能治事端而保其豫爲進也.
예괘가 진괘(晉卦䷢)로 바뀌었으니, 나아가는 것이다. 호괘인 감괘와 리괘가 어두움[冥]이 되니, 즐기는 데 빠져 어둡다는 것[冥豫]은 예괘의 꼭대기에 있어서 안일함이 극에 이른 것이다. 감괘와 리괘가 '이루어짐[成]'이 되고, 진괘는 '변함[渝]'이 되니, '이루어졌으나 변함이 있으면[成有渝]'이란 말은 그 이루어진 것은 자연히 변화가 있다는 뜻이다. 이루어짐은 저절로 이루어지는 것이어서, 상육이 일을 만들기를 좋아하는 것이 아님을 밝혔다. 오래도록 안일하게 지내면 문제가 발생하는 것은 자연한 이치이다. 상육은 부드러운 음의 자리에 있으면서 호응함이 없으니, 그 문제가 싹트는 것을 다스릴 수 있는 자이다. 그러므로 끝내 어지러움이 다발로 뭉쳐서 황급하게 애써야 하는 데까지는 이르지 않아 즐거움을 보전할 수 있기 때문에 "허물이 없다"고 하였다. 문제의 단서를 다스릴 수 있어서 그 즐거움을 보전하므로 앞으로 나아가는 것이 된다.

오치기(吳致箕) 「주역경전증해(周易經傳增解)」

上六, 陰柔居豫之終, 悅樂過極, 已成冥昏, 宜若有咎. 然以其居正而旡所係, 終能志變而改過, 其昏可以不長, 故言旡咎也.
상육은 부드러운 음으로 즐거움의 끝자락에 있기에 기뻐 즐거워함이 극도로 지나쳐 이미 어두워져 버렸으니, 마땅히 허물이 있을 듯하다. 그러나 제자리에 있으면서 얽매여 호응하는 바가 없으므로 마침내 뜻을 바꾸어서 허물을 고칠 수 있으니, 그 어두움이 오래가지 않을 수 있다. 그러므로 허물이 없다고 하였다.

○ 冥謂昏迷而取於坤, 渝謂變也.
'어두움[冥]'은 혼미하다는 말로 곤괘에서 취하였고, '투(渝)'는 변한다는 말이다.

이진상(李震相) 『역학관규(易學管窺)』

上六, 冥豫 [至] 无咎.
상육은 즐거움에 빠져 어두우니 … 허물이 없을 것이다.

爻終變離, 乃日昃之象. 故曰冥. 豫中互坎水, 故有渝. 成乃坤之成也. 震乃動體, 故渝而无咎.
효의 끝에서 리괘로 변했으니, 해가 저무는 상이다. 그러므로 "어둡다[冥]"고 하였다. 예괘 가운데 호괘가 감괘인 물이므로 "변한다[渝]"고 하였다. "이루어진다[成]"는 것은 곤괘가 이루어지는 것이다. 진괘(震卦)는 움직이는 몸체이므로 변하여 허물이 없다.

박문호(朴文鎬) 「경설(經說)・주역(周易)」

有渝, 合程傳終變本義動體二說然後, 其義始備.
'변함이 있으면[有渝]'은, 『정전』의 "즐거움[豫]의 끝자락에 있기에 변하는 뜻이 있다"와 『본의』의 "움직이는 동체(動體)이다"라는 두 설명을 합하여 본 뒤에야 그 뜻이 비로소 갖추어질 것이다.

이병헌(李炳憲) 『역경금문고통론(易經今文考通論)』

虞曰, 渝變也.
우번이 말하였다: '투(渝)'는 변한다는 말이다.

荀曰, 陰性冥昧, 在上而豫悅, 故不可長也.
순상이 말하였다: 음의 성질은 어두운 데, 위에 있으면서 기뻐하므로 오래갈 수 없다.

象曰, 冥豫在上, 何可長也.

「상전」에서 말하였다: "즐거움에 빠져 어두움"이 꼭대기에 있으니, 어찌 오래갈 수 있겠는가?

中國大全

傳

昏冥於豫, 至於終極, 災咎行及矣. 其可長然乎, 當速渝也.

즐기는 데 빠져 어두우면서 마지막에까지 이르렀으니, 재앙과 허물이 미칠 것이다. 어찌 오래도록 그럴 수 있겠는가? 마땅히 신속하게 변하여야 한다.

小註

中溪張氏曰, 上雖處豫之終, 昏迷而不知反. 然在震之極動, 則有能渝變之理. 苟能知逸豫之不可長, 幡然而改, 安知冥冥者其不昭昭乎.

중계장씨가 말하였다: 상효는 비록 즐거움의 끝자락에 있지만 혼미하여 돌이킬 줄을 모른다. 그러나 진괘의 지극한 움직임 속에 있기 때문에 변할 수 있는 이치가 있다. 참으로 안일하게 즐기는 일이 오래갈 수 없다는 것을 안다면 크게 바뀌어 고칠 것이니, 어찌 어두운 자라고 해서 밝아질 수 없다고 하겠는가?

○ 建安丘氏曰, 豫以和豫逸豫爲義. 六爻惟九四由豫與卦辭同, 至于諸爻, 皆有心於求豫, 則失豫之正, 流爲逸豫矣. 故在豫以四之一陽爲主. 初以應四而豫, 故曰鳴豫凶. 三以比四而豫, 故曰盱豫悔. 五以乘四而不知所豫, 故有貞疾恒不死之證. 上去四雖遠而與震同體, 則亦冥然爲豫而已, 皆有涉乎四者也. 惟六二柔順中正與四无係, 獨能介于石, 不終日焉. 蓋見幾者也, 故爻以貞吉歸之, 豫之不可溺也, 蓋如此.

건안구씨가 말하였다: 예괘는 '화합하여 즐거워하는 것'과 '안일하게 즐기는 것'을 주된 의미로 삼는다. 육효 가운데 구사만이 '자신으로 말미암아 즐거워하여' 괘사와 같고, 다른 효들은 모두 즐거움을 구하는데 마음이 있으니, 즐거움의 바른 도리를 잃고 안일하게 즐기는 데로

흐른 것이다. 그러므로 예괘에서는 사효의 한 양이 주인이 된다. 초효는 사효와 호응하여 즐거워하므로 "즐거움을 소리 내니 흉하다"라고 하였다. 삼효는 사효와 친하게 굴면서 즐거워하므로 "올려다보며 즐기니 후회한다"고 하였다. 오효는 사효를 올라타고 있어서 무엇을 즐거워해야 할지 알 수 없으므로 "고질병이 있어서 늘 앓지만 죽지는 않는" 모습으로 드러난다. 상효는 사효에서 멀리 있지만 진괘(震卦)와 한 몸체이므로 또한 어리석게 즐거워하니, 모두 사효에 관심을 둔 것이다. 육이효만이 유순하고 중정한 덕을 지녀 사효에 얽매이지 않고, 홀로 돌과 같은 절개를 지녀 날이 저물기를 기다리지 않는다. 기미를 미리 보는 자이므로 바르고 길한 데로 돌아가니, 즐거움이 그를 타락하게 할 수 없는 것이 이와 같다.

○ 進齋徐氏曰, 豫有三義, 曰和豫, 曰逸豫, 曰備豫. 大象所言, 和豫也. 六爻所言, 逸豫也. 豫備不虞, 卦爻无此義. 傳曰, 重門擊柝, 以待暴客, 蓋取諸豫, 此備豫也.
진재서씨가 말하였다: 예괘에는 세 가지 의미가 있으니, '화합하여 즐거워하는 것', '안일하게 즐기는 것', '예비하는 것'이다. 「대상전」에서 말한 것은 '화합하여 즐거워하는 것'이다. 여섯 효에서 말한 것은 '안일하게 즐기는 것'이다. '예비하여 근심하지 않는 것'은 괘효에서는 이러한 뜻이 없다. 「계사전」에 "문을 중첩하고 딱따기를 두드려 사나운 나그네를 대비하니, 예괘(豫卦䷏)에서 취하였다"[93]라고 한 것이 바로 '예비하는 것'의 의미이다.

▌韓國大全▐

이현익(李顯益) 「주역설(周易說)」[94]

何可長也, 傳所釋, 與屯上六不同, 何也. 蓋屯上六, 則屯之極而顚沛之甚, 更無去處, 故謂其能長久乎, 此則雖豫之極, 而猶有有渝之象, 不至於窮也, 故謂其可長然乎, 二義各有當也.
"어찌 오래갈 수 있겠는가?"에 대한 「정전」의 풀이가 준괘(屯卦) 상육과 같지 않은 것은 왜 그런가? 준괘 상육은 '준(屯)'이 극도에 달하여 심하게 엎어지고 거꾸러져서 더 이상 갈 곳이 없기 때문에 "어찌 오래 갈 수 있겠는가?"라고 하였고, 여기서는 비록 즐거움이 극에

93) 『周易·繫辭傳』: 重門擊柝, 以待暴客, 蓋取諸豫.
94) 경학자료집성DB에서는 예괘 '괘사'에 해당하는 것으로 분류했으나, 내용에 따라 이 자리로 옮겼다.

이르렀으나 오히려 변하는 상이 있어서 궁한 데까지는 이르지 않기 때문에 "어찌 오래갈 수 있겠는가?"라고 하였으니, 두 경우의 의미는 각기 해당하는 바가 있다.

김상악(金相岳) 『산천역설(山天易說)』

冥豫雖成, 非可長久而不變者也, 此釋有渝之義也.

즐기는 데 빠져 어두운 일이 이미 이루어졌으나, 오래도록 변하지 않는 것이 아니니, 이것은 "변함이 있다"는 의미를 풀이한 것이다.

서유신(徐有臣) 『역의의언(易義擬言)』[95]

宜速改也. 上爲豫之終, 非冥之終, 故可變也.

신속하게 고쳐야 한다. 상효는 예괘의 끝이 되기에 즐기는 데 빠져 어두운 채로 끝마치지 않으므로 바뀔 수 있다.

김귀주(金龜柱) 『주역차록(周易箚錄)』[96]

傳, 昏冥於豫, 云云.

『정전』에서 말하였다: 즐기는 데 빠져 어두우면서, 운운.

○ 按, 當速渝也四字, 發明象傳言外之意.

내가 살펴보았다: "마땅히 신속하게 변하여야 한다[當速渝也]"고 하였는데, 이는 「상전」에서 말하지 않은 뜻을 밝혀 낸 것이다.

小註, 建安丘氏曰, 豫以, 云云.

소주에서 건안구씨가 말하였다: 예괘는 '화합하여 즐거워하는 것'과 '안일하게 즐기는 것'을 주된 의미로 삼는다, 운운.

○ 按, 有心求豫, 不知所豫, 及與震同體冥然爲豫等語, 皆極未安.

내가 살펴보았다: "즐거움을 구하는데 마음이 있다"나 "즐거워할 것을 알 수 없다"나 "진괘와 한 몸체이므로 또한 어리석게 즐거워한다"는 등의 말은 모두 매우 온당하지 못하다.

進齋徐氏曰, 豫有, 云云

95) 경학자료집성DB에서는 예괘 '오효'에 해당하는 것으로 분류했으나, 내용에 따라 이 자리로 옮겼다.
96) 경학자료집성DB에서는 예괘 '오효'에 해당하는 것으로 분류했으나, 내용에 따라 이 자리로 옮겼다.

진재서씨가 말하였다: 예괘에는 세 가지 뜻이 있으니, 운운.
○ 按, 六爻所言, 不可皆謂逸豫, 如九四由豫, 不在其中矣. 此卦諸爻, 皆耽於逸豫, 無足言者, 惟六二九三兩爻最善. 然必先有介石之操, 不終日之明, 然後可以當由豫之任, 而致大有得之效. 然則處豫者, 當以六二爲法乎.
내가 살펴보았다: 여섯 효에서 말한 바가 모두 안일하게 즐기는 것이라고 할 수는 없으니,[97] 구사라면 그 자신으로 말미암아 즐겁기 때문에 그 속에 포함되지 않는다. 이 괘의 여러 효는 모두 안일하게 즐기는 데 빠져 있어서 언급할 만한 것이 없으나 오직 육이와 구삼 두 효가 가장 좋다. 그러나 반드시 먼저 돌과 같은 지조로 해가 저물기를 기다리지 않는 현명함이 있은 뒤에야 '자신으로 말미암아 즐거운' 임무를 담당하여 크게 얻는 효험을 이룩할 수 있다. 그렇다면 즐거움을 맞이한 이는 마땅히 육이를 모범으로 삼아야 한다.

박문건(朴文健) 『주역연의(周易衍義)』

言豫道不久也.
기쁨의 도가 길지 않음을 말하였다.
〈問, 在上. 曰, 上有高義, 又有極義. 此在上者, 處極之謂也.
물었다: "위에 있다"는 무슨 뜻입니까?
답하였다: '위[上]'에는 높다는 뜻이 있고 또 극한이라는 뜻이 있습니다. 여기에서 "위에 있다"는 것은 극한에 있음을 말합니다.〉

심대윤(沈大允) 『주역상의점법(周易象義占法)』

言不長於冥豫, 而以保其豫也.
즐거움에 빠져 어두운 것을 오래 하지 않으므로 그 즐거움을 보전한다는 말이다.

오치기(吳致箕) 「주역경전증해(周易經傳增解)」

豫極則必變, 不可長, 溺而不反也.
즐거움이 극에 이르면 반드시 변하여 오래갈 수 없는데, 빠져서 돌이킬 줄을 모른다.

---

97) 진재서씨(進齋徐氏)는 상육「상전」에 대한 해설에서, "여섯 효에서 말한 것은 안일하게 즐기는 것이다"라고 하였다.

17

수괘

隨卦䷐

中國大全

傳

隨, 序卦, 豫必有隨, 故受之以隨. 夫悅豫之道, 物所隨也, 隨所以次豫也. 爲卦兌上震下, 兌爲說, 震爲動, 說而動, 動而說, 皆隨之義. 女隨人者也, 以少女從長男, 隨之義也. 又震爲雷, 兌爲澤, 雷震於澤中, 澤隨而動, 隨之象也. 又以卦變言之, 乾之上來居坤之下, 坤之初往居乾之上, 陽來下於陰也. 以陽下陰, 陰必說隨, 爲隨之義. 凡成卦旣取二體之義, 又有取爻義者, 復有更取卦變之義者, 如隨之取義, 尤爲詳備.

수괘(隨卦䷐)는 「서괘전」에 "기뻐하면 반드시 따르기 때문에 수괘(隨卦)로 받았다"고 하였다. 기뻐하는 도는 만물이 따르기 때문에 수괘가 예괘(豫卦䷏)의 다음이 되었다. 괘는 태괘(兌卦☱)가 위에 있고 진괘(震卦☳)가 아래에 있어서, 태괘(兌卦☱)는 기쁨이 되고 진괘(震卦☳)는 움직임이 되니, 기뻐해서 움직이고 움직여서 기뻐하는 것이 모두 수괘(隨卦)의 뜻이다. 여성은 남을 따르는 자이니, 막내딸이 맏아들을 따르는 것이 수괘(隨卦)의 뜻이다. 또 진괘(震卦☳)는 우레가 되고 태괘(兌卦☱)는 못이 되니, 우레가 못 속에서 진동하고 못이 따라서 움직이는 것이 수괘(隨卦)의 상이다. 또한 괘의 변화로 말하면, 건괘(乾卦☰)의 상효가 와서 곤괘(坤卦☷)의 아래에 있고 곤괘(坤卦☷)의 초효가 가서 건괘(乾卦☰)의 위에 있으니, 양이 와서 음에게 낮추고 있다. 양이 음에게 낮추면 음은 반드시 기뻐하여 따르므로 수괘(隨卦)의 뜻이 된다. 괘를 이루는 것은 두 몸체의 뜻을 취하고서 또 효의 뜻을 취한 경우가 있고, 다시 괘의 변화의 뜻을 취한 경우가 있으니, 예를 들어 수괘(隨卦)가 뜻을 취함과 같은 경우는 더욱 자세히 구비되어 있다.

小註

朱子曰, 伊川說, 說而動, 動而說, 不是, 不當說說而動. 凡卦皆從內說出去, 蓋卦自內生. 動而說, 卻是, 若說說而動, 卻是自家說他後動, 不成隨了. 我動彼說, 此之謂隨. 動而說成隨, 如巽而止成蠱.

주자가 말하였다: 이천이 "기뻐해서 움직이고 움직여서 기뻐하다"고 설명한 것은 옳지 않으니, 기뻐서 움직인다고 말해서는 안 된다. 괘는 모두 안으로부터 설명해 나가는데, 괘는 안으로부터 생겨나기 때문이다. "움직여서 기뻐하다"는 맞지만, "기뻐해서 움직인다"고 말한다면, 스스로 그것을 기뻐한 다음에 움직이는 것이므로 따르는 것이 되지 않는다. 내가 움직여서 저 사람이 기쁜 것, 이것을 따른다고 말한다. 움직여서 기쁜 것은 따르는 것이 되니, 겸손하게 멈추어 있는 것이 고괘(蠱卦䷑)가 되는 것과 같다.

○ 隆山李氏曰, 咸隨二卦, 皆男下女者也. 咸少男少女, 陰陽之氣相等而相應, 故謂之咸. 隨長男少女, 陽上於陰, 可以相制而陰自隨之, 故謂之隨. 君子體陽剛之德, 以立斯世, 要當使我能轉物而物自隨我, 不可使物得以轉我而我反隨物. 此所以出而應世, 雖无心於致人, 而自得於一世之說隨也.
융산이씨가 말하였다: 함괘(咸卦䷞)와 수괘(隨卦䷐) 두 괘는 모두 남자가 여자에게 낮추는 괘이다. 함괘(咸卦)는 막내아들과 막내딸로서 음양의 기운이 서로 대등하고 상응하기 때문에 함괘(咸卦)라고 하였다. 수괘(隨卦)는 맏아들과 막내딸로서 양이 음의 위에 있어 서로 제어할 수 있고 음이 스스로 따르기 때문에 수괘(隨卦)라고 하였다. 군자는 굳센 양의 덕을 체득하여 이 세상에 서려면, 마땅히 내가 상대를 마음대로 움직이고 상대가 스스로 나를 따르도록 해야지, 상대가 나를 마음대로 움직이고 내가 도리어 상대를 따르게 할 수 있도록 해서는 안 된다. 이것이 세상에 나아가 응하는 것이니, 비록 남을 부르는 데 마음을 쓰지 않더라도 저절로 온 세상 사람들이 기뻐하며 따르게 할 수 있다.

隨, 元亨, 利貞无咎.

정전 수(隨)는 크게 형통하니, 곧게 하는 것이 이롭고 허물이 없다.
본의 수(隨)는 크게 형통하나, 곧게 하는 것이 이롭고 허물이 없다.

中國大全

傳

隨之道, 可以致大亨也. 君子之道, 爲衆所隨, 與己隨於人, 及臨事擇所隨皆隨也. 隨得其道, 則可以致大亨也. 凡人君之從善, 臣下之奉命, 學者之徙義, 臨事而從長, 皆隨也. 隨之道, 利在於貞正, 隨得其正, 然後能大亨而无咎. 失其正, 則有咎矣, 豈能亨乎.

'따름[隨]'의 도는 크게 형통할 수 있다. 군자의 도를 사람들이 따르는 것과 자기가 남을 따르는 것, 일에 임해서 따를 바를 선택하는 것이 모두 '따름[隨]'이다. 따르는 것이 도리를 얻으면 크게 형통할 수 있다. 임금이 선을 따르고 신하가 명을 받들고 학자가 의(義)로 옮겨가고 일에 임해서 어른을 따르는 것이 모두 '따름[隨]'이다. '따름[隨]'의 도는 이로움이 곧고 바른 데 있으니, 따르는 것이 그 바름을 얻은 다음에야 크게 형통하여 허물이 없을 수 있다. 바름을 잃으면 허물이 있으니, 어떻게 형통할 수 있겠는가?

本義

隨, 從也. 以卦變言之, 本自困卦九來居初, 又自噬嗑九來居五, 而自未濟來者, 兼此二變, 皆剛來隨柔之義. 以二體言之, 爲此動而彼說, 亦隨之義, 故爲隨. 己能隨物, 物來隨己, 彼此相從, 其通易矣. 故其占爲元亨. 然必利於貞, 乃得无咎, 若所隨不貞, 則雖大亨, 而不免於有咎矣. 春秋傳, 穆姜曰, 有是四德, 隨而无咎, 我皆无之, 豈隨也哉. 今按, 四德雖非本義, 然其下云云, 深得占法之意.

'수(隨)'는 따름이다. 괘의 변화로 말하면, 본래 곤괘(困卦䷮)로부터 구(九)가 와서 초효의 자리에 있고, 또 서합괘(噬嗑卦䷔)로부터 구(九)가 와서 오효의 자리에 있으며, 미제괘(未濟卦䷿)로부터 온 것은 이 두 변화를 겸하였으니, 모두 굳센 양이 와서 부드러운 음을 따르는 뜻이다. 두 몸체로 말하면, 이것이 움직임에 저것이 기뻐함이 되니, 또한 따른다는 뜻이므로 수괘(隨卦䷐)가 되었다. 자기가 남을 따를 수 있고 남이 와서 자기를 따라서, 피차가 서로 따르면 통하기가 쉽다. 그러므로 그 점은 크게 형통한 것이 된다. 그러나 반드시 곧은 데에서 이로움을 얻어야 허물이 없을 수 있으니, 만약 따르는 바가 곧지 못하면 비록 크게 형통하더라도 허물이 있는 데에서 벗어나지 못한다. 『춘추좌씨전(春秋左氏傳)』에 목강(穆姜)이 "이 네 가지 덕이 있어야 따라도 허물이 없을 것인데, 나에게는 전혀 없으니, 어찌 수괘(隨卦)의 경우이겠는가?"[1]라고 하였다. 지금 살펴보건대, 네 가지 덕은 비록 본래의 뜻이 아니지만, 그 아래에서 말한 것은 점치는 법의 뜻을 깊이 이해했다고 하겠다.

小註

左傳, 襄公九年, 穆姜薨於東宮. 始往而筮之, 遇艮之八. 史曰, 是謂艮之隨, 隨, 其出也, 君必速出. 姜曰, 亡, 是於周易曰, 隨元亨利貞. 元體之長也, 亨嘉之會也, 利義之和也, 貞事之幹也. 體仁足以長人, 嘉德足以合禮, 利物足以和義, 貞固足以幹事. 然故不可誣也, 是以雖隨无咎. 今我婦人而與於亂, 固在下位而有不仁, 不可謂元. 不靖國家, 不可謂亨. 作而害身, 不可謂利. 棄位而姣, 不可謂貞. 有四德者, 隨而无咎, 我皆无之, 豈隨也哉.

『춘추좌씨전(春秋左氏傳)』「양공」 구 년에서 말하였다: 목강[2]이 동궁에서 죽었다. 처음 동궁으로 갔을 때에 목강이 가서 점을 쳐서 간괘(艮卦䷳)가 이효만이 변하지 않은 수괘(隨卦䷐)로 바뀐 것을 만났다[3]. 점친 사람이 "이는 간괘(艮卦䷳)가 수괘(隨卦䷐)로 바뀐 것이니, 수괘(隨卦䷐)는 나가는 것입니다. 소군(小君)께서는 반드시 빨리 나가실 것입니다"[4]라고 하였다. 목강이 말했다. "아니오. 『주역』에 수괘(隨卦)는 '원 · 형 · 리 · 정'이라고 하였습니다. '원'은 몸의 으뜸이고, '형'은 아름다움의 모임이며, '리'는 의로움의 화합이고, '정'은

---

1) 『春秋左傳 · 襄公九年』.

2) 목강(穆姜, ?~BC. 564): 노나라 선공(宣公)의 부인이며, 슬하에 성공(成公)과 백희(伯姬)를 두었다. 양공(襄公)의 할머니이다. 목강(穆姜)은 아들의 왕권을 내연남에게 넘겨주려 했는가 하면, 기원전 575년에 자신의 아들 성공(成公)을 폐위시키고 자신의 내연남인 숙손교여(叔孫僑如)를 임금으로 올리려다가 들통이 나서 동궁에 유폐되었다.

3) 『春秋經傳集解 · 襄公』 9년 附注: 林曰 … 朱文公曰, 是謂艮之隨. 蓋五爻皆變, 惟二得八, 故不變. 愚按, 乾爻七九, 坤爻六八, 此其大凡也. 然乾爻用九而不用七, 坤爻用六而不用八, 用九故老陽變而爲少陰, 用六故老陰變而爲少陽, 不用七八, 故少陰少陽不變. 此言遇艮之八, 蓋艮卦六爻, 三上以九變, 初四五以六變, 惟二得八不變, 文公之說, 眞發明先儒所未到.

4) 목강은 양공의 조모로 이전에 성공을 쫓아내려고 했다가 실패하여 동궁에 갇혀 있는 상황이었다.

사물의 근간입니다. 인을 체득하면 충분히 사람을 기를 수 있고, 아름다운 덕은 충분히 예에 합하고, 상대를 이롭게 하면 충분히 의에 맞고, 곧고 굳으면 충분히 일을 주관할 수 있습니다. 그러므로 속일 수 없으니, 이 때문에 비록 따르더라도 허물이 없습니다. 지금 나는 부인으로서 난에 참여하여, 본래 아래 자리에 있으면서 인하지 아니하였으니, '원'이라고 말할 수 없습니다. 국가를 안정되게 하지 못하였으니, '형'이라고 말할 수 없습니다. 일어나 몸을 해롭게 하였으니, '리'라고 말할 수 없습니다. 자리를 버리고 음란하였으니, '정'이라고 말할 수 없습니다. 네 가지 덕을 지닌 사람이라면 따라도 허물이 없지만, 나는 전혀 없으니 어찌 따르겠습니까?"

○ 厚齋馮氏曰, 震動而兌說, 隨之所以元亨也. 元者, 震也. 蓋乾之一元來, 爲動之主, 是以亨也. 九五正中當位, 所謂利貞也.
후재풍씨가 말하였다: 진괘(震卦☳)는 움직이고 태괘(兌卦☱)는 기쁘기 때문에 수괘가 크게 형통하다. "크다"는 것은 맏아들인 진괘를 말한다. 건괘(乾卦☰)의 한 큰 양이 와서 움직임의 주인이 되기 때문에 형통하다. 구오는 한 가운데 있고 자리가 마땅하니, 이른바 바르게 하는 것이 이롭다는 것이다.

○ 中溪張氏曰, 隨而得其道, 則可以致大亨. 然隨之道利於貞正, 不正則爲詭隨, 雖大亨而有咎. 故必大亨而利於正然後无咎, 亦猶影之隨形, 響之應聲也.
중계장씨가 말하였다: 따르는데 바른 도를 얻으면 크게 형통함을 이룰 수 있다. 그러나 따르는 도는 곧고 바르게 하는 것이 이로우니, 바르지 않으면 속여서 따르는 것이 되어 비록 크게 형통하더라도 허물이 있다. 그러므로 반드시 크게 형통하더라도 바르게 하여 이롭게 된 다음에야 허물이 없으니, 또한 그림자가 형상을 따르고 메아리가 소리를 따르는 것과 같다.

○ 雲峰胡氏曰, 屯臨无妄革, 皆言元亨利貞, 不言无咎. 惟隨則以无咎繼之, 蓋我隨人, 或爲人所隨, 其事雖大亨, 非貞固, 易有咎也. 況動而說, 易失於不正, 其何能无咎? 不正則隨中有事而蠱患生矣. 作易者, 繼之以无咎, 有深意焉.
운봉호씨가 말하였다: 준괘(屯卦)·림괘(臨卦䷒)·무망괘(无妄卦)·혁괘(革卦)에서 모두 '원형리정'을 말했지만, "허물이 없다"고는 말하지 않았다. 오직 수괘(隨卦)에서 허물이 없다는 말을 이어 놓은 것은 내가 남을 따르거나 혹 남이 나를 따르는 일이 비록 크게 형통하더라도 곧고 굳세지 않으면 쉽게 허물이 되기 때문이다. 하물며 움직여서 기쁜 것은 바르지 않은 데에서 잘못되기 쉬우니, 어찌 허물이 없을 수 있겠는가? 바르지 않으면 따르는 가운데 일이 있어서 환란이 생겨날 것이다. 『주역』을 지은 사람이 "허물이 없다"는 말을 이어 놓은 것은 깊은 뜻이 있다.

韓國大全

권근(權近) 『주역천견록(周易淺見錄)』

隨之爲卦, 內動外悅, 爲此動而彼悅之象, 所以爲隨. 上下悅隨其志, 必通. 然人之相悅, 或有非理枉道而相合者, 雖其心志相通, 豈得无咎也. 故必利於正然後, 爲无咎也.
수괘(隨卦)는 안은 움직이고[震] 밖은 기쁘니[兌], 이것이 움직여서 저것이 기뻐하는 상이므로 수괘가 된다. 위아래가 그의 뜻을 기뻐하여 따르기 때문에 반드시 통한다. 그러나 사람이 서로 기뻐할 때에는 혹시라도 이치가 아닌데도 도를 굽혀서 서로 합하는 경우가 있으니, 비록 마음이 서로 통하더라도 어찌 허물이 없을 수 있겠는가? 그러므로 반드시 바르게 하는 것을 이롭게 여긴 뒤에야 허물이 없게 된다.

이현익(李顯益)『정암집(正菴集)

傳謂隨得其正然後, 能大亨而無咎. 本義謂所隨不貞, 則雖大亨而不免於有咎. 如傳說, 則是謂利貞元亨, 而非元亨利貞, 此必不然. 而若本義說, 則豈有大亨而猶有咎者乎. 竊謂本義說, 無可疑. 隨元亨, 只曰隨有亨通之道也, 姑未論其正與不正. 至利貞然後, 始爲正則爲無咎也. 蓋元亨與無咎, 如吉與無咎之辨. 事固有吉而不能無咎者, 不可一概看也.
『정전』에서는 "따르는 것이 그 바름을 얻은 다음에야 크게 형통하여 허물이 없을 수 있다"고 하였다. 『본의』에서는 "따르는 바가 곧지 못하면 비록 크게 형통하더라도 허물이 있는 데에서 벗어나지 못한다"고 하였다. 『정전』의 설과 같은 경우는 곧게 하는 것을 이롭게 여겨야 크게 형통하다는 말이 되어, "크게 형통하니, 곧게 하는 것이 이롭다"는 것이 아니니, 이것은 반드시 그렇지는 않을 것이다. 『본의』의 설대로라면 어찌 크게 형통한데도 오히려 허물이 있는 경우가 있겠는가? 나는 생각하건대, 『본의』의 설명은 의심할 만한 것이 없다. "수(隨)는 크게 형통하다"는 것에 대해서 다만 "수(隨)에는 형통한 도가 있다"고 말하고, 잠시 바름과 바르지 않음을 논하지 않았다. 곧게 하는 것을 이롭게 여긴다는 것에 이르러 비로소 바르게 하면 허물이 없게 된다. '크게 형통함'과 '허물이 없음'은 '길함'과 '허물이 없음'이 구별되는 것과 같다. 일에는 본래 길하면서도 허물이 없을 수 없는 것이 있어서 한 가지로 간주할 수 없다.

유정원(柳正源)『역해참고(易解參攷)』

正義, 元亨者, 於相隨之世, 必大得亨通. 若其不大亨通, 則旡以相隨, 逆於時也. 利貞者, 相隨之體, 須利在得正. 隨而不正, 則邪僻之道也.
『주역정의』에서 말하였다: '원형(元亨)'이란 서로 따르는 세상에서는 형통함을 반드시 크게 얻는다는 것이다. 크게 형통하지 않으면 서로 따를 수 없어서 시대에 거스른다. '리정(利貞者)'이란 서로 따르는 몸체가 바름을 얻는 데서 반드시 크게 이롭다는 것이다. 따르지만 바르지 않으면 거짓되고 치우친 도이다.

本義, 剛來隨柔.
『본의』에서 말하였다: 굳센 양이 와서 부드러운 음을 따른다.
案, 此又以卦體言之. 震剛來下於兌柔, 亦爲剛來隨柔之義. 夫隨蠱之反也. 蠱之剛上柔下, 先取卦體之艮剛兌柔而後, 及於卦變, 則此卦剛柔, 亦當兼取卦變卦體. 易中言剛柔上下者, 多取陽卦之剛, 陰卦之柔, 如咸是恒之反也, 而二卦皆先言艮剛兌柔震剛巽柔之卦體, 仍兼及於卦變之剛柔, 則此二卦之相反, 當爲一例, 明甚矣. 若疑剛來之來, 似不指三畫卦而言, 則大來小來之來, 獨非三畫之來在下卦耶. 今以本義諸卦之例推廣, 如是云.
내가 살펴보았다: 이 또한 괘의 몸체로 말하였다. 진괘(震卦☳)의 굳센 양이 태괘(兌卦☱)의 부드러운 음보다 아래에 와 있으니, 또한 강한 양이 와서 부드러운 음을 따른다는 뜻이 된다. 수괘(隨卦䷐)는 고괘(蠱卦䷑)가 거꾸로 된 괘이다. 고괘(蠱卦)는 굳센 양이 위에 있고 부드러운 음이 아래에 있어, 먼저 괘의 몸체에서 간괘(艮卦☶)의 굳센 양과 태괘(兌卦☱)의 부드러운 음을 취한 후에 괘의 변화에 미치니, 여기 수괘(隨卦)의 굳센 양과 부드러운 음 또한 마땅히 괘의 변화와 괘의 몸체에서 겸하여 취하였다. 『주역』 가운데서 굳센 양과 부드러운 음이 위와 아래에 있음을 말한 것은 대부분 양괘의 굳셈과 음괘의 부드러움에서 취하였으니, 예를 들면 함괘(咸卦䷞)는 항괘(恒卦䷟)가 거꾸로 된 괘인데 두 괘에서 모두 간괘(艮卦☶)의 굳센 양과 태괘(兌卦☱)의 부드러운 음 및 진괘(震卦☳)의 굳센 양과 손괘(巽卦☴)의 부드러운 음인 괘의 몸체를 먼저 말하고, 계속해서 괘의 변화에서의 굳셈과 부드러움을 겸하여 말하였으니, 이는 두 괘의 상반됨이 마땅히 한 사례가 된다는 것이 매우 분명하다. "굳센 양이 온다"는 것에서 "온다"는 것이 삼획괘를 가리켜 말하는 것 같지 않다고 의심한다면, "큰 것이 오고 작은 것이 온다"는 것에서 "온다"는 것만이 유독 삼획괘가 와서 아래 괘에 있는 것은 아니란 말인가? 지금 『본의』을 가지고 여러 괘의 사례를 미루어 넓혀 보면 이와 같이 말할 수 있다.

김상악(金相岳) 『산천역설(山天易說)』

隨之卦變, 初五之剛來而下柔, 動而說, 故元亨在初五, 利貞在二上, 而皆得正, 故无咎. 而五之中正爲隨時之主, 故兼元亨利貞之德.
수괘(隨卦)의 괘의 변화란 초효는 굳센 오효가 와서 부드러운 음에게 낮추는 것이라서 움직여 기뻐하기 때문에 크게 형통함은 초효와 오효에 있고 곧게 하는 것이 이로움은 이효와 상효에 있으며, 모두 바름을 얻었기 때문에 허물이 없지만, 오효는 중정하여 때를 따르는 주인이 되기 때문에 크게 형통하고 곧게 하는 것이 이로움[元亨利貞]의 덕을 겸하였다.

○ 乾坤外, 言元亨利貞者, 屯无妄主震而屬陽, 臨革主兌而屬陰. 隨則震兌之合, 陰陽相交, 故皆言四德. 而臨之有凶, 无妄之有眚, 皆有戒辭. 而隨但曰无咎, 所以隨時之義大矣哉.
건괘(乾卦☰)와 곤괘(坤卦☷) 이외에서 '원형리정(元亨利貞)'을 말한 경우에, 준괘(屯卦)·무망괘(无妄卦)는 진괘(震卦☳)를 위주로 하므로 양에 속하고 림괘(臨卦☱☷)·혁괘(革卦)는 태괘(兌卦☱)를 위주로 하므로 음에 속하며, 수괘(隨卦)는 진괘(震卦☳)와 태괘(兌卦☱)를 합한 것으로 음과 양이 서로 사귀기 때문에 네 가지 덕을 모두 말하였다. 그런데 림괘(臨卦☱☷)에서의 "흉함이 있으리라"[5]와 무망괘(无妄卦)에서의 "허물이 있을 것이다"[6]에는 모두 경계하는 말이 있지만, 수괘에서는 다만 "허물이 없다"고 말했으니 때를 따르는 뜻이 큰 까닭이구나.

서유신(徐有臣) 『역의의언(易義擬言)』

隨者, 隨時之宜也. 元亨利貞者, 時也. 隨時之宜, 故元亨利貞而无咎. 變通匪咎, 不隨爲咎也. 元亨震春始而亨也, 利貞兌秋利而貞也.
따른다는 것은 마땅한 때를 따르는 것이다. '원형리정(元亨利貞)'은 때이다. 마땅한 때를 따르기 때문에 크게 형통하니, 곧게 하는 것이 이로워서 허물이 없다. 변통하는 것은 허물이 아니지만, 따르지 않으면 허물이 된다. '원형'은 진괘(震卦☳)에 해당하는 봄으로서 시작하고 형통하고, '리정'은 태괘(兌卦☱)에 해당하는 가을로서 이롭고 곧다.

김귀주(金龜柱) 『주역차록(周易箚錄)』

本義, 隨從也, 云云.

---

5) 『周易·臨卦』: 臨, 元亨, 利貞, 至于八月, 有凶.
6) 『周易·无妄卦』: 无妄, 元亨利貞, 其匪正有眚, 不利有攸往.

『본의』에서 말하였다: 수(隨)는 따름이다, 운운.
按, 穆姜所遇, 卽艮之隨, 則當占六二係小子失丈夫. 而其引象辭爲說者, 乃史之誤對也. 本義引此, 蓋姑取其深得占法之善, 而未暇正其誤耳.
내가 살펴보았다: 목강이 얻은 바는 간괘(艮卦䷳)에서 수괘(隨卦䷐)로 바뀐 것이니, 마땅히 육이의 "어린아이에게 얽매이면 장부(丈夫)를 잃는다"는 것을 점으로 삼아야 한다. 그런데도 괘사를 인용하여 설명을 한 것은 점친 사람이 잘못 대답한 것이다. 『본의』에서 이를 인용한 것은 점법을 깊이 있게 잘 터득한 것을 우선 취하고, 그 잘못을 바로잡을 겨를이 아직 없었기 때문일 뿐인 듯하다.

小註, 厚齋馮氏曰, 震動, 云云.
소주에서 후재풍씨가 말하였다: 진괘(震卦☳)는 움직이고, 운운.
按, 乾之一元來爲動之主云云, 似以元亨之元字, 作四德之元, 恐非文義.
내가 살펴보았다: "건괘의 한 큰 양이 와서 움직임의 주인이 되기 때문에" 운운한 것은 "크게 형통하다"는 '크게[元]'라는 글자를 '원형이정'의 '원'의 뜻으로 쓴 것 같은데, 아마도 문장의 뜻에 맞지 않을 것이다.

中溪張氏曰, 隨而, 云云.
소주에서 중계장씨가 말하였다: 따르는데, 운운.
按, 影之隨形云云, 語恐無當.
내가 살펴보았다: "그림자가 형상을 따르고" 운운한 것은 말이 아마도 타당하지 않은 듯하다.

윤행임(尹行恁) 『신호수필(薪湖隨筆) · 역(易)』

隨之義, 與比之義無異, 不當隨而隨, 失身也, 故曰利貞. 當隨與不當隨, 在我致知之如何, 學問之功, 致知居先, 良有以也.
수괘(隨卦)의 뜻은 비괘(比卦)의 뜻과 차이가 없으니, 마땅히 따르지 않아야 하는데도 따른다면, 자신을 잃어버리게 되기 때문에 "곧게 하는 것이 이롭다"고 하였다. 마땅히 따를 것과 따라서는 안 되는 것은 내가 어떻게 앎을 지극하게 하였는가에 달려 있으니, 학문의 공에서 앎을 지극히 하는 것을 최우선으로 하는 것은 참으로 까닭이 있다.

○ 卦自否來〈一之上〉. 自姤至否, 以陰逐陽〈否三陽〉, 今一陽反于初〈上之一〉. 善補過也〈又陽得陽位〉. 故曰, 無咎.
괘는 비괘(否卦)로부터 왔다〈초효가 상효로 갔다〉. 구괘(姤卦)로부터 비괘(否卦)까지는 음으로 양을 쫓아냈지만〈비괘(否卦)의 세 양이다〉, 지금 한 양이 초효로 돌아갔으니〈상효가 초효로 갔다〉 잘못을 잘 보완하였다〈또한 양효가 양의 자리를 얻었다〉. 그러므로 "허물이 없다"고 말하였다.

○ 案, 春秋傳〈襄九年〉, 穆姜之筮, 遇艮之隨〈卽夏商之易〉. 其釋元亨利貞之義, 仍與乾之文言同〈鄭康成註此卦, 亦兼陳四德〉. 然元亨者, 君道之亨也, 利貞者, 利於幹事也. 故彖傳明之〈詳乾卦〉.
내가 살펴보았다: 『춘추전』에〈양공(襄公) 구년〉 "목강(穆姜)이 점을 쳐서 간괘(艮卦☶)가 수괘(隨卦)로 바뀐 것을 만났다"고 하였다〈곧 하나라와 상나라의 바뀜이다〉. 거기에서 '원형리정'의 뜻을 해석한 것은 건괘(乾卦☰)의 「문언전」과 동일하다〈정현(鄭玄)이 이 괘를 주석한 것 또한 네 가지 덕을 겸하여 진술하였다〉. 그러나 "크게 형통하다"는 것은 임금의 도가 형통함이고, "곧음이 이롭다"는 것은 일을 주관하는 것을 이롭게 여기는 것이다. 그러므로 괘사에서 밝혔다〈건괘(乾卦☰)에 설명이 상세하다〉.

박문건(朴文健) 『주역연의(周易衍義)』

陽有升進之勢, 其道雖大亨, 然必利其剛貞, 則能旡故而進, 故所以旡咎.
양은 오르고 나아가는 형세가 있어서 그 도가 비록 크게 형통하지만 반드시 굳세고 곧음을 이롭게 여겨야 하니, 그러면 별 탈이 없이 나아갈 수 있기 때문에 허물이 없다.

이지연(李止淵) 『주역차의(周易箚疑)』

元指乾之初九, 貞指乾之九五.
'원(元)'은 건괘(乾卦☰)의 초구를 가리키고, '정(貞)'은 건괘(乾卦☰)의 구오를 가리킨다.

김기례(金箕澧) 「역요선의강목(易要選義綱目)」

隨, 悅豫之道, 物有所隨.
수(隨)는 기뻐하는 도이니, 사물에는 따르는 바가 있다.
○ 雷動澤中, 澤隨而動.
우레가 못[澤] 가운데서 움직이면 못[澤]이 따라서 움직인다.
○ 長男制少女, 陽壯而陰自隨.
맏아들이 막내딸을 제어하니, 양은 건장하고 음은 스스로 따른다.

元亨, 利貞无咎.
크게 형통하니, 곧게 하는 것이 이롭고 허물이 없다.
卦變自未濟來, 初陽自九二來爲震, 則得乾一元, 故曰元. 五陽自上九來, 得正而剛中, 故亨而利於正.
괘의 변화는 미제괘(未濟卦䷿)로부터 왔는데, 초효인 양은 구이로부터 와서 진괘(震卦☳)가 되니, 건괘(乾卦☰)의 한 '원(元)'을 얻었기 때문에 '원'이라고 하였다. 오효인 양은 상구로부터 와서 바름을 얻고 굳세고 알맞기 때문에 형통하니, 바르게 하는 데에서 이롭다.

허전(許傳) 「역고(易考)」

隨ㄴ 元亨利貞〈이라야〉 無咎〈리라〉
수는 크게 형통하고 곧게 하는 것을 이롭게 여겨야 허물이 없다.

震男得乾父之一陽, 故亦言四德. 然未若乾之純粹, 故特加無咎以戒之. 彖傳又不言利, 而只云大亨貞無咎, 蓋謂有此四德然後可以無咎也.
진괘(震卦☳)인 맏아들은 건괘(乾卦☰)인 아버지의 한 양을 얻었기 때문에 네 가지 덕을 말하였다. 그러나 순수한 건괘만 못하기 때문에 특별히 "허물이 없다"는 말을 덧붙여서 경계하였다. 「단전」에서 이로움을 말하지 않고 다만 크게 형통하고 곧아서 허물이 없다고 말한 것은 이 네 가지 덕을 가진 다음에야 허물이 없을 수 있다고 말한 것이다.

심대윤(沈大允) 『주역상의점법(周易象義占法)』

隨時以息, 而能使天下隨我, 聖人之藏其用也. 始而大而成而終, 可以爲常道也. 故曰元亨利貞, 非邪曲而詭隨也, 故曰无咎. 隨時而息, 故能隨時而作. 故爲常道也. 隨時隨位隨人隨物而殊道, 不自致己意, 而能遂我之志, 成我之功也. 以不自用, 故能自用也.
때에 따라 쉬어서 천하 사람들로 하여금 나를 따르게 할 수 있는 것은 성인이 작용을 간직하는 것이다. 시작되어 자라고 완성되어 마치는 것이 일상적인 도리가 될 수 있다. 그러므로 '원형리정'이라고 말하니, 바르지 않은데도 무조건 따르는 것이 아니기 때문에 "허물이 없다"고 말했다. 때에 따라 쉬기 때문에 때에 따라 흥기할 수 있다. 그러므로 일상적인 도리가 된다. 때에 따르고 자리에 따르고 사람에 따르고 일에 따르면서 도(道)를 달리 하니, 스스로 자기의 뜻을 다하려고 하지 않아도 나의 뜻을 이루고 나의 공을 완성할 수 있다. 스스로를 쓰지 않기 때문에 오히려 스스로를 쓸 수 있다.

오치기(吳致箕) 「주역경전증해(周易經傳增解)」

隨者, 從也. 震以長男而居下, 兌以少女而居上, 爲男下女女從男之象也. 男下女則一也, 而二少相敵則爲咸, 主乎二氣相感而言也, 男長女少則爲隨, 主乎男女相從而言也. 卦體則上下剛柔相交, 而二五俱得中正. 卦義則動而相隨, 得其喜悅, 故言元亨. 震陽兌陰, 俱得正位, 故言利貞. 男女詭隨則有咎, 而男下女爲得正, 故言旡咎.
'수(隨)'는 따르는 것이다. 진괘(震卦☳)는 맏아들로서 아래에 있고, 태괘(兌卦☱)는 막내딸로서 위에 있으니, 남자가 여자에게 낮추고 여자가 남자를 따르는 상이다. 남자가 여자에게 낮춤은 한 가지이지만, 막내아들과 막내딸이 서로 대등하면 함괘(咸卦䷞)가 되니 두 기운이 서로 느끼는 것을 위주로 해서 말하였고, 남자가 맏아들이고 여자가 막내딸이면 수괘(隨卦䷐)가 되니 남자와 여자가 서로 따르는 것을 위주로 하여 말하였다. 괘의 몸체는 위 아래의 굳센 양과 부드러운 음이 서로 사귀고 이효와 오효가 함께 중정을 얻었다. 괘의 뜻은 움직이고 서로 따라서 기쁨을 얻기 때문에 "크게 형통하다"고 하였다. 진괘(震卦☳)는 양이고 태괘(兌卦☱)는 음인데, 모두 바른 자리를 얻었기 때문에 "곧은 것이 이롭다"고 말하였다. 남자와 여자가 거짓으로 따르면 허물이 있지만, 남자가 여자에게 낮추는 것은 바름을 얻은 것이 되기 때문에 "허물이 없다"고 말하였다.

○ 兌震成卦則一, 而歸妹之言征凶旡攸利, 以卦位之失正也. 此卦之言元亨利貞, 以卦位之得正也.
태괘(兌卦☱)와 진괘(震卦☳)가 괘를 이룸은 한 가지이지만, 귀매괘(歸妹卦䷵)에서 "가면 흉하니, 이로울 것이 없다"[7]고 말한 것은 괘의 자리가 바름을 잃었기 때문이다. 이 괘에서 "크게 형통하니, 곧게 하는 것이 이롭다"라고 말한 것은 괘의 자리가 바름을 얻었기 때문이다.

이진상(李震相) 『역학관규(易學管窺)』

元亨利貞.
크게 형통하니, 곧게 하는 것이 이롭고 허물이 없다.

穆姜所筮艮之八, 以不動而謂之八, 則不成爲隨. 此當以不獲其身不見其人占, 不宜攙說隨象. 若果艮之隨, 則是艮之五爻俱變也, 亦當以艮之六二不變爻占. 故啓蒙謂之妄引.
목강(穆姜)이 점친 '간괘(艮卦䷳)의 팔(八)'[8]에서, 효가 움직이지 않는 것을 '팔(八)'이라고

---

7) 『周易 · 歸妹卦』: 歸妹, 征凶, 无攸利.
8) 『春秋經傳集解 · 襄公』 9년 附注: 林曰 … 朱文公曰, 是謂艮之隨. 蓋五爻皆變, 推二得八, 故不變. 愚

말한다면 수괘(隨卦☱)가 되지 않는다. 이것은 마땅히 "그 몸을 얻지 못하고 그 사람을 보지 못한다"[9]로 점을 쳐야지, 수괘(隨卦)의 괘사를 섞어 말하는 것은 마땅하지 않다. 만약 과연 간괘(艮卦☶)가 수괘(隨卦)로 바뀐 것이라면 이는 간괘의 다섯 효가 모두 바뀐 것이므로 마땅히 바뀌지 않은 간괘(艮卦☶)의 육이효로 점을 쳐야 한다. 그러므로 『계몽』에서는 잘못 인용한 것이라고 말하였다.

박문호(朴文鎬) 「경설(經說)-주역(周易)」

元亨利貞下, 繼以无咎, 則其不及於乾之四德可知. 故此不能得四德之名.
'원형리정'의 아래에 "허물이 없다"는 말을 이었으니, 건괘의 네 가지 덕에 대해 언급하지 않은 것을 알 수 있다. 그러므로 이것은 네 가지 덕의 이름을 얻을 수 없다.

이용구(李容九) 「역주해선(易註解選)」

天下之所隨者, 聖人之時, 而聖人制作, 又當隨天下之時. 禮樂法度, 始於伏羲, 成於周. 周公坐以待旦, 孔子終夜不寐, 嚮晦入宴息之義.
천하가 따르는 것은 성인(聖人)의 때이고, 성인의 제작함도 또한 마땅히 천하의 때를 따라야 한다. 예악과 법도가 복희씨에게서 시작되어 주나라에서 완성되었고, 주공은 실천을 위해 앉아서 아침을 기다렸으며[10] 공자는 밤새도록 자지 않았으니,[11] 이것이 "날이 어둠을 향하면 안에 들어가 편안하게 쉰다"[12]는 뜻이다.

按, 乾爻七九, 坤爻六八, 此其大凡也. 然乾爻用九而不用七, 坤爻用六而不用八, 用九故老陽變而爲少陰, 用六故老陰變而爲少陽, 不用七八, 故少陰少陽不變. 此言遇艮之八, 蓋艮卦六爻, 三上以九變, 初四五以六變, 惟二得八不變, 文公之說, 眞發明先儒所未到.

9) 『周易 · 艮卦』: 艮其背, 不獲其身, 行其庭, 不見其人, 无咎.

10) 『孟子 · 離婁』: 周公, 思兼三王, 以施四事. 其有不合者, 仰而思之, 夜以繼日, 幸而得之, 坐以待旦.

11) 『論語 · 衛靈公』: 子曰, 吾嘗終日不食, 終夜不寢以思, 無益, 不如學也.

12) 『周易 · 隨卦』: 象曰, 澤中有雷隨, 君子以, 嚮晦入宴息.

彖曰, 隨, 剛來而下柔, 動而說, 隨,

「단전」에서 말하였다: 수(隨)는 굳센 양이 와서 부드러운 음에게 낮추며, 움직이고 기뻐함이 수(隨)이니,

中國大全

本義

以卦變卦德釋卦名義.

괘의 변화와 괘의 덕으로 괘의 이름을 해석하였다.

韓國大全

김상악(金相岳) 『산천역설(山天易說)』

以卦變卦德釋卦名義. 剛謂初九九五, 柔謂六二上六也. 以貴下賤, 此動彼說, 所以爲隨.
괘의 변화와 괘의 덕으로 괘의 이름을 풀이하였다. '굳센 양'이란 초구와 구오를 말하고, '부드러운 음'이란 육이와 상육을 말한다. 귀한 사람으로서 천한 사람에게 낮추고, 이것이 움직여 저것이 기뻐하기 때문에 따른다.

○ 凡易之道, 陽自上而下, 陰自下而上爲交, 陽自下而上, 陰自上而下爲, 不交. 交則相生, 不交則相克, 而爻交則卦亦交, 如隨之類是也, 爻不交則卦亦不交, 如蠱之類是也.
역의 도는 양이 위로부터 아래로 내려오고 음이 아래로부터 위로 올라가는 것은 사귀는 것이 되고, 양이 아래로부터 올라가고 음이 위로부터 아래로 내려오는 것은 사귀지 않는 것이 된다. 사귀면 상생(相生)이 되고 사귀지 않으면 상극(相克)이 되어, 효가 사귀면 괘도 또한

사귀니 수괘(隨卦䷐)와 같은 부류가 이것이며, 효가 사귀지 않으면 괘도 또한 사귀지 않으니 고괘(蠱卦䷑)와 같은 부류가 이것이다.

서유신(徐有臣) 『역의의언(易義擬言)』

隨, 剛來而下柔, 動於說, 隨,
수(隨)는 굳센 양이 와서 부드러운 음에게 낮추며, 움직이고 기뻐함이 수(隨)이니,

歸妹變爲隨, 震來而下於兌也. 剛來而下柔, 震隨柔也, 剛動而柔說, 兌隨剛也, 皆隨時之宜也. 隨物者必動, 不動則不能隨. 隨物者必說, 不說則不肯隨也.
귀매괘(歸妹卦䷵)가 변하여 수괘(隨卦䷐)가 되니, 진괘(震卦☳)가 와서 태괘(兌卦☱)의 아래에 있다. 굳센 양이 와서 부드러운 음에게 낮추므로 진괘(震卦☳)의 굳셈이 부드러움을 따르는 것이고, 굳센 양이 움직이고 부드러운 음이 기뻐하므로 태괘(兌卦☱)의 부드러움이 굳셈을 따르는 것이니, 모두 때를 따르는 마땅함이다. 남을 따르는 자는 반드시 움직이니, 움직이지 않으면 따를 수 없다. 남을 따르는 자는 반드시 기뻐하니, 기쁘지 않으면 즐겨 따르지 않는다.

박문건(朴文健) 『주역연의(周易衍義)』

彖曰, 隨, 剛來而下柔, 動而說, 隨.
「단전」에서 말하였다: 수(隨)는 굳센 양이 와서 부드러운 음에게 낮추며, 움직이고 기뻐함이 수(隨)이니.
剛下柔, 則相與, 動而說則相入, 隨之道也. 此以卦變卦德釋卦名.
굳센 양이 부드러운 음에게 낮추면 서로 함께하고, 움직여서 기쁘면 서로 융합하는 것이 따르는 도이다. 이것은 괘의 변화와 괘의 덕으로 괘의 이름을 풀이하였다.

김기례(金箕澧) 「역요선의강목(易要選義綱目)」

剛來而下柔, 動而悅, 隨.
굳센 양이 와서 부드러운 음에게 낮추고 움직이고 기뻐함이 수(隨)이니.

剛來下柔, 指卦變.
"굳센 양이 와서 부드러운 음에게 낮춘다"는 것은 괘의 변화를 가리킨다.

○ 動而悅, 指卦德.
'움직여서 기뻐함'은 괘의 덕을 가리킨다.

○ 隨, 指卦名.
'수(隨)'는 괘의 이름을 가리킨다.

심대윤(沈大允) 『주역상의점법(周易象義占法)』

彖曰, 隨剛來而下柔, 動而說隨,
「단전」에서 말하였다: 수(隨)는 굳센 양이 와서 부드러운 음에게 낮추며 움직이고 기뻐함이 수(隨)이니,

震剛來處于內, 而下兌之柔也, 又陽下陰也.
굳센 진괘가 와서 안에 있으면서 부드러운 태괘에게 낮추는 것이 또한 양이 음에게 낮추는 것이다.

최세학(崔世鶴) 「주역단전괘변설(周易彖傳卦變說)」

隨, 否之二體變也. 初與上二爻爲主, 故彖以剛來下柔言之. 泰初來居於下體之下而爲震, 泰上往居於上體之上而爲兌, 以震剛下於兌柔也.
수괘(隨卦☱☳)는 비괘(否卦☰☷)의 두 몸체가 변화한 것이다. 초효와 상효, 두 효가 주인이 되기 때문에 「단전」에서 "굳센 양이 와서 부드러운 음에게 낮춘다"고 말하였다. 태괘(泰卦☷☰)의 초효가 와서 하체의 맨 아래에 있어서 진괘(震卦☳)가 되고, 태괘(泰卦)의 상효가 가서 상체의 맨 위에 있어서 태괘(兌卦☱)가 되어, 굳센 진괘(震卦☳)가 부드러운 태괘(兌卦☱)의 아래에 있다.

大亨貞无咎, 而天下隨時,

정전 크게 형통하고 곧아 허물이 없어서 천하가 때를 따르니,
본의 크게 형통하고 곧아 허물이 없어서 천하가 따르게 되니,

中國大全

傳

卦所以爲隨, 以剛來而下柔, 動而說也. 謂乾之上九, 來居坤之下, 坤之初六, 往居乾之上, 以陽剛來, 下於陰柔. 是以上下下, 以貴下賤, 能如是, 物之所說隨也. 又下動而上說, 動而可悅也, 所以隨也. 如是則可大亨而得正, 能大亨而得正, 則爲无咎. 不能亨不得正, 則非可隨之道, 豈能使天下隨之乎. 天下所隨者時也, 故云天下隨時.

괘가 '수(隨)'가 된 까닭은 굳센 양이 와서 부드러운 음에게 낮추며 움직이고 기뻐하기 때문이다. 건괘(乾卦☰)의 상구가 와서 곤괘(坤卦☷)의 맨 아래에 있고, 곤괘(坤卦☷)의 초육이 가서 건괘(乾卦☰)의 맨 위에 있어서, 굳센 양이 와서 부드러운 음에게 낮춘다. 이는 윗사람으로서 아랫사람에게 낮추고 귀한 사람으로서 천한 사람에게 낮추는 것이니, 이와 같이 하면 남이 기뻐하여 따른다. 또 아래서 움직여 위에서 기뻐하는 것은 움직임에 기뻐할 수 있는 것이니, 이 때문에 따른다. 이와 같으면 크게 형통하여 바름을 얻을 수 있고, 크게 형통하여 바름을 얻을 수 있으면 허물이 없게 된다. 형통할 수 없고 바름을 얻지 못하면 따를 만한 도가 아니니, 어찌 천하로 하여금 따르게 하겠는가? 천하가 따르는 것은 때이므로 "천하가 때를 따른다"고 말하였다.

本義

王肅本, 時作之, 今當從之. 釋卦辭, 言能如是則天下之所從也.

왕숙(王肅)의 판본에 '시(時)'자를 '지(之)'자로 썼으니, 이제 마땅히 이것을 따라야 한다. 괘사를 해석하였으니, 이와 같이 하면 천하가 따르게 됨을 말하였다.

韓國大全

조호익(曺好益) 『역상설(易象說)』

大亨貞无咎, 而天下隨時.
크게 형통하고 곧아서 허물이 없고, 천하 사람들이 때를 따르니.

傳下賤及可悅, 乃大亨而得正之道. 然後天下隨之, 與卦辭少異.
『정전』의 '천한 사람에게 낮춤'과 '기뻐할 수 있음'이 크게 형통하여 바름을 얻는 도이다. 그런 다음에야 천하 사람들이 따르니, 괘사와는 조금 다르다.

유정원(柳正源) 『역해참고(易解參攷)』

大亨 [至] 隨時.
크게 형통하고 … 때를 따르니.

王氏曰, 爲隨而不大通, 逆於時也. 相隨而不爲利, 正災之道也. 故利貞大通, 乃得旡咎也. 爲隨而大通利貞, 得於時也. 得時則天下隨之矣.
왕필이 말하였다: 따르면서 크게 통하지 않는 것은 때에 거스르기 때문이다. 서로 따르면서 이롭지 않은 것은 바로 재앙으로 가는 길이다. 그러므로 곧음을 이롭게 여기고 크게 통해야 허물이 없을 수 있다. 따르면서 크게 통하고 곧음을 이롭도록 하는 것은 때를 얻었기 때문이다. 때를 얻으면 천하 사람들이 따른다.

이항로(李恒老) 「주역전의동이석의(周易傳義同異釋義)」

傳, 天下所隨者, 時也.
『정전』에서 말하였다: 천하가 따르는 것은 때이다.

本義, 王肅本時作之, 今當從之.
『본의』에서 말하였다: 왕숙(王肅)의 판본에 '시(時)'자를 '지(之)'자로 썼으니, 이제 마땅히 이것을 따라야 한다.

按, 此卦之德大亨貞且旡咎, 故天下隨之矣. 若曰隨時, 則所隨者非德也, 乃時也. 此所以從王肅本也. 下倣此.
내가 살펴보았다: 이 괘의 덕은 크게 형통하고 곧으며 또한 허물이 없으므로 천하 사람들이 따른다. 만약 "때를 따른다"고 말한다면 따르는 것은 덕이 아니라 때이다. 이것이 왕숙의 판본을 따르는 까닭이다. 아래도 이와 같다.

허전(許傳) 「역고(易考)」

大亨貞〈ᄒᆞ면〉 无咎〈ᄒᆞ야〉 而天下ㅣ隨時〈ᄒᆞ리니〉
크게 형통하고 곧으면 허물이 없어서 천하 사람들이 때를 따를 것이니.

隨時者, 隨其可動之時而動也, 謂大亨貞之時也. 雷在澤中之時, 則不可動, 故嚮晦入宴息.
때를 따른다는 것은 움직일 만한 때를 따라서 움직이는 것이니, 크게 형통하고 곧은 때를 말한다. 우레가 못[澤] 가운데 있을 때에는 움직일 수 없기 때문에 날이 어둠을 향하면 안에 들어가 편안하게 쉰다.

隨時之義, 大矣哉.

정전 때를 따르는 뜻이 크다.
본의 따르는 때와 뜻이 크다.

中國大全

傳

君子之道, 隨時而動, 從宜適變, 不可爲典要, 非造道之深知幾能權者, 不能與於此也. 故贊之曰, 隨時之義, 大矣哉. 凡贊之者, 欲人知其義之大, 玩而識之也. 此贊隨時之義大, 與豫等諸卦不同, 諸卦時與義, 是兩事.

군자의 도는 때를 따라 움직여 마땅함을 따르고 변화에 적응해야 하여, 일정한 법칙을 만들 수는 없으니, 도에 나아감이 깊어서 기미를 알아 저울질할 수 있는 자가 아니면 여기에 참여할 수 없다. 그러므로 "때를 따르는 뜻이 크다"고 찬미하였다. 찬미한 것은 사람들이 그 뜻이 큼을 알아 살펴보아 깨우치게 하고자 한 것이다. 여기에서 때를 따르는 뜻이 크다고 찬미한 것은 예괘(豫卦䷏) 등의 여러 괘와는 같지 않으니, 여러 괘에서는 때와 뜻이 두 가지 일이다.

小註

○ 程子曰, 自畫卦垂衣裳, 至周文方徧, 只爲時也. 若不是隨時, 卽一聖人出, 百事皆做了, 後來者沒事. 又非聖人智慮所不及, 只有時不可也.

정자가 말하였다: 복희씨(伏羲氏)가 괘를 그리고 황제와 요순이 의상을 드리움에 천하가 다스려진[13] 것으로부터 주나라 문왕이 괘에 글을 단 것에 이르기까지 다만 때에 알맞게 하기 위한 것이었다. 때를 따른 것이 아니라면 한 사람의 성인만 나오더라도 모든 일이 다 잘 이루어졌을 것이니, 뒤에 태어난 사람은 할 일이 없을 것이다. 그러므로 또한 성인의

---

13) 『周易 · 繫辭傳』: 神農氏沒, 黃帝堯舜氏作, 通其變, 使民不倦, 神而化之, 使民宜之, 易窮則變, 變則通, 通則久. 是以自天祐之, 吉无不利, 黃帝堯舜, 垂衣裳而天下治, 蓋取諸乾坤.

지혜와 사려가 미치지 못하는 것이 아니라, 다만 할 수 없는 때가 있다.

○ 龜山楊氏曰, 夫趨變无常, 各當其可, 非夫可與權者, 其孰能之. 其義, 豈不大矣哉.
구산양씨가 말하였다: 변화를 따라 일정함이 없이 각각 할 수 있는 일을 담당하는 것을 함께 권도를 행할 수 있는 사람이 아니라면[14] 누가 할 수 있겠는가? 그 뜻이 어찌 크지 않겠는가?

○ 節齋蔡氏曰, 天下所隨者, 聖人之時, 而聖人制作, 又當隨天下之時. 禮樂法度, 始於伏羲, 成於周者, 豈聖人智慮有所不及哉. 此隨時之義, 所以大也.
절재채씨가 말하였다: 천하가 따르는 것은 성인의 때이고, 성인의 제작함도 또한 마땅히 천하의 때를 따라야 한다. 예악과 법도가 복희씨에게서 시작되어 주나라에서 완성된 것이 어찌 성인의 지혜와 사려가 미치지 못해서이겠는가? 이것이 바로 때를 따르는 뜻이 큰 까닭이다.

本義

王肅本, 時字在之字下, 今當從之.
왕숙(王肅)의 판본에 '시(時)'자가 '지(之)'자 아래에 있으니, 지금 마땅히 그것을 따라야 한다.

小註

臨川吳氏曰, 爲人之隨者, 以己從人而已, 宜若小然. 於斯時也, 而思義之大, 則不以隨爲小事而輕且苟矣.
임천오씨가 말하였다: 사람들이 따름이란 자기만 남을 따른다면 마땅히 작은 일인 듯하다. 이러한 때에 큰 의리를 생각한다면 따르는 것을 작은 일로 생각하여 가볍고 구차하게 여기지 않는다.

○ 雲峰胡氏曰, 今本作隨時之義, 惟本義從王肅本, 作隨之時義. 必如此而後, 贊時之大者, 凡十二卦. 然曰隨時之義, 則隨字重義字輕, 曰隨之時義, 則二字俱重, 而所謂隨時之義, 自在其中矣.
운봉호씨가 말하였다: 지금의 판본에는 '수시지의(隨時之義)'라고 되어 있는데, 『본의』에서

14) 『論語·子罕』: 子曰, 可與共學, 未可與適道, 可與適道, 未可與立, 可與立, 未可與權.

는 왕숙의 판본을 따라 '수지시의(隨之時義)'라고 하였다. 반드시 이와 같이 한 다음에야 때의 위대함을 찬미한 것이 통틀어 열 두 괘가 된다.[15] 그러나 '수시지의(隨時之義)'라고 하면 '수(隨)'자가 무겁고 '의(義)'자가 가벼우며, '수지시의(隨之時義)'라고 하면 두 글자가 다 무겁고 이른바 '수시지의(隨時之義)'는 저절로 그 안에 있다.

韓國大全

홍여하(洪汝河) 「책제(策題):문역(問易)·독서차기(讀書箚記)-주역(周易)」

三陰三陽之卦, 陰陽均適, 有變動往來之義. 故彖傳於三陰三陽, 多以往來言之, 此類是也. 二陽二陰之卦, 言往來者, 亦有變動之義故也, 訟无妄睽升之類.

세 음과 세 양으로 이루어진 괘는 음양이 대등하여 변동하고 왕래하는 뜻이 있다. 그러므로 「단전」에서 세 음과 세 양에 대해서 왕래로 말한 것이 많은데, 이 괘와 같은 부류가 이러하다. 두 양과 두 음으로 이루어진 괘에서 왕래를 말한 것도 또한 변동의 뜻이 있기 때문인데, 송괘(訟卦䷅)·무망괘(无妄卦䷘)·규괘(睽卦䷥)·승괘(升卦䷭)의 부류가 그렇다.

김상악(金相岳) 『산천역설(山天易說)』

釋卦辭而歎其大也. 時者當其可之謂也. 剛來而下柔, 是隨時也, 動而說, 是其義也.

괘사를 풀이하고 그 위대함을 찬미하였다. '때[時]'란 할 만하게 됨을 말한다. "굳센 양이 와서 부드러운 음에게 낮춘다"는 것이 때를 따르는 것이고, "움직여서 기뻐한다"는 것이 그 뜻[義]이다.

---

15) 『周易·頤卦』: 象曰, … 天地養萬物, 聖人養賢, 以及萬民, 頤之時, 大矣哉. ; 『周易·大過卦』: 象曰, … 大過之時, 大矣哉. ; 『周易·革卦』: 象曰, … 天地革, 而四時成, 湯武革命, 順乎天而應乎人, 革之時, 大矣哉. ; 『周易·旅卦』: 象曰, … 旅之時義, 大矣哉. ; 『周易·豫卦』: 象曰, … 豫之時義, 大矣哉. ; 『周易·坎卦』: 象曰, … 天險, 不可升也, 地險, 山川丘陵也, 王公設險, 以守其國, 險之時用, 大矣哉. ; 『周易·遯卦』: 象曰, … 遯之時義, 大矣哉. ; 『周易·睽卦』: 象曰, … 天地, 睽而其事, 同也, 男女, 睽而其志, 通也, 萬物, 睽而其事, 類也, 睽之時用, 大矣哉. ; 『周易·蹇卦』: 象曰, … 蹇之時用, 大矣哉. ; 『周易·解卦』: 象曰, … 天地解而雷雨作, 雷雨作而百果草木, 皆甲拆, 解之時太矣哉. ; 『周易·姤卦』: 象曰, … 姤之時義, 大矣哉.

서유신(徐有臣) 『역의의언(易義擬言)』

剛來下柔, 動而說, 故大亨貞无咎也. 當亨而亨, 當貞而貞, 天道隨時也. 隨亨而亨, 隨貞而貞, 天下隨時也.
굳센 양이 와서 부드러운 음에게 낮추고 움직여서 기뻐하므로 크게 형통하고 곧아서 허물이 없다. 마땅히 형통해야 할 때 형통하고 마땅히 곧아야 할 때 곧은 것은 천도가 때를 따르는 것이다. 형통함을 따라서 형통하고 곧음을 따라서 곧은 것은 천하가 때를 따르는 것이다.

박문건(朴文健) 『주역연의(周易衍義)』

王肅本, 隨時作隨之, 隨時之義, 作隨之時義. 見本義.
왕숙의 판본은 '수시(隨時)'가 '수지(隨之)'로 되어 있어, '수시지의(隨時之義)'를 '수지시의(隨之時義)'라고 하였다. 『본의』에 보인다.

○ 此釋亨貞无咎之辭, 而贊其義之大也. 問時義. 曰隨時而用亨貞无咎之道, 故謂之時義也.
이것은 "형통하고 곧으며 허물이 없다"라는 말을 풀이하고, 그 뜻의 위대함을 찬미하였다.
물었다: 때와 뜻이라는 것은 무슨 의미입니까?
답하였다: 때에 따라서 "형통하고 곧아 허물이 없는" 도를 쓰기 때문에 때와 뜻이라고 하였습니다.

심대윤(沈大允) 『주역상의점법(周易象義占法)』

大亨貞无咎, 而天下隨時, 隨時之義, 大矣哉.
크게 형통하고 곧으며 허물이 없어서 천하가 때를 따르니 때를 따르는 뜻이 크도다!

大過之剛過而中, 排衆人而行一意, 隨之天下隨時, 藏其用而隨時之勢, 聖人因時而有正有權也. 大過權而時中也, 隨正而時中也, 猶有未盡自用也, 故不釋元也. 隨之而非隨之而已, 故不曰隨. 天下之時隨之矣, 故不曰以天下隨時. 曰天下隨時者, 言隨天下之時而用天下也. 我以天下隨天下之時, 而天下隨我之時矣. 若如朱子說天下隨之, 則全反隨之義矣. 隨之道可常, 故不曰隨之時大矣. 匪一於隨而兼能天下隨我, 故特言隨時以明其時中也, 其義大矣.
대과괘(大過卦䷛)에서의 "굳센 양이 지나치나 가운데 자리에 있다"[16]란 여러 사람을 물리치면서 한 뜻을 행함이고, 수괘(隨卦䷐)에서의 "천하가 때를 따른다"란 자신의 쓰임[用]을 감추고 시대의 형세를 따름이니, 성인은 때에 따라서 정도(正道)를 행하기도 하고 권도(權道)를 행하기도 한다. '대과(大過)'의 때에는 권도를 행하여 때에 맞게 하고, '수(隨)'의 때에는 정도를 행하여 때에 맞게 해서 오히려 스스로를 다 쓰지 않기 때문에 '원(元)'을 풀이하지 않았다. 따르기는 하지만 따를 뿐만은 아니기 때문에 "따른다[隨]"고 말하지 않았다. 천하의 때를 따르기 때문에 천하를 가지고 때를 따른다고 말하지 않았다. "천하가 때를 따른다"고 한 것은 천하의 때를 따라서 천하를 쓴다는 말이다. 나는 천하를 가지고 천하의 때를 따르고, 천하는 나의 때를 따른다. 주자의 설명처럼 "천하가 따른다"고 하면, 따른다는 뜻과는 완전히 상반된다. 따르는 도리는 항상 될 수 있기 때문에 따르는 때가 크다고 말하지 않았다. 따르는 것을 한결같이 한다고 해서 겸하여 천하가 나를 따르게 할 수 있는 것은 아니기 때문에, 다만 때를 따른다고 말하여 때에 알맞게 하는 것을 밝혔으니, 그 뜻이 크도다!

오치기(吳致箕) 「주역경전증해(周易經傳增解)」

彖曰, 隨, 剛來而下柔<卦反>, 動<震>而說<兌>, 隨, 大亨貞无咎, 而天下隨時<本義云王肅本時作之>, 隨時之<本義云, 王肅本, 時字在之字下>義, 大矣哉.

「단전」에서 말하였다: 수(隨)는 굳센 양이 와서 부드러운 음에게 낮추며〈괘가 거꾸로 된 것이다〉, 움직이고〈진괘(震卦☳)〉 기뻐함이〈태괘(兌卦☱)〉 수(隨)이니, 크게 형통하고 곧아 허물이 없어서 천하가 따르게 되니〈『본의』에서 말하였다: 왕숙(王肅)의 판본에 '시(時)'자가 '지(之)'자 아래에 있다〉, 따르는 때와 뜻이 크다.

此以卦反卦德, 釋卦名義及卦辭也. 蠱之上體艮剛, 反而居本卦下體而爲震剛. 以陽剛而來, 下於上體之兌柔, 卽以貴下賤. 物皆動而說, 故爲相隨之義. 如是則可以大通亨而利得其正. 以其得正, 故无詭隨之咎, 而天下皆隨之. 是以終又贊其時義之大, 欲人審思不以爲小事而輕之也. 旣言時義之大, 則隨時之義, 亦在其中矣. 餘見彖解以貴下賤.

이는 거꾸로 된 괘와 괘의 덕으로 괘 이름의 뜻과 괘사를 풀이한 것이다. 고괘(蠱卦䷑)의 상체인 간괘(艮卦☶)의 굳센 양이 거꾸로 되어 수괘(隨卦䷐)의 하체에 있어서 진괘(震卦☳)의 굳센 양이 되었다. 굳센 양이 와서 상체인 태괘(兌卦☱)의 부드러운 음에게 낮추고 있으니, 귀한 사람으로서 천한 사람에게 낮추는 것이다. 사물은 모두 움직여서 기쁘기 때문에 서로 따르는 뜻이 된다. 이와 같다면 크게 형통하고 바름을 얻어 이로울 수 있다. 바름을 얻기 때문에 속여 따르는 허물이 없고, 천하 사람들이 모두 따른다. 그러므로 끝에서 또한 때와 뜻의 큼을 찬미하여, 사람들이 깊이 생각해서 작은 일로 여겨서 가볍게 여기지 않기를

16) 『周易 · 大過卦』: 彖曰, … 剛過而中, 巽而說行, 利有攸往, 乃亨.

바랐다. 이미 때와 뜻의 큼을 말했다면, 때를 따른다는 뜻이 그 가운데 있다. 나머지는 귀한 사람으로서 천한 사람에게 낮춘다는 「단전」의 해석에 나타나 있다.

이진상(李震相) 『역학관규(易學管窺)』

象言元亨利貞者, 乾坤外有五卦. 乾坤定位, 而屯爲開物之始. 否泰反類, 而隨爲通氣之始. 蠱隨交氣, 而臨爲幹事之始. 剝復之象, 終則復始, 而旡妄爲復善之始. 困井之象, 窮則必通, 而革爲更張之始.

괘사에서 '원형리정'을 말한 것은 건괘(乾卦䷀)와 곤괘(坤卦䷁) 이외에 다섯 괘이다. 건괘(乾卦☰)와 곤괘(坤卦☷)가 자리를 잡고 준괘(屯卦䷂)가 만물을 여는 시작이 된다. 비괘(否卦䷋)와 태괘(泰卦䷊)는 서로 반대되는 부류이고 수괘(隨卦䷐)가 기운을 통하게 하는 시작이 된다. 고괘(蠱卦䷑)와 수괘(隨卦)가 기운을 교류하고 림괘(臨卦䷒)가 일을 주관하는 시작이 된다. 박괘(剝卦䷖)와 복괘(復卦䷗)의 상은 마치면 다시 시작하는데, 무망괘(旡妄卦䷘)는 선을 회복하는 시작이 된다. 곤괘(困卦䷮)와 정괘(井卦䷯)의 상은 막히면 반드시 통하는데, 혁괘(革卦)가 개혁하는 시작이 된다.

傳.

『정전』.

隨蠱之反也. 蠱上九之剛來居初, 下於二三之兩柔. 若以程子卦變言之, 則上體本乾, 下體本坤, 而上九亦來初九, 下於二陰之柔, 其說相通. 朱子雖有自困自噬嗑自未濟之論, 而三卦之竝來於隨, 其理難明.

수괘(隨卦䷐)는 고괘(蠱卦䷑)가 거꾸로 된 괘이다. 고괘(蠱卦) 상구의 굳센 양이 와서 초효의 자리에 있어서, 이효, 삼효의 두 부드러운 음 아래에 있다. 정자가 설명하는 괘의 변화로 말한다면, 상체는 본래 건괘(乾卦☰)이고 하체는 본래 곤괘(困卦)인데, 상구 또한 초구로 와서 부드러운 두 음의 아래에 있으니, 그 설이 상통한다. 주자가 비록 곤괘(困卦䷮)·서합괘(噬嗑卦䷔)·미제괘(未濟卦䷿)로부터 왔다는 논의가 있어서 이러한 세 괘가 함께 수괘(隨卦)로 왔다고 하였지만, 그러한 이치는 밝히기 어렵다.

박문호(朴文鎬) 「경설(經說)·주역(周易)」

象傳先言卦變, 故本義言成卦, 而先及卦變. 程子則於他卦不甚取卦變說, 故此至末始言之. 易之六十四卦可一言而蔽之曰, 隨時之義是也. 然則王肅云云, 恐不若從程傳之爲正也.

「단전」에서 먼저 괘의 변화를 말했기 때문에 『본의』에서 이루어진 괘를 말하면서 먼저 괘의 변화를 언급하였다. 정자는 다른 괘에서는 괘의 변화에 대한 설명을 그리 취하지 않았기 때문에, 여기서 마지막에 이르러 비로소 괘의 변화를 말했다. 『주역』의 육십사괘를 한 마디 말로 대표해서 말할 수 있는데, 때를 따른다는 뜻이 그것이다. 그렇다면 왕숙이 말한 것은 아마도 『정전』을 따르는 것이 바른 것만 못하다.

이병헌(李炳憲 『역경금문고통론(易經今文考通論)』

鄭曰, 震動兌說. 天下之民, 咸慕其行而隨從之, 故謂之隨.
정현이 말하였다: 진괘(震卦☳)는 움직임이고 태괘(兌卦)는 기뻐함이다. 천하의 백성들이 모두 그 행동을 사모하고 따르기 때문에 '수(隨)'라고 하였다.

按, 彖云剛來下柔, 則卦自否來, 可知矣. 乾鑿度以隨屬八月, 卦氣爲二月.
내가 살펴보았다: 「단전」에서 "굳센 양이 와서 부드러운 음에게 낮춘다"고 말했으니, 괘가 비괘(否卦䷋)로부터 온 것을 알 수 있다. 『건착도』에서는 수괘(隨卦)가 팔월에 속하고 괘의 기운은 이월이 된다고 하였다.

象曰, 澤中有雷隨, 君子以, 嚮晦入宴息.

「상전」에서 말하였다: 못[澤 가운데에 우레가 있는 것이 수(隨)이니, 군자가 그것을 본받아 날이 어둠을 향하면 안에 들어가 편안하게 쉰다.

中國大全

傳

雷震於澤中, 澤隨震而動, 爲隨之象, 君子觀象, 以隨時而動. 隨時之宜, 萬事皆然, 取其最明且近者言之. 君子以嚮晦入宴息, 君子晝則自强不息, 及嚮昏晦, 則入居於內, 宴息以安其身, 起居隨時適其宜也. 禮君子晝不居內, 夜不居外, 隨時之道也.

우레가 못[澤] 가운데에서 진동하여 못이 진동을 따라 움직이는 것이 수괘(隨卦䷐)의 상이니, 군자가 이 상을 보고서 때를 따라 움직인다. 때를 따르는 마땅함은 모든 일이 다 그렇지만, 가장 분명하고 또 가까운 것을 취하여 말하였다. "군자가 그것을 본받아 날이 어둠을 향하면 안에 들어가 편안하게 쉰다"는 것은 군자가 낮에는 스스로 힘쓰고 쉬지 않다가 날이 어둠을 향하면 안에 들어가 거처하여 편안하게 쉬어서 몸을 편안하게 하니, 일어나고 거처하는 것을 때에 따라 마땅함에 알맞게 하는 것이다. 예(禮)에 "군자가 낮에는 안에 거처하지 않고 밤에는 밖에 거처하지 않는다"[17]고 한 것이 때를 따르는 도이다.

小註

程子曰, 凡易卦有就卦才而得其義者, 亦有擧兩體便得其義者. 隨剛來而下柔, 動而說隨, 此是就卦才而得隨之義, 澤中有雷隨, 此是就象上得隨之義也.

정자가 말하였다: 『주역』의 괘에는 괘의 재질에 나아가 그 뜻을 얻은 것도 있고, 또한 두

---

17) 이와 유사한 내용이 『예기(禮記)·단궁(檀弓)』의 "夫晝居於內, 問其疾, 可也, 夜居於外, 弔之可也, 是故, 君子, 非有大故, 不宿於外, 非致齊也, 非疾也, 不晝夜居於內."에 보인다.

몸체를 들어서 그 뜻을 얻은 것도 있다. "수(隨)는 굳센 양이 와서 부드러운 음에게 낮추며, 움직이고 기뻐함이 수(隨)이다"[18]라고 한 것은 괘의 재질에 나아가 '수(隨)'의 뜻을 얻은 것이고, "못 가운데에 우레가 있는 것이 수(隨)이다"라고 한 것은 그 상(象)에 나아가 '수(隨)'의 뜻을 얻은 것이다.

○ 問, 程子云澤隨雷動, 君子當隨時宴息是否. 朱子曰, 旣曰雷動, 何不言君子以動作, 卻言宴息. 蓋其卦震下兌上, 乃雷入地中之象. 雷隨時藏伏, 故君子亦嚮晦入宴息.
물었다: 정자는 못[澤]이 우레를 따라 움직이니, 군자는 마땅히 때를 따라 편안하게 쉬어야 한다고 하였는데 이는 옳습니까?
주자가 답하였다: 이미 우레가 움직인다고 말했는데, 어찌 군자가 그것을 본받아 동작한다고 말하지 않고 도리어 편안하게 쉰다고 말하겠습니까? 수괘(隨卦䷐)는 진괘(震卦☳)가 아래에 있고 태괘(兌卦☱)가 위에 있으니, 우레가 땅 속으로 들어가는 상입니다. 우레가 때에 따라 숨어 엎드리기 때문에 군자도 또한 날이 어둠을 향하면 들어가 편안히 쉽니다.

本義

雷藏澤中, 隨時休息.

우레가 못[澤] 가운데에 감춰져 있으니, 때에 따라 휴식한다.

小註

黃氏曰, 卦爻取隨時而動, 大象取隨時而息.
황씨가 말하였다: 괘와 효는 때를 따라 움직이는 것을 취하였고, 「대상전」은 때를 따라 쉬는 것을 취하였다.

○ 南軒張氏曰, 隨者, 非隨時俛仰之謂. 蓋有是事, 則有是理, 君子順理而行. 如嚮晦則入宴息, 特擧一事之著者言之耳
남헌장씨가 말하였다: "따른다[隨]"는 것은 때를 따라 내려갔다가 올라갔다가 하는 것을 말하는 것이 아니다. 이러한 일이 있으면 이러한 이치가 있으니, 군자는 이치를 따라 행한다. 예를 들어 날이 어둠을 향하면 들어가 편안하게 쉰다는 경우는 다만 드러난 한 일을 들어서

---

18) 『周易 · 隨卦』: 彖曰, 隨, 剛來而下柔, 動而說, 隨.

말했을 뿐이다.

○ 建安丘氏曰, 雷陽聲也, 發聲於春夏, 其動也, 收聲於秋冬, 其靜也. 澤中有雷, 其秋冬之時乎. 君子體天行事, 故動與雷俱出而靜與雷俱入. 如雷出地奮豫, 以之作樂崇德, 雷在天上大壯, 以之非禮弗履. 天下雷行无妄, 以之對時育物, 皆法雷之動也. 如雷在地中復, 以之閉關息旅后不省方, 澤中有雷隨, 以之嚮晦宴息, 皆法雷之靜也. 或曰, 周公坐以待旦, 孔子終夜不寢, 果嚮晦入宴息之義哉. 曰, 嚮晦入宴息者, 君子隨時之義, 待旦不寢者, 聖人救時拯世之心也.
건안구씨가 말하였다: 우레는 양(陽)에 해당하는 소리이니, 봄과 여름에 소리를 발하는 것은 우레가 움직이는 것이고, 가을과 겨울에 소리를 거두어들이는 것은 우레가 고요한 것이다. 못[澤] 가운데 우레가 있는 것은 아마도 가을과 겨울의 때일 것이다. 군자는 하늘을 본받아 일을 행하기 때문에, 움직임은 우레와 함께 나가고 고요함은 우레와 함께 들어온다. 예를 들어 우레가 땅에서 나와 떨치는 것이 예(豫)이니 그것을 본받아 음악을 지어 덕을 높이며,[19] 우레가 하늘에 있는 것이 대장(大壯)이니 군자가 본받아 예(禮)가 아니면 실천하지 않으며,[20] 하늘 아래 우레가 행하는 것이 무망(无妄)이니 그것을 본받아 때에 맞추어 만물을 기르니,[21] 모두 우레의 움직임을 본받은 것이다. 예를 들어 우레가 땅 속에 있음이 복(復)이니 그것을 본받아 관문을 닫아 여행자들을 쉬게 하고 임금이 사방을 시찰하지 않게 하며,[22] 못[澤] 가운데 우레가 있는 것이 수(隨)이니 그것을 본받아 날이 어두움을 향하면 편안하게 쉬니, 모두 우레의 고요함을 본받은 것이다.
어떤 이가 말하였다: 주공(周公)이 앉아서 아침을 기다리고[23] 공자가 밤이 새도록 잠을 자지 않았던 것이[24] 과연 날이 어둠을 향하면 들어가 편안하게 쉰다는 뜻입니까?
답하였다: 날이 어둠을 향하면 들어가 편안하게 쉰다는 것은 군자가 때를 따르는 뜻이고, 아침을 기다리고 잠을 자지 않았던 것은 성인이 때를 구제하고 세상을 건지려는 마음이었습니다.

---

19) 『周易·豫卦』: 象曰, 雷出地奮豫. 先王以, 作樂崇德, 殷薦之上帝, 以配祖考.
20) 『周易·大壯卦』: 象曰, 雷在天上, 大壯, 君子以, 非禮弗履.
21) 『周易·无妄卦』: 象曰, 天下雷行, 物與无妄, 先王以, 茂對時, 育萬物.
22) 『周易·復卦』: 象曰, 雷在地中, 復, 先王以, 至日閉關, 商旅不行, 后不省方.
23) 『孟子·離婁』: 周公思兼三王, 以施四事. 其有不合者, 仰而思之, 夜以繼日, 幸而得之, 坐以待旦.
24) 『論語·衛靈公』: 子曰, 吾嘗終日不食, 終夜不寢以思, 無益, 不如學也.

韓國大全

권근(權近) 『주역천견록(周易淺見錄)』

震下兌上, 雷入澤中之象. 雷之爲物, 春夏出地而震奮, 秋冬入地而藏伏. 雷在澤中, 是入而藏伏之時也. 一歲之有秋冬, 卽一日之昏暮也. 君子觀雷在[25]澤中之象, 及嚮昏晦, 入內而宴息[26]也.
진괘(震卦☳)가 아래에 있고 태괘(兌卦☱)가 위에 있으니, 우레가 못[澤]에 들어가는 상이다. 우레라는 것은 봄과 여름에는 땅에서 나와 진동하고 떨치며, 가을과 겨울에는 땅속으로 들어가 숨는다. 우레가 못 속에 있다는 것은 들어가 숨는 때이다. 한 해에 가을과 겨울이 있는 것은 하루에 황혼이 있는 것과 같다. 군자는 우레가 못 속에 있는 상을 보고 날이 어둠에 향할 때에 미치면 안에 들어가 편안하게 쉰다.

조호익(曺好益) 『역상설(易象說)』

朱子曰, 震下兌上, 乃雷入地中之象. 雷隨時伏藏, 故君子亦嚮晦入宴息.
주자가 말하였다: 진괘(震卦☳)가 아래에 있고 태괘(兌卦☱)가 위에 있는 것은 우레가 땅속으로 들어가는 상이다. 우레는 때를 따라 엎드려 숨기 때문에 군자도 또한 날이 어둠을 향하면 들어가 편안하게 쉰다.

愚謂, 雷以一年而動息, 人以一日而動息. 雷之發動於春而休息於秋, 猶人之動作於晝而宴息於夜. 故君子法之而入息. 或曰, 嚮晦入巽入象, 宴息艮止象.
내가 살펴보았다. 우레는 일 년 동안에 움직이거나 쉬며, 사람은 하루 동안에 움직이거나 쉰다. 우레가 봄에 발동하고 가을에 쉬는 것은 사람이 낮에 움직이고 밤에 편안하게 쉬는 것과 같다. 그러므로 군자는 그것을 본받아 들어가 쉰다. 어떤 이는 "날이 어둠을 향하면 들어가는 것은 손괘(巽卦☴)의 들어가는 상이고, 편안하게 쉬는 것은 간괘(艮卦☶)의 멈추는 상이다"라고 말하였다.

---

25) 在: 경학자료집성DB와 영인본에 모두 '識'으로 되어 있으나, 문맥을 살펴 '在'로 바로잡았다.
26) 息: 경학자료집성DB와 영인본에 모두 '思'로 되어 있으나, 문맥을 살펴 '息'으로 바로잡았다.

김도(金濤 「주역천설(周易淺說)」

愚按, 程傳下程子所釋惟一條, 朱子所釋又惟一條. 本義下諸儒所釋凡三条, 而皆合於大象之旨矣. 蓋君子之動靜, 各隨其時, 時可動而靜, 則非中也, 時可靜而動, 則亦非中也. 若雷者以動爲主者也. 然而動於秋冬, 則非雷之正也, 乃妄動也. 故君子法此之象, 而可動則動, 可靜則靜. 若嚮晦而不息, 則是妄也, 豈君子之時中乎. 昔者或有逃世者, 趺坐而達朝不寐, 此則釋氏之流也, 學者所當明辨也.

내가 살펴보았다: 『정전』 아래 소주에서 정자가 해석한 것이 한 조목일 뿐이고, 주자가 해석한 것이 또 한 조목일 뿐이다. 『본의』 아래 소주에서 여러 유학자들이 해석한 것이 세 조목인데, 모두 「대상전」의 뜻에 맞는다. 군자의 움직임과 고요함은 각각 그 때를 따르니, 움직일 만한 때인데 고요하면 중도가 아니고, 고요할 만한 때인데 움직이면 또한 중도가 아니다. 우레는 움직임을 위주로 하는 것이다. 그러나 가을과 겨울에 움직이면 우레의 바름이 아니고 함부로 움직이는 것이다. 그러므로 군자는 이 상을 본받아 움직일만 하면 움직이고 고요할 만하면 고요하게 한다. 날이 어두움을 향하는데도 쉬지 않으면 이는 함부로 움직이는 것인데, 어찌 군자가 때에 알맞게 하는 것이겠는가? 예전에 혹 세상으로부터 도피한 사람이 있어 가부좌를 한 채로 아침에 이르기까지 잠을 자지 않았는데, 이는 불교의 유파로 배우는 사람이 마땅히 분명하게 구분해야 할 것이다.

이만부(李萬敷) 「역통(易統) · 역대상편람(易大象便覽) · 잡서변(雜書辨)」

臣謹按, 所謂宴息者, 謂夜則群動歸藏, 天地混沌, 於是君子收終日乾乾之心而休息焉. 安其身, 養其氣, 以爲朝聽晝訪之本. 孟子所謂夜氣以息之是也. 若如楚莊王長夜之飮, 漢光武夜獵而歸, 後雖致功業, 其於宴息之義則遠矣.

신이 삼가 살펴 보았습니다: 편안하게 쉰다는 것은 밤에는 여러 움직임이 감추어지고 천지가 구별이 불분명하므로, 이에 군자가 종일 부지런히 하던 마음을 거두어 휴식하는 것입니다. 몸을 편안하게 하고 기운을 길러 아침에는 정사(政事)를 듣고 낮에는 현장을 방문하는 근본으로 삼습니다. 맹자가 말한 밤의 기운으로 생겨나 자란다[27]는 것이 이러합니다. 초나라의 장왕이 밤새워 술을 마신 것과 한나라의 광무제가 밤에 사냥을 하고 돌아온 것은 뒤에 비록 큰 공로를 이루기는 했지만 편안하게 쉰다는 뜻과는 거리가 멉니다.

---

27) 『孟子 · 告子』: 其日夜之所息, 平旦之氣, 其好惡與人相近也者幾希, 則其旦晝之所爲, 有梏亡之矣, 梏之反覆, 則其夜氣不足以存, 夜氣不足以存, 則其違禽獸不遠矣.

심조(沈潮) 「역상차론(易象箚論)」

一陽在最下, 而上有互艮, 又其上有兌, 日入西山之象, 入卽互巽也. 且下體似離, 上體似坎, 此亦日沉爲晦之象也.

한 양이 가장 아래에 있고 위에 호괘인 간괘(艮卦☶)가 있으며 또 그 위에는 태괘(兌卦☱)가 있으니 해가 서산으로 들어가는 상이고, 들어가는 것은 호괘인 손괘(巽卦☴)이다. 또 하체는 리괘(離卦☲)와 비슷하고 상체는 감괘(坎卦☵)와 비슷하니,[28] 이 또한 해가 져서 어두워지는 상이다.

유정원(柳正源) 『역해참고(易解參攷)』

馮氏曰, 雷發聲於震之春, 收聲於兌之秋, 由震而兌. 雷藏澤中, 與時休息, 爲隨時之象. 日出於東方之震, 而入於西方之兌, 由震而兌. 自明嚮晦, 出於明者, 至晦而入也. 勞者宴, 作者息矣, 所以用隨也. 天地之隨, 爲晝夜, 爲寒暑, 爲古今. 君子之隨, 爲動息, 爲語默, 爲行藏. 一晝一夜之頃, 而動息隨之, 況於消息盈虛之大者乎.

풍씨가 말하였다: 우레는 진괘(震卦☳)에 해당하는 봄에 소리를 내고, 태괘(兌卦☱)에 해당하는 가을에 소리를 거두어들이니, 진괘(震卦☳)로부터 태괘(兌卦☱)가 된다. 우레가 못[澤] 가운데 숨으면서 때에 맞추어 휴식하는 것이 때를 따르는 상이 된다. 해는 동방의 진괘(震卦☳)에서 나와서 서방의 태괘(兌卦☱)로 들어가니, 진괘(震卦☳)로부터 태괘(兌卦☱)가 된다. 밝음으로부터 어두움으로 향하니, 밝음에서 나온 것은 어두움에 이르러 들어간다. 수고하던 자는 편안하게 하고, 일하던 자는 쉬게 하니, 따름을 쓰는 까닭이다. 천지가 따르는 것은 밤과 낮이 되고, 추위와 더위가 되고, 옛날과 오늘날이 된다. 군자가 따르는 것은 움직임과 쉼이 되고, 말함과 침묵이 되고, 행함과 숨음이 된다. 한 낮과 한 밤의 잠깐 동안이라도 움직임과 쉼이 그것을 따르는데, 하물며 쉼과 자람, 가득 참과 빔이라는 큰 것이겠는가!

平庵項氏曰, 震朝氣也, 兌暮氣也. 卯入於酉, 日之暮也. 木入金鄕則絶, 雷入澤中則蟄, 人入晦時則息, 皆隨時之義.

평암항씨가 말하였다: 진괘(震卦☳)는 아침 기운이고, 태괘(兌卦☱)는 저녁 기운이다. 묘시(卯時)에서 유시(酉時)로 들어가면 해가 저문다. 나무가 쇠로 들어가면 잘라지고, 우레가 못[澤] 가운데에 들어가면 숨고, 사람은 어둔 때에 들어가면 쉬니, 모두 때를 따른다는 뜻이다.

---

28) 초효부터 사효까지가 큰 리괘(離卦☲)이고 삼효부터 육효까지 큰 감괘(坎卦☵)라는 말이다.

김상악(金相岳) 『산천역설(山天易說)』

雷陽聲也. 出地上, 則作樂薦帝, 法雷之動. 在澤中, 則向晦宴息, 法雷之靜也. 震互巽入, 兌互艮止, 故取象如此.

우레는 양인 소리[陽聲][29]이다. 땅 위에 나오면 음악을 제작하고 상제에게 제사하니, 우레의 움직임을 본받은 것이다. 못[澤] 가운데 있으면 어둠을 향하거든 편안하게 휴식하니, 우레의 고요함을 본받은 것이다. 진괘(震卦☳)와 호괘인 손괘(巽卦☴)는 들어감[入]이고, 태괘(兌卦☱)와 호괘인 간괘(艮卦☶)는 그침[止]이기 때문에 상이 이와 같다.

서유신(徐有臣) 『역의의언(易義擬言)』

秋分龍入于海, 而雷乃收聲. 澤中有雷, 爲隨時也. 水經龍以秋日爲夜, 故有向晦入宴息之象. 宴息將以復動, 君子所以隨時也. 向晦兌秋之象, 入宴息震龍之象. 又互巽爲入, 互艮爲止也.

추분(秋分)에 용은 바다로 들어가고 우레는 소리를 거두어들인다. 못[澤] 가운데 우레가 있는 것이 때를 따르는 것이 된다. 『수경(水經)』에 용은 가을날을 밤으로 삼는다고 했으므로 "날이 어둠을 향하면 안에 들어가 편안하게 쉬는" 상이 있다. 편안하게 쉬어서 장차 다시 움직임이 군자가 때를 따르는 것이다. "날이 어둠을 향하다"는 태괘(兌卦☱)가 상징하는 가을의 상이고, "들어가 편안하게 쉰다"는 진괘(震卦☳)가 상징하는 용의 상이다. 또 호괘인 손괘(巽卦☴)는 들어감이 되고, 호괘인 간괘(艮卦☶)는 그침이 된다.

김귀주(金龜柱) 『주역차록(周易箚錄)』

本義, 雷藏澤中云.

『본의』에서 말하였다: 우레가 못[澤] 가운데에 감춰져 있으니, 운운.

小註建安丘氏曰, 雷陽, 云云.

소주에서 건안구씨가 말하였다: 우레는 양(陽)에 해당하는, 운운.

○ 按, 雷在地中, 是雷之始動, 閉關息旅, 正所以养其動也. 丘說以爲法雷之靜, 恐是錯. 說孔子之終夜不寢以思而言, 今混謂之救時拯世之心, 亦未安.

---

29) 양성(陽聲): 십이율 가운데 황종(黃鐘), 태주(太簇), 고선(姑洗), 유빈(蕤賓), 이칙(夷則), 무역(無射), 여섯 소리를 가리킨다.

내가 살펴보았다: 우레가 땅 속에 있는 것은 우레가 처음 움직이는 것이니, 관문을 닫아걸어 장사꾼과 여행자들을 쉬게 하는 것은 바로 그 움직임을 기르는 것이다. 건안구씨의 설명에서 우레의 고요함을 본받았다고 말한 것은 아마도 잘못인 듯하다. 공자가 밤이 새도록 잠자지 않고 생각한 것을[30] 설명하면서 말하였으나, 이제 시대와 세상을 구제하려는 마음이라고 혼돈하여 말하였으니, 타당하지 않다.

박제가(朴齊家) 『주역(周易)』

本義, 至矣.

『본의』에서 잘 설명하였다.

問, 程子云, 澤隨雷動, 君子當隨時宴息, 是否. 朱子曰, 旣曰雷動, 何不言君子以動作, 卻言宴息. 蓋其卦震下兌上, 乃雷入地中之象. 雷隨時藏伏, 故君子亦嚮晦入宴息.

물었다: 정자는 못[澤]이 우레를 따라 움직이니, 군자는 마땅히 때를 따라 편안하게 쉬어야 한다고 하였는데 이는 옳습니까?

주자가 답하였다: 이미 우레가 움직인다고 말했는데, 어찌 군자가 그것을 본받아 동작한다고 말하지 않고 도리어 편안하게 쉰다고 말하겠습니까? 수괘(隨卦䷐)는 진괘(震卦☳)가 아래에 있고 태괘(兌卦☱)가 위에 있으니, 우레가 땅 속으로 들어가는 상입니다. 우레가 때에 따라 숨어 엎드리기 때문에 군자도 또한 날이 어둠을 향하면 들어가 편안히 쉽니다.

說得快. 夫澤者黝闇[31]之地, 雷動物也. 以動物而處黝闇之下, 所以嚮晦而宴息. 澤中與地中煞異, 嚮晦乃取象於澤, 若取象於地, 則下語必自別.

설명이 명쾌하다. 못[澤]이란 검푸르고 어두운 곳이고 우레는 움직이는 물건이다. 움직이는 물건으로서 검푸르고 어두운 곳의 아래에 있기 때문에 날이 어둠을 향하여 편안하게 쉰다. 못[澤] 가운데와 땅 가운데는 조금 차이가 있어서 날이 어둠을 향하는 것은 못[澤]에서 상을 취하였으니, 땅에서 상을 취한다면 스승의 말이 반드시 저절로 달랐을 것이다.

建安丘氏曰, 澤中有雷, 其秋冬之時乎.

건안구씨가 말하였다: 못 가운데 우레가 있는 것은 아마도 가을과 겨울의 때일 것이다.

案, 雷之藏發, 雖有春秋, 澤雷之象, 卻無春秋. 雷雖動, 但在澤下, 則聖人取其象, 此時不必言動不動也. 如曰嚮晦宴息, 法雷之靜, 則猶之可也. 如雷在地中爲復, 以之閉關息旅后不省方, 亦曰, 法雷之靜, 則又差. 至日之靜, 恐或動而傷於陽也, 乃靜養之,

30) 『論語 · 衛靈公』: 子曰, 吾嘗終日不食, 終夜不寢以思, 無益, 不如學也.

31) 闇: 경학자료집성DB에 '間'으로 되어 있으나, 경학자료집성 영인본을 참조하여 '闇'으로 바로잡았다.

謂非法陽之靜也, 陽之微也. 靜之者人也, 非陽之本靜也. 地雷是方動而出, 澤雷是方入而靜.
내가 살펴보았다: 우레가 숨거나 일어나는 것은 비록 봄과 가을의 차이가 있으나 못[澤]과 우레의 상은 봄과 가을의 차이가 없다. 우레가 움직이더라도 단지 못 아래에 있으면, 이러한 때에 성인은 그 상을 취하면서 움직인다거나 움직이지 않는다고 말할 필요가 없다. 예를 들어 "날이 어둠을 향하면 편안하게 쉬니, 우레의 고요함을 본받은 것이다"라고 한다면 오히려 괜찮다. 그러나 예를 들어 우레가 땅속에 있음이 복(復)이니, 그것을 본받아 관문을 닫아걸어 여행자들이 다니지 못하게 하고 임금이 사방을 시찰하지 않게 했다[32]고 한 것을 또한 우레의 고요함을 본받는다고 하면 잘못이다. 동짓날의 고요함은 혹 움직여서 양이 손상될까 염려하여 고요함으로 기르니, 양의 고요함을 본받는 것이 아니라 양의 미약함을 말하는 것이다. 고요하게 하는 것은 사람이니, 양이 본래 고요한 것이 아니다. 땅에서 일어나는 우레는 막 움직여 나오는 것이고, 못에서 일어나는 우레는 막 들어가 고요한 것이다.

윤행임(尹行恁)『신호수필(薪湖隨筆)·역(易)』

隨剛來柔動, 卽喜於動也, 雷出於澤亦動之極也. 君子觀其象而主於靜, 故曰嚮晦入宴息. 周子之主靜, 蓋取諸隨.
수괘(隨卦䷐)는 굳센 양이 와서 부드러운 음이 움직이니 곧 움직임을 기뻐하는 것이고, 우레가 못[澤]에서 나오니 또한 움직임의 지극함이다. 군자가 그 상을 보고 고요함을 위주로 하기 때문에 "날이 어둠을 향하면 들어가 편안하게 쉰다"고 말했다. 주렴계의 고요함을 위주로 한다는 설은 수괘(隨卦)에서 취한 듯하다.

박문건(朴文健)『주역연의(周易衍義)』

〈問, 澤中有雷隨. 曰, 澤性則下, 雷性則升, 是澤雷相隨者也. 然潛伏其下而未出, 故君子以之而嚮昏晦之時, 入處於內而安息也. 隨時之義, 亦在其中矣.
물었다: "못[澤] 가운데에 우레가 있는 것이 수(隨)이다"는 무슨 뜻입니까?
답하였다: 못의 성질은 내려가고 우레의 성질은 올라가니, 이는 못과 우레가 서로 따르는 것입니다. 그러나 그 아래에 잠복해서 아직 나오지 않았기 때문에, 군자는 그것을 본받아 어둠을 향하는 때에는 들어가 안에 거처해서 편안하게 쉽니다. 때를 따른다는 뜻이 또한 그 가운데 있습니다.〉

---

32)『周易·復卦』: 象曰, 雷在地中, 復, 先王以, 至日閉關, 商旅不行, 后不省方.

이지연(李止淵) 『주역차의(周易箚疑)』

雷藏於澤中, 以養來年將發之陽, 向晦入息, 以養平朝清明之氣.
우레가 못 가운데 숨어 있어서 미래에 장차 일어날 양을 기르고, 어둠을 향하면 들어가 쉬어서 평탄한 아침의 청명한 기운을 기른다.

김기례(金箕澧) 「역요선의강목(易要選義綱目)」

雷入金節則收聲, 君子宴居則靜養.
우레가 쇠에 해당하는 시기에 들어가면 소리를 거두어들이고, 군자가 편안히 거처하면 고요하게 기른다.

이항로(李恒老) 「주역전의동이석의(周易傳義同異釋義)」

按或問於朱子曰, 程子云, 澤隨雷動, 君子當隨時宴息, 是否. 朱子曰, 旣曰雷動, 何不言君子以動作, 卻言宴息. 蓋其卦震下兌上, 乃雷入地中之象. 雷隨時藏伏, 故君子亦嚮晦入宴息.
내가 살펴보았다: 어떤 사람이 주자에게 묻기를 "정자는 못[澤]이 우레를 따라 움직이니, 군자는 마땅히 때를 따라 편안하게 쉬어야 한다고 하였는데 이는 옳습니까?"라고 하였다. 주자가 답하기를 "이미 우레가 움직인다고 말했는데, 어찌 군자가 그것을 본받아 동작한다고 말하지 않고 도리어 편안하게 쉰다고 말하겠습니까? 수괘(隨卦䷐)는 진괘(震卦☳)가 아래에 있고 태괘(兌卦☱)가 위에 있으니, 우레가 땅 속으로 들어가는 상입니다. 우레가 때에 따라 숨어 엎드리기 때문에 군자도 또한 날이 어둠을 향하면 들어가 편안히 쉽니다"라고 하였다.

심대윤(沈大允) 『주역상의점법(周易象義占法)』

澤中有雷, 言藏而有動也. 嚮晦入宴息, 言韜其明, 以隨時之昏, 不自用也. 坎离爲晦, 兌艮爲宴息. 君子之隨時而息, 以有作也. 夫藏而有動者, 非先但藏而後動也, 動在藏中矣. 隨天下而用天下者, 非先但隨而後用也, 用在隨中矣. 故君子主動而居靜, 體剛而用柔. 嗚呼, 生乎今之世, 欲遽反古之道, 處乎昏亂之朝, 欲直行皐夔之事, 其於隨時難矣哉. 能隨然後可以有爲, 故隨而蠱也. 隨者, 君子之大知也, 主動而居靜者, 治其氣而明其理也.
"못[澤] 가운데에 우레가 있다"는 것은 숨어 있으면서도 움직이는 것을 말한다. "날이 어둠을 향하면 들어가 편안하게 쉰다"는 것은 그 밝음을 감추어 때의 어두움을 따라 스스로의 능력을 쓰지 않는 것이다. 감괘(坎卦☵)와 리괘(離卦☲)는 어두움이 되고, 태괘(兌卦☱)와 간괘(艮卦☶)는 편안하게 쉬는 것이 된다. 군자가 때를 따라 쉬는 것은 다시 작위하려는 것이다. 숨어 있다가 움직인다는 것은 먼저 다만 숨은 후에 움직이는 것이 아니라, 움직임이 숨은 가운데 있는 것이다. 천하를 따라 천하를 쓴다는 것은 먼저 다만 따른 다음에 쓰는 것이 아니라, 쓰임이 따르는 가운데 있는 것이다. 그러므로 군자는 움직임을 주로 하면서도 고요함에 거처하고, 몸체는 굳세면서도 부드러움을 쓴다. 아, 지금의 세상에 태어나서 갑자기 옛날의 도를 회복하려고 하고, 혼란한 조정에 있으면서 곧바로 고요(皐陶)나 기(夔)의 일을 행하려고 한다면, 때를 따르는 것이 어려울 것이다. 따를 수 있은 다음에야 훌륭한 일을 할 수 있기 때문에 따르는 것을 상징하는 수괘(隨卦䷐)가 되고 일을 상징하는 고괘(蠱卦䷑)가 된다. 따른다는 것은 군자의 큰 지혜이니, 움직임을 위주로 하면서도 고요함에 거처하는 자는 그 기운을 다스려서 이치를 밝힌다.

오치기(吳致箕)「주역경전증해(周易經傳增解)」

雷動而發聲, 在於春夏, 雷靜而收斂, 在於秋冬. 而兌爲正秋, 故澤中有雷爲隨時收斂之象. 是以君子觀其象, 日出而有所動作, 夕昏而入于靜息. 此取隨時之近而易知者而言之也. 嚮與向同, 晦謂昏也. 兌爲日入之方, 震爲日出之方. 而震在下兌在上, 爲嚮晦之象也. 入取於互巽, 宴者安而悅樂也, 取於兌, 息者止也, 取於互艮

우레가 움직여 소리를 내는 것은 봄과 여름에 있고, 우레가 고요하여 거두어들이는 것은 가을과 겨울에 있다. 태괘(兌卦☱)는 가을 한가운데에 해당하기 때문에 못[澤] 가운데 우레가 있는 것이 때를 따라 거두어들이는 상이 된다. 그러므로 군자는 그 상을 보고서 해가 뜨면 동작하고 밤이 되어 어두워지면 고요하게 쉬는 데로 들어간다. 이는 때를 따르는 것 가운데 가깝고 알기 쉬운 것을 들어서 말한 것이다. '향(嚮)'은 '향하다[向]'와 같고, '회(晦)'는 '어둠[昏]'을 말한다. 태괘(兌卦☱)는 해가 들어가는 방향이고, 진괘(震卦☳)는 해가 나오는 방향이다. 진괘(震卦☳)는 아래에 있고 태괘(兌卦☱)는 위에 있어서 어둠을 향하는 상이 된다. 들어간다는 것은 호괘인 손괘(巽卦☴)에서 취하였고, 편안하다는 것은 편안하게 기뻐하고 즐거워하는 것으로 태괘(兌卦☱)에서 취한 것이며, 쉰다는 것은 그친다는 것으로 호괘인 간괘(艮卦☶)에서 취하였다.

이진상(李震相)『역학관규(易學管窺)』

澤中有雷.

못 가운데 우레가 있다.

雷藏于澤, 於時爲冬, 其義爲晦. 故君子法之, 入息于內. 互體爲巽艮, 巽爲入, 艮爲止. 又剛來下柔, 晦養之象也.

"못[澤] 가운데에 우레가 있다"는 것은 계절로는 겨울이고, 뜻으로는 어둠이 된다. 그러므로 군자가 그것을 본받아 안에 들어가 쉰다. 호괘는 손괘(巽卦☴)와 간괘(艮卦☶)인데, 손괘(巽卦☴)는 들어가는 것이고, 간괘(艮卦☶)는 머무는 것이다. 또한 굳센 양이 부드러운 음에게 낮추니, 어두워져서 들어가 기르는 상이다.

박문호(朴文鎬) 「경설(經說) · 주역(周易)」

大象本義, 不取雷之震, 而改下藏字. 蓋欲襯著於嚮晦宴息之義也. 凡大象之取義, 與卦爻不同, 不必取其震義也.

「대상전」의 『본의』는 우레가 침을 나타내는 '진(震)'자를 취하지 않고, '장(藏)'자로 고쳐 썼다. 이는 "날이 어둠을 향하면 편안하게 쉰다"는 뜻에 맞추고자 한 듯하다. 「대상전」에서 뜻을 취한 것은 괘효와는 같지 않으니, 반드시 "우레가 친다"는 '진(震)'의 뜻을 취할 필요는 없다.

이정규(李正奎) 「독역기(讀易記)」

此宴息云者, 都旡事在時歟, 靜以存之養其本源時歟. 蓋雷入澤中, 雖不動不發聲, 雷體自在, 則動之機未嘗旡也. 君子雖宴息, 靜中涵養以爲動察之機也. 然非敬旡以涵養, 實非都旡事在也. 卦象則以物隨爲義, 爻象則或以隨物爲義, 或以物隨爲義何也. 竊想卦象雷動而澤悅而已, 故以物隨爲義. 爻象陰陽相互, 則陰隨陽而陽爲所隨故也. 然得正而受陰之隨者吉, 不正而受陰之隨者凶, 受陽之正者吉, 隨陽之不正者凶. 然則受可盡喜也, 隨可不愼也哉.

여기에서 "편안하게 쉰다"고 말한 것은 전혀 일이 없을 때인가? 고요하게 마음을 보존하여 본원을 기를 때인가? 우레가 못[澤] 가운데 들어가면 비록 움직이지 않고 소리를 내지 않지만, 우레의 몸체는 그대로 있으므로 움직이는 기틀이 없은 적이 없다. 군자는 비록 편안하게 쉬면서도 고요한 가운데에서 함양하여 움직일 때 살피는 기틀로 삼는다. 그러나 경(敬)이 아니면 함양할 수 없으니, 실제로는 전혀 일이 없는 때가 아니다. 괘상은 상대가 따르는 것을 뜻으로 삼았는데, 효상은 혹 상대를 따르는 것을 뜻으로 삼거나 혹 상대가 따르는 것을 뜻으로 삼은 것은 왜인가? 가만히 생각해 보건대, 괘상은 우레는 움직이고 못은 기뻐할 뿐이기 때문에 상대가 따르는 것을 뜻으로 삼았다. 효상은 음양이 서로 작용하니, 음이 양을 따라서 양은 따르는 바가 되기 때문이다. 그러나 바름을 얻어 음의 따름을 받아들이는 것은 길하고 바르지 않으면서 음의 따름을 받아들이는 것은 흉하며, 양의 바름을 받은 것은 길하고 양의 바르지 않음을 따르는 것은 흉하다. 그렇다면 받아들이는 것을 완전히 기뻐할 만하지만, 따름을 신중하게 하지 않을 수 있겠는가?

이병헌(李炳憲)『역경금문고통론(易經今文考通論)』

荀九家曰, 兌澤震雷, 八月之時, 雷藏於澤, 則天下隨時之義也.
『순구가역』에서 말하였다: 태괘(兌卦☱)는 못[澤]을 상징하고 진괘(震卦☳)는 우레를 상징하여, 팔월의 계절에 우레가 못에 감춰지니, 천하가 때를 따른다는 뜻이다.

鄭曰, 晦冥也, 猶人君旣夕之後, 入於宴寢而止息.
정현이 말하였다: '회(晦)'는 어둠이니, 임금이 이미 기석례(旣夕禮)[33]를 행한 후에 연침(宴寢)[34]에 들어가 머물러 쉬는 것과 같다.

---

33) 기석례(旣夕禮): 장사(葬事) 지내기 전에 치러야 할 의식과 절차. 『의례』의 편명이기도 하다.
34) 연침(宴寢): 주(周)나라 제도로, 왕에게는 여섯 침실이 있는데 첫 번째 침실을 '정침(正寢)'이라고 하고 나머지 다섯 침실은 그 뒤에 있으며, 통틀어 '연침(宴寢)'이라고 하였다.

初九, 官有渝, 貞吉, 出門交, 有功.

초구는 주장하여 지키던 것이 변하였으니, 곧게 하면 길하니 문을 나가 사귀면 공이 있을 것이다.

中國大全

傳

九居隨時而震體, 且動之主, 有所隨者也. 官, 主守也. 旣有所隨, 是其所主守有變易也. 故曰, 官有渝. 貞吉所隨得正則吉也. 有渝而不得正, 乃過動也. 出門交有功, 人心所從, 多所親愛者也, 常人之情, 愛之則見其是, 惡之則見其非. 故妻孥之言, 雖失而多從, 所憎之言, 雖善爲惡也. 苟以親愛而隨之, 則是私情所與, 豈合正理. 故出門而交, 則有功也. 出門, 謂非私暱, 交不以私, 故其隨當而有功.

구(九)는 따르는 때에 있고 진괘의 몸체이며 또 움직임의 주인이니, 따르는 바가 있는 자이다. '관(官)'은 주장하여 지키는 것이다. 이미 따르는 바가 있으면 이는 주장하여 지키는 것이 바뀐 것이다. 그러므로 "주장하여 지키던 것이 변하였다"고 말하였다. "곧게 하면 길하다"는 것은 따르는 것이 바름을 얻으면 길하다는 것이다. 변하여 바름을 얻지 못하면 잘못 움직인 것이다. "문을 나가 사귀면 공이 있다"는 것은 사람의 마음이 따르는 것은 친애하는 자인 경우가 많으니, 보통 사람의 감정은 사랑하면 그 옳음을 보고 미워하면 그 그름을 본다. 그러므로 처자식의 말은 비록 잘못된 것이라도 많이 따르고, 미워하는 사람의 말은 비록 좋더라도 나쁘게 여긴다. 만일 친애한다고 하여 따르면 이는 사사로운 감정으로 함께하는 것이니, 어찌 바른 이치에 부합하겠는가? 그러므로 문을 나가 사귀면 공이 있다. "문을 나간다"는 사사롭게 친한 것이 아니니, 사귀는 것을 사사로이 하지 않으므로 따르는 것이 마땅하여 공이 있다.

本義

卦以物隨爲義, 爻以隨物爲義. 初九以陽居下, 爲震之主, 卦之所以爲隨者也. 旣有所隨, 則有所偏主, 而變其常矣. 惟得其正則吉, 又當出門以交, 不私其隨,則有功也. 故其象占如此, 亦因以戒之.

괘는 상대가 따르는 것을 뜻으로 삼았고, 효는 상대를 따르는 것을 뜻으로 삼았다. 초구는 양으로서 맨 아래에 있어서 진괘(震卦☳)의 주인이 되었으니, 괘가 수괘(隨卦䷐)가 된 까닭이다. 이미 따르는 것이 있으면 치우치게 주장하는 것이 있어서 항상됨을 변하게 한다. 바름을 얻으면 길하고, 또 마땅히 문을 나가 사귀어서 따르는 것을 사사롭게 하지 않으면 공이 있다. 그러므로 그 상과 점이 이와 같으니, 또한 이로 인하여 경계하였다.

小註

或問, 官是主守之義. 初九是一卦之主, 首變得正便吉, 不正便凶. 朱子曰, 是如此. 又曰官有渝, 隨之初, 主有變動, 然尙未深.
어떤 이가 물었다: '관(官)'은 주장하여 지킨다는 뜻입니다. 초구는 한 괘의 주인으로 처음 변하여 바르면 길하고 바르지 않으면 흉합니다. 어떻습니까?
주자가 답하였다: 바로 그와 같습니다.
또 말하였다: "주장하여 지키던 것이 변한다"는 것은 수괘(隨卦䷐)의 초효가 주장에 변동이 있다는 것이나, 그래도 아직 깊지는 않습니다.

○ 中溪張氏曰, 官主也, 渝變也. 當隨之初, 剛來下柔, 爲震之主, 震動也. 官有渝, 是主守有變動之象. 官其事而有渝, 是隨時而動有所變易, 不能保其无偏也. 故必變而從其正, 則吉. 出門而交, 卽同人于門之意, 得隨之正而不牽于私, 則有功而无失矣.
중계장씨가 말하였다: '관(官)'은 주장한다는 것이고, '유(渝)'는 변한다는 것이다. 수괘(隨卦䷐)의 처음에 있어서 굳센 양이 와서 부드러운 음에게 낮추어 진괘(震卦☳)의 주인이 되는데 진괘(震卦☳)는 움직임을 상징한다. '관유유(官有渝)'는 주장하여 지키던 것에 변동이 있는 상이다. 일을 주장하여 변함이 있는 것은 때를 따라 움직여 바뀌는 바가 있다는 것이니, 치우침이 없다고 보장할 수 없다. 그러므로 반드시 변하여 그 바름을 따르면 길하다. 문을 나가서 사귀는 것은 동인괘(同人卦䷌)의 "사람들과 함께하기를 문 밖에서 한다"[35]는 뜻이니, 따름의 바름을 얻어서 사사로움에 끌리지 않으면 공이 있고 잘못이 없다.

○ 雲峰胡氏曰, 无妄內震故, 曰主, 此亦內震故曰官. 初爲動之主, 有官守者也, 九之剛能守官者也. 官本在上, 今來居於初, 官之有渝者也. 官守者, 不可渝, 今陽得陽, 有渝而正矣, 故吉. 然必出門以交, 方爲有功, 否則所隨或昵於私, 非惟无功且有過咎, 所

35) 『周易 · 同人卦』: 初九, 同人于門, 无咎.

謂因以戒之者也.
운봉호씨가 말하였다: 무망괘(无妄卦䷘)도 내괘가 진괘(震卦☳)이기 때문에 "주인이 되었다[主]"라고 말하였고,[36] 이 괘도 내괘가 진괘(震卦☳)이기 때문에 "주장하다[官]"라고 말하였다. 초효는 움직임의 주인이 되며 주장하여 지키는 것이 있으니, 구(九)의 굳셈으로 주장함[官]을 지킬 수 있는 자이다. 주장함[官]은 본래 상효에 있는데 지금 초효에 와 있으니, 주장함[官]에 변함이 있는 자이다. 주장하여 지킴을 변하게 해서는 안 되지만, 지금 양으로서 양을 얻어 변해도 바르기 때문에 길하다. 그러나 반드시 문을 나가서 사귀어야 공이 있고, 그렇지 않으면 따르는 것이 혹 사사로움에 빠져서 공이 없을 뿐만 아니라 잘못과 허물이 있으니, 이른바 "인하여 경계하였다"는 것이다.

‖韓國大全‖

조호익(曺好益) 『역상설(易象說)』

門, 陰偶象, 指二三. 初在隨之時, 與四居相應之地, 宜隨者也. 但陽求乎陰, 而密比於二三, 故出門而交於四, 則有功. 四在近君之位, 與五同德者也. 初以陽剛之才而隨之, 則其有功必矣. 或曰, 門互艮象, 功亦艮成象.
'문(門)'은 음효의 짝으로 된 상으로, 육이와 육삼을 가리킨다. 초효는 따르는 때에 있어 구사와 서로 호응하는 곳에 있으니, 마땅히 따르는 자이다. 다만 양이 음을 구하면서 이효와 삼효에 매우 가깝게 있기 때문에, 문을 나서서 사효와 교제하면 공이 있다. 사효는 임금과 가까운 자리에 있어 오효와 덕을 함께하는 자이다. 초효가 굳센 양의 재질로써 그를 따르니, 반드시 공이 있다. 어떤 이가 말하기를, "문은 호괘인 간괘(艮卦☶)의 상이고, 공 또한 간괘(艮卦☶)가 이루는 상이다"라고 하였다.

○ 本義, 偏主之主, 指所隨者, 與官主之義不同
『본의』의 '편주(偏主)'의 주(主)는 따르는 바를 가리키니, 관주(官主)의 뜻과는 같지 않다.

---

36) 『周易・无妄卦』: 彖曰, 无妄, 剛自外來而爲主於內, 動而健, 剛中而應, 大亨以正, 天之命也.

송시열(宋時烈) 『역설(易說)』

初變然後, 可與九四爲應. 官者職事也. 來云, 震爲官, 以主器言也. 言初九變其所事爲陰爻, 則雖曰變易, 乃有女之貞固之道而吉矣. 出艮門而與九四相交接, 有化育之功也.

초효가 변한 다음에 구사와 호응할 수 있다. '관(官)'이라는 것은 직책으로 맡은 일이다. 래지덕은 "진괘(震卦☳)가 '관(官)'이 되니, 제기(祭器)를 주관하는 것으로 말하였다"[37]고 하였다. 말하자면 초구가 일하던 것을 바꾸어 음효가 되면 비록 '변역(變易)'이라고 하더라도 여성의 바르고 곧게 하는 도리가 있어서 길하다는 것이다. 간괘(艮卦☶)의 문을 나가서 구사와 서로 교접하면 화육(化育)하는 공이 있다.

유정원(柳正源) 『역해참고(易解參攷)』

初九 [至] 門交.

초구 … 문을 나가 사귀면.

正義, 官謂執掌之職. 人心執掌與官同稱, 故人心所主謂之官

『주역정의』에서 말하였다: '관(官)'은 관장(管掌)함을 기능으로 삼는 직책을 말한다. 사람의 마음이 관장하는 것이 '관'과 같게 일컫기 때문에, 사람의 마음이 주관하는 것을 '관'이라고 말하였다.

○ 鄱陽董氏曰, 艮爲門闕, 初九居互艮之下, 有出門之象

파양동씨가 말하였다: 간괘(艮卦☶)는 문이 되는데, 초구가 호괘인 간괘(艮卦☶)의 아래에 있기 때문에 문을 나가는 상이 있다.

김상악(金相岳) 『산천역설(山天易說)』

初九自上而下, 爲震之主, 是其所主守, 有變易也. 當隨之時, 變而得正吉矣. 居互艮之外, 與二相交, 故出門交而有功也.

초구는 위로부터 내려와 진괘(震卦☳)의 주인이 되니, 이는 주관하고 지키는 것에 변역이 있는 것이다. 따를 때를 맞아 변하여, 바르고 길함을 얻었다. 호괘인 간괘(艮卦☶)의 밖에

---

37) 『주역(周易)·서괘전(序卦傳)』에서 "제기(祭器)를 주관하는 자는 맏아들만한 자가 없다[主器者, 莫若長子]"고 하였다.

있고 이효와 서로 사귀기 때문에 문을 나가 교제하여 공이 있다.

○ 官主也, 震長子主器, 官之象. 渝者, 變也, 剛來而下柔, 爲震之主, 故曰官有渝. 卦之元亨在初, 利貞在五. 而爻則初言貞吉, 上曰用亨者, 剛柔相交而爲用也. 門艮象, 出門交, 見同人初九. 功者渝而能正之功也. 初九自困而變, 故有渝而得貞. 困則剛掩, 故六爻不言貞. 出門交, 亦與困初曰入于幽谷相反. 節者, 困之交也. 其九二曰不出門庭, 以其不變而言也. 卦以物隨爲義, 爻則以隨物爲義, 故諸爻皆從比爲象. 而初二得正而交, 故能有功, 功者二之多譽也. 二與四同功, 故九四小象亦言功也.
'관(官)'은 주관하는 것이니, 진괘(震卦☳)는 맏아들로 제기(祭器)를 주관하므로 '관'의 상이 있다. '유(渝)'는 변하는 것이니, 굳센 양이 와서 부드러운 음에게 낮추어 진괘(震卦☳)의 주인이 되기 때문에 "주장하여 지키던 것이 변했다"고 말했다. 괘의 '크게 형통함[元亨]'은 초효에 있고 '곧게 하는 것이 이로움[利貞]'은 오효에 있지만, 효사에서는 초효에서 "곧게 하면 길하다"고 말했고 상효에서는 "형통하게 하였다"[38]고 말한 것은 굳센 양과 부드러운 음이 서로 사귀어 쓰이기 때문이다. 문은 간괘(艮卦☶)의 상이고, "문을 나가 사귄다"에 대해서는 동인괘(同人卦)의 초구에 대한 설명에 보인다.[39] '공(功)'이란 변하여 바를 수 있는 공이다. 초구는 곤괘(困卦䷮)로부터 변했기 때문에 변하여 바름을 얻는다. 곤괘(困卦)는 굳셈이 덮고 있기 때문에 여섯 효에서 '정(貞)'을 말하지 않았다. "문을 나가 사귄다"는 것은 곤괘(困卦)의 초효에서 "어두운 골짜기로 들어간다"[40]고 한 것과 상반된다. 절괘(節卦䷻)는 곤괘(困卦)의 상괘와 하괘가 바뀐 괘이다. 절괘(節卦)의 구이에서 "양쪽문의 뜰을 벗어나지 않는다"[41]라고 한 것은 변하지 않는 것으로 말하였다. 괘는 상대가 따르는 것을 뜻으로 삼았고, 효는 상대를 따르는 것을 뜻으로 삼았기 때문에 여러 효에서 모두 가까운 것을 따름을 상으로 삼았다. 초효와 이효는 바름을 얻어 사귀기 때문에 공이 있을 수 있으니, 공은 이효의 많은 명예이다. 이효와 사효는 공이 같기 때문에 구사의 「소상전」에서도 또한 '공(功)'을 말했다.

김규오(金奎五) 「독역기의(讀易記疑)」

初九義爻以隨物爲義, 然九四則還爲物隨, 九五則兼物隨隨物而言.

---

38) 『周易 · 隨卦』: 上六, 拘係之, 乃從維之, 王用亨于西山.
39) 『山天易說 · 同人卦』: 門, 離之陰偶也. 卦變而居外于門之象, 傳又言出. 隨下卦, 亦互離體, 而初變居下, 曰出門交, 二爻皆謹於出門之始, 故不苟同, 不詭隨也.
40) 『周易 · 困卦』: 初六, 臀困于株木, 入于幽谷. 三歲, 不覿.
41) 『周易 · 節卦』: 九二, 不出門庭, 凶.

초구의 뜻은 효에서는 상대를 따르는 것을 뜻으로 삼지만, 구사는 도리어 상대가 따르고, 구오는 상대가 따르고 상대를 따르는 것을 겸하여 말하였다.

○ 二與五正應, 三與初同體, 故皆曰失. 失者, 本有而今亡之謂.
이효는 오효와 정응이고, 삼효는 초효와 같은 몸체이므로 모두 "잃는다"[42]고 말하였다. "잃는다"는 것은 본래는 있다가 지금은 없는 것을 말한다.

서유신(徐有臣) 『역의의언(易義擬言)』

官有渝者, 隨時適宜而無常主也. 膠守不變, 非隨時之義也. 然正之所在, 則得之宜, 非正則妄, 是爲詭隨, 君子不爲也. 初九得正, 故吉也. 四爲門, 又在外, 故曰出門也. 交於四, 所以隨於五, 故有功也. 易義, 初應四爲凶, 而此獨爲貞吉有功, 何也. 隨時而適變也, 是爲官有渝也.
"주장하여 지키던 것이 변하였다"는 것은 때에 따라 마땅하게 하여 항상되게 주장하지 않는 것이다. 무조건 지켜서 변하지 않는 것은 때를 따르는 뜻이 아니다. 그러나 바름이 있는 바라면 마땅함을 얻지만 바르지 않으면 망령되니, 이것은 속여서 따르는 것이므로 군자는 하지 않는다. 초구는 바름을 얻었기 때문에 길하다. 사효는 문이 되고, 또한 밖에 있기 때문에 "문을 나간다"고 말했다. 사효와 사귀는 것이 오효를 따르는 방법이기 때문에 공이 있다. 『역의』에서 말하였다: 초효가 사효와 응하면 흉함이 되는데, 여기에서는 유독 바르고 길하니 공이 있는 것은 어째서인가? 때를 따라 알맞게 변하기 때문이니, 이것이 "주장하여 지키던 것이 변하였다"는 것이다.

김귀주(金龜柱) 『주역차록(周易箚錄)』

初九, 官有渝, 云云.
초구에 말하였다: 주장하여 지키던 것이 변하였으니, 운운.
○ 按, 官之爲言主也, 渝之爲言變也. 震是成卦之主, 故曰官, 動而隨物故曰渝. 辟言如一箇官人常常坐在衙裏. 忽一日起動而有所之也. 官有渝, 是在隨之時, 自當如此, 未便是不好底事. 但失正而有私, 然後乃爲不吉. 故戒之以貞正且出門以交也
내가 살펴보았다: '관(官)'이라는 말은 주장한다는 것이고, '유(渝)'라는 말은 변한다는 것이다. 진괘(震卦☳)는 괘를 이루는 주인이기 때문에 "주장한다"고 말하고, 움직여서 상대방을 따르기 때문에 "변한다"고 말하였다. 비유하여 말하자면 한 사람의 관인이 항상 관청 안에

---

42) 『周易 · 隨卦』: 六二, 係小子, 失丈夫. ; 『周易 · 隨卦』: 六三, 係丈夫, 失小子, 隨有求得, 利居貞.

앉았다가 홀연히 하루는 일어나 움직여 가는 것과 같다. "주장하여 지키던 것이 변하였다"는 것은 따르는 때에 스스로 마땅히 이와 같이 해야 하니, 그것이 좋지 않은 일은 아니다. 다만 바름을 잃고 사사로움에 빠진 후에는 길하지 않기 때문에 곧고 바르게 하고 또 문을 나가 사귀어야 한다고 경계하였다.

本義, 卦以物隨, 云云.
『본의』에서 말하였다: 괘는 상대가 따르는, 운운.
○ 按, 本義解官字以爲有所偏主, 小註答或說, 則以一卦之主言之, 兩說不同. 以文勢及義理推之, 恐小註爲長. 蓋以文勢言, 則有所偏主云者, 是官之之謂也, 一卦之主云者, 是直喚[43]爲官, 〈如喚作官人〉也. 官之之謂, 終不若直喚爲官之語順也. 以義理言之, 則有所偏主, 是偏隨一物, 如衆人中偏好一人也. 此已私昵偏係之甚者, 更安有正吉之可言乎. 觀於同人六二于宗之吝, 可知其然也. 故官字只當作一卦之主. 蓋震以一卦之主在隨之時, 是爲變動之象. 此姑未論其得失, 及到貞吉字, 始見其不正, 則不吉耳. 如是看, 似方分曉, 當更商.
내가 살펴보았다: 『본의』에서는 '관'자를 '치우치게 주장하는 것'으로 풀이하였고, 소주에서 어떤 사람에게 답한 말에서는 한 괘의 주인으로 말하였으니, 두 설이 같지 않다. 문장의 흐름과 의리로 미루어보면, 아마도 소주가 나은 것 같다. 문장의 흐름으로 말하면 "치우치게 주장하는 것이 있다"는 것은 주장하는 것을 말하고, 한 괘의 주인이라고 말한 것은 바로 관인(官人)이라고 부르는 것이다. 〈관인(官人)이라고 부르는 것과 같다.〉 주장한다고 말하는 것은 끝내 바로 관인(官人)이라고 부르는 말이 순조로움만 못하다. 의리로 말하면 치우치게 주장하는 것이 있다는 것은 한 사물을 치우치게 따르는 것이니, 여러 사람 가운데 한 사람을 치우치게 좋아하는 것과 같다. 이는 이미 사사롭게 친하여 치우치고 얽매임이 심한 것이니, 다시 어떻게 바르고 길한 것을 말할 수 있겠는가? 동인괘(同人卦☰☲) 육이의 "종친의 무리끼리 하는" 부끄러움을 보면 그러함을 알 수 있다. 그러므로 '관'자는 단지 마땅히 한 괘의 주인으로 삼아야 한다. 진괘(震卦☳)는 한 괘의 주인으로 따를 때에 있으니, 이는 변동의 상이다. 여기 '관유유(官有渝)'에서는 우선 그 득실을 논하지 않았고, '정길(貞吉)'이라는 글자에 이르러 비로소 바르지 않으면 길하지 않음을 보일 뿐이다. 이와 같이 보아야 분명한 것 같으니, 마땅히 다시 생각해 보아야 할 것이다.

小註, 中溪張氏曰, 官主, 云云

43) 喚: 경학자료집성DB에 '喫'로 되어 있으나, 경학자료집성 영인본을 참조하여 '喚'으로 바로잡았다. 이하 이 단락에 나오는 '喚'자는 모두 동일하다.

소주에서 중계장씨가 말하였다: '관'은 주장한다는 것이고, 운운.
○ 按, 主守有變動云云, 似以一卦之主言之, 而其下節曰官其事云云, 則又似是本義偏主之說, 語意混圇, 未可曉也.
내가 살펴보았다: "주장하여 지키던 것에 변동이 있다"고 말한 것은 한 괘의 주인으로 말한 것 같고, 그 아래 절에서 "그 일을 주장한다"고 말한 것은 또한 『본의』의 치우치게 주장한다는 설과 비슷한데, 말의 뜻이 두루뭉술하여 분명하지 않다.

雲峰胡氏曰, 无妄, 云云.
운봉호씨가 말하였다: 무망괘(无妄卦)도, 운운.
○ 按, 此釋官字, 似得正義. 而其爲官本在上, 今來居初. 官之有渝者云云, 語甚迂晦, 恐失本旨.
내가 살펴보았다: 여기에서 '관(官)'자를 해석한 것이 바른 뜻을 얻은 것으로 보인다. 주장함[官]은 본래 상효에 있는데 지금 초효에 와 있으니, 주장함[官]에 변함이 있는 자가 된다고 말한 것은 말이 매우 불분명하니, 아마도 본래의 뜻을 잃은 것 같다.

강엄(康儼) 『주역(周易)』

按, 此既言貞吉, 而又戒以出門交, 何也. 官而有渝, 得正則吉, 一箇貞字, 固无不足, 而陰陽相比, 易於私昵. 六二在前, 有門之象, 而初九臨之. 君子於此不可以事之得正, 而忽其慮患之道. 使其事雖得正, 而或昵於陰柔, 則安在其貞吉乎. 故既曰貞吉, 而又欲其出門而交, 无爲六二所累. 本義所謂因以戒之者, 此也.
내가 살펴보았다: 여기에서 이미 "바르게 하면 길하다"고 말하고서 또한 "문을 나가 사귀어야 한다"고 경계한 것은 어째서인가? 주장하다가 변하여 바름을 얻으면 길하니, 하나의 '정(貞)'이라는 글자만으로도 본래 부족함이 없지만, 음양이 서로 비(比)의 관계에 있어서 쉽게 사사로운 친함에 빠진다. 육이가 앞에 있는 것이 문의 상이 있고, 초구가 거기에 임하고 있다. 군자는 여기에서 일이 바름을 얻었다고 해서 근심하고 우려하는 도를 소홀히 해서는 안 되니, 가령 그 일이 비록 바름을 얻었더라도 부드러운 음에 빠지면 그 바르게 하여 길한 것이 어디에 있겠는가? 그러므로 이미 "바르게 하면 길하다"고 하고, 또한 문을 나가 사귀어 육이에 얽매임이 없도록 하고자 하였다. 『본의』에서 "이로 인하여 경계하였다"고 말한 것이 바로 이 때문이다.

박문건(朴文健) 『주역연의(周易衍義)』

疑懼不進, 故有官有渝之象. 官, 主也. 初爲下體之主, 故謂之官也.

의심하고 두려워하여 나아가지 못하기 때문에 주장하여 지키던 것이 변하는 상이 있다. '관(官)'은 주장하는 것이다. 초효가 하체의 주인이기 때문에 "주장한다[官]"이라고 말하였다.
〈問, 官有渝, 貞吉, 出門交, 有功. 曰, 初九有疑懼之心, 故變其隨上之志. 若用剛貞, 則志不進退而有吉道. 當釋疑而出門交上, 則必得其隨也.
물었다: "주장하여 지키던 것이 변하니, 곧게 하면 길하니 문을 나가 사귀면 공이 있을 것이다"는 무슨 뜻입니까?
답하였다: 초구는 의심하고 두려워하는 마음이 있기 때문에 윗사람을 따르던 뜻을 바꿉니다. 만약 굳세고 곧음을 쓰면 뜻이 나아가거나 물러나지 않아 길한 도리가 있습니다. 마땅히 의심을 풀고 문을 나가 윗사람과 사귀면 반드시 마땅한 따름을 얻을 것입니다.〉

이지연(李止淵) 『주역차의(周易箚疑)』

下一陽, 以動之體爲隨之主, 是出門隨人第一步. 此所謂氣壹則動志, 持其志毋暴其氣者也. 上有正應, 則可如同人六二之隨其宗, 而此无正應, 故謂之出門交也.
아래에 있는 한 양이 움직임의 몸체로 수괘(隨卦䷐)의 주인이 되니, 이것이 문을 나가 사람을 따르는 첫걸음이다. 이것이 이른바 "기운이 한결같으면 뜻을 움직이고"[44], "뜻을 잡아 그 기운을 함부로 하지 말라"[45]는 것이다. 위에 정응이 있다면 동인괘(同人卦䷌) 육이가 종친의 무리를 따르는 것과 같다고 할 수 있지만, 이 효는 정응이 없기 때문에 "문을 나가 사귄다"고 말하였다.

윤종섭(尹鍾燮) 『경(經)·역(易)』

隨初之出門交四, 互艮有出門象. 三之係丈夫, 從四之陽, 有丈夫之象. 初亦陽也, 而在卦之下, 曰小子.
수괘(隨卦䷐) 초효가 문을 나가 사효와 사귄다는 것은 호괘인 간괘(艮卦☶)에 문을 나가는 상이 있기 때문이다. 삼효가 장부에 얽매여 양효인 사효를 따르는 것은 사효가 장부의 상을 갖고 있기 때문이다. 초효 또한 양이지만 괘의 아래에 있기 때문에 '어린아이'라고 말하였다.

김기례(金箕澧) 「역요선의강목(易要選義綱目)」

初爲震主, 故曰官.

---

44) 『孟子·公孫丑』: 曰, 志壹, 則動氣, 氣壹則動志也, 今夫蹶者趨者, 是氣也而反動其心.
45) 『孟子·公孫丑』: 夫志, 氣之帥也, 氣體之充也, 夫志至焉, 氣次焉, 故曰 持其志, 無暴其氣.

초효가 진괘(震卦☳)의 주인이 되기 때문에 "주장한다[官]"라고 말하였다.

○ 變自九[46]二來, 故曰渝.
변화가 구이로부터 왔기 때문에 "변화한다[渝]"라고 하였다.

○ 隨時得正, 故曰吉.
때를 따라 바름을 얻었기 때문에 "길하다[吉]"라고 하였다.

허전(許傳) 「역고(易考)」

門, 六二也. 初九上无正應, 不宜輕動而進於遠, 但可出門而交, 則有功也. 初居動之始, 故曰有渝也.
문(門)은 육이이다. 초구는 위에 정응이 없으므로 마땅히 가볍게 움직여 멀리 나가서는 안 되고, 다만 문을 나가서 사귀면 공이 있다. 초효는 움직이는 처음에 있기 때문에 "변하였으니"라고 말했다.

심대윤(沈大允) 『주역상의점법(周易象義占法)』

隨之義, 以我隨人[47]也. 隨之爻位, 居剛正隨者也. 居柔苟隨者也.
수괘(隨卦䷐)의 뜻은 내가 다른 사람을 따르는 것이다. 수괘(隨卦)의 효의 자리는 굳센 양의 자리에 있으면 바르게 따르는 자이고, 부드러운 음의 자리에 있으면 구차하게 따르는 자이다.

隨之萃䷬. 初九當隨之初, 始有所合, 而以剛居剛, 能正隨者也. 官守也, 艮爲官守, 震爲渝官. 有渝, 言其守有變而從人也. 貞吉, 非詭隨也, 出門交, 非私係也. 艮爲門, 同人之初九與此, 皆舍二三而從於四, 故曰出門交. 隨以從陽, 不以從陰, 剛柔之義也.
수괘가 취괘(萃卦䷬)로 바뀌었다. 초구는 수괘(隨卦)의 처음에 있어서 비로소 합한 바가 있어 굳센 양으로서 굳센 양의 자리에 있으니, 바르게 따를 수 있는 자이다. '관(官)'은 지키는 것인데, 간괘(艮卦☶)는 지키는 것이고, 진괘(震卦☳)는 지키는 것을 변하게 하는 것이다. "변하였다[有渝]"란 지키던 것이 변하여 남을 따르는 것을 말한다. "곧게 하면 길하다"는

---

46) 九: 경학자료집성DB에 '大'로 되어 있으나, 경학자료집성 영인본을 참조하여 '九'로 바로잡았다.
47) 人: 경학자료집성DB에 '入'으로 되어 있으나, 경학자료집성 영인본을 참조하여 '人'으로 바로잡았다.

것은 속여서 따르는 것이 아니고, "문을 나가 사귀다"는 사사로운 얽매임이 아니다. 간괘(艮卦☶)는 문이 되며, 동인괘(同人卦䷌)의 초구와 이 효는 모두 이효와 삼효를 버리고 사효를 따르기 때문에 "문을 나가 사귄다"고 말하였다[48]. 수괘(隨卦)에서 양을 따르고 음을 따르지 않는 것이 굳셈과 부드러움의 뜻이다.

오치기(吳致箕) 「주역경전증해(周易經傳增解)」

初九陽剛得正而在下, 爲震之主, 動而從六二之中正, 卽隨之善者也. 故言主有動而相隨, 從其正而得吉, 以此正道出門而相交, 則必有其功也.
초구는 굳센 양으로서 바름을 얻어 아래에 있어서 진괘(震卦☳)의 주인이 되는데, 움직여 중정한 육이를 따르니, 따르기를 잘 하는 자이다. 그러므로 주장함에 움직임이 있어서 서로 따르니, 바름을 따라 길함을 얻어서 이러한 바른 도리로 문을 나가 서로 사귀면 반드시 공이 있다고 말하였다.

○ 官者, 主也, 指主爻也. 渝謂變動也. 互艮爲門, 亦以六二耦爻, 爲門之象也. 取剛柔相比之象而言交也. 隨之義在於剛柔相比, 故初之剛隨二之柔, 三之柔隨四之剛, 五之剛隨上之柔, 而卦體震陽在下, 兌陰在上, 以男下女爲正. 故諸爻以在下之陽從在上之陰, 則吉, 以在上之陽從在下之陰則凶也.
'관(官)'이란 주장하는 것이니, 주인이 되는 효를 가리킨다. '유(渝)'는 변동하는 것을 말한다. 호괘인 간괘(艮卦☶)가 문이 되고, 또한 육이의 짝으로 이루어진 음효로 문의 상을 삼는다. 굳센 양과 부드러운 음이 서로 비(比)의 관계에 있는 상을 취하여 "사귄다"라고 말하였다. 수괘(隨卦)의 뜻은 굳센 양과 부드러운 음이 서로 비(比)의 관계에 있는 데 있기 때문에 초효의 굳센 양은 이효의 부드러운 음을 따르고, 삼효의 부드러운 음은 사효의 굳센 양을 따르고, 오효의 굳센 양은 상효의 부드러운 음을 따르지만, 괘의 몸체는 진괘(震卦☳)의 양효가 아래에 있고 태괘(兌卦☱)의 음이 위에 있어서 남자가 여자에게 낮추는 것을 바름으로 삼는다. 그러므로 여러 효가 아래에 있는 양이 위에 있는 음을 따르면 길하고, 위에 있는 양이 아래에 있는 음을 따르면 흉하다.

---

48) 동인괘(同人卦) 초구에서는 "出門交"라고 하지 않고 「소상전」에 "象曰, 出門同人, 又誰咎也."라고 하여 본문의 내용과는 다소 다르다.

이진상(李震相) 『역학관규(易學管窺)』

官有渝.

주장하여 지키던 것이 변하였으니.

有官者, 以職爲官, 無官者以事爲官. 然其本皆在心, 心官之所變動, 吉凶利害之原也.

'관(官)'이 있다는 것은 관직을 '관'으로 삼는데, 관직이 없는 자는 일을 '관'으로 삼는다. 그러나 그 근본은 모두 마음에 있으니, 마음이 일삼는 것의 변동하는 바가 길흉과 이해(利害)의 근원이다.

出門交有功.

문을 나가 사귀면 공이 있다

說卦, 艮爲門. 初九居互艮之下, 有出門之象. 此言交四則有功也.

「설괘전」에 의하면 간괘(艮卦☶)는 문이 된다. 초구는 호괘인 간괘(艮卦☶)의 아래에 있어서 문을 나가는 상이 있다. 이는 사효와 사귀면 공이 있다는 말이다.

이병헌(李炳憲) 『역경금문고통론(易經今文考通論)』

程傳曰, 九動之主, 官其所主守也.

『정전』에서 말하였다: 구(九)는 움직임의 주인이고, '관'은 주장하여 지키는 것이다.

按, 初九之義不明, 則餘六爻無深落處. 蓋上窮則渝而下柔爲初九. 初又乘剛而往爲上六, 此又卦從否來之事實也

내가 살펴보았다: 초구의 뜻이 분명하지 않으면, 나머지 다섯 효들도 그렇게 깊은 귀결처가 없다. 상효가 다하면 변하여 부드러운 음에 낮추며 초구가 된다. 초효는 또한 굳셈을 타고 가서 상육이 되니. 이것이 또한 괘가 비괘(否卦䷋)로부터 왔다는 사실이다.

象曰, 官有渝, 從正吉也.

「상전」에서 말하였다: "주장하여 지키던 것이 변하였으니", 바르게 하면 길하다.

中國大全

傳

旣有隨而變, 必所從得正, 則吉也, 所從不正, 則有悔吝.

이미 따름이 있어 변하니, 반드시 따르는 것이 바름을 얻으면 길하지만, 따르는 것이 바르지 못하면 뉘우침과 부끄러움이 있다.

出門交有功, 不失也.

"문을 나가 사귀면 공이 있음"은 바름을 잃지 않는 것이다.

中國大全

傳

出門而交, 非牽於私, 其交必正矣. 正則无失而有功.

문밖에 나가 사귀는 것은 사사로운 데에 끌림이 아니니, 그 사귐이 반드시 바를 것이다. 바르면 잘못이 없고 공이 있을 것이다.

韓國大全

권근(權近) 『주역천견록(周易淺見錄)』

愚按, 此卦下體三爻, 六二係小子, 失丈夫, 六三係丈夫, 失小子, 皆有所私係而有失, 獨初九出門而交, 无所私係, 故曰不失也. 又渝, 變也, 變則失其常矣. 然變而從正, 則無所失. 故訟九四, 復卽命, 渝, 安貞, 象曰, 不失也. 此爻上文, 亦有官有渝貞吉之言, 故象辭亦同.

내가 살펴보았다: 이 괘의 하체에 있는 세 효 가운데 육이는 "어린아이에게 얽매이면 장부를 잃는다"[49]고 하고, 육삼은 "장부에 얽매여서 어린아이를 잃는다"[50]고 하여 모두 사사로이 얽매이는 바가 있어서 잃게 되지만, 유독 초구만은 "문을 나가 사귀어" 사사로이 얽매이는

49) 『周易·隨卦』: 六二, 係小子, 失丈夫.

50) 『周易·隨卦』: 六三, 係丈夫, 失小子, 隨有求得, 利居貞.

것이 없으므로 "잃지 않는다"고 하였다. 또 '유(渝)'는 변한다는 뜻이니, 변하면 항상 됨을 잃게 된다. 그러나 변하되 바름을 따른다면 잃는 것이 없다. 그러므로 송괘(訟卦) 구사에 "돌아와 명(命)에 나아가 마음을 바꾸어서 편안하고 곧게 하면"[51]이라고 하였고, 그 「소상전」에 "잘못이 없는 것이다[不失也]"고 하였다. 이 효의 윗글에 또한 "주장하여 지키던 것이 변하였으니 바르게 하면 길하다"라는 말이 있으므로 「소상전」의 글 역시 동일하다.

송시열(宋時烈) 『역설(易說)』

小象從正者, 言從其正應則吉也. 不失者, 言不失其道也. 有功者, 艮之成終也.
「소상전」의 "바름을 따른다"는 것은 정응을 따르면 길하다는 말이다. "잃지 않는다"는 것은 그 도리는 잃지 않는다는 말이다. "공이 있다"는 것은 간괘(艮卦☶)가 마침을 이루기 때문이다.

김상악(金相岳) 『산천역설(山天易說)』

從正, 謂變而得正又從二之正也. 故不失其所隨而有功也.
"바름을 따른다"는 것은 변하여 바름을 얻고, 또 이효의 바름을 따른다는 말이다. 그러므로 따르는 것을 잃지 않아서 공이 있다.

서유신(徐有臣) 『역의의언(易義擬言)』

雖云有渝, 實爲從正, 故吉也. 隨於九四, 是爲從正也, 是爲不失也. 六二失丈夫, 六三失小子, 皆失其應也.
비록 "변하였다"고 말했지만, 실제로는 바름을 따랐기 때문에 길하다. 구사를 따르는 것이 바름을 따르는 것이고, 잃지 않는 것이 된다. 육이는 장부를 잃고 육삼은 어린아이를 잃으니, 모두 그 호응을 잃은 것이다.

박문건(朴文健) 『주역연의(周易衍義)』

從正吉, 勉其釋疑而隨上也. 不失, 言不失其爲下之道也.
"바름을 따르면 길하다"는 것은 의심을 풀고 윗사람을 따르도록 권면한 것이다. "잃지 않는다"는 것은 아랫사람이 된 도리를 잃지 않는 것을 말한다.

---

51) 『周易·訟卦』: 九四, 不克訟, 復卽命渝, 安貞, 吉.

김기례(金箕澧) 「역요선의강목(易要選義綱目)」

出門, 與同人初九同義. 出門交, 則无私隨. 隨以正道, 故有功不失.

"문을 나간다"는 것은 동인괘(同人卦䷌) 초구와 같은 뜻이다. 문을 나가 사귀면 사사롭게 따르는 것이 없다. 바른 도리를 가지고 따르기 때문에 공이 있고 잃지 않는 것이다.

오치기(吳致箕) 「주역경전증해(周易經傳增解)」

從二之中正, 爲吉之道也. 以此出門交而有功, 爲不失也.

중정한 이효를 따르는 것이 길한 도이다. 이로써 문을 나가 사귀어 공이 있는 것이 잃지 않는 것이다.

六二, 係小子, 失丈夫.

정전 육이가 어린아이에게 얽매이면 장부(丈夫)를 잃는다.
본의 육이는 어린아이에게 얽매이고 장부를 잃는다.

中國大全

傳

二應五而比初, 隨先於近, 柔不能固守. 故爲之戒云, 若係小子, 則失丈夫也. 初陽在下小子也, 五正應在上丈夫也. 二若志係於初, 則失九五之正應, 是失丈夫也. 係小子而失丈夫, 捨正應而從不正, 其咎大矣. 二有中正之德, 非必至如是也, 在隨之時, 當爲之戒也

이효는 오효와 호응하고 초효와 비(比)의 관계에 있으니, 따르는 것은 가까운 것을 먼저 하고 부드러운 음은 굳게 지키지 못한다. 그러므로 경계하기를 "만약 어린아이에게 얽매이면 장부를 잃는다"고 하였다. 양인 초효가 아래에 있으니 어린아이이고, 정응인 오효가 위에 있으니 장부이다. 이효가 만약 뜻이 초효에 얽매여 있으면 정응인 구오를 잃으니, 이는 장부를 잃는 것이다. 어린아이에게 얽매여 장부를 잃는 것은 정응을 버리고 바르지 않은 것을 따르는 것이니, 잘못이 크다. 이효는 중정의 덕이 있으니, 반드시 이와 같은 데 이르지는 않을 것이지만, 따르는 때에 있어서 마땅히 경계하여야 한다.

本義

初陽在下而近, 五陽正應而遠. 二陰柔, 不能自守以須正應. 故其象如此, 凶吝可知, 不假言矣.

양인 초효가 아래에 있어서 가깝고, 양인 오효가 정응이지만 멀리 있다. 이효는 부드러운 음으로서 스스로 지켜 정응을 기다리지 못한다. 그러므로 그 상이 이와 같아서 흉함과 부끄러움을 알 수 있으니, 굳이 말할 것도 없다.

小註

朱子曰, 小子丈夫, 程傳說是.
주자가 말하였다: '어린아이'와 '장부'에 대한 설명은 『정전』의 설명이 옳다.

○ 雲峰胡氏曰, 六柔有係象. 小子初陽在下象, 丈夫五陽在上象. 六二以初陽在近而係之, 則五陽雖正應, 必失之矣.
운봉호씨가 말하였다: 부드러운 육(六)은 얽매이는 상이 있다. '어린아이'는 양인 초효가 아래에 있는 상이고, '장부'는 양인 오효가 위에 있는 상이다. 육이는 양인 초효가 가까이 있어 그에 얽매이면 양인 오효가 비록 정응이더라도 반드시 오효를 잃는다.

○ 楊氏曰, 以剛隨人者, 謂之隨, 以柔隨人者, 謂之係. 剛有以自立, 而柔不足以自立也. 故初九九四九五不言係而六二六三上六皆言係也.
양씨가 말하였다: 굳센 양으로 남을 따르는 것을 '따름'이라고 하고, 부드러운 음으로 남을 따르는 것을 '얽매임'이라고 한다. 굳센 양은 자립하지만, 부드러운 음은 자립하기에 부족하다. 그러므로 초구 · 구사 · 구오에서는 "얽매인다"를 말하지 않고, 육이 · 육삼 · 상육에서는 모두 "얽매인다"를 말했다.

韓國大全

조호익(曺好益) 『역상설(易象說)』

係, 艮止象. 雙湖曰, 艮手象.
"얽매인다[係]"는 것은 간괘(艮卦☶)의 그치는 상이다. 쌍호호씨는 "간괘(艮卦☶)의 손의 상이다"[52]라고 하였다.

심조(沈潮) 「역상차론(易象箚論)」

艮爲小男, 故稱小子.

52) 『周易孔義集說』: 胡雙湖曰, 恒九三亦巽體, 亦有不恒其德之戒. … 擊, 下互艮手象

간괘(艮卦☶)가 막내아들이 되기 때문에 '어린아이'라고 칭하였다.

유정원(柳正源) 『역해참고(易解參攷)』

案, 六二以德, 則中正也, 以質則柔弱也. 雖有仁心仁聞, 柔不能自立, 而切近初陽之剛惡, 則能不爲膚受浸潤之所惑乎. 如此則賢者日遠, 而中正之德亦亡, 聖人之戒深矣.
내가 살펴보았다: 육이는 덕으로는 중정하고, 성질로는 유약하다. 비록 인한 마음과 인한 명성이 있더라도 유약하여 자립할 수 없고, 양효인 초효의 굳센 악에 아주 가까이 있으니, 서서히 스며드는 유혹을 절실하게 느끼지 않을 수 있겠는가?[53] 이와 같다면 현명한 사람은 날로 멀어지고 중정의 덕은 없어질 것이니, 성인의 경계가 깊다.

김상악(金相岳) 『산천역설(山天易說)』

在下者爲小子, 在上者爲丈夫. 剛來居初, 二居其上以比之, 是係小子也. 失九五之應, 是失丈夫也. 書曰, 遠耆德, 比頑童, 此之謂也. 五爲正應, 而曰失丈夫者, 此以卦變言. 故曰, 不兼與也.
아래에 있는 사람은 '어린아이'가 되고, 위에 있는 사람은 '장부'가 된다. 굳센 양이 초효에 와 있고, 이효가 그 위에 있으면서 비(比)의 관계에 있으니, 이것이 "어린아이에게 얽매인다"는 것이다. 구오의 호응을 잃었으니, 이것이 "장부를 잃는다"는 것이다. 『서경』에 "덕 있는 원로들을 멀리하고, 완악한 아이들을 가까이한다"[54]고 한 것이 이를 말한다. 오효가 정응인데도 "장부를 잃는다"라고 한 것은 이는 괘의 변화로 말하였다. 그러므로 「소상전」에서 "겸하여 함께할 수가 없다"고 말하였다.

○ 六柔爲係象，故二三與上皆言係．小子艮也，丈夫震也．然此專以卦變言，故指初爲小子，指五爲丈夫．隨有子幼而隨父母之象，子幼則未免於孩提，故係子失子者，只在內卦．蠱有父母老而聽子之象，子長則不怠於子職，故言幹父幹母者，亦在外卦也．二曰失丈夫，三曰失小子，故漸九三曰，夫征不復婦孕不育．

부드러운 육(六)은 얽매이는 상이 되기 때문에 이효와 삼효와 상효는 모두 "얽매인다"를 말했다. '어린아이'는 간괘(艮卦☶)이고, '장부'는 진괘(震卦☳)이다. 그러나 이는 오로지 괘의 변화로 말했기 때문에, 초효를 가리켜 '어린아이'라고 하고, 오효를 가리켜 '장부'라고 하였다. 수괘(隨卦䷐)에는 자식이 어려서 부모를 따르는 상이 있으니, 자식이 어리면 '어린아이'

---

53) 『論語·顔淵』: 子張問明, 子曰, 浸潤之譖, 膚受之愬, 不行焉, 可謂明也已矣.
54) 『書經·伊訓』: 遠耆德, 比頑童.

에서 면하지 못하기 때문에, 자식에게 얽매이거나 자식을 잃는 것은 다만 내괘에 있다. 고괘(蠱卦䷑)에는 부모가 늙어서 자식의 말을 듣는 상이 있으니, 자식이 자라면 자식으로서의 직분에 게으르지 않기 때문에 "아버지의 일을 주관한다"고 하고 "어머니의 일을 주관한다"고 말한 것은 또한 외괘에 있다. 이효에서는 "장부를 잃는다"고 말했고, 삼효에서는 "어린아이를 잃는다"[55]고 말했기 때문에, 점괘(漸卦䷴)의 구삼에서는 "남편이 가면 돌아오지 않고, 부인이 잉태하더라도 양육을 못한다"[56]고 했다.

서유신(徐有臣)『역의의언(易義擬言)』

小子陰象, 丈夫陽象. 六二係於六三之比, 而失九五之應也, 此亦隨時也. 聯綴於上爲係, 二係於三, 三係於四, 有聯綴之象也. 二三之所隨, 有偏係之病, 故不曰隨而曰係也.
'어린아이'는 음의 상이고, '장부'는 양의 상이다. 육이는 비(比)의 관계에 있는 육삼에 얽매여 정응하는 구오를 잃으니, 이 또한 때를 따르는 것이다. 위에 이어서 엮는[聯綴] 것이 '얽매임[係]'이 되니, 이효는 삼효에 얽매이고 삼효는 사효에 얽매여 이어서 엮는 상이 있다. 이효와 삼효가 따르는 것이 치우치게 얽매이는 병통이 있기 때문에 "따른다"고 하지 않고 "얽매인다"고 하였다.

김귀주(金龜柱)『주역차록(周易箚錄)』

按, 六二之係小子, 與屯六二之寇難相似, 而彼則十年乃字, 此則失丈夫, 何也. 蓋彼則本欲從正應者, 而特以非理之難, 屯而不進, 故久而後乃反其常也. 此則在隨之時, 急於隨人, 不擇正邪, 故係於近而失於遠也. 其似同而卒不同者, 時之有殊耳.
내가 살펴보았다: 육이가 어린아이에게 얽매이는 것은 준괘(屯卦䷂)의 육이가 도적에 의한 어려움을 만나는[57] 것과 비슷하지만, 준괘(屯卦)의 육이는 십년이 되어서야 잉태를 하고, 수괘(隨卦䷐)의 육이는 장부를 잃는 것은 어째서인가? 준괘(屯卦)의 육이는 본래 정응을 따르고자 하는 자이지만, 단지 이치가 아닌 어려움 때문에 머물러서 나아가지 않으므로 오래 지난 다음에야 일상으로 돌아간다. 수괘(隨卦)의 육이는 따르는 때에 남을 따르는데 급하여 옳고 그름을 가리지 않기 때문에 가까운 데에 얽매여 먼 것을 잃는다. 같은 듯하지만 끝내 같을 수 없는 것은 때가 다르기 때문일 뿐이다.

---

55)『周易·隨卦』: 六三, 係丈夫, 失小子, 隨有求得, 利居貞.
56)『周易·漸卦』: 九三, 鴻漸于陸, 夫征, 不復, 婦孕, 不育, 凶, 利禦寇.
57)『周易·屯卦』: 六二, 屯如邅如, 乘馬班如, 匪寇, 婚媾. 女子貞, 不字, 十年, 乃字.

강엄(康儼) 『주역(周易)』

或曰, 屯與隨, 只爭第四一爻, 而屯之六二與隨之六二, 所處相似. 然而此[58]則曰係小子失丈夫, 彼則曰女子貞不字十年乃字, 何其不同也.
妄謂, 屯之六二, 正應在九五, 而旡物間之. 故雖爲初陽所逼, 而二貞固自守, 十年乃字. 隨之六二, 在隨從之時, 正應在九五, 而九四間之, 其心不專, 而初陽在近, 故遂係於初, 而失正應也.
어떤 사람이 말하였다: 준괘(屯卦䷂)와 수괘(隨卦䷐)는 괘의 효자리 전체를 보면, 다만 사효자리 한 곳에서 차이가 나는데, 준괘(屯卦)의 육이와 수괘(隨卦)의 육이는 처한 곳도 비슷합니다. 그러나 수괘(隨卦)에서는 "어린아이에게 얽매이면 장부를 잃는다"고 하고, 준괘(屯卦)에서는 "여자가 정조를 지켜 잉태하지 않다가 십 년이 되어서야 잉태한다"[59]고 하니, 어찌 그렇게도 같지 않습니까?
내가 말하였다: 준괘(屯卦)의 육이는 정응이 구오에 있고 아무 것도 그 사이에 끼어들지 않습니다. 그러므로 비록 초효인 양에게 핍박을 받지만, 이효가 곧게 하여 스스로를 지켜서 십 년이 지나서 잉태합니다. 수괘(隨卦)의 육이는 따르는 때에 정응이 구오에 있고 구사가 그 사이에 끼어들어서 그 마음이 전일하지 않으며, 초효인 양이 가깝게 있기 때문에 드디어 초효에 얽매여 정응을 잃게 됩니다.

박문건(朴文健) 『주역연의(周易衍義)』

捨應從比, 故有係小子之象. 係, 屬也. 小子初九, 丈夫九五也.
호응을 버리고 비(比)의 관계에 있는 것을 따르기 때문에 어린아이에게 얽매이는 상이 있다. 얽매인다는 것은 속하는 것이다. '어린아이'는 초구이고, '장부'는 구오이다.
〈問, 小子丈夫之取象. 曰, 在下故謂之小子, 在上故謂之丈夫也.
물었다: '어린아이'와 '장부'를 취한 상은 무엇입니까?
답하였다: 아래에 있기 때문에 '어린아이'라고 하였고, 위에 있기 때문에 '장부'라고 하였습니다.

問, 係小子係丈夫. 曰, 二密密比故係小子, 三漸遠, 故係丈夫也.
물었다: 어린아이에게 얽매이고, 장부에게 얽매인다는 것은 무슨 뜻입니까?
답하였다: 이효는 매우 가깝기 때문에 어린아이에게 얽매이고, 삼효는 점차로 멀어지기 때

58) 此: 경학자료집성DB에 '必'로 되어 있고 경학자료집성 영인본은 판독이 애매하나, 내용상 '此'가 옳다고 생각되어 바로잡았다.
59) 『周易 · 屯卦』: 六二, 屯如邅如, 乘馬班如, 匪寇, 婚媾, 女子貞, 不字, 十年, 乃字.

문에 장부에게 얽매입니다.〉

이지연(李止淵) 『주역차의(周易箚疑)』

六二之繫小子, 不如屯六二之貞. 夫子愛惜其中正, 而以寓警戒之意也.
육이가 어린아이에게 얽매이는 것은 준괘(屯卦䷂) 육이의 바름[60]만 못하다. 공자가 그 중정함을 애석하게 여겨 경계의 뜻을 붙였다.

심대윤(沈大允) 『주역상의점법(周易象義占法)』

隨之兌䷹. 以柔居柔, 苟隨者也. 近初而遠四, 以喜悅係于初, 初不可舍而四不可兼, 故曰, 係小子, 失丈夫. 巽爲係, 离爲小, 艮爲子. 兌爲失, 坎爲丈夫. 六二得中, 苟隨而宜也. 隨之世, 取比近而不取應, 亦无兩從之義也.
수괘가 태괘(兌卦䷹)로 바뀌었다. 부드러운 음으로 부드러운 음의 자리에 있으니, 구차하게 따르는 자이다. 초효와 가깝고 사효와 멀어 기쁨으로 초효에 얽매이니, 초효를 버릴 수 없으면서 사효를 겸할 수 없기 때문에 "어린아이에게 얽매이고 장부를 잃는다"고 하였다. 손괘(巽卦☴)가 '얽매임'이 되고 리괘(離卦☲)가 '어린'이 되며 간괘(艮卦☶)가 '아이'가 된다. 태괘(兌卦☱)가 '잃음'이 되고 감괘(坎卦☵)가 '장부'가 된다. 육이는 중을 얻어 구차하게 따르지만 마땅하다. 따르는 세상에서는 가까운 것을 취하고 호응을 취하지 않으니, 또한 둘을 다 따르는 의리는 없다.

오치기(吳致箕) 「주역경전증해(周易經傳增解)」

六二柔順中正, 上有九五之當應. 然在隨之時, 不爲九五相與, 而乃爲初九所比, 故有係小子失丈夫之象, 而卽象, 可知其不言占之義也.
육이는 유순하고 중정하며 위에 구오라는 마땅한 호응이 있다. 그러나 따르는 때에 구오가 함께하지 못하고 초구가 가까이 있기 때문에, 어린아이에게 얽매이고 장부를 잃는 상이 있어서 상에 나아갔으니, 점을 말하지 않은 뜻을 알 수 있다.

○ 對體之巽爲繩係之象. 在下曰小子, 小子指初, 在上曰丈夫, 丈夫指五也. 陽先隨陰而陰係于陽, 故不言占, 得中正, 故亦旡戒辭也.

---

60)『周易 · 屯卦』: 六二, 屯如邅如, 乘馬班如, 匪寇, 婚媾, 女子貞, 不字, 十年, 乃字.

음양이 바뀐 괘인 고괘(蠱卦䷑)의 하괘인 손괘(巽卦☴)가 끈으로 묶는 상이 된다. 아래에 있는 것을 '어린아이'라고 말하니, '어린아이'는 초효를 가리키고, 위에 있는 것을 '장부'라고 말하니, '장부'는 오효를 가리킨다. 양이 먼저 음을 따르고 음은 양에 얽매여 있기 때문에 점을 말하지 않았고, 중정을 얻었기 때문에 경계하는 말이 없다.

○ 以剛隨人者, 不謂係, 以柔隨人者謂之係. 蓋剛則有以自立, 而柔不能自立, 乃係于人者. 故初四五不言係, 二三上皆言係也.
굳셈으로 남을 따르는 것을 얽매인다고는 말하지 않고, 유약함으로 남을 따르는 것을 얽매인다고 말한다. 굳세면 자립하지만 유약하면 자립할 수 없어서 남에게 얽매인다. 그러므로 초효·사효·오효에서는 "얽매인다"고 말하지 않고, 이효·삼효·상효에서는 모두 "얽매인다"고 말하였다.

이진상(李震相) 『역학관규(易學管窺)』

初九稚陽在下, 小子也. 九五剛陽在上, 丈夫也. 五雖正應, 而初九卦主, 乘勢逼己. 六二大柔, 志又趨下, 故有係此失彼之戒.
초구는 어린 양효가 아래에 있으니 어린아이이다. 구오는 굳센 양이 위에 있으니 장부이다. 오효가 비록 정응이지만 초구가 괘의 주인이 되어 세력을 믿고 자기를 핍박한다. 육이는 크게 부드러우며 뜻도 또한 아래로 향하므로 어린아이를 얻고 장부를 잃는다는 경계가 있다.

象曰, 係小子, 弗兼與也.

정전 「상전」에서 말하였다: "어린아이에게 얽매이면" 겸하여 함께할 수가 없다.
본의 「상전」에서 말하였다: "어린아이에게 얽매인 자는" 겸하여 함께할 수가 없다.

中國大全

傳

人之所隨, 得正則遠邪, 從非則失是, 无兩從之理. 二苟係初, 則失五矣, 弗能兼與也. 所以戒人從正當專一也.

사람이 따르는 바가 바름을 얻으면 사악함을 멀리하고 그름을 따르면 옳음을 잃으니, 두 가지를 다 따르는 이치는 없다. 이효가 만약 초효에 얽매이면 오효를 잃을 것이니, 겸하여 함께할 수 없다. 그래서 사람이 바른 것을 따라 마땅히 전일하여야 한다고 경계하였다.

小註

臨川吳氏曰, 二之中正, 非必果背五嚮初也. 但以其近比, 易於牽係, 儻若係此, 則必失彼, 二者弗能兼與也. 故爻辭示戒云爾.
임천오씨가 말하였다: 이효는 중정하므로 반드시 오효를 배반하고 초효로 향하는 것은 아니다. 다만 가깝기 때문에 이끌려 얽매이기 쉬우니, 만약 이것에 얽매인다면 반드시 저것을 잃어 두 가지를 겸하여 함께할 수는 없다. 그러므로 효사에서 경계함을 보여 말하였을 뿐이다.

韓國大全

송시열(宋時烈) 『역설(易說)』

六二若偏爲係戀於艮, 則艮爲童, 故爲少子, 是係小子也. 然則失震之長男, 故爲失丈夫之象. 小象不兼與者, 震艮二者, 不可兼爲相與也. 四爲艮之上爻, 小子指四爻也. 初爲震, 丈夫指初爻也. 蓋震艮相綜互, 有小子丈夫之象. 凡言係者, 皆牽連而係着之意, 則以親近昵比之爻言之, 非以隔越遠外之爻爲正應而言之也. 且卦値隨時, 隨者亦隨其近之謂也, 自初至六, 追隨而進. 二爻三爻, 似以震艮互綜之義, 謂之小子丈夫云云, 而傳義無之, 不敢强辨. 傳以五爻爲丈夫, 初爻爲小子, 三爻則以四爻爲丈夫, 初爻爲小子.
육이가 만약 간괘(艮卦☶)에 대하여 연모하여 얽매인다면 간괘(艮卦☶)는 아이가 되기 때문에 막내아들이 되니, 이것이 "어린아이에게 얽매인다"는 것이다. 그렇다면 진괘(震卦☳)인 맏아들을 잃기 때문에 장부를 잃는 상이 된다. 「소상전」의 "겸하여 함께할 수가 없다"는 것은 진괘(震卦☳)와 간괘(艮卦☶) 둘을 겸하여 함께할 수 없다는 것이다. 사효는 간괘(艮卦☶)의 맨 위의 효이니, '어린아이'는 사효를 가리킨다. 초효는 진괘(震卦☳)가 되니, '장부'는 초효를 가리킨다. 진괘(震卦☳)와 간괘(艮卦☶)는 서로 거꾸로 된 괘이므로 '어린아이'와 '장부'의 상이 있다. "얽매인다"고 말하는 것은 끌어당겨 관련되어 마음에 걸려 있다는 뜻이니, 친근하고 가까이 있는 효로 말한 것이지, 떨어져 있고 멀리 밖에 있는 효를 정응으로 삼아 말한 것이 아니다. 또한 괘가 따르는 때를 만나, 따르는 것은 또한 가까운 것을 따르는 것을 말하니, 초효부터 육효까지 뒤쫓아 따라서 나아간다. 이효와 삼효는 진괘(震卦☳)와 간괘(艮卦☶)가 서로 거꾸로 된 괘라는 뜻을 가지고 '어린아이'와 '장부'라고 말한 것 같지만, 『정전』과 『본의』에 그러한 내용이 없으니, 감히 억지로 변론하지 않는다. 『정전』은 오효를 '장부'로 삼고 초효를 '어린아이'로 삼았고, 삼효에서는 사효를 '장부'로 삼고 초효를 '어린아이'로 삼았다.

김상악(金相岳) 『산천역설(山天易說)』

既係乎初, 故不能兼乎五也, 所以陰不得兼陽也.
이미 초효에 얽매여 있기 때문에 오효를 겸할 수 없으니, 그래서 음은 양을 겸하지 못한다.

서유신(徐有臣) 『역의의언(易義擬言)』

既係於此, 不得又隨於彼, 勢然也. 不兼與, 故爲偏係也.
이미 이것에 얽매이면 또한 저것은 따를 수 없는 것은 형세가 그러하다. 겸하여 함께할 수 없기 때문에 치우치고 얽매인다.

김귀주(金龜柱) 『주역차록(周易箚錄)』

按, 弗兼與與字屬彼, 蓋謂彼無倂從我之理也.

내가 살펴보았다: '불겸여(弗兼與)'의 '여(與)'라는 글자는 상대방을 좇는다는 것이니, 상대방도 나를 따르는 이치를 아우름이 없다는 말인 듯하다.

박문건(朴文健)『주역연의(周易衍義)』

係小子, 則弗能兼與也.
어린아이에게 얽매이면 겸하여 함께할 수 없다.

김기례(金箕澧)「역요선의강목(易要選義綱目)」

小子指初九, 丈夫指九五. 二當應五, 以柔居柔, 恐私比初而捨正應, 則失隨道, 故戒弗[61]兼.
'어린아이'는 초구를 가리키고, '장부'는 구이를 가리킨다. 이효는 마땅히 오효에 호응해야 하는데, 부드러운 음으로 부드러운 음의 자리에 있어서 사사롭게 초효를 가까이 하여 정응을 버리면 따르는 도리를 잃을까 걱정하였기 때문에 겸하지 못한다고 경계하였다.

오치기(吳致箕)「주역경전증해(周易經傳增解)」

言旣係于初, 則不得兼五而相與也.
이미 초효에 얽매이면 오효를 겸하여 서로 함께할 수 없다는 말이다.

이병헌(李炳憲)『역경금문고통론(易經今文考通論)』

丈夫小子, 亦指文王及紂而言. 九五爲小子, 上六爲丈夫, 此及隨時之義. 大雅詩中, 亦指不勝位之王爲小子. 惜九五不能孚于嘉也.
'장부'와 '어린아이'는 또한 문왕과 주왕을 가리켜 말하였다. 구오는 '어린아이'가 되고 상육은 '장부'가 되니, 이는 때를 따르는 뜻을 언급한 것이다.『시경(詩經)·대아(大雅)』의 시 가운데도 또한 지위를 감당하지 못하는 왕을 가리켜 '어린아이[小子]'라고 하였다[62]. 구오가 아름다움을 미더워할 수 없음을 애석하게 여긴 것이다.

---

61) 弗: 경학자료집성DB와 영인본에 모두 '弗'으로 되어 있으나, 문맥을 살펴 '弗'로 바로잡았다.
62)『詩經·江漢』: 王命召虎, 來旬來宣. 文武受命, 召公維翰. 無曰予小子, 召公是似. 肇敏戎公, 用錫爾祉.

六三, 係丈夫, 失小子, 隨有求得, 利居貞.

정전 육삼은 장부에 얽매여서 어린아이를 잃으니, 따름에 구하던 것을 얻으나 곧음에 거하는 것이 이롭다.

본의 육삼은 장부에 얽매여서 어린아이를 잃으니, 따라서 구하던 것을 얻으나 곧음에 거하는 것이 이롭다.

中國大全

傳

丈夫九四也, 小子初也. 陽之在上者丈夫也, 居下者小子也. 三雖與初同體, 而切近於四, 故係於四也. 大抵陰柔不能自立, 常親係於所近者. 上係於四, 故下失於初, 舍初從上, 得隨之宜也, 上隨則善也. 如昏之隨明, 事之從善, 上隨也, 背是從非, 舍明逐暗, 下隨也. 四亦无應, 无隨之者也, 近得三之隨, 必與之親善. 故三之隨四, 有求必得也. 人之隨於上, 而上與之, 是得所求也, 又凡所求者, 可得也. 雖然固不可非理枉道以隨於上, 苟取愛說, 以遂所求, 如此, 乃小人邪諂趨利之爲也. 故云利居貞. 自處於正, 則所謂有求而必得者, 乃正事, 君子之隨也.

'장부'는 구사이고 '어린아이'는 초구이다. 양효가 위에 있는 것은 '장부'이고, 아래에 있는 것은 '어린아이'이다. 삼효는 비록 초효와 같은 몸체이나 사효와 매우 가깝기 때문에 사효에 얽매인다. 대체로 부드러운 음은 자립하지 못하여 항상 가까운 것에 친하고 얽매인다. 위로 사효에 얽매이기 때문에 아래로 초효를 잃으니, 초효를 버리고 위에 있는 사효를 따르는 것은 따름의 마땅함을 얻은 것이므로, 위로 따르면 좋다. 예를 들어 어두움이 밝음을 따르는 것과 일이 선(善)을 따르는 것은 위로 따르는 것이고, 옳음을 배반하고 그름을 따르는 것과 밝음을 버리고 어둠을 따르는 것은 아래로 따르는 것이다. 사효 또한 호응이 없어서 따르는 자가 없으니, 가까이 삼효의 따름을 얻으면 반드시 함께 친선(親善)한다. 그러므로 삼효가 사효를 따름에 구하던 것을 반드시 얻는다. 사람이 윗사람을 따르면서 윗사람이 그와 함께하면 이는 구하는 바를 얻는 것이고, 또 모든 구하는 바를 얻을 수 있다. 비록 그렇지만 이치가 아니고 도를 굽혀서 위를 따르거나, 사랑과 기쁨을 구차하게 취하여 구하는 바를 이루어서는 진실로 안 되니, 이와 같이 하면 바로 소인들이 간사하게 아첨하여 이익을 따르는 행위이다. 그러므로 "곧음에 거하는 것이 이롭다"고 말하였다. 스스로 바름에 처하면 이른바 "구함이 있음에 반드시 얻는다"는 것은 곧 바른 일로서, 군자의 따름이다.

本義

丈夫謂九四, 小子亦謂初也. 三近係四, 而失於初, 其象與六二正相反. 四陽當任, 而已隨之, 有求必得, 然非正應, 故有不正而爲邪媚之嫌. 故其占如此, 而又戒以居貞也.

'장부'는 구사를 말하고, '어린아이'는 또한 초구를 말한다. 삼효는 가까이 사효에 얽매여 초효를 잃으니, 그 상이 육이와 정반대이다. 양인 사효가 임무를 담당하였는데 자신이 따르니, 구하던 것을 반드시 얻으나 정응이 아니기 때문에 바르지 못하여 간사하게 아첨하는 혐의가 있다. 그러므로 그 점이 이와 같고 또 곧음에 거하라고 경계하였다.

小註

進齋徐氏曰, 以六居三, 不正也, 以九居四, 亦不正也. 以不正相比, 必至於詭隨, 故又以居貞爲利也.

진재서씨가 말하였다: 음으로서 양의 자리인 삼효의 자리에 있으니 바르지 않고, 또 구(九)로서 음의 자리인 사효의 자리에 있으니 또한 바르지 않다. 바르지 않은 것들이 서로 비(比)의 관계에 있어서 반드시 속여 따르는 데 이르기 때문에 곧음에 거하는 것으로 이로움을 삼는다.

○ 雲峰胡氏曰, 程傳本義皆以初爲小子, 易之例, 不問陰陽, 小子皆指初而言. 隨初九陽稱小子, 漸初六陰亦稱小子也. 事有得, 必有失, 失於此, 必有得於彼. 六二失丈夫, 失其所不可失也, 故不言得. 六三失小子而言有求得, 失其所當失也. 失卽是得, 瘡以潰爲得, 病以去爲得. 六二之失乃所以爲得也. 利居貞, 有三義. 初九陽居陽貞也, 故言貞吉. 六三陰居陽不正, 故戒之曰利居貞, 而不言吉. 三係丈夫, 固異於二之係小子. 然四非正應, 又有所係而隨, 已非正大之情, 故不言吉而戒以居貞. 或曰, 士之病, 莫大於有所求. 三之於四, 不可以有求必得之故, 而妄有不正之求也, 故戒之.

운봉호씨가 말하였다: 『정전』과 『본의』는 모두 초효를 '어린아이'로 삼았는데, 『주역』의 예에서는 음양을 가리지 않고 '어린아이'는 모두 초효를 가리켜 말하였다. 수괘(隨卦䷐)에서 양인 초구는 '어린아이'를 칭하였고, 점괘(漸卦䷴)에서도 음인 초육은 '어린아이'를 칭하였다. 일이란 얻는 것이 있으면 반드시 잃는 것도 있으며, 여기에서 잃으면 반드시 저기에서 얻는다. 육이가 장부를 잃은 것은 잃어서는 안 되는 것을 잃은 것이기 때문에 "얻는다"고 말하지 않았다. 육삼은 어린아이를 잃었는데도 "구하던 것을 얻는다"고 말한 것은 마땅히 잃을 것을 잃었기 때문이다. 그런 경우에는 잃는 것이 곧 얻는 것이니, 종기는 없어져야

얻는 것이고 병은 제거해야 얻는 것이다. 육이의 잃음은 그래서 얻음이 된다. "곧음에 거하는 것이 이롭다"는 것은 세 가지 뜻을 가지고 있다. 초구는 양으로서 양의 자리에 있으니, 곧기 때문에 "곧게 하면 길하다"고 말하였다. 육삼은 음으로서 양의 자리에 있어서 바르지 않기 때문에 "곧음에 거하는 것이 이롭다"고 경계시키며 말하고, "길하다"고 말하지 않았다. 삼효는 장부에게 얽매여 있으니, 본래 이효가 어린아이에게 얽매여 있는 것과는 다르다. 그러나 사효가 정응이 아닌데도 또한 얽매여 따르고 있어서, 이미 정당하고 사사로움이 없는 감정이 아니기 때문에 "길하다"고 말하지 않고 곧음에 거하라고 경계하였다. 어떤 이는 "선비의 병은 무엇을 구하는 것보다 큰 것이 없다. 삼효는 사효에 대해서 구하던 것을 반드시 얻으려는 까닭으로, 함부로 바르지 않게 구해서는 안 되기 때문에 경계하였다"라고 하였다.

韓國大全

조호익(曺好益) 『역상설(易象說)』

三從四陰陽相與, 故有有求得之象. 然三不正, 故戒以居貞.
삼효가 사효를 따라서 음과 양이 서로 함께하기 때문에 구하던 것을 얻는 상이 있다. 그러나 삼효는 양의 자리에 음이 있어 바르지 않기 때문에 곧음에 거하라고 경계하였다.

송시열(宋時烈) 『역설(易說)』

係於綜震之丈夫, 故失初爻. 艮之小子, 隨其係爻而有所求, 則可以得之. 然非正應而隨之, 有不正邪媚之嫌, 故以利居貞戒之. 互綜艮震說見上, 而以小象志舍下觀之, 三爻之隨四爻而係戀失初, 互之綜艮者, 亦可取象而得之否.
종괘인 진괘(震卦☳)의 장부에게 얽매이기 때문에 초효를 잃는다. 간괘(艮卦☶)의 어린아이는 얽매인 효를 따라 구하는 것이 있으면 얻을 수 있다. 그러나 정응이 아닌데 따르니, 바르지 않고 사특하게 아첨한다는 혐의가 있기 때문에 "곧음에 거하는 것이 이롭다"고 경계하였다. 서로 거꾸로 된 괘가 되는 간괘(艮卦☶)와 진괘(震卦☳)에 대한 설명[63]은 위에 보이는데, 「소상전」의 "뜻이 아래를 버린다는 것이다"라는 말로 보면, 삼효가 사효를 따라

63) 『易說 · 隨卦』 六二 小象: 二爻三爻, 似以震艮互綜之義, 謂之小子丈夫云云, 而傳義無之, 不敢强辨.

연모하여 얽매어서 초효를 잃는 것은 호괘의 종괘인 간괘(艮卦☶)를 또한 상으로 취해서 얻을 수 있었던 것인지도 모르겠다.

유정원(柳正源) 『역해참고(易解參攷)』

案, 四與初皆陽也, 而在上而德位俱顯者, 丈夫也, 在下而才德未成者, 小子也. 三不能自守, 舍下從上, 則固善也, 而陰柔之人, 好人侫己, 或以往道相隨, 如鑽穴踰牆之事, 國人之所賤也. 故隨之求得, 利在居貞.
내가 살펴보았다: 사효와 초효는 모두 양인데, 위에 있으면서 덕과 지위가 함께 드러난 자는 '장부'이고, 아래에 있으면서 재주와 덕이 아직 이루어지지 않은 자는 '어린아이'이다. 삼효는 스스로를 지킬 수 없어서 아래를 버리고 위를 따르니, 본래 선하지만, 부드러운 음인 사람으로서 남이 자기에게 아첨하는 것을 좋아하여 혹 도를 굽혀 서로 따르니, 이는 마치 구멍을 뚫고 담장을 넘는 일을 나라 사람들이 천하게 여기는[64] 것과 같다. 그러므로 따라서 구하던 것을 얻으나 이로움은 곧음에 거하는 데에 있다.

傳, 正事.
『정전』에서 말하였다: 바른 일이다.
案, 事一作士.
내가 살펴보았다: '사(事)'는 한 판본에는 '사(士)'로 되어 있다.

김상악(金相岳) 『산천역설(山天易說)』

丈夫謂九四, 小子亦謂初也. 三獨不變, 故係於四而失於初也. 有失則有得, 而四陽當任而已, 隨之有求可得. 然非正應而互艮體, 故利居貞.
'장부'는 구사를 말하고, '어린아이'는 또한 초효를 말한다. 삼효는 유독 변하지 않기 때문에 사효에 얽매여 초효를 잃는다. 잃는 것이 있으면 얻는 것이 있어서, 양인 사효는 임무를 담당하고 있을 뿐이지만 그를 따르면 구하던 것을 얻을 수 있다. 그러나 정응이 아니고 호괘가 간괘(艮卦☶)의 몸체이기 때문에 곧음에 거하는 것이 이롭다.

○ 三居剛柔之交, 故既言係, 又言隨. 三四互巽體, 乾求於坤而得巽, 巽爲市利求得之象也. 豫之震在上, 而四爲成卦之主, 故曰大有得. 隨之震在下, 而三隨乎四者, 故曰隨

64) 『孟子 · 藤文公』: 不待父母之命, 媒妁之言, 鑽穴隙相窺, 踰牆相從, 則父母國人, 皆賤之.

有求得. 又震木生離火, 與兌金相遇, 終能鎔金, 合土有求可得. 睽三曰, 无初有終, 蓋以是也.
삼효는 굳센 양과 부드러운 음이 교차하는 곳에 있어서 이미 "얽매인다"고 하고 또 "따른다"고 말하였다. 삼효와 사효는 호괘인 손괘(巽卦☴)의 몸체에 있는데, 건괘(乾卦☰)가 곤괘(坤卦☷)에 구하여 손괘(巽卦☴)를 얻었고, 손괘(巽卦☴)는 시장의 이익을 구하여 얻는 상이 된다. 예괘(豫卦䷏)에서는 진괘(震卦☳)가 위에 있고 사효는 괘를 이루는 주인이기 때문에 "크게 얻음이 있다"[65]고 하였다. 수괘(隨卦䷐)에서는 진괘(震卦☳)가 아래에 있고 삼효가 사효를 따르기 때문에 "따라서 구하던 것을 얻는다"고 하였다. 또한 진괘(震卦☳)인 나무[木]는 리괘(離卦☲)인 불[火]을 낳아 태괘(兌卦☱)인 쇠[金]와 서로 만나 마침내 쇠[金]를 녹일 수 있고, 흙[土]과 합하여 구하던 것을 얻을 수 있다. 규괘(睽卦䷥)의 삼효에서 "처음은 없고 끝이 있다"[66]고 한 것은 아마도 이 때문인 듯하다.

서유신(徐有臣) 『역의의언(易義擬言)』

係於九四而失上六也. 卦之情三四異體, 本不得相與, 而獨隨有相與之義, 故曰隨有求得, 此亦隨時之義也. 然三不得正, 故有利居貞之戒也.
구사에 얽매여서 상육을 잃었다. 괘의 실정은 삼효와 사효는 다른 몸체에 있기 때문에[67] 본래 서로 함께할 수 없지만, 유독 수괘(隨卦䷐)에서만 서로 함께하는 뜻이 있기 때문에 "따름에 구하던 것을 얻는다"고 하였으니, 이 또한 때를 따른다는 뜻이다. 그러나 삼효는 바름을 얻지 못했기 때문에 곧음에 거하는 것이 이롭다는 경계가 있다.

김귀주(金龜柱) 『주역차록(周易箚錄)』

按, 六三之係丈夫失小子, 比之六二, 固爲善矣. 然非正應, 而以近比相隨, 且陰柔不中正, 而居動體之上, 其所以相得者, 乃有所求而得者也. 夫君子之交, 無所求而得, 故其交也正, 小人之交, 有所求而得, 故其交也不正. 惟其不正, 故戒之以居貞耳. 如是看, 恐備一義.
내가 살펴보았다: 육삼이 장부에 얽매여 어린아이를 잃는 것은 육이에 비하면 본래 선하다. 그러나 정응이 아닌데도 가깝다고 해서 서로 따르고, 또 부드러운 음으로서 중정하지 않으면서 움직이는 몸체의 위에 있으니, 서로 얻는 것은 바로 구하는 바가 있어서 얻는 경우이다. 군자의 사귐이란 구하는 바가 없어도 얻기 때문에 그 사귐이 바르고, 소인의 사귐이란

---

65) 『周易 · 豫卦』: 九四, 由豫, 大有得. 勿疑, 朋盍簪.
66) 『周易 · 睽卦』: 六三, 見輿曳, 其牛掣, 其人天且劓, 无初有終.
67) 삼효는 하체에 있고 사효는 상체에 있다는 말이다.

구하는 바가 있어서 얻기 때문에 그 사귐이 바르지 않다. 오직 바르지 않기 때문에 곧음에 거하라고 경계하였을 뿐이다. 이렇게 본다면 아마도 한 가지 뜻을 갖출 것이다.

本義, 丈夫謂九四, 云云.
『본의』에서 말하였다: 장인은 구사를 말하고, 운운.
小註, 雲峯胡氏曰, 程傳, 云云.
소주에서 운봉호씨가 말하였다: 『정전』과, 운운.
○ 按, 失卽是得, 固亦可通. 然直以係丈夫爲得, 何所不可, 而必曲爲之說耶.
내가 살펴보았다: 잃는 것이 곧 얻는 것이라는 설명은 본래 뜻이 통할 수 있다. 그러나 곧바로 장부에게 얽매이는 것을 얻는 것으로 한다면 어느 것인들 불가하겠는가? 그런 경우에는 반드시 왜곡하여 설명하게 될 것이다.

박문건(朴文健) 『주역연의(周易衍義)』

從上捨下, 故有係丈夫之象. 丈夫上六, 小子初九也. 求, 求其相與也.
위를 따르고 아래를 버리기 때문에 장부에게 얽매이는 상이 있다. '장부'는 상육이고 '어린아이'는 초구이다. "구한다"는 것은 서로 함께하기를 구하는 것이다.
〈問, 隋有求得利居貞. 曰, 隋上而有求與則必得. 然或有害己之患, 當居其位用柔貞爲利也.
물었다: "따름에 구하던 것을 얻으나 곧음에 거하는 것이 이롭다"는 무슨 뜻입니까?
답하였다: 윗사람을 따라서 함께하기를 구하면 반드시 얻습니다. 그러나 혹 자기를 해칠까 하는 걱정이 있기 때문에 마땅히 제자리에 있으면서 부드러움과 곧음을 써야 이롭습니다.〉

김기례(金箕澧) 「역요선의강목(易要選義綱目)」

丈夫指四, 小子指初. 在下體而舍初係四, 得上從之道, 則與二之失正相反也. 然昵比而非正應, 則近諂, 故戒利在正. 六二失其不可失, 故不言得, 六三失其當失, 故言求有得.
'장부'는 사효를 가리키고 '어린아이'는 초효를 가리킨다. 하체에 있으면서도 초효를 버리고 사효에 얽매여 위로 따르는 도리를 얻은 것은 이효가 바름을 잃는 것과는 상반된다. 그러나 친밀하더라도 정응이 아니니, 아첨하는 데에 가깝기 때문에 바른 데에 있는 것이 이롭다는 경계를 하였다. 육이는 잃어서는 안 될 것을 잃었기 때문에 "얻는다"고 말하지 않았고, 육삼은 마땅히 잃어야 할 것을 잃었기 때문에 "구하던 것을 얻는다"고 말했다.

심대윤(沈大允)『주역상의점법(周易象義占法)』

隨之革☱☲, 去故也. 六三居剛而正隨, 舍初從四, 而下有六二一陰, 爲有得之象. 以陰柔故曰求, 明非其固有也. 艮爲求爲得, 宜固守勿失, 故曰利居貞. 艮爲居.
수괘가 혁괘(革卦☱☲)로 바뀌었으니, 옛 것을 버린다.[68] 육삼이 굳센 양의 자리에 있으면서 바르게 따라서 초효를 버리고 사효를 따르며, 아래로는 육이 한 음이 있으니, 얻음이 있는 상이 된다. 부드러운 음이기 때문에 "구한다"고 했으니, 본래 가진 것이 아님을 밝혔다. 간괘(艮卦☶)가 '구함'이 되고 '얻음'이 되니, 마땅히 굳게 지켜서 잃지 않아야 하기 때문에 "곧음에 거하는 것이 이롭다"고 말했다. 간괘(艮卦☶)는 "거하다"가 된다.

오치기(吳致箕)「주역경전증해(周易經傳增解)」

六三陰柔失正, 上比九四不正之剛, 而下不應於初九之陽, 故有係丈夫失小子之象. 以其先動而相隨, 有求必得, 其願卽隨之詭者也. 故戒言利在於處其正道而不可以邪枉相從也.
육삼은 부드러운 음으로서 바름을 잃었으며, 위로는 바르지 않은 굳센 양인 구사와 비(比)의 관계에 있고, 아래로는 양인 초구와 호응하지 않기 때문에 장부에 얽매여서 어린아이를 잃는 상이 있다. 먼저 움직여서 서로 따름으로써 구하던 것을 반드시 얻음은 그 잘못된 따름에 나아가기를 원하는 것이다. 그러므로 바른 도에 거처하는 것이 이롭고 사특하게 도리를 굽혀서 서로 따라서는 안 된다고 경계해서 말하였다.

○ 剛柔之相應相比曰求亦曰得. 而三比於四, 故言求得也.
굳센 양과 부드러운 음이 서로 호응하고 서로 비(比)의 관계에 있는 것을 "구한다"고 하고 "얻는다"고 하는데, 삼효는 사효와 비(比)의 관계에 있기 때문에 "구하여 얻는다"고 하였다.

이진상(李震相)『역학관규(易學管窺)』

丈夫謂九四, 小子亦初也. 初是小子, 故象亦曰志舍下, 三猶陽志故也. 六三不中不正, 失其正應, 故隨其所求而有得, 邪媚之極, 動以說者也. 故戒之以利居貞. 居艮象.
'장부'는 구사를 말하고, '어린아이'는 또한 초효이다. 초효가 어린아이이기 때문에 「소상전」에서도 "뜻이 아래를 버린다"고 했으니, 삼효는 오히려 양의 뜻이기 때문이다. 육삼은 가운데 있지도 않고 제자리도 아니며 정응을 잃었기 때문에 구하는 것을 따라서 얻지만 잘못된

68)『周易·雜卦傳』: 革, 去故也, 鼎, 取新也.

아첨을 지극히 하고 기쁨으로 움직이는 자이다. 그러므로 곧음에 거하는 것이 이롭다고 경계하였다. "거한다"는 것은 간괘(艮卦☶)의 상이다.

이병헌(李炳憲) 『역경금문고통론(易經今文考通論)』

六三與上六爲正應, 故雖失位而係丈夫, 此隨時之義也

육삼은 상육과 정응이기 때문에 비록 지위를 잃었더라도 장부에 얽매이니, 이것이 때를 따르는 뜻이다.

象曰, 係丈夫, 志舍下也.

「상전」에서 말하였다: "장부에게 얽매임"은 뜻이 아래를 버린다는 것이다.

中國大全

傳

旣隨於上, 則是其志舍下而不從也. 舍下而從上, 舍卑而從高也, 於隨爲善矣.

이미 위를 따르면 이는 그 뜻이 아래를 버리고 따르지 않는 것이다. 아래를 버리고 위를 따르며, 낮은 것을 버리고 높은 것을 따르니, 따르는 데에 좋음이 된다.

小註

建安丘氏曰, 以陰隨陽, 舍下隨上, 不求則已, 有求必得, 其志亦可嘉矣. 但以非其正, 故戒之.

건안구씨가 말하였다: 음으로서 양을 따르고 아래를 버리고 위를 따라서, 구하지 않으면 그만이지만 구하던 것을 반드시 얻으니, 그 뜻이 또한 가상하다. 다만 바름이 아니기 때문에 경계하였다.

韓國大全

유정원(柳正源) 『역해참고(易解參攷)』

志舍下也.

뜻이 아래를 버린다는 것이다.

案, 背非從是, 舍暗逐明, 皆志舍下也.

내가 살펴보았다: 잘못된 것을 등지고 옳은 것을 따르며, 어두운 것을 버리고 바른 것을 따르는 것은 모두 뜻이 아래를 버리는 것이다.

傳.
『정전』에 대해서.
〈案, 傳末, 本有舍音捨三字.
내가 살펴보았다: 『정전』의 끝에 본래 "사(舍)의 음은 사(捨)이다[舍音捨]"라는 세 글자가 있었다.〉

김상악(金相岳) 『산천역설(山天易說)』

旣係乎四, 故其志能舍下之初也.
이미 사효에 얽매였기 때문에 그 뜻이 아래의 초효를 버릴 수 있다.

서유신(徐有臣) 『역의의언(易義擬言)』

舍, 止也, 互艮象也. 三之志止於下, 不欲上從於上六也.
'사(舍)'는 머무는 것이니, 호괘인 간괘(艮卦☶)의 상이다. 삼효의 뜻이 아래에 머물러 위로 상육을 따르고자 하지 않는 것이다.

이지연(李止淵) 『주역차의(周易箚疑)』

三爻不足於正, 故戒之. 而夫子於象辭隱然有許與之意.
삼효는 바름이 부족하기 때문에 경계하였다. 그러나 공자는 「소상전」의 말을 보면, 은근히 인정하는 뜻을 가지고 있다.

심대윤(沈大允) 『주역상의점법(周易象義占法)』

六三, 侯牧之隨也. 桀紂之世去之, 而從於湯武者也, 革之義也. 以其國而隨人, 異於六二之道也
육삼은 제후와 방백의 따름이다. 걸왕과 주왕의 세상을 떠나서 탕왕과 무왕을 따르는 것이니, 혁괘(革卦䷰)의 뜻이다. 나라를 가지고 다른 사람을 따르니, 육이의 도와는 다르다.

오치기(吳致箕) 「주역경전증해(周易經傳增解)」

言旣比乎四, 故其志舍在下之初九而從上也.
이미 사효와 비(比)의 관계에 있기 때문에 그 뜻이 아래에 있는 초구를 버리고 위를 따른다는 말이다.

九四, 隨有獲, 貞凶. 有孚在道以明, 何咎.

정전 구사는 사람들을 따라서 그 마음을 얻으면, 곧더라도 흉하다. 믿음이 있고 도가 있고 밝으면 무슨 허물이 있겠는가?

본의 구사는 사람들을 따라서 그 마음을 얻으나, 곧더라도 흉하다. 믿음이 있고 도가 있고 밝으면 무슨 허물이 있겠는가?

中國大全

傳

九四, 以陽剛之才, 處臣位之極, 若於隨有獲, 則雖正亦凶. 有獲, 謂得天下之心隨於己. 爲臣之道, 當使恩威一出於上, 衆心皆隨於君. 若人心從己, 危疑之道也, 故凶. 居此地者, 奈何. 唯孚誠積於中, 動爲合於道, 以明哲處之, 則又何咎. 古之人有行之者, 伊尹周公孔明是也. 皆德及於民, 而民隨之, 其得民之隨, 所以成其君之功, 致其國之安. 其至誠存乎中, 是有孚也, 其所施爲, 无不中道, 在道也. 唯其明哲, 故能如是以明也, 復何過咎之有. 是以下信而上不疑, 位極而无逼上之嫌, 勢重而无專强之過, 非聖人大賢, 則不能也. 其次如唐之郭子, 儀威震主而主不疑, 亦由中有誠孚, 而處无甚失也. 非明哲, 能如是乎?

구사는 굳센 양의 재질로 신하의 지위로서는 가장 높은 자리에 있으니, 만약 따르는 데에 얻음이 있다면 비록 올바르더라도 또한 흉하다. "얻는다"는 것은 천하 사람들의 마음이 자기를 따름을 얻는 것을 말한다. 신하가 되는 도리는 마땅히 은혜와 위엄이 한결같이 임금에게서 나와 뭇 사람들의 마음이 모두 임금을 따르게 하여야 한다. 만약 사람들의 마음이 자기를 따른다면 위태롭고 의심을 받는 길이기 때문에 흉하다. 이러한 처지에 있는 사람은 어떻게 하여야 하는가? 오직 믿음과 정성이 마음에 쌓이고 행위가 노리에 부합하나, 명철하게 대처하면 또 무슨 허물이 있겠는가? 옛사람 가운데 이를 행한 사람이 있으니, 이윤, 주공, 공명이 그러한 사람들이었다. 모두 덕이 백성에게 미치고 백성들이 따랐으니, 백성의 따름을 얻었기 때문에 임금의 공을 이루고 나라의 편안함을 이루었다. 지극한 정성이 마음에 보존되어 있는 것이 "믿음이 있다"는 것이고, 베푼 행위가 도에 맞지 않음이 없는 것이 "도가 있다"는 것이다. 오직 명철하기 때문에 이와 같이 하여 밝을 수 있으니, 다시 무슨 잘못과 허물이 있겠는가? 이 때문에 아랫사람들이 믿고 윗사람이 의심하지 않아, 지위가 지극하면서도 윗사람을 핍박하는 혐의가 없고, 권세가 대단한데도 제멋대로 강하게 하는 허물이 없었으니, 성인이나 현인이 아니면 할 수가 없다. 그 다음으로 당나라의 곽자의(郭子儀)와 같은 자는 위엄이 임금을 떨게 하였으나 임금이 의심하지 않았으니, 이 또한 중심에 믿음과 정성이 있고 대처함에 심한 잘못이 없었기 때문이다. 명철한 사람이 아니면 이와 같을 수 있었겠는가?

本義

九四, 以剛居上之下, 與五同德. 故其占隨而有獲, 然勢陵於五, 故雖正而凶, 惟有孚在道而明, 則上安而下從之, 可以无咎也. 占者當時之任, 宜審此戒.

구사는 굳센 양으로 상괘의 아래에 있어서 오효와 덕이 같다. 그러므로 그 점이 따라서 얻음이 있으나 세력이 오효를 능멸하기 때문에 비록 바르더라도 흉하니, 오직 믿음이 있고 도에 있으며 밝으면 윗사람이 편안하고 아랫사람이 따르므로 허물이 없을 수 있다. 점치는 사람이 시대의 임무를 맡으면, 마땅히 이러한 경계를 살펴야 한다.

小註

白雲郭氏曰, 六三隨有求得, 隨人而有得也. 九四隨有獲, 以得人之隨爲獲也.
백운곽씨가 말하였다: 육삼은 따라서 구하던 것을 얻으니, 사람을 따라서 얻음이 있다. 구사는 사람들을 따라서 그 마음을 얻으니, 사람들이 따르게 되는 것을 얻음으로 여긴다.

○ 建安丘氏曰, 豫隨九四, 皆大臣也. 豫之有得, 猶隨之有獲也. 但豫柔君在上, 四之志可以行, 故其戒在君, 而五貞疾. 隨剛君在上, 非四之所可犯, 故其戒在臣, 而四貞凶也. 然則處豫隨九四之位者奈何. 曰唯有以自信, 而孚上下之心, 斯免矣. 是以豫四勿疑則朋盍簪而從, 隨四有孚則有明功而无咎也.
건안구씨가 말하였다: 예괘(豫卦䷏)와 수괘(隨卦䷐)의 구사는 모두 대신(大臣)이다. 예괘(豫卦)에서의 "얻음이 있다[有得]"[69]는 수괘(隨卦)에서의 "얻다[有獲]"와 같다. 다만 예괘(豫卦)는 부드러운 음인 임금이 위에 있고, 사효의 뜻이 행하여질 수 있기 때문에 그 경계함이 임금에 있어서 오효에서 "바르지만 병을 앓다"[70]고 하였다. 수괘(隨卦)는 굳센 양인 임금이 위에 있고, 사효가 범할 수 있는 바가 아니기 때문에 그 경계함이 신하에게 있어서 사효에서

69) 『周易·豫卦』: 九四, 由豫, 大有得. 勿疑, 朋盍簪.
70) 『周易·豫卦』: 六五, 貞, 疾, 恒不死.

"곧더라도 흉하다"고 하였다. 그렇다면 예괘(豫卦)와 수괘(隨卦)의 구사의 자리에 있는 사람은 어떻게 해야 하는가? 오직 스스로를 믿고 위아래 사람의 마음을 믿음이 있어야 이에 벗어날 수 있다. 그러므로 예괘(豫卦)의 사효에서 의심하지 않으면 벗들이 모여들어 따른다고 하였고, 수괘(隨卦)의 사효에서 믿음이 있으면 밝은 공이 있고 허물이 없다고 하였다.

○ 雲峰胡氏曰, 豫九四大有得, 不言凶, 隨九四有獲而言貞凶何也. 豫九四以一陽得五陰, 卦之所以爲豫者在四. 若夫卦之所以爲隨者, 不在四而在初, 四下不與初應, 而上次勢凌於五, 未必上安而下從之也, 雖貞亦凶, 況不貞乎? 有孚在道以明, 戒之深矣. 非孚非明, 凶咎其能免乎.
운봉호씨가 말하였다: 예괘(豫卦䷏)의 구사에서는 "크게 얻음이 있다"고 하고 흉함을 말하지 않았고, 수괘(隨卦䷐)의 구사에서는 얻는다고 하면서도 "곧더라도 흉하다"라고 말한 것은 어째서인가? 예괘(豫卦)의 구사는 한 양이 다섯 음을 얻어서 괘가 '예(豫)'가 된 까닭이 바로 사효에 있다. 만약 괘가 '수(隨)'가 된 까닭이라면 사효에 있지 않고 초효에 있어서, 사효는 아래로 초효와 호응하지 않고 위로는 오효에 버금가는 세력이 오효를 능멸하기 때문에 아직 반드시 윗사람이 편안하고 아랫사람이 따르지는 않으니, 비록 곧더라도 흉한데 하물며 바르지 않은 경우에 있어서이겠는가? 믿음이 있고 도가 있으며 밝아야 한다고 하니, 경계함이 깊다. 믿음이 아니고 밝음이 아니라면 흉함과 허물을 벗어날 수 있겠는가?

韓國大全

조호익(曺好益) 『역상설(易象說)』

四與五同德, 有隨有獲之象. 道猶路也, 取艮路象. 明自初至四, 似離體, 故取象
구사는 구오와 덕을 같이하니, 따라서 얻는 상이 있다. '도(道)'는 길과 같으니, 간괘(艮卦☶)의 길이다는 상을 취하였다. 밝음은 초효에서 사효까지가 리괘(離卦☲)의 몸체와 비슷하므로 그 상을 취하였다.

송시열(宋時烈) 『역설(易說)』

六四隨九五而有獲, 與三爻略同, 而三則以居貞戒之, 四之貞凶, 近君而勢若能逼故

也. 有孚者, 有坎象也, 在道者, 震爲大塗, 以明者, 下有離象也. 言處此者, 有孚格之心, 而行道光明, 則雖有貞凶之道, 而亦无咎也.
육사는 구오를 따라 얻어서 삼효와 대략 같지만, 삼효는 곧음에 거하라고 경계하고, 사효는 곧더라도 흉하다고 한 것은 임금에게 가까워 권세가 임금을 핍박할 수 있을 것 같기 때문이다. "믿음이 있다"는 것은 감괘(坎卦☵)의 상이고, "도가 있다"는 것은 진괘(震卦☳)가 큰 길이 되기 때문이며, "밝다"는 아래에 리괘(離卦☲)의 상이 있기 때문이다. 이러한 상황에 처한 사람이 믿음으로 감동시키는 마음을 가지고 도를 행하며 밝게 한다면, 비록 '곧더라도 흉한' 도가 있지만, 또한 허물이 없다는 말이다.

강석경(姜碩慶) 『역의문답(易疑問答)』

問, 隨之九四, 曰有獲貞凶, 萃之九四, 曰大吉无咎. 蓋當天下隨己之時, 値群陰萃陽之日, 九四以陽剛之才, 居近君之位, 而獲天下之隨, 得衆心之萃, 則恐有陵上之勢, 逼君之嫌. 故隨有獲, 則雖貞亦凶. 萃大吉然後无咎, 是乃嚴君臣之分, 而戒陵逼之嫌也. 程傳之以躍爲就淵者, 實合此義. 而子之以躍爲天飛者, 豈非賊敎之論乎.
曰, 五爲君位, 二三四爲臣位者. 雖是易卦之通例, 而乾坤二卦不在此例, 爲純陽純陰之體. 而在六十四卦之首, 乾六爻皆君, 坤六爻皆臣. 故五君位也, 而坤之六五曰黃裳元吉, 傳者解以守中居下. 二臣位也, 而乾之九二, 曰見龍在田, 文言乃以君德許之. 特以所處之位, 所遇之時不同. 故有潛見躍飛之異, 所謂時乘六龍以御天也. 豈可 以臣道言之乎. 如舜之往從謳歌, 躍也, 避位河南, 淵也.
물었다: 수괘(隨卦)의 구사에서는 "얻으면 곧더라도 흉하다"고 했고, 취괘(萃卦䷬)의 구사에서는 "크게 길한 다음에 허물이 없다"[71]고 했습니다. 천하 사람들이 자기를 따르는 때를 당하였고, 여러 음이 양에게 모이는 날을 만나, 구사가 굳센 양의 재질로 임금에게 가까운 자리에 있으면서 천하 사람들이 따름을 얻고 여러 사람들의 마음이 모임을 얻으니, 윗사람을 능멸하는 권세와 임금을 핍박하는 혐의가 있을까 두렵습니다. 그러므로 따라서 그 마음을 얻으면 비록 곧더라도 흉합니다. 취괘(萃卦)에서 "크게 길한 다음에 허물이 없다"고 한 것은 임금과 신하의 구분을 엄격히 하여, 신하가 임금을 능멸하고 핍박한다는 혐의를 경계한 것입니다. 『정전』에서 뛰어오르는 것을 못[淵]에 나아가는 것으로 여긴 것은 실로 이 뜻에 부합합니다. 그런데 그대가 뛰어오르는 것을 하늘을 나는 것으로 여긴 것은 가르침을 해치는 논의가 아니겠습니까?
답하였다: 오효는 임금의 자리가 되고, 이효 · 삼효 · 사효는 신하의 자리가 됩니다. 비록 이

71) 『周易 · 萃卦』: 九四, 大吉, 无咎.

것이 『주역』 괘의 일상적인 예이지만, 건괘(乾卦䷀)와 곤괘(坤卦䷁), 두 괘는 이 예에 해당하지 않고 순전한 양과 순전한 음의 몸체가 되어 육십사괘의 맨 앞에 있으니, 건괘(乾卦䷀)의 여섯 효는 모두 임금이고 곤괘(坤卦䷁)의 여섯 효는 모두 신하입니다. 그러므로 오효가 임금의 자리이지만, 곤괘(坤卦䷁)의 육오에서는 "황색치마이면 크게 길하다"[72]고 하였고, 『정전』에서는 "중도를 지키면서 아래에 거한다"[73]고 풀이하였습니다. 이효는 신하의 자리이지만, 건괘(乾卦䷀)의 구이에서는 "나타난 용이 밭에 있다"[74]고 하였고, 「문언전」에서는 임금의 덕을 갖고 있다고 인정하였습니다.[75] 다만 처한 자리와 만난 때가 같지 않기 때문에 잠겨 있거나 나타나거나 뛰어오르거나 나는 차이가 있으니, 이른바 "때에 맞세 여섯 마리의 용을 타고 하늘을 다스린다"[76]는 것입니다. 어찌 개괄하여 신하의 도리로 말할 수 있겠습니까? 순임금이 자신을 칭송하는 노래를 따른 것은 "뛰어오른다"는 것이며, 하남 땅에서 자리를 피했던[77] 것은 '못[淵]'인 것입니다.

유정원(柳正源) 『역해참고(易解參攷)』

王氏曰, 處說之初, 下據二陰, 三求係己, 不距則獲. 故曰隨有獲也. 居於臣地, 履非其位, 以擅其民, 失於臣道, 違正者也, 故曰貞凶. 體剛居說而得民心, 能幹其事, 而成其功者也. 雖違常義, 志在濟物, 心存公誠, 著信在道以明其功, 何咎之有.

왕필이 말하였다: 기쁨을 상징하는 태괘(兌卦☱)의 처음에 있고,[78] 아래로는 두 음을 차지하여 막고 있으며 삼효가 자기에게 얽매이기를 구하니, 거절하지 않으면 얻는다. 그러므로 "따라서 그 마음을 얻는다"고 말하였다. 신하의 자리에 있으면서 자기의 자리가 아닌 데로 나아가 백성들을 마음대로 부리니, 신하의 도리를 잃고 바름을 어긴 사람이기 때문에 "곧더라도 흉하다"라고 하였다. 몸체가 굳세고 기쁨에 거하며 민심을 얻고 있으니, 일을 주관하여 공을 이룰 수 있는 사람이다. 비록 일상적인 뜻에 어긋나지만 뜻은 남을 구제하는 데 있고, 마음은 공정함과 정성을 보존하고 있으니, 믿음을 드러내고 도가 있어서 그 공을 밝힌다면 무슨 허물이 있겠는가?

---

72) 『周易 · 坤卦』: 六五, 黃裳, 元吉.
73) 『周易傳義大全 · 隨卦 · 程傳』: 守中而居下, 則元吉, 謂守其分也.
74) 『周易 · 乾卦』: 九二, 見龍在田, 利見大人.
75) 『周易 · 乾卦 · 文言傳』: 易曰, 見龍在田利見大人, 君德也.
76) 『周易 · 乾卦』: 彖曰, … 大明終始, 六位時成, 時乘六龍, 以御天.
77) 순(舜)에 대한 이러한 이야기는 『맹자(孟子) · 만장(萬章)』에 보인다.
78) 구사는 수괘(隨卦䷐)의 상괘인 태괘(兌卦☱)의 첫 효에 해당한다.

김상악(金相岳) 『산천역설(山天易說)』

九四以陽居上之下, 與五同德, 下有二陰之隨, 隨而有獲, 勢陵於五, 雖正猶凶. 然與上爲互坎, 應震爲互離, 能有孚在道以明, 則上安而下隨, 有何咎哉.

구사는 양으로서 상괘의 맨 아래에 있으면서 오효와 덕을 같이 하며, 아래에 따르는 두 음이 있어서 따라서 얻어 형세가 오효를 업신여기니, 비록 바르더라도 오히려 흉하다. 그러나 상효와는 호괘가 큰 감괘(坎卦☵)가 되고 진괘(震卦☳)와 호응하여 호괘가 큰 리괘(離卦☲)가 되어, 믿음이 있고 도가 있으며 밝을 수 있으니, 윗사람이 편안하고 아랫사람이 따르므로 무슨 허물이 있겠는가?

○ 四隨乎五, 三隨乎四者, 而三之求得, 以柔居下, 隨人以得之者也, 四之有獲, 以剛居上, 得人之隨者也. 故有居貞貞凶之異, 故曰以欲從人則可, 以人從欲鮮濟也. 孚者以心言, 坎之中實也. 故坎卦曰有孚惟心亨. 道者以事言, 震爲大道. 故復六四曰, 以從道也. 明者離之象, 大有九四曰, 明辨晳是也. 四能孚於上下, 守道而明, 則何咎之有. 隨之有獲, 猶豫之有得, 而豫則貞疾在五, 隨則貞凶在四者, 遇剛與乘剛之不同也. 動有順說之德, 故豫以勿疑爲志行, 隨以有孚爲明功也. 又四變爲屯, 屯曰求婚媾往明也. 隨之有獲者, 能求在下之賢, 往孚于五, 則初可以出門交而有功, 乃明功也. 旣言貞凶, 又曰何咎, 聖人所以開遷善之門也.

사효는 오효를 따르고 삼효는 사효를 따르는 것인데, 삼효가 얻기를 구함은 부드러운 음으로 아래에 있어서 남을 따라 얻는 것이며, 사효가 얻음은 굳센 양으로 위에 있어서 남의 따름을 얻는 것이다. 그러므로 "곧음에 거한다"와 "곧더라도 흉하다"라는 차이가 있기 때문에 "자신의 욕심을 없애고 다른 사람을 따르는 것은 그래도 가능하지만, 다른 사람에게 나의 욕심을 따르도록 하면 이룰 수 있는 경우가 드물다"[79]고 하였다. '믿음'이란 마음으로 말했으니, 감괘(坎卦☵)의 가운데가 꽉 찬 것이다. 그러므로 감괘(坎卦☵)에서 "믿음이 있어서 마음 때문에 형통하다"[80]고 하였다. '도'란 일로 말했으니, 진괘(震卦☳)가 큰 길이 된다. 그러므로 복괘(復卦䷗) 육사에서 "도를 따른다"[81]고 말하였다. '밝음'이란 리괘(離卦☲)의 상이니, 대유괘(大有卦䷍) 구사에서 "분별하는 지혜가 밝기 때문이다"[82]고 한 것이 그것이다. 사효가 위아래로 믿음을 얻어서 도를 지켜 밝을 수 있다면 무슨 허물이 있겠는가? 수괘(隨卦)에서 "얻는다[有獲]"는 것은 예괘(豫卦䷏)에서 "얻음이 있다"[83]는 것과 같지만, 예괘

79) 『春秋左氏傳 · 僖公』 20年: 宋襄公欲合諸侯, 臧文仲聞之, 曰, 以欲從人則可, 以人從欲, 鮮濟.

80) 『周易 · 坎卦』: 習坎, 有孚, 維心亨, 行有尙.

81) 『周易 · 復卦』: 象曰, 中行獨復, 以從道也.

82) 『周易 · 大有卦』: 象曰, 匪其彭无咎, 明辨晳也.

(豫卦)에서는 “바르지만 병을 앓는다”[84]는 것이 오효에게 있고 수괘(隨卦)에서는 “곧더라도 흉하다”는 것이 사효에 있는 것은 굳센 양을 만난 것과 굳센 양을 탄 것이 같지 않기 때문이다. 움직여서 따르고 기뻐하는 덕이 있기 때문에 예괘(豫卦)에서는 의심하지 않는[85] 것을 뜻이 행해지는[86] 것으로 보았고, 수괘(隨卦)에서는 “믿는다”는 것을 ‘밝은 공’[87]으로 보았다. 또한 사효가 변하면 준괘(屯卦䷂)가 되는데, 준괘(屯卦)에서 “혼인할 자를 찾아서 간다”[88]는 “명철한 것이다”[89]라고 하였다. 수괘(隨卦)에서 “얻는다”는 것은 아래에 있는 현인을 구하여 오효에게 가서 믿음을 받을 수 있으니, 초효가 문을 나가 사귀면 공을 세울 수 있는 것이 바로 밝은 공이다. 이미 “곧더라도 흉하다”고 말하였는데, 또 “무슨 허물이 있겠는가?”라고 말했으니, 성인이 선으로 옮아가는 문을 열어준 것이다.

김규오(金奎五) 「독역기의(讀易記疑)」

九四貞凶, 或作貞固之意. 蓋以陵逼之位, 而爲下所隨, 自有可凶之道. 若不知危, 而若固有之, 則終必凶矣. 其事雖或不至於凶, 其義則固已凶矣. 今若不分貞否, 而才見爲人所隨, 便謂之凶, 則是人臣負天下之望者, 皆涉於凶, 而終无致澤之時矣. 然傳義皆作雖正亦凶何也. 此爻居不得正而无應, 三雖相隨而三亦不正. 又二五相應, 而已居其間, 不无遮隔之嫌. 又九五中正自足有爲, 而四若代之有獲, 則甚非人臣所安之道. 故不取貞固之義, 特言雖正亦凶, 以爲萬世人臣之戒. 蓋以卦才而言, 非必謂凡在臣位者皆然也. 然馮異咸陽王, 李綱撾鼓, 靜菴蟲篆, 從古而然, 誠所謂雖正亦凶者也. 貞凶何咎, 亦似有分言之意. 吉凶, 言禍福也. 无咎, 言義理也. 言有孚在道以明, 則設使不幸而至於凶, 亦不可謂之咎. 如大過上六凶无咎是也. 然則竹樹事, 亦不可謂之咎也.

구사의 “곧더라도 흉하다”는 것을 어떤 사람은 “곧고 굳다[貞固]”는 뜻으로 풀이한다. 오효를 업신여기고 핍박하는 자리에 있고 아랫사람들이 따르고 있으니, 저절로 흉할 수 있는 도리를 가지고 있다. 만약 위험을 알지 못하고 이와 같이 본래 가진 것과 같이 한다면, 끝내는 반드시 흉하게 된다. 그 일이 혹시 흉함에 이르지 않을지라도 그 뜻은 진실로 이미 흉하다. 지금 만약 바름과 그렇지 않음을 구분하지 않고 남이 따르는 것을 보자마자 곧 흉하다고

83)『周易 · 豫卦』: 九四, 由豫, 大有得. 勿疑, 朋盍簪

84)『周易 · 豫卦』: 六五, 貞, 疾, 恒不死.

85)『周易 · 豫卦』: 九四, 由豫, 大有得. 勿疑, 朋盍簪.

86)『周易 · 豫卦』: 九四, 象曰, 由豫大有得, 志大行也.

87)『周易 · 隨卦』: 九四, 象曰, 隨有獲, 其義凶也, 有孚在道, 明功也.

88)『周易 · 屯卦』: 六四, 乘馬班如, 求婚媾, 往, 吉, 无不利.

89)『周易 · 屯卦』: 六四, 象曰, 求而往, 明也.

말한다면, 이는 남의 신하로서 천하 사람들의 바람을 짊어지는 자가 모두 흉함에 저촉되어 끝내 은택을 이루는 때가 없을 것이다. 그러나 『정전』과 『본의』에서 모두 "비록 바르더라도 흉하다"고 풀이한 것은 어째서인가? 이 효는 거처가 바름을 얻지 못하고 호응도 없으며, 삼효가 비록 따르지만 삼효 또한 바르지 않다. 또한 이효와 오효가 서로 호응하는데, 자기가 그 사이에 끼어 있으니, 그들을 막아 떨어지게 한다는 혐의가 없지 않다. 또한 구오가 중정하여 스스로 훌륭한 일을 하기에 충분한데도 사효가 만약 그를 대신하여 얻는다면 남의 신하로서 편안하게 하는 도리가 전혀 아니다. 그러므로 "곧고 굳다"는 뜻을 취하지 않고, 다만 비록 "바르더라도 흉하다"고 말하여 만세에 남의 신하 된 자들에 대한 경계로 삼았다. 괘의 재질로 말하면 반드시 신하의 지위에 있는 자들이 모두 그렇다는 말이 아니다. 그러나 풍이(馮異)[90]를 백성들이 함양왕이라고 부른 것, 이강(李綱)이 파직되자 태학생들이 북을 치며 항의한 것,[91] 정암(靜菴) 조광조(趙光祖)의 벌레가 잎을 먹고 남은 흔적으로 나타나는 글자[92]는 예부터 그러했던 사례이니, 참으로 이른바 "비록 바르더라도 흉하다"는 것이다. "바르더라도 흉하다"는 말과 "무슨 허물이 있겠는가?"라는 말은 나누어 말하는 뜻이 있는 듯하다. 길흉은 화복을 말하고 허물이 없다는 것은 의리를 말한다. 믿음이 있고 도가 있고 밝으면, 설령 불행히도 흉함에 이르더라도 또한 허물이라고 말할 수 없다는 말이다. 예를 들어 대과괘(大過卦䷛) 상육의 "흉하나 허물은 없다"[93]는 것이 그것이다. 그렇다면 죽수(竹樹)[94]의 일도 또한 허물이라고 말할 수는 없을 것이다.

---

90) 풍이(馮異, 미상~34): 후한 영천(潁川) 부성(父城) 사람이다. 자는 공손(公孫)이다. 왕망(王莽) 말기에 군연(郡掾)으로 다섯 현(縣)을 감독하면서 왕망을 위해 유수(劉秀, 光武帝)에 항거했다. 나중에 광무제에 귀순해 주부(主簿)가 되어 왕랑(王郞)을 격파하고 하북(河北)을 평정했다. 사람됨이 겸손하고 자기 공을 자랑하지 않았다. 전쟁터에서는 다른 장수들이 모여 앉아 전공(戰功)을 논의할 때면 홀로 나무 아래에 앉아 대책을 궁리했기 때문에 '대수장군(大樹將軍)'이란 별호를 얻었다. 나중에 공손술(公孫述)과 농서(隴西)의 외효(隗囂)를 공격하다 군진(軍陣)에서 죽었다. 시호는 절(節)이다.(『후한서 · 풍이전』 참조.)

91) 이강(李綱, 1083~1140): 송나라 소무(邵武) 사람이다. 자는 백기(伯紀)이고, 호는 양계(梁溪)이다. 휘종(徽宗) 정화(政和) 2년(1112) 진사가 되고, 감찰어사(監察御史)와 병부시랑(兵部侍郎), 추밀사(樞密史) 등을 지냈다. 송나라와 금나라가 대치하던 때 강력하게 항전을 주장하다 폄적(貶謫)되었다. 송나라가 남쪽으로 내려간 뒤 고종(高宗)이 불러 재상으로 삼았다. 유학(儒學)에 정통했고, 시문(詩文)을 잘 지었는데, 관련 저술에 『역전내편(易傳內篇)』 10권과 『역전외편(易傳外篇)』 12권, 『논어상설(論語詳說)』 10권 등이 있다. 일찍이 『주역』과 화엄(華嚴)의 이동(異同)을 비교하여 유불이교일치론(儒佛二敎一致論)을 주장하면서 불교에 비판적이었던 주희(朱熹)와 장재(張載) 등과 논쟁을 벌였다. 시호는 충정(忠定)이고, 저서에 『양계집(梁溪集)』과 『정강전신록(靖康傳信錄)』 등이 있다.

92) 여기서 말하는 '충전(蟲篆)'이란 다음과 같은 내용을 말하는 듯하다. 훈구파 중 홍경주(洪景舟) · 남곤(南袞) · 심정(沈貞)은 경빈 박씨(敬嬪朴氏) 등 후궁을 움직여 왕에게 신진사류를 무고하도록 하였고, 또한 대궐 나뭇잎에 과일즙으로 '주초위왕(走肖爲王)'이라는 글자를 써 벌레가 파먹게 한 다음에 궁녀로 하여금 이를 따서 왕에게 바쳐 의심을 조장시키기도 하였다.(『한국민족문화대백과』, 한국학중앙연구원. 참조.)

93) 『周易 · 大過卦』: 上六, 過涉滅頂, 凶, 无咎.

○ 彖義解當作无咎ㅣ면 初九義解當作貞이면 吉ᄒ고 象解當作吉也요
「단전」의 뜻은 "허물이 없으면"이라고 풀어야 하고, 초구의 뜻은 "곧으면 길하고"로 풀어야 하고, 「상전」의 뜻은 "길하고"로 풀어야 한다.

서유신(徐有臣) 『역의의언(易義擬言)』

隨, 隨於五也. 獲, 獲於初也. 剛居多懼之地, 上隨於君, 而下有私獲, 雖正應亦爲凶也. 雖然以其獲而隨於五, 其亦成隨之功矣. 是能有孚在道而以明之矣, 亦何咎之有哉. 此亦隨時之義也. 詩云, 夙夜匪解, 以事一人. 旣明且哲, 以保其身, 九四近之.
"따른다"는 것은 오효를 따르는 것이다. "얻는다"는 것은 초효에서 얻는 것이다. 굳센 양으로 두려움이 많은 곳에 있으면서 위로는 임금을 따르고 아래로는 사사롭게 얻으니, 비록 정응이라도 또한 흉하다. 비록 그렇지만 얻는 것으로 오효를 따르니, 그 또한 따르는 공을 이루었다. 이는 믿음이 있고 도가 있어서 밝힐 수 있는 것이니, 또한 무슨 허물이 있겠는가? 이 또한 때를 따른다는 뜻이다. 『시경』에 "아침부터 밤까지 게을리 아니하여 한 사람을 섬기도다. 사리에 밝고 일을 살펴서 몸을 보전한다"[95]고 하였는데, 구사가 거기에 가깝다.

김귀주(金龜柱) 『주역차록(周易箚錄)』

按, 九四居說體之初, 而下有震之三爻隨之, 彼動而已. 說是爲隨有獲. 然上近於五, 有分權之勢, 所以爲凶也. 蓋其德不中不正, 以致如此, 故戒以有孚在道. 有孚, 中之謂也. 在道, 正之謂也. 至於以明二字, 亦謂有孚在道, 必以明也. 非有孚在道之外, 更有以明一事. 觀於象傳明功之云, 可知也.
내가 살펴보았다: 구사는 기쁨을 상징하는 태괘(兌卦☱)의 처음에 있고 아래에는 진괘(震卦☳)의 세 효가 그를 따름이 있으니, 저들이 움직일 뿐이다. 기쁨은 "따라서 얻는다"는 것이다. 그러나 위로는 오효에 가까워 권한을 나누는 형세가 있기 때문에 흉하다. 그 덕이 알맞지도 않고 바르지도 않아서 이와 같은데 이르렀기 때문에 믿음이 있고 도가 있어야 한

---

94) 죽수(竹樹): '죽수(竹樹)'는 서원(書院)의 이름이다. 조광조는 1519년(중종 14)에 일어난 기묘사화(己卯士禍)로 능성현에 유배되었다. 이때 조광조와 사가독서(賜暇讀書)를 함께 했던 양팽손도 관직을 삭탈당하고 고향인 능성현에서 지내고 있어서, 두 사람은 자연히 만나 서로 의리를 다지게 되었다. 그러나 조광조가 사약을 받고 죽자, 양팽손은 몰래 시신을 거두어 장사를 지내고 마을에 초가집을 지어 제자들과 함께 제향 하였다. 그러다가 1568년(선조 1)에 조광조는 영의정으로 추증되었고 이듬해 문정(文正)이라는 시호를 받았으며, 이와 함께 조정에서는 조광조를 향사할 서원을 건립하였다. 이에 1570년(선조 3)에 서원을 짓고, 죽수(竹樹)라는 사액을 받았다.(『두산백과』 참조.) 여기서 말한 '죽수(竹樹)의 일'에서의 '죽수'란 아마도 정암 조광조를 말하는 듯하다.

95) 이러한 내용은 『시경(詩經)·증민(蒸民)』에 나온다.

다고 경계하였다. "믿음이 있다"는 것은 알맞음[中]을 말하고, "도가 있다"는 것은 바름을 말한다. '이명(以明)'이라는 두 글자는 믿음이 있고 도가 있는 것을 반드시 밝음으로 한다는 말이다. 믿음이 있고 도가 있는 이외에 밝다는 한 일이 더 있는 것이 아니다. 「소상전」에서 '밝은 공'이라고 말한 것을 보면 알 수 있다.

박제가(朴齊家) 『주역(周易)』

九四, 隨有獲.
구사는 따라서 얻는다.

三有求而得, 四不求而自獲, 權重可知. 故象傳曰, 其義凶也.
삼효는 구하여 얻으며 사효는 구하지 않아도 저절로 얻으니, 권세가 대단함을 알 수 있다. 그러므로 「소상전」에 "그 뜻이 흉하다"고 하였다.

박문건(朴文健) 『주역연의(周易衍義)』

用剛肆暴, 故有隨有獲之象. 有孚而在道, 由之則必得其下也.
굳셈으로 거리낌 없이 포악하게 하기 때문에 따라서 얻는 상이 있다. 믿음이 있고 도가 있어서 이로 말미암으면 반드시 그 아랫사람을 얻는다.
〈問, 隋有獲以下. 曰, 九四用剛, 故有隋獲之象. 若用剛貞而肆暴, 則孤立而无與, 故有凶. 必有孚在道而親下, 則可謂有明, 何咎之有哉.
물었다: "따라서 얻는다" 이하는 무슨 뜻입니까?
답하였다: 구사는 굳셈을 쓰기 때문에 따라서 얻는 상이 있습니다. 만약 굳세고 곧음을 써서 거리낌 없이 포악함을 부린다면 고립되어 함께하는 사람이 없기 때문에 흉합니다. 반드시 믿음이 있고 도가 있으며 아랫사람들을 친하게 하면 밝다고 말할 수 있으니, 무슨 허물이 있겠습니까?〉

이지연(李止淵) 『주역차의(周易箚疑)』

下二陰, 皆當隨五者, 而四先據之, 所謂丞相在外, 權重者也.
아래 두 음이 모두 마땅히 오효를 따르는 자인데 사효가 먼저 그들을 차지하고 막으니, 이른바 승상으로서 밖에 있으면 권세가 대단하다는 것이다.

有孚, 初與四之間, 有中虛之象也. 在道, 剛而居柔也. 以明, 初與四之間, 有互離之象也.[96)]
"믿음이 있다"는 것은 초효와 사효의 사이에 가운데가 비어 있는 상이 있기 때문이다. "도가 있다"는 것은 굳센 양이면서 부드러운 자리에 있기 때문이다. "밝다"는 것은 초효와 사효의 사이에 큰 리괘(離卦☲)의 상이 있기 때문이다.

김기례(金箕澧) 「역요선의강목(易要選義綱目)」

隨四有獲, 與豫四有得, 同而異, 皆以大臣位. 豫四主卦而統衆陰, 柔君在上, 故其志可行, 而戒在五君. 隨四剛君在上, 事必上裁, 若怙勢有獲, 則貞且凶, 明信在我之道, 則无咎.
수괘(隨卦䷐)의 사효가 "얻는다"는 것은 예괘(豫卦䷏)의 사효가 "얻는다"는 것과 같으면서도 다르다. 수괘(隨卦)의 사효와 예괘(豫卦)의 사효는 모두 대신의 지위로써, 예괘(豫卦)의 사효는 괘의 주인이 되어 여러 음들을 통솔하고 부드러운 음인 임금이 위에 있기 때문에 그 뜻을 행할 수 있으며 경계할 것은 오효인 임금에게 있고, 수괘(隨卦)의 사효는 굳센 양인 임금이 위에 있어서 일이 반드시 위에서 결정되니, 만약 세력을 믿고 얻으면 곧더라도 흉하지만 나에게 있는 도를 분명하게 믿으면 허물이 없다.

심대윤(沈大允) 『주역상의점법(周易象義占法)』

隨之屯䷂, 艱苦也. 九四以剛居柔而苟隨, 隨于五而下爲衆所係, 故曰隨有獲. 以兵取之曰獲, 獲多於得也. 處疑逼之地, 上承剛嚴之主, 能委曲隨順, 而不敢有其身用其心, 故雖正而凶也. 周公之赤舃几几是也. 在道, 言明巽以動也. 雖凶而義, 故曰何咎. 凡云苟隨, 非謂不正也.
수괘가 준괘(屯卦䷂)로 바뀌었으니, 어려움을 당한다. 구사는 굳센 양으로 부드러운 음의 자리에 있고 구차하게 따르며, 오효를 따르고 아래로 여러 사람들에게 얽매여 있기 때문에 "따라서 얻는다"고 하였다. 군대를 써서 취하는 것을 "얻는다[獲]"고 하니, '획(獲)'이라는 표현이 '득(得)'이라는 표현보다 강하다. 핍박한다고 의심을 받는 자리에 있지만, 위로는 굳세고 엄한 주인을 받들고 있으면서 곡진하게 순순히 따를 수 있어서 감히 몸과 마음을 자기 멋대로 하지 않기 때문에 비록 바르더라도 흉하다. 주공의 "붉은 신이 편안하다"[97)]는 것이

96) 경학자료집성DB에서는 수괘(隨卦) 구오에 해당하는 것으로 분류했으나, 내용을 살펴 이 자리로 옮겼다.
97) 『詩經・狼跋』: 狼跋其胡, 載疐其尾. 公孫碩膚, 赤舃几几.

그것이다. "도가 있다"는 것은 현명함과 겸손함으로 움직인다는 것이다. 비록 흉하더라도 의롭기 때문에 "무슨 허물이 있겠는가?"라고 말하였다. "구차하게 따른다"고 말한 것은 바르지 않다고 말하는 것이 아니다.

오치기(吳致箕) 「주역경전증해(周易經傳增解)」

九四陽剛失正, 下隨六三不正之陰而有所獲, 相反於初九之從正而吉. 故言正乎爲凶. 而補過之道, 惟在於誠信而旡邪妄, 察理而旡枉曲, 以明隨道之正, 則何至於咎乎. 戒之切也.
구사는 굳센 양으로서 바름을 잃고 아래로 바르지 않은 음인 육삼을 따라서 얻는 바가 있기 때문에 초구가 바름을 따라서 길한[98] 것과는 상반된다. 그러므로 바르더라도 흉하다고 말했다. 그러나 허물을 보완하는 방법은 오직 정성스럽고 믿음을 주어 거짓이 없으며 이치를 살펴서 왜곡이 없도록 하는 데에 있으니, 이로써 따르는 도리의 바름을 분명하게 한다면 어찌 허물에 이르겠는가? 경계함이 절실하다.

○ 有孚, 取於變坎. 在者, 察也. 應體之震爲大塗, 道之象. 明, 取於對體變離也. 此爻先戒其凶, 終又言補過之道, 卽君子愛陽之意也.
"믿음이 있다"는 본 효가 변했을 때의 감괘(坎卦☵)에서 취하였다. '재(在)'란 살피는 것이다. 호응하는 하괘인 진괘(震卦☳)가 큰 길이 되니, 길의 상이다. "밝다"는 본 효가 있는 상괘의 음양이 바뀐 간괘(艮卦☶)에서 본 효의 자리가 변한 리괘(離卦☲)에서 취하였다. 이 효는 먼저 흉함을 경계하고 끝에서 또한 허물을 보완하는 방법을 말했으니, 곧 군자가 양(陽)를 사랑하는 뜻이다.

이진상(李震相) 『역학관규(易學管窺)』

隨有獲.
따라서 얻는다.

四與五同德, 大臣隨君之象也. 方天下隨順之際, 不能使恩威一出乎上, 而自居其功, 市恩而顓勢, 則雖使所行得正, 亦匈道也. 蓋初以應, 三以近, 而皆有隨四之勢, 故戒之.
사효는 오효와 덕이 같으니, 대신이 임금을 따르는 상이다. 이제 천하 사람들이 순조롭게

---

98) 『周易·隨卦』: 初九, 象曰, 官有渝, 從正吉也.

따르는 때에 은혜와 위엄이 한결같이 위로부터 나올 수 있도록 할 수 없고, 스스로 공을 차지하여 은혜를 팔고 권세를 함부로 한다면 비록 행동을 바르게 하더라도 또한 흉(凶)한 도이다. 초효는 호응하고 삼효는 가까워 모두 사효의 세력을 따르고 있으므로 경계하였다.

박문호(朴文鎬) 「경설(經說)·주역(周易)」

有孚在道以明, 以象傳觀之, 其有孚在道者, 以其有明也, 而傳義皆不取此義, 必分作三事. 蓋作三事而後於无咎之義與勢, 始無齟齬故耳. 孔明子儀, 漢唐之大人, 而以孔明爲大賢, 與伊周竝論之, 子儀則以其次而別論於下, 此伊川論人之高識也.

"믿음이 있고 도가 있고 밝다"를 「상전」으로 보자면 믿음이 있고 도가 있는 것은 밝음이 있기 때문이지만, 『정전』과 『본의』는 모두 이 뜻을 취하지 않고 반드시 세 가지 일로 나누었다. 아마도 세 가지 일로 나눈 다음에야 허물이 없다는 뜻과 문장의 형세에 비로소 어긋남이 없기 때문일 뿐인 듯하다. 제갈공명과 곽자의는 한나라와 당나라의 대인인데, 제갈공명을 큰 현인이라고 하여 이윤 및 주공과 함께 논하고, 곽자의에 대해서는 그 다음으로 여겨서 아래에서 따로 논하였으니, 이것이 정이천이 사람을 논한 높은 식견이다.

이용구(李容九) 「역주해선(易註解選)」

九四有孚有道以明, 周公伊尹孔明是也, 皆德及於民, 而民隨之. 其次如唐郭子儀, 威振主而不疑, 亦由中有誠孚而處也.

구사는 믿음이 있고 도가 있고 밝은데, 주공, 이윤, 공명이 그런 사람이니, 모두 덕이 백성에게 미쳤고 백성이 따랐다. 그 다음은 당나라의 곽자의와 같은 사람인데, 위엄이 임금에게 떨칠 정도였으면서도 의심을 받지 않았으니, 또한 마음에 정성과 믿음이 있음을 말미암아 처신하였다.

象曰, 隨有獲, 其義凶也, 有孚在道, 明功也.

「상전」에서 말하였다: "따라서 그 마음을 얻음"은 그 뜻이 흉하고, "믿음이 있고 도가 있음"은 밝은 공이다.

中國大全

傳

居近君之位而有獲, 其義固凶, 能有孚而在道則无咎, 蓋明哲之功也

임금과 가까운 자리에 있어서 얻으면 그 뜻이 본래 흉하지만, 믿음이 있고 도가 있을 수 있으면 허물이 없으니, 이는 명철(明哲)한 공이다.

小註

梅巖袁氏曰, 其義凶者, 有凶之理而未必凶也. 處得其道, 如下所云, 則无咎矣.
매암원씨가 말하였다: 그 뜻이 흉하다는 것은 흉한 이치는 있지만 반드시 흉하지는 않다는 것이다. 처할 때에 바른 도를 얻는 것이 아래에서 말한 것과 같다면 허물이 없을 것이다.

韓國大全

김상악(金相岳) 『산천역설(山天易說)』

明者, 有孚在道之本也. 旣明於處隨之義, 則內竭其誠, 外合于道, 而无陵逼之嫌, 乃明哲之功也. 需卦曰有孚光亨, 未濟五曰君子光有孚, 皆明功也.
'밝음'이란 믿음이 있고 도가 있는 근본이다. 이미 처하고 따르는 의로움에 밝으면 안으로는 정성을 다하고 밖으로는 도에 합하여 업신여기거나 핍박한다는 혐의가 없으니, 총명하고 사리에 밝은 공이다. 수괘(需卦䷄)에서 "믿음이 있어서 밝게 형통하다"[99]고 말하고, 미제괘(未濟卦)에서 "군자의 빛남은 믿음이 있다"[100]고 말한 것이 모두 '밝은 공'이다.

서유신(徐有臣)『역의의언(易義擬言)』

隨之時義, 四與初應爲凶也. 有孚在道, 則有獲之嫌去, 而成隨之功明矣. 互艮, 有明象也.

'수(隨)'의 때에 의리에서는 사효가 초효와 호응함이 흉하게 된다. 믿음이 있고 도가 있으면 얻는다는 혐의가 없어지고 따름을 이루는 공이 분명해진다. 호괘인 간괘(艮卦☶)에 '밝음'의 상이 있다.

강엄(康儼)『주역(周易)』

按, 有孚在道, 皆歸於明哲之功. 蓋明哲而後, 內无一念之不誠, 外无一事之非道, 明之功大矣哉.

내가 살펴보았다: "믿음이 있고 도가 있다"는 것은 모두 총명하고 사리에 밝은[明哲] 공으로 귀결된다. 총명하고 사리에 밝은 후에 안으로는 하나라도 정성스럽지 않은 생각이 없고 밖으로는 하나라도 도가 아닌 한 일이 없으니, '밝음'의 공이 크도다!

박문건(朴文健)『주역연의(周易衍義)』

義, 隨獲之謂也. 明功, 通明之功也.

'뜻'이란 따라서 얻는 것을 말한다. '밝은 공'이란 통하여 밝은 공이다.

허전(許傳)「역고(易考)」

明之, 是功也.

밝히는 것이 바로 '공(功)'이다.

---

99)『周易·需卦』: 需, 有孚, 光亨, 貞吉, 利涉大川.

100)『周易·未濟卦』: 六五, 貞吉, 无悔, 君子之光, 有孚, 吉.

오치기(吳致箕) 「주역경전증해(周易經傳增解)」

隨乎不正而有獲, 則於義爲凶也. 誠而无妄, 察於道理, 則當於隨之義, 有明辨之功也.
바르지 않은 것을 따라서 얻으면 의리상 흉하게 된다. 정성스럽고 함부로 함이 없으며 도리를 살피면 따르는 의리에 해당하여 밝게 분별하는 공이 있다.

이병헌(李炳憲) 『역경금문고통론(易經今文考通論)』

王曰, 下據二陰, 三求係己, 不距則獲. 履[101]非其地, 以擅其民, 故貞凶. 著信在道以明其功, 何咎之有.
왕필이 말하였다: 아래로는 두 음을 차지하여 막고 있으며 삼효가 자기에게 얽매이기를 구하니, 거절하지 않으면 얻는다. 자기의 자리가 아닌 데로 나아가 백성들을 마음대로 부리기 때문에 곧더라도 흉하다. 믿음을 드러내고 도가 있어서 그 공을 밝힌다면 무슨 허물이 있겠는가?

101) 履: 경학자료집성DB와 영인본에 모두 '獲'으로 되어 있으나, 문맥과 『주역정의(周易正義)』를 살펴 '履'로 바로잡았다.

九五, 孚于嘉, 吉.

구오는 선(善)에 대해 믿으니, 길하다.

中國大全

傳

九五居尊得正而中實, 是其中誠在於隨善, 吉可知. 嘉, 善也. 自人君至於庶人, 隨道之吉, 唯在隨善而已. 下應二之正中, 爲隨善之義.

구오는 높은 지위에 있고 바름을 얻었으며 가운데가 차 있으니, 이는 그 마음의 정성이 선을 따르는 데 있으니, 길함을 알 수 있다. '가(嘉)'는 '선(善)'이다. 임금으로부터 서민에 이르기까지 따르는 도의 길함은 오직 선을 따르는 데 있을 뿐이다. 아래로 제자리에 있고 가운데 자리에 있는 이효와 호응하는 것이 선을 따른다는 뜻이 된다.

本義

陽剛中正, 下應中正, 是信於善也. 占者如是, 其吉宜矣.

굳센 양으로서 중정하여 아래로 중정한 이효에 호응하니, 이는 선을 믿는 것이다. 점치는 자가 이와 같으면 그 길함이 마땅하다.

小註

進齋徐氏曰, 九五陽剛中正, 爲隨之主, 得衆爻之隨者, 而五之應, 唯在於二, 故曰孚于嘉吉, 此隨之至善者也.

진재서씨가 말하였다: 구오는 굳센 양으로서 중정하여 수괘(需卦䷐)의 주인이 되고 여러 효들이 따름을 얻지만, 오효의 호응은 오직 이효에 있기 때문에 "선에 대하여 믿으니, 길하다"고 하였으니, 이것은 가장 잘 따르는 자이다.

○ 中溪張氏曰, 九五居正中之位, 而下得六二之正應, 中正相孚, 善莫大焉. 所謂亨嘉之會也, 其吉可知. 彖曰, 大亨貞无咎. 而天下隨之, 九五足以當之矣.
중계장씨가 말하였다: 구오는 제자리와 가운데 자리에 있고 아래로 육이의 정응을 얻어서 중정한 두 효가 서로 믿으니, 그보다 더 큰 선이 없다. 이른바 "형(亨)은 아름다움의 모임이다"[102]라는 것이니, 그 길함을 알 수 있다. 그래서 「단전」에서 "크게 형통하고 곧아 허물이 없다"[103]고 하였는데, 천하 사람들이 따르는 것은 구오가 충분히 여기에 해당한다.

○ 雲峰胡氏曰, 四五以陽居三上二陰之中, 陽內陰外, 有中實之象, 故皆曰孚. 然四之孚, 戒之之辭也, 欲其孚乎五也. 五之孚, 許之之辭也, 喜其孚于二也.
운봉호씨가 말하였다: 사효와 오효는 양으로서 삼효와 상효의 두 음의 가운데 있으며, 양이 안에 있고 음이 밖에 있어서 가운데가 차 있는 상이기 때문에 "믿는다"고 말하였다. 그러나 사효의 믿음은 경계하는 말이니, 오효를 믿기를 바라는 것이다. 오효의 믿음은 인정하는 말이니, 이효를 믿는 것을 기쁘게 여긴 것이다.

韓國大全

송시열(宋時烈) 『역설(易說)』

九五孚亦以坎象, 乾爲嘉. 卦本乾坤而變, 故彖云, 剛來下柔. 五本乾之中爻居正位也, 與遯之五略同. 二五相孚, 其道孔嘉, 其占亦吉.
구오의 믿음 또한 감괘(坎卦☵)의 상이기 때문이고, 건괘(乾卦☰)가 '선[嘉]'이 된다. 괘가 본래 건괘(乾卦☰)와 곤괘(坤卦☷)이었다가 변했기 때문에 「단전」에서 "굳센 양이 와서 부드러운 음에게 낮춘다"[104]고 하였다. 오효는 본래 건괘(乾卦☰)의 가운데 효로서 제자리에 있으니, 돈괘(遯卦䷠)의 오효[105]와 대략 동일하다. 이효와 오효가 서로 믿으니, 그 도가 크게 아름답고 그 점 또한 길하다.

---

102) 『周易・乾卦・文言傳』: 文言曰, 元者善之長也, 亨者嘉之會也, 利者義之和也, 貞者事之幹也.
103) 『周易・隨卦』: 彖曰, 隨, 剛來而下柔, 動而說, 隨, 大亨貞无咎, 而天下隨時, 隨時之義, 大矣哉.
104) 『周易・隨卦』: 彖曰, 隨, 剛來而下柔, 動而說, 隨, 大亨貞无咎, 而天下隨時, 隨時之義, 大矣哉.
105) 『周易・遯卦』: 九五, 嘉遯, 貞, 吉.

석지형(石之珩)『오위귀감(五位龜鑑)』

臣謹按, 隨之九五, 以誠心隨善爲吉. 夫隨者不自行而從人之謂也. 世之人君, 或以抑己從人爲恥, 剛戾自用昏德敗事者多矣. 殊不知集衆善而隨之, 則衆之善, 皆吾之善也. 伏願殿下深味此爻克孚于嘉焉.
신이 삼가 살펴보았습니다: 수괘(隨卦☱☳)의 구오는 정성스런 마음으로 선을 따라서 길하게 됩니다. 따른다는 것은 스스로 가지 않고 남을 따르는 것을 말합니다. 세상의 임금 가운데 혹 자기를 억누르고 남을 따르는 것을 부끄럽게 여겨서, 완고하게 자신의 재능과 지혜만을 믿어 다른 사람의 말을 듣지 않아 덕을 어둡게 하고 일을 그르치는 자가 많습니다. 여러 선을 모아서 따르면 여러 선이 모두 자신의 선이 되는 것을 전혀 알지 못합니다. 엎드려 원하건대, 전하께서는 이 효가 선에 대해 믿을 수 있음을 깊이 음미하십시오.

유정원(柳正源)『역해참고(易解參攷)』

王氏曰, 履正居中, 而處隨世, 盡隨時之宜, 得物之誠, 故嘉吉也.
왕씨가 말하였다: 제자리를 밟고 있고 가운데 자리에 있으면서 따르는 세상에 처하여 때를 따르는 마땅함과 사물을 얻는 정성을 다하기 때문에 아름답고 길하다.

○ 東谷鄭氏曰, 昏禮曰嘉, 嘉耦曰配, 易之嘉, 皆配也. 二與五謂嘉, 二以中正應五, 五亦以中正信之, 隨道之至善者. 有一不孚, 隨者疑矣.
동곡정씨가 말하였다: 혼례를 '가(嘉)'라고 하고 화목한 부부를 '배(配)'라고 하니, 『주역』의 '가(嘉)'는 모두 짝이라는 뜻이다. 이효와 오효에 대해서 '가(嘉)'라고 말한 것은 이효는 중정으로 오효에 호응하고, 오효 또한 중정으로 이효를 믿어서 따르는 도 가운데 지극히 선한 자들이기 때문이다. 한 가지라도 믿지 않으면 따르는 사람이 의심한다.

김상악(金相岳)『산천역설(山天易說)』

九五, 中正居尊, 二之應, 互離體, 上之比, 用亨, 故有孚于嘉之象. 亨嘉相合, 隨道成而吉矣.
구오는 중정하고 높은 자리에 있으며, 이효와 호응하고 호괘인 리괘(離卦☲)의 몸체이며, 상효와는 비(比)의 관계에 있어서 형통하기 때문에 아름다움[嘉]을 믿는 상이 있다. 형통함과 아름다움이 서로 부합하여 따르는 도가 이루어져서 길하다.

○ 孚者, 五之中實也. 嘉者, 離之德也, 亨者, 嘉之會也. 五之孚於上下, 所以大亨貞而天下隨之. 兌則无應於下而只孚於上, 故曰孚于剝, 隨則兼孚於上下, 故曰孚于嘉. 所以厲吉之不同.
"믿는다"란 오효의 마음이 꽉 찬 것이다. '아름다움'이란 리괘(離卦☲)의 덕이다. 형통함이란 아름다움의 모임이다[106] 오효가 위아래를 믿기 때문에 크게 형통하여 바르며 천하 사람들이 따른다. 태괘(兌卦䷹)에서는 아래에 호응이 없고 다만 윗사람을 믿기 때문에 "양(陽)을 사그라지게 하는 것을 믿는다"[107]고 하였고, 수괘(隨卦䷐)는 위아래를 겸하여 믿기 때문에 "아름다움에 대해 믿는다"고 하였다. 그래서 위태로움과 길함이 같지 않다.

서유신(徐有臣) 『역의의언(易義擬言)』

中正居尊, 非隨人者, 爲人所隨者, 故不稱隨, 但稱孚于嘉. 所來隨者, 賢也, 如六二中正是也. 賢者隨, 則必有功, 故曰嘉也.
중정하고 높은 자리에 있으므로 남을 따르는 자가 아니라 남이 따르는 자이기 때문에 "따른다"고 하지 않고 다만 "아름다움에 대해 믿는다"고 하였다. 와서 따르는 자들이 현명한 사람이니, 예를 들어 중정한 육이가 바로 그런 사람이다. 현명한 사람이 따르면 반드시 공이 있기 때문에 '아름다움'이라고 하였다.

김귀주(金龜柱) 『주역차록(周易箚錄)』

本義, 陽剛中正, 云云.
『본의』에서 말하였다: 굳센 양으로서 중정하여, 운운.

小註, 中溪張氏曰, 九五, 云云.
소주에서 중계장씨가 말하였다: 구오는, 운운.

○ 按, 亨嘉之會云云, 語恐無當.
내가 살펴보았다: "형(亨)은 아름다움의 모임이다"라고 운운한 것은 말이 아마도 타당하지 않은 것 같다.

---

106) 『周易·乾卦·文言傳』: 文言曰, 元者善之長也, 亨者嘉之會也, 利者義之和也, 貞者事之幹也.
107) 『周易·兌卦』: 九五, 孚于剝, 有厲.

박문건(朴文健) 『주역연의(周易衍義)』

得位用中, 故有孚于嘉之象. 孚于嘉, 言孚下而有嘉美之慶也.
지위를 얻고 알맞음을 쓰기 때문에 아름다움을 믿는 상이 있다. '부우가(孚于嘉)'는 아랫사람을 믿어서 아름다운 경사가 있음을 말한다.

이지연(李止淵) 『주역차의(周易箚疑)』

孚于嘉吉, 如湯之於伊尹, 昭烈之於孔明.
"선(善)에 대해 믿으니 길하다"는 것은 예를 들어 탕임금과 이윤의 관계, 유비와 공명의 관계이다.

김기례(金箕澧) 「역요선의강목(易要選義綱目)」

剛中而應中正之二, 卽亨嘉之會也.
굳센 양으로 가운데 자리에 있으며 중정한 이효와 호응하니, 곧 "형(亨)은 아름다움의 모임이다"[108]라는 것이다.

○ 四五居二陰之間, 有中實之象, 故俱曰孚, 四孚在戒, 五孚在善.
사효와 오효는 두 음의 사이에 있어서 가운데가 꽉 찬 상이 있기 때문에 모두 "믿는다"고 말했는데, 사효의 믿음은 경계하는 데에 있고 오효의 믿음은 선(善)에 있다.

심대윤(沈大允) 『주역상의점법(周易象義占法)』

隨之震☳☳, 遷動也. 九五以剛中居剛, 正隨而不苟者也. 雖有九四之大臣以委任, 然或從或不從, 非專隨者也, 故不言隨于嘉也. 巽美艮安. 曰嘉, 言從四也.
수괘가 진괘(震卦☳☳)로 바뀌었으니, 옮겨 움직이는 것이다. 구오는 가운데 있고 굳센 양으로서 굳센 양의 자리에 있으니, 따르기를 바르게 하여 구차하지 않은 자이다. 비록 구사의 대신이 있어 위임하지만 혹은 따르고 혹은 따르지 않아서 오로지 따르는 자는 아니기 때문에 "아름다움을 따르다"고 말하지 않았다. 손괘(巽卦☴)는 아름다움이고 간괘(艮卦☶)는 편안함이다. '아름다움'이라고 말한 것은 사효를 따르는 것을 말한다.

---

108) 『周易 · 乾卦 · 文言傳』: 文言曰, 元者善之長也, 亨者嘉之會也, 利者義之和也, 貞者事之幹也.

오치기(吳致箕) 「주역경전증해(周易經傳增解)」

九五, 陽剛中正而居尊, 卽隨之君也. 在隨之時, 上比上六之柔, 知其嘉美之德而從之, 誠心交孚. 隨道之善, 莫過於尙賢, 故言吉.
구오는 굳센 양으로서 중정하고 높은 자리에 있으니, 곧 수괘(隨卦䷐)에서의 임금이다. 따르는 때에 있으면서 위로 부드러운 음인 상육과 비(比)의 관계에 있어서, 상육의 아름다운 덕을 알아 따라 정성스러운 마음으로 서로 믿는다. 따르는 도리 가운데 좋은 것은 현명한 사람을 높이는 것보다 뛰어난 것이 없기 때문에 "길하다"고 말하였다.

○ 爻變互坎爲孚, 兌有嘉之象, 而亦以剛柔同志相合, 故曰嘉也.
효가 변한 괘인 진괘(震卦䷲)의 호괘인 감괘(坎卦☵)가 믿음이 되고, 태괘(兌卦☱)에는 아름다움의 상이 있으며, 또한 굳센 양과 부드러운 음이 뜻을 함께하여 부합하기 때문에 '아름다움'이라고 말하였다.

이진상(李震相) 『역학관규(易學管窺)』

五在厚坎之中, 故言孚, 而嘉者六二柔嘉之德也. 鄭氏曰, 昏禮曰嘉, 嘉配曰偶, 二與五謂嘉者是也. 或謂, 隨道從後赶前, 陽志又趨上, 故以上六爲嘉. 然隨之九五, 卽兌體也, 兌无二應, 故反孚于將剝之六, 而隨有二應, 固當以中正相孚, 上六之窮, 豈足爲嘉.
오효는 큰 감괘(坎卦☵)의 가운데 있기 때문에 "믿는다"고 말하였고, '아름다움'이란 육이의 부드럽고 아름다운 덕이다. 정여해(鄭汝諧)가 말하기를 "혼례를 '가(嘉)'라고 하고 혼례의 짝을 '우(偶)'라고 한다"[109]라고 하니, 이효와 오효를 아름다움[嘉]이라고 말한 것이 이것이다. 어떤 이는 말하기를 "따르는 도는 뒤를 따르다가 앞서 가는 것이지만, 양의 뜻은 또한 위로 달려가는 데에 있기 때문에 상육을 아름다움으로 삼는다"고 하였다. 그러나 수괘(隨卦䷐)의 구오는 기쁨을 상징하는 태괘(兌卦☱)의 몸체에 있는데, 태괘(兌卦䷹)에는 이효의 호응이 없기 때문에 도리어 장차 사그라지게 하는 육효를 믿지만, 수괘(隨卦)는 이효의 호응이 있어서 진실로 마땅히 중정으로 서로 믿으니, 상육의 곤궁함이 어찌 충분히 아름다움이 되겠는가?

이병헌(李炳憲) 『역경금문고통론(易經今文考通論)』

嘉, 謂嘉德.
'가(嘉)'는 아름다운 덕을 말한다.

---

109) 이러한 내용은 『역익전(易翼傳)·수괘(隨卦)』에 보인다.

象曰, 孚于嘉吉, 位正中也

「상전」에서 말하였다: "선(善)에 대해 믿으니 길함"은 자리가 바르고 가운데 있기 때문이다.

中國大全

傳

處正中之位, 由正中之道, 孚誠所隨者, 正中也. 所謂嘉也, 其吉可知. 所孚之嘉, 謂六二也. 隨以得中爲善, 隨之所防者過也. 蓋心所說隨, 則不知其過矣

바르고 가운데인 자리에 있어서 바르고 알맞은 도를 말미암아 믿음과 정성으로 따르는 자가 '정중(正中)'이다. 이른바 '선[嘉]'이란 것이니, 그 길함을 알 수 있다. 믿는 선이란 육이를 말한다. 따름은 알맞음을 얻는 것을 선으로 여기니, 따름이 막아야 할 것은 지나침이다. 마음이 기뻐하여 따른다면 지나침을 알지 못하게 된다.

小註

進齋徐氏曰, 明五之於二, 皆得乎位之正中也.
진재서씨가 말하였다: 오효가 이효에 대하여 모두 자리가 바르고 가운데 있음을 밝혔다.

韓國大全

김상악(金相岳) 『산천역설(山天易說)』

剛來居五, 得位正中也.
굳센 양이 와서 오효의 자리에 있으니, 자리가 바르고 가운데 있음을 얻었다.

김귀주(金龜柱) 『주역차록(周易箚錄)』

按, 所孚之嘉, 卽六二也. 六二係小子失丈夫, 未足爲嘉, 而在九五言, 故姑取其中正之應, 所謂隨時取義也.[110]

내가 살펴보았다: 믿는 선[嘉]이란 바로 육이이다. 육이는 어린아이에게 얽매이고 장부를 잃어 선이 되기에 부족하지만, 구오에서 말했기 때문에 우선 그 중정한 호응을 취하였으니, 이른바 "때에 따라 뜻을 취한다"는 것이다.

서유신(徐有臣) 『역의의언(易義擬言)』

位正中, 故隨者嘉也.

자리가 바르고 가운데 있기 때문에 따르는 것이 아름답다.

오치기(吳致箕) 「주역경전증해(周易經傳增解)」

言以正中之位, 從在外之賢, 吉之道也.

바르고 가운데인 자리로써 밖에 있는 현인을 따르기 때문에 길한 도이라고 말하였다.

---

110) 경학자료집성DB에서는 수괘(隨卦) 구사에 해당하는 것으로 분류했으나, 내용을 살펴 이 자리로 옮겼다.

上六, 拘係之, 乃從維之, 王用亨于西山.

정전 상육은 붙잡아 매고 따라서 동여매니, 임금이 서쪽 산에서 형통하게 하였다.
본의 상육은 붙잡아 매고 따라서 동여매니, 임금이 서쪽 산에서 제사드린다[用亨].[111]

中國大全

傳

上六以柔順而居隨之極, 極乎隨者也. 拘係之, 謂隨之極, 如拘持縻係之, 乃從維之, 又從而維繫之也, 謂隨之固結如此. 王用亨于西山, 隨之極如是, 昔者太王用此道, 亨王業于西山. 太王, 避狄之難, 去豳來岐, 豳人老稚 扶携以隨之, 如歸市, 蓋其人心之隨固結如此. 用此故, 能亨盛其王業於西山. 西山, 岐山也, 周王之業, 蓋興於此. 上居隨極, 固爲太過, 然在得民之隨, 與隨善之固, 如此乃爲善也, 施於他則過矣.

상육은 유순함으로 '수(隨)'의 지극한 곳에 있으니, 따름에 지극한 자이다. "붙잡아 맨다[拘係之]"는 따름이 지극하여 붙잡아 매는 것과 같다는 말이고, "따라서 동여맨다[乃從維之]"는 또 따라서 끈으로 동여매는 것이니, 따르기를 굳게 맺음이 이와 같음을 말한다. "임금이 서쪽 산에서 형통하게 하였다[王用亨于西山]"는 따름에 지극함이 이와 같다는 것이니, 옛날에 태왕(太王)이 이 도를 써서 왕업을 서쪽 산에서 형통하게 하였다. 태왕이 북쪽 오랑캐의 난을 피하여 빈(豳)을 버리고 기산(岐山)으로 오자, 빈(豳) 땅의 늙은이와 어린이가 붙잡고 끌어 따르기를 시장에 가듯 하였으니,[112] 인심(人心)이 따르기를 굳게 맺음이 이와 같았다. 이 때문에 그 왕업을 서쪽 산에서 형통하고 창성하게 할 수 있었다. '서쪽 산'은 기산이니, 주(周)나라의 왕업이 여기에서 일어났다. 상육은 따름의 지극한 곳에 있으니 참으로 너무 과한 것이 되지만, 백성의 따름을 얻음과 선(善)을 따르는 굳건함에 있어서 이와 같이 하여야 선(善)이 되며, 다른 곳에 이와 같이 시행하면 지나친 것이 된다.

---

111) 『본의』에서는 '王用亨于西山'을 점사로 취급하므로, 현재형으로 번역하는 편이 옳겠다.

112) 『孟子·梁惠王』: 昔者, 大王居邠, 狄人侵之 … 去邠踰梁山, 邑于岐山之下居焉. 邠人曰, 仁人也, 不可失也. 從之者, 如歸市.

小註

程子曰, 隨之上六, 才與位皆陰柔, 隨之極也. 故曰, 拘係之, 乃從維之, 王用亨于西山, 唯太王之事, 民心固結而不可解者, 其他皆不可如是之固也.
정자가 말하였다: 수괘(隨卦䷐)의 상육은 재질과 자리가 모두 부드러운 음이니 따르기를 지극히 한다. 그러므로 "붙잡아 매고 따라서 동여매니, 임금이 서쪽 산에서 형통하게 하였다"라고 하였으니, 오직 태왕이 한 일 같은 경우만이 민심이 굳게 맺어져 풀어지지 않을 수 있는 것이지, 다른 경우에는 이처럼 굳게 할 수가 없다.

○ 章溪王氏曰, 王用亨于西山, 則歸市之, 隨至此亦莫之禦矣. 此周家王業始基之地也.
장계왕씨가 말하였다: 왕이 서쪽 산에서 형통하게 하자 백성들이 마치 시장에 가는 것 같이 따르니, 따르는 것이 이런 지경에 이르면 또한 막을 자가 없다. 여기가 주 왕실이 왕업의 기틀을 열었던 곳이다.

本義

居隨之極, 隨之固結而不可解者也, 誠意之極, 可通神明. 故其占爲王用亨于西山, 亨, 亦當作祭享之享. 自周而言, 岐山在西. 凡筮祭山川者得之, 其誠意如是, 則吉也.

'수(隨)'의 지극한 곳에 있어서 따름이 굳게 맺어져 풀 수 없는 자이니, 성의가 지극하여 신명(神明)에 통할 수 있다. 그러므로 그 점괘는 임금이 서쪽 산(西山)에서 제사드린다는 것이 되니, '형(亨)'은 마땅히 제향(祭享)의 향(享)자가 되어야 한다. 주(周)나라의 입장에서 말하면 기산(岐山)은 서쪽에 있다. 점을 쳐서 산천에 제사할 것을 얻고 그 성의가 이와 같다면 길하다.

小註

朱子曰, 王用享于西山, 言誠意通神明, 神亦隨之, 如況於鬼神乎之意.
주자가 말하였다: "임금이 서쪽 산에서 제사드린다"는 것은 성의가 신명(神明)에 통하여 신(神) 또한 따름을 말하니, "하물며 귀신에게 있어서이겠는가?"[113] 라는 뜻과 같다.

---

113) 『周易·乾卦·文言傳』: 先天而天弗違, 後天而奉天時, 天且弗違, 而況於人乎, 況於鬼神乎.

○ 雲峰胡氏曰, 六柔, 有係象, 居柔, 又有拘係象. 西兌象, 山互艮象. 兌爲巫, 西陰方, 有祭而固結於幽陰之象. 拘係之, 所以象隨之極固結而不可解也. 至誠之極, 可以固結神明, 而況於人乎. 故曰王用亨于西山. 周視岐山爲西. 意者大王之在岐, 其祭山川, 必嘗占得此歟.
운봉호씨가 말하였다: 상육은 부드러운 음이니 매는[係] 상이 있고, 부드러운 음의 자리에 있으니 또한 붙잡아 매는[拘係] 상이 있다. 서쪽은 태괘(兌卦☱)의 상이고 산은 호괘인 간괘(艮卦☶)의 상이다. 태괘(兌卦☱)는 무당이 되고 서쪽은 음의 방위이므로, 제사하여 그윽한 음에 단단히 매는 상이 있다. "붙잡아 맨다[拘係之]"는 따름이 지극하여 굳게 맺어져 풀 수 없음을 상징한 것이다. 지극히 정성을 다하면 신명도 굳게 맺을 수 있는데 하물며 사람에게 있어서랴! 그러므로 "임금이 서쪽 산에서 제사를 드린다"고 하였다. 주나라에서 볼 때 기산은 서쪽이 된다. 생각하건대, 태왕이 기산(岐山)에 있던 시절에 그 산천을 제사드리면서 반드시 먼저 점을 쳐서 이러함을 얻었던 듯하다.

○ 平庵項氏曰, 大有九三公用亨于天子, 隨上六王用亨于西山, 益六二王用亨于帝, 升六四王用亨于岐山, 四爻句法皆同. 古文亨卽享字, 今獨益作享讀者, 俗師不識古字, 獨於享帝不敢作亨帝也. 若天子則或以爲无享理, 不知賓禮自有享王. 此爻與升四, 則吉禮山川之祭也.
평암항씨가 말하였다: 대유괘(大有卦䷍) 구삼에서 "공이 천자에게 조공을 드린다[公用亨于天子]"고 하였고, 수괘(隨卦䷐) 상육에서는 "임금이 서쪽 산에서 제사드린다[亨于西山]"고 하였으며, 익괘(益卦䷩) 육이에서 "임금이 상제께 제사지낸다[亨于帝]"고 하였고, 승괘(升卦䷭) 육사에서는 "왕이 기산에서 제향한다[亨于岐山]"고 하였는데, 네 효의 어법이 모두 같다. 고문(古文)에서는 형(亨)자가 그대로 향(享)자이고 오늘날 유독 더욱 '향(享)'이라고 읽는 것은 속된 선생들이 옛 글자를 알지 못하고 '향제(享帝)'에 대해서만 감히 '형제(亨帝)'라고 하지 못하였기 때문이다. 천자인 경우에 어떤 이는 '향(享)'이라고 할 이치가 없다고 여기는데, 빈례(賓禮)에 본래 임금에게 드린다는 '향왕(享王)'이 있음을 알지 못한 것이다. 이 효와 승괘(升卦) 사효는 길한 예(禮)로 산천에 대한 제사이다.

▌韓國大全▐

조호익(曺好益) 『역상설(易象說)』

維巽繩象, 上從五故取象. 或曰, 拘係, 全體有艮, 故取象. 又兌之伏艮. 維上卦巽之反體故取象. 王指五, 亨以說而上之象.

'끈으로 동여맴[維]'은 손괘(巽卦☴)인 끈[繩]의 상이며, 상효가 오효를 따르기 때문에 상을 취하였다. 어떤 이는 "'붙잡아 맨다[拘係]'고 한 것은 괘 전체에 간괘(艮卦☶)가 있기[114] 때문에 상을 취하였다"고 하였다. 또한 태괘(兌卦☱)의 숨은 괘가 간괘이다. '끈으로 동여맴[維]'은, 상괘가 손괘(巽卦☴)의 거꾸로 된 몸체(☱)이므로 상을 취하였다. 왕은 오효를 가리키고, '형(亨)'은 기쁨으로 올리는 상이다.

송시열(宋時烈) 『역설(易說)』

卦中陰之三爻, 皆云係, 係者係於陽爻也. 巽爲繩而綜巽者, 上六也, 互巽者, 三爻也, 二爻亦隨而有巽象, 言以巽繩而係之於陽也. 六之拘係, 係於九五也, 言係字猶有未盡, 又言乃從維[115]之, 蓋係之堅緻也. 王者震爲侯王也, 西者兌方也, 山者艮也, 言震爲王用亨于兌艮, 所以爲澤雷隨也.

괘 가운데 음인 세 효에서 모두 "맨다[係]"고 말하였는데, "맨다[係]"란 양효(陽爻)에 매는 것이다. 손괘(巽卦☴)는 줄이 되는데, 손괘(巽卦☴)를 거꾸로 한 것이 상육이고, 호괘인 손괘(巽卦☴)는 삼효이며, 이효 역시 따라서 손괘(巽卦☴)의 상이 있으니, 손괘(巽卦☴)의 줄로 음들을 양(陽)에 묶어 맨다는 말이다. 육효에서 "붙잡아 맨다[拘係]"는 것은 구오에다가 붙잡아 맨다는 것이지만, "맨다[係]"는 글자만을 말해서는 오히려 미진함이 있어서 또 "따라서 동여맨다[乃從維之]"라고 말하였으니, 견고하고 단단하게 매는 것이다. '왕(王)'은 진괘(震卦☳)가 임금이 되기 때문이고, '서쪽[西]'은 태괘(兌卦☱)의 방위이며, '산(山)'은 간괘(艮卦☶)이니, 진괘(震卦☳)가 임금이 되어 태괘(兌卦☱)와 간괘(艮卦☶)가 합하여진 서쪽 산에서 제사를 드리는 것이 상괘가 못[澤]이고 하괘가 우레[雷]인 수괘(隨卦䷐)가 되는 까닭이라는 말이다.

---

114) 호괘인 이효에서 사효까지가 간괘(艮卦☶)가 된다.

115) 維: 경학자료집성DB와 영인본에 '誰'로 되어 있으나, 경문을 참조하여 '維'로 바로잡았다.

심조(沈潮) 「역상차론(易象箚論)」

上六, 維係.
상육은, 동여맨다.

此在互巽之上, 故稱維係.
이 효는 호괘인 손괘(巽卦☴)의 위에 있으므로 "동여맨다"고 하였다.

유정원(柳正源) 『역해참고(易解參攷)』

上六 [至] 西山.
상육은 … 서쪽 산에서.
王氏曰, 最處上極, 不從者也. 隨道已成, 而特不從, 故拘繫之乃從也. 率土之濱, 莫非王臣, 而爲不從, 王之所討也, 故維之, 王用亨于西山者. 兌爲西方, 山者, 道之險隔也. 處西方而爲不從, 故王用通于西山.
왕필이 말하였다: 가장 꼭대기에 있으면서 따르지 않는 자이다. 따르는 도가 이미 이루어져 굳이 따르지 않으므로 붙잡아 매고 이에 따른다. 모든 땅의 사람이 임금의 신하가 아닌 이가 없는데,[116] 따르지 않는 자는 임금이 토벌하는 대상이기 때문에 "끈으로 동여매니, 임금이 서쪽 산에서 형통하게 하였던" 것이다. 태괘(兌卦☱)는 서쪽 방위이고 '산'은 길이 험하고 막혀 있다. 서쪽 방향에 있으면서 따르지 않으므로, 임금이 서쪽 산에서 통하게 하였다.
○ 平庵項氏曰, 西山在宗周, 故國雍州之西, 今隴西縣諸山. 亨岐山者, 不出國都, 亨西山則從其方而祀之.
평암항씨가 말하였다: '서산(西山)'은 주나라의 수도에 있었기 때문에 옹주(雍州)의 서쪽에 나라를 세웠으니 지금의 용서현 저산(諸山)이다.[117] 기산(岐山)에 제사지냈다는 것은 나라의 수도를 벗어나지 않고 서산에서 제사하였으니, 그 방위에 따라서 제사한 것이다.
○ 案, 上六是誠意之極, 可通神明, 抑亦周王旅于西山, 嘗得此爻. 又卦德下動上說, 上六爲說之主, 皆是祭享之象. 龍氏以天文斗艮危坎兌巫謂祭祀之卦, 涉迂遠矣.
내가 살펴보았다: 상육은 성의가 지극하여 신명에 통할 수 있으니, 도리어 주나라 왕이 서쪽 산에서 제사를 드릴 때에 일찍이 이 효를 얻었을 것이다. 또 괘의 덕은 아래는 움직이고 위는 기뻐하는데, 상육은 기쁨의 주인이 되니, 모두 제사지내는 상이다. 용씨(龍氏)는 천문에서 두(斗)·간(艮)·위(危)·감(坎)·태(兌)·무(巫)를 제사지내는 괘라고 하였으니, 실

116) 『詩經·北山』: 溥天之下, 莫匪王土, 率土之濱, 莫匪王臣.
117) 저산(諸山): 현재 감숙성(甘肅省) 정서시(定西市)에 있다.

정을 잘 모르는 말이다.

本義小註, 平庵說, 賓禮享王.
『본의』 아래의 소주에서 평암항씨가 설명하였다: 빈례(賓禮)에서 임금에게 드린다는 '향왕(享王)'.
案, 諸侯固有享天子之禮, 故舜亦有饗帝之文. 然左傳公用享于天子之占, 本義引之解以朝獻, 而其下所言六五虛中下賢, 雲峯謂又兼宴享之義者得之. 然若以宴享言之, 恐當以左傳註爲上所宴享者爲正, 觀下文王饗醴之語, 可見.
내가 살펴보았다: 제후에게는 본래 천자에게 제사를 드리는 예절이 있으므로 순임금에게도 역시 선왕에게 제사를 지냈다는 기록이 있다. 그러나 『춘추좌씨전』에 나오는 "공(公)이 천자에게 드린다"는 점사[118]를 『본의』에서 인용하여 입조(入朝)하여 조공을 바친다는 것으로 풀이하였고,[119] 그 아래 구절에서 육오가 마음을 비워서 어진 사람에게 낮춘다고 한 말에 대하여 운봉호씨가 또한 잔치를 베풀어 대접한다는 뜻도 겸한다고 말한 것은 '형(亨)'에 대하여 잘 이해하였다. 그러나 잔치를 베풀어 대접한다는 것으로 말한다면, 아마도 마땅히 『춘추좌씨전』 주석에서 윗사람이 잔치를 베풀어 대접한다고 한 것을 바른 것으로 보아야 할 것이니, 아래 구절에서 왕이 단술로 대접했다[120]고 한 말을 보면 알 수 있다.

김상악(金相岳) 『산천역설(山天易說)』

拘係維之, 謂人心之隨固結而不可解也. 兌互巽體, 震互艮體, 而六以柔正, 處隨之極, 比五而用亨. 故其象與升六四同, 而升則王自用亨, 故曰吉无咎, 隨則用亨于王, 故只言其象.
"붙잡아 매고 동여맨다"는 것은 사람들이 마음으로 따름이 굳게 맺어져서 풀 수 없음을 말한다. 태괘(兌卦☱)는 호괘가 손괘(巽卦☴)의 몸체이고 진괘(震卦☳)는 호괘가 간괘(艮卦☶)의 몸체이며, 육효는 부드러운 음으로 바르면서 '수(隨)'의 끝에 있으며, 오효와 비(比)의 관계에 있어서 형통하다. 그러므로 그 상이 승괘(升卦䷭)의 구사와 같지만, 승괘(升卦)에서는 왕이 스스로 형통하듯이 하기 때문에 "길하여 허물이 없다"[121]고 하였고, 수괘(隨卦䷐)에서는 왕에게 형통하게 하였기 때문에 다만 그 상을 말하였다.

---

118) 이러한 내용은 『춘추좌씨전(春秋左氏傳)·희공(僖公)』 25년에 보인다.
119) 『周易傳義大全·大有卦·本義』: 亨春秋傳作享, 謂朝獻也.
120) 『春秋左氏傳·僖公』 25년: 戊午, 晉侯朝王, 王享醴, 命之宥.
121) 『周易·升卦』: 六四, 王用亨于岐山, 吉, 无咎.

○ 拘者艮之手也. 係維者巽之繩也. 王謂五也, 九五中正居尊, 天下隨之. 亨本五之所有, 而隨道之成由於上六, 故曰用亨西山. 兌居西而艮爲山也. 蓋隨則震兌合體, 升則互爲兌震, 動而說. 故二卦之取象如此. 兌之彖傳曰, 說以先民, 民忘其勞, 說以犯難, 民忘其死. 昔太王避狄之難, 去邠來岐, 邠人老幼, 扶携而隨之, 非說之大者乎.

"붙잡는다[拘]"란 간괘(艮卦☶)가 손이 되기 때문이다. "매다[係]"와 "동여매다[維]"란 손괘(巽卦☴)가 끈의 상이기 때문이다. 왕은 오효를 말하는데, 구오는 중정하고 존귀한 자리에 있으므로 천하가 따른다. '형통함[亨]'은 본래 오효에게 속하는 것인데, 따르는 도리가 완성되는 것은 상육에서 말미암기 때문에 "서쪽 산에서 형통하게 하였다"고 하였다. 태괘(兌卦☱)는 서쪽에 있고 간괘(艮卦☶)는 산이 된다. 수괘(隨卦☱)는 진괘(震卦☳)와 태괘(兌卦☱)가 합한 것이고, 승괘(升卦☷)는 그 호괘가 태괘(兌卦☱)와 진괘(震卦☳)로 움직여 기뻐한다. 그러므로 두 괘에서 상을 취한 것이 이와 같다. 태괘(兌卦☱)의 「단전」에서 "기뻐함으로써 백성들보다 수고로운 일을 먼저 하면 백성들은 수고로움을 잊고, 기뻐함으로써 어려움을 무릅쓰면 백성들은 죽음을 잊는다"[122]라고 하였다. 예전에 태왕(太王)이 북쪽 오랑캐의 난을 피하여 빈(邠)땅을 떠나 기산으로 왔는데 빈(邠)땅의 사람들이 노소가 부축하고 이끌며 따라 왔으니,[123] 기뻐하는 것이 크지 않은가!

서유신(徐有臣) 『역의의언(易義擬言)』

隨之終極也, 更無可往之地. 其勢若有所拘係而乃又從以維縶之, 相隨之固結也. 拘係之非脅以
力也, 懷以德也. 從維之, 非就其利也, 慕其仁也. 昔者太王用此道, 而亨於西岐也. 兌爲西, 互艮爲山, 西山象也. 互咸有相感之義也.

따름의 맨 끝이니, 더 이상 갈 수 있는 곳이 없다. 그 형세가 붙잡아 매인 바가 있어서 이에 또 따라서 끈으로 동여매는 것과 같으니, 서로 따름이 굳게 맺어진 것이다. "붙잡아 매다"는 힘으로 위협함이 아니라 덕으로 품는 것이다. "따라서 동여매다"는 그 이익을 위해 나아가는 것이 아니라 그 어짊을 사모하는 것이다. 예전에 태왕(太王)이 이러한 도리를 써서 서쪽 기산(岐山)에서 형통하였다. 태괘(兌卦☱)는 서쪽이 되고, 호괘인 간괘(艮卦☶)는 산이 되므로 '서쪽 산'의 상이다. 호괘인 간괘(艮卦☶)와 상괘로 이루어진 함괘(咸卦☱)에는 서로 느끼는 뜻이 있다.

---

122) 『周易·兌卦』: 彖曰, 兌, 說也, 剛中而柔外, 說以利貞. 是以順乎天而應乎人, 說以先民, 民忘其勞, 說以犯難, 民忘其死, 說之大, 民勸矣哉.

123) 『孟子·梁惠王』: 昔者, 大王居邠, 狄人侵之… 去邠踰梁山, 邑于岐山之下居焉. 邠人曰, 仁人也, 不可失也. 從之者, 如歸市.

김귀주(金龜柱) 『주역차록(周易箚錄)』

上六, 拘係之, 云云.

상육은 붙잡아 맨다, 운운.

○ 按, 上六以柔居柔, 爲得其正. 所謂拘係之從維者, 非不正之隨也. 故利於用享神明. 然凡柔而隨者, 不能自立, 易於偏係. 雖以六二之中正, 尙不能免焉, 則居隨之極, 而拘係從維者, 在他事未必爲吉. 但以此道事神明, 固無害義, 故只得爲祭山川之占. 程傳之釋, 雖與本義不同, 然其謂施於他則過矣云者, 亦可見其微意也.

내가 살펴보았다: 상육은 부드러운 음으로 음의 자리에 있고 그 바름을 얻었다. 이른바 붙잡아 매고 따라서 동여맨다고 하는 것은 바르지 못하면서 따르는 것은 아니다. 그러므로 신명에게 제사드리는 것이 이롭다. 그러나 유약하면서 따르는 자는 자립할 수가 없으므로 치우쳐 얽매이기가 쉽다. 비록 중정한 육이라도 오히려 여기에서 면할 수 없으니, 수괘(隨卦)의 끝에 있으면서 붙잡아 매고 따라서 동여매는 경우는 다른 일에서는 반드시 길하게 되는 것은 아니다. 다만 이 도리로 신명을 섬기는 일은 참으로 해로운 뜻이 없으므로, 단지 산천에 제사지낸다는 점을 얻은 것이다. 『정전』의 해석은 비록 『본의』와 같지 않지만, "다른 곳에 이와 같이 시행하면 지나친 것이 된다"라고 한 말에서 역시 그 은미한 뜻을 알 수 있다.

本義, 居隨之極, 云云.

『본의』에서 말하였다: '수(隨)'의 지극한 곳에 있어서, 운운.

小註雲峯胡氏曰, 六柔, 云云.

소주에서 운봉호씨가 말하였다: 상육은 부드러운 음이니, 운운.[124]

○ 按, 五何以爲艮山之象, 未可曉也.

내가 살펴보았다: 오효가 어떻게 간괘(艮卦☶)인 산의 상이 되는 것인지 잘 알 수가 없다.

박제가(朴齊家) 『주역(周易)』

傳, 本義, 皆以隨之固結而不可解爲言. 然象傳曰, 上窮也. 爻雖不言吉凶, 以上窮推之, 終非至誠通神之意. 夫說而從之, 安用縶之. 情之所向, 或謂之係, 如二之係小子是也. 至於拘則過於牽而幾乎囚矣, 猶以爲不足. 又從而維之, 雖曰至誠, 何太迫耶. 此蓋言隨人之極爲其豢養不過如犧羊. 然兌爲羊象, 取之而亨于西山之祭矣. 不言凶者,

124) 운봉호씨가 말하였다: 상육은 음으로서 부드러우니 매는[係] 상이 있고, 음의 자리에 있으니 또한 붙잡아 매는[拘係] 상이 있다. 서쪽은 태괘의 상이고 산은 호괘인 간괘의 상이다.[雲峰胡氏曰, 六柔, 有係象. 居柔, 又有拘係象. 西兌象, 山互艮象].

在人雖賤, 在□則用重, 生賤死貴, 一於隨而已.

『정전』과 『본의』에서 모두 '따름이 굳게 맺어져 풀 수 없는 자'로 말을 하였다. 그러나 「상전」에서는 "위에서 다한 것이다[上窮]"라고 하였다. 효사에서는 비록 길흉을 말하지 않았지만, "위에서 다한 것이다[上窮]"라고 한 것으로 미루어 보면, 끝내 지극한 정성으로 신과 통하였다는 의미가 아니다. 기뻐서 따르는데 어찌 잡아매겠는가? 감정이 향하는 곳을 혹 "맨다"라고 할 수 있으니, 이효에서 "어린아이에게 얽매인다"[125]라고 한 것이 그러하다. "붙잡는다[拘]"라고 한 데에 이르러서는 매는 것보다 지나쳐서 죄인을 묶는 것에 가까우니, 오히려 의미로 취하기에는 부족하다. 또 따라서 동여매니, 아무리 "지성으로 한다"고 해도 어찌 그리 급박한가? 이는 남을 따르는 지극함은 그 기르고 양육하는 것이 제물로 쓰는 양과 같은 것에 불과하게 됨을 말한다. 그러므로 태괘(兌卦☱)는 양의 상이 되니, 그것을 취하여 서쪽 산의 제사에서 제물로 바친 것이다. 흉하다고 하지 않은 것은 사람에게는 비록 천하더라도 제사지내는 데에[126] 중요하니 삶이 천하고 죽음이 귀한 것은 따르는 데에서 한결같을 뿐이기 때문이다.

윤행임(尹行恁) 『신호수필(新湖隨筆) · 역(易)』

中實有孚而爲艮之體, 兌爲外卦而屬于西方, 孚者誠也. 艮者山也. 兌者西也. 誠意旣固, 可以享于西山, 文王得之.

가운데가 충실하여 믿음이 있고[127] 간괘(艮卦☶)의 몸체가 되며, 태괘(兌卦☱)가 외괘가 되고 서쪽 방위에 속하며, 믿음이란 정성스러움이다. 간괘(艮卦☶)는 산이며, 태괘(兌卦☱)는 서쪽이다. 성의가 이미 확고하므로 서쪽 산에서 형통하게 할 수 있으니, 문왕이 이를 할 수 있었다.

강엄(康儼) 『주역(周易)』

按, 上六言隨之固結, 而不言所隨之處. 程傳本義, 亦不言, 惟丘建安以爲上隨五所以用亨. 蓋五有中正之德, 上必從五而後, 其所固結者乃爲可貴, 而又可以通於神明. 若所隨非正則何固結之可取乎.

내가 살펴보았다. 상육에서는 '따르기를 굳게 맺음'을 말하였지 '따르는 대상'에 대해서는 막

---

125) 『周易 · 隨卦』: 六二, 係小子, 失丈夫.

126) 글자가 빠져 있으나, 내용으로 파악하여 보충하였다.

127) 수괘(隨卦) 사효 · 오효가 양효이므로 가운데가 충실한 상이다. 호괘로 이효에서 사효 또는 오효 까지가 간괘(艮卦☶)의 상이 된다.

하지 않았다. 『정전』과 『본의』에서도 말하지 않았는데, 오직 건안구씨만이 상효가 오효를 따라서 형통하게 하는 것이라고 여겼다. 오효는 중정한 덕이 있어서 상효가 반드시 오효를 따른 후에야 그 굳게 맺은 것이 귀하게 될 수 있고, 또 신명에 통할 수 있다. 만약 따르는 대상이 바르지 않으면, 어떻게 굳게 맺음을 취할 수 있겠는가?

박문건(朴文健) 『주역연의(周易衍義)』

上下相虛, 故有拘係之之象. 係, 縛也. 亨, 享祀. 西山, 陰方之山也.
위와 아래가 서로 비어 있으므로 붙잡아 매는 상이 있다. '계(係)'는 묶어 매는 것이다. '형(亨)'은 제사지내는 것이다. '서쪽 산'은 음의 방위에 있는 산이다.
〈問, 拘係之以下. 曰, 下來而拘係其上, 則上又從之而維縛其下, 是互相爲虐也. 如此則處窮者, 危矣. 必當用亨於陰方之祇而盡誠受福, 則无害也.
물었다: '붙잡아 매고[拘係]' 이하는 무슨 뜻입니까?
답하였다: 아래에서 와서 그 위를 붙잡아 매면 위에서도 또 따라서 그 아래를 묶어서 동여매니, 이는 서로가 해치는 것입니다. 이와 같다면 궁한데 있는 사람이 위태로울 것입니다. 반드시 음의 방위에 있는 귀신에게 제사지내 정성을 다하여 복을 받아야 해를 입지 않을 것입니다.〉

〈○ 問, 隨與升言享山, 益獨言享帝, 其義何也. 曰處下, 故言山, 處上, 故言帝也.
물었다: 수괘(隨卦䷐)와 승괘(升卦䷭)에서는 산에서 제사지낸다고 하였는데,[128] 익괘(益卦䷩)에서는 유독 상제께 제사지낸다고 하였으니,[129] 그 뜻이 무엇입니까?
답하였다: 아래에 있으므로 산이라고 하였고, 위에 있으므로 상제라고 하였습니다.〉

이지연(李止淵) 『주역차의(周易箚疑)』

子曰, 未能[130]事人, 焉能事鬼. 大凡人之隨人, 以其有形也, 故見之易而感之亦易, 以人感神明, 以其无形也, 故見之難而感之亦難, 如是也. 故或有慢神而怠享者, 或有諂神而瀆祀者, 是皆不知事神者也. 詩曰惟此文王, 小心翼翼, 昭事上帝, 聿懷多福. 蓋事神之道, 一於至誠而已. 上六居卦之上, 爲隨之極, 又動而說之極者也. 夫如是, 則其至誠之維繫, 當如何哉. 人以至誠動而說, 則神亦感其誠, 而動而說也. 以文法推之, 謂之

---

128) 『周易 · 升卦』: 六四, 王用亨于岐山, 吉无咎.
129) 『周易 · 益卦』: 六二, 或, 益之十朋之龜, 弗克違, 永貞, 吉, 王用享于帝, 吉.
130) 能: 경학자료집성DB와 영인본에 모두 '知'로 되어 있으나, 『논어』를 살펴 '能'으로 바로잡았다.

祭山川之吉, 占者亦是也.

공자는 "사람 섬기기를 잘 하지 못한다면, 어찌 귀신을 섬길 수 있겠는가"[131]라고 하였다. 사람이 사람을 따르는 경우는 그 형체가 있기 때문이니 쉽게 볼 수 있어서 감동시킴도 또한 쉽고, 사람으로서 신명을 감동시키는 경우는 그 형체가 없기 때문에 보기가 어렵고 감동시킴도 또한 어려움이 이와 같다. 그러므로 혹 신을 소홀히 여겨 제사지내기를 게을리 하는 자도 있고, 혹 신에게 아첨하여 제사를 더럽히는 자도 있으니, 이는 모두 귀신을 섬기는 법을 모르는 자들이다. 『시경』에 "오직 이 문왕이 조심하고 공경하여 밝게 상제를 섬겨서 많은 복을 오게 하셨다"[132]라고 하였다. 신을 섬기는 도리는 지극한 정성에서 한결같을 뿐이다. 상육은 괘의 꼭대기에 있어서 따르기를 지극히 하고, 또 움직여 기쁘게 하기를 지극히 하는 자이다. 이와 같다면 지성으로 동여매는 것이 마땅히 어떠해야 하겠는가? 사람이 지극한 정성으로 움직여 기뻐하면 신도 그 정성에 감동하여 움직여 기뻐한다. 문장을 쓰는 법으로 미루어 보면, 산천에 제사함이 길하다고 한 것이니, 점을 치는 자도 역시 그러하다.

김기례(金箕澧) 「역요선의강목(易要選義綱目)」

西謂兌體, 山謂互艮象.

'서(西)'는 태괘(兌卦☱)의 몸체를 말하고, '산(山)'은 호괘인 간괘(艮卦☶)의 상을 말한다.

○ 胡雲峯曰, 兌爲巫, 西爲陰方, 有祭神而固結之象.

운봉호씨가 말하였다: 태괘(兌卦☱)는 무당이 되고, 서쪽은 음의 방위가 되니, 신에게 제사드려 굳게 맺는 상이 있다.

○ 柔居隨極, 誠意相孚, 民心維係.

부드러운 음으로서 '수(隨)'의 끝에 있는데, 성의로 서로 믿으니 민심이 굳게 동여 매인다.

○ 卦中陰爻皆謂係, 陽爻不言係者, 所以明陰隨陽之義, 扶陽抑陰, 易之大義.

괘 가운데 음효에서는 모두 "맨다[係]"고 하고, 양효에서는 "맨다[係]"고 하지 않은 것은 음이 양을 따르는 뜻을 밝히려 까닭이니, 양을 북돋우고 음을 누르는 것이 『주역』의 큰 뜻이다.

---

131) 『論語 · 先進』: 季路問事鬼神. 子曰, 未能事人, 焉能事鬼. 敢問死. 曰, 未知生, 焉知死.

132) 『詩經 · 大明』: 維此文王, 小心翼翼. 昭事上帝, 聿懷多福. 厥德不回, 以受方國.

윤종섭(尹鍾燮) 『경(經)·역(易)』

上六之係之維之, 互巽反巽, 皆爲係象. 王享西山, 互有艮而上有兌, 故曰西山.
상육에서 "맨다[係之]"고 하고 "동여맨다[維之]"고 한 것은 호괘인 손괘(巽卦☴)와 상괘를 거꾸로 한 손괘(巽卦☴)에 모두 묶는 상이 있기 때문이다. "임금이 서쪽 산에서 제사 드린다"는 것은 호괘에 간괘(艮卦☶)가 있고 위에 태괘(兌卦☱)가 있으므로 '서쪽 산'이라고 하였다.

이항로(李恒老) 「주역전의동이석의(周易傳義同異釋義)」

按, 本義亨作享, 說見上.
내가 살펴보았다: 『본의』에서는 '형(亨)'를 '제사드린다[享]'로 보았는데, 위에 설명이 보인다.

심대윤(沈大允) 『주역상의점법(周易象義占法)』

隨之无妄䷘, 无, 不也. 上六以柔居柔, 處隨之極, 苟隨之无所不至也. 艮巽爲拘係. 拘係之, 言爲五所拘也, 乃從維之, 言自係于五也, 不言隨者不由已也. 文王拘于羑里, 食邑考之, 向[133]進美女珍寶, 唯紂之心是隨, 終得賜鈇鉞爲西伯, 用此道也. 不於見囚之初卽爲納賂求免, 人臣之義也. 至於七年之久, 紂之所以使文王者, 極而无所不至, 君臣之義旣已大絶. 然後乃可以賂免, 賂免者不以紂爲君也, 聖人之時中也. 坎爲酒食, 兌爲亨. 艮上連于兌曰西山. 師傅之道, 有答問而无諫爭矣.
수괘가 무망괘(䷘)로 바뀌었으니, '무(无)'는 '불(不)'이다. 상육은 부드러운 음으로 음의 자리에 있어서 '수(隨)'의 끝에 있으니, 구차하게 따라서 가지 않는 데가 없다. 간괘(艮卦☶)와 손괘(巽卦☴)는 붙잡아 매는 것이 된다. "붙잡아 맨다"는 오효에게 붙잡힌다는 말이고 "따라서 동여맨다"는 스스로 오효에게 매인다는 말이며, "따른다"고 하지 않은 것은 자기로부터 말미암지 않기 때문이다. 문왕이 유리에 묶여 있으면서 자신의 식읍을 헤아려 보고, 미녀와 보물을 바쳐 오직 은나라 주왕의 마음을 따르자 마침내 부월(鈇鉞)[134]을 하사 받아 서쪽 지역 제후의 수장이 될 수 있었으니, 이 도리를 쓴 것이다. 처음 갇혔을 때에는 뇌물을 써서 모면하고자 하지 않았으니 남의 신하된 의리가 있어서이다. 칠년이라는 오랜 시간이 지나 주(紂)임금이 문왕에게 시키는 바가 지극하여 하지 못하는 것이 없었으므로 임금과 신하의

---

133) 向: 경학자료집성DB에 '肉'으로 되어 있으나 영인본의 글자가 '向'에 더 가까운 것으로 보인다.
134) 부월(鈇鉞): 임금이 장수나 제후에게 생살권(生殺權)을 부여한다는 뜻에서 주던 도끼 모양의 의장(儀仗).(『한시어사전』, 2007, 국학자료원.)

의리가 이미 크게 단절되었다. 그러한 후에야 뇌물을 쓸 수 있는데, 뇌물을 쓴 것은 주(紂)를 임금으로 여기지 않아서이니, 이것이 성인의 때에 알맞게 한다[時中]는 것이다. 감괘(坎卦☵)는 술과 음식이고, 태괘(兌卦☱)는 제사지냄이 된다. 간괘(艮卦☶)가 위로 태괘(兌卦☱)와 연결되므로 '서쪽 산'이라고 하였다. 스승의 도리는 묻고 답하기는 하지만 간쟁하지는 않는다.

오치기(吳致箕) 「주역경전증해(周易經傳增解)」

上六, 柔得其正而居上, 爲九五之君所隨. 誠心固結, 旣拘係之, 又從而維之, 且其賢德可交神明, 故使之主祭, 用享于西山, 其相信而委任可知矣.
상육은 부드러운 음으로 그 바름을 얻어 맨 윗자리에 있으니, 구오의 임금이 따르는 바가 된다. 정성스런 마음으로 굳게 맺으니, 이미 붙잡아 매었는데 또 따라서 동여맨 것과 같다. 또한 그 어진 덕으로 신명과 소통할 수 있으므로 그로 하여금 제사를 주관하여 서쪽 산에서 제사를 드리게 하니, 서로 믿어 위임하였음을 알 수 있다.

○ 對艮爲手, 拘之象. 係維皆取於應體互巽而謂隨之固結也. 亨當作享. 兌爲西方, 對艮爲山也. 此爻之不言占, 與六二義同. 易中凡言享祀者, 稱其人賢德可以感通神明也. 言征伐者, 稱其人才德可成功業也. 以祭祀言者, 有牲醴筐篚之象. 以征伐言者, 有甲冑戈兵之象.
상괘의 음양이 바뀐 간괘(艮卦☶)가 손[手]이니, 붙잡는 상이다. 묶고 동여매는 것은 모두 호응하는 몸체와 호괘인 손괘(巽卦☴)에서 취한 것으로 '따르기를 굳게 맺음'을 말한다. '형(亨)'은 '향(享)'이라고 하여야 한다. 태괘(兌卦☱)는 서쪽 방위이고 음양이 바뀐 간괘(艮卦☶)는 산이 된다. 이 효에서 점을 말하지 않는 것은 육이와 뜻이 같다. 『주역』에서는 "제사를 드린다"고 말하는 것은 그 사람의 어진 덕으로 신명과 감통할 수 있음을 칭찬한 경우이다. "정벌하다"라고 말한 것은 그 사람의 재질과 덕으로 그 공업(功業)을 이룰 수 있음을 칭찬한 경우이다. '제사'를 가지고 말한 것은 희생(犧牲)과 감주(甘酒) 및 제기의 상이 있다. '정벌'을 가지고 말한 것은 갑옷과 병장기의 상이 있다.

이진상(李震相) 『역학관규(易學管窺)』

王用亨于西山..
임금이 서쪽 산에서 제사드린다.

卦中西山, 以艮言. 雲峰謂西兌象, 山艮象, 一山而分屬二卦, 破碎甚矣. 西果兌象, 則升之互兌, 不曰西而曰歧, 何也.
괘 가운데의 '서쪽 산'은 간괘(艮卦☶)를 가지고 말하였다. 운봉호씨는 서쪽은 태괘(兌卦☱)의 상이고 산은 간괘(艮卦☶)의 상이라고 하였는데, 하나의 산이라면서도 나누어 두 괘에 속하게 하니, 나누어짐이 심하다. 서쪽이 과연 태괘(兌卦☱)의 상이라면, 승괘(升卦䷭)의 호괘가 태괘(兌卦☱)인데도 '서쪽'이라 하지 않고 '기산(歧山)'이라고[135] 한 것은 어째서인가?

채종식(蔡鍾植) 「주역전의동귀해(周易傳義同歸解)」

上六, 王用亨于西山.
[정전] 상육, 임금이 서쪽 산에서 형통하게 하였다.
[본의] 상육, 임금이 서쪽 산에서 제사드린다.

傳, 解作太王之事, 言邠人扶攜以隨之也. 本義, 解作祭山川之占, 言誠意通神明, 則神亦隨之也. 兩說絶不相同. 然其解固結之隨, 則同義也. 升六四爻亦倣此.
『정전』에서는 태왕(太王)의 일이라고 풀이하여 빈(邠)땅의 사람들이 서로 붙들고 이끌면서 따랐다고 하였다. 『본의』에서는 산천에 제사지낼 때의 점괘라고 풀이하여 성의가 신명에 통하면 신(神) 역시 따른다고 하였다. 두 설이 전혀 서로 같지 않으나, 그 견고하게 맺어져 따른다고 풀이한 점에서는 뜻이 같다. 승괘(升卦䷭) 육사효도[136] 이와 마찬가지이다.

박문호(朴文鎬) 「경설(經說)·주역(周易)」

文王繫辭, 周公繫爻, 故凡爻辭稱王者, 皆指文王也, 而此王用亨之王, 程子斷以太王當之. 蓋以其事則甚合, 而以其文則恐有不然耳.
문왕이 괘사를 짓고 주공이 효사를 지었으므로 효사에서 임금[王]이라고 한 것은 모두 문왕을 가리키지만, 여기에서 "임금이 형통하게 하였다"라고 할 때의 임금을 정자는 태왕(太王)이라고 단정지었다. 그 일로 보면 꼭 맞지만, 그 문장으로 보면 꼭 그렇지는 않은 듯하다.

이용구(李容九) 「역주해선(易註解選)」

上六, 拘係之, 乃從維之.

---

135) 『周易·升卦』: 王用亨于岐山, 吉, 无咎.
136) 『周易·升卦』: 王用亨于岐山, 吉, 无咎.

상육은 붙잡아 매고 따라서 동여맨다.

昔太王用此道, 享王業于西山, 民歸如市, 人心隨之固結如此.
옛날에 태왕(太王)이 이 도를 써서 서쪽 산에서 왕업이 이루어지기를 제사드리자 백성들이 시장에 모여들듯 그에게 귀의하였으니,[137] 사람의 마음이 따르기를 굳게 맺음이 이와 같았다.

이병헌(李炳憲) 『역경금문고통론(易經今文考通論)』

京曰. 亨祭也.
경방이 말하였다: 형(亨)은 제사드리는 것이다.

王曰, 兌爲西方山.
왕필이 말하였다: 태괘(兌卦☱)가 서쪽 방위의 산이 된다.

姚曰, 亨于西山, 言人歸則神亨. 此言否上窮而反下成隨, 天下歸輿王之象也. 緯指文王事, 謂文王拘民以禮, 係民以義. 然恐指拘係文王, 終使歸之西岐也.
요신이 말하였다: "서쪽 산에서 제사드린다[亨于西山]"는 것은 사람들이 귀의하자 신이 흠향하는 것을 말한다. 이는 비색함이 위에서 다하여 도리어 아래에서는 따르게 되니, 천하 사람들이 귀의하여 왕업이 흥성하는 상이라는 말이다. 『역위』에서는 문왕의 일을 가리키니, 문왕이 예(禮)로써 백성들을 붙잡고, 의(義)로써 백성들을 매는 것으로 풀이하였다. 그러나 혹 문왕을 잡아매어 끝내 서쪽의 기산으로 돌아가게 한 것을 가리키는지도 모르겠다.

137) 『孟子 · 梁惠王』: 昔者, 大王居邠, 狄人侵之 … 去邠踰梁山, 邑于岐山之下居焉. 邠人曰, 仁人也, 不可失也. 從之者, 如歸市.

象曰, 拘係之, 上窮也.

「상전」에서 말하였다: "붙잡아 맴"은 위에서 다한 것이다.

中國大全

傳

隨之固, 如拘係維持, 隨道之窮極也.

'따름[隨]'의 굳음이 붙잡아 매고 끈으로 동여매는 것과 같으니, 따르는 도의 궁극이다.

本義

窮, 極也.

'궁(窮)'은 극에 달한 것이다.

小註

雲峰胡氏曰, 窮之義一爾. 豫初而曰滿極. 惡其人欲沉溺而不能脫也. 隨終而曰窮極, 喜其人心固結而不可解也.

운봉호씨가 말하였다: '궁(窮)'의 뜻은 하나일 따름이다. 예괘(豫卦)의 초효 「소상전」에 대하여 『본의』에서 '가득 참이 지극함[滿極]'[138]이라고 하였으니, 그 사람의 욕심에 빠져 벗어나지 못함을 미워하는 것이다. 수괘(隨卦䷐)의 끝이므로 "궁(窮)은 극에 달한 것이다[窮極]"라고 하였으니, 그 사람의 마음이 굳게 맺어져 풀 수 없음을 기뻐한 것이다.

又曰, 六爻陰陽各半, 陽有所隨无所係, 故初五皆吉而四何咎. 陰性隨而不能无所係, 故二係小子, 三係丈夫, 上拘係之, 皆不言吉. 然係丈夫猶可也, 係小子, 凶咎不言可知.

138) 『周易傳義大全 · 豫卦 · 本義』: 窮, 謂滿極.

또 말하였다: 여섯 효는 음과 양이 각기 반씩인데, 양은 따르는 바가 있으나 묶이는 바는 없으므로 초효와 오효는 모두 길하고, 사효에서는 무슨 허물이 있겠는가? 음의 성질은 따르면서 매이는 바가 없을 수 없으므로, 이효는 어린아이에게 얽매이고, 삼효는 장부에게 얽매이며, 상효는 붙잡아 매는 것이니 모두 "길하다"고 하지 않았다. 그렇지만 장부에게 얽매이는 것은 오히려 괜찮으나, 어린아이에게 얽매이는 것은 흉하고 허물이 있으리라는 것을 말하지 않아도 알 만하다.

○ 建安丘氏曰, 卦以物隨爲義, 爻以隨物爲義. 六爻以陰隨陽者言, 則上之陽可隨而下之陽不可隨, 此三隨四所以有得, 上隨五所以用亨, 而二隨初所以有係小子之失. 以陽得陰之隨者言, 則五君位當爲人所隨, 四臣位不當爲人所隨, 此四得陰之隨所以貞凶. 五得陰之隨所以貞吉, 隨之不可苟也如此.
건안구씨가 말하였다: 괘는 남들이 따르는 것으로 뜻을 삼았고, 효는 남을 따르는 것으로 뜻을 삼았다. 여섯 효에서 음이 양을 따르는 것으로 말한다면, 위에 있는 양은 따를 수 있으나 아래에 있는 양은 따를 수가 없으니, 이것이 삼효가 사효를 따라서 얻음이 있는[139] 이유이고, 상효가 오효를 따라서 형통하게 하는 이유이고, 이효가 초효를 따라서 어린아이에게 얽매이는[140] 잘못이 있는 이유이다. 양으로서 음의 따름을 얻는 경우로 말한다면, 오효는 임금의 자리라서 당연히 사람들이 따르는 바가 되고, 사효는 신하의 자리라서 사람들이 따르는 바가 됨이 마땅하지 않으니, 이것이 사효가 음의 따름을 얻으면 곧더라도 흉한[141] 이유이고, 오효가 음의 따름을 얻어 바르고 길한[142] 까닭이니, 구차하게 따라서는 안 되는 것이 이와 같다.

韓國大全

김상악(金相岳) 『산천역설(山天易說)』

傳義備矣.
『정전』과 『본의』에 의미가 다 갖추어져 있다.

139) 『周易·隨卦』: 六三, 係丈夫, 失小子, 隨有求得, 利居貞.
140) 『周易·隨卦』: 六二, 係小子, 失丈夫.
141) 『周易·隨卦』: 九四, 隨有獲, 貞凶. 有孚在道以明, 何咎.
142) 『周易·隨卦』: 九五, 孚于嘉, 吉.

서유신(徐有臣)『역의의언(易義擬言)』

上窮, 無可往之地, 所以爲拘係之之象也. 此亦隨時也.
위에서 다하여 더 이상 나아갈 곳이 없기 때문에 붙잡아서 묶어 놓는 상이 된다. 이 역시 때를 따르는 것이다.

김귀주(金龜柱)『주역차록(周易箚錄)』

本義, 窮, 極[143]也.
『본의』에서 말하였다: '궁(窮)'은 극에 달한 것이다.

小註, 雲峯胡氏曰, 窮之, 云云.
소주에서 운봉호씨가 말하였다: '궁(窮)'의 뜻은, 운운.

○ 按, 四之爻辭, 分明言貞凶, 則今强引戒辭之何咎, 以爲吉之類, 恐未安. 此卦諸爻, 惟九五最得隨道之善, 故他爻皆有戒辭, 而五獨稱吉, 無他語. 蓋隨之道常患於過, 二則生弊而五陽剛中正, 得其正應, 隨道之善, 莫大於此, 所以爲吉也. 如六二者, 雖曰中正而陰柔不能自立, 反失其中正之德, 故不得爲善. 然則凡隨人隨事, 必剛中正, 三者兼備, 然後乃可以無失矣.
내가 살펴보았다: 구사의 효사에 분명히 "바르게 하더라도 흉하다"라고 하였으니, 이제 "무슨 허물이 있겠는가?"[144]라고 경계한 말을 무리하게 인용하여 길한 부류로 삼은 것은 아마도 옳지 못한 듯하다. 이 괘의 여러 효 가운데 오효만이 훌륭하게 따르는 도리를 가장 잘 얻었으므로, 다른 효는 모두 경계하는 말이 있지만 오효에서만은 길하다고 하고 다른 말이 없다. 따르는 도리는 항상 지나친 데서 병통이 생기니, 이효는 폐단을 낳지만 오효는 굳센 양으로 중정하고, 그 정응을 얻어서 훌륭하게 따르는 도리가 이보다 더 클 수가 없기 때문에 길함이 된다. 육이 같은 경우는 비록 중정하다고 할 수 있지만 부드러운 음이어서 자립할 수가 없고, 도리어 그 중정한 덕을 잃으므로 선(善)이 되지 못한다. 그렇다면 남을 따르고 일을 따름은 반드시 굳세고 바르고 알맞아야 하니, 이 세 가지를 겸비한 후에야 잘못이 없을 수 있다.

---

143) 極: 경학자료집성DB에 '按'으로 되어 있으나, 영인본 및 『주역』 경문을 참조하여 '極'으로 바로잡았다.
144) 『周易 · 隨卦』: 九四, 隨有獲, 貞凶. 有孚在道以明, 何咎.

박문건(朴文健)『주역연의(周易衍義)』

上窮, 言處上而窮也.
'상궁(上窮)'은 위에 있으면서 다함을 말한다.

김기례(金箕澧)「역요선의강목(易要選義綱目)」

上窮.
위에서 다한 것이다.

豫初志窮, 惡志滿而極, 隨上窮, 喜人心係而極.
예괘(豫卦䷏)의 초효에서 "제 뜻대로 함이 극에 달한다[志窮]"145)고 하였는데, 이는 제 뜻이 가득하여 극에 달함을 미워한 것이다. 수괘(隨卦䷐)의 상효에서는 "위에서 다하였다[上窮]"라고 하였는데, 이는 인심이 매여 극에 달함을 기뻐한 것이다.

贊曰, 剛來下柔, 陰係陽隨. 動以悅應, 隨義隨時. 官變以正, 有功无私. 嚮晦宴息, 動靜是宜.
찬미하여 말하였다: 굳센 양이 와서 부드러운 음에게 낮추니, 음은 매이고 양은 따른다네. 움직이자 기쁘게 호응을 하니, 뜻을 따르고 때를 따른다네. 주장하여 변하기를 바르게 하니, 공은 있고 사사로움은 없도다. 날이 어둠을 향하면 편안히 쉬니, 움직임과 고요함이 마땅하구나.

심대윤(沈大允)『주역상의점법(周易象義占法)』

隨之時, 初始隨也. 二三有取有舍也. 四五有勉從有不從也. 上六固隨之矣.
따르는 때에 초효는 처음으로 따른다. 이효와 삼효는 취하는 경우도 있고, 버리는 경우도 있다. 사효와 오효는 힘써 따르는 경우도 있고, 따르지 않는 경우도 있다. 상육은 굳게 따른다.

오치기(吳致箕)「주역경전증해(周易經傳增解)」

窮者, 極也. 居于上而隨之極, 故言其拘係維縻固結而不可解也.
'궁(窮)'이란 극에 달하는 것이다. 꼭대기에 있어 따름이 극에 달한다. 그러므로 그 붙잡아 매고 끈으로 얽어 동여맨 것이 단단히 맺어져서 풀 수 없음을 말한다.

---

145)『周易·豫卦』: 初六, 象曰, 初六鳴豫, 志窮, 凶也.

▌한국주역대전 편찬실

연구책임자 최영진_성균관대 교수, 율곡학회 회장

연구실장 임옥균_성균관대

연구팀장 김학목_고려대

이선경_성신여대

허종은_성균관대

전임연구원 강필선_서일대

김병애_서울시립대

윤종빈_충남대

이경한_성균관대

이상훈_형양사범대

정병섭_전북대

조희영_숭실대

진성수_전북대

최정준_동방문화대

함윤식_성균관대

연구원 김송자_성균관대

단윤진_성균관대

마용철_성균관대

오상현_숭실대

정진욱_성균관대

이윤정_성균관대

김혜일_경희대

이은호_성균관대

한국주역대전 4 비괘·동인괘·대유괘·겸괘·예괘·수괘

초판 인쇄 2017년 8월 10일
초판 발행 2017년 8월 30일

엮 은 이 | 한국주역대전 편찬실
펴 낸 이 | 하운근
펴 낸 곳 | 學古房

주　　소 | 경기도 고양시 덕양구 통일로 140 삼송테크노밸리 A동 B224
전　　화 | (02)353-9908 편집부(02)356-9903
팩　　스 | (02)6959-8234
홈페이지 | http://hakgobang.co.kr
전자우편 | hakgobang@naver.com, hakgobang@chol.com
등록번호 | 제311-1994-000001호

ISBN 978-89-6071-684-1 94140
978-89-6071-680-3 (세트)

값 : 1,250,000원 (전14책)

이 도서의 국립중앙도서관 출판예정도서목록(CIP)은 서지정보유통지원시스템 홈페이지(http://seoji.nl.go.kr)와 국가자료공동목록시스템(http://www.nl.go.kr/kolisnet)에서 이용하실 수 있습니다. (CIP제어번호 : CIP2017021783)